100점을 위한 필수스킬 아이템 수록

쉽고 빠른 개념소화

안까먹는 암기비법

문제푸는 스킬향상

시간단축 목표달성

왜 이 교재 안에는 할머니 할아버지들이 직접 쓰신 말씀카드가 들어있을까?

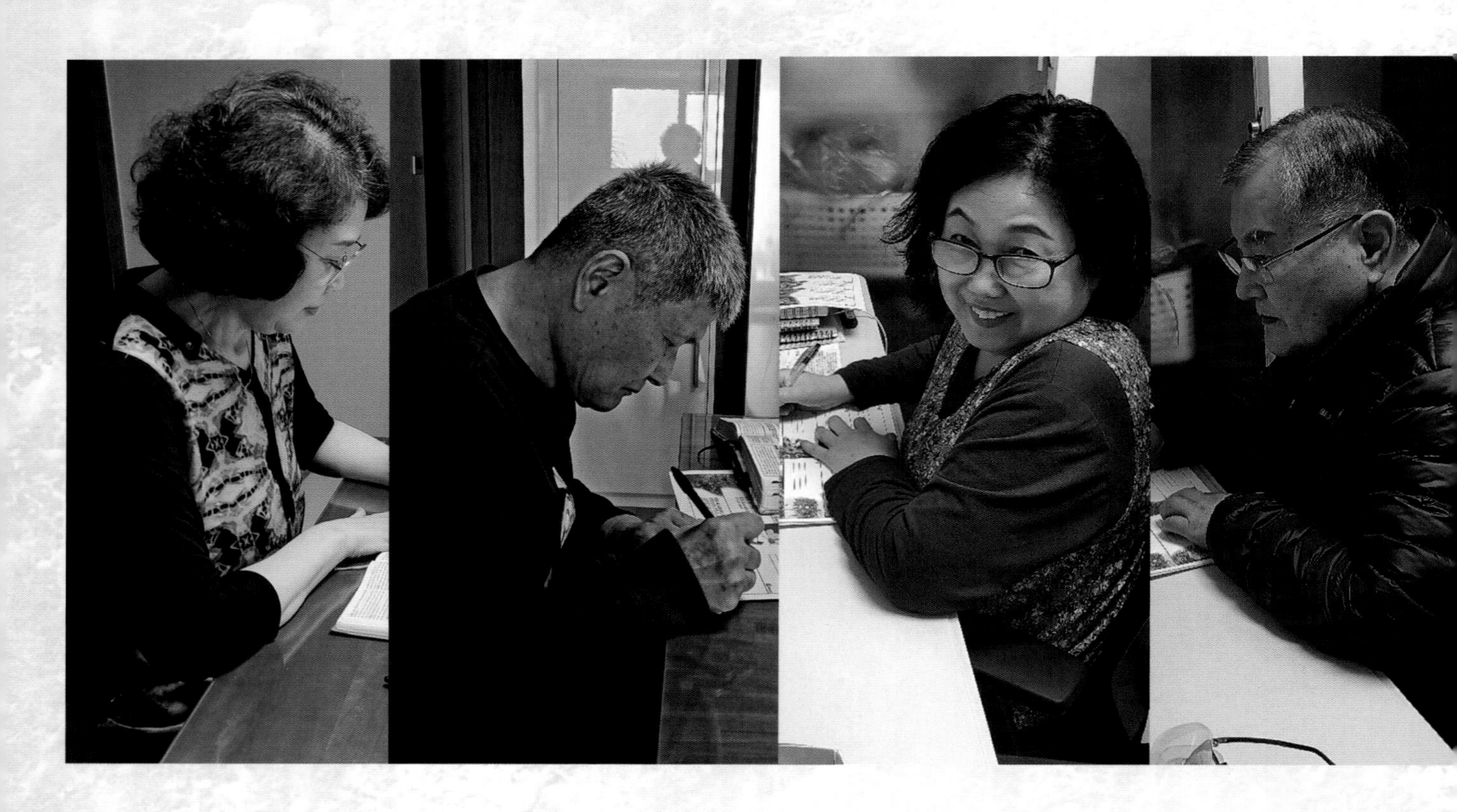

그냥, 사랑하니까

사랑하는 청소년들아!
우리는 너희들이 너무 예쁘고 사랑스러워서,
직접 쓰고 자르고 엮어 이 말씀카드를 만들었단다!
잃어버리지 않고 항상 가지고 다니면
반드시 너희에게 힘이 될거야! 너무너무 사랑해!

빡공시대 말씀카드팀

진리가 너희를 자유케 하리라!

총괄기획 : 하예성 | 기획 : 이보람 | 개발 : 이보람,김명선,하누리,박현주,정보름,정현호
디자인총괄 : 김지혜 | 디자인진행 : 이진주,박명자 | 자문위원 : 김준희

“좋은 나무에서 좋은 열매가 난다”

사랑하는 다음세대 친구 여러분들!!
람보쌤과 빡공시대 선생님들이 사회2 강의와 교재를 만들 때
이 마음으로 시작했어요.
“좋은 나무에서 좋은 열매가 난다!!”
우리 다음세대들을 ‘좋은 나무’로 만들어야겠다^^

많은 학생들이 ‘좋은 열매’에 집중을 합니다.
그러나 좋은 열매를 맺기 위해서는 먼저 ‘좋은 나무’가 되어야해요.
저는 이책으로 공부하는 모든 친구들이
좋은 나무가 되었으면 좋겠어요!!

그래서 우리 친구들에게 ‘사회 교과’적인 지식뿐만 아니라,
이 세상에서 꼭 필요한 사람으로 살 수 있도록!!
이 세상을 이롭게 하는 사람으로 살 수 있도록
‘지혜’를 가르쳐야겠다는 생각을했어요.

그렇게 탄생된 사회2 응가사회!!
우리 친구들을 ‘좋은 나무’로 성장시켜주는 씨앗이 될 것이랍니다!!

좋은 나무가 되세요^^
그래야 쉼이 필요한 사람들이 여러분들의 그늘 아래에서 쉴것이고!!
배고픈자는 여러분들이 맺은 열매로 배부를것이며!!
보잘것없는 작은새들은 찾아와 둥지를 틀고 아름다운 노래를 부를것이랍니다!!
알라븅^^

응가사회② 1학기 목차

1.인권과 헌법

2.헌법과 국가 기관

3.경제 생활과 선택

4.시장 경제와 가격

5.국민 경제와 국제 거래

6.국제 사회와 국제 정치

나랑 같이 해보자!

이렇게 공부하면 사회 평생100점!

응가사회 친절사용설명서

★모델 : 김지혜 선생

1 먼저 책을 펴고 람보쌤의 강의를 들어주세요!

빡공시대 중3사회

-유튜브에서 '빡공시대 중3사회'를 검색하여 강의를 듣습니다(무료인데, 개꿀잼임!)
-강의중에 람보쌤이 알려주시는 핵심 '키워드'에 집중해서 들어주세요.
*문제풀이 강좌도 같이 올라가 있으니 눈여겨봐두기!0_0

2 강의를 들은 뒤 본문내용을 보며 스스로 정리하세요.

-강의에서 선생님이 설명하신 내용들을 떠올리며 공부합니다.
-본문 내용에는 람보쌤이 강조하신 '키워드'들이 표시되어 있으니 반드시 외워줍니다.

3 키워드맵+반복유형문제로 뇌에 싹-넘어주세요!(자동으로 외워짐!)

(1) 키워드맵

1단계 시험에 나오는 중요한 기본 개념 파악!

1. 다음 회색 글씨를 따라 쓰면서 중요 내용을 암기하세요.	
	구제 방법
임금 체불	·고용 노동부에 진정 제기 또는, ·법원에 소 제기
부당 노동 행위 · 부당 해고	·노동 위원회에 구제 신청 또는, ·법원에 소 제기

2단계 기본 개념 적용하기

2. 맞는 것끼리 연결하시오.

① 생산 · · (1) 생산에 참여한 사람들이 대가를 나누어 가지는 것을 의미한다.

② 소비 · · (2) 생활에 필요한 ... 를 구입하여 사용 ... 의미한다.

③ 분배 · · (3) 필요 ... 만들거나 재 ... 을 ...

(암기완료)

따라쓰고, 선긋고, OX퀴즈를 풀다보면 어느새 자동 암기 끝!
평소에 암기가 힘들었던 친구들도 키워드맵을 하면 끙끙대지 않아도 잘할 수 있어요!

(2) 반복유형문제 + 실전고사문제 풀기

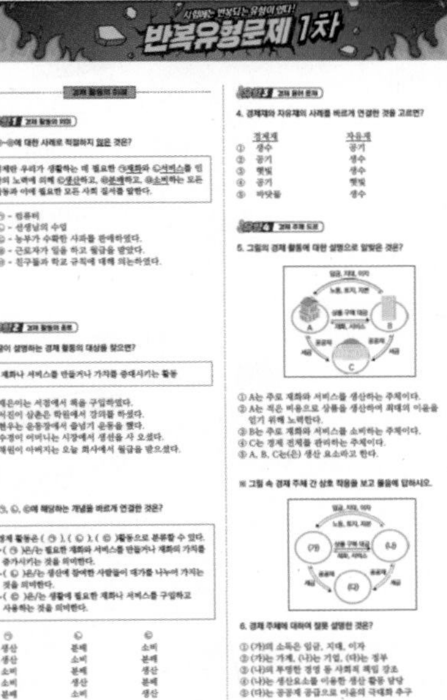

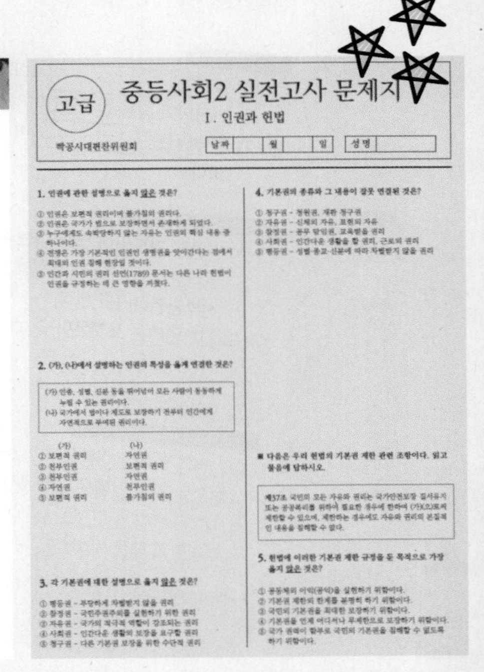

-가장 많이 나오는 문제를 유형별로 묶어 시험문제를 잘 풀수 있게 구성해 두었어요.
-대단원이 끝날때마다 실전고사를 통해 나의 최종실력을 점검할 수 있어요!

4 쉬는시간 7분활용! 차근차근 헬스장 풀기!

쉬는시간 100% 활용! 스트레스 1도 없이 재밌게 복습하는
차근차근 헬스장을 학교에 꼭! 가져가서 한쪽씩만
풀어보세요! 완벽한 사회2 몸짱이 될 것입니다!

그게 뭔데요? 다음페이지를 보세요 ▶

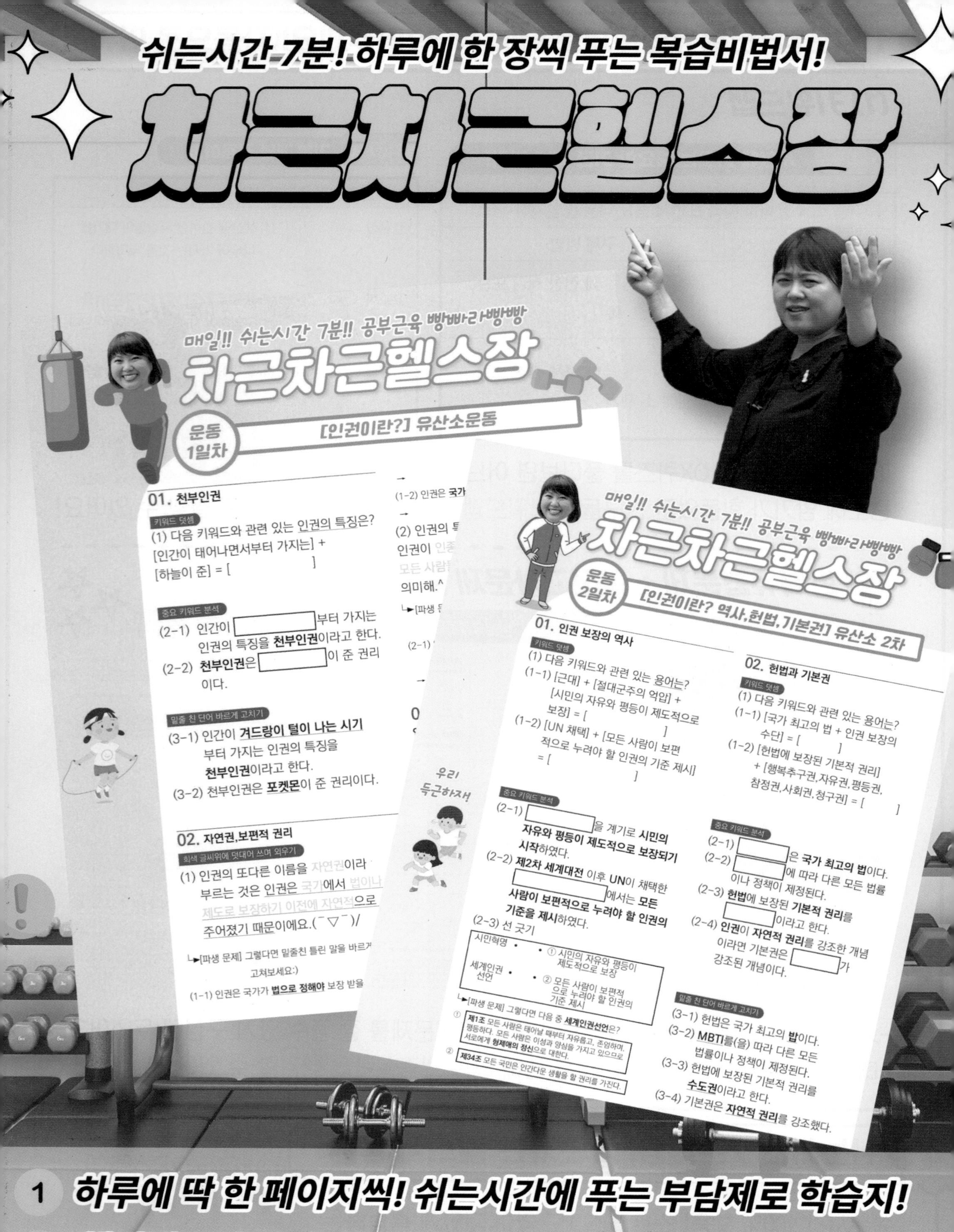

1 하루에 딱 한 페이지씩! 쉬는시간에 푸는 부담제로 학습지!

2 핵심내용이 정리되어 있어 시험기간용 교재로도 아주NICE!

차근차근 헬스장은 별책부록으로 수록되어 있어요. 지금 바로 확인!

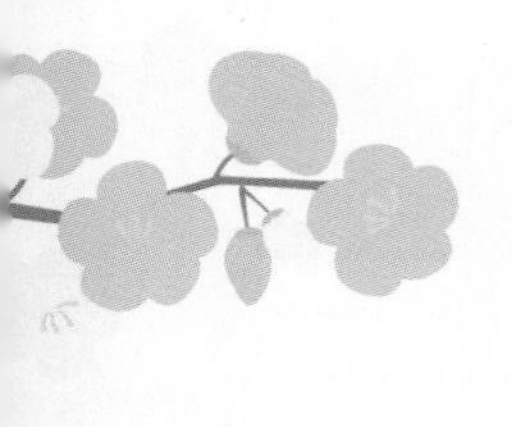

절박한 순간에도,
다른 이의 손을 놓지 않았던
그 의로움을 기억합니다.

단원고등학교 2학년 2반 반장이었던 **양온유**는, 세월호 침몰 당시 갑판까지 나왔다가 친구들의 살려달라는 목소리를 따라 구조를 위해 다시 선실로 달려간 의인이었습니다.

단원고 재학 중 체육교사를 꿈꾸며 체대 진학을 준비하고 있었던 **정차웅**은, 세월호 침몰 사고 당시 친구에게 자기가 입고 있던 구명조끼를 벗어주고 물에 빠진 친구를 구하러 바다에 뛰어들어 친구를 구한 의인이었습니다.

참사 이후 1,129일만에 시신이 수습된 **허다윤** 양은 참사 당시 구조 헬기가 도착했을 때 늦게 온 친구를 자신보다 먼저 구조되도록 도왔던 마음착한 의인이었습니다.

숭고한 희생으로 생명을 살려낸
의로운 다음세대를 함께 기억해 주세요.

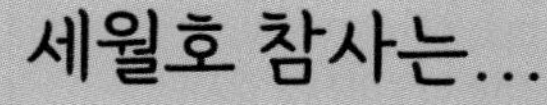

세월호 참사는...

2014년 4월 16일 인천에서 제주로 향하던 여객선 세월호가 진도 인근 해상에서 침몰하면서 승객 304명이 사망·실종된 대형 참사입니다. 희생자들의 대부분은 수학여행을 떠난 안산 단원고등학교 2학년 학생들이었습니다. 빡공시대는 꽃같은 다음세대들의 희생과 그 과정에서 피어난 의로움을 끝까지 기억하고 전하고자 합니다.

1. 인권 보장과 기본권

1. 인권이란?

(1) 인권: 인간이 인간답게 살기 위하여 마땅히 누려야할 권리

(2) 인권의 특징 시험100%출제

천부인권	• 인간이 태어나면서부터 당연히 가지게 되는 하늘이 준 권리
자연권	• 국가에서 법이나 제도로 보장하기 이전에 자연적으로 주어졌음
보편적 권리	• 인종, 성별, 나이, 신분 등을 초월하여 모든 사람들이 동등하게 누림
불가침의 권리	• 국가를 포함한 어떤 권력도 함부로 침범할 수 없음

훼이크 주의보 (시험에 겁나 잘나오는 훼이크)

• 특히 **자연권**을 가지고 훼이크로 셤에 겁나 잘나와! ٩(◉̀o◉́)۶ **인권**은 '**법이나 제도로 보장하기 전에**' 이미 **자연스럽게** 인간에게 주어 진거야!

• 그런데 시험에는 '인권은 국가가 법으로 정해야 보장 받을 수 있는 권리이다.' 라던가 '인권은 국가가 법으로 보장하면서 존재하게 되었다.' 라는 식으로 법이 보장해야 인권이 보장되는 것처럼 잘나와!(ง •̀_•́)ง 그런데 인권은 법이나 국가가 보장하는것과 관련없이 무조건 보장해야하는 자연권 이라는 것을 꼭 기억해!! 알라븅s(￣▽￣)v

시험에 나왔던 서술형

Q. **인권**이 가진 특징을 **3가지 이상** 서술하시오.

A. 〈 • **천부인권**, 인권은 **인간이 태어나면서부터 가지는 하늘이 준 권리**이다.
• **자연권**, 인권은 **국가의 법이나 제도로 정하기 이전에 자연적으로 주어진 권리**이다.
• **보편적인 권리**, 인권은 **성별, 나이, 신분** 등을 초월하여 **모든 사람들이 동등하게 누리는 권리**이다. 〉

시험에 나오는 지문들은 싹다 모아라!!

람보쌤이 **시험에 나오는 중요 지문들은 싹다 모아봤어.**^∪^
어쩌면 '왜이리 문제가 많지?' 라는 생각이 들수도 있을 거야.
하지만 이 문제들을 다 풀고나면 '아! 이런 스타일이 시험에 나오는구나!'라는 깨달음이 느껴질 것이란다.
쌤은 너희들이 스스로 서는 공부를 했으면 좋겠어!
그럴려면 시험에 잘나오는 패턴들을 스스로 분석할 줄 알아야해.o(^-^)o
쌤이 연습시켜줄께! 너희들이 스스로 설 수 있도록 말이야!!

Q. 인권에 대한 설명으로 **맞으면 ○표, 틀리면 ×표**를 하시오.

① **하늘이 준 권리라는 의미**에서 **천부인권**이라고 한다. ( )
② **태어나면서부터 갖는 권리**로 **천부인권**이라고도 한다. ( )

중요
③ **국가가 법으로 정해야 보장 받을 수 있는** 권리이다. ( )
④ 국가 형성 이후 부여된 권리이다. ( )
⑤ 인권은 **국가가 법으로 보장하면서** 존재하게 되었다. ( )

시험TIP: 자연권과 관련된 위의 지문은 정말 정말 중요해! 그러니깐 잘 봐둬!('︶')

⑥ **누구나 존중받고 인간답게 살 수 있는 권리**이다. ( )
⑦ 사람이라면 **누구나** 가지는 **기본적**이고 **보편적**인 권리이다. ( )
⑧ 인권은 **보편적 권리**이며 **불가침의 권리**이다. ( )
⑨ **인종이나 성별, 신분** 등을 뛰어넘어 모든 사람이 동등하게 누려야한다. ( )

시험TIP: 인권의 특징 중 **'보편적 권리'**는 **'누구나'**라는 단어가 잘 들어가!(^0^)

⑩ 당사자가 원할 경우 다른 사람에게 양도 할 수 있다. ( )
⑪ 국가 권력이 함부로 침해 할 수 없는 권리이다. ( )

• 정답 : ①~⑤: ○○×××, ⑥~⑪: ○○○○×○

2. 인권 보장의 역사

	특징	보장 정도
근대 이전	• 고대: 노예, 중세: 농노 → 심한 차별 대우 → 인간으로 대우받지 못함	불완벽한 인권 보장
중요 근대	• 계기: 시민혁명 → 절대 군주의 억압에 맞서 투쟁함 → 시민의 자유와 평등이 제도적으로 보장되기 시작	아직도 불완벽한 인권 보장
현대	• 계기: 세계 인권 선언 (UN 채택) → 모든 사람이 보편적으로 누려야 할 인권의 기준 제시	완벽한 인권 보장

훼이크 주의보

시민혁명이 워낙 대단하잖아!
그래서 마치 이때 완벽한 인권 보장이 이루어진것 같지만, 완벽한 인권보장은 *'세계 인권 선언' 이후에나 가능해졌다*는 것을 헷갈리지 말도록!

람보쌤의 '인권 보장의 역사' 이 자료들이 시험에 나온다!

★★중요 포인트1 [시민혁명]

Q. 다음은 무엇에 대한 설명인가?

근대 이후 **계몽사상**의 영향을 받은 사람들이 **절대 군주**의 억압에 맞서 인권 보장을 위해 투쟁하였고, 그 결과 **자유와 평등이 제도적으로 보장되기 시작되었다.** 영국의 명예 혁명과 미국 독립 혁명, 프랑스 혁명이 대표적이다.

〈　　　　　〉

• 정답: 시민혁명

★★중요 포인트2 [세계 인권 선언]

제1조 모든 사람은 태어날 때부터 자유롭고, 존엄하며, 평등하다. 모든 사람은 이성과 양심을 가지고 있으므로 서로에게 **형제애의 정신**으로 대한다.

제2조 모든 사람은 **인종**, 피부색, 성별, 언어, 종교 등 어떤 이유로도 차별받지 않으며, 이 선언에 나와 있는 모든 권리와 자유를 누릴 자격이 있다.

- **2차 세계 대전**에 대한 참회와 반성으로 등장
- 1948년 12월 **유엔에서 채택**(만장일치)
- **드디어 모든 사람들의 인권이 존중 됨**

시험 TIP!!! 보통 **'형제애의 정신'**이라는 단어가 나오면 **'세계 인권 선언'**이라는 것을 기억해!(^0^)

헷갈리기 쉬운 개념

- 세계 인권 선언은 **'모든사람이 보편적으로 누려야 할 인권의 기준을 제시했어!** 그런데 시험에는 **'소수'가 누려야 할 인권을 제시했다**라고 잘나와! 소수가 아니라 **모든 사람**이야 o(^-^)o
- 또한 **'인종과 관계없이 인권은 평등하게 주어진다'**고 제시했어! 그런데 시험에서는 **'인종에 따라 차등으로 인권이 주어진다'**고 바꿔서 자주 출제해! 세계인권선언과 **'인종'**을 엮어서 시험에 자주 출제된단다 알라븅

★★중요 포인트3 [인권 보장 관련 지문]

- 다음 지문이 **맞으면 ○표, 틀리면 ×표**를 하시오.

① 나의 인권이 중요한만큼 다른 사람의 인권도 중요하다. (　　)
② 다른 사람들에게 소중하고 인격적인 존재로 대우 받는 것이 중요하다. (　　)
③ 다른 사람에게 소중하게 대우받지 못하면 인간은 행복하게 살 수 없다. (　　)

정답
① ○
② ○
③ ○

3. 헌법에 보장된 기본권

(1) 인권과 헌법의 관계

우리나라 법에는 몇가지 종류가 있는데 그중에서 **헌법**이 **법 중에 가장 높은 법**이야! 사실 인권이라는 것이 침해받기 쉽잖아!ㅠㅠ 그래서 법 중에 최고의 법인 헌법에 인권을 명시해서 인권이 침해받지 않도록 하고 있단다!! (^0^)

① **헌법** : 국가 최고의 법
→ 다른 모든 법률이나 정책이 헌법에 따라 제정 됨

② **기본권** : 헌법에 보장된 기본적 권리

③ 헌법에 기본권을 정해 놓은 이유
- 인권을 실질적으로 보장하기 위해
- 국가의 부당한 침해로부터 국민의 자유와 권리를 지키기 위해
- 국가가 국민의 기본권을 보장할 의무가 있음을 밝히기 위해

실제 시험에 나온 중요 개념

Q. 헌법으로 보장되는 **'시민의 권리'**를 강조하는 개념을 뜻하는 말은?

• 정답: 기본권

시험에 나오는 지문들은 싹다 모아라!!

Q. 기본권에 대한 설명으로 맞는것에 ○표, 틀린것에 ×표 하시오.

① 민주주의 국가에서는 **헌법에 인권을 보장해야 할 의무를 규정**하고 있다. (　　)
② 각 국의 **헌법**에 **국민의 기본적 인권이 규정**되어 있다. (　　)
③ **국가**는 **국민의 인권을 보장할 의무**가 있다. (　　)

훼이크 주의

④ 헌법에 명시되지 않은 권리는 보장 될 수 없다. (　　)
⑤ 모든 인권은 우리나라 헌법으로 보장되고 있다. (　　)

시험TIP: 헌법에 명시되어 있지 않아도 인간의 존엄과 가치를 실현하는데 필요한 권리라면 보장이 된단다(^0^)つ

⑥ **인권**은 **'자연적 권리'**이고 **기본권**은 **'시민의 권리'**이다. (　　)
⑦ 국가가 있기 전부터 인간이 가진 **'자연적 권리'**라는 의미를 강조하는 개념이다. (　　)

시험TIP: 인권이 태어나면서부터 자연스럽게 주어진 **'자연적 권리'**라면! **기본권**은 인권을 헌법에 명시함으로써 **'시민의 권리'**가 강조된 개념이란다.

• 정답 : ①~⑤: ○○○××, ⑥~⑦: ○×

(2) 기본권의 종류

① 인간의 존엄과 가치 및 행복 추구권
- 모든 기본권의 근본 가치
- 모든 기본권의 토대

헌법 제 10조 모든 국민은 **인간으로서의 존엄과 가치를 가지며, 행복을 추구할 권리를 가진다.**

시험TIP

인간의 존엄과 가치 및 행복 추구권은 기본권 중에서도 가장 중요한 기본권이야!o(^-^)o 그래서 다른 기본권의 **근본 가치**가 된단다! 이런 이유로 **'인간의 존엄과 가치 및 행복 추구권'**은 **'근본 가치', '최고의 가치', '다른 기본권들의 궁극적인 이념', '다른 기본권의 토대'** 이런식으로 많이 표현되니깐 잘 기억해둬! 알곳지?(~˘▾˘)~

② 그 외 기본권 시험100%출제

	의미와 특징	종류
자유권	• 국가 권력의 간섭을 받지 않고 **자유롭게** 생활할 수 있는 권리	(중요) • **신체의 자유** → 함부로 **구속 체포**하지맛!! (ง •̀_•́)ง • 종교의 자유 • 언론·출판의 자유 • 경제 활동의 자유
	헌법 제 15조 모든 국민은 **직업 선택의 자유**를 가진다. **헌법 제 12조** 모든 국민은 **신체의 자유**를 가진다.	
평등권	• 성별, 종교, 신분, 인종, 장애 등에 의해 차별을 받지 않고 동등하게 대우받을 권리	**헌법 제 11조** 모든 국민은 **법 앞에 평등**하다.
참정권	• 국가의 의사 결정에 **참여**할 수 있는 권리	• **선거권** • **공무 담임권** → 직접 선거 등에 출마하여 국회 의원 등 공무원을 할 수 있는 권한을 말해! • 국민 투표권
	헌법 제 24조 모든 국민은 법률이 정하는 바에 의해 **선거권**을 가진다. **헌법 제 25조** 모든 국민은 법률이 정하는 바에 의해 **공무담임권**을 가진다.	
중요 **사회권**	• 국가에 **인간다운 생활**의 보장을 요구할 수 있는 권리 • 적극적 권리 #핵심 키워드: 사회 복지, 제도 • 시험에 '**사회 복지**', 또는 국가가 무슨 '**제도**'를 만들어 사회적 약자를 도와주었다고 나오면 **사회권**에 대한 설명이란다٩(•◡•)	• **교육을 받을 권리** • **근로의 권리** • 인간다운 생활을 할 권리 • 쾌적한 환경에서 살 권리 • 사회 보장을 받을 권리
	헌법 제 34조 모든 국민은 **인간다운 생활을 할 권리**를 가진다. **헌법 제 31조** 모든 국민은 능력에 따라 균등하게 **교육을 받을 권리**를 가진다.	

★★사회권 시험에는 이렇게 나온다!!

특히 **사회권**은 **사회권의 종류를 고르는 문제**가 정말 정말 시험에 잘나와! 그럼 지금부터 람보쌤과 연습해보장! 알라뷰(/^o^)/♡

Q. 다음중 **사회권**에 해당하는 내용만 고르시오.

① 선거권 ② 근로의 권리 ③ 교육받을 권리 ④ 공무 담임권
⑤ 쾌적한 환경에서 살 권리 ⑥ 동등하게 대우받을 권리

〈정답: 〉

• 정답: ②, ③, ⑤

	의미와 특징	종류
중요 **청구권**	• 국가에 대하여 일정한 행위를 **요구**할 수 있는 권리 • 다른 기본권을 보장하기 위한 **수단적 성격의 권리**	• **청원권** • **재판청구권** • 국가 배상 청구권

시험문제 1타! 신체의 자유

경찰이 저를 체포하면서 불리한 진술은 거부할 수 있고 변호인의 도움을 받을 수 있다는 것을 알려 주지 않았어요.

신체의 자유는 시험문제 1타야! 특히 위의 그림이나 예문은 시험에 대박 잘나오니깐 잘 기억해둬!(^0^) **함부로 체포하거나 구속하면 신체의 자유를 침해하는 것이란다!** ㄷㄷ (>ㅁ<)

시험에 잘 나오는 '평등권' 한판

평등권 침해의 대표적인 예

- 같은 땅을 상속할 때 18세 이상의 남성들에게는 주고, 여성에게는 집안의 전통에 따라 주지 않았다.
  → **성별**에 따른 **평등권 침해**
- 미용사가 꿈이지만 미용고등학교에서 남자는 입학이 안된다고 해서 입학하지 못했다.
  → **성별**에 따른 **평등권 침해**
- 장애인이라 취업을 하지못했다.
  → **장애**에 따른 **평등권 침해**

실질적 평등

- 평등권은 **법 앞에 평등**을 의미한다. 이것은 **실질적**이며 **상대적 평등**을 의미한다.
  ↔ 반대어: **형식적·비례적 평등**
- **대표적인 예〉**
  ┌여성 노동자에게 생리 휴가 보장
  └시각 장애를 가진 수험생에게 시험 시간 확대 부여
- **훼이크로 이런 지문이 나온다!!〉**
  : **기회를 동등하게 주는 것만으로** 이 기본권은 충분히 보장된다.
  → ×, 이것은 실질적·상대적 평등에 위배된다!!

이런 훼이크가 시험에 나온다

- 야간에 청소년이 노래방에 갈 수 없는 것은 평등권의 침해이다.
  →×, 이건 평등권 침해가 아니라 청소년들을 보호하기 위함이지(^0^)
  ㅎㅎ 하지만 나는 갈수있지롱~
  롤이나 해야지! ㅋㅋ(~˘▾˘)~
- 남자만 군대를 가는 것은 평등권의 침해이다.
  →×, 남자만 군대를 가는 것은 불평등의 행위가 아니라 생물학적인 이유 때문이야

청구권은 시험 받입니다!! 그럼 한 번 알아볼까요? 고고씽(￣▽￣)/

★★중요 포인트1 [예시 법조문]

청구권은 특히 **옆의 법조문이 시험에 엄청 잘나와!** 그러니깐 잘 봐두도록 하자구!!o(^-^)o

헌법 제 26조 모든 국민은 법률이 정하는 바에 의하여 국가 기관에 **문서로 청원할 권리**를 가진다. → 청원권

헌법 제 27조 모든 국민은 헌법과 법률이 정한 법관에 의하여 법률에 의한 **재판**을 받을 권리를 가진다. → 재판청구권

★★중요 포인트2 [꼭 알고 가야하는 것!]

1. 다른 기본권이 침해되었을 때 구제를 요구 할 수 있는 **수단적 성격**을 가진 기본권 보장을 위한 기본권은 무엇인가? 청구권
2. **시험TIP**: 청구권은 보통 **'청원'**이나 **'청구'**라는 말이 잘 들어갑니다!! 예〉 청원권, 재판청구권 등

시험1타 서술형1타

(3) 기본권의 제한

기본권의 제한은 실제 **시험문제 1타**면서 특히 **서술형1타**니깐 꼭 기억해둬!! 진짜 찐중요하다구!!(づ'0')づ

	특징
내용	• **국가 안전 보장**, **질서 유지**, **공공 복리**를 위해 필요한 경우에 한하여 국민의 기본권을 제한 할 수 있다.
방법	• **국회**에서 만든 **법률**로써 제한함
한계	• 자유와 권리의 **본질적인 내용**은 침해 할 수 없다. **기본권 제한의 한계를 둔 이유** : 국가 권력의 남용을 방지하여 국민의 기본권을 **최대한 보장하기 위해서**이다.

★★ 중요	기본권 제한은 공익이 침해되는 사익보다 클 때만 가능하다.

으헤이크 주의보

다음 지문들이 왜 틀렸는지 이유를 써보세요.^▽^

① 기본권은 **한계없이** 행사할 수 있다.
→ 아니다, (ㄱㄱ ㅇㅈ ㅂㅈ, ㅈㅅ ㅇㅈ, ㄱㄱㅂㄹ)를 위해 제한 할 수 있다.

② 자유와 권리의 본질적인 내용은 국가에 의해 **제한될 수 있다.**
→ 아니다, 본질적인 내용은 제한 될 수 (   )

③ 기본권 제한은 **조례, 명령**에 의해서 가능하다.
→ 아니다, 조례, 명령이 아닌 (   )로써 제한이 가능하다.

• 정답: ①국가 안전 보장, 질서 유지, 공공복리 ②없다 ③법률

시험에 잘나오는 기본권 제한의 예

가장 대표적인 **기본권 제한의 예**란다٩(•ᴗ•) 아래의 예들을 일단 암기해둬! 그래야 문제가 풀려!

국가 안전 보장

[군사시설 출입금지 및 촬영금지]

질서 유지

[과속 단속]

[소지품 검사]

공공복리

[개발 제한구역 땅 개발 금지]

[코로나 자가 격리]

시험에는 이렇게 나온다!! 확실히 시험스타일로 알려줄께!!

★★시험에서는 이렇게 물어볼테니깐 알아둬 o(^-^)o

Q-1. 기본권을 제한 할 수 있는 경우 3가지를 나열하시오.
정답. 〈   ,   ,   〉

Q-2. 기본권을 제한할 때 수단(방법)은 무엇인가?
정답. 〈(   )로써 제한한다.〉

Q-3. 기본권 제한의 한계를 정한 이유를 서술하시오.
정답. 〈   〉

정답
Q-1. 국가 안전 보장, 질서 유지, 공공복리
Q-2. 법률
Q-3. **국가 권력의 남용**을 방지하여 **국민의 기본권을 최대한 보장하기 위해서**이다.

★★헌법에 나온 기본권 제한

제 37조 국민의 모든 자유와 권리는 **국가 안전 보장, 질서 유지 또는 공공복리**를 위하여 필요한 경우에 한하여 법률로써 제한할 수 있으며, 제한하는 경우에도 **자유와 권리의 본질적인 내용을 침해할 수 없다.**

1. 인권의 의미와 특징

1단계 시험에 나오는 중요한 기본 개념 파악!

1. 다음 보기는 무엇에 대한 설명인가?

〈보기〉

인간이 인간답게 살기 위해 마땅히 누려야할 권리로서 인간이라는 이유만으로 누구나 똑같이 존중받으며 이것을 누릴 수 있다.

〈정답: 〉

2. 맞는 것끼리 연결하시오.

① 천부인권 •
② 자연권 •
③ 보편적 권리 •
④ 불가침의 권리 •

• ㉠ 국가에서 법이나 제도로 보장하기 이전에 자연적으로 주어졌다.
• ㉡ 인간이 태어나면서부터 당연히 가지게 되었다.
• ㉢ 국가를 포함한 어떤 권력도 함부로 침범할 수 없다.
• ㉣ 인종,성별,나이 등을 초월하여 모든 사람들이 동등하게 누림.

• 정답: 1. 인권, 2. ① ㉡, ② ㉠, ③ ㉣, ④ ㉢

2단계 시험에 잘 나오는 개념 파악!

3. 다음 지문이 틀린 이유를 써보시오.

- 인권은 **국가가 법으로 정해야** 보장 받을 수 있다.
- 인권은 **국가가 법으로 보장하면서** 존재하게 되었다.
- **헌법에 명시되지 않은 권리**는 보장 될 수 없다.

틀린 이유

- 인권은 법이나 제도로 보장하기 이전에 이미 자연권에 의해 ( )으로 주어진거야!! 그렇기 때문에 옆의 지문들은 틀렸다규!!٩(๑•̀o•́๑)و

• 정답: 3. 자연적

3단계 서술형 암기하기!!!

스텝1: 회색 글씨를 따라쓰면서 외워보세요.

Q. 인권이 가진 특징을 3가지 이상 서술하시오.

A. 〈• 천부인권, 인권은 **인간이** 태어나면서부터 **가지는** 하늘**이 준 권리**이다.
- **자연권**, 인권은 국가의 법이나 제도로 정하기 이전에 자연적으로 주어진 권리이다.
- 보편적인 권리, 인권은 성별, 나이, 신분 등을 초월하여 모든 사람들이 동등하게 누리는 **권리**이다. 〉

스텝2: 이번엔 괄호안을 채우며 외워보세요.

Q. 인권이 가진 특징을 **3가지 이상** 서술하시오.

A. 〈• ( ), 인권은 인간이 ( )부터 가지는 하늘이 준 권리이다.
- 자연권, 인권은 국가의 ( )이나 ( )로 정하기 ( )에 ( )적으로 주어진 권리이다.
- ( )인 권리, 인권은 ( ),( ),( ) 등을 초월하여 모든 사람들이 동등하게 누리는 권리이다. 〉

스텝3: 그럼 이제 직접 다 써볼까요! 할 수 있어요!(￣▽￣)/

Q. 인권이 가진 특징을 3가지 이상 서술하시오.

A. •
•
•

2. 인권 보장의 역사

1단계 기본 개념 파악

1.회색 부분에 덧대어 쓰며 외워보세요(¯▽¯)/

	특징	보장 정도
근대 이전	• 고대: 노예, 중세: 농노 → 심한 차별 대우 → 인간으로 대우받지 못함	불완벽한 인권 보장
근대	• 계기: 시민혁명 → 절대 군주의 억압에 맞서 투쟁함 → 시민의 자유와 평등이 제도적으로 보장되기 시작	아직도 불완벽한 인권 보장
현대	• 계기: 세계 인권 선언(UN 채택) → **모든 사람이 보편적으로 누려야 할 인권의 기준 제시**	완벽한 인권 보장

2단계 시험에는 이런 지문이 출제된다!

2. 다음 중 틀린 것을 고르고 이유도 써보세요.

역사적으로 인권이 보장되기 시작한 것은 그렇게 오래되지 않았다. ①고대의 노예나 중세의 농노 등은 인간으로 대접받지 못하고 심한 차별을 받았다. ②근대 이후 계몽사상의 영향을 받은 사람들은 ③절대 군주의 억압에서 맞서 인권 보장을 위해 투쟁하였고, ④제2차 세계 대전의 결과 시민의 자유와 평등이 제도적으로 보장되기 시작하였다. 나아가 ⑤국제 연합(UN)에서 채택된 세계 인권 선언은 모든 사람이 보편적으로 누려야 할 인권의 기준을 제시하였다.

〈틀린것과 이유: 〉

3단계 시험에 진짜 잘나오는 '세계 인권 선언' 확실히 파악하자!

제1조 모든 사람은 태어날 때부터 자유롭고, 존엄하며, 평등하다. 모든 사람은 이성과 양심을 가지고 있으므로 서로에게 형제애의 정신으로 대한다.

제2조 모든 사람은 인종, 피부색, 성별, 언어, 종교 등 어떤 이유로도 차별받지 않으며, 이 선언에 나와 있는 모든 권리와 자유를 누릴 자격이 있다.

3. 옆 지문은 무엇인가?

① 세계 인권 선언
② 독립 선언문

4. 다음은 세계 인권 선언에 대한 설명이다. 틀린 것을 찾아 고쳐보시오.

① 인종에 따른 차별을 인정한다.
→

② 소수의 특정한 사람이 누려야 할 권리를 규정하였다.
→

• 정답: 2. ④ 제2차 세계 대전 → 시민 혁명, 3. ①, 4. ① 인정한다 → 인정하지 않는다. ② 소수의 특정한 사람이 → 모든 사람이

3. 헌법에 보장된 인권

1단계 시험에 나오는 중요 개념 파악

1. 다음 괄호안에 알맞은 개념을 적어보세요!

① 민주주의 국가에서는 ( )을 통해 국민의 기본적인 인권을 보장하고 있다.
② 헌법에서 보장된 인권을 ( )이라고 한다.
③ 다른 모든 법률이나 정책은 ( )에 따라 제정되고 시행된다.

• 정답:
① 헌법
② 기본권
③ 헌법

2. 다음 기본권들을 서로 맞는것끼리 연결하고 회색 글씨는 덧대여 쓰며 외워보시오.

① 인간의 존엄과 가치 및 행복 추구권 •
② 자유권 •
③ 평등권 •

• (a) 다른 기본권들의 궁극적인 이념
• (b) 국가 권력의 간섭을 받지 않고 자유롭게 생활 할 수 있는 권리
• (c) 모든 국민이 차별받지 않고 동등한 대우를 받을 권리

(b) —
• 신체의 자유
• 종교의 자유
• 언론·출판의 자유
• 경제 활동의 자유

(c) —
• 법앞에서 평등
→실질적, 상대적 평등을 의미

④ 참정권 •	• (d) 국가의 의사 결정에 **참여** 할 수 있는 권리	• 선거권 • 공무 담임권 • 국민 투표권
⑤ 사회권 •	• (e) 국가에 인간다운 생활의 보장을 요구할 수 있는 권리	• 교육을 받을 권리 • 근로의 권리 • 인간다운 생활을 할 권리 • 쾌적한 환경에서 살 권리 • 사회 보장을 받을 권리 [사회 복지, 사회 보장 제도 등]
⑥ 청구권 •	• (f) 국가에 대하여 일정한 행위를 요구 할 수 있는 권리	
	• (g) 다른 기본권을 보장하기 위한 수단적 성격의 권리	• 청원권 • 재판청구권 • 국가 배상 청구권

• 정답: 2. ① (a) ② (b) ③ (c) ④ (d) ⑤ (e) ⑥ (f),(g)

2단계 이거 한번 풀어볼래? 시험 100점 맞을 수 있어! 얏호!

시험엔 주로 이런 지문들이 나오기 때문에 이 문제들을 풀어보면서 시험에 익숙해지자 ^υ^
이거 풀고 뒤에 가서 실제 시험 문제까지 풀어보면 충분히 100점 맞을 수 있어!! 그러니깐 용기를 가져!!＼(^0^*)/
누구나 노력하면 되는거야! 노력은 절대 배신하지 않아! 고럼 고럼 ＼(-0-)/
너는 반드시 시냇가에 심은 나무처럼 열매를 주렁 주렁 맺는 **개척자**가 될꺼란다! 두고보라구(/^o^)/♡

3. 다음 사례는 **어떤 기본권을 침해했나요? 자유권**은 **'자'**, **평등권**은 **'평'**, **참정권**은 **'참'**, **사회권**은 **'사'**, **청구권**은 **'청'**이라고 쓰세요.

개그맨이 되려고 준비해 왔는데, 나이 제한 때문에 개그맨 공채 시험을 볼 수 없었어요.ㅠㅠ	경찰이 저를 체포하면서 불리한 진술은 거부할 수 있고 변호인의 도움을 받을 수 있다는 것을 알려주지 않았어요.o(T^T)o	병은 자신을 국회의원 후보로 하는 후보 등록 신청서를 제출하였으나 업무 담당 공무원의 실수로 후보 등록이 되지 않았다.ⓠ_ⓠ
① (　　　)	② (　　　)	③ (　　　)

4. 다음 지문과 관련된 기본권을 **자유권**은 **'자'**, **평등권**은 **'평'**, **참정권**은 **'참'**, **사회권**은 **'사'**, **청구권**은 **'청'**이라고 쓰세요.

헌법 제34조 모든 국민은 인간다운 생활을 할 권리를 가진다.	시민단체에서 위안부 특별법 제정을 요구했다.	질병으로 움직임이 불편한 A씨는 **국가에서 운영하는 제도의 혜택을 받아** 방문 간호를 받았다.	람보아파트 주민들이 아파트 입구에 신호등을 설치해 달라고 **국가 기관에 민원을 제기**하였다.	모든 국민은 법 앞에 평등하다.
④ (　　　)	⑤ (　　　)	⑥ (　　　)	⑦ (　　　)	⑧ (　　　)
국가는 사회 보장, 사회 복지의 증진에 노력할 의무를 진다.	모든 국민은 직업 선택의 자유를 가진다.	모든 국민은 법률이 정하는 바에 의하여 **국가 기관에 문서로 청원 할 권리를 가진다.**	**다른 기본권을 보장하기 위한** 수단적 성격을 가진다.	교육을 받을 권리와 쾌적한 환경에서 생활할 권리가 포함된다.
⑨ (　　　)	⑩ (　　　)	⑪ (　　　)	⑫ (　　　)	⑬ (　　　)

• 정답: 3. ①~③: 평, 자, 참　4. ④~⑧: 사, 청, 사, 청, 평　⑨~⑬: 사, 자, 청, 청, 사

3단계 [서술형] 얘들아 이건 꼭 쓸줄알아야돼!! 이 서술형은 진짜 시험에 너무 잘나와!! 알겠지?!!

스텝1: 회색 글씨를 따라쓰면서 외워보세요.

Q. 국민의 기본권을 제한 할 수 있는 **3가지 경우**를 서술하시오.
A. 〈 • 국민의 기본권은 국가 안전 보장, 질서 유지, 공공복리를 위해 필요한 경우에 한하여 제한 할 수 있다. 〉
Q. 기본권 제한의 한계를 정한 이유를 서술하시오.
A. 〈 • 국가 권력의 남용을 방지하여 국민의 기본권을 최대한 보장하기 위해서이다. 〉

스텝2: 그럼 이제 직접 다 써볼까요!(¯▽¯)/

Q. 국민의 기본권을 제한 할 수 있는 **3가지 경우**를 서술하시오.
A. 〈　　　　　　　　　　〉
Q. 기본권 제한의 한계를 정한 이유를 서술하시오.
A. 〈　　　　　　　　　　〉

람보쌤의 자세한 해설을 영상으로 보세요!

인권

유형 1 인권의 특징

인권의 의미 및 인권 보장의 중요성에 대한 설명을 고른 것으로 옳은 것은?

> A. 모든 사람이 동등하게 누릴 수 있는 보편적인 권리이다.
> B. 법이나 제도가 없던 시절에는 누릴 수 없는 권리였다.
> C. 민주주의 국가에서는 헌법에 인권을 보장해야 할 의무를 규정하고 있다.
> D. 다른 사람에게 소중하게 대우받지 못하면 인간은 행복하게 살 수 없다.
> E. 헌법에 명시되지 않은 권리는 보장될 수 없다.

A, C　　② C, D
A, C, D　　④ B, D, E
C, D, E

다음 글을 읽고 물음에 답하시오.

> 지구상에는 여성과 남성, 흑인과 백인, 장애가 있는 사람과 없는 사람, 아이와 노인 등 다양한 사람이 함께 살아가고 있다. 이들에게는 한 가지 공통점이 있는데 바로 ㉠인권을 가지고 있다는 것이다.

) ㉠의 의미를 서술하시오.

) ㉠을 대체할 수 있는 용어 3가지를 제시하고 각각의 의미 서술하시오.

인권에 대한 설명 중 내용이 잘못된 것을 모두 고르면?(정답 2개)

> ㉠인간은 누구나 인간답게 살 수 있는 권리, 즉 인권을 가지고 있다. ㉡인권은 피부색, 성별, 나이에 따라 차등적으로 주어지는 권리이다. 이러한 ㉢인권은 인간이 태어나면서 가지는 것으로, 하늘이 준 권리라는 의미에서 천부인권이라고도 한다. ㉣인권은 일정 연령 이상이 되면 누구나 가지는 권리로서 ㉤국가의 법으로 정하기 이전에 자연적으로 주어진 권리이기 때문에 국가가 함부로 침해할 수 없다.

㉠　② ㉡　③ ㉢　④ ㉣　⑤ ㉤

유형 2 인권 세부 문제

4. 다음 밑줄 친 곳에서 알 수 있는 인권의 특징을 바르게 짝지은 것은?

> 〈세계 인권 선언〉
> **제1조** 모든 사람은 ㉠태어날 때부터 자유롭고, 존엄하며, 평등하다. 모든 사람은 이성과 양심을 가지고 있으므로 서로에게 형제애의 정신으로 대해야 한다.
> **제2조** ㉡모든 사람은 인종, 피부색, 성, 언어, 종교 등 어떤 이유로도 차별받지 않으며, 이 선언에 나와 있는 모든 권리와 자유를 누릴 자격이 있다.

	㉠	㉡
①	보편적 권리	자연권
②	자연권	천부인권
③	천부인권	불가침의 권리
④	천부인권	보편적 권리
⑤	보편적 권리	불가침의 권리

유형 3 세계 인권 선언문

5. '세계 인권 선언'에 대한 설명으로 적절하지 않은 것은?

① 인종에 따른 차별을 인정한다.
② 오늘날 여러 나라의 헌법에 반영되고 있다.
③ 2차 세계대전의 참회와 반성으로 등장하였다.
④ 1948년 12월에 유엔 총회에서 만장일치로 채택되었다.
⑤ 국제기구에 의하여 주창된 최초의 포괄적인 인권 문서이다.

6. 자료에 대한 옳은 설명을 〈보기〉에서 고른 것은?

> **제1조** 모든 인간은 태어날 때부터 자유로우며 그 존엄성과 권리에 있어서 평등하다. 인간은 천부적으로 이성과 양심을 부여받았으며 서로 형제애의 정신으로 행동해야 한다.
> **제3조** 모든 인간은 자기 생명을 지킬 권리, 자유를 누릴 권리, 그리고 안전을 지킬 권리가 있다.

보 기

> ㄱ. 1948년 국제연합(UN) 총회에서 채택되었다.
> ㄴ. 인권의 특성인 천부인권의 내용이 담겨져 있다.
> ㄷ. 소수의 특정한 사람이 누려야 할 권리를 규정하였다.
> ㄹ. 모든 인간은 인종이나 피부색에 따라 차별 받을 수 있음을 명시하였다.

① ㄱ, ㄴ　② ㄱ, ㄷ　③ ㄴ, ㄷ
④ ㄴ, ㄹ　⑤ ㄷ, ㄹ

유형 4 인권 보장의 역사

7. 인권 보장의 역사에 관한 설명으로 (a)~(e)중 옳지 않은 것은?

역사적으로 인권이 보장되기 시작한 것은 그렇게 오래되지 않았다. (a)고대의 노예나 중세의 농노 등은 인간으로 대접받지 못하고 심한 차별을 받았다. (b)근대 이후 계몽사상의 영향을 받은 사람들은 (c)절대 군주의 억압에서 맞서 인권 보장을 위해 투쟁하였고, (d)시민 혁명의 결과 시민의 자유와 평등이 제도적으로 보장되기 시작하였다. 나아가 (e)국제연합(UN)에서 채택된 미국 독립 선언은 모든 사람이 보편적으로 누려야 할 인권의 기준을 제시하였다.

① (a) ② (b) ③ (c) ④ (d) ⑤ (e)

유형 5 인권과 헌법

8. 다음 빈 칸에 들어갈 내용에 대한 옳은 설명을 〈보기〉에서 있는 대로 고른 것은?

오늘날 민주주의 국가에서는 헌법을 통해 국민의 인권을 보장한다. 이때 헌법에 보장된 인권을 (   )(이)라고 한다.

보 기

ㄱ. 국가가 보장하는 것이 의무이다.
ㄴ. 헌법에 열거된 권리만 국가가 보장한다.
ㄷ. 개인이 가지는 불가침의 기본적 인권이다.
ㄹ. 국가가 있기 전부터 인간이 가진 '자연적 권리'라는 의미를 강조하는 개념이다.

① ㄱ, ㄴ ② ㄴ, ㄷ ③ ㄷ, ㄹ
④ ㄱ, ㄷ ⑤ ㄴ, ㄹ

9. 인권과 기본권에 대한 옳은 설명을 〈보기〉에서 모두 고른 것은?

보 기

ㄱ. 헌법으로 보장된 인권을 기본권이라고 한다.
ㄴ. 모든 인권은 우리나라 헌법으로 보장되고 있다.
ㄷ. 인권은 '자연적 권리'이고, 기본권은 '시민의 권리'이다.
ㄹ. 특정한 조건을 갖추어야만 인권과 기본권을 보장받을 수 있다.

① ㄱ, ㄴ ② ㄱ, ㄷ ③ ㄴ, ㄷ
④ ㄴ, ㄹ ⑤ ㄷ, ㄹ

기본권

유형 1 기본권의 종류

10. 다음 설명에 해당하는 기본권을 〈보기〉에서 있는 대로 고른 것은?

- 헌법이 추구하는 최고의 가치이다.
- 다른 기본권들의 궁극적인 이념이 된다.

보 기

ㄱ. 행복 추구권
ㄴ. 국가 배상 청구권
ㄷ. 인간의 존엄과 가치
ㄹ. 인간다운 생활을 할 권리

① ㄱ, ㄴ ② ㄴ, ㄷ ③ ㄷ, ㄹ
④ ㄱ, ㄷ ⑤ ㄴ, ㄹ

11. 기본권이 침해된 사례이다. 침해된 기본권으로 옳은 것은?

① 사회권 ② 평등권 ③ 청구권
④ 자유권 ⑤ 환경권

12. 기본권의 종류가 나머지 넷과 다른 것은?

① 원하는 직업을 선택할 수 있는 권리
② 불법한 체포나 구속 등을 당하지 않을 권리
③ 거주나 이주의 결정을 임의로 할 수 있는 권리
④ 언론과 출판을 국가로부터 제한받지 않을 권리
⑤ 국가 기관의 구성원이 되어 공무를 담당할 수 있는 권리

3. 다음 사례에 공통적으로 적용될 수 있는 평등의 개념만을 〈보기〉에서 있는 대로 고른 것은?

- 여성 노동자에게 생리휴가 보장
- 시각 장애를 가진 수험생에게 시험시간 확대부여

보 기

ㄱ. 비례적 평등　　ㄴ. 상대적 평등
ㄷ. 실질적 평등　　ㄹ. 형식적 평등

① ㄱ, ㄴ　② ㄴ, ㄷ　③ ㄷ, ㄹ
④ ㄱ, ㄴ, ㄷ　⑤ ㄴ, ㄷ, ㄹ

4. 다음 사례에서 침해된 기본권으로 옳은 것은?

□□회사는 신입 사원 채용 공고에 지원 가능한 나이를 35세까지로 제한하였다. 또한, 지원자들의 서류를 심사하는 과정에서 특정 지역 출신이라는 이유로 지원자들에게 혜택을 주거나 불이익을 주기도 하였다. 더욱이 면접 심사에서는 면접관이 지원자들의 외모를 평가하기도 하였으며, 지방 대학 출신이라는 이유로 지원자를 무시하는 등 차별적인 대우를 하였다.

① 자유권　② 평등권　③ 사회권
④ 청구권　⑤ 참정권

5. 다음 사례와 관련 있는 기본권으로 가장 적절한 것은?

- 만 18세 이상의 국민은 국회의원 선거에 참여하여 자신의 대표자를 선출한다.
- 김OO씨는 국회의원이 되어 정치에 참여하고자 국회의원 선거에 후보자로 등록하였다.
- 국민 투표에 참여하여 국가의 중요 정책을 직접 결정한다.

① 국가 권력의 간섭을 받지 않고 자유롭게 생활할 수 있는 권리
② 국가 기관의 형성과 국가의 정치적 의사 형성 과정에 참여할 수 있는 권리
③ 국가에 대하여 인간다운 생활의 보장을 요구할 수 있는 권리
④ 성별, 종교, 사회적 신분 등에 의해 부당한 차별을 받지 않을 권리
⑤ 기본권이 침해되거나 침해될 우려가 있을 때 국가에 대하여 일정한 행위를 요구할 수 있는 권리

16. 다음 헌법 조항에 해당하는 기본권의 내용으로 적절한 것만을 고른 것은?

헌법 제34조 모든 국민은 인간다운 생활을 할 권리를 가진다.

보 기

ㄱ. 인간다운 생활을 유지하기 위하여 국가의 적극적인 행위를 요구할 수 있는 기본권
ㄴ. 부당하게 국가의 침해를 받지 않고 삶을 영위할 수 있는 기본권
ㄷ. 교육을 받을 권리, 근로의 권리 등
ㄹ. 신체의 자유, 종교의 자유 등

① ㄱ, ㄴ　② ㄱ, ㄷ　③ ㄴ, ㄷ
④ ㄴ, ㄹ　⑤ ㄷ, ㄹ

17. 다음 그림과 관련된 기본권에 대한 설명으로 옳은 것은?

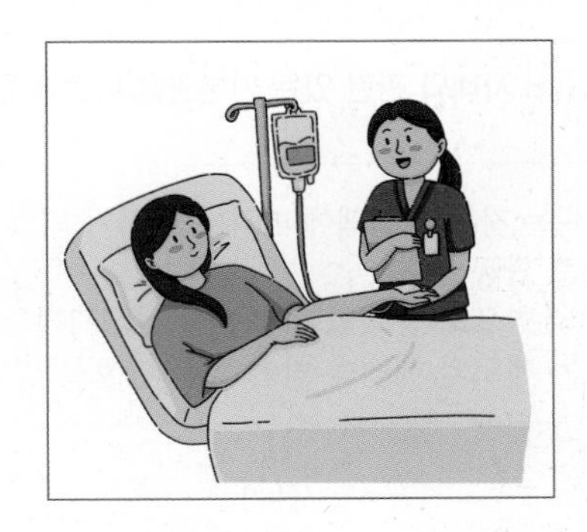

① 성별, 종교 또는 사회적 신분에 의하여 불합리한 차별을 받지 않고 동등하게 대우받을 권리이다.
② 개인의 자유로운 생활에 대해 국가의 간섭을 받지 않을 권리이다.
③ 국민의 국가 기관의 형성과 국가의 정치적 의사 형성과정에 참여할 수 있는 권리이다.
④ 국가에 대해 일정한 행위를 요구할 수 있는 권리로, 다른 기본권 보장을 위한 수단이 된다.
⑤ 인간다운 생활의 보장을 국가에 요구할 수 있는 권리이다.

18. 〈보기〉의 권리들을 모두 포함하는 기본권은?

보 기

- 법률에 의한 재판을 받을 권리
- 바람이나 어려움을 해결해 달라는 문서로 신청할 권리
- 공무원의 불법 행위로 인한 피해의 배상을 청구할 권리

① 자유권　② 청구권
③ 사회권　④ 참정권
⑤ 평등권

유형 2 기본권 복합

19. 다음 표의 기본권 A, B에 대한 설명으로 옳은 것을 〈보기〉에서 모두 고른 것은?

기본권	의미
A	인간다운 생활의 보장을 국가에 요구할 수 있는 권리
B	불합리한 차별을 받지 않고 동등하게 대우 받을 권리

보 기

ㄱ. A는 다른 기본권을 보장하기 위한 수단적 성격을 가진다.
ㄴ. A에 교육을 받을 권리와 쾌적한 환경에서 생활할 권리가 포함된다.
ㄷ. B에 의해 우리나라는 절대적 평등을 추구한다.
ㄹ. B에 의해 성별, 종교, 사회적 신분에 의해 차별 받지 않는다.

① ㄱ, ㄴ ② ㄱ, ㄷ ③ ㄴ, ㄷ
④ ㄴ, ㄹ ⑤ ㄷ, ㄹ

20. 다음 (가), (나) 사례와 관련 있는 기본권을 바르게 연결한 것은?

(가) 김□□씨는 자신의 선택에 따라 요리사가 되었고, 지금은 만화가로 활동한다.
(나) 고령과 질병으로 움직임이 불편한 성□□씨는 국가에서 운영하는 제도의 혜택을 받아 방문 간호를 받았다.

	(가)	(나)
①	자유권	사회권
②	자유권	청구권
③	평등권	사회권
④	평등권	청구권
⑤	사회권	자유권

21. 다음에서 (가)~(마)의 헌법 조항이 나타내고 있는 기본권의 종류가 바르게 연결된 것은?

(가) **제11조** 모든 국민은 법 앞에 평등하다.
(나) **제21조** 모든 국민은 언론·출판의 자유와 집회·결사의 자유를 가진다.
(다) **제24조** 모든 국민은 법률이 정하는 바에 따라 선거권을 가진다.
(라) **제26조** 모든 국민은 법률이 정하는 바에 의하여 국가 기관에 문서로 청원할 권리를 가진다.
(마) **제34조** 모든 국민은 인간다운 생활을 할 권리를 가진다.

① (가) - 자유권 ② (나) - 사회권
③ (다) - 참정권 ④ (라) - 평등권
⑤ (마) - 청구권

유형 3 기본권의 제한

서술형

22. 다음 글의 ㉠에 해당되는 조건 3가지, (㉡)에 해당되는 내용
쓰시오.

국가는 국민의 기본적인 권리를 보장하기 위해 노력해야 하다. 하지만 이러한 기본권을 무제한으로 누릴 수 있는 것은 아니다. 우리나라 헌법 「제37조 제2항」은 "국민의 모든 자유와 권리는 기본권을 제한하는 경우 ㉠세 가지와 '필요한 경우 (㉡)로써' 제한할 수 있으며, 제한하는 경우에도 자유와 권리의 본질적인 내용을 침해할 수 없다."라고 규정하고 있다.

㉠:

㉡:

서술형

23. 다음은 생활 속 기본권 제한 사례이다.

(가) 군사 기지 또는 군사 시설 보호 구역은 출입이 통제되며, 그안에서 촬영·묘사·녹취·측량등을 할 수 없다.

(나) 서울의 대형 호텔인 A호텔의 연회장 아르바이트에 지원한 권모씨는 대머리라서 채용을 거부 당했다.

(1) (가)와 (나)에서 제한되거나 침해되고 있는 기본권을 '(가)는 ~ 이고, (나)는 ~이다.'의 형태로 서술하시오.

(2) 위 사례에서 기본권 제한이 정당한 것을 고르고, 정당한 이유를 헌법을 이용하여 설명하시오.

24. 기본권 제한에 대한 설명으로 옳지 않은 것은?

국가는 국민의 기본적인 권리를 보장하기 위해 노력해야 하지만 이러한 기본권은 무제한으로 누릴 수 있는 것은 아니다. 우리나라의 헌법은 ㉮필요한 경우에 한하여 ㉯국민의 기본권을 제한할 수 있다고 규정하고 있다. 우리 헌법은 ㉰기본권을 제한하는 요건과 ㉱한계를 명확히 함으로써 국민의 기본권을 보장하기 위해 노력하고 있다.

① ㉮ - 국가안전보장, 질서 유지, 공공복리를 위한 경우에 가능하다.
② ㉯ - 국가의 통제권을 강화하기 위해서 국민의 기본권을 제한해야 한다.
③ ㉰ - 국회에서 만든 법률로써 기본권을 제한할 수 있다.
④ ㉱ - 기본권을 제한하더라도 자유와 권리의 본질적 내용을 침해해서는 안된다.
⑤ ㉱ - 국가권력의 남용을 막고 국민의 자유와 권리를 보장하기 위해 한계를 명확히 한다.

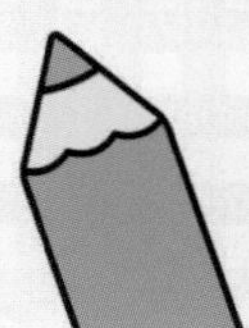

"나의 사랑 나의 사랑 나의 어여쁜자야 일어나 함께 가자!"

사랑하는 다음세대 개척자 여러분들!!
여러분들은 참으로 어여쁘고 사랑스러워요!
그런데 혹시 우리 친구들은 우리 친구들 스스로를 보잘 것 없는 존재라고 생각하는 것은 아닌가요?
뭐하나 제대로 하는것도 없고 맨날 실수만 하는거 같아요.. 그런데 말이죠?...
사실은 그 겉모습이 전부가 아니에요!!
＼(^▽^)／ 아직 드러나지는 않았을 뿐!!
우리 친구들에게는 '잠재력'이 있답니다!!
그 잠재력을 깨우면 돼요!!(^0^)
사회2 강의와 교재의 출발은 이러한 우리 친구들의 잠재력과 가능성을 보며 시작하게 되었어요. "우리 학생들은 결코 보잘 것 없지 않아! 저들 안에는 무궁무진한 보석과 같은 잠재력이 가득차 있어!! 정성을 들여 가르치면 반드시 위대한 개척자가 될꺼야!!" 아직 발굴되지 않은 보석! 바로 이 책을 보고 있는 여러분들! 일어나 함께가요! 우리 친구들은 반드시 이 나라와 세계를 살리는 위대한 개척자가 될 것이랍니다.
알라뷰(/^o^)/♡

말씀카드를 써주신 할머니 할아버지께서 직접 찍은 꽃 사진입니다.
이 꽃밭에 여러분들의 힘든 마음들을 다 내려놓으세요.
어느 순간 우리 친구들의 마음에 꽃이 활짝 필 것이랍니다♡

2. 인권의 침해 및 구제

1. 일상 생활에서의 인권 침해

(1) 인권 침해

헷갈리는 시험TIP!!! 인권 침해는 개인이나 단체 뿐만 아니라 **국가 기관에 의해서도 일어난다는 것**을 꼭 기억해! 시험에는 **'인권 침해는 국가 기관에 의해서는 발생하지 않는다'**라고 훼이크로 잘나와! 알긋지?

인권침해란?	• **개인**이나 **단체** 또는 국가 기관에 의하여 개인의 인권이 침해되는 것
발생 원인	• 사회 안 고정 관념이나 편견 • 사회 안 잘못된 관습이나 관행 • 불합리한 법과 제도
사례	• 차별, 사생활 침해, 폭행, 따돌림 등 → **일상 생활 전반에 걸쳐** 다양한 형태로 발생
인권 보호를 위한 노력	• 인권 감수성 향상 인권 감수성이란? 인권 침해 상황에 민감하게 반응하고, 나뿐만 아니라 다른 사람들의 인권 침해 상황에도 민감하게 반응하는 것을 말한단다.(^0^) • 인권 침해에 대한 관심을 가짐

시험에는 이런 예들이 나온다!

잘못된 관습이나 관행의 예

'갑'은 조상들의 땅이 신도시 개발 지역에 포함되면서 집안이 보상금을 받게 되었다는 소식을 들었다. 그런데 집안 어른들이 18세 이상 남성에게는 보상금을 나누어 주지만, 여성에게는 집안의 전통에 따라 보상금을 주지 않기로 했다는 소식을 듣게 되었다. '갑'은 같은 집안 식구이지만 여성이라는 이유로 조상들의 땅에 대한 권리를 인정받지 못하는 것은 부당하다는 생각이 들었다.
→ 집안의 **잘못된 관습**에 의한 **평등권 침해**

불합리한 법과 제도

어느 날 현주는 평소처럼 인터넷에 글을 쓰려다가 해당 게시판에서 인터넷 실명제를 시행한다는 것을 알게 되었다. 그 후 이전처럼 자유롭게 자신의 의견을 적는 것이 망설여지고 불편해졌으며, 인권을 침해당했다는 생각이 들었다.
→ **불합리한 법과 제도**에 의한 **표현의 자유(자유권) 침해**

중요 Q. **'인권 감수성이 낮을수록 인권침해에 민감하다'** 맞는 말인가? 틀린 말인가? **정답:** 겁나틀린말. 인권 감수성이 낮을수록 → 인권 침해에 민감하지 않다.

람보쌤의 시험에 진짜 나오는 '인권 침해 사례'와 그리고 '인권 침해 사례가 아닌 훼이크 사례' 한판

★★시험에 잘 나오는 대표적인 인권 침해 사례

① **장애인의 상대어**를 **일반인**이라고 표현한다. (차별)
② 예체능계는 대학생 성적 우수 국가 장학금에 지원할 수 없다. (차별)
③ 자격시험 결과를 발표할 때 **수험 번호와 이름을 함께 공개 한다.** (사생활 침해)
④ 많은 교과서에서 집안일을 하는 사람을 대부분 여성으로 표현하고 있다. (차별)
⑤ 술취한 사람이 지나가는 여성을 폭행하자 동영상을 찍어 인터넷에 올렸다. (사생활 침해)
⑥ 회사 상사가 결혼하는 직원에게 "우리 회사는 **결혼한 여직원이 근무한 적이 없는데**"라고 말했다. (차별)
⑦ 친구가 자리를 비운 사이 친구의 **휴대 전화를 몰래 보았다.** (사생활 침해)
⑧ 장애 학생을 위한 편의 시설을 갖추고 있지 않아 입학할 수 없다는 통지를 받았다. (차별)
⑨ 사원 채용 공고에서 지원 가능한 나이를 **25세까지로 제한**하였다. (차별)

★★인권 침해인 듯 보이지만 아닌 훼이크 사례

① 청소년은 밤 10시 이후에 노래방에 출입할 수 없다. (→ 이건 차별이 아니라 **청소년 보호**(^0^))
② 입사 시험에서 **성적과 능력에 따라** 합격자를 선발하였다. (→ 이건 차별이 아니라 **노력에 대한 보상**)
③ 경찰 체력 시험을 통과하지 못해 경찰 시험에서 불합격 통보받았다.(→ 경찰이 되려면 좀 더 노력해!)
④ 휴대 전화 수리 센터에서 휴대 전화의 비밀번호 입력을 요구받았다.(→ 고치려면 비번 입력 필수!)
⑤ 전 5살인데 놀이 기구 를 타고 싶어도 키가 120cm가 안 되면 못 탄대요.(→ 걍 보로로나 봐)

우리 청소년 친구들!! 밤 10시 이후에 노래방 못가서 많이 뜩땅하셨어요? 그래서 누리 오빠의 위로의 한마디를 마지막 페이지에 준비해두었습니다! 함-봐봐(-0-)

2. 인권 침해의 구제 방법

법원		• **소**를 제기하면 **재판**(=소송)을 통해 분쟁을 해결해줌
		• **#주요 키워드: 소 제기, 재판, 소송, 민사, 형사**
헌법 재판소 (중요)	의미	• 헌법 질서를 수호하고 국민의 기본권을 보장하는 독립된 헌법 기관
	방법	• **헌법 소원 심판**: **공권력에 의해** 기본권이 침해된 **국민이** 권리 구제를 요청하면 심판함
		• **#주요 키워드: 헌법 소원**, 기본권 침해

참고: 재판 관련 용어 정리(알아두면 좋음)
• 민사재판: 개인간에 일어난 분쟁 해결 목적
• 형사재판: **범죄의 유무** 가리는 것이 목적 (경찰, 검사 개입)

헌법 재판소 관련 중요 TIP
• 헌법재판소에서는 위헌 법률 심판도 한다는 사실을 기억하세요(¯▽¯)/
• **법률에 정해진 구제 절차를 모두 거친 후에도 구제받지 못했을 때 사용하는 최후 수단임**

시험1타

국가 인권 위원회	의미	• 인권 보호와 향상을 위한 전반적인 업무 진행 → 독립된 기관 입법,행정,사법 등 어디에도 속하지 않음(^0^)
	역할	• 인권 침해를 당한 사람이 **진정** 제출 → 조사하여 **권고**하여 침해된 인권 구제 시험TIP: 국가 인권 위원회의 역할은 **권고**야! 즉, **법적인 강제력은 없어!** ← 요거 시험에 훼이크로 잘 나오니깐 꼭 기억해!^▽^
	#주요 키워드: 독립된 기관, **진정**, **권고**, 법적 강제력 없음	
국민 권익 위원회	• **행정 기관**의 잘못된 법 집행이나 **잘못된 처분**으로 피해가 발생했을 때 이를 조사하여 침해된 권리를 구제하는 기관 • **고충민원** → **행정심판** 등으로 구제 훼이크주의보 시험에 '**국민 권익 위원회에 행정 소송을 요청한다.**'라고 나오면 틀려!! 국민권익위원회는 **행정 심판**을 하는 곳이란다! (^0^) **행정 소송**은 **행정 법원**에서 하는거라는걸 꼭 기억해! ('︵')	
	#주요 키워드: 행정기관의 잘못된 처분, **고충민원**, **행정심판**	
그 외	① 언론 중재 위원회	• 잘못된 언론 보도로 발생한 피해 개선
	② 한국 소비자원	• 소비자의 권리가 침해된 경우 조사하여 구제
	③ 대한 법률 구조 공단	• 경제적으로 어렵거나 법의 보호를 충분히 받지 못하는 국민의 권익 보호

시험에 찐으로 잘 나오는 국가 인권 위원회!

[실제 주관식 문제]
Q. 다음 글에서 설명하는 용어는?

> 국가 기관에 자신의 **사정을 말하고** 어떤 조치를 취해줄 것을 희망하는 일로, **국가 인권 위원회에 제기할 수 있다.**

〈　　　　　〉

• 정답: 진정

[실제 주관식 문제]
Q. 다음 글에서 설명하는 **국가 기관**은?

> **어떤 국가기관에도 소속되지 않는 독립기구**로, 인권을 침해할 우려가 있는 법이나 제도의 문제점을 찾아 개선을 **권고**하고, 인권 침해나 차별 행위를 조사하여 구제하는 역할을 한다.

〈　　　　　〉

• 정답: 국가 인권 위원회

[국가 인권 위원회에 대한 설명으로 맞으면 O표, 틀리면 X]
① 인권 침해와 관련된 민원을 받아 상담한다. (　　)
② 인권과 관련된 문제를 조사하여 개선을 **권고**한다. (　　)
③ 인권침해나 차별행위를 조사하여 구제한다. (　　)
④ 국가 인권 위원회의 권고는 **법적 강제력을 가진다.** (　　)
⑤ 국가 인권 위원회는 입법,행정,사법 등 어떤 국가 기관에도 소속되지 않은 **독립된 기관**이다. (　　)

• 정답: ①~⑤: ○○○×○

이 외에,
• 만약 인권 침해를 당했는데 **구제 받을 법이 없다면** 법을 만드는 입법부(국회)에 법을 만들어 달라는 '입법청원'을 할 수 있고,
• 만약 재판 결과가 마음에 안든다면 상급 법원에 다시 재판을 요구하는 '상소'를 통해서도 권리 구제를 할 수 있단다. 알라븅♡

이제부터 진짜 레알 중요하니깐 잘 봐둬!! 여기서 시험 문제 다 나온다!!٩(๑•̀o•́๑)و -[실제 예와 접목하기]

★★중요 예시1 [법원]

• **여자라고 해서** 돌아가신 아버지의 유산을 **집안의 전통에 따라 받지 못했어요.**ㅠㅠㅠ
→ **민사 재판**을 통해 권리 구제
• 학교 옆에서 공사를 하느라 먼지와 소음이 심해서 공부하기 힘들어요. 쾌적한 환경에서 공부하고 싶어요 → **민사 재판**을 통해 권리 구제

[실제 주관식 문제]
Q. 다음 글에서 설명하는 **국가 기관**은?

> 헌법 질서를 수호하고 국민의 기본권을 보장하는 국가 기관으로, **헌법 소원 심판**을 통해 인권을 보호한다.

〈 **헌법 재판소** 〉

★★중요 예시2 [헌법재판소]

• 돌흥씨는 출생 신고 때 정해진 주민등록번호를 바꾸지 못하도록 정한 **주민등록법 규정은 개인의 기본권을 과도하게 침해한다고 보고**, 헌법 소원 심판을 청구하기로 하였다.
→ **자유권 침해**에 따른 **헌법 소원 심판** 청구

• 의사 A씨 등은 '최신 수술, 부작용 없음' 이라는 현수막 광고를 하였는데, 이 광고가 "의료 광고를 하기 전에 보건복지부장관의 심의를 받아야 한다." 라는 **〈의료법〉 제56조를 위반했다**는 이유로 벌금을 물게 되었다. 그러자 의사 A씨 등은 〈의료법〉 제56조가 헌법에 보장된 기본권을 침해한다며 국가 기관에 헌법 소원을 청구하였다.
→ **자유권 침해**에 따른 **헌법 소원 심판** 청구

• 초등학교 담임교사 A씨는 아동학대 범죄 혐의로 기소돼 형사재판을 받고 있었다. A씨는 아동을 양육할 의무를 부담하고 있는 부모에 비해 교사라는 신분만으로 아동학대 범죄의 종류와 행위 등을 고려하지 않고 일률적으로 **가중처벌을 받는 것**은 기본권을 침해하는 것이라며 헌법 재판소에 심판을 청구하였다. → **평등권 침해**에 따른 **헌법 소원 심판** 청구

★★중요 예시3 [국가 인권 위원회]

- OO대학원에 다니는 A씨는 임신하여 휴학을 신청하였다. 하지만 OO대학원에는 임신·출산과 관련한 별도의 휴학 제도가 없어 A씨는 출산 후 육아 때문에 학업을 포기해야 했다. 이에 A씨는 **국가 인권 위원회**에 차별을 바로잡아 달라고 **진정**을 제기하였다. → **평등권 침해**에 따른 **진정** 제기

- 동현이는 OO미용고등학교가 신입생 입학 전형에서 남학생의 입학을 제한하여 평등권을 침해받았다고 생각하여, 시정을 요청하기로 하였다.
▷ 차별 시정 권고는 ((가))(으)로! → (가): **국가 인권 위원회**

- 화장실 설치에서도 인권의 성장을 엿볼 수 있다. 우리나라의 경우 1998년부터 공공장소에 장애인 화장실을 설치하는 것이 의무화되었고, 2007년 이후에는 남녀가 분리된 장애인 화장실이 설치되고 있다. 이것은 남녀의 구분이 없는 장애인 화장실이 장애인의 평등권과 인간의 존엄성을 침해한다는 <u>(가)</u> 의 권고에 따른 것이다. → (가): **국가 인권 위원회**

★★중요 예시4 [국민 권익 위원회]

- 저는 분식집을 개업하여 운영하고 있는데 얼마 전 유통기한이 지난 재료를 사용하였다는 이유로 <u>15일간 영업 정지 **처분**을 받았습니다.</u> 하지만 <u>음식 재료는 아무 문제가 없었고 선물 받은 식품을 냉장고에 두었다가 오해를 받은 것입니다.</u> 15일 동안 영업을 하지 못하면 생활비를 벌지 못해 생활이 어렵습니다. 이 처분으로 권리 구제를 받을 방법은 없을까요? → **잘못된 행정 처분**에 따른 **고충민원** 제기

- 축사의 소음 피해를 줄이기 위해 국도에 방음벽 설치를 요구하는 신청인의 **고충 민원**에 상당 한 이유가 있다고 인정되므로 피신청인에게 신청인 축사 등의 소음 피해를 줄이기 위해, 'OOO도로시설 개량공사'가 진행되는 신청인 축사 인근 국도(OOO호선)에 현장 여건 등을 고려하여 적정한 방음벽 설치를 추진할 것을 **시정 권고**한다. → **잘못된 행정 처분**에 따른 **고충민원** 제기

★★중요 예시5 [언론 중재 위원회]

- 얼마 전 콘서트에 갔다가 미스터 트롯에 나오는 유명한 가수의 사인을 받았습니다. 그런데 며칠 후 TV를 보다 가수 옆에서 사인을 받고 엄청나게 좋아하는 제 모습이 나와 깜짝 놀랐습니다. 제가 나온 영상 등을 저의 동의 없이 보도했을 때는 어떻게 해야 하나요? → **언론중재위원회**의 도움

★★중요 예시6 [대한 법률 구조 공단]

- 경제적으로 어렵거나 법의 보호를 충분히 받지 못하는 국민의 권익 보호를 위해 설립된 법률 복지 서비스 기관이다. 무료 법률 상담, 민사·가사 사건 소송 대리 등의 법률 구조 사업을 수행하고 있다.

얘들아!!ㄹ(^0^)つ
진짜 여기까지 오느라 너무 너무 수고 많았어!! 이 파트가 쉽지 않은데 포기하지 않고 여기까지 달려온 우리 다음세대들을 너무 너무 축복해!! :)
그래서 선생님이 마지막으로 실제 시험에서 헷갈릴만한 내용들을 정리해봤어! 한번 풀어봐! 이거 풀어보면 완벽하게 정리될꺼야!

Q-1. 다음 중 <u>밑줄친 틀린곳</u>을 바르게 고치시오.

① 사법 기관이 법을 잘못 적용한 판결로 인권이 침해된 경우 상급 법원에 <u>**입법청원**</u>한다. **[정답:]**
② 행정 기관의 잘못으로 피해를 입은 경우 행정 기관에 <u>**행정 재판**</u>을 요청한다. **[정답:]**
③ 입법 기관의 법 제정 미흡으로 인한 인권 침해는 <u>**상소를(을)**</u> 통해 구제 받을 수 있다. **[정답:]**
④ 다른 사람의 범죄 행위로 기본권이 침해당했을때, <u>**민사 재판**</u>을 통해 구제받을 수 있다. **[정답:]**

Q-2. 다음 **괄호**안에 알맞은 말을 넣으시오.

① 국가 기관 또는 개인이나 단체에 의해 권리를 침해당한 경우 **소송을 제기하는 곳**은 ( )이다.
② **행정 기관의 잘못된 처분으로** 권리를 침해당한 국민이 **행정 심판**을 제기하는 곳은 ( )이다.
③ **공권력에 의해 기본권을 침해**당한 사람이 **헌법 소원**을 청구하는 곳은 ( )이다.

Q-3. 다음 설명이 **맞으면 ○표, 틀리면 ×**를 하시오.

① 다른 개인이 인권을 침해한 경우에는 **행정 소송**을 통해 구제를 요청할 수 있다. ( )
② **헌법재판소**는 국민의 인권을 침해하는 **법률을 심판**할 수 있다. ( )
③ **국가 인권 위원회**의 **시정 권고**는 반드시 따라야한다. ( )

Q-4. 표로 정리해보세요.

	구제 요청 방법	구제 방법
법원	• (①) 제기	• 재판
헌법 재판소	• 헌법 소원 제기	• 헌법 소원 심판
국가 인권 위원회	• (②) 제기	• 시정 권고
국민 권익 위원회	• 고충 민원	• 행정 (③)

정답: Q-1. ①상소 ②행정심판 ③입법청원 ④형사 재판
Q-2. ①법원 ②국민 권익 위원회 ③헌법재판소
Q-3. ×, ○, × Q-4. ①소 ②진정 ③심판

옆의 자료는 하나도 안 중요하니깐 그냥 참고로만 봐용:)	국가 기관에 의한 침해	•헌법 소원 제기 •위헌 법률 심판 제청 •행정 심판 및 행정 소송 •국가 인권 위원회에 진정 등	개인에 의한 침해	•민사 소송 •경찰이나 검찰에 고소 •국가 인권 위원회에 진정 넣기

누오의 위로의 한 마디

어떤 음악전문가에 의하면 노래는 식후 2-3시간 뒤에 가장 잘 불러진다고 합니다.
저녁을 6시에 먹는다고 치면 가장 잘 불러지는 시간은 밤 9시이니 10시 넘어서부터는 실력이 떨어질 거에요.
그러니 코노가서 5백원짜리 낭비하지 말고 그냥 10시 전까지만 불러요! 믿거나 말거나ㅎㅎㅎㅎㅎㅎ

바쁜 시험기간!!

키워드맵으로 빠르게 암기하자!!

혼자 외울 수 없는 친구들을 위해 키워드맵이 함께 암기 해드립니다!!

1. 일상 생활에서의 인권 침해

1단계 시험에 나오는 중요한 기본 개념 파악!

1. 시험에 나오는 중요 개념을 적으면서 외워볼까요?
회색 글씨를 덧대어 써보세요. 실력이 늘어요 :)

인권 침해는 **개인**이나 **단체**, 뿐만 아니라 국가 기관에 의해서도 발생해.('‿')
왜 발생하냐고? ╮(º ▿ º)╭

- 그건!! ① 사람들이 가지고 있는 고정관념이나 편견,
  ② 사회 안에서 전통적으로 내려오는 잘못된 관습이나 관행,
  그리고 ③ 불합리한 법과 제도 때문이지! ㄷㄷ
- 이러한 인권 침해는 일상 생활 전반에 걸쳐 다양한 형태로 발생한단다.
- 우리가 이러한 인권 침해로부터 인권을 보호하기 위해서는 일단 인권 감수성을 키워야해! 그리하여 인권이 침해당할시 민감하게 반응해야 한단다! 알라븅(/^o^)/♡

2. 다음 그림을 보고 ①, ②, ③번의 보기 중 관련있는 것을 고르세요.

뿌엥~ **집안의 전통에 따라 여자라고** 나만 유산을 안남겨 주시다니!! 아부지	국가에서 실시하는 **인터넷실명제** 때문에 인터넷에 글쓰는게 부담스러워~
(1)(　　　)	(2)(　　　)

• 정답: 2. (1) ②, (2) ③

2단계 인권 침해 사례가 아닌것만 3개 골라볼까? 이거 다 골라내면 너님은 천재!! 시험문제 하나 맞춘거야!! :)

① **장애인의 상대어**를 **일반인**이라고 표현한다.
② 입사 시험에서 **성적과 능력에 따라** 합격자를 선발하였다.
③ 자격시험 결과를 발표할 때 **수험 번호와 이름을 함께 공개 한다.**
④ 많은 교과서에서 집안일을 하는 사람을 대부분 **여성으로 표현**하고 있다.
⑤ 술취한 사람이 지나가는 여성을 폭행하자 **동영상을 찍어 인터넷에 올렸다.**
⑥ 회사 상사가 결혼하는 직원에게 "우리 회사는 **결혼한 여직원이 근무한 적이 없는데**"라고 말했다.
⑦ 휴대 전화 수리 센터에서 휴대 전화의 비밀번호 입력을 요구받았다.
⑧ 학교 밖에서도 교복에 명찰을 부착하도록 하는 교칙 때문에 **개인 정보가 노출**되었다.
⑨ 전 5살인데 놀이 기구를 타고 싶어도 키가 120cm가 안 되면 못 탄대요.

• 정답: (　　,　　,　　)

• 정답: ②, ⑦, ⑨

2. 인권 침해의 구제 방법

1단계 시험에 나오는 중요한 기본 개념 파악!

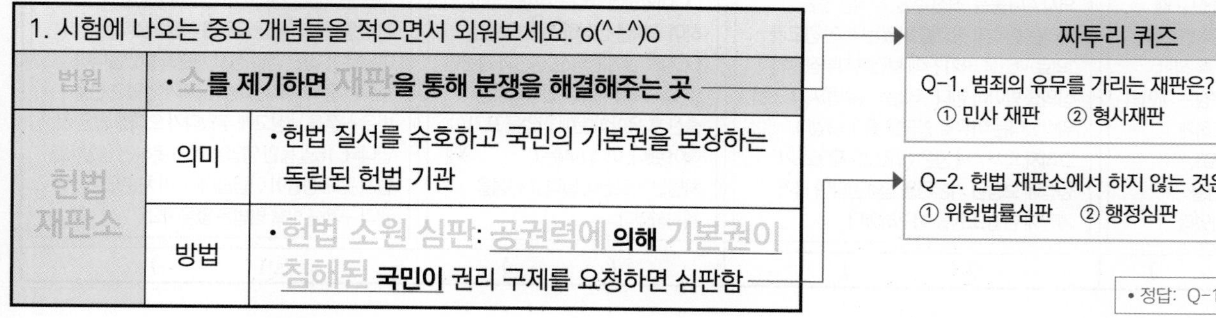

1. 시험에 나오는 중요 개념들을 적으면서 외워보세요. o(^–^)o

법원	• 소를 제기하면 재판을 통해 분쟁을 해결해주는 곳	
헌법 재판소	의미	• 헌법 질서를 수호하고 국민의 기본권을 보장하는 독립된 헌법 기관
	방법	• 헌법 소원 심판: 공권력에 **의해** 기본권이 침해된 **국민이** 권리 구제를 요청하면 심판함

짜투리 퀴즈

Q-1. 범죄의 유무를 가리는 재판은?
① 민사 재판　② 형사재판

Q-2. 헌법 재판소에서 하지 않는 것은?
① 위헌법률심판　② 행정심판

• 정답: Q-1.②, Q-2.②

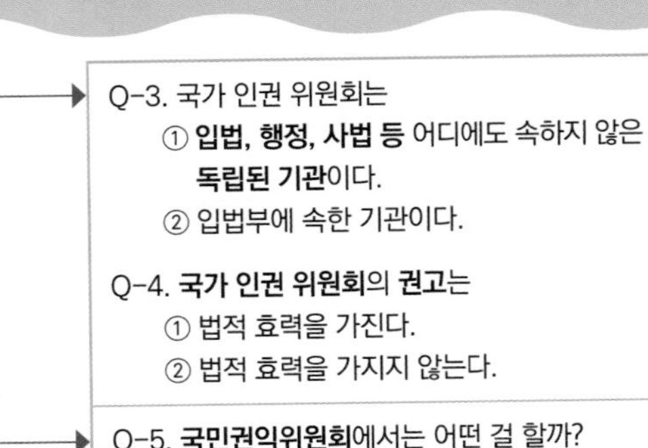

국가 인권 위원회	의미	• 인권 보호와 향상을 위한 전반적인 업무 진행 → 독립된 기관
	방법	• 인권 침해를 당한 사람이 진정 제출 → 조사하여 권고하여 침해된 인권 구제
국민 권익 위원회	• 행정 기관의 잘못된 법 집행이나 잘못된 처분으로 피해가 발생했을 때 침해된 권리를 구제하는 기관 • 고충 민원 제기 → 행정 심판 등으로 구제	

Q-3. 국가 인권 위원회는
① **입법, 행정, 사법 등** 어디에도 속하지 않은 **독립된 기관**이다.
② 입법부에 속한 기관이다.

Q-4. **국가 인권 위원회**의 **권고**는
① 법적 효력을 가진다.
② 법적 효력을 가지지 않는다.

Q-5. **국민권익위원회**에서는 어떤 걸 할까?
① 행정심판 ② 행정소송

Q-6. 그렇다면 **행정소송**은 어디서?
① 행정법원 ② 도라에몽집

• 정답: Q-3①, Q-4②, Q-5①, Q-6①

2단계 기본 개념 실전에 대입하기!!

2. 맞는 개념끼리 연결하시오.

① 법원 •
② 헌법재판소 •
③ 국가인권위원회 •
④ 국민권익위원회 •

• (a) 헌법 질서를 수호하고 침해된 국민의 기본권을 보장하는 독립된 헌법 기관
• (b) 소를 제기하면 재판을 통해 분쟁을 해결해주는 기관
• (c) 위헌 법률 심판
• (d) 인권 보호와 향상을 위한 전반적인 업무를 진행하는 기관
• (e) 공권력에 의해 기본권이 침해된 국민이 권리 구제를 요청하는 헌법 소원 심판을 하는 기관
• (f) 법률에 구제 절차를 모두 거친 후에도 구제받지 못했을 때 사용하는 최후 수단
• (g) 인권을 침해할 우려가 있는 법이나 제도의 문제점을 찾아 개선을 권고하고, 인권 침해나 차별 행위를 조사하여 구제하는 역할을 하는 기관
• (h) 행정기관의 잘못된 법 집행이나 잘못된 처분으로 피해가 발생했을 때 침해된 권리를 구제하는 기관
• (i) 고충민원을 제기하면 행정 심판으로 구제한다.

• 정답:
① (b)
② (a)(c)(e)(f)
③ (d)(g)
④ (h)(i)

3. 다음 키워드를 보고 **법원**이면 **'법'**, **헌법재판소**면 **'헌'**, **국가인권위원회**면 **'인'**, **국민권익위원회**면 **'권'**이라고 쓰시오.

소 제기	진정	헌법 소원 심판	소송	재판
① ( )	② ( )	③ ( )	④ ( )	⑤ ( )
행정 기관의 잘못된 처분	헌법 질서를 수호하고 국민의 기본권을 보장하는 독립된 기관	공권력에 의해 기본권이 침해됨	고충민원, 행정심판	인권을 침해할 우려가 있는 법이나 제도를 찾아 개선 권고
⑥ ( )	⑦ ( )	⑧ ( )	⑨ ( )	⑩ ( )

• 정답: ①~⑤: 법, 인, 헌, 법, 법 ⑥~⑩: 권, 헌, 헌, 권, 인

3단계 [사례 분석] 시험에 나온 사례 완벽 분석

4. 다음 사례를 보고 구제 받을 곳이 **법원**이면 **'법'**, **헌법재판소**면 **'헌'**, **국가인권위원회**면 **'인'**, **국민권익위원회**면 **'권'**이라고 쓰시오.

돌홍씨는 출생 신고 때 정해진 주민등록번호를 바꾸지 못하도록 정한 주민등록법 규정은 개인의 기본권을 과도하게 침해한다고 보고, **헌법 소원 심판**을 청구하기로 하였다.	의사 A씨 등은 '최신 수술, 부작용 없음'이라는 현수막 광고를 하였는데, 이 광고가 "의료 광고를 하기 전에 보건복지부장관의 심의를 받아야 한다." 라는 〈의료법〉제56조를 위반했다는 이유로 벌금을 물게 되었다. 그러자 의사 A씨 등은 〈의료법〉 제56조가 헌법에 보장된 기본권을 침해한다며 국가 기관에 **헌법 소원**을 청구하였다.	OO대학원에 다니는 A씨는 임신하여 휴학을 신청하였다. 하지만 OO대학원에는 임신, 출산과 관련한 별도의 휴학 제도가 없어 A씨는 출산 후 육아 때문에 학업을 포기해야 했다. 이에 A씨는 ( )에 차별을 바로잡아 달라고 **진정**을 제기하였다.	저는 분식집을 개업하여 운영하고 있는데 얼마 전 유통기한이 지난 재료를 사용하였다는 이유로 15일간 영업 정지 **처분**을 받았습니다. 하지만 음식 재료는 아무 문제가 없었고 선물 받은 식품을 냉장고에 두었다가 오해를 받은 것입니다. 15일 동안 영업을 하지 못하면 생활비를 벌지 못해 생활이 어렵습니다. 이 처분으로 권리 구제를 받을 방법은 없을까요?
① ( )	② ( )	③ ( )	④ ( )

• 정답: ①~④: 헌, 헌, 인, 권

람보쌤의 자세한 해설을 영상으로 보세요!

일상생활에서의 인권 침해

유형 1 인권 침해의 원인

〈보기〉에서 인권 침해가 발생하는 원인으로 적절한 것만을 있는 대로 고른 것은?

보 기

ㄱ. 법원의 공정한 재판
ㄴ. 개인의 편견이나 고정 관념
ㄷ. 사회나 집단의 관습이나 관행
ㄹ. 국가의 잘못된 법률이나 제도

) ㄱ, ㄴ　　② ㄴ, ㄹ
) ㄱ, ㄴ, ㄷ　　④ ㄴ, ㄷ, ㄹ
) ㄱ, ㄴ, ㄷ, ㄹ

. 현주가 인권 침해를 당한 원인은?

어느 날 현주는 평소처럼 인터넷에 글을 쓰려다가 해당 게시판에서 인터넷 실명제를 시행한다는 것을 알게 되었다. 그 후 이전처럼 자유롭게 자신의 의견을 적는 것이 망설여지고 불편해졌으며, 인권을 침해당했다는 생각이 들었다.

) 사회 구성원의 편견
) 사회나 집단의 관행
) 사회나 집단의 관습
) 사회 구성원의 고정관념
) 국가의 잘못된 법률이나 제도

유형 2 인권 침해의 특징

. 인권 침해에 관한 설명으로 옳지 않은 것은?

) 사회나 집단의 관습이나 관행으로 발생하기도 한다.
) 국가의 잘못된 법률이나 제도 등으로 발생하기도 한다.
) 사회 구성원의 편견이나 고정 관념 때문에 발생하는 경우가 많다.
) 인권 침해는 국가가 구제해 주기 때문에 민감하게 반응할 필요가 없다.
) 인권이 보장되는 사회를 만들기 위해 일상에서 인권 감수성을 키워야 한다.

4. 인권 침해에 대한 설명으로 옳지 않은 것은?

① 인권 침해는 사회적 약자에게만 나타난다.
② 불합리한 제도로 인해 발생하기도 한다.
③ 국가기관에 의해 인권 침해가 발생하기도 한다.
④ 기본적 권리를 보장받지 못하는 것을 의미한다.
⑤ 사람들의 잘못된 고정관념이나 편견으로 생긴다.

유형 3 인권 침해의 사례

5. 인권 침해 사례로 옳지 않은 것은?

① 화장실에 장애인 전용칸이 마련되어 있다.
② 임신 소식을 알리자 직장에서 해고 통보를 했다.
③ 수사 과정에서 심한 고문을 가해 자백을 받아냈다.
④ 학교 게시판에서 모든 학생의 성적과 석차가 게시되었다.
⑤ 버스 손잡이가 모두 같은 높이로 설치되었다.

6. 다음 중 인권 침해 사례로 옳지 않은 것은?

① 놀이 기구를 탈 때, 키가 130cm 이상만 탈 수 있다.
② 허락도 없이 이름과 전화번호를 주민 게시판에 공개했다.
③ 청각 장애가 있다는 이유로 건물주가 전세를 임대하지 않았다.
④ 간호학과를 나와 병원에서 일하려고 하는데 남자 간호사는 뽑지 않는다.
⑤ 사람들의 신체적 차이를 고려하지 않고 같은 높이로 손잡이를 설치했다.

인권 침해의 구제 방법

유형 1 법원

※ 제시된 글을 읽고 물음에 답하시오.

> '갑'은 조상들의 땅이 신도시 개발 지역에 포함되면서 집안이 보상금을 받게 되었다는 소식을 들었다. 그런데 집안 어른들이 18세 이상 남성에게는 보상금을 나누어 주지만, 여성에게는 집안의 전통에 따라 보상금을 주지 않기로 했다는 소식을 듣게 되었다. '갑'은 같은 집안 식구이지만 여성이라는 이유로 조상들의 땅에 대한 권리를 인정받지 못하는 것은 부당하다는 생각이 들었다.

7. 위의 사례에서 '갑'의 침해된 인권을 구제받을 수 있는 국가 기관으로 옳은 것은?

① 법원 ② 헌법재판소
③ 한국소비자원 ④ 국민 권익 위원회
⑤ 언론중재위원회

유형 2 헌법재판소

8. ○○씨가 침해당한 인권을 구제받기 위해 가야하는 국가 기관으로 옳은 것은?

> ○○씨는 출생 신고 때 정해진 주민등록번호를 바꾸지 못하도록 정한 주민 등록법 규정은 개인의 기본권을 과도하게 침해한다고 보고, 헌법 소원 심판을 청구하기로 하였다.

① 대법원 ② 헌법재판소
③ 대한민국 국회 ④ 국가인권위원회
⑤ 대한법률구조공단

※ 다음 사례를 읽고 물음에 답하시오.

> 의사 A씨 등은 '최신 수술, 부작용 없음' 이라는 현수막 광고를 하였는데, 이 광고가 "의료 광고를 하기 전에 보건복지부장관의 심의를 받아야 한다."라는 〈의료법〉제56조를 위반했다는 이유로 벌금을 물게 되었다. 그러자 의사 A씨 등은 〈의료법〉제56조가 헌법에 보장된 ㉠기본권을 침해한다며 ㉡국가 기관에 헌법 소원을 청구하였다.

9. ㉡에 해당하는 국가 기관으로 옳은 것은?

① 법원 ② 헌법재판소
③ 국가 권익 위원회 ④ 국민 인권 위원회
⑤ 언론중재위원회

유형 3 국가 인권 위원회

10. 다음 사례에서 침해된 인권과 인권 구제 방법을 옳게 연결한 것은?

> OO대학원에 다니는 A씨는 임신하여 휴학을 신청하였다. 하지만 OO대학원 측은 임신·출산과 관련한 별도의 휴학 제도가 없어 A씨는 출산 후 육아 때문에 학업을 포기해야 했다. 이에 A씨는 여성의 임신, 출산, 육아를 이유로 교육 시설 이용을 제한하는 것은 성별에 따른 차별이라며 국가 인권 위원회에 구제를 요청하였다.

	침해된 인권	구제 방법
①	참정권	진정 제기
②	자유권	소 제기
③	자유권	고충 민원 제기
④	평등권	행정 심판 제기
⑤	평등권	진정 제기

11. 다음에서 설명하는 인권 침해 구제 기관은?

> 어떤 국가 기관에도 소속되지 않는 독립 기구로, 인권을 침해할 우려가 있는 법이나 제도의 문제점을 찾아 개선을 권고하고, 인권 침해나 차별 행위를 조사하여 구제하는 역할을 한다.

① 법원 ② 한국 소비자원
③ 국가 인권 위원회 ④ 국민 권익 위원회
⑤ 언론 중재 위원회

유형 4 국민 권익 위원회

12. 국민 권익 위원회에 제기할 수 있는 권리 구제 방안만을 〈보기〉에서 모두 고른 것은?

> **보 기**
> ㄱ. 행정 심판 ㄴ. 고충 민원
> ㄷ. 헌법 소원 ㄹ. 진정

① ㄱ, ㄴ ② ㄱ, ㄷ ③ ㄴ, ㄷ
④ ㄴ, ㄹ ⑤ ㄷ, ㄹ

3. 사례와 같은 피해를 당했을 때 권리 구제를 요청할 수 있는 기관으로 가장 적절한 것은?

> 저는 분식집을 개업하여 운영하고 있는데 얼마 전 유통기한이 지난 재료를 사용하였다는 이유로 15일간 영업 정지 처분을 받았습니다. 하지만 음식 재료는 아무 문제가 없었고 선물 받은 식품을 냉장고에 두었다가 오해를 받은 것입니다. 15일 동안 영업을 하지 못하면 생활비를 벌지 못해 생활이 어렵습니다. 이 처분으로 권리 구제를 받을 방법은 없을까요?

① 감사원 ② 노동 위원회
③ 한국 소비자원 ④ 국민 권익 위원회
⑤ 언론 중재 위원회

유형 5 언론 중재 위원회

4. 다음의 사례의 경우 권리를 구제받을 수 있는 기관은?

보 기

> 얼마 전 콘서트에 갔다가 미스터 트롯에 나오는 유명한 가수의 사인을 받았습니다. 그런데 며칠 후 TV를 보다 가수 옆에서 사인을 받고 엄청나게 좋아하는 제 모습이 나와 깜짝 놀랐습니다. 제가 나온 영상 등을 저의 동의 없이 보도했을 때는 어떻게 해야 하나요?

① 헌법재판소 ② 노동위원회
③ 한국 소비자원 ④ 언론 중재 위원회
⑤ 국민 권익 위원회

유형 6 복합형

5. 다음 글의 빈칸에 들어갈 기관을 바르게 연결한 것은?

> 국가 기관 또는 개인이나 단체에 의해 권리를 침해당한 경우 소송을 제기하는 곳은 (㉠)이고, 행정 기관의 잘못된 처분으로 권리를 침해당한 국민이 행정 심판을 제기하는 곳은 (㉡)이다. 한편 공권력에 의해 기본권을 침해당한 사람이 헌법 소원을 청구하는 곳은 (㉢)이다.

	㉠	㉡	㉢
①	법원	헌법재판소	국가인권위원회
②	법원	국민권익위원회	헌법재판소
③	헌법재판소	국가인권위원회	법원
④	국민권익위원회	법원	헌법재판소
⑤	헌법재판소	국민권익위원회	법원

16. 인권이 침해되었을 때 도움을 받을 수 있는 국가기관에 관한 옳은 설명만을 〈보기〉에서 고른 것은?

보 기

> ㄱ. 다른 사람의 범죄 행위로 기본권이 침해당했을 때, 민사 재판을 통해 구제받을 수 있다.
> ㄴ. 공권력의 행사를 통해서 기본권이 침해당했을 때, 형사재판을 통해 구제받을 수 있다.
> ㄷ. 소비자의 권리가 침해당했을 때, 한국 소비자원의 도움을 받을 수 있다.
> ㄹ. 행정 기관의 잘못된 법 집행으로 피해를 입은 경우, 국민 권익 위원회에서 구제받을 수 있다.

① ㄱ, ㄴ ② ㄱ, ㄹ ③ ㄴ, ㄷ
④ ㄴ, ㄹ ⑤ ㄷ, ㄹ

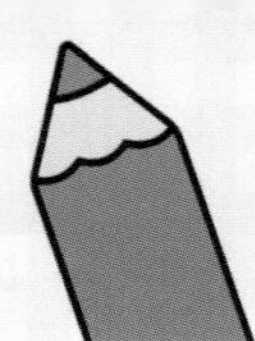

인권 침해 중에 인권 침해!! 학교 폭력!! 멈춰!!

다음세대 개척자들에게 람보쌤이 온 맘 다해 호소합니다!!!!
사랑하는 다음세대 개척자 여러분들!! 학교 폭력을 멈춰주세요!!
제발 부탁입니다!! 이제 제발 멈춰주세요!!
여러분들이 하고 있는 학교 폭력으로 인해 당하는 사람은 정말로 하루에도 몇 번씩이나 죽음을 묵상합니다!!
특히나 많은 친구들이 직접적인 폭력보다는 뒷담화와 소문으로 힘들어해요!!
뒷담화와 소문을 당하는 친구는 절대 학교를 즐겁게 다닐 수 없어요.
다닌다해도 수많은 수근거림과 째려봄을 감내하며 매일 매일 몸에 칼이 꽂히는 심정으로 버텨야만해요!!
우리 친구들 그거 아시나요?
여러분들이 듣는 뒷담화와 소문이 진짜가 아닐 수도 있다는 사실을!!
특히 "히잇!!! 걔가???!!! 정말 그랬다고??"라고 할 정도의 뒷담화들은 거의 대부분 과장된거예요!!
인간은 누구나 연약하기 때문에 말을 퍼뜨릴때는 사건 전체를 얘기하기 보다는 자신의 입장에서 유리한 쪽으로 발췌해서 전할 때가 많아요.
뒷담화를 유포하는 친구들이 하는 행동중에서 가장 악랄한 것 중에 하나가 sns에서 주고 받은 내용이나 피해 학생의 행위를 짜깁기해서 주변에 전달하는것이죠!!

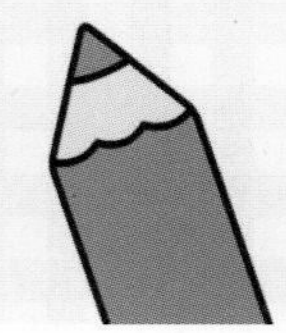

갓쓴이야기

정말 그 짜깁기한 내용을 들으면 "헐~~~!!! 걔가??"라며 피해 학생은 절대 상종해서는 안되는 인간쓰레기가 되어있어요!!
근데 그거 아시나요?
뒷담화를 전하는 친구나 듣는 친구에게는 그냥 그런 그 뒷담화 때문에 당하는 사람은 매일 죽음을 묵상한다는 것을!!
쌤이 아는 한 제자는 방안에서 손목을 긋기도 하고 옥상에 올라가 자살을 시도한것도 여러번이에요.
왜냐하면 이제 아무도 그 친구를 믿어주지 않기 때문이에요.
그 친구가 지나가면 수군거리고 복도에서는 심지어 말한번 섞어보지 않은 아이들까지 그 친구를 노려봐요.
그리고 아이들은 그 친구와 한 조가 되거나 한 팀이 되면 "아... 나 000랑 한 조 되기 싫은데!!"라며
대놓고 티를 내기도해요!! 하루아침에 피해 학생은 학교에서 없어져야 하는 쓰레기가 되어있지요..
여러분들 이것은 잘못되어도 엄청 잘못되었어요!!
아무리 그 아이가 잘못했다고 해도 이 정도까지 대우를 받아야하나요!!
다들 총만 안쏘았을 뿐 피해 학생은 하루에도 몇 번씩이나 학교에서 죽음을 경험합니다!!
이 총은 가해 학생 뿐만 아니라 방관하는 학생들까지 그리고 이 모든 사실을 알면서도 나서지 않는 선생님들까지 모두
피해 학생을 향해 쏘고 있죠!!
이제는 우리 친구들 그만 방관해요!! 그리고 뒷담화를 퍼뜨리고 있는 친구를 찾아가서 말하세요!!
"이제 그만 멈춰!! 듣기가 거북해!!" 라고 말입니다.
여러분들 혼자서는 힘드니 5명 정도 친구를 모아 함께 가서 "멈춰달라"고 말하세요!!
안그러면 당하는 친구들은 진짜 죽음을 묵상해야 하기 때문입니다.
뒷담화는 어떤 경우에도 불합리한거예요!!
만약 피해 학생에게 문제가 있다면 직접가서 1:1로 대화하고 해결하는 것이 옳지 주변에 있는 친구들을
내편으로 만드는 행위는 비겁한 행위입니다.
사랑하는 다음세대 개척자 여러분들!!
요즘 우리나라는 스포츠 스타, 연예인들의 학교 폭력 과거로 떠들썩합니다. 10대 때 겪은 학교 폭력 때문에 성인이
되어서도 제대로 살지 못하는 피해자들이 20대 30대가 되어서야 그 고통을 호소하는 것이죠!!
학교가 병들어가고 있고 아이들이 죽어가고 있습니다.
이것은 우리의 문제이고 우리가 스스로 해결해야합니다.
누구한테 도움을 요청한다고 해서 도와주지 않아요.
우리는 우리의 문제를 스스로 해결해야 합니다.
이것은 학생들의 문제이니 우리 학생들이 스스로 해결해야 합니다.
코로나 이후 우리가 사는 사회 곳곳에 무너지고 폐허가 된 곳이 많습니다!! 그러나 우리 친구들은 다음세대입니다!!
즉, 여러분들이 우리나라의 다음이기 때문에 여러분들은 충분히 폐허가 되고 잘못된 곳을 새롭게 다시 세울 수 있을
것입니다.

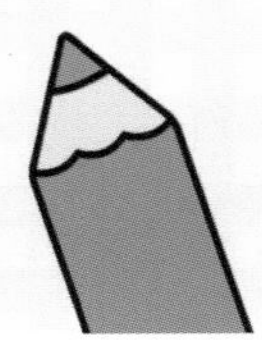

이글을 읽을 때쯤 우리 친구들은 중간고사 기간이면서 동시에 4.16 세월호 참사를 맞이하게 될 것입니다.
2014년 4월 16일 단원고의 수많은 다음세대들이 차디찬 바닷물에서 죽어갔습니다.
그들을 살릴수 있는 시간이 2시간이나 있었음에도 불구하고 학생들에게는
'가만히 있어!'라는 지침만 떨어졌을 뿐 제대로 된 구조 활동이 이루어지지 않았습니다.
지금도 학교에서는 수많은 학생들이 학교폭력과 수근거림, 그리고 집단 따돌림으로 죽어가고 있습니다!!
사랑하는 다음세대 개척자 여러분들!! 살려주세요!! 죽어가는 그 친구들을 살려주세요!!
그리고 지금이라도 함부로 뒷담화를 퍼뜨린것에 대해 그리고 방관한 것에 대해 뜨거운 양심으로
그 친구에게 진심으로 사과해주세요!!
이것이야말로 진정한 기쁨입니다.
여러분들이 전교1등을 하고 서울대를 들어가는 것보다도 의로운 길을 걸어간다는 것이야말로 진정한 기쁨입니다.
의로운 길을 가세요!! 여러분들은 개척자 즉, 길이 없는 곳에 길을 내는 사람들입니다!!
이 글을 읽고 있는 여러분들은 할 수 있습니다.
여러분들이야말로 폐허가 된 이 땅의 빛이며 소망입니다!!
이것을 행하는 여러분들을 나는 자랑스러워 할 것이며 여러분들의 의로운 행위는 해같이 빛나게 될 것입니다!!
자랑스런 대한민국의 다음세대 개척자들이여!! 생명을 살리는 일에 동참하라!!
두려워말고 담대함으로 의로운 일에 자신의 인생을 거십시오!!
오늘도 죽음을 묵상하고 있을 그 친구에게 빛을 선물해 주고 미소를 되돌려주십시오!!
그런 여러분들이 자라서 만드는 세상에서는 약자일수록 더욱 보호받고 존중받는 '천국'이 될 것입니다!!
알라븅~^^

3. 근로자의 권리와 노동권 침해 및 구제

1. 헌법에 보장된 근로자의 권리

근로자는 사용자(=사장)에 비해 **경제적으로 약자**이기 때문에 **헌법**에서 그 **권리를 보장**해준단다.(^0^)

(1) 근로자의 의미와 범위

근로자란?	• 임금을 받기 위해 **사용자**에게 **노동**을 제공하는 사람
근로자의 범위	• 사용자에게 고용되어 일하는 모든 사람 (직업의 종류나 근무 기간 상관 없음)

시험 TIP: 시험 문제에 **'공무원은 근로자가 아니다'**라고 훼이크로 매우 잘나와! 그러나 공무원도 국가에 고용되어 월급을 받기 때문에 근로자란다!!(^0^) 헷갈리지 않도록 주의하거랏!(づ'0')づ

중요 시험에 나오는 **근로자의 예 vs 비근로자의 예 구분하기**

근로자	비근로자
• 사용자에게 고용된 모든 사람 - 국가로부터 월급 받는 공립교사 - **국가 기관에서 일하는 공무원** - 편의점에서 아르바이트 하는 청소년 친구 - 단기 아르바이트 하는 대학생	• 자영업자 예) 주유소를 운영하는 소망씨 세탁소를 운영하는 희망씨 • 집안일을 하며 생활비를 받는 돌쇠씨 • 가정 주부인 엄마

(2) 근로자의 권리

• 중요: 근로자의 권리는 **헌법**에서 보장한다!!

근로의 권리	• 근로의 능력을 가진 사람이 국가에 일할 기회를 요구할 권리	
	① 최저임금제	**최소한**의 근로 조건 보장
	• 최소한의 생활을 할 수 있는 적정한 임금을 보장하는 제도 (법률로 정함)	
	② 근로기준법	
	• 근로 조건의 기준 제시 (법률로 정함) (임금, 근로 시간 등)	
시험1타 노동 3권	단결권	• **노동 조합**을 결성하고 가입하여 활동 할 수 있는 권리
	단체 교섭권	• 노동조합이 근로 조건에 관하여 사용자와 **협의**할 수 있는 권리
	단체 행동권	• 단체 교섭이 원만하게 이루어지지 않을 경우 파업, 태업 등의 **쟁의** 활동을 할 수 있는 권리

★★실제 대입해보기 [밑줄 친 틀린 부분을 바르게 고쳐보시오!!]

• 근로의 권리를 법률이나 조례, 규칙에서 규정한다. → 헌법
• 헌법에서는 근로자의 권리를 보장하지 않는다. → 보장한다.
• 우리 헌법은 근로 조건의 수준을 조례로 정하도록 규정하고 있다. → 법률
• 우리 나라는 최소한의 근로 조건을 헌법으로 보장한다. → 법률
• 법률을 통해 근로 조건의 최고 기준을 명시하고 있다. → 최저 기준
• 근로 기준과 최고 임금을 보장하는 규정이 있다. → 최저 임금
• 우리 헌법은 근로자와 사용자의 권리 및 이익을 향상하기 위해 근로의 권리를 보장하고 있다. → 근로자 (사용자는 빼기: 근로의 권리는 사용자에 비해 상대적으로 약자인 근로자들을 위한 권리이므로 사용자는 빼야해! (•..•)>)
• 근로자가 사용자보다 유리한 위치이면 노동권은 **보장하지 않는다.** → 그래도 보장한다.

시험문제 1타!! 헌법에서 보장하는 근로자의 권리

제32조 ① 모든 국민은 근로의 권리를 가진다. 국가는 사회적, 경제적 방법으로 근로자의 고용의 증진과 적정 임금의 보장에 노력하여야 하며, 법률이 정하는 바에 의하여 최저임금제를 시행하여야 한다.
③ **근로조건의 기준**은 인간의 존엄성을 보장하도록 법률로 정한다.
④ **여성**의 근로는 특별한 보호를 받으며, 고용 임금 및 근로 조건에 있어서 부당한 차별을 받지 아니한다.
제33조 ① 근로자는 근로 조건의 향상을 위하여 자주적인 단결권, 단체 교섭권 및 단체 행동권을 가진다.

시험TIP 근로자가 사용자와 대등한 위치에서 근로 조건을 협의하고 결정 할 수 있도록 **노동삼권**을 보장하고 있어.^^

★★정말 중요한 중요 포인트!!

• 근로자의 권리는 **헌법이 보장**하고 있다!!
• 근로 조건의 기준은 **법률**로써 정한다!!
• **최소한**의 근로 조건을 보장한다!!

이것을 **훼이크**로 이렇게 바꿔요!!^ᴗ^ 잘보슈!

★★훼이크 주의보

• 근로자의 권리는 '헌법'으로만 보장할 수 있는거야! 그런데 이것을 '법률'로 바꿔서 낼 수 있어! 헷갈리지 않도록!
• 근로 조건은 '법률'로 정하는거야! 그런데 이것을 '헌법'으로 바꿔 낼 수 있어! 조심해야돼!(〉.〈)
• 최소한의 근로 조건을 보장하는거야! 그런데 이것을 '최대한, 또는 최고의'이런식으로 바꿔내니깐 진짜 훼이크 조심!! 자나깨나 훼이크 조심!!(づ'0')づ
• 근로자의 권리는 **근로자를 위해 있는거야!** 그런데 이것을 '사용자'로 바꿔서 내거나 '근로자와 사용자'로 교묘하게 바꿔서 잘 내니깐 헷갈리지 않도록 하거라!!

법률로 정해진 근로 조건

근로 시간	• 원칙적으로 휴식 시간을 제외하고, 1일 **8시간**, 1주 40시간을 초과할 수 없다.
휴식 시간	• 근로 시간이 4시간이면 30분 이상, 8시간이면 1시간 이상의 휴식 시간을 일하는 도중에 주어야 함
임금	• 원칙적으로 매달 1회 이상 일정한 날짜에 본인에게 직접 통화로 전액을 지급해야 하며 반드시 최저 임금 이상 주어야한다.
해고	• 근로자를 해고하려면 적어도 **30일전**에 알려 주어야 하며 정당한 이유 없이 근로자를 해고할 수 없다.

[실제 시험에 나온 근로 조건 관련 지문]

Q. **근로조건**에 대한 설명으로 **맞으면 ○표, 틀리면 ×표**를 하시오.

① 근로자가 노동력을 제공하는 조건이다. (　　)
② 임금, 근로 시간, 휴가 등을 포함하는 개념이다. (　　)
③ 근로 조건은 **법률이 정한 기준보다 낮아서는 안 된다.** (　　)
④ 인간다운 삶을 위해 최소한의 근로 조건 보장이 필요하다.(　　)
⑤ 원칙적으로 근로자를 해고하려면 적어도 20일 전에 알려주어야 한다. (　　)
⑥ 근로시간이 4시간이면 1시간 이상 휴식시간을 줘야한다. (　　)

• 정답: ①~⑤: ○○○○×(30일 전에 알려줘야 한다), ⑥×

시험에는 이렇게 나왔다!! [노동 3권의 예]

Q. 다음 보기를 보고 **단결권, 단체 교섭권, 단체 행동권** 중 어떤것과 관련있는지 써보시오.

H마트에서 계약직 사원으로 일을 하던 A씨는 마트로부터 갑작스레 해고 통보를 받게 되었다. A씨는 부당해고에 대항하기 위해 다른 근로자들과 함께 노동조합을 만들었다.

① (　　　　　　)

○○중공업은 직원들의 근무 조건 개선 요구에 따라 노동조합과 함께 협의회를 열어 의견을 절충하였다. 관계자는 "노동 조합이 근로 조건 등에 관해 사용자와 의논하고 절충할 수 있는 권리가 원만히 행사되어기쁘다."라고 밝혔다.

② (　　　　　　)

○○택배 노동조합은 기자회견을 열고 과로사 없는 택배 현장을 만들기 위해 총파업을 선언 했다. 분류작업을 택배사 몫으로 명시해 장시간 노동을 개선하자고 했지만, 합의 이후에도 택배 현장은 그대로 라고 주장했다.

③ (　　　　　　)

• 정답: ①단결권, ②단체 교섭권, ③단체 행동권

2. 노동권 침해 사례 및 구제 방법 시험1타

부당 해고	의미	• 정당한 이유 없이 해고하는 것
	구제 방법	• **노동 위원회**에 구제 신청 또는, • **법원**에 **소**제기
부당 노동 행위	의미	• 사용자가 노동자의 노동삼권을 침해하는 행위
	사례	• **노동조합**의 조직이나 가입 등을 이유로 불이익을 주는 것 • 정당한 이유 없이 **노동조합과의 단체 교섭을 거부**하는 것
	구제 방법	• **노동 위원회**에 구제 신청 또는, • **법원**에 **소**제기
임금 체불	구제 방법	• **고용 노동부**에 진정 제기 또는, • **법원**에 **소**제기
그 외		• 근로 계약서 미작성, 최저 임금 미준수 등

시험TIP 시험에 '임금이 체불되어 **고용 노동부**에 진정을 제기했다.'라는 말을 '임금이 체불되어 **지방 고용 노동 관서**에 진정을 제기했다.'로 나와도 이건 맞는 말이야! 왜냐하면 고용 노동부는 각 지방에 **지방 고용 노동 관서**로 존재하거든 (^0^) 그러니깐 헷갈리지 않도록 주의해야돼 s(￣▽￣)v

시험에 진짜 잘나오는 '노동권의 침해' 관련 한판!

부당해고의 예〉

[육아휴직 부당해고]

[성차별 부당해고]

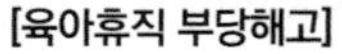

Q. 다음중 **부당해고**에 해당하는 것은?
① A사는 경영상의 이유로 노동자 100명을 해고하였다.
② B사는 해고의 사유를 SNS를 통해 대상자들에게 알렸다.
③ C사는 합리적이고 공정한 기준으로 해고대상자를 선정하였다.

• 정답: ② 구두나 SNS로 사유를 말하는 것은 불법이다.

부당노동행위의 예〉

• 최OO씨는 동료와 노동조합을 만들기로 하였다. 그러자 **회사**에서는 최OO씨 등이 **노동조합을 만들지 못하게 방해하였다.**
• △△회사는 근로자가 **파업**에 참여했다는 이유로 근로자에게 상여금을 지급하지 않고, 맡고 있던 업무와 전혀 상관없는 부서로 발령을 내렸다.
• ○○회사는 이유없이 **노동조합과의 단체 교섭을 거부**하고 있다.

노동위원회와 노동위원회의 구제 절차

노동위원회란?

- 노사 문제의 **공정**하고 **신속한 처리**를 위한 **목적**으로 만들어짐
- **부당해고**와 **부당노동행위**에 대한 조사 및 구제 활동
- 회의에는 **근로자 위원, 사용자 위원, 공익 위원**들이 모여 함께 결의함

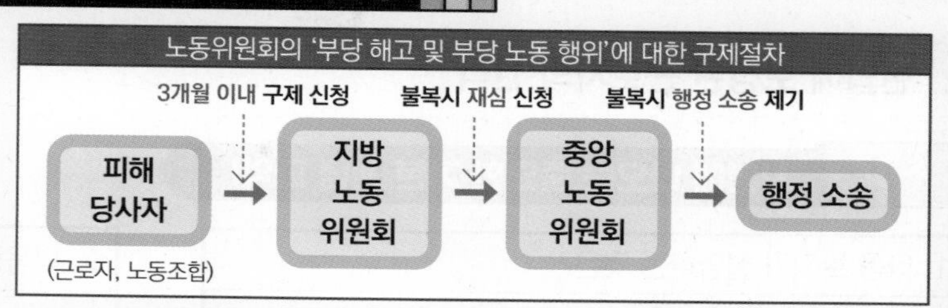

틀린곳을 바르게 고쳐보시오. (^0^)	
	1. 노동위원회에 구제를 요청할 수 있는 피해 당사자는 **근로자만 가능하다.** → 근로자, 노동조합 둘다 가능하다!
	2. 피해 당사자는 **6개월 이내**에 노동 위원회에 구제 신청을 하면 된다. → 3개월 이내

사랑하는 다음세대 개척자들아!o(^-^)o 진짜 여기까지 오느라고 너무 수고 많았어!ど(^0^)つ
선생님이 시험에 잘 나오는 시험 지문들을 모아서 가져와봤거든! 이걸로 너희들의 머릿속을 한번 정리해보면
좀 애매하고 헷갈리던 것들이 명확해 질꺼야! 걱정하지말고! 조급해하지도 말고! 차근차근 람보쌤이랑 나아가자! 알라뷰(/^o^)/♡

람보쌤의 실제 시험 지문으로 복잡한 머릿속 명쾌하게 만들기 한판!!

★★노동권 침해 ○, ×

Q. 다음중 노동권 침해가 **맞다면 ○표, 틀리면 ×표**를 하시오.

① 일을 마치고 집에 왔는데 내일부터 나오지 말라고 **문자가 왔어요.** (　　)
② 배달 아르바이트를 하는데 지각 시 30분당 5천원 **벌금을 내라고 해요.** (　　)
③ 임금을 **최저 임금만큼만** 받았다. (　　)
④ 카페에서 일하는데 실수로 컵을 깨뜨렸다고 **사장님이 머리를 치면서** 화를 냈어요. (　　)
⑤ 1일 **8시간** 일하는 도중에 **30분 쉬었다.** (　　)
⑥ 매일 하루 10시간 일하고, 휴식시간 1시간을 보장받았어요. (　　)
⑦ 노동조합이 사용자와 임금 인상에 관해 단체 교섭을 했지만 **협상이 결렬되었다.** (　　)
⑧ 손님이 없는데도 일어서 있어야해요. (　　)

• 정답: ①~⑤: ○○×○○, ⑥~⑧:○×○

★★노동권 침해와 구제 방법 ○, ×

임금 체불	① 사용자가 임금의 일부만 지급하는 경우 **고용 노동부**에 신고해서 구제받을 수 있다. (　　) ② 임금을 받지 못한 근로자는 **지방 고용 노동 관서**에 진정 또는 고소 할 수 있다. (　　) ③ 임금 관련 문제는 **고용노동부** 뿐만 아니라 **법원**에 도움을 요청하여 해결할 수 있다. (　　)
부당 해고 • 부당 노동 행위	④ **노동 위원회**의 **결정**에 **불복할 경우**에는 **법원에 소**를 **제기**할 수 있다. (　　) ⑤ 권리를 구제받기 위해 **노동 위원회의 결정 전**에 **행정 소송**을 제기할 수 있다. (　　) ⑥ **파업**에 참여했다는 이유로 상여금을 받지 못했다면 **고용노동부**에서 구제 받을 수 있다. (　　) ⑦ 노동자가 **부당 해고**를 당했을 때, 곧바로 **행정 소송**을 통해 구제를 신청할 수 있다. (　　)

• 정답: ①~③: ○○○, ④~⑦:○×××

★★시험 90% 이상 출제 서술형

Q. 그림을 분석하여 물음에 답하시오.

A. 그림과 관련 있는 노동권은 ________ 이고,
B. 구제 받을 수 있는 방법은 ________ 이다.

정답

(A) 단결권
(B) 노동 위원회에 구제를 신청하거나, 법원에 소송을 제기할 수 있다.

참고! 청소년 아르바이트 10계명(배운 학교만 하시면 됩니다o(^-^)o)

1계명 만 **15세 이상**의 청소년만 근무 할 수 있어요.
2계명 부모님의 동의서와 가족 관계 증명서를 제출해야해요.
3계명 임금, 근로시간, 휴일, 업무내용이 포함된 **근로계약서**를 작성해야해요.
4계명 성인과 같은 최저 임금을 적용받아요.
5계명 하루 7시간, 주 40시간 이상 일할 수 없어요.
6계명 휴일에 일하거나 초과 근무를 하면 50%의 가산 임금을 받아요.
7계명 일주일을 개근하고 15시간 이상 일을 하면 하루의 유급 휴일을 받을 수 있어요.
8계명 유해업소에서는 일 할 수 없어요.
9계명 일하다가 다치면 산재 보험으로 치료 받을 수 있어요.
10계명 상담은 국번없이 1350과 1644-3119로 가능해요.

그 외 ① 원칙적으로 야간이나 휴일에 근무해서는 안되요. (^0^)
② 근로계약은 청소년이 직접 맺어야하고, 급여는 청소년이 직접 '통화'로 받아요.(부모님 통장이나 상품권으로 받는 것 안돼요^^)

1. 헌법에 보장된 근로자의 권리

1단계 시험에 나오는 중요한 기본 개념 파악!

1. 다음 보기가 설명하는 것은?

〈보기〉

사용자에게 **노동**을 제공하고
임금을 받는 **모든 사람**을 일컫는 말.
이때 **직업의 종류**나 **근무 기간**은
상관이 없다.

〈정답: 〉

2. 다음중 근로자가 아닌 사람은 고르시오.

① 국가로부터 월급 받는 공립 교사
② 세탁소를 운영하는 희망씨
③ 국가 기관에서 일하는 공무원
④ 편의점에서 아르바이트 하는 친구
⑤ 단기 아르바이트 하는 대학생
⑥ 집안일을 하며 생활비를 받는 돌흉씨
⑦ 가정 주부인 엄마

〈정답: 〉

• 정답: 1. 근로자, 2. ②, ⑥, ⑦

3. 근로자의 권리 [회색으로 쓰여진 중요 내용을 쓰면서 바로 바로 암기해보세요. 우리 친구들 할 수 있어요.O(¯▽¯)o]

근로자는 사용자에 비해 경제적으로 약자예요.o(T^T)o
- 그래서 우리나라 헌법에서는 근로자의 권리를 보장하고,
- 최소한의 근로 조건을 법률로 정해 놓았어요.
  임금, 근로 시간, 휴식 시간 등을 근로 조건이라고 하는데,
  최소한 이만큼은 사용자가 지켜줘야 일할 수 있다는 거예요.
  이때!! 최대가 아니라 최소한이라는 것을 꼭 기억하세요.
- 최저임금제란? 최소한의 생활을 할 수 있도록 적정한 임금을
  주는 것을 말한답니다!! 알라븀(/^o^)/♡

Q-1. 우리나라 헌법에서 보장하는 것은?
① 근로자의 권리 ② 사용자의 권리

Q-2. 우리나라 법률에 정해 놓은 것은?
① 근로자의 권리 ② 근로 조건

Q-3. 근로 조건의 보장은?
① 최소한 보장 ② 최대한 보장

• 정답:
Q-1. ①
Q-2. ②
Q-3. ①

2단계 기본 개념 실전에 대입하기!!

4. 헌법에 보장된 근로자의 권리 중 괄호안에 알맞은 말을 쓰시오.

헌법 제32조
1항 모든 국민은 (㉠)을/를 가진다. 국가는 사회적, 경제적 방법으로 근로자의 고용의 증진과 적정 임금의 보장에 노력하여야 하며, **법률**이 정하는 바에 의하여 (㉡)을/를 시행하여야 한다.
3항 근로조건의 기준은 인간의 존엄성을 보장 하도록 (㉢)로 정한다.
4항 (㉣)의 근로는 특별한 보호를 받으며, 고용 임금 및 근로 조건에 있어서 부당한 차별을 받지 아니한다.
헌법 제33조
1항 근로자는 근로 조건의 향상을 위하여 자주적인 단결권, 단체 교섭권 및 (㉤)을 가진다.

Q-1. ㉠?	Q-2. ㉡?	Q-3. ㉢?	Q-4. ㉣?	Q-5. ㉤?
① 근로의 권리 ② 휴식의 권리	① 최저임금제 ② 최고임금제	① 헌법 ② 법률	① 여성 ② 외국인	① 단체파업권 ② 단체행동권

5. 근로 조건의 기준 쓰면서 외워봐요.٩(•◡•)

근로 시간	• 원칙적으로 휴식 시간을 제외하고, **1일** 8시간, **1주 40시간**을 초과할 수 없어요.
휴식 시간	• 근로 시간이 **4시간**이면 30분 이상의 휴식 시간을 주어야해요.
해고	• **근로자를 해고하려면** 적어도 30일 전에 알려 주어야 해요.

Q-6. 밑줄 친 틀린말을 고쳐 써 보아요.(^0^)
① **해고**는 적어도 **20일 전**에 알려주면 된다.
② **임금**은 본인에게 지급하되 **여러번 나눠주어도 된다.**
③ 근로시간이 8시간이면 **30분 휴식**이 주어진다.

• 정답: Q-1. ①, Q-2. ①, Q-3. ②, Q-4. ①, Q-5. ②, Q-6. ① 30일전, ② 한번에, ③ 1시간 이상의 휴식

3단계 반드시 나오는 서술형 [노동3권]

스텝1: 회색 글씨를 따라쓰면서 외워보세요.

Q. 노동삼권에 대해 서술하시오.

A. 〈• 단결권은 노동 조합을 결성하고 가입하여 활동 할 수 있는 권리이며
• 단체교섭권은 노동조합이 근로 조건에 관하여 사용자와 협의 할 수 있는 권리이다.
• 단체행동권은 단체 교섭이 원만하게 이루어지지 않을 경우 파업, 태업 등의 쟁의 활동을 할 수 있는 권리이다. 〉

스텝2: 이번엔 괄호안을 채우며 외워보세요.

Q. 노동삼권에 대해 서술하시오.

A. 〈• **단결권**은 (　　　)을 결성하고 가입하여 (　　　) 할 수 있는 권리이며
• (　　　)은 노동조합이 근로 조건에 관하여 사용자와 (　　　) 할 수 있는 권리이다.
• 단체행동권은 단체 교섭이 원만하게 이루어지지 않을 경우 (　　　,　　　)등의 (　　　)활동을 할 수 있는 권리이다. 〉

스텝3: 그럼 이제 직접 다 써볼까요! 할 수 있어요!(￣▽￣)/

Q. 노동삼권에 대해 서술하시오.

A. •
•
•

Q. 다음 관련 있는 것끼리 연결하시오.

① **단결권** •　　• ⓐ 노동조합과 사용자 간에 근로 조건에 관하여 분쟁이 생겼을 때, **파업**이나 **태업** 등의 **쟁의** 행위를 할 수 있는 권리

② **단체 교섭권** •　　• ⓑ 근로자가 근로조건에 관하여 사용자와 집단으로 협의 할 수 있다.

③ **단체 행동권** •　　• ⓒ 근로자의 근로 조건을 유지, 개선하고 경제적 지위 향상을 위해 노동조합 등을 만들 수 있다.

• 정답: ①ⓒ, ②ⓑ, ③ⓐ

2. 노동권 침해 사례 및 구제 방법

1단계 시험에 나오는 중요한 기본 개념 파악!

1. 다음 회색 글씨를 따라 쓰면서 중요 내용을 암기하세요.

	구제 방법
임금 체불	• 고용 노동부에 진정 제기 또는, • 법원에 소 제기
부당 노동 행위 · 부당 해고	• 노동 위원회에 구제 신청 또는, • 법원에 소 제기

2. 이제는 괄호안에 알맞은 말을 적어 넣어보세요.

	구제 방법
임금 체불	• (　　　　　)에 진정 제기 또는, • (　　)에 (　　) 제기
부당 노동 행위 · **부당 해고**	• (　　　　　)에 구제 신청 또는, • (　　)에 (　　) 제기

3. 다음 보기는 무엇에 대한 설명인가?

-보기-

노사 문제의 **공정**하고 **신속한 처리**를 위한 **목적**으로 만들어졌으며
부당해고와 부당노동행위에 대한 조사 및 구제활동을 합니다.
회의에는 **근로자 위원, 사용자 위원, 공익 위원**들이 모여 함께 결의합니다.

〈정답:　　　　　　〉

• 정답: 3. 노동위원회

4. 다음 회색 글씨를 따라 쓰면서 중요 내용을 암기해보세요.

노동위원회의 '부당 해고 및 부당 노동 행위'에 대한 구제절차

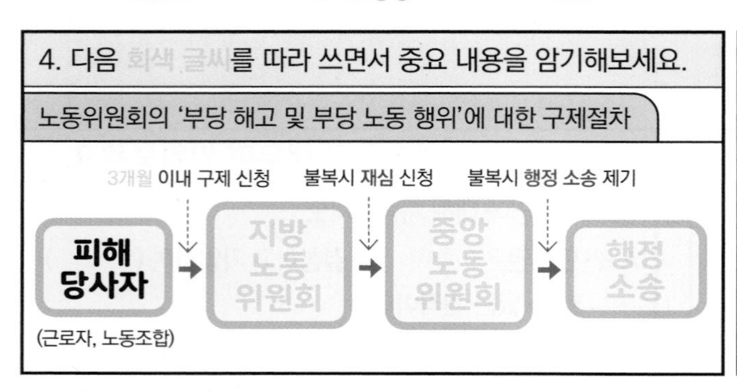

5. 이제는 [ ]에 알맞은 말을 적어 넣어보세요.

노동위원회의 '부당 해고 및 부당 노동 행위'에 대한 구제절차

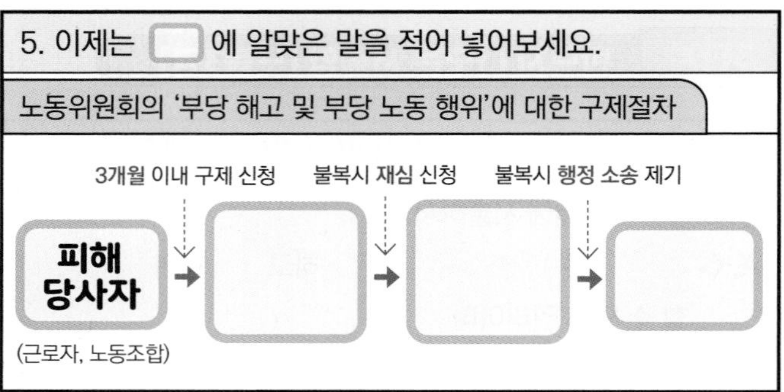

2단계 기본 개념 실전에 대입하기!!

6. **노동권 침해 유형 (임금체불, 부당해고, 부당 노동 행위)** 과 **구제 방법**을 바르게 연결해 보시오.

(가)	(나)	(다)
헬스장에서 일하고 있는데 코로나 사태 때문에 3개월 동안 **임금을 받지 못한** 갑	아이를 출산한 아내가 다시 일을 시작하고 싶다고 하여 육아 휴직을 연장하였다가 **해고를 당한** 을	임금 인상을 요구하며 **노동조합에 가입하여 파업에 동참하였다는 이유로** 상여금을 받지 못한 병

부당 노동 행위	임금 체불	부당 해고

노동 위원회 구제 요청	법원에 소송 제기	고용 노동부 진정 제기

= **지방 고용 노동 관서**에 진정 제기

• 정답: 1. **(가)** 임금체불-고용노동부 진정 제기, 법원에 소송 제기 **(나)** 부당해고-노동위원회 구제 요청, 법원에 소송 제기 **(다)** 부당노동행위-노동위원회 구제 요청, 법원에 소송 제기

3단계 시험 1타 서술형 [시험 90% 이상 출제]

Q. 〈보기〉에서 침해당한 근로자 A의 권리를 쓰고 A가 스스로 할 수 있는 구제 방안을 서술하시오.

〈보기〉

A는 최근 새로운 회사에 입사하게 되었다. 사장은 A가 노동조합에 가입하지 않는 것을 조건으로 근로 계약을 하였다.

• **침해당한 A의 권리 : 단결권**
• **구제 방안 : 노동 위원회**에 구제를 요청하거나, **법원**에 **소송**을 제기한다.

Q-1. 회색 글씨를 따라 쓰며 암기해보세요 :)

• **침해당한 A의 권리 :** 단결권
• **구제 방안 :** 노동 위원회에 구제를 요청하거나, 법원에 소송을 제기한다.

Q-2. 이제는 완전히 스스로 써보세요. 파이팅! :)

• **침해당한 A의 권리 :**
• **구제 방안 :**

시험에는 반복되는 유형이 있다!

반복유형문제 1차

람보쌤의 자세한 해설을 영상으로 보세요!

헌법에 보장된 근로자의 권리

유형 1 근로자의 범위

. 근로자만을 〈보기〉에서 고른 것은?

보 기

ㄱ. 주유소를 운영하는 갑
ㄴ. 집안일을 하며 생활비를 받는 을
ㄷ. 드라마 출연 아르바이트하는 청소년 병
ㄹ. 국가로부터 월급을 받는 공립 학교 교사 정

) ㄱ, ㄴ　　② ㄱ, ㄷ　　③ ㄴ, ㄷ
) ㄴ, ㄹ　　⑤ ㄷ, ㄹ

. 다음 중 근로자에 해당하는 사람을 고르면?

ㄱ. 가정주부인 엄마
ㄴ. 세탁소를 운영하시는 아버지
ㄷ. 편의점에서 아르바이트하는 친구
ㄹ. 공립 학교에 교사로 근무 중인 언니

) ㄱ, ㄴ　　② ㄱ, ㄷ　　③ ㄴ, ㄷ
) ㄴ, ㄹ　　⑤ ㄷ, ㄹ

유형 2 근로 조건

. 근로 조건에 대한 설명으로 옳지 않은 것은?

) 근로자가 노동력을 제공하는 조건이다.
) 임금, 근로 시간, 휴가 등을 포함하는 개념이다.
) 근로 조건은 법률이 정한 기준보다 낮아서는 안 된다.
) 우리나라는 최소한의 근로 조건을 헌법으로 보장한다.
) 근로자와 사용자는 근로 조건에 관해 계약서를 작성해야 한다.

유형 3 근로계약서

4. 다음 자료에 대한 법적 판단으로 옳지 않은 것은?

〈근로 계약서〉
갑(사용자)과 을(근로자, 33살)은 다음과 같이 근로 계약을 체결한다.
1. 계약 기간 : 2020. 6. 8 ~ 2020. 9. 8
2. 근무 장소 : □□사업장
3. 업무 내용 : 청소
4. ㉠근로시간
5. ㉡임금 : 시간당 7,000원
*최저임금은 2020년 현재 8,590원이다.

① ㉠은 원칙적으로 1일 8시간, 1주 40시간을 초과할 수 없다.
② ㉠이 8시간이면 1시간 이상의 휴식 시간을 주어야 한다.
③ ㉡은 매달 1회 이상 일정한 날짜에 지급해야 한다.
④ ㉡은 근로자 본인에게 직접 통화로 전액을 지급해야 한다.
⑤ 을이 갑과 최저임금 미만으로 ㉡에 합의하였다면 유효하다.

유형 4 근로자의 권리

5. 근로자의 권리에 대한 옳은 설명만을 〈보기〉에서 있는 대로 고른 것은?

보 기

ㄱ. 근로 기준과 최고 임금을 보장하는 규정이 있다.
ㄴ. 단결권은 근로자가 근로 조건의 유지 및 개선을 위해 단결할 수 있는 권리이다.
ㄷ. 단체 교섭권은 근로자 단체가 사용자와 근로 조건의 유지 및 개선에 대해 교섭할 수 있는 권리이다.
ㄹ. 단체 행동권은 단체 교섭이 원만하게 체결되지 않아 노동쟁의가 발생한 경우 쟁의 행위 등을 할 수 있는 권리이다.

① ㄱ, ㄹ　　② ㄴ, ㄷ　　③ ㄱ, ㄴ, ㄷ
④ ㄱ, ㄷ, ㄹ　　⑤ ㄴ, ㄷ, ㄹ

6. 근로자의 권리에 대한 설명으로 옳지 않은 것은?

① 우리 헌법은 헌법 제32조를 통해 근로자의 권리를 보장하고 있다.
② 원칙적으로 근로자를 해고하려면 적어도 30일 전에 알려주어야 한다.
③ 우리 헌법은 근로 조건의 수준을 법률로 정하도록 규정하고 있다.
④ 원칙적으로 근로 시간이 4시간이면 30분 이상의 휴식 시간을 일하는 도중에 주어야 한다.
⑤ 우리 헌법은 근로자와 사용자의 권리 및 이익을 향상하기 위해 근로의 권리를 보장하고 있다.

유형 5 노동삼권

서술형

※ 다음 글을 읽고 물음에 답하시오.

(가) H마트에서 계약직 사원으로 일을 하던 A씨는 마트로부터 갑작스레 해고 통보를 받게 되었다. A씨는 부당해고에 대항하기 위해 다른 근로자들과 함께 노동조합을 만들었다. 노동조합은 마트 대표와 협상하기 위해 자리를 마련했으나, 마트 측에선 끝내 협상 자리에 나타나지 않았다.
(나) OO 자동차 직원들은 회사에서 노동조합이 요구한 임금 인상안을 거부하자 파업을 시작했다.

7. (가) 사례의 밑줄 친 부분에서 근로자들이 직접 행사한 노동 삼권의 종류를 두 가지 쓰시오.

8. (나) 사례에서 근로자들이 직접 행사한 노동 삼권의 종류를 쓰고, 그 의미를 서술하시오.

9. 다음 (가), (나) 사례와 관련 있는 노동 삼권을 바르게 연결한 것은?

(가) □□중공업은 직원들의 근무 조건 개선 요구에 따라 노동조합과 함께 협의회를 열어 의견을 절충하였다. 관계자는 "노동조합이 근로 조건 등에 관해 사용자와 의논하고 절충할 수 있는 권리가 원만히 행사되어 기쁘다."라고 밝혔다.
(나) □□항공사 조종사들은 임금 인상안 협상 결렬로 파업에 돌입했다. □□항공 노동조합은 사용자와 의견이 일치하지 않으면, 이에 대항하여 자신들의 주장을 관철하기 위해 일정한 절차를 거쳐 쟁의 행위를 할 수 있는 권리가 있다고 주장하였다.

	(가)	(나)
①	단결권	단체 교섭권
②	단결권	단체 행동권
③	단체 교섭권	단결권
④	단체 교섭권	단체 행동권
⑤	단체 행동권	단체 교섭권

유형 6 청소년 아르바이트 10계명

10. 청소년 근로 십계명의 내용 중 잘못된 부분을 옳게 설명한 것은?

- 원칙적으로 만 15세 이상의 청소년만 근로가 가능합니다.
- 청소년의 최저 임금은 성인 최저 임금의 80%를 적용 받습니다.
- 하루 7시간, 일주일 40시간 이상 일할 수 없습니다.
- 1주일에 15시간 이상 근무, 1주일 개근한 경우 1일의 유급 휴일을 받을 수 있습니다.
- 일을 시작할 때 근로 계약서를 반드시 작성해야 합니다.

① 근로가 가능한 청소년 나이 기준은 원칙적으로 만 16세 이상이다.
② 청소년도 성인과 동일한 최저 임금을 적용받도록 되어 있다.
③ 청소년도 원칙적으로 성인과 동일하게 하루 8시간까지 근로가 가능하다.
④ 비정규직의 경우에는 일주일 개근을 하더라도 유급 휴일을 받을 권리가 없다.
⑤ 근로 계약서는 일을 시작하고 나서 첫 임금을 받을 때 작성하는 것이 원칙이다.

노동권의 침해와 구제 방법

유형 1 노동권의 침해

11. 〈보기〉가 의미하는 노동권 침해 사례로 알맞은 것은?

보 기

최OO씨는 동료와 노동조합을 만들기로 하였다. 그러자 회사에서는 최OO씨 등이 노동 조합을 만들지 못하게 방해하였다.

① 부당 해고
② 평등권 침해
③ 근로 조건
④ 부당 노동 행위
⑤ 근로 계약서 위반

12. 노동권 침해의 사례로 적절하지 않은 것은?

① 이OO씨는 근로 계약서를 작성하지 않고 회사에서 일하였다. 임금은 시간당 7,000원 정도를 받았다.
② 나OO씨는 근로 계약에 따라 오전 9시부터 오후 6시까지 일하였다. 근무 시간 중 나OO 씨는 1시간을 쉬었다.
③ 김OO씨는 매일 근로 시간 동안 열심히 일하였다. 그런데 월급날이 되자 사장님은 돈이 없다며, 월급을 절반만 주었다.
④ 최OO씨는 동료와 노동조합을 만들기로 하였다. 그러자 회사에서는 최OO씨 등이 노동 조합을 만들지 못하게 방해하였다.
⑤ 박OO씨가 회사에 결혼한다고 말하자 회사에서는 결혼한 여성은 회사를 그만두어야 한다며 박OO씨에게 사표를 내라고 하였다.

유형 2 노동권의 침해와 구제 방법

서술형

13. 그림을 분석하여 물음에 답하시오.

그림과 관련 있는 노동권은 (가)__________이고,
구제 받을 수 있는 방법은 (나)______________

14. 그림의 ㉠~㉤에 대한 설명으로 옳은 것은?

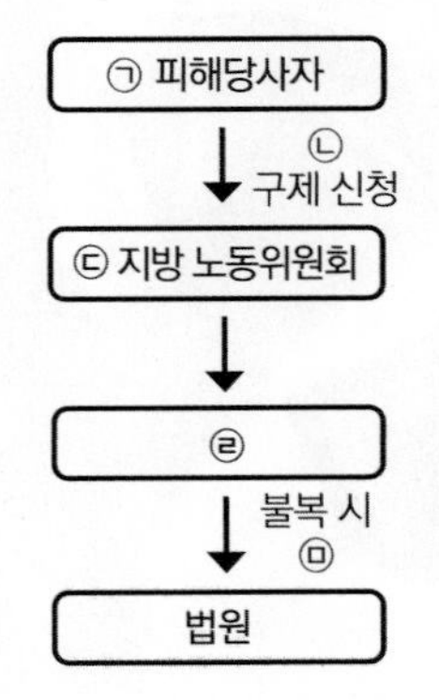

① ㉠ : 노동삼권을 침해당한 근로자이다.
② ㉡ : 30일 이내에 해야 한다.
③ ㉢ : ㉢결정에 불복 시 재심을 신청할 수 없다.
④ ㉣ : 고용 노동부이다.
⑤ ㉤ : 노동법원에 재심을 제기할 수 있다.

15. 다음 사례에 대한 옳은 설명만을 〈보기〉에서 있는 대로 고른 것은?

> 회사에서 열심히 일하고 있는 갑은 노동조합에 가입했다는 이유로 갑이 다니던 회사에서 제공되는 상여금을 받지 못하였다.

보 기

ㄱ. 부당 노동 행위에 해당한다.
ㄴ. 갑은 노동 위원회에 권리 구제를 요청할 수 있다.
ㄷ. 갑은 헌법 재판소에 권한 쟁의 심판을 청구할 수 있다.
ㄹ. 갑은 지방 고용 노동 관서에 해고 무효 확인의 소를 제기할 수 있다.

① ㄱ, ㄴ ② ㄴ, ㄹ ③ ㄷ, ㄹ
④ ㄱ, ㄴ, ㄷ ⑤ ㄴ, ㄷ, ㄹ

16. 노동권 침해 여부와 구제 방법에 대한 설명으로 옳은 것은?

① 매일 하루 10시간 일하고, 휴식시간 1시간을 보장받았다면 노동권 침해가 아니다.
② 근로자가 노동조합을 만드는 것을 사용자가 방해하는 것은 부당 해고에 해당한다.
③ 부당 해고의 경우 노동 위원회에 구제 신청을 할 수 있지만 그 결정에 불복할 수 없다.
④ 사용자가 결혼을 이유로 근로자에게 퇴직을 강요하는 것은 부당 노동 행위에 해당한다.
⑤ 사용자가 임금의 일부만 지급하는 경우 고용 노동부에 신고해서 구제받을 수 있다.

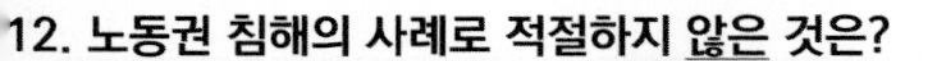

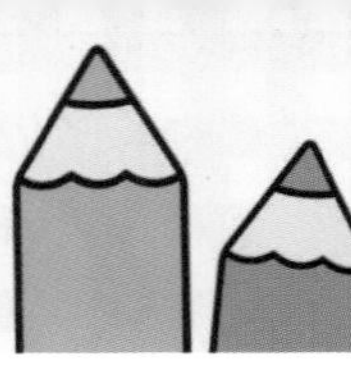

때는 1960년대, 가족을 먹여살리기 위해 평균 15살에 불과했던 수많은 여공들은 학교에 다니지 못한 채, 해도 들지 않는 어둡고 좁다란 작업장에서 수 개월 월급을 밀려가며 일했습니다. 일하면서 마신 먼지와 화학물질로 인해 폐렴에 걸려 피를 토하면, 공장주들은 더러운 병에 걸렸다며 이들을 내쫓았습니다.

(옛 봉제공장 사진과 이를 재현한 모형, 윗 부분을 다락방으로 개조하였기 때문에 일어나서 허리를 펼 수 없을 정도로 좁았다,청계천박물관)

이 공장에서 함께 일하던 청년 '전태일'은 불합리한 현실을 바꿔보고자 〈바보회〉라는 조직을 만들어 노동자들의 법과 권리를 찾고자 애썼습니다. 노동자의 권리를 누리지 못하는 스스로의 모습을 '바보'라고 여기며 이를 바꾸기 위한 행동을 한 것입니다.

▲전태일과 그의 공장 동료들의 모습(전태일재단 홈페이지)

▲전태일의 영정사진을 안고 눈물을 흘리는 어머니 이소선 여사(전태일기념관)

갓쓴이야기

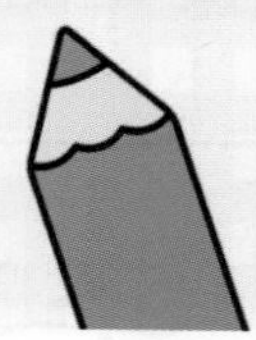

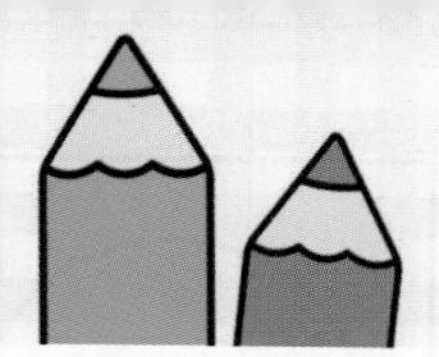

수많은 방법으로 노동자들의 권리를 위해 싸운 그는 결국,

스스로의 몸에 불을 붙이고 “우리는 기계가 아니다! 근로기준법을 준수하라!” 는

외침을 남긴 채 이 세상을 떠났습니다.

그리고 그 전태일의 정신은 그의 어머니와, 수많은 동료들의 가슴을 울려, 거룩한 투쟁으로 번지게 되었고,

열악했던 노동환경을 오늘날과 같이 크게 변화시키기에 이르렀습니다.

사랑하는 다음세대 개척자 친구들!

흔히들 똑똑하고 잘난 사람들이 세상을 이끌어간다고 생각합니다.

그러나 배우지 못하였고 가난하였지만, 다른 이를 불쌍히 여길 줄 알고, 사랑할 줄 알았던

전태일의 바보 정신이야말로 세상을 변화시키고 많은 이들을 살렸습니다.

남의 어려움을 볼 줄 모르고, 마음을 나누어 주지 못하는 헛똑똑이보다,

의로운 바보가 되는 것을 주저하지 않는 우리가 되기를 원합니다. 사랑하고 축복합니다!^^

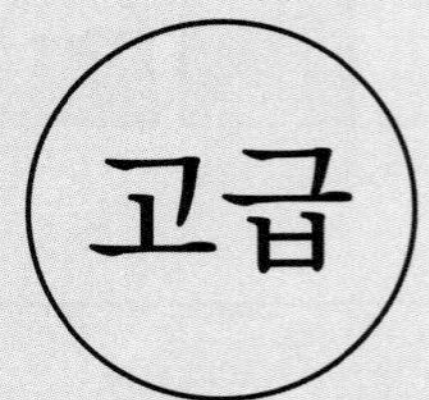

중등사회2 실전고사 문제지

Ⅰ. 인권과 헌법

빡공시대편찬위원회

날짜	월	일	성명	

1. 인권에 관한 설명으로 옳지 않은 것은?

① 인권은 보편적 권리이며 불가침의 권리다.
② 인권은 국가가 법으로 보장하면서 존재하게 되었다.
③ 누구에게도 속박당하지 않는 자유는 인권의 핵심 내용 중 하나이다.
④ 전쟁은 가장 기본적인 인권인 생명권을 앗아간다는 점에서 최대의 인권 침해 현장일 것이다.
⑤ 인간과 시민의 권리 선언(1789) 문서는 다른 나라 헌법이 인권을 규정하는 데 큰 영향을 끼쳤다.

2. (가), (나)에서 설명하는 인권의 특성을 옳게 연결한 것은?

> (가) 인종, 성별, 신분 등을 뛰어넘어 모든 사람이 동등하게 누릴 수 있는 권리이다.
> (나) 국가에서 법이나 제도로 보장하기 전부터 인간에게 자연적으로 부여된 권리이다.

	(가)	(나)
①	보편적 권리	자연권
②	천부인권	보편적 권리
③	천부인권	자연권
④	자연권	천부인권
⑤	보편적 권리	불가침의 권리

3. 각 기본권에 대한 설명으로 옳지 않은 것은?

① 평등권 - 부당하게 차별받지 않을 권리
② 참정권 - 국민주권주의를 실현하기 위한 권리
③ 자유권 - 국가의 적극적 역할이 강조되는 권리
④ 사회권 - 인간다운 생활의 보장을 요구할 권리
⑤ 청구권 - 다른 기본권 보장을 위한 수단적 권리

4. 기본권의 종류와 그 내용이 잘못 연결된 것은?

① 청구권 - 청원권, 재판 청구권
② 자유권 - 신체의 자유, 표현의 자유
③ 참정권 - 공무 담임권, 교육받을 권리
④ 사회권 - 인간다운 생활을 할 권리, 근로의 권리
⑤ 평등권 - 성별·종교·신분에 따라 차별받지 않을 권리

※ 다음은 우리 헌법의 기본권 제한 관련 조항이다. 읽고 물음에 답하시오.

> **제37조** 국민의 모든 자유와 권리는 국가안전보장 질서유지 또는 공공복리를 위하여 필요한 경우에 한하여 (가)(으)로써 제한할 수 있으며, 제한하는 경우에도 자유와 권리의 본질적인 내용을 침해할 수 없다.

5. 헌법에 이러한 기본권 제한 규정을 둔 목적으로 가장 옳지 않은 것은?

① 공동체의 이익(공익)을 실현하기 위함이다.
② 기본권 제한의 한계를 분명히 하기 위함이다.
③ 국민의 기본권을 최대한 보장하기 위함이다.
④ 기본권을 언제 어디서나 무제한으로 보장하기 위함이다.
⑤ 국가 권력이 함부로 국민의 기본권을 침해할 수 없도록 하기 위함이다.

6. 인권 침해에 대한 설명으로 옳은 것을 〈보기〉에서 고른 것은?

보 기

ㄱ. 가정이나 학교에서는 나타나지 않는다.
ㄴ. 일상생활 전반에 걸쳐 다양한 형태로 나타난다.
ㄷ. 사람들의 고정관념이나 편견에 의해서만 일어난다.
ㄹ. 인권 보장을 위한 법과 제도가 마련된 사회에서도 발생한다.

① ㄱ, ㄴ ② ㄱ, ㄷ ③ ㄴ, ㄷ
④ ㄴ, ㄹ ⑤ ㄷ, ㄹ

7. 인권 침해 사례로 볼 수 없는 것은?

① 대학 입시에서 성적에 따라 합격자를 선발하였다.
② 회사에서 임신한 여성의 고용 계약을 해지하였다.
③ 예체능계는 대학생 성적 우수 국가 장학금에 지원할 수 없다.
④ 자격시험 결과를 발표할 때 수험번호와 이름을 함께 공개한다.
⑤ 많은 교과서에서 집안일을 하는 사람을 대부분 여성으로 표현하고 있다.

8. 인권 침해 시 구제 방안에 대한 설명으로 옳지 않은 것은?

① 국가인권위원회에 진정을 제기할 수 있다.
② 다른 구제 수단이 남아있어도 헌법소원을 제기할 수 있다.
③ 헌법재판소는 국민의 인권을 침해하는 법률을 심판할 수 있다.
④ 민사소송을 통해 정신적 피해에 대한 손해 배상을 받을 수 있다.
⑤ 기본권 침해가 범죄에 해당할 경우 수사 기관에 고소할 수 있다.

9. 다음 사례를 보고 A씨가 침해된 인권을 구제받기 위해 이용할 국가 기관과 구제 요청 방법이 바르게 연결된 것은?

○○대학원에 다니는 A씨는 임신하여 휴학을 신청했다. 하지만 ○○대학원에는 임신·출산과 관련한 별도의 휴학 제도가 없어 A씨는 출산 후 육아 때문에 학업을 포기해야 했다.

① 헌법재판소 - 헌법 소원 청구
② 헌법재판소 - 진정서 제출
③ 국가 인권 위원회 - 헌법 소원 청구
④ 국가 인권 위원회 - 진정 제출
⑤ 국가 인권 위원회 - 고충 민원 제기

10. 밑줄 친 (가)에 들어갈 인권 구제 기관으로 옳은 것은?

음식점 주인 A씨는 저녁에 대학생으로 보이는 청년들이 들어와 술을 시켰고, 주민등록증을 확인하고 술을 팔았지만 이후 경찰이 들어와 확인해보니 정교하게 위조된 주민등록증이었다. 결국 A씨는 미성년자에게 주류를 판매한 범죄자가 되어 청소년 보호법 및 식품위생법 위반으로 2개월의 영업정지 행정처분을 받게 되었다. 이에 억울함을 느낀 A씨는 (가)에 행정 심판을 요청해 15일의 영업정지로 처분을 감경받을 수 있었다.

① 노동 위원회 ② 한국 소비자원
③ 국가 인권 위원회 ④ 국민 권익 위원회
⑤ 언론 중재 위원회

11. 다음 글의 ㉠~㉢에 들어갈 내용을 바르게 짝지은 것은?

> 근로자는 근로 조건을 유지·개선하고 경제적 지위 향상을 위해 노동조합과 같은 단체를 만들 수 있는 (㉠)과 노동조합을 통해 사용자와 근로 조건을 협의할 수 있는 (㉡)을 가진다. 사용자와 협의를 진행하였으나 협의가 원만하게 이루어지지 않았을 때는 일정한 절차를 거쳐 쟁의 행위를 할 수 있는데, 이를 (㉢)이라고 한다.

	㉠	㉡	㉢
①	단결권	단체교섭권	단체행동권
②	단결권	단체행동권	단체교섭권
③	단체행동권	단체교섭권	단결권
④	단체교섭권	단결권	단체행동권
⑤	단체교섭권	단체행동권	단결권

12. 청소년의 근로권과 근로 계약에 관한 설명으로 옳은 것은?

① 하루에 8시간 이상, 일주일 40시간까지 가능하다.
② 노래방이나 주점 등의 유해 업종의 일도 가능하다.
③ 청소년은 근로 계약 시 근로 계약서를 작성해야 한다.
④ 근로 중에 다친 경우, 산업 재해 보상 보험을 적용받을 수 없다.
⑤ 청소년은 성인과 비교해서 최저 임금의 90%까지 적용받을 수 있다.

13. 다음은 침해된 노동권의 구제 절차를 나타낸 것이다. 이에 대한 설명으로 옳은 것은?

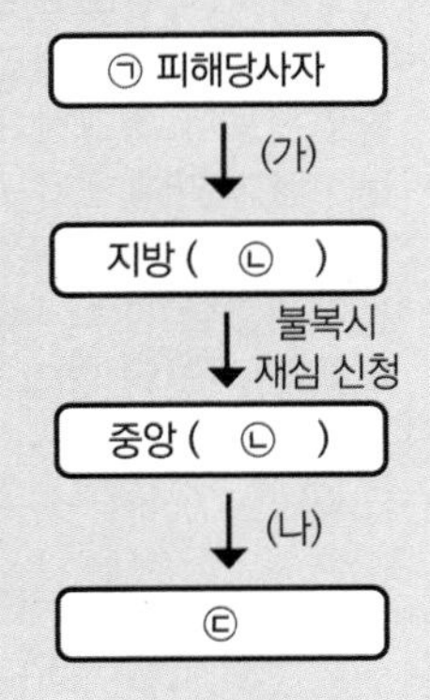

① ㉠에는 근로자만 해당되고 노동조합은 해당되지 않는다.
② ㉡에 들어갈 용어는 고용 노동부이다.
③ ㉢에 들어갈 용어는 헌법 재판소이다.
④ (가)에서는 노동권을 침해당한 날 바로 구제를 신청해야만 한다.
⑤ (나)에서 불복할 경우 행정 소송을 제기할 수 있다.

14. 그림에 나타난 사용자의 노동권 침해 행위는?

① 단결권 ② 부당해고 ③ 단체 행동권
④ 단체 교섭권 ⑤ 부당노동행위

15. 〈보기〉 상황의 구제 방법으로 옳지 <u>않은</u> 것은?

> **보 기**
> 사용자가 아르바이트가 끝났는데 회사 사정이 좋지 않다고 급여를 주지 않아요.

① 사업자에 청구한다.
② 고용노동부에 진정한다.
③ 사용자를 상대로 민사 소송을 한다.
④ 사용자를 상대로 행정 소송을 한다.
⑤ 사용자를 상대로 형사 소송을 한다.

1. 국회

1. 국회

① 국회란?
• 국민이 선거를 통해 선출한 대표로 구성된 국가 기관
② 국회의 지위
• 국민의 대표 기관: 국민이 직접 뽑은 대표들로 구성됨 → 간접 민주제 실시 • 입법 기관: 법률을 만들거나 고치는 기관 • 국가 권력의 견제 기관 : → 다른 국가 기관을 감시하고 견제함

아래 '삼권 분립' 도표는 참고로만 봐둬(^0^)
그렇지만 잘 기억하고는 있어야돼!('◠')
왜냐하면 이 내용을 모르면 문제가 안풀리거든!!

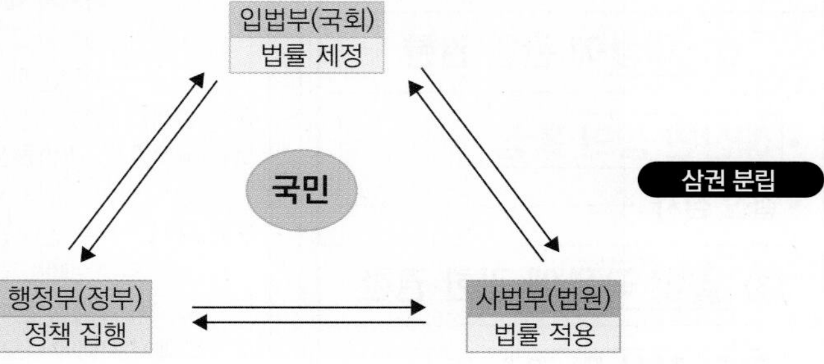

2. 국회의 구성과 조직

(1) 국회의 구성 (국회는 국회의원 할아버지들로 구성되어 있어! 잇힝!^u^)

국회 의원	지역구 국회의원	• 각 지역구에서 최고 득표자로 선출된 국회의원
	비례대표 국회의원	• 정당별 득표율에 비례하여 선출된 국회의원 (시험1타 / 서술형1타)
특징		• 국회가 구성되면 국회 의장 1인과 부의장 2인 선출 • 임기 4년 (연임, 중임 가능) • 국회의원의 수는 헌법상 200인 이상 구성 가능 (현재 300인)

웨이크 주의보 시험에 '비례 대표 국회의원이 지역구 국회의원보다 인원이 더 많다.'라고 나오면 무조건 틀려!! 보통 지역구 국회의원이 비례 대표 국회의원보다 훨씬 많아!^u^

시험 1타!! 국회의원 선출

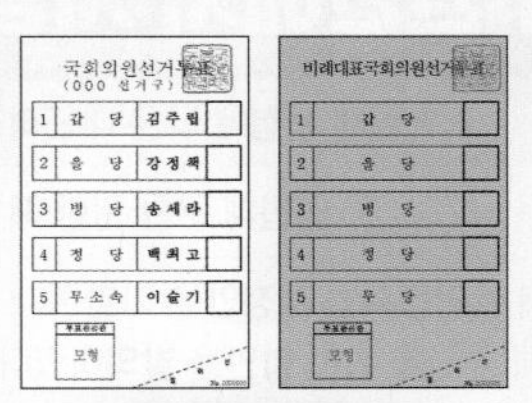

얘들아!(^▽^) 우리가 국회의원을 뽑을 때 옆에 보이는 것처럼 2장의 투표 용지를 받아!! 한장은 자신이 좋아하는 후보에게!! 나머지 한 장은 자신이 좋아하는 정당에게 투표를 한단다!! 알겠지??^u^
또한 국회의원은 보통, 평등, 직접, 비밀 선거에 의해 선출이 돼!(^0^)

시험에 겁나 잘나오는 서술형

Q. 지역구 국회의원과 비례 대표 국회의원이 각각 어떤 방식으로 선출되는지 서술하시오.
[• 지역구 국회의원은 각 지역구에서 가장 많은 득표를 한 후보자가 선출된다.
• 비례 대표 국회의원은 정당별 득표율에 비례하여 선출된다.]

(2) 국회의 조직 (시험100%출제)

① 본회의		• 법률안과 예산안 등 중요한 의사를 최종 결정하는 기구 → 정기회, 임시회로 구분 → 국회 회의는 공개하는 것이 원칙 → 의사 결정: 재적 의원 과반수의 출석 + 출석 의원 과반수의 찬성으로 이루어짐
② 위원회	상임 위원회	• 각 분야의 전문성을 가진 국회의원들이 모여 관련 안건을 본회의 전에 조사 및 심의하는 기구 → 목적: 효율적인 의사 진행을 위함
	특별 위원회	• 특별한 안건을 처리할 목적으로 구성
③ 교섭 단체		• 일정 수 이상의 국회의원으로 구성된 단체 → 의사를 사전에 통합하고 조정 → 목적: 효율적인 의사 진행을 위함

여기서 일정수는 20인이야!! 매우 중요해!('◠')

정기회	• 매년 1회 정기로 열리는 회의
임시회	• 필요한 경우 열리는 회의

시험엔 이렇게 나온다!!
Q-1. 국회의 효율성과 전문성을 높이기 위해 둔 것은? A. 상임 위원회
Q-2. 상임위원회의 목적은? A. 효율적인 의사 진행을 위해서이다.

시험에는 이런 문제가 나온다!!('^')

(가) 일정한 수(20명) 이상의 국회의원으로 구성되며, 국회의원들의 의사를 사전에 통합하고 조정한다.
(나) 각 분야에 전문성을 가진 국회의원들이 모여 본회의에 앞서 관련된 안건이나 법률안을 심사한다.

〈 (가): (나): 〉

• 정답: (가) 교섭단체, (나) 상임위원회

3. 국회의 권한

시험TIP 이 파트는 시험 100%!! 무조건 출제니깐 반드시 기억해둬!! 만약 시험에 나오지 않는다면 겨털을 밀께!! ＼(^O^*)/

① 입법에 관한 권한

- 법률 제정·개정
- 헌법 개정안 제안·의결
- 조약 체결 동의권

② 재정에 관한 권한

- 예산안 심의·확정
- 결산 심사

③ 일반 국정에 관한 권한

- 국정 감사 및 국정 조사
- 주요 공무원 임명 동의권
- 탄핵 소추 의결

람보쌤의 용어 정리 및 부연 설명

1. 법률 제정·개정: 제정은 만든다는 뜻이고, 개정은 고친다는 뜻이야!! 왈왈!(^0^)
2. 외국과의 조약 체결은 대통령이 하는건데, 이때 대통령은 국회의 동의를 얻어야돼!o(^-^)o
3. 예산안: 1년동안 나라를 운영하는데 드는 비용을 예산이라고해! 보통 다음해 예산을 미리 짜두는데 이것을 예산안이라고 하고 행정부가 짜!!O(¯▽¯)o
   여기서 훼이크주의보!!(づ'0')づ 시험에 '**국회**가 **예산안**을 **작성**한다.'라고 하면 틀려!! 예산안을 작성하는 것은 **행정부**야!! 국회는 행정부가 제출한 예산안을 잘 짰는지 못짰는지 심사(=**심의**)하고 **확정**하는 역할만 하는것이란다!!알긋지??s(¯▽¯)v
4. 결산은 행정부가 1년 동안 예산을 잘 집행했는지 심사하는 거야! ㅎㅎ 함부로 돈 못쓰겠지?
5. **국무총리, 대법원장, 헌법 재판소장** 등 대통령은 자신과 함께 일할 주요 공무원을 임명할 수 있는 권한이 있는데 이때 국민의 대표인 **국회**의 동의를 얻어야만 한단다.(*^-^)
6. **탄핵**은 고위 공무원(예〉 대통령, 국무 총리 등)이 법률을 위반 했을 때 그 자리에서 내쫓는 것을 말하는데!! 국회는 **탄핵 소추**할 수 있어!! **소추**라는 것은 **추궁**한다는 뜻이야!!
   즉, '**저 대통령 탄핵해야 하는거 아니야?**(´ - `)'라고 추궁만 하는거지!!
   그래서 시험에 나오는 훼이크!!(づ'0')づ 시험에 '**국회**에서 **탄핵**을 **결정**한다.'라고 나오면 틀려! **국회**는 **추궁**만 할 수 있는거고, **탄핵을 결정**하는 것은 **헌법재판소**에서 할 수 있는거야!!!

국회의 권한에서 시험에 나오는 것들 한판으로 정리하라!!\(-0-)/

★★실제 시험에 나온 대표적인 예〉

① 입법에 관한 권한 예

- 이번 국회에서 **주민등록법 개정안**을 의결한다. → 법률 제·개정
- 유해 식품 판매 금지를 위한 **법안을 발의**하였다. → 법률 제·개정
- 국회는 미국과의 **조약에 동의**하였다 → 조약 체결 동의권

② 재정에 관한 권한 예

- **예산안**을 오늘 본회의에서 확정하였다. → 예산안 심의·확정
- 행정부가 제출한 작년도 **결산**을 승인하였다. → 결산 심사

③ 일반 국정에 관한 권한 예

- 이번 국회에서 **헌법재판소장 임명 동의안**에 대한 표결이 있다.
- 임시회에서 **대법원장 임명 동의안**을 처리하였다.
- 가습기 살균제의 진상 규명을 위한 **국정 조사**를 실시한다.
- 대통령 파면을 요구하는 **탄핵 소추**

★★시험에는 이런 문제가 나온다!!(ง •̀_•́)ง

[객관식]

Q. 다음 국회의 권한 중 **일반 국정**에 관한 권한만 고르시오.

〈보기〉
ㄱ. 결산 심사　ㄴ. 국정 조사
ㄷ. 탄핵 소추 의결
ㄹ. 조약 체결 동의
ㅁ. 헌법 개정안 의결

〈　　〉

• 정답: ㄴ, ㄷ

[서술형]

Q. 다음 글과 관련된 **국회의 권한**을 **서술하시오.**

정부가 740조원 규모의 내년도 예산 계획안을 제출하였다. 해당 위원회에서 심사한 예산안을 오늘 본회의에서 확정하였다.

〈　　〉

• 정답: 재정에 관한 권한이다.

★★법률 제정 절차

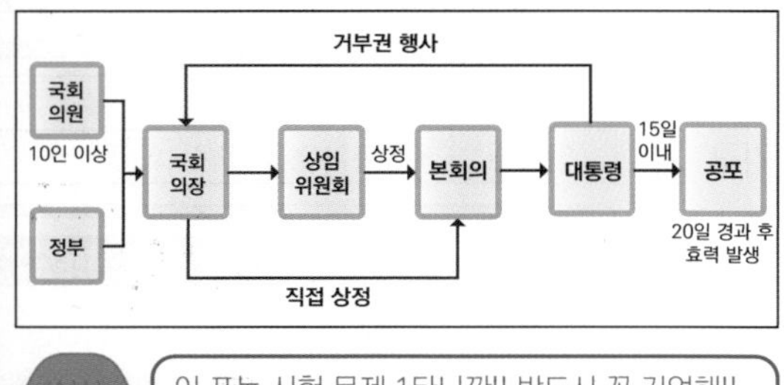

이 표는 시험 문제 1타니깐!! 반드시 꼭 기억해!! 특히 쓰여져 있는 글자!! 순서까지!! 모조리 잘나오니깐 키워드맵에서 연습 필쑤!!('⌒')

법률안 제안	• **국회의원 10인 이상**이 제안 또는 **정부**가 법률안을 국회에 제출할 수 있다.
법률안 심의	• **상임위원회**에서 법률안을 심의하고 본회의에 상정한다.
법률안 심의·의결	• 본회의에서 **재적 의원 과반수 출석**과 **출석 의원 과반수 찬성**으로 법률안을 가결한다.
법률안 공포	• 국회를 통과한 법률안은 **대통령**이 **15일** 내에 **공포**한다.

훼이크주의보

- **법률안 제안**은 **국회만 할 수 있다**고 나와! 그러면 틀려! 국회 뿐만 아니라 **정부도 할 수 있다는 사실**을 꼭 기억해!!
- 이거 겁나 중요! 키워드맵에서 연습 필수!
- **대통령**을 **국회의장**으로 바꿔서 훼이크로 잘내니깐 꼭 기억해!!

시험에 겁나 잘 나오는 서술형	Q. **본회의**에서 **법률안이 의결**되기 위한 조건을 **서술하시오.** A. **재적 의원 과반수**의 **출석**과 **출석 의원 과반수**의 **찬성**으로 의결된다.

바쁜 시험기간!!

키워드맵으로 빠르게 암기하자!!

혼자 외울 수 없는 친구들을 위해 키워드맵이 함께 암기 해드립니다!!

1. 국회

1단계 기본 개념 파악하기

1. 회색 글씨의 중요 내용을 쓰면서 **외우세요.**(¯▽¯)/

① 국회란?	
•국민이 선거를 통해 선출한 대표로 구성된 국가 기관	

② 국회의 지위
•국민의 대표 기관: 국민이 직접 뽑은 대표로 구성 → 간접 민주제 실시 •입법 기관: 법률의 제정·개정 •다른 국가 기관을 감시하고 견제함

③ 국회의 구성	
국회의원	지역구 국회의원
	•각 지역구에서 최고 득표자로 선출된 국회의원
	비례 대표 국회의원
	•정당별 득표율에 비례하여 선출된 국회의원
특징	•국회 의장 1인과 부의장 2인 선출 •임기 4년 (연임, 중임 가능) •국회의원의 수는 헌법상 200인 이상 구성 가능 → 현재 우리나라 국회의원은 300인

④ 국회의 조직	
① 본회의	•법률안과 예산안 등 중요한 의사를 최종 결정하는 기구 → 정기회, 임시회로 구분 → 국회 회의는 공개하는 것이 원칙 → 의사 결정: 재적 의원 과반수의 출석 + 출석 의원 과반수의 찬성으로 이루어짐
② 위원회	상임 위원회
	•각 분야의 전문성을 가진 의원들이 모여 관련 안건을 본회의 전에 조사 및 심의하는 기구 → 목적: 효율적인 의사 진행을 위함
	특별 위원회
	•특별한 안건을 처리할 목적으로 구성
③ 교섭 단체	•일정 수 이상(20인)의 의원으로 구성된 단체 → 목적: 효율적인 의사 진행을 위함

2단계 기본 개념 적용하기

2. **밑줄 친 틀린말**을 바르게 고치며 차근 차근 **암기해보세요.**(✪o✪)

① 국회는 **직접 민주제**를 실현하기 위한 기관이다. →

② **지역구** 국회의원은 정당별 득표율에 비례하여 선출된 국회의원이다. →

③ 국회 의장 **2인**과 부의장 2인을 선출한다. →

④ 국회의원의 임기는 **5년**이다. →

⑤ 국회의원은 연임, 중임이 **불가능**하다. →

⑥ 국회의원의 수는 헌법상 **250명** 이상이면 가능하다. →

⑦ 지금 현재 우리나라 국회의원 수는 **200명**이다. →

⑧ 비례대표 국회의원이 지역구 국회의원보다 인원이 더 **많다.** →

⑨ **특별 위원회**는 법률안과 예산안 등 중요한 의사를 최종 결정하는 기구이다. →

⑩ 국회는 정기회와 **비정기회**로 구분한다. →

⑪ 국회 회의는 **비공개**가 원칙이다. →

⑫ 국회에서 회의가 통과되기 위해서는 재적 의원 과반수의 출석과 출석 의원 **4/1**의 찬성으로 이루어진다. →

⑬ 상임위원회는 각 분야의 **비전문성**을 가진 의원들이 모여 **임시회의** 전에 조사 및 심의하는 기구이다. →

⑭ 상임위원회의 목적은 **비효율적**인 의사 진행을 위해서이다. →

⑮ 국회의 위원회는 **상임위원회만** 있다.

⑯ 교섭단체는 **10인**의 의원으로 구성된 단체이다. →

⑰ 법률안, 예산안 등은 **상임 위원회**에서 최종적으로 결정한다. →

• 정답: 2. ①~⑤: 간접민주제, 비례 대표, 1인, 4년, 가능/ ⑥~⑩: 200명, 300명, 적다, 본회의, 임시회/ ⑪~⑮: 공개, 과반수, 전문성-본회의, 효율적인, 상임 위원회와 특별 위원회가/ ⑯~⑰: 20인, 본회의/

3. **지역구 국회의원**은 '**지**'!!, **비례 대표 국회의원**은 '**비**'!!라고 쓰세요.s(¯▽¯)v

국회의원선거투표 (OOO 선거구) 1 갑당 김주팔 / 2 을당 강정희 / 3 병당 송세화 / 4 정당 백외교 / 5 무소속 이술기	비례대표국회의원선거투표 1 갑당 / 2 을당 / 3 병당 / 4 정당 / 5 무당	각 **지역구**에서 **최고 득표자**로 선출된 국회의원	지역구 국회의원의 한계 보완	소수 정당도 국회의원 될 수 있게	**정당별 득표율**에 **비례**하여 선출된 국회의원
① (　　)	② (　　)	③ (　　)	④ (　　)	⑤ (　　)	⑥ (　　)
지역구 (**선거구**)	**정당**에게 투표	**후보자**에게 투표	**정당별 득표율**	국회의 대다수 차지	인원이 적다
⑦ (　　)	⑧ (　　)	⑨ (　　)	⑩ (　　)	⑪ (　　)	⑫ (　　)

• 정답: 3. ①~⑥: 지, 비, 지, 비, 비, 비/ ⑦~⑫: 지, 비, 지, 비, 지, 비

4. 다음 **맞는 것**끼리 연결하세요.(~˘▾˘)~

① 본회의 　② 상임 위원회 　③ 교섭 단체

(a) • 각 분야의 전문성을 가진 의원들이 모여 본회의에 앞서 심사

(b) • 법률안과 예산안 등 중요한 의사를 최종 결정하는 기구

(c) • 일정한 수(20명) 이상의 국회의원으로 구성된 단체

(d) • 국회의 효율성과 전문성을 높이기 위해 둔 것

(e) • 국회의 최종적 의사 결정이 진행되는 곳

• 정답: 4. ①-(b)-(e), ②-(a)-(d), ③-(c)

3단계 시험에 나오는 서술형

5. 시험에 잘 나오는 **서술형**을 3단계로 **암기해보자규**!!↖(^▽^)↗

1단계: 회색 글씨 위에 덧대어 쓰며 암기하기

Q. **지역구 국회의원**과 **비례대표 국회의원**이 각각 **어떤 방식**으로 선출되는지 **서술하시오.**

[• 지역구 국회의원은 각 지역구에서 가장 많은 득표를 한 후보자가 선출된다.
• 비례대표 국회의원은 정당별 득표율에 비례하여 선출된다.]

2단계: 괄호 안에 알맞은 말 넣으며 암기

Q. **지역구 국회의원**과 **비례대표 국회의원**이 각각 **어떤 방식**으로 선출되는지 **서술하시오.**

[• 지역구 국회의원은 각 (　　　)에서 가장 많은 (　　)를 한 (　　　)가 선출된다.
• 비례대표 국회의원은 (　　　　　　)에 비례하여 선출된다.]

3단계: 스스로 써보기↖(^▽^)↗

Q. **지역구 국회의원**과 **비례대표 국회의원**이 각각 **어떤 방식**으로 선출되는지 **서술하시오.**

2. 국회의 권한

1단계 기본 개념 파악하기

1. 회색 글씨위에 덧대어 쓰며 **외우기!**

① 입법에 관한 권한
• 법률 제정·개정 • 헌법 개정안 제안·의결 • 조약 체결 동의권
② 재정에 관한 권한
• 예산안 심의·확정 • 결산 심사
③ 일반 국정에 관한 권한
• 국정 감사 및 국정 조사 • 주요 공무원 임명 동의권 • 탄핵 소추 의결

2단계 기본 개념 적용하기

2. 국회의 권한 중 **입법에 관한 권한**은 **'입'**!!, **재정에 관한 권한**은 **'재'**!!, **일반 국정에 관한 권한**은 **'국'**!!이라고 쓰세요!(✪o✪)

결산 심사	국정 감사	법률 제정·개정
① ( )	② ( )	③ ( )
조약 체결 동의권	탄핵 소추 의결	예산안 심의·확정
④ ( )	⑤ ( )	⑥ ( )
주요 공무원 임명 동의권	헌법 개정안 의결	주민등록법 개정안 의결
⑦ ( )	⑧ ( )	⑨ ( )
예산안을 본회의에서 확정했어요	대법원장 임명 동의안을 처리했어요	교육 관련 국정을 조사 했답니다
⑩ ( )	⑪ ( )	⑫ ( )

• **정답:** 2. ①~③: 재, 국, 입/ ④~⑥: 입, 국, 재/ ⑦~⑨: 국, 입, 입/ ⑩~⑫: 재, 국, 국

3. **짜투리 퀴즈**를 통해 차근 차근 **암기해볼까요**? 잇힝!!O(¯▽¯)o

짜투리 퀴즈1

Q. **외국과의 조약 체결**은 **누가** 하나요?
① 대통령 ② 국회

→ **파생 문제1**

Q. 그럼 대통령은 조약을 맺을 때 **누구의 동의**를 얻어야 하나요?
① 국회 ② 광어회

→ **파생 문제2**

Q. 오호 그렇다면 **국회**는?
① 조약 체결권을 가지고 있다!!
② 조약 체결 동의권을 가지고 있다!!

짜투리 퀴즈2

Q. **예산안**은 누가 짜나요?
① 국회 ② 행정부

→ **파생 문제1**

Q. 그럼 행정부는 예산안을 짤 때 **누구의 동의**를 얻어야 하나요?
① 국회 ② 동창회

→ **파생 문제2**

Q. 오호 그렇다면 **국회**는?
① 예산안을 작성한다!!
② 예산안을 심의·확정한다!!

짜투리 퀴즈3

Q. **탄핵**은 **누가 결정**하나요?
① 국회 ② 헌법재판소

그러니깐!! 국회는 탄핵을 결정 할 수 있는 권한은 없네요!! **추궁**만 할 수 있네요!!

→ **파생 문제1**

Q. 오호 그렇다면 **국회**는?
① 탄핵 심판권을 가진다!!
② 탄핵 소추권을 가진다!!

• **정답:** 3. 짜투리퀴즈1: ①, ①, ②/ 짜투리퀴즈2: ②, ①, ②/ 짜투리퀴즈3: ②, ②

3단계 시험에 나오는 서술형

4. 다음 글과 관련된 **국회의 권한**을 서술하세요. ∠(- o -)

(1) 정부가 740조원 규모의 내년도 예산 계획안을 제출하였다. 이 **예산안**을 오늘 본회의에서 **확정**하였다.	(2) 국회는 주민 등록 번호 유출로 피해가 우려되는 경우 주민 등록 번호를 변경하게 한 **주민등록법 개정안**을 의결하였다.	(3) 이번 정기 국회에서는 **대법원장 임명 동의안**에 대한 표결이 있었다.
〈 〉	〈 〉	〈 〉

• **정답:** 4. (1) 재정에 관한 권한이다. (2) 입법에 관한 권한이다. (3) 일반 국정에 관한 권한이다.

3. 법률 제정 절차

1단계 기본 개념 파악하기

1. 회색 글씨위에 덧대어 쓰며 **암기해보세요.**^▽^

2단계 기본 개념 적용하기

2. 이번에는 괄호안에 알맞은 말을 **넣어보세요.**(^^*)

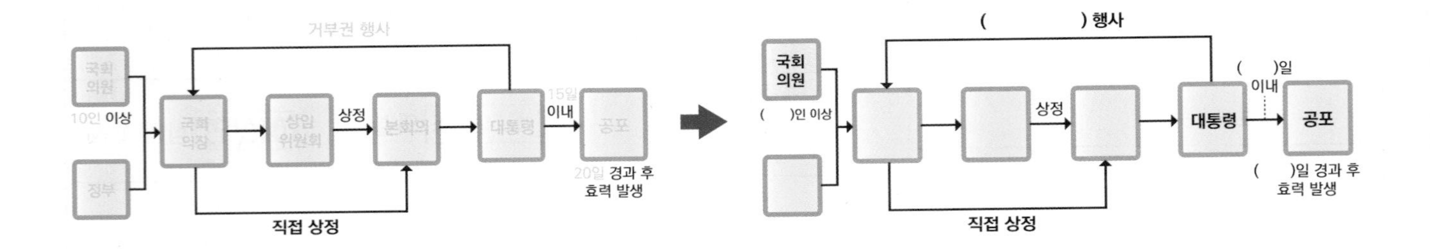

3. 람보쌤의 친절한 설명을 차근 차근 읽어보며, 중요한 내용을 쉽게 암기해봐요.(회색 글씨위에 덧대어 쓰기)↖(^▽^)↗

자 그럼 지금부터 하나의 법률안이 국회에서 어떻게 통과되는지
우주최강 람보쌤이 차근 차근 알려줄께!! 따라왕!!!(~˘▾˘)~

[법률안 제안]

국민들은 여러 가지 원하는 것들이 있단다!
예를들면 '학교에서 롤 할 수 있게 해주세요!!',
'중학생도 결혼 할 수 있게 해주세요!!' 등등 원하는 것들이 넘쳐나지!!
그 원하는 것들이 바로 법으로 만들어지는거얌!! ㅎㅎs(￣▽￣)v

그럼 본격적으로 람보쌤과 함께 법을 만들어볼까??(/^o^)/
일단 국민들의 이러한 요구들을 들어주는 존재가 있으니
그들은 바로 국회의원들이야!! 이 국회의원들이 10인 이상 모이면
국민들의 요구를 법으로 만들자는 제안을 할 수 있어!와~(-0-)
이것을 우리는 법률안 제안 이라고 해!
그런데 여기서 중요한것은!! 이 법률안 제안을 국회의원들만 하는 것은
아니라는 사실!!('⌒') 그럼 누구도 할 수 있느냐? 그것은 바로 정부란다!!
즉, 법률안 제안은 10인 이상의 국회의원 뿐만 아니라
정부도 할 수 있다는 것을 꼭 기억해!!＼(^0^*)/

[법률안 심의]

법률안을 제안하려면 국회의장에게 가져다 줘야해!(- o -)
국회의장은 받은 법률안을 검토해보고 이건 정말 국민들을
위한 법률로 만들어야겠다는 판단이 되면 국회의장의 권한으로
바로 본회의에 상정 시킬 수 있어! 대단한 권한이지!!?
그러나 대다수의 법률안들은 먼저 상임위원회에서 심의를 거쳐야 한단다.
상임 위원회 기억나지?? 각 분야의 전문성을 가진 국회의원들이 본회의 전에
법률안을 심의했던 기구 말이야!!(^0^)

1. 다음 중 **법률안 제안**을 할 수 없는 부류는?
① 정부
② 10인 이상의 국회의원
③ 2인 이상의 국회의원

2. **본회의 전**에 **법률안을 심의** 하는 기구는?
① 상임위원회
② 하임위원회

• **정답:** 3. 1번 문제. ③, 2번 문제. ①

여하튼 법률안이 상임위원회의 심의까지 통과하면 드디어 본회의로 상정되는거야!!
법률안아!! 본회의 가즈아!!!(づ ̄ ³ ̄)づ~♡

[법률안 심의·의결]

드디어 본회의에 도착한 법률안!!↖(^▽^)↗
본회의에서 법률안은 심의와 의결 과정을 거쳐 진짜 법률로 탄생할꺼야!! 갬동 o(T^T)o
이 때 조건은 재적 의원 과반수의 출석과 출석 의원 과반수의 찬성이란다!! 알겠지?(❛ᴗ❛)
넘나 중요하니깐 꼭 기억해!!O(￣▽￣)o

[법률안 공포]

이렇게 국회에서 통과된 법률안은 드디어 대통령에게 이송되는데,
대통령은 15일 이내에 모든 국민들이 알 수 있도록 공포해야하고
공포된 법률안은 20일 이후부터 효력이 발생하는거야!!s(￣▽￣)v

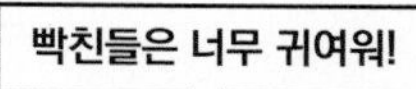

사랑하는 빡공시대 빡친들아!!
법률안 제정 과정 별로 어렵지 않지??
중요한거 다 찝어 줬으니깐 두려워말고 차근 차근
시험 보자!!(￣▽￣)/ 열심히 했으니깐! 잘 할 수 있다규!!
알겠지!!? 알라뷰(づ ̄ ³ ̄)づ~♡

3. **밑줄친 틀린말**을 바르게 고쳐보세요.(o^^)o

① 법률안은 재적의원 과반수의 출석과 **재적의원** 과반수의 찬성으로 통과된다.
→

② 법률안은 **국무총리**가(이) 공포한다. →

③ 통과된 법률안은 **20**일 이내에 대통령이 국민들에게 공포한다.
→

④ 공포된 법률안의 법적 효력은 **즉시** 발생한다. →

• **정답:** 3. ①~④: 출석의원, 대통령, 15일, 20일 이후

3단계 시험에 나오는 서술형

4. 시험에 잘 나오는 **서술형**을 3단계로 **암기해보자규**!!↖(^▽^)↗

1단계: 회색 글씨위에 덧대어 쓰며 암기하기

Q. **본회의**에서 법률안이 의결되기 위한 조건을 **서술하시오**.
[재적 의원 과반수의 출석과 출석 의원 과반수의 찬성으로 의결된다.]

2단계: 괄호 안에 알맞은 말 넣으며 암기

Q. **본회의**에서 법률안이 의결되기 위한 조건을 **서술하시오**.
[(　　) 의원 (　　　)의 출석과 (　　) 의원 과반수의 (　　)으로 의결된다.]

3단계: 스스로 써보기↖(^▽^)↗

Q. **본회의**에서 법률안이 의결되기 위한 조건을 **서술하시오**.

람보쌤의 자세한 해설을 영상으로 보세요!

국회의 지위와 조직

유형 1 국회란?

1. 국회의 지위에 대한 설명으로 옳은 것을 〈보기〉에서 있는 대로 고른 것은?

보 기

ㄱ. 국민이 선출한 대표로 구성되었다.
ㄴ. 국민의 의사를 반영하여 법률을 제정하는 입법기관이다.
ㄷ. 법률안 거부권을 통해 다른 국가 기관을 견제할 수 있다.
ㄹ. 다른 국가 기관을 견제하고 감시하여 국민의 자유와 권리를 보장하고 있다.

① ㄱ, ㄴ ② ㄷ, ㄹ ③ ㄱ, ㄴ, ㄹ
④ ㄱ, ㄷ, ㄹ ⑤ ㄴ, ㄷ, ㄹ

2. 국회에 대한 설명으로 옳은 것은?

① 국민의 대표 기관으로 법률을 집행하고 실현한다.
② 상임위원회에서는 국회의 최종적인 의사 결정이 이루어진다.
③ 국민이 정치과정에 참여하는 직접 민주제를 실현하기 위한 기관이다.
④ 효율적인 의사 진행을 위해 본회의에서 법률안을 미리 조사하고 심의한다.
⑤ 다른 국가 기관을 견제하고 감시하는 국정감시 기관으로서의 권한을 가지고 있다.

3. 국회에 대한 설명으로 옳지 않은 것은?

① 법률을 제정할 수 있다.
② 입법권은 국회에 속한다.
③ 비례대표 국회의원과 지역구 국회의원으로 구성된다.
④ 국회가 구성되면 의장 1인과 부의장 2인을 선출한다.
⑤ 본회의에서는 국무위원들이 모두 모여 국가의 중요한 문제를 논의한다.

유형 2 국회의 구성과 조직

4. 국회의 구성에 대한 설명으로 옳지 않은 것은?

① 지역구 의원과 비례대표 의원으로 구성된다.
② 최종적인 의사 결정은 본회의를 통해 이루어진다.
③ 임기는 4년이며, 의장 1인과 부의장 2인을 선출한다.
④ 효율적인 의사 진행을 위해 상임 위원회를 두고 있다.
⑤ 일반적인 의사 결정은 재적 의원 과반수의 출석과 출석의원 1/3 이상의 찬성으로 이루어진다.

5. 다음은 국회의 구성과 조직에 대해 정리한 내용이다. 밑줄 친 ㉠~㉤중 옳지 않은 것을 모두 고른 것은?

우리나라의 국회

1. 구성
(1) 지역구 국회의원 :
㉠각 지역구에서 최고 득표자로 선출
(2) 비례대표 국회의원 :
㉡각 정당의 득표율에 비례하여 선출
(3) 의장 : ㉢국회의장 1명, 국회부의장 2명

2. 조직
(1) 위원회 : ㉣안건이나 법률안을 심사하기 위해 항상 활동하는 상임 위원회만 존재
(2) 교섭 단체 : ㉤10인 이상의 국회의원으로 구성되며, 의사를 사전에 통합하고 조정
(3) 본회의 : 국회의 의사를 최종결정하는 회의로 정기회와 임시회로 구분

① ㉠, ㉡ ② ㉡, ㉣ ③ ㉢, ㉣
④ ㉢, ㉤ ⑤ ㉣, ㉤

6. (가), (나)에 해당하는 국회 조직을 옳게 연결한 것은?

(가) 일정한 수(20명) 이상의 국회의원으로 구성되며, 국회의원들의 의사를 사전에 통합하고 조정한다.
(나) 각 분야에 전문성을 가진 국회의원들이 모여 본회의에 앞서 관련된 안건이나 법률안을 심사한다.

	(가)	(나)
①	위원회	감사원
②	국무회의	법제처
③	교섭단체	위원회
④	국회의장단	공청회
⑤	국회사무처	법제사법위원회

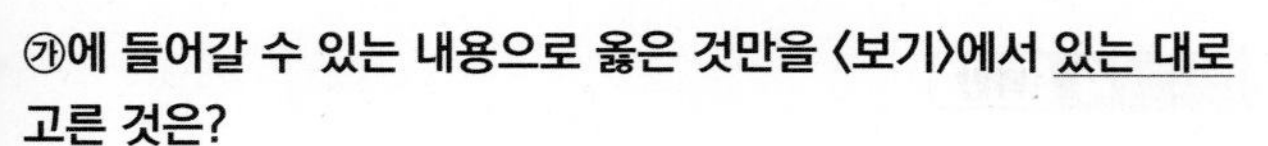

㉮에 들어갈 수 있는 내용으로 옳은 것만을 〈보기〉에서 있는 대로 고른 것은?

보 기

ㄱ. 국가의 조직과 통치의 기초가 되는 법률을 만들거나 고치는 입법기관이야.
ㄴ. 우리나라에서는 일반적으로 4년에 한 번씩 선거를 통해 선출된 국회의원들로 구성되고 있어.
ㄷ. 각 지역구에서 최고 득표자로 선출된 지역구 국회의원과 각 정당의 득표율에 비례하여 선출된 비례대표 국회의원으로 구성되고 있어.
ㄹ. 본회의는 외교, 통일, 국방, 보건 등 전문분야로 조직되며, 상임 위원회에 앞서 해당 분야에 속하는 법률안, 예산안, 청원 등을 사전 심사하는 국회 조직이야.

) ㄱ　② ㄱ, ㄴ　③ ㄷ, ㄹ
) ㄱ, ㄴ, ㄷ　⑤ ㄴ, ㄷ, ㄹ

유형 3 투표 용지 및 서술형

. 제21대 국회의원 투표용지 (가), (나)에 대한 설명으로 옳은 것은? (단, (가) 투표용지의 OOO은 사람 이름을 생략한 것임.)

(가)

1	더불어 민주당	OOO	
2	미래통합당	OOO	
3	민생당	OOO	
4	미래한국당	OOO	
5	더불어 시민당	OOO	
6	정의당	OOO	
7	우리공화당	OOO	
8	민중당	OOO	
9	한국경제당	OOO	

(나)

3	민생당	
4	미래한국당	
5	더불어시민당	
6	정의당	
7	우리공화당	
8	민중당	
9	한국경제당	
10	당	
11	당	

) (가) 투표용지에는 2명의 후보자에게 투표할 수 있다.
) (가)는 비례대표 국회위원을 선출하기 위한 투표용지이다.
) (나)는 선거구별 후보자에게 투표하는 투표 용지이다.
) (나)에서 얻은 정당별 득표율에 따라 국회의원이 선출된다.
) 유권자는 투표소에서 (가)와 (나)중 하나를 선택하여 투표한다.

9. 우리나라 국회를 구성하는 국회의원의 종류 2가지를 각각 어떤 방식으로 선출되는지를 나누어서 서술하시오.

1) (　　　　　　)국회 의원
선출방법 :

2) (　　　　　　)국회 의원
선출방법 :

국회의 권한

유형 1 국회의 권한-일반 국정에 관한 권한

※ 다음은 정기 국회 활동 일지이다. 다음을 읽고 물음에 답하시오.

20**년 9월 5일
9월 1일, 1년에 한 번 열리는 정기 국회가 시작되었다. 정기 국회는 100일 동안 이어지는데, 오늘은 대통령이 제출한 ㉠헌법재판소장 임명 동의안에 대한 표결이있었다.
20**년 9월 20일
국정 감사가 상임 위원회별로 시작되었다. 교육 관련 정부 기관에 대한 교육위원회의 ㉡국정 감사는 20일 정도 진행될 것이다.
20**년 11월 20일
「청년 고용 촉진 특별법 개정안」이 오늘 본회의에 상정되었다. ㉢법률안에 관한 설명과 토론 후 표결에 부쳐졌다.
20**년 11월 20일
정부가 558조 원 규모의 내년 예산 계획안을 제출하였다. 해당 위원회에서 심사한 ㉣예산안을 오늘 본회의에서 확정하였다.

10. ㉠~㉣ 중 일반 국정에 관한 기능을 고른 것은?

① ㉠, ㉡　② ㉠, ㉢　③ ㉡, ㉢
④ ㉡, ㉣　⑤ ㉢, ㉣

11. 〈보기〉에서 국회가 하는 일반 국정에 관한 일을 모두 골라 묶은 것은?

가. 헌법 개정의 제안 및 의결 권한
나. 예산안을 심의하여 확정하는 권한
다. 대통령의 파면을 요구하는 탄핵 소추권
라. 국정 감사를 통해 행정부의 정책 결정 감시

① 가　② 라　③ 나, 다
④ 다, 라　⑤ 나, 다, 라

유형 2 국회의 권한-입법에 관한 권한

12. 국회의 다양한 기능 중에서 다음 글에 나타난 국회의 기능에 해당하는 것으로 옳은 것은?

> 국회는 본회의에서 주민 등록 번호 유출로 막대한 피해가 우려되는 경우에 주민 등록 번호를 변경할 수 있도록 한 주민등록법 개정안을 의결하였다.

① 행정부가 편성한 예산안을 심의, 확정한다.
② 정부가 체결한 조약에 대한 동의권을 행사한다.
③ 행정부가 예산을 제대로 집행하였는지 결산 심사를 한다.
④ 대통령이 국무총리, 대법원장, 헌법 재판소장 등을 임명할 때 동의권을 행사한다.
⑤ 국정 감사나 국정 조사를 통해 국정의 잘못된 부분을 찾아내어 바로잡도록 한다.

13. 검색 내용과 성격이 같은 국회의 기능으로 옳은 것을 〈보기〉에서 고른 것은?

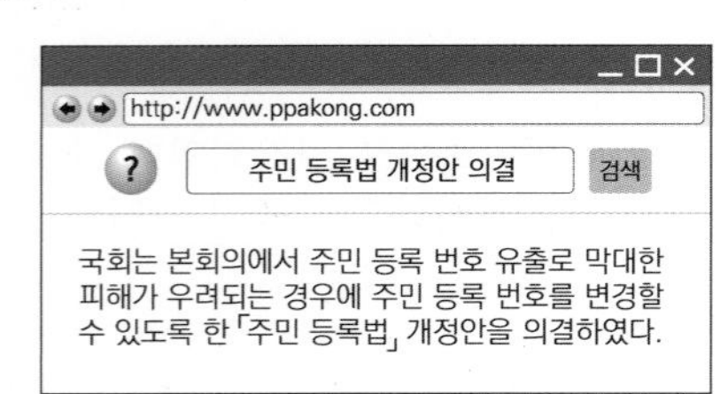

보 기

ㄱ. 결산 심사권
ㄴ. 탄핵 소추 의결
ㄷ. 예산안 심의 및 확정
ㄹ. 조약 체결에 대한 동의권
ㅁ. 헌법개정안 제안 및 의결

① ㄱ, ㄴ ② ㄱ, ㄹ ③ ㄴ, ㄷ
④ ㄴ, ㅁ ⑤ ㄹ, ㅁ

유형 3 국회의 권한-재정에 관한 권한

14. 국회의 권한 중 재정에 관한 권한으로 옳은 것만을 〈보기〉에서 고른 것은?

보 기

ㄱ. 결산 심사권
ㄴ. 법률 제정 및 개정권
ㄷ. 예산안 심의·확정권
ㄹ. 주요 공무원에 대한 탄핵 소추권

① ㄱ, ㄴ ② ㄱ, ㄷ ③ ㄴ, ㄷ
④ ㄴ, ㄹ ⑤ ㄷ, ㄹ

유형 4 복합

15. 국회에 대한 설명으로 옳지 않은 것은?

① 국민을 대표하는 기관이다.
② 헌법 개정안을 제안, 의결한다.
③ 국민을 대신하여 국정을 감시하고 견제한다.
④ 국가의 수입·지출에 대한 예산안을 작성한다.
⑤ 고위 공직자의 파면을 요구하는 탄핵 소추를 의결한다.

16. (가), (나)에 해당하는 국회의 권한을 바르게 연결한 것은?

> (가) 2020년 12월 2일, 국회 본회의에서 2021년 예산안이 통과되었다. 2021년 예산안은 2014년 이후 6년만에 여야 합의로 법정 기한 내에 처리됐다.
> (나) 지난 9월, 국회의 과학기술정보방송통신위원회의 국정감사에서 인기 캐릭터 A를 국정감사의 참고인으로 출석을 요구하였다.

	(가)	(나)
①	입법에 관한 권한	재정에 관한 권한
②	입법에 관한 권한	일반 국정에 관한 권한
③	재정에 관한 권한	입법에 관한 권한
④	재정에 관한 권한	일반 국정에 관한 권한
⑤	일반 국정에 관한 권한	입법에 관한 권한

17. 다음 내용은 우리나라 정기 국회의 활동 일지이다. 국회의 권한 중 어디에 속하는지 각각 서술하시오.

- 9월1일, 1년에 한 번 열리는 정기 국회가 시작되었다. 정기 국회는 100일 동안 이어지는데, 오늘은 대통령이 제출한 대법원장 임명 동의안에 대한 표결이 있었다.
- 12월1일, 정부가 OOO조 원 규모의 내년도 예산 계획안을 제출하였다. 해당 위원회에서 심사한 예산안을 오늘 본회의에서 확정하였다

유형 5 법률 제 개정 절차

18. 법률의 제정 절차에 대한 설명으로 옳지 않은 것은?

(가) 법률안 제출·발의	(나) 상임 위원회 심의
(다) 본회의 의결	(라) 법률 공포

① (가)는 국회의원 10명 이상의 발의나 정부의 제출을 통해 이루어진다.
② 국회의장은 제출된 법률안을 (나)에서 미리 심의를 받도록 한다.
③ (다)에서 의결은 재적 의원 과반수의 찬성으로 이루어진다.
④ (라)는 대통령에 의해 이루어진다.
⑤ (라)가 이루어질 수 있는 기한은 15일이다.

19. 다음은 국회의 법률 제정·개정 절차이다. ㉠~㉤에 대한 선생님과 학생의 대화 내용에서 옳은 답변을 한 학생을 모두 고른 것은?

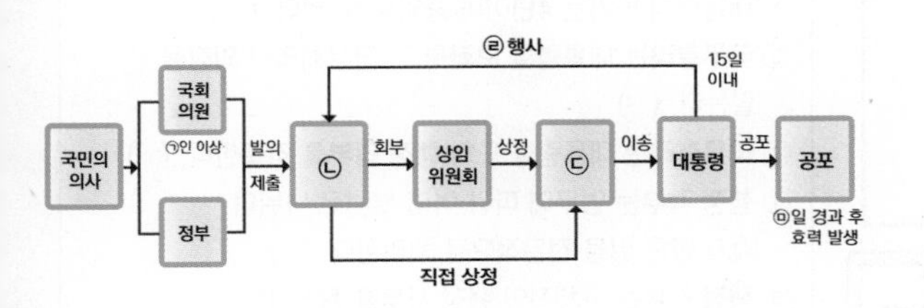

선생님 : 국회의 법률 제정·개정 절차의 ㉠~㉤에 관해 이야기해봅시다.
갑 : ㉠은 20인이고, 국회의원의 법안 발의에 필요한 인원수입니다.
을 : ㉡은 국무총리이고, 법안을 직접 상정할 수 있는 권한이 있어요.
병 : ㉢은 본회의이고, 재적의원의 과반수 출석과 출석의원의 과반수 찬성으로 의결합니다.
정 : ㉣은 거부권이고, 행정부의 입법부 견제 수단입니다.
무 : ㉤은 10일이고, 이 기간이 지난 후 통과된 법안을 어기면 처벌받을 수 있어요.

① 갑, 을　② 갑, 병　③ 을, 병
④ 병, 정　⑤ 정, 무

20. 우리나라의 법률 제정 과정을 순서대로 나열한 것 중 옳은 것은?

보 기

ㄱ. 법률안 공포	ㄴ. 법률안 제출
ㄷ. 법률안 심의	ㄹ. 본회의 심의·의결

① ㄱ-ㄴ-ㄷ-ㄹ　② ㄴ-ㄷ-ㄱ-ㄹ
③ ㄴ-ㄷ-ㄹ-ㄱ　④ ㄷ-ㄴ-ㄱ-ㄹ
⑤ ㄷ-ㄴ-ㄹ-ㄱ

21. 법률안 제정 절차를 순서대로 나열한 것은?

(가) 대통령이 15일 이내 공포하거나, 거부권을 행사한다.
(나) 국회의원 10인 이상이 제안 또는 정부가 법률안을 국회에 제출한다.
(다) 국회 본회의에서 국회의원 과반수의 찬성으로 법률안을 통과시킨다.
(라) 해당 상임위원회에서 법률안을 심사하여 본회의에서 상정한다.

① (가) - (나) - (다) - (라)
② (나) - (가) - (라) - (다)
③ (나) - (라) - (다) - (가)
④ (다) - (가) - (라) - (나)
⑤ (라) - (다) - (나) - (가)

22. 다음은 우리나라 법률 제정 절차이다. 밑줄 친 (다)가 이루어지기 위한 조건에 대해 〈제시어〉를 모두 사용하여 서술하시오.

(가) 법률안 제출·발의
(나) 상임위원회 심의
(다) <u>본회의 의결</u>
(라) 법률 공포

제시어

□ 재적 의원　　□ 출석 의원

2. 행정부와 대통령

1. 행정부

(1) 행정과 행정부의 의미

행정	행정부
• 법률을 **집행** 하고, **공익** 을 실현할 목적으로 **정책** 을 수립하는 것 예〉 도로 건설, 국방, 치안 유지 등	• 행정을 담당하는 국가 기관 → 현대 사회에서는 **행정부의 역할이 더욱 커짐** 현대 사회는 복지를 중요시하면서 행정부의 역할이 커졌어!(^0^)

(2) 행정부의 조직과 기능 시험100%출제

대통령	• 행정부의 **최고 책임자** → 행정부의 일을 **최종적으로 결정** 함
국무총리	• 대통령 부재 시 권한 대행 • 대통령을 도와 **행정 각부를 총괄 · 지휘** 함 (= 관리·감독)
행정 각부	• **구체적인 행정 사무를 처리함** → 업무에 따라 여러 부서로 나뉨
국무 회의	• 행정부의 **최고 심의 기관** → **대통령**, **국무총리**, **국무 위원** 으로 구성 → 정부의 중요 정책들을 심의함 국무회의에서는 **대통령**이 의장, **국무총리**가 **부의장**이야!^◡^
중요 감사원	• 조직상 대통령 직속 기관이지만 업무상은 **독립적인 지위** 를 가진 행정부의 **최고 감사 기관** → 국가의 **세입 · 세출 결산 감사** (= 예산), 공무원의 **직무 감찰**

· 대통령은 국무총리, 감사원장, 각부 장관, 국무위원 등을 임명할 수 있는데, 이때!!(ง •̀_•́)ง
→ 국무총리와 감사원장은 국회의 동의를 얻어야 하고,
→ 각부 장관과 국무위원은 동의를 얻지 않아도 돼!
시험이 어렵게 나오면 이런 것도 나와서 참고로만 알려줬어! 이런 것까지 알면 100점각이겠지?ㅎㅎ(^▽^)

헷갈릴 수 있는 개념 찝고가자!!∠(- o -)

Q. 다음 중 **국무회의**에 들어갈 수 **없는 사람**은?
① 대통령 ② 국무총리 ③ 국회의원
④ 국무위원 ⑤ 각부 장관

• 정답: ③

대통령
감사원
국무총리

기획재정부	교육부	과학기술정보통신부
외교부	통일부	법무부
국방부	행정안전부	문화체육관광부
농림축산식품부	산업통상자원부	보건복지부
환경부	고용노동부	여성가족부
국토교통부	해양수산부	중소벤처기업부

행정각부

우리 나라의 정부 조직도

위의 도표가 겁나 중요한데(✪o✪) 각종 행정 부서들의 이름은 그냥 한번 봐둬!!^◡^ 시험에 잘 나오는 부서들은 따로 옆에 정리해뒀단다! 끼욧! ヽ(ºㅁº)ノ

람보쌤의 시험에 나오는 행정 각 부만 콕찝자!!

[보건복지부]
·청소년 이용 시설에 **금연 구역**을 지정하였다.
·노인들을 위해 **건강 검진**을 지원하였다.
[행정안전부]
·어린이 보호 구역의 제한 속도를 30km로 제한하고 이를 **단속**하였다.
(참고로 경찰은 행정안전부 소속이란다^^)
[여성가족부]
·**청소년의 건전한 인터넷 문화**를 위해 셧다운제를 시행하였다
[국토 교통부]
·산사태가 나서 **꽉막힌 도로를 정비**하였다.

0,X 문제를 통해 시험에 나오는 지문들을 익혀보자!!('⌒')

Q. 다음 지문이 맞으면 **0표**, 틀리면 **X표**를 하시오.
① **대통령**의 임기는 **4년**이며 **중임할 수 없다**. ( )
② **국무총리**는 **대통령을 보좌**하고, **국무회의**의 **의장**을 맡는다. ( )
③ **국무총리**는 대통령을 도와 **행정 각부**를 **감독**한다. ( )
④ **행정 각부**는 업무에 따라 여러 부서로 나뉘며 각자 맡은 일을 전문적으로 처리한다. ( )
⑤ **행정 각부**는 구체적인 **행정 사무를 처리**하며, **행정 각부의 장**은 자신이 맡은 부서의 업무를 지휘한다. ( )
⑥ **국무 회의**는 **행정부의 최고 의결 기관**으로 정부의 권한에 속하는 중요한 정책을 최종적으로 **의결**한다. ( )
⑦ **감사원**은 **국무총리** 직속 기관으로 공무원의 직무를 감찰한다. ( )
⑧ **감사원**은 **행정부의 최고 감사 기관**으로 업무와 관련해서 **대통령의 통제를 받는다**. ( )
⑨ **감사원**은 **대통령의 명령**에 따라 업무를 수행한다. ( )

웨이크 주의보

• 정답: ①~⑤: X(임기 5년)X(국무회의의 의장은 대통령)000,
⑥~⑨: X(의결→심의)X(국무총리→대통령)XX

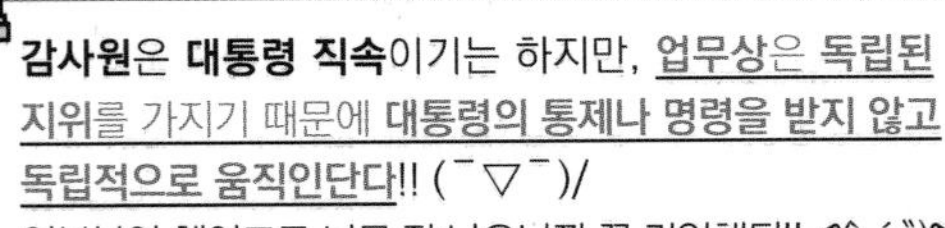

감사원은 **대통령 직속**이기는 하지만, 업무상은 독립된 지위를 가지기 때문에 대통령의 통제나 명령을 받지 않고 독립적으로 움직인단다!! (¯▽¯)/
이부분이 웨이크로 너무 잘 나오니깐 꼭 기억해둬!! ᕙ(•̀ᴗ•́)ᕗ

2. 대통령

① 대통령의 선출	② 대통령의 지위
• 국민의 **직접 선거**로 선출 • 임기는 **5년**, **중임 · 연임 할 수 없음** → 이유: 장기 집권에 따른 독재 방지	• **국가 원수** : 국가의 최고 지도자 • **행정부 수반** : 행정부 지휘· 감독, 최고 책임자

③ 대통령의 권한 ★시험100%출제

국가 원수로서의 권한	**행정부 수반**으로서의 권한
• **외교**에 관한 권한 ┌ **외국과 조약**을 체결, └ 외교 사절 파견 및 접견 • **헌법 기관** 구성: 헌법 재판소장, 대법원장, 대법관 등을 국회의 동의를 얻어 임명함 • **국민 투표** 시행 • **긴급 명령권** 행사 및 **계엄 선포** : 위급한 국가 상황에서 긴급 명령이나 계엄을 선포함	• **행정부 지휘 · 감독** : 국무 회의의 의장으로서 정책을 심의하고 최종 결정함 • **국군 통수** : 국군의 최고 사령관으로서 국군 지휘 → 예) 대통령 군부대 위문 • **행정부 고위 공무원 임면** : 국무총리, 국무 위원, 행정 각부의 장관 등을 임명하거나 해임할 수 있음 • **대통령령 제정** 국회에서 위임받은 법률로 명령할 수도 있고, 대통령이 스스로 명령할 수도 있어!오호!(˘◡˘) • **법률안 거부권** 행사: 국회의 입법 활동 견제

시험에 잘나오는 '대통령의 권한' 한판으로 정리하자!! ＼(-0-)/

★★ 용어 정리

[그렇게 중요한건 아니니깐 외우지는 말고, 걍 어떤 내용인지 읽어는 둬! 왜냐믄 시험엔 나와٩(•̀ᴗ•́)]

1. **긴급 명령**: **국가 비상사태시**에 법률에 의하지 않고 국민의 기본권을 제한 할 수 있는 명령
2. **계엄**: **전쟁**이나 이에 준하는 **국가 비상 사태**가 발생했을 때 **군이 맡아 다스리는 일**

★★ 시험에 자주 출제되는 대표 유형 2가지

Q. 다음 **대통령의 권한**을 알맞게 **분류하시오**.

① 한국과 미국 **조약** 체결	② **군부대** 격려
③ 유아교육법 **시행령** 공포	④ **대법원장**에게 임명장 수여
⑤ **긴급 명령권** 발동	⑥ **신임 대법원장** 임명
⑦ **국군의 지휘 및 통솔**	⑧ **국무회의** 참석
⑨ **국민 투표** 부의	⑩ **공무원 임명·해임**
⑪ **헌법 기관** 구성권	⑫ **법률안 거부권**

·(a) 국가 원수로서의 권한: 〈　　　　　〉
·(b) 행정부의 수반으로서의 권한: 〈　　　　　〉

• 정답: (a)〈①,④,⑤,⑥,⑨,⑪〉, (b)〈②,③,⑦,⑧,⑩,⑫〉

Q. 다음 **(가),(나)** 그림을 보고 **대통령의 역할**을 **서술하시오**.

(가) 국회의 동의를 얻어 대법원장을 임명하였다.

(나) 국무회의에 참석하여 정무를 살폈다.

·(가): 〈　　　　　〉
·(나): 〈　　　　　〉

• 정답: (가): 국가 원수로서의 역할이다. (나): 행정부의 수반으로서의 역할이다.

대통령의 권한은 시험에 정말 정말 잘나와!! 걍~ 100% 출제라고 생각하면돼!!
만약 이것이 시험에 나오지 않는다면 람보쌤이 피카츄처럼 노랑색으로 칠하고 63빌딩 꼭대기에서 춤출께!
그래서 람보쌤의 한마디!! 뒤에 키워드맵에서 열심히 연습하자!!＼(^0^*)/
그러면 어떤 문제든지 다 풀 수 있어!! 알겠지? 알라븅!!!(/^o^)/♡

1. 행정부

1단계 기본 개념 파악하기

1. **암기 퀴즈**를 차근 차근 풀면서 **'행정'**에 대해 **차근 차근 암기해보자**!!(o^^)o

암기 퀴즈1	암기 퀴즈2	괄호안에 알맞은 말 넣기!!
Q. **행정**이란? ① **법률**을 **제정**하는 것! ② **법률**을 **집행**하는 것!	Q. **행정**이란? ① **사익**을 위해 **정책**을 수립하는 것! ② **공익**을 위해 **정책**을 수립하는 것!	아하! 이제야 알겠다!!٩(•ᴗ•) 그러니깐 행정이란 **법률**을 (　　)하고, (　　)을 위해 **정책을 수립**하는 행위로구나!!＼(^0^*)/

• 정답 : 1. ②,②,집행-공익

2. 회색 글씨에 덧대어 쓰면서 **암기해보세요**.＼(^▽^)↗

행정부의 조직과 기능	
대통령	·행정부의 최고 책임자 → 행정부의 일을 최종적으로 결정함
국무총리	·대통령 부재 시 권한 대행 ·대통령을 도와 행정 각부를 총괄·지휘함
행정 각부	·구체적인 행정 사무를 처리함 → 업무에 따라 여러 부서로 나뉨
국무 회의	·행정부의 최고 심의 기관 → 대통령, 국무총리, 국무 위원으로 구성 → 정부의 중요 정책들을 심의함 → 의장: 대통령, 부의장: 국무총리
감사원	·조직상 대통령 직속 기관이지만 업무상은 독립적인 지위를 가진 행정부의 최고 감사 기관 → 국가의 세입·세출 결산 감사, 공무원의 직무 감찰

3. 다음 **밑줄친 틀린말**을 바르게 고치시오!

① 대통령의 임기는 **4년**이며, 중임 할 수 없다.
→
② **국무총리**는 행정부의 일을 최종적으로 결정한다.
→
③ **감사원장**은 대통령 부재시 권한을 대행한다.
→
④ **국무회의**는 구체적인 행정 사무를 처리한다.
→
⑤ **감사원**은 행정부 최고 심의 기관이다. →
⑥ 국무회의는 대통령,국무총리,**국회의원**으로 구성되어 있다. →
⑦ 국무총리는 국무회의의 **의장**이다. →
⑧ 감사원은 조직상 **국무총리**의 직속기관이다. →
⑨ **국무회의**는 행정부 최고 감사 기관이다. →
⑩ **국무총리**는 국가의 세입,세출 결산을 감사하고 공무원의 직무를 감찰한다. →

• 정답 : 3. ①~⑤: 5년,대통령,국무총리,행정 각부,국무회의/ ⑥~⑩: 국무위원,부의장,대통령,감사원,감사원

2단계 기본 개념 적용하기

4. [반복하며 암기하자! 반복박스!!(〉.〈)] 다음 키워드를 보고 **대통령**은 **'대'**, **국무총리**는 **'총'**, **행정 각부**는 **'각'**, **국무회의**는 **'무'**, **감사원**은 **'감'**이라고 쓰세요! (~˘▾˘)~

행정부 최고 **심의** 기관	**공무원**의 **직무 감찰**	대통령 부재시 권한 대행
① (　　)	② (　　)	③ (　　)
행정 각부 관리·감독	국가의 **세입·세출** 결산 **감사**	**행정 각부 총괄·지휘**
④ (　　)	⑤ (　　)	⑥ (　　)
행정부 최고의 **감사** 기관	**구체적인 행정 사무 처리**	행정부 **최고 책임자**
⑦ (　　)	⑧ (　　)	⑨ (　　)

업무상 **독립적인** 지위	정부의 **중요 정책 심의**	행정부 일 **최종적으로 결정**
⑩ ( )	⑪ ( )	⑫ ( )
대통령, 국무총리, 국무위원으로 구성	조직상 **대통령 직속 기관**	업무에 따라 **여러 부서로 나뉨**
⑬ ( )	⑭ ( )	⑮ ( )

• 정답 : 4. ①~③: 무,감,총/ ④~⑥: 총,감,총/ ⑦~⑨: 감,각,대/ ⑩~⑫: 감,무,대/ ⑬~⑮: 무,감,각/

5. 다음은 무엇에 대한 **설명인가요**?(￣▽￣)/

(1)
·조직상 **대통령 직속 기관**이지만 업무상은 **독립적인 지위**
·국가의 **세입·세출 감사**, **공무원**의 **직무 감찰**

〈 〉

(2)
·행정부 **최고**의 **심의** 기관
·정부의 **중요 정책**들을 **심의**함

〈 〉

(3)
·행정부 **최고 책임자**
·행정부 일 **최종적으로 결정**함

〈 〉

(4)
·**구체적인 행정 사무** 처리
·업무에 따라 여러 부서로 나뉨

〈 〉

(5)
·대통령 부재 시 **권한 대행**
·**행정 각부 총괄·지휘**

〈 〉

(6)
·행정부 최고 **감사** 기관

〈 〉

• 정답 : 5. (1) 감사원
(2) 국무회의
(3) 대통령
(4) 행정 각부
(5) 국무총리
(6) 감사원

3단계 헷갈리기 쉬운 내용 한번 더 짚고 가자!

6. 시험에 **웨이크**로 진짜 잘 나오는 것들 **한번 더 짚고 가자**!!＼(^0^*)/

웨이크1
Q. 현대 사회에서는 **행정부의 역할**이?
① 점점 커져! ② 점점 작아져!

웨이크2
Q. 행정부의 일을 **최종적으로 결정**하는 것은?
① 국무총리야! ② 대통령이야!

웨이크3
Q. 행정부의 **최고 심의 기관**은?
① 국무회의야! ② 감사원이야!

웨이크4
Q. **감사원**은 **대통령의 통제**를?
① 받아! ② 받지 않아!

웨이크5
Q. 행정부의 **최고 감사 기관**은?
① 국무회의야! ② 감사원이야!

• 정답 : 6. 웨이크1~웨이크5: ①,②,①,②,②

7. 다음 A와 B에 들어갈 알맞은 말을 쓰세요.

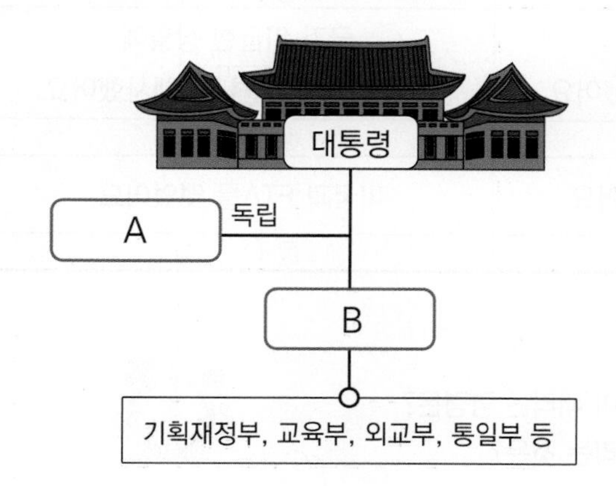

8. 다음 **〈보기〉**는 대통령이 임명할 수 있는 관직이에요. 물음에 답하세요.^▽^

〈보기〉
① 국무총리 ② 감사원장 ③ 각부 장관 ④ 국무위원

·(a) **국회의 동의를 얻어야해요!! 〈 〉**

·(b) **국회의 동의를 얻지 않아도되요!! 〈 〉**

• 정답 : 7. A: 감사원, B: 국무총리 8. (a) ①,②/ (b) ③,④

2. 대통령

1단계 기본 개념 파악하기

1. 회색 글씨에 덧대어 쓰면서 **암기해보세요**.↖(^▽^)↗

① 대통령의 선출	② 대통령의 지위
·국민의 직접 선거로 선출 ·임기는 5년, 중임·연임 할 수 없음 → 이유: 장기 집권에 따른 독재 방지	·국가 원수: 국가의 최고 지도자 ·행정부 수반: 행정부 최고 책임자

③ 행정부의 조직과 기능	
국가 원수 로서의 권한	행정부 의 수반 으로서의 권한
·외국과 조약을 체결 ·헌법 기관 구성 :헌법 재판소장, 대법원장, 대법관 등을 국회의 동의를 얻어 임명함 ·국민 투표 시행 ·긴급 명령권 행사 및 계엄 선포	·행정부 지휘·감독 : 정책 최종 결정 ·국군 통수 ·행정부 고위 공무원 임면 : 국무총리, 국무위원, 각부의 장관 등을 임명하거나 해임할 수 있음 ·대통령령 제정 ·법률안 거부권 행사

확인 퀴즈

Q. 밑줄친 틀린말을 바르게 고치세요.^◡^

① 대통령은 국민의 **간접** 선거로 선출된다. →

② 대통령의 임기는 **4년**이다. →

③ 대통령은 중임·연임이 **가능하다**. →

파생 퀴즈

Q. 대통령이 왜 **중임**을 할 수 없지?

① 장기 집권에 따른 **독재** 방지

② 장기 집권에 따른 **탈모** 방지

• 정답 : 확인 퀴즈 ①~③: 직접,5년,불가능하다/ 파생 퀴즈: ①

2단계 기본 개념 적용하기

2. [반복하며 암기하자! 반복박스!!(ᐳ.ᐸ)] 다음 키워드를 보고 대통령의 **국가 원수**로서의 권한은 '**원**', **행정부의 수반**으로서의 권한은 '**행**'이라고 쓰세요! (~˘▾˘)~

행정부의 지휘·감독	국민 투표	국군 통수	헌법 기관 구성
① ( )	② ( )	③ ( )	④ ( )
법률안 거부권 행사	행정부 고위 공무원 임면	외국과 조약	대통령령 제정
⑤ ( )	⑥ ( )	⑦ ( )	⑧ ( )

군부대를 위문했어요	헌법 재판소장을 임명했어요.	국무회의에 참석했어요
⑨ ( )	⑩ ( )	⑪ ( )
육·해·공군 합동 임관식에 참석했어요	국회에서 위임 받은 '유아교육법'을 공포 했어요	국가 위급한 상황에 긴급 명령권을 행사했어요.
⑫ ( )	⑬ ( )	⑭ ( )
행정 각부 장관을 임명했어요	외국의 사절단과 접견하였어요.	미국과 FTA를 맺었어요.
⑮ ( )	⑯ ( )	⑰ ( )

3. [스피드 퀴즈] 다음 **용어 설명**에 스피드있게 답해보세요!!(o^^)o

[스피드퀴즈1] 국가 **비상사태 시** 국민의 기본권을 제한 할 수 있는 대통령이 내리는 명령은?

[스피드퀴즈2] 전쟁과 같은 국가 비상 사태가 발생했을 때 **군이 맡아 다스리는 것**은?

• 정답 : 2. ①~④: 행,원,행,원/ ⑤~⑧: 행,행,원,행/ ⑨~⑪: 행,원,행/ ⑫~⑭: 행,행,원/ ⑮~⑰: 행,원,원 3. 스피드퀴즈1~스피드퀴즈2: 긴급 명령,계엄

람보쌤의 자세한 해설을 영상으로 보세요!

국회의 지위와 조직

유형 1 행정부란?

. 행정부에 대한 설명으로 옳은 것은?

① 법을 해석하고 구체적 사건에 적용한다.
② 국민의 의사를 반영하여 법률을 제정한다.
③ 재판을 통해 분쟁을 해결하는 역할을 한다.
④ 공익을 실현하기 위해 정책을 만들고 집행한다.
⑤ 현대 국가에서는 행정부의 역할이 약화되고 있다.

. 다음과 같은 현상이 나타나는 이유로 옳은 것은?

> 현대 사회에서 정부는 국민의 권리를 보호해 줄 뿐만 아니라 권리가 실현될 수 있도록 적극적으로 사회에 개입하고 있다.

① 복지 정책에 대한 요구 증대
② 사법부 견제에 대한 요구 증대
③ 입법부 견제에 대한 요구 증대
④ 대통령의 권한 집중에 대한 요구 증대
⑤ 대통령의 권한 약화에 대한 요구 증대

유형 2 행정부의 조직과 기능

. (가)~(다)에 해당하는 행정부의 주요 조직을 바르게 연결한 것은?

> (가) 정부의 중요 정책을 심의하는 행정부 최고의 심의 기관이다.
> (나) 대통령의 직속 기관으로 공무원의 직무를 감찰과 국가의 세입, 세출의 결산을 감사하는 업무를 담당한다.
> (다) 대통령이 공석일 때 권한을 대행하고 대통령과 함께 국무 회의를 열어 각부 장관들과 정부 정책을 의논한다.

	(가)	(나)	(다)
①	국무 회의	국무총리	감사원
②	국무 회의	감사원	국무총리
③	감사원	국무 회의	행정 각부
④	행정 각부	감사원	국무 회의
⑤	국무 회의	행정 각부	국무총리

4. 행정부의 주요 조직에 대한 설명으로 옳은 것은?

① 대통령은 행정부의 최고 책임자로, 행정부의 모든 일을 국회의 동의를 얻어 최종적으로 결정한다.
② 국무총리는 대통령을 도와주는 역할을 하며, 행정 각 부를 관리하고 감독할 책임은 없다.
③ 행정 각부는 구체적인 행정 사무를 처리하며, 행정 각부의 장은 자신이 맡은 부서의 업무를 지휘한다.
④ 국무 회의는 행정부의 최고 의결 기관으로 정부의 권한에 속하는 중요한 정책을 최종적으로 의결한다.
⑤ 감사원은 행정부의 최고 감사 기관으로 업무와 관련해서 대통령의 통제를 받는다.

5. 우리나라 정부의 조직표에 대한 설명으로 옳은 것만을 〈보기〉에서 있는 대로 고른 것은?

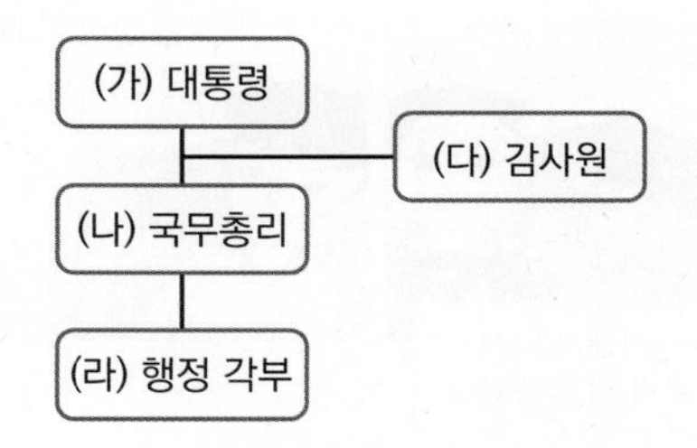

보 기

> ㄱ. (가)의 임기는 4년이며 중임할 수 없다.
> ㄴ. (나)는 행정부의 최고 책임자로 (가)를 보좌한다.
> ㄷ. (다)는 국무총리 소속의 행정부의 최고 심의 기관이다.
> ㄹ. (다)는 세금이 제대로 쓰이는지 조사하고 행정 기관 및 공무원의 직무를 감찰한다.
> ㅁ. (라)는 구체적인 행정 사무를 처리한다.

① ㄱ, ㄴ　　② ㄱ, ㅁ　　③ ㄴ, ㄷ
④ ㄹ, ㅁ　　⑤ ㄷ, ㄹ, ㅁ

유형 3 행정 각부

6. 다음 설명에 해당하는 조직은?

> • 행정부의 구체적인 사무를 처리한다.
> • 조직의 장은 대통령이 임명하며, 국무위원으로서 국무회의에 참석하여 국정에 관한 의견을 제시한다.

① 대통령 ② 감사원
③ 입법부 ④ 행정 각부
⑤ 국무 총리

7. 다음 사례에 나타난 행정 작용과 관련된 기관으로 옳은 것은?

① 환경부 ② 행정 안전부
③ 국방부 ④ 법무부
⑤ 국토 교통부

8. 다음 행정부의 행정 작용으로 바르게 짝지어진 것은?

> (가) 청소년 이용 시설에 금연 구역을 지정하였다.
> (나) 어린이 보호 구역의 제한 속도를 30km로 제한하고 이를 단속하였다.
> (다) 청소년의 건전한 인터넷 문화를 위해 셧다운제를 시행하였다.

	(가)	(나)	(다)
①	행정안전부	보건복지부	여성가족부
②	여성가족부	보건복지부	행정안전부
③	여성가족부	행정안전부	보건복지부
④	보건복지부	여성가족부	행정안전부
⑤	보건복지부	행정안전부	여성가족부

유형 4 행정부 조직 개별 문제

9. 다음 보기에서 설명하고 있는 국가기관에 대한 설명으로 옳은 것은

> 1. 구성
> 대통령, 국무총리, 각 부서 장관을 비롯한 국무 위원으로 구성된다.
> 2. 역할
> 정부의 일반 정책, 법률의 개정안과 제정안, 예산안 등 행정부의 중요한 사항을 심사하고 논의한다.

① 대통령이 의장직을 맡는다.
② 사법부의 최고 심의 기관이다.
③ 제시된 내용은 감사원에 대한 설명이다.
④ 10명 이상 15명 미만의 위원으로 구성한다.
⑤ 행정 각부의 장관은 회의에 참석할 수 없다.

10. 감사원에 대한 옳은 설명을 〈보기〉에서 모두 고른 것은?

보기

> ㄱ. 국무총리 직속 기관이다.
> ㄴ. 정부의 예산 사용을 감시한다.
> ㄷ. 국가의 중요한 정책을 심의한다.
> ㄹ. 공무원의 업무 처리를 감찰한다.

① ㄱ, ㄴ ② ㄱ, ㄷ ③ ㄴ, ㄷ
④ ㄴ, ㄹ ⑤ ㄷ, ㄹ

1. 다음은 우리나라 행정부에 대한 조직도이다. (가)의 역할로 옳은 것만을 〈보기〉에서 있는 대로 고른 것은?

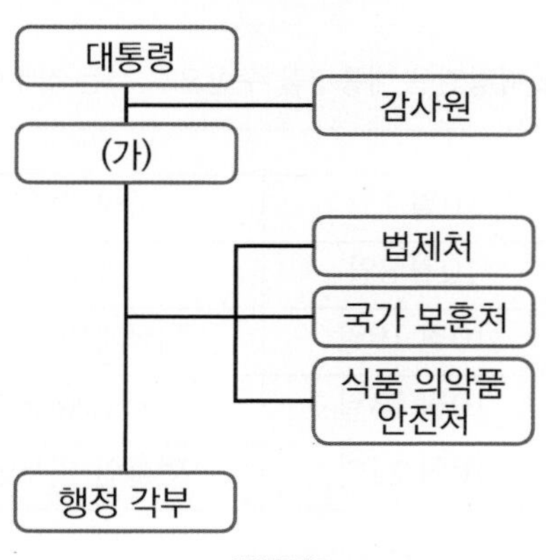

보 기

ㄱ. 국무 회의 부의장으로서 국무 회의에 참여한다.
ㄴ. 조직상으로는 대통령에 소속되어 있지만, 업무상으로는 독립되어 있다.
ㄷ. 우리나라 부통령으로서 대통령을 도와 행정 각부를 관리하고 감독한다.
ㄹ. 행정부의 최고 책임자로서 행정부의 일을 최종적으로 결정하는 역할을 한다.

① ㄱ ② ㄴ
③ ㄱ, ㄷ ④ ㄴ, ㄹ
⑤ ㄱ, ㄴ, ㄹ

대통령의 지위와 권한

유형 1 대통령이란?

2. 우리나라 대통령에 대한 설명으로 옳은 내용을 발표한 사람을 고른 것은?

갑 : 대통령의 임기는 6년이다.
을 : 대통령은 임기와 관련하여 중임이 가능하다.
병 : 대통령은 국민이 직접 선거를 통해 선출된다.
정 : 대통령의 임기를 제한하는 이유는 장기집권에 따른 독재로 국민의 자유와 권리가 침해되는 것을 막기 위함이다.

① 갑, 을 ② 갑, 병
③ 을, 병 ④ 을, 정
⑤ 병, 정

유형 2 대통령의 지위와 권한

서술형

13. 대통령의 권한은 (가)와 (나)로 구분할 수 있다. (가)와 (나)로 구분하는 기준이 되는 대통령 역할(지위)의 차이점을 서술하시오.

(가) 대통령은 외국과의 조약을 체결하고 외교 사절을 맞이하는 등 외교 활동을 한다. 국회의 동의를 얻어 대법원장, 헌법 재판소장, 감사원장 등을 임명하여 헌법 기관을 구성한다. 긴급 명령권을 행사할 수 있고, 비상사태에는 공공질서를 유지하기 위하여 계엄을 선포할 수 있다.
(나) 대통령은 국무총리, 국무위원, 각부 장관 등 고위 공무원을 임면한다. 국무 회의에서는 의장이 된다. 또한, 국회에서 만든 법률을 집행하고 법률안 거부권을 통해 국회를 견제할 수 있다.

14. 다음 〈보기〉에서 대통령의 일정을 행정부 수반으로서의 업무와 국가 원수로서의 업무로 나누어 바르게 짝지은 것은?

보 기

ㄱ. 한국·이스라엘 FTA를 체결하였다.
ㄴ. 강원도 지역의 군부대를 방문하여 격려하였다.
ㄷ. 코로나 19 대응을 위한 '유아교육법' 시행령을 공포하였다.
ㄹ. 새로 선출된 대법원장, 헌법 재판소장에게 임명장을 수여하였다.

	행정부 수반	국가 원수
①	ㄱ, ㄷ	ㄴ, ㄹ
②	ㄱ, ㄹ	ㄴ, ㄷ
③	ㄴ, ㄷ	ㄱ, ㄹ
④	ㄴ, ㄹ	ㄱ, ㄷ
⑤	ㄷ, ㄹ	ㄱ, ㄴ

15. 대통령의 권한을 바르게 연결한 것은?

국가 원수로서의 권한	행정부의 수반으로서의 권한
① 고위 공무원 임면권	외국과의 조약 체결권
② 국무회의의 의장	헌법 기관 구성권
③ 긴급 명령권	계엄 선포권
④ 외교 사절 접견	법률안 거부권
⑤ 법률안 거부권	중요 정책 국민 투표 시행

16. 다음 보기에 제시된 대통령의 권한 중 국가 원수로서의 역할이 바르게 짝지어진 것은 무엇인가?

보 기

ㄱ. 긴급 명령권
ㄴ. 국무회의 의장
ㄷ. 헌법 기관 구성권
ㄹ. 고위 공무원 임면권
ㅁ. 행정부 지휘 감독권

① ㄱ, ㄴ ② ㄱ, ㄷ
③ ㄴ, ㄷ ④ ㄷ, ㄹ
⑤ ㄷ, ㅁ

17. 대통령의 일정 중 다음 헌법 조항에 규정된 지위에 따른 대통령의 권한에 해당되지 않는 것은?

헌법 제66조 행정권은 대통령을 수반으로 하는 정부에 속한다.

㉠	10월 1일	국군 지휘·통솔
㉡	10월 8일	국무총리 임명
㉢	10월 19일	외국과의 조약 체결
㉣	10월 23일	대통령령 제정
㉤	10월 24일	법률안 거부권 행사

① ㉠ ② ㉡ ③ ㉢
④ ㉣ ⑤ ㉤

18. 다음 표는 대통령이 수행한 업무 중 일부를 나타낸 것이다. 밑줄 친 ㉠~㉣에 대한 설명으로 옳지 않은 것은?

일자	주요 업무
3.15	㉠국무 회의 참석
4.5	㉡한미 정상 회담 참여
5.17	㉢대법원장 임명장 수여
6.10	㉣육·해·공군 합동 임관식 참석

① ㉠은 주요 정책을 논의하는 국회의 최고 심의 기관이다.
② ㉡은 국가 원수로서의 권한이다.
③ ㉢은 국회의 동의를 얻어야 한다.
④ ㉣은 국군 통수권 행사에 해당한다.
⑤ ㉠~㉣ 중 행정부 수반으로서의 권한은 두 번 행사되었다.

*이 파트는 고3 한태희 학생이 봉사활동으로 검수작업에 참여하였습니다.

3. 법원과 헌법 재판소

1. 사법과 법원의 의미

사법	• 법을 해석하고, 적용하는 국가 활동 → 재판을 통해 이루어짐
법원	• 사법을 담당하는 국가 기관 → 법적인 분쟁 해결 → 국민의 권리를 보호함

실제 시험 문제

Q. 다음은 **어떤 국가 기관**에서 **담당하는가?**

> 분쟁을 해결하고 사회 질서 유지를 위해 법을 해석하고 구체적인 사건에 적용한다.

〈 법원 〉

2. 사법권의 독립 시험1타

의미	• 재판이 외부의 간섭없이 독립적으로 이뤄지는 것
목적	• 공정한 재판을 통해 국민의 기본권을 보장하기 위함이다. 서술형1타

-시험 1타 사법권의 독립 법조항-

제 101조 ① 사법권은 법관으로 구성된 **법원에 속한다.**
② **법관의 자격**은 **법률**로 정한다.

제 103조 법관은 헌법과 법률에 의하여 **그 양심에 따라 독립하여 심판한다.**

서술형 1타

Q. **사법권의 독립**을 **보장**하는 **이유**를 **국민**과 관련지어 **서술하시오.**

〈 **공정한 재판**을 통해 **국민의 기본권**을 보장하기 위해서이다. 〉

중요TIP 시험에 **사법권의 독립**과 관련된 법조항이 엄청 잘 나와!^ᴗ^ 그런데 이때 '대법원장이 아닌 법관은 대법원장의 제청에 의하여 **대통령이 임명한다.**'라는 법조항이 나오면 이건 사법권의 독립과 아무 상관이 없고 오히려 **대통령이 사법부를 견제하는 행위야!**('⌒') 법관은 대법원장이 임명하기도 하고, 국회의 동의를 얻어 대통령이 임명하기도 하는데, 대통령이 법관을 임명하는 것은 **대통령이 사법부를 견제하는 행위**란다. 훼이크에 절대 속지 않도록!o(^-^)o

3. 법원의 조직 시험1타

대법원	• 주로 3심 사건을 재판함(사법부 최고의 기관) • 고등 법원의 판결에 상고한 사건 재판 • 특허 법원의 판결에 상고한 사건 재판 → 최종적인 재판 담당	
고등 법원	• 주로 2심 사건을 재판함 • 지방 법원, 가정 법원, 행정 법원의 1심 판결에 대한 항소 사건을 재판	
지방 법원	• 주로 1심 사건을 재판함 → 주로 **형사 재판**과 **민사 재판**의 **1심**을 맡는단다.(^0^) • 지방 법원 단독 판사의 판결에 대한 항소 사건을 재판함	
특수 법원	가정 법원	• 가사 사건과 소년 보호 사건을 재판함
	특허 법원	• 특허와 관련된 사건을 재판함 (고등 법원에 해당돼!!^ᴗ^)
	행정 법원	• 국가 기관의 잘못된 행정 작용에 대한 재판

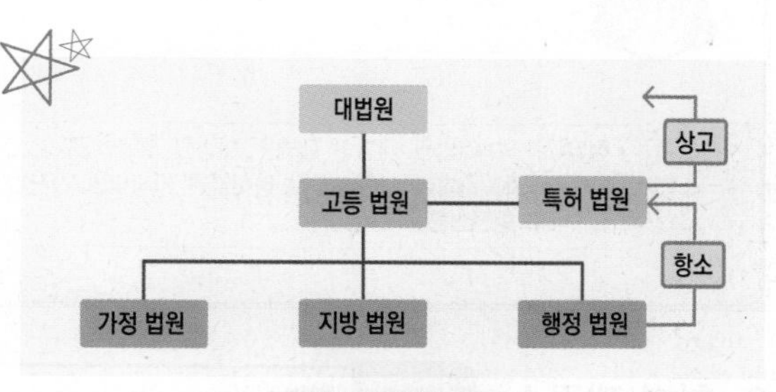

법원 조직도

실제 시험에 나오는 예시

[대법원의 예]

• 해님이와 달님이는 자신들을 위협한 사냥꾼을 경찰에 신고하였다. 증거 불충분으로 사냥꾼이 2심에서도 무죄로 판결되자 검사는 **다시 재판**을 신청하기로 하였다.

• 전기밥솥을 만드는 (가)회사와 (나)회사는 압력 밥솥 안전 기술과 관련한 특허를 두고 몇 년째 소송을 이어가고 있다. 최근 특허 법원의 판결에서 패소한 (가)회사는 이번 소송의 결과를 인정할 수 없다며 대법원에 **상고**하려고한다. → **특허법원**에서 **상고**하면 **대법원**으로!!

[고등 법원의 예]

• 박OO씨는 주차 문제로 이웃인 장OO씨와 시비를 벌이다 그를 다치게 했다. 상해 혐의로 기소된 박OO씨는 지방 법원 형사 합의부 1심 재판에서 징역 2년을 선고받았다. 박OO씨는 자신이 받은 형벌이 과하다고 생각하여 고등 법원에 **항소**하기로 하였다. → 핵심 키워드: 항소

[행정 법원의 예]

• 이 씨는 피시방 개설 금지 처분을 취소해 달라고 **교육청**을 상대로 소송을 제기하였다. 재판부에서는 "인근 초등학교로부터 피시방이 너무 가깝다"라며 교육청의 손을 들어주었다. → 교육청(국가 기관)에 대한 **행정재판**

4. 법원의 기능

• **재판**: 법적 분쟁을 해결함 → 법원의 가장 중요한 기능
• **위헌 법률 심판 제청**: 재판에 전제가 된 법률이 헌법에 위반되는지 **헌법 재판소**에 심판을 제청함 → 입법부 견제 수단
• **명령·규칙·처분 심사**: 명령이나 규칙이 헌법과 법률에 어긋나는지를 **대법원**이 최종적으로 심사함 → 행정부 견제 수단
• 그 외: 등기 업무, 가족 관계 등록 등

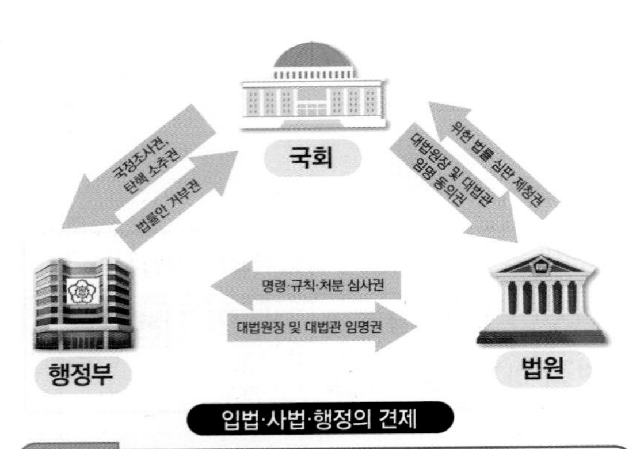

시험TIP 위 표는 매우 중요하니깐 그냥 닥치고 외우시오!!('⌒')

시험에 나오는 실질적인 예 모음!!＼(^0^*)/

[행정부가 → 입법부(국회) 견제] : 법률안 거부권
- 대통령은 국회에서 의결된 국회법 개정안에 대해 **다시 논의할 것을 요구하였다.**

[행정부가 → 사법부(법원) 견제] : 대법원장 및 대법관 임명권
- **대통령**은 대법원장의 제청으로 국회의 동의를 얻어 000을 **대법관으로 임명하였다.**

[사법부(법원)가 → 입법부(국회) 견제] : 위헌 법률 심판 제청
- **법원**은 집회 및 시위에 관한 법률의 일부 조항이 기본권을 침해한다며, **헌법 재판소**에 **위헌 법률 심판**을 **제청**하였다.

[사법부(법원)가 → 행정부 견제] : 명령·규칙·처분 심사권
- **명령·규칙·처분**의 법률 위반 여부가 재판의 전제가 되는 경우 **법원**이 이를 심사하여 취소하거나 변경할 수 있다.

람보쌤의 시험에 나오지만 '헷갈리는 내용들' 한번 짚고가자!! ＼(-0-)/

★★중요 개념 짚고 가자!

- **지방법원**에서 **고등법원** 올라가는 것은 '항소'입니다.
- **고등법원**에서 **대법원** 올라가는 것은 '상고'입니다.
- **위헌 법률 심판 제청**은 '법원'이 하는거예요.
  → **위헌 법률 심판 제청**은 **법원**이 **헌법 재판소**에 할 수 있는 권한이에요! 매우 중요하니 한번 더 짚고 갈께요!!(^0^)
- **위헌 명령·규칙 심사**는 '대법원'에서 하는 거예요!

위의 디테일한 내용 잘 기억하세요!!(o^^)o

★★중요한 내용 알아? 몰라?	
대법원	① **사법부 최고의 기관**은? ② **대법원장**은 누가 임명하지? ③ **최종적인 재판을 담당하는 기관**은? ④ 특허 재판에서 패소한 B씨는 어디로 **상고**해야하지?
고등법원	⑤ **1심 법원**의 판결에 대한 **항소 사건**을 재판하는 곳은?
지방법원	⑥ **1심 사건을 재판**하거나 **지방 법원 단독 판사의 판결에 대한 항소 사건**을 재판하는 기관은? ⑦ **민사 재판**이나 **형사 재판의 1심 판결**은 어디서?
특수법원	⑧ **특허 관련 분쟁**은 어디로 가야 하나요? ⑨ 이혼, 양자, 상속 같은 **가사 사건**은 어디서 재판하지? ⑩ **가사 사건**과 **소년 보호 사건**을 재판하는 기관은? ⑪ 잘못된 **행정 작용**에 대한 소송 사건을 담당하는 곳은?

- 정답: ①~⑤: 대법원, 대통령, 대법원, 대법원, 고등법원/ ⑥~⑩: 지방법원, 지방법원, 특허법원, 가사법원, 가사법원/ ⑪: 행정법원

2. 헌법 재판소

시험TIP 헌법 재판소는 **객관식** 뿐만 아니라 **서술형**도 **1타**니깐 꼼꼼히 공부하자! 특히 키워드맵 필수!!(〉.〈) 시험1타

의미		• 헌법 재판을 담당하는 독립된 국가 기관 → 헌법 수호 기관 → 기본권 보장 기관
구성		• 9명의 재판관으로 구성 (임기: 6년) → 대통령이 3명 지명하고, 대법원장이 3명을 지명하고, 국회에서 3명을 선출하여 대통령이 임명함
역할	① 위헌 법률 심판 중요	
	의미	• 재판의 전제가 되는 법률의 헌법 위반 여부를 심판함
	절차	• 법원이 위헌 법률 심판을 제청함
	② 헌법 소원 심판 중요	
	의미	• 국가 권력의 행사가 국민의 기본권을 침해하였는지를 심판함

헌법재판소의 역할 시험에 나온 대표적인 예

[위헌 법률 심판]
재혼 등으로 가족 관계가 바뀌었는데도 **민법**에서는 자녀가 성을 바꾸지 못하고 아버지 성만을 사용하도록 하고 있는 것은 헌법에 위반되는지를 심판해주세요.

[헌법 소원]
구치소에 수용되었다가 석방된 **갑**이 헌법 재판소에 "지나치게 협소한 구치소 방은 인간의 존엄을 침해한다."고 제기한 사건에서 헌법 재판소는 위헌 결정을 내렸다.

16세 미만의 청소년에게만 적용되는 셧다운제는 청소년들의 평등권과 교육권에 위배 된다며 청소년 '을'은 헌법재판소에 청구하였다.

[탄핵 심판]
헌법재판소는 '**대통령 A씨**의 권한 남용 및 위법 행위는 국민의 신임을 배반한 것으로 봐야한다.'며 대통령 A씨에 대한 **파면 결정**을 내렸다.

[권한 쟁의 심판]
수원시의 고속철도역의 이름을 **중앙정부**가 정할지, 역이 지나는 **수원시**가 정할지에 대한 심판을 청구함.

절차	• 국민이 직접 헌법 소원 심판을 제청함
③ 탄핵 심판	
의미	• 고위 공직자가 위법한 행위를 한 경우 파면의 여부를 심판함
절차	• 국회가 탄핵 심판을 청구함
④ 권한 쟁의 심판	
의미	• 국가 기관 간의 권한 분쟁을 해결함
절차	• 국가 기관이 권한 쟁의 심판을 청구함
⑤ 정당 해산 심판	
의미	• 민주적 기본 질서에 위배되는 정당의 해산 여부를 심판함
절차	• 정부가 정당 해산 심판을 청구함

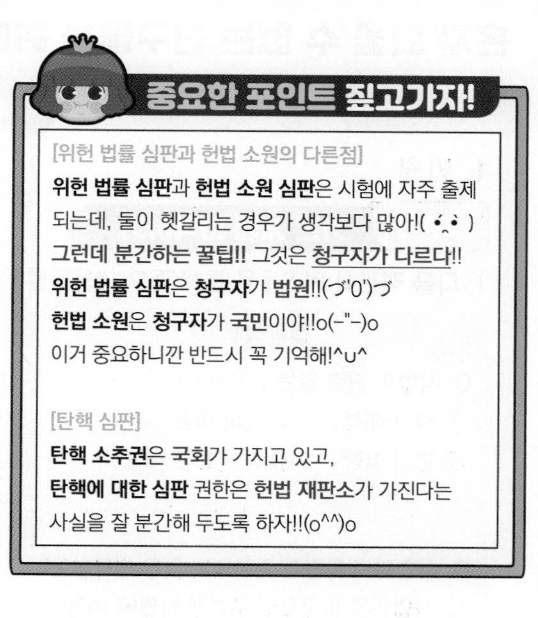

헌법 재판소 관련 나올만한 서술형 모두 모두 정리해보자!!↖(^▽^)↗

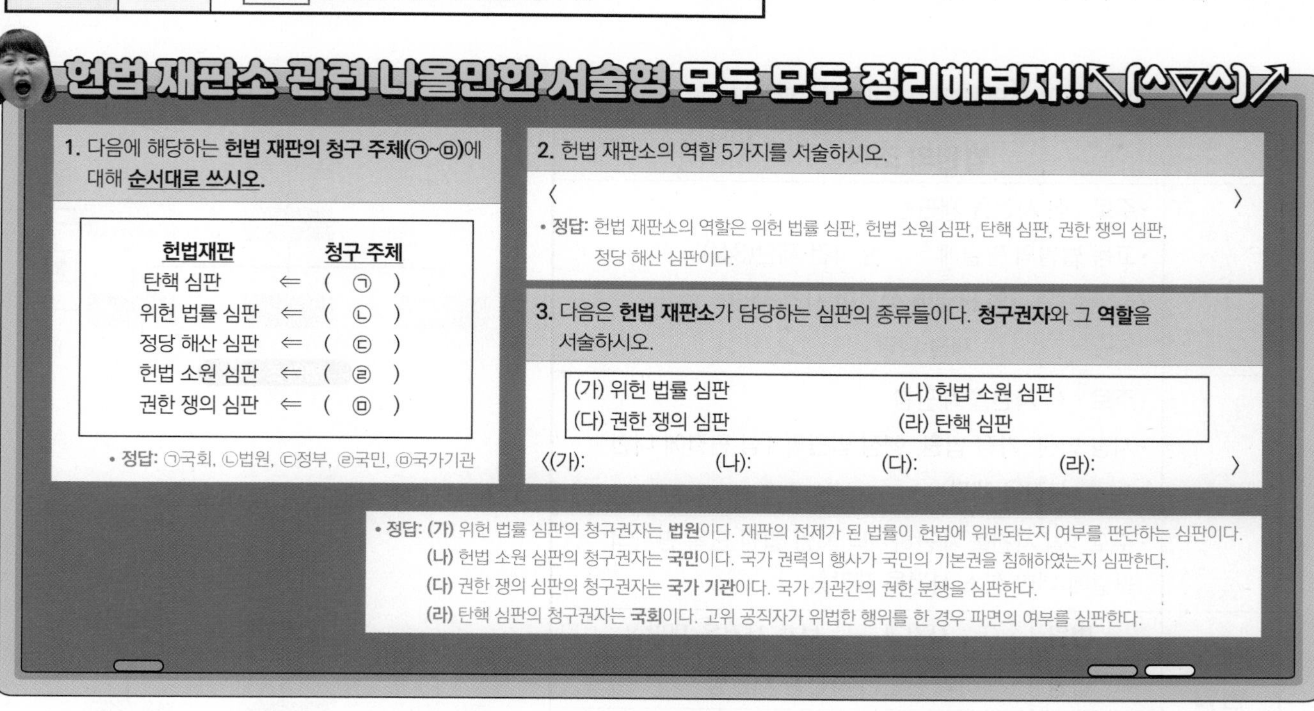

1. 다음에 해당하는 **헌법 재판의 청구 주체(㉠~㉤)**에 대해 **순서대로 쓰시오.**

헌법재판		청구 주체
탄핵 심판	⇐	(㉠)
위헌 법률 심판	⇐	(㉡)
정당 해산 심판	⇐	(㉢)
헌법 소원 심판	⇐	(㉣)
권한 쟁의 심판	⇐	(㉤)

• **정답:** ㉠국회, ㉡법원, ㉢정부, ㉣국민, ㉤국가기관

2. 헌법 재판소의 역할 5가지를 서술하시오.

〈 〉

• **정답:** 헌법 재판소의 역할은 위헌 법률 심판, 헌법 소원 심판, 탄핵 심판, 권한 쟁의 심판, 정당 해산 심판이다.

3. 다음은 **헌법 재판소**가 담당하는 심판의 종류들이다. **청구권자**와 그 **역할**을 서술하시오.

(가) 위헌 법률 심판	(나) 헌법 소원 심판
(다) 권한 쟁의 심판	(라) 탄핵 심판

〈(가): (나): (다): (라): 〉

• **정답: (가)** 위헌 법률 심판의 청구권자는 **법원**이다. 재판의 전제가 된 법률이 헌법에 위반되는지 여부를 판단하는 심판이다.
(나) 헌법 소원 심판의 청구권자는 **국민**이다. 국가 권력의 행사가 국민의 기본권을 침해하였는지 심판한다.
(다) 권한 쟁의 심판의 청구권자는 **국가 기관**이다. 국가 기관간의 권한 분쟁을 심판한다.
(라) 탄핵 심판의 청구권자는 **국회**이다. 고위 공직자가 위법한 행위를 한 경우 파면의 여부를 심판한다.

갓쓴이야기

혹시 뭔가 할수 없다는 생각이 가득한건 아니니?
그렇다면!! 사실 너는 충분히 할 수 있어!(^0^)
원래 충분히 할 수 있는건데, 그냥 마음이 할 수 없다고
속삭인거 뿐이야! 너 원래 잘하잖아! 너 잘하는 아이잖아!(ᵕᴗᵕ)
걱정말고 힘내서 도전해보자!
할 수 있어! 너는 충분히 해낼 수 있어! 아자 아자 파이팅!!

1. 법원

1단계 기본 개념 파악하기

1. 다음 **객관식 퀴즈**들을 통해 중요 내용들을 차근 차근 **암기해보세요.**^▽^

객관식1	객관식2
Q. **사법**과 **관련 없는 말**은요? ① 법의 **해석** ② 법의 **적용** ③ 법의 **집행** ④ 법적 **분쟁 해결**	Q. **사법권이 독립**되어야 하는 **이유는요?** ① **공정한 재판**을 통해 **국민의 기본권**을 보장하기 위해 ˋ(⁰ ▿ ⁰)ˊ ② 3·1절에 **'사법권 독립 만세'**를 외치기 위해서 ↖(^▽^)↗

객관식3
Q. **사법권의 독립**과 관련되지 않은 **법조항**은? ① **사법권**은 법관으로 구성된 **법원에 속한다.** ② 대법원장이 아닌 법관은 대법원장의 제청에 의하여 **대통령이 임명한다.**

• **정답:** 객관식1~3: ③, ①, ②

2. 회색글씨위에 덧대어 쓰면서 암기하세요.(¯▽¯)/

법원의 조직		
대법원	•주로 3심 사건을 재판함 •고등 법원의 판결에 상고한 사건 재판(3심) •특허 법원의 판결에 상고한 사건 재판 → 최종적인 재판 담당	
고등 법원	•주로 2심 사건을 재판함 •지방 법원, 가정 법원, 행정 법원의 1심 판결에 대한 항소 사건을 재판	
지방 법원	•주로 1심 사건을 재판하거나 지방 법원 단독 판사의 판결에 대한 항소 사건을 재판함	
특수 법원	가정 법원	•가사 사건과 소년 보호 사건을 재판함
	특허 법원	•특허와 관련된 사건을 재판함
	행정 법원	•국가 기관의 잘못된 행정 작용에 대한 재판

3. 회색글씨위에 덧대어 **써보세요.**()̀.()

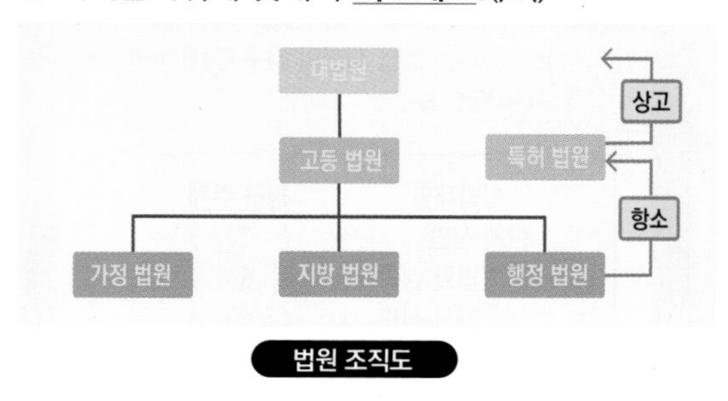

법원 조직도

4. A, B, C에 알맞은 말 넣기!(o^^)o

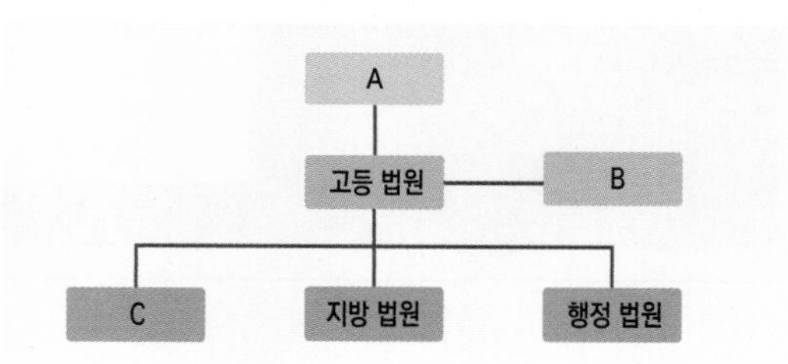

2단계 기본 개념 적용하기

5. [반복박스!!(✪o✪)] **대법원**은 **'대'**, **고등 법원**은 **'고'**, **지방 법원**은 **'지'**라고 쓰세요.(/^o^)/♡

주로 3심 사건을 재판해!	주로 2심 사건을 재판해!	주로 1심 사건을 재판해!
① ( )	② ( )	③ ( )
지방법원에서 항소하면 여기로!	고등법원에서 상고하면 여기로!	특허법원은 여기급이야!
④ ( )	⑤ ( )	⑥ ( )
형사재판과 민사재판의 1심은 여기서	지방법원 단독 판사의 판결에 대한 항소 사건은 여기서!	특허법원에서 상고하면 여기로!
⑦ ( )	⑧ ( )	⑨ ( )

• **정답:** 5. ①~③: 대, 고, 지/ ④~⑥: 고, 대, 고/ ⑦~⑨: 지, 지, 대

3단계 시험에 나오는 중요한 내용 최종 점검

6. [람보쌤의 스피드 퀴즈] 시험에 나오는 중요한 개념 스피드있게 잡고가자!!화이팅!O(¯▽¯)o

① **최종적인 재판**을 담당하는 곳은?
② **사법부 최고 기관**은?
③ **가사 사건**과 **소년 보호 사건**을 재판하는 곳은?
④ 국가 기관의 **잘못된 행정 작용**에 대해 재판하는 곳은?

⑤ A와 B는 싸웠다. **1심 재판** 결과 A가 B에게 손해 배상을 하기로 했다. 화가난 A는 **항소**하러 (　　)으로 갔다.
⑥ 해님이는 자신이 고발한 사냥꾼이 **2심 재판**에서 무죄가 되자 (　　)에 **상고**하였다.

• **정답:** 6. ①~④: 대법원, 대법원, 가사법원, 행정법원/ ⑤~⑥: 고등법원, 대법원

7. 시험에 매우 잘 나오는 **서술형**을 **암기하자**!!↖(^▽^)↗

1단계: 회색 글씨 위에 덧대어 쓰기

Q. 사법권의 독립을 **보장**하는 **이유**를 **국민**과 관련지어 서술하시오.
[공정한 재판을 통해 국민의 기본권을 보장하기 위해서 이다.]

2단계: 괄호 안에 알맞은 말 넣기

Q. 사법권의 독립을 **보장**하는 **이유**를 **국민**과 관련지어 서술하시오.
[(　　　) 재판을 통해 국민의 (　　　)을 보장하기 위해서 이다.]

3단계: 스스로 써보기↖(^▽^)↗

Q. 사법권의 독립을 **보장**하는 **이유**를 **국민**과 관련지어 서술하시오.

1단계 기본 개념 파악하기

8. 회색글씨위에 덧대어 쓰면서 암기하세요.(¯▽¯)/

법원의 기능

- 재판: 법적 분쟁을 해결
- 위헌 법률 심판 제청: 재판에 전제가 된 법률이 헌법에 위반되는지 헌법 재판소에 심판을 제청함
- 명령·규칙·처분 심사: 명령이나 규칙이 헌법과 법률에 어긋나는지를 대법원이 최종적으로 심사함

국회
국정조사권, 탄핵 소추권
법률안 거부권
대법원장 및 대법관 임명 동의권
위헌 법률 심판 제청권
명령·규칙·처분 심사권
대법원장 및 대법관 임명권
행정부
법원

입법·사법·행정의 견제

2단계 기본 개념 적용하기

9. 다음 (　)안에 알맞은 말을 넣으세요.^υ^

① **법률안 거부권:** (　　)은 국회에서 의결된 국회법 개정안에 대해 다시 논의할 것을 요구하였다.
② **대법원장 및 대법관 임명권:** (　　)은 대법원장의 제청으로 국회의 동의를 얻어 대법관을 임명하였다.
③ **위헌 법률 심판 제청:** (　　)은 법률의 일부 조항이 기본권을 침해한다며, 헌법 재판소에 위헌 법률 심판을 제청하였다.
④ **명령·규칙·처분 심사**는 (　　)에서 심사한다.

10. Ⓐ, Ⓑ에 알맞은 말을 써넣어라!(o^^)o

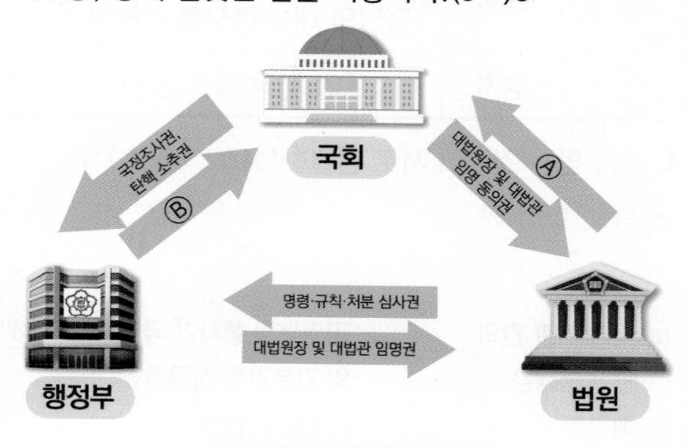

입법·사법·행정의 견제

2. 헌법 재판소

1단계 기본 개념 파악하기

1. 회색글씨위에 덧대어 쓰면서 암기하세요.(¯▽¯)/

구분		내용
의미		• 헌법 재판을 담당하는 독립된 국가 기관 → 헌법 수호 기관 → 기본권 보장 기관
구성		• 9명의 재판관으로 구성 (임기: 6년) → 대통령이 3명 지명하고, 대법원장이 3명을 지명하고, 국회에서 3명을 선출하여 대통령이 임명함
역할	① 위헌 법률 심판	
	의미	• 재판의 전제가 되는 법률의 헌법 위반 여부를 심판함
	절차	• 법원이 위헌 법률 심판을 제청함
	② 헌법 소원 심판	
	의미	• 국가 권력의 행사가 국민의 기본권을 침해하였는지를 심판함
	절차	• 국민이 직접 헌법 소원 심판을 제청함
	③ 탄핵 심판	
	의미	• 고위 공직자가 위법한 행위를 한 경우 파면의 여부를 심판함
	절차	• 국회가 탄핵 심판을 청구함
	④ 권한 쟁의 심판	
	의미	• 국가 기관 간의 권한 분쟁을 해결함
	절차	• 국가 기관이 권한 쟁의 심판을 청구함
	⑤ 정당 해산 심판	
	의미	• 민주적 기본 질서에 위배되는 정당의 해산 여부를 심판함
	절차	• 정부가 정당 해산 심판을 청구함

2단계 기본 개념 적용하기

2. 다음은 무엇에 대한 **설명인가**?

> 헌법 재판을 담당하는 독립된 국가 기관으로서 **목적**은 **헌법 수호**와 **국민의 기본권 보장**에 있다.

〈　　　　　　　　　〉

3. 다음 **헌법 재판소**에 대한 설명 중 **밑줄친 틀린말**을 바르게 고쳐보세요.(^^*)

① 헌법재판소는 법관의 자격을 가진 **6명**의 재판관으로 구성된다. →
② 재판관의 임기는 **4년**이다. →
③ 재판관은 대통령과 대법원장이 각각 3명을 지명하고 국회에서 3명을 선출하여 **대법원장**이 임명한다. →
④ 위헌 법률 심판은 재판의 전제가 되는 **명령**의 헌법 위반 여부를 심판하는 것이다. →
⑤ 위헌 법률 심판은 **정부**가 제청한다. →
⑥ 헌법 소원 심판은 국가 권력의 행사가 국민의 **자유권**을 침해하였는지를 심판하는 것이다. →
⑦ 헌법 소원 심판은 **국회**가(이) 직접 청구한다. →
⑧ 탄핵 심판은 대통령과 같은 **저위 공직자**가 위법한 행위를 한 경우 파면의 여부를 심판하는 것이다. →
⑨ 탄핵 심판은 **대법원**에서 청구한다.
⑩ 권한 쟁의 심판은 **개인** 간의 권한 분쟁을 심판한다. →
⑪ 권한 쟁의 심판의 청구자는 **국회**이다. →
⑫ 정당 해산 심판의 청구자는 **개인**이다. →

• **정답:** 2. 헌법재판소/ 3. ①~⑤: 9명, 6년, 대통령, 법률, 법원/ ⑥~⑩: 기본권, 국민, 고위 공직자, 국회, 국가 기관 ⑪~⑫: 국가 기관, 정부

4. 다음 **맞는 것**끼리 서로 연결하세요.ど(^0^)つ

① 위헌 법률 심판 • ② 헌법 소원 심판 • ③ 탄핵 심판 • ④ 권한 쟁의 심판 • ⑤ 정당 해산 심판 •

• (a) **국가 기관 간**의 권한 분쟁을 해결함
• (b) **공권력의 행사**가 **국민의 기본권**을 **침해**하였는지를 심판함
• (c) 민주적 기본 질서에 위배되는 **정당의 해산 여부**를 심판함
• (d) **재판의 전제가 되는 법률**의 헌법 위반 여부를 심판함
• (e) **고위공직자**가 위법한 행위를 한 경우 **파면**의 여부를 심판함

• **정답:** 4. ①-(d), ②-(b), ③-(e), ④-(a), ⑤-(c)

3단계 시험에 나오는 중요한 내용 최종 점검

5. 다음 사항이 헌법 재판소의 **어떤 역할**과 관련이 있는지 **〈보기〉**에서 **고르세요.**o(^-^)o

〈보기〉
① 위헌 법률 심판 ② 헌법 소원 심판 ③ 권한 쟁의 심판

재혼 등으로 가족 관계가 바뀌었는데 민법에서는 자녀가 성을 바꾸지 못하고 아버지의 성만을 사용하도록 하고 있어요. **이 법**이 **헌법에 위반되는지**를 **심판**해 달라고 제청했어요. 	**셧다운제는 청소년의 '게임할 권리'를 침해합니다.** 다른 취미 활동은 심야 시간 제한이 없는데 인터넷 게임을 취미로 하는 학생들에게만 적용하는 것은 차별입니다. 	우리 시를 지나는 고속 철도 역의 이름을 정부가 마음대로 결정했어요. **역의 이름을 정하는 것이 정부 기관의 권한인지, 우리 지방 자치 단체의 권한인지** 심판을 청구하기로 했어요. 
(　　)	(　　)	(　　)

• 정답: 5. ①, ②, ③

6. 다음 시험에 나오는 서술형을 쓰면서 암기해보세요! 할 수 있다!!! 아자 아자 파이팅!!O(¯▽¯)o

[첫번째 서술형]

1단계: 회색 글씨 위에 덧대어 쓰기

Q. 헌법 재판소의 역할 **5가지를 서술하시오.**
[헌법 재판소의 역할은 위헌 법률 심판, 헌법 소원 심판, 탄핵 심판, 권한 쟁의 심판, 정당 해산 심판이다.]

2단계: 괄호 안에 알맞은 말 넣기

Q. 헌법 재판소의 역할 **5가지를 서술하시오.**
[헌법 재판소의 역할은 (　　　) 심판, (　　　) 심판, (　　　) 심판, (　　　) 심판, (　　　) 심판이다.]

[두번째 서술형]

Q. 다음은 **헌법 재판소**가 담당하는 심판의 종류들이다. **청구권자**와 그 **역할**을 서술하시오.

(가) 위헌 법률 심판　(나) 헌법 소원 심판　(다) 권한 쟁의 심판　(라) 탄핵 심판

1단계: 회색 글씨 위에 덧대어 쓰기

(가) 청구권자는 법원이다. 재판의 전제가 된 법률이 헌법에 위반되는지 여부를 판단하는 심판이다.
(나) 청구권자는 국민이다. 국가 권력의 행사가 국민의 기본권을 침해하였는지 심판한다.
(다) 청구권자는 국가 기관이다. 국가 기관 간의 권한 분쟁을 심판한다.
(라) 청구권자는 국회이다. 고위 공직자가 위법한 행위를 한 경우 파면의 여부를 심판한다.

2단계: 괄호 안에 알맞은 말 넣기

(가) 청구권자는 (　　)이다. 재판의 (　　)가 된 (　　)이 헌법에 위반되는지 여부를 판단하는 (　　)이다.
(나) 청구권자는 (　　)이다. 국가 권력의 행사가 (　　　　)을 침해하였는지 심판한다.
(다) 청구권자는 (　　　)이다. (　　　) 간의 권한 분쟁을 심판한다.
(라) 청구권자는 (　　)이다. (　　) 공직자가 위법한 행위를 한 경우 (　　)의 여부를 심판한다.

람보쌤의 자세한 해설을 영상으로 보세요!

법원의 조직과 기능

유형 1 법원이란?

1. 법원의 역할을 〈보기〉에서 있는 대로 고르면?

보 기
ㄱ. 법적인 분쟁을 해결한다.
ㄴ. 법률을 해석하여 적용한다.
ㄷ. 국민의 다양한 의사를 대변한다.
ㄹ. 법률을 집행하고 정책을 수립, 실행한다.

① ㄱ ② ㄱ, ㄴ ③ ㄱ, ㄹ
④ ㄴ, ㄷ ⑤ ㄱ, ㄷ, ㄹ

유형 2 사법권의 독립

2. 사법권의 독립을 보장하는 목적으로 옳은 것을 〈보기〉에서 고르면?

보 기
ㄱ. 공정한 재판 ㄴ. 사법부의 권력 강화
ㄷ. 사법 작용의 효율성 ㄹ. 국민의 기본권 보장

① ㄱ, ㄷ ② ㄱ, ㄹ ③ ㄴ, ㄷ
④ ㄴ, ㄹ ⑤ ㄷ, ㄹ

3. 〈보기〉의 헌법 조항이 공통적으로 추구하는 목적으로 가장 적절한 것은?

보 기
제101조 ①사법권은 법관으로 구성된 법원에 속한다.
③법관의 자격은 법률로 정한다.
제103조 법관은 헌법과 법률에 의하여 그 양심에 따라 독립하여 심판한다.

① 사회 질서를 유지한다.
② 행정부를 견제하여 권력 분립을 실현한다.
③ 법관의 임기를 보장하여 법원의 지위를 강화한다.
④ 신속한 재판을 통해 국민들의 답답함을 풀어 준다.
⑤ 사법부의 독립을 보장하여 공정한 재판을 실현한다.

4. 사법권의 독립을 보장하는 헌법 조항으로 옳지 않은 것은?

① 제101조 3항 : 법관의 자격은 법률로 정한다.
② 제101조 1항 : 사법권은 법관으로 구성된 법원에 속한다.
③ 제103조 : 법관은 헌법과 법률에 의하여 그 양심에 따라 독립하여 심판한다.
④ 제103조 2항 : 대법원장이 아닌 법관은 대법원장의 제청에 의하여 대통령이 임명한다.
⑤ 제104조 3항 : 대법원장과 대법관이 아닌 법관은 대법관 회의의 동의를 얻어 대법원장이 임명한다.

서술형

5. 다음 법조문들이 공통적으로 보장하고 있는 개념이 무엇인지 쓰고 그것이 보장되어야 하는 이유를 서술하시오.

- 법관은 헌법과 법률에 의하여 그 양심에 따라 독립하여 심판한다.
- 법관은 징계 처분에 의하지 아니하고는 정직, 감봉 기타 불리한 처분을 받지 아니한다.

보장하는 것 :

보장되어야 하는 이유 :

유형 3 법원의 조직

6. 우리나라 법원의 조직과 기능에 대한 옳은 설명만을 〈보기〉에서 있는 대로 고른 것은?

보 기
ㄱ. 고등 법원은 주로 1심 법원의 판결에 대한 상고 사건을 재판한다.
ㄴ. 대법원은 사법부의 최고 법원으로 하급 법원의 최종심을 담당한다.
ㄷ. 가정 법원은 주로 가정과 소년에 대한 사건을 재판하는 특수 법원이다.
ㄹ. 지방 법원은 1심 사건을 재판하거나 지방 법원 단독 판사의 판결에 대한 항소 사건을 재판한다.

① ㄱ, ㄹ ② ㄴ, ㄷ ③ ㄱ, ㄴ, ㄷ
④ ㄱ, ㄷ, ㄹ ⑤ ㄴ, ㄷ, ㄹ

유형 3 법원의 조직

A~C에 대한 옳은 설명을 〈보기〉에서 고른 것은?

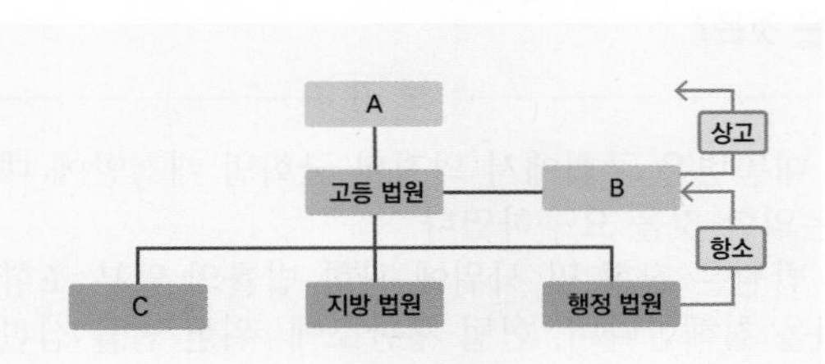

〈법원의 조직도〉

보 기

ㄱ. A에 들어갈 용어는 헌법 재판소이다.
ㄴ. C은/는 가사 사건과 소년 보호 사건을 재판한다.
ㄷ. B은/는 국가 기관의 잘못된 행정 작용에 대한 소송 사건을 재판한다.
ㄹ. A은/는 고등 법원과 특허 법원의 판결에 불복하여 상고한 사건을 재판한다.

) ㄱ, ㄴ　② ㄱ, ㄹ　③ ㄴ, ㄷ
) ㄴ, ㄹ　⑤ ㄷ, ㄹ

유형 4 디테일한 문제

. 다음 (가)에 대한 설명으로 옳은 것은?

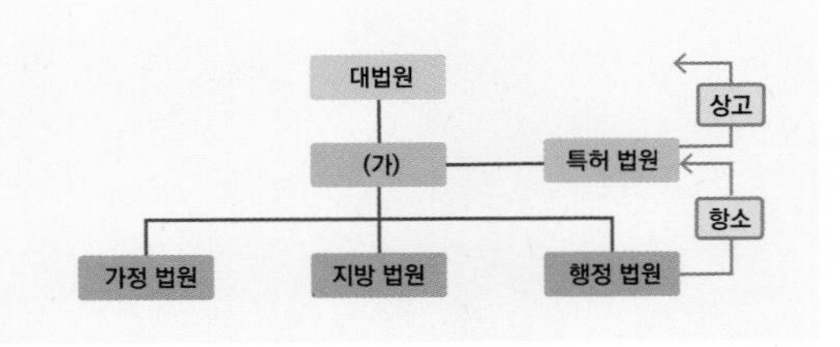

) 특허 업무와 관련된 재판을 담당한다.
) 하급 법원의 최종적인 재판을 담당한다.
) 민사 또는 형사 사건의 1심 사건을 재판한다.
) 1심 법원의 판결에 대한 항소 사건을 재판한다.
) 행정부의 명령이나 규칙이 헌법이나 법률에 위배되는지 심사한다.

. 법원의 조직 중 (가)에 해당하는 법원에 대한 설명으로 옳은 것은?

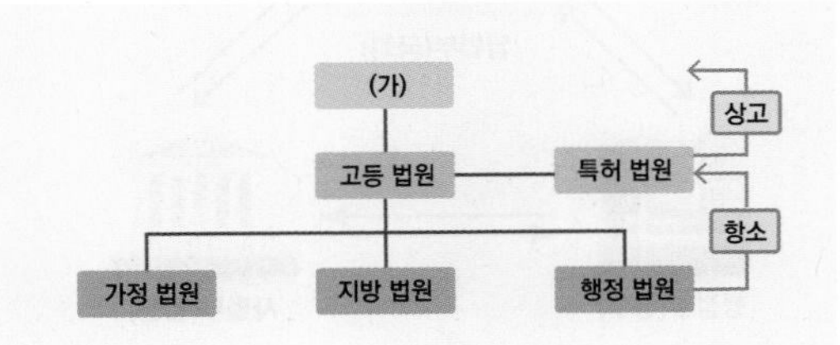

) 사법부의 최고 기관이다.
) 법률을 제정하는 권한을 갖는다.
) (가)의 장은 국회의장이 임명한다.
) 고위직 공무원의 탄핵 여부를 결정한다.
) 민사 재판이나 형사 재판의 1심 판결을 맡는다.

10. 그림은 인터넷 법률 상담 게시판의 일부이다. 질문에 대해 법적으로 옳은 댓글을 단 사람은?

Q&A 게시판 저는 얼마 전 얼음을 빨리 얼게 하는 기계를 직접 개발하여 특허를 신청했습니다. 하지만, 특허 심판원에서는 저의 특허 신청을 거절하였습니다. 저는 이 결정을 받아 들일 수가 없습니다. 재판을 통해서 저의 권리를 찾고 싶습니다. 저는 어느 법원으로 가야할까요?
□갑 : 가정 법원이 맞다고 봅니다. □을 : 1심 재판이니 지방 법원으로 가세요. □병 : 대법원으로 가는 것이 가장 빠릅니다. □정 : 2심 재판부인 고등 법원으로 가야합니다. □무 : 특허 법원이 따로 있으니 그쪽으로 가세요.

① 갑　② 을　③ 병　④ 정　⑤ 무

11. 다음 설명에 해당하는 법원 조직은?

> 일반적으로 1심 사건을 재판하거나 지방 법원 단독 판사의 판결에 대한 항소 사건을 재판한다.

① 지방법원　② 고등법원
③ 대법원　④ 행정법원
⑤ 특허법원

12. 그림과 같은 분쟁이 발생했을 때 이를 해결할 수 있는 법원으로 옳은 것은?

삼촌과 숙모가 요즘
사이가 안좋은 것 같았는데,
결국 두 분이 이혼
하신다고 하네요.

① 대법원　② 지방 법원
③ 가정 법원　④ 행정 법원
⑤ 특허 법원

13. ㉠~㉣에 들어갈 용어를 옳게 연결한 것은?

(가) A씨는 층간 소음 문제로 이웃인 B씨와 시비를 벌이다 그를 다치게 했다. 상해 혐의로 기소된 A씨는 지방 법원 형사 합의부 1심 재판에서 징역 2년을 선고 받았다. A씨는 자신이 받은 형벌이 과하다고 생각하여 (㉠)에 (㉡)하려고 한다.
(나) 전기밥솥을 만드는 ○○ 회사와 △△ 회사는 압력밥솥 안전 기술과 관련한 특허를 두고 몇 년째 소송을 이어 가고 있다. 특히 최근 특허 법원의 판결에서 패소한 △△ 회사는 이번 소송의 결과를 인정할 수 없다며 (㉢)에 (㉣)하려고 한다.

	㉠	㉡	㉢	㉣
①	대법원	상고	고등법원	상고
②	고등법원	항소	특허법원	항소
③	지방법원	상고	특허법원	상소
④	지방법원	상소	대법원	항소
⑤	고등법원	항소	대법원	상고

14. 다음 글의 밑줄 친 부분에 대한 내용이 바르게 연결된 것은?

(가) 뷔 씨는 피시방 개설 금지 처분을 취소해 달라고 교육청을 상대로 소송을 제기하였다. ㉠재판부에서는 "인근 초등학교로부터 피시방이 속해 있는 건물까지의 최단 거리가 186m로 측정되었기 때문에 개설 금지 처분은 정당하다."라며 교육청의 손을 들어주었다.
(나) 이에 뷔 씨는 항소하였고, ㉡재판부에서는 "학교 환경 위생 정화 구역에 포함되는지를 따질 때는 시설이 들어선 건물이 아니라 시설의 전용 출입구까지의 거리를 기준으로 해야 한다. 이 피시방의 출입구에서 학교까지의 거리는 200m를 넘기 때문에 피시방 개설이 가능하다."라고 판결하였다.
(다) 교육청에서는 2심 재판부의 판결에 불복해 ㉢( ) 하였고, ㉣재판부는 "피시방이 학교 환경 위생 정화 구역 안에 있는지를 판단하는 기준은 해당 피시방 건물이 아니라 전용 출입구 등의 경계선으로 보아야 한다며 ㉤원심은 정당하다."라고 판결하였다.

① ㉠ - 고등 법원
② ㉡ - 행정 법원
③ ㉢ - 기소
④ ㉣ - 대법원
⑤ ㉤ - 지방 법원

유형 5 입법 행정 사법의 견제

15. 국가 기관의 권력 분립의 사례 (가)~(다)에 대한 설명으로 옳지 않은 것은?

보 기

(가) 대통령은 국회에서 의결된 국회법 개정안에 대해 다시 논의할 것을 요구하였다.
(나) 법원은 집회 및 시위에 관한 법률의 일부 조항이 기본권을 침해한다며, 헌법 재판소에 위헌 법률 심판을 제청하였다.
(다) 명령·규칙·처분의 법률 위반 여부가 재판의 전제가 되는 경우 법원이 이를 심사하여 취소하거나 변경할 수 있다.

① (가)는 대통령이 가지는 법률안 거부권이다.
② (가)는 행정부가 입법부를 견제할 수 있는 수단이다.
③ (나)는 법원이 가지는 위헌 법률 심판 제청권이다.
④ (나)는 입법부가 행정부를 견제할 수 있는 수단이다.
⑤ (다)는 사법부가 행정부를 견제할 수 있는 수단이다.

16. 우리 헌법에서는 국가 권력을 서로 다른 기관이 맡도록 하여, 각 기관이 서로를 견제할 수 있도록 권한을 부여하고 있다. ㉠과 ㉡에 들어갈 권한으로 적절한 것은?

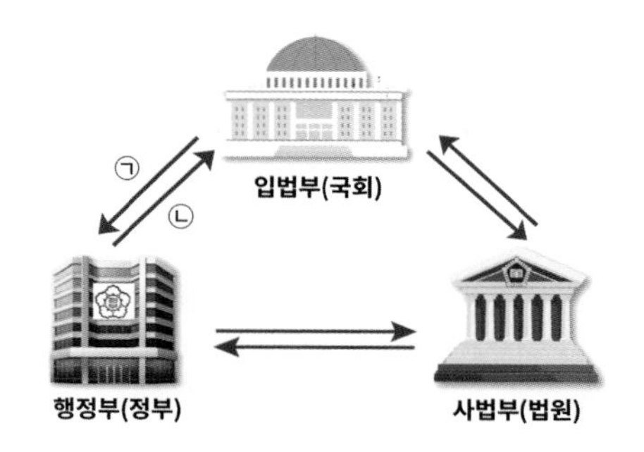

	㉠	㉡
①	사면권	명령, 규칙 심사권
②	탄핵 소추권	국정 조사권
③	국정 감사권	법률안 거부권
④	국정 조사권	헌법 재판소장 임명권
⑤	대법원장 임명동의권	위헌 법률 심판권

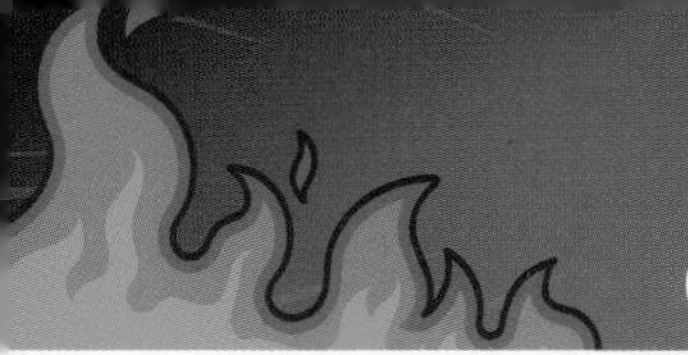

헌법 재판소

유형 1 용어

7. 헌법 재판소의 권한에 대한 설명이 바른 것은?

	권한	내용
㉠	위헌 법률 심판	재판의 전제가 되는 법률의 위헌 여부 판단
㉡	헌법 소원 심판	국가 기관이나 지방 자치 단체 간의 권한 분쟁 해결
㉢	탄핵 심판	민주적 기본 질서를 어긴 정당의 해산 여부 심판
㉣	정당 해산 심판	고위 공직자가 위법한 행위를 한 경우 파면 여부 심판
㉤	권한 쟁의 심판	국가권력의 행사가 국민의 기본권을 침해하였는지를 심판

① ㉠ ② ㉡ ③ ㉢ ④ ㉣ ⑤ ㉤

8. (가), (나)에 해당하는 헌법 재판소의 권한이 적절하게 연결된 것은?

보 기

(가) 공권력에 의해서 기본권을 침해당한 국민이 구제를 청구하는 경우
(나) 위법 행위를 한 고위 공무원에 대하여 국회가 탄핵 소추를 의결하였을 때

	(가)	(나)
①	위헌 법률 심판	탄핵 심판
②	헌법 소원 심판	탄핵 심판
③	권한 쟁의 심판	정당 해산 심판
④	정당 해산 심판	권한 쟁의 심판
⑤	위헌 법률 심판	헌법 소원 심판

9. (가)~(다)에 들어갈 내용으로 바르게 짝지은 것은?

- 위헌법률심판 : (가)이 재판에 적용되는 법률의 위헌 여부를 심판해 달라고 제청함.
- 헌법소원심판 : (나)이 기본권의 침해여부를 헌법 재판소에 심판해 달라고 요청함.
- (다)심판 : OO시의 고속철도 역의 이름을 중앙정부가 정할지, 역이 지나는 OO시가 정할지에 대한 심판을 청구함.

	(가)	(나)	(다)
①	국회	정당	탄핵
②	법원	국민	권한쟁의
③	국민	법원	권한쟁의
④	국민	법원	정당해산
⑤	법원	국민	정당해산

유형 2 헌법 재판소 통합

20. 헌법 재판소에서 이루어지는 재판에 대한 설명 중 옳은 것을 <보기>에서 고른 것은?

보 기

ㄱ. 법원이 민주적 기본 질서를 어긴 정당의 해산 심판을 청구하였다.
ㄴ. 공권력에 의해 기본권을 침해당한 국민이 헌법 소원 심판을 청구하였다.
ㄷ. 국회가 행정부와의 사이에서 발생한 권한의 다툼에 대해 권한 쟁의 심판을 청구하였다.
ㄹ. 정부가 대통령, 장관, 법관 등 법률이 정한 공무원의 탄핵을 의결하여 탄핵 심판을 청구하였다.

① ㄱ, ㄷ ② ㄱ, ㄹ ③ ㄴ, ㄷ
④ ㄴ, ㄹ ⑤ ㄷ, ㄹ

21. 헌법 재판소의 구성과 역할에 대한 설명으로 옳은 것은?

① 법관의 자격을 가진 14명의 재판관으로 구성된다.
② 권한 쟁의 심판은 국가 기관 상호 간의 권한에 대한 다툼을 심판한다.
③ 정당 해산 심판은 국회의 제소에 따라 해당 정당의 해산 여부를 심판한다.
④ 탄핵 심판은 법원에 의해 탄핵 소추된 주요 공무원의 파면 여부를 심판한다.
⑤ 재판관 중 3인은 국회에서 선출, 3인은 대통령이 지명, 3인은 대법원장이 지명한 자로서 헌법 재판소장이 임명한다.

유형 3 헌법 소원 및 서술형

22. 다음은 헌법 재판소의 판례이다. 이와 같은 헌법 심판의 종류는?

11일 간 구치소에 수용되었다가 형기 만료로 석방된 갑이 헌법 재판소에 "지나치게 협소한 구치소 방에 수용한 행위가 인간의 존엄과 가치를 침해한다."고 제기한 사건에서 헌법 재판소 전원재판부는 위헌 결정을 내렸다. "1인당 수용 면적이 사람이 팔다리를 마음껏 뻗기 어렵고, 모로 누워 '칼잠'을 자야 할 정도로 매우 협소하여 인간으로서 최소한의 품위를 유지할 수 없을정도로 과밀한 공간에서 이루어진 이 사건 이 수용 행위는 청구인의 인간으로서의 존엄과 가치를 침해한다."라고 밝혔다.

①탄핵 심판 ②위헌 법률 심판
③권한 쟁의 심판 ④헌법 소원 심판
⑤정당 해산 심판

서술형

※ 다음 글을 읽고 물음에 답하시오.

> 김지은씨는 36세입니다. 한국의 법률에 따르면 36세는 나이가 많아 공무원 시험에 응시할 수 없다고 합니다. 이것은 나이에 따른 차별이므로 평등권 및 행복추구권을 침해한다고 판단하여 (가)를 제기합니다.

23. 윗글과 관련된 (가)에 해당하는 용어를 쓰시오.

24. 윗글에서 설명하는 것과 "위헌법률심판"의 차이를 주체적 관점에서 서술하시오.

서술형

25. 다음 그림의 (가)~(나)와 〈보기〉의 (다)~(라)와 관련된 헌법 재판을 쓰시오.

(가)

재혼 등으로 가족 관계가 바뀌었는데
민법 에서는 자녀가 성을 바꾸지 못하고
아버지의 성만을 사용하도록 하고 있어요.
이 법이 헌법에 위반되는지를 심판해
달라고 제청했어요.

(나)

셧다운제는 청소년의
'게임할 권리'를 침해 합니다.
다른 취미 활동은 심야 시간 제한이 없는데
인터넷 게임을 취미로 하는
학생들 에게만 적용하는 것은 차별입니다.

보 기

(다) 정당의 목적이나 활동이 민주적 기본 질서에 어긋날 때 그 정당을 해산시킬 수 있는 심판
(라) 국가 기관 사이에 분쟁이 발생했을 때 이를 해결하는 심판

서술형

26. 다음의 사례를 보고 물음에 답하시오.

사례 ①	재혼 등으로 가족 관계가 바뀌었는데 민법에서는 자녀가 성(姓)을 바꾸지 못하고 아버지의 성(姓)만을 사용하도록 하고 있어요. 이 법이 헌법에 위반되는지를 심판해 달라고 제청했어요.
사례 ②	셧다운제는 청소년의 '게임할 권리'를 침해합니다. 다른 취미 활동은 심야 시간 제한이 없는데 인터넷 게임을 취미로 하는 학생들에게만 적용하는 것은 차별입니다. 
사례 ③	우리 시를 지나는 고속 철도 역의 이름을 정부가 마음대로 결정했어요. 역의 이름을 정하는 것은 우리 지역의 권한입니다. 역의 이름을 정하는 것이 정부 기관의 권한인지, 우리 지방 자치 단체의 권한인지 심판을 청구하기로 했어요. 

(1) 위 사례들을 재판할 곳은 어디인지 쓰시오.

(2) 각각의 사례가 구체적으로 어떤 심판에 해당하는지를 적고, 그렇게 판단한 근거를 각 심판의 청구자와 내용을 중심으로 서술하시오.

사례1 :

사례2 :

사례3 :

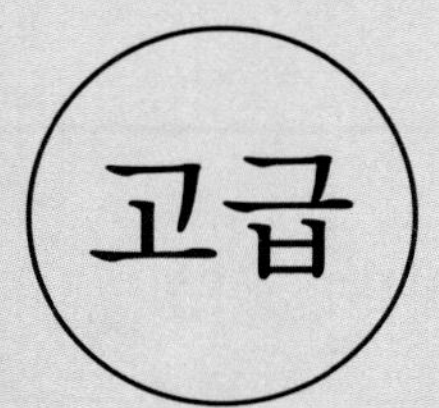

중등사회2 실전고사 문제지

II. 헌법과 국가 기관

빡공시대편찬위원회

날짜		월		일	성명	

1. 국회의 구성과 주요 조직에 대한 설명으로 옳지 않은 것은?

① 국회의원은 연임 및 중임이 가능하다.
② 국회의 회의는 비공개하는 것을 원칙으로 한다.
③ 임시 국회는 대통령의 요구에 의해 개회될 수 있다.
④ 법률안, 예산안 등은 본회의에서 최종적으로 결정한다.
⑤ 국회의 효율성과 전문성을 높이기 위해 상임 위원회를 둔다.

2. 우리나라의 국회 조직에 대한 설명으로 옳은 것만을 〈보기〉에서 있는 대로 고른 것은?

보기
ㄱ. 상원과 하원으로 되어있다.
ㄴ. 국회의원의 임기는 4년이다.
ㄷ. 지역구 의원보다 비례 대표 의원의 수가 더 많다.
ㄹ. 국회가 구성되면 의장 1명과 부의장 2명을 선출한다.
ㅁ. 각 정당의 득표율에 비례하여 국회의원 의석수가 배분되는 것은 비례 대표 의원이다.

① ㄱ, ㅁ ② ㄴ, ㄹ ③ ㄷ, ㄹ
④ ㄱ, ㄷ, ㅁ ⑤ ㄴ, ㄹ, ㅁ

3. 그림의 A는 비례대표 국회의원 투표용지이고, B는 지역구 국회의원 투표용지이다. 국회의원을 선출하는 방법에 대한 설명으로 가장 적절한 것은?

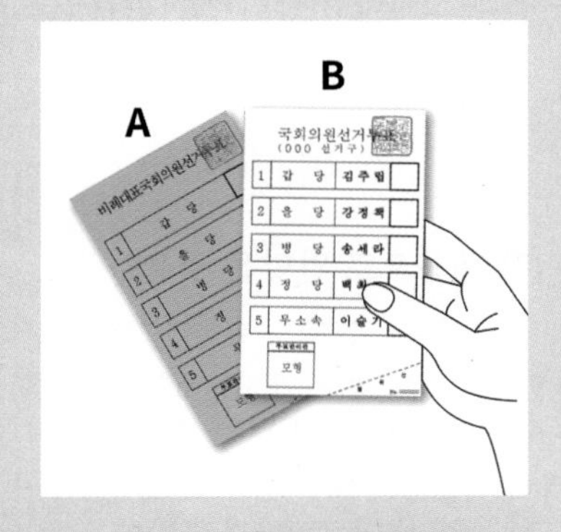

① B는 정당별 득표율에 따라 선출된다.
② A를 통해 선출되는 의원의 수가 B보다 많다.
③ 유권자는 A와 B중 한 장의 용지에만 투표한다.
④ A는 소수 정당이 국회로 진출할 수 있는 기회가 된다.
⑤ A는 지역구에서 가장 많은 표를 얻은 후보가 당선된다.

4. 국회의 입법에 관한 기능에 해당하는 것만을 〈보기〉에서 있는 대로 고른 것은?

보기
ㄱ. 결산 심사
ㄴ. 국정 조사
ㄷ. 탄핵 소추 의결
ㄹ. 조약 체결 동의
ㅁ. 헌법 개정안 제안

① ㄱ, ㄴ ② ㄷ, ㄹ ③ ㄹ, ㅁ
④ ㄱ, ㄴ, ㄷ ⑤ ㄷ, ㄹ, ㅁ

5. 정기 국회 일정의 일부이다. 이에 나타난 국회의 역할로 옳은 것은?

- 20○○년 12월 1일 -
정부가 ◇◇◇조 원 규모의 내년도 예산 계획안을 제출하였다. 해당 위원회에서 실시한 예산안을 오늘 본회의에서 확정하였다.

① 입법에 관한 권한
② 사법에 관한 권한
③ 행정에 관한 권한
④ 재정에 관한 권한
⑤ 일반 국정에 관한 권한

6. 다음을 읽고 ㉠, ㉡에 들어갈 내용으로 옳은 것은?

- (㉠)은/는 대통령을 보좌하고, 대통령 부재 시 권한 대행의 역할을 맡는다. 또한 대통령의 명을 받아 행정 각부를 지휘하고 조정한다.
- (㉡)은/는 대통령 소속 기관이지만 독립적인 지위를 가지고 있으며 국가의 모든 세입과 세출을 관리하고 행정기관과 공무원의 직무를 감찰한다.

	㉠	㉡
①	감사원	국무총리
②	감사원	국무회의
③	국무총리	감사원
④	국무총리	국무회의
⑤	국무회의	감사원

7. 행정부의 조직과 기능에 대한 옳은 설명을 〈보기〉에서 고른 것은?

보 기

ㄱ. 국무 회의는 국가의 중요 정책을 의결한다.
ㄴ. 국무총리는 대통령을 도와 행정 각부를 총괄한다.
ㄷ. 행정 각부의 장관은 대통령의 동의를 얻어 국회가 임명한다.
ㄹ. 감사원은 정부의 예산 사용을 감독하고 행정부와 공무원의 업무 처리를 감찰한다.

① ㄱ, ㄴ ② ㄱ, ㄷ ③ ㄴ, ㄷ
④ ㄴ, ㄹ ⑤ ㄷ, ㄹ

8. 그림의 뉴스 앵커가 설명하고 있는 행정부의 조직은?

① 대통령 ② 감사원 ③ 국무총리
④ 국무 회의 ⑤ 행정 각 부

9. 행정부에 대한 설명으로 옳은 것은?

① 법률안을 제정 및 개정한다.
② 국가 예산안을 심의하고 확정한다.
③ 법을 해석하고 적용하여 옳고 그름을 밝힌다.
④ 공공의 이익을 위해 정책을 수립하고 실행한다.
⑤ 국가 기관의 행위가 국민의 기본권을 침해하고 있는지 심판한다.

10. 대통령의 권한을 지위에 맞게 분류한 것은?

보 기

ㄱ. 국회에서 의결된 법률안에 거부권을 행사 하였다.
ㄴ. 국가 비상사태시 공공질서 유지를 위해 계엄령을 선포할 수 있다.
ㄷ. 국무회의 의장으로서 청년 실업 문제 해결을 위한 대책을 논의하였다.
ㄹ. 오스트리아 총리와 회담 후 양국 간 우호적 외교관계를 추진키로 하였다.

	행정부 수반	국가 원수
①	ㄱ, ㄴ	ㄷ, ㄹ
②	ㄱ, ㄷ	ㄴ, ㄹ
③	ㄱ, ㄹ	ㄴ, ㄷ
④	ㄴ, ㄷ	ㄱ, ㄹ
⑤	ㄷ, ㄹ	ㄱ, ㄴ

11. 다음은 사회 수업 시간 태은이가 정리한 내용이다. ㉮의 제도가 추구하는 목적으로 가장 적절한 것은?

[㉮]
- 의미 : 법관이 법원 내부나 외부의 영향으로부터 독립하여 판결을 내려야 한다는 원칙
- 내용 : - 법원의 독립
  - 법관의 독립

① 사법부에게 막강한 권한을 주기 위해
② 법원의 판결에 무조건 따르도록 하기 위해
③ 사법권의 독립을 통해 공정한 재판을 실현하기 위해
④ 신속한 재판 진행을 통하여 분쟁의 빠른 해결을 위해
⑤ 법관의 권한을 최소화하여 국민의 기본권을 보장하기 위해

12. ㉠에 들어갈 내용으로 알맞은 것은?

전기밥솥을 만드는 ○○회사와 □□회사는 압력 밥솥안전 기술과 관련한 특허를 두고 몇 년째 소송을 이어 가고 있다. 최근 특허 법원의 판결에서 패소한 □□회사는 이번 소송의 결과를 인정할 수 없다며 (㉠)하려고 한다.

① 대법원에 상고 ② 대법원에 항소
③ 고등 법원에 상고 ④ 고등 법원에 항소
⑤ 지방 법원 합의부에 항소

3. 법원 조직을 나타낸 그림이다. (가), (나), (다)의 설명으로 옳은 것은?

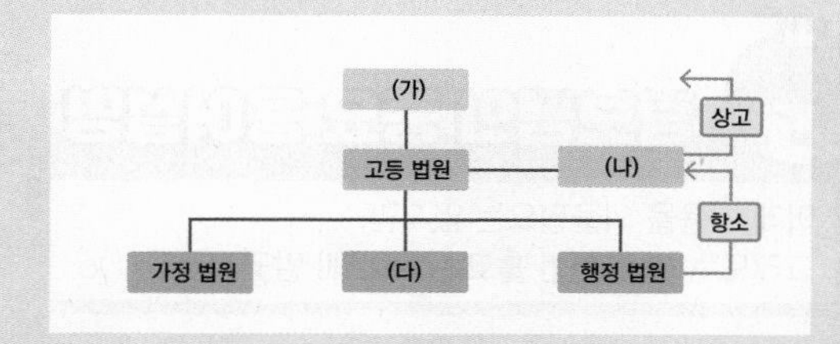

(가) - 형사 재판과 민사 재판을 처음으로 맡는다.
(가) - 국회에서 만든 법률이 헌법을 위배하였는지 판단하는 역할을 한다.
(나) - 특허권 침해 여부를 판단하는 역할을 한다.
(나) - 사법부의 최고 기관에 해당한다.
(다) - 공공질서 유지를 위해 계엄을 선포할 수 있다.

4. 우리나라 법원 조직에 대한 설명으로 옳지 않은 것은?

법관은 대통령이 임명한다.
대법원장의 임기는 6년이다.
가정법원은 가사 사건과 소년보호사건을 재판한다.
고등법원은 1심 법원의 판결에 대한 항소 사건을 담당한다.
행정법원은 국가 기관의 잘못된 행정작용에 대한 소송사건을 재판한다.

다음은 국가 기관을 나타낸 것이다. 다음을 보고 물음에 답하시오.

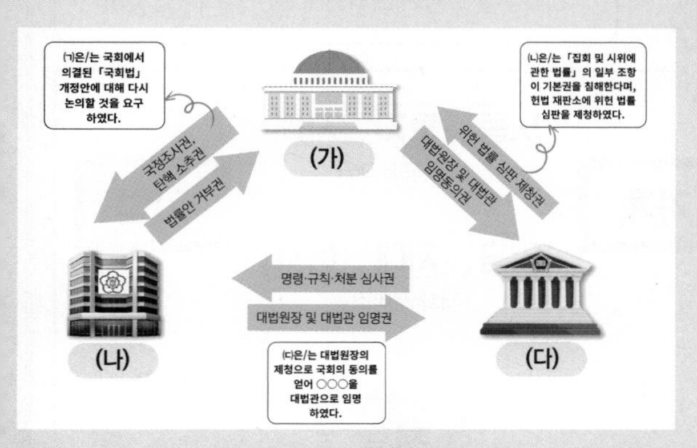

5. (가)~(다)에 관한 설명으로 옳은 것을 〈보기〉에서 고른 것은?

보 기

ㄱ. (가)는 입법부, (나)는 행정부, (다)는 사법부이다.
ㄴ. (나)는 법을 제정하고 적용하는 기관이다.
ㄷ. (다)는 법을 만들고 집행하는 기관이다.
ㄹ. (가), (나), (다)는 권력을 나누어 맡아 서로 견제할수 있는 권한을 부여하고 있다.

ㄱ, ㄴ　② ㄱ, ㄷ　③ ㄱ, ㄹ
ㄴ, ㄹ　⑤ ㄷ, ㄹ

1. 경제 생활과 경제 문제

1. 경제 활동의 이해

(1) 경제 활동의 의미와 중요성

경제 활동	• 인간에게 필요한 재화 나 서비스 를 생산, 분배, 소비 하는 모든 활동	
중요 종류	생산	• 재화나 서비스를 만들어 내거나, 그 가치를 증대하는 활동 → 상품을 운반, 저장, 판매하는 활동도 포함함
	소비	• 생활에 필요한 상품을 구입하여 사용하는 활동
	분배	• 생산에 참여한 사람들이 그 대가를 받는 활동

시험에 나온 생산·소비·분배의 예

생산	소비	분배
• 토마토를 수확했어요. • 머리카락을 잘라줬어요. • 아이디어 회의를 했어요. • 사회 선생님이 수업해요. • 택배 기사가 빵을 배달해요.	• 뮤지컬을 관람했어요. • 자전거를 구매했어요. • 병원에서 건강검진을 받았어요. • 영어 과외를 받았어요.	• 일을 하고 월급을 받았어요. • 은행에 예금을 하고 이자를 받았어요. • 건물을 빌려주고 임대료를 받았어요.

람보쌤의 중요 용어설명

아래 내용을 외울필요는 없지만,
그래도 눈으로 한번 훑고는 가야돼! 알긋지?o(^-^)o

★★첫 번째 용어	
재화	• 눈에 보이는 물건 예〉 방탄소년단 브로마이드, 핸드폰 등
서비스	• 눈에 보이지 않는 물건 예〉 선생님의 강의, 의사의 진료

★★두 번째 용어	
경제재	• 희소성이 있어 대가를 지불해야 하는 것 예〉 나무,석탄 등
자유재 (무상재)	• 원하는만큼 얼마든지 공급되는 것 예〉 바닷물,공기,햇빛 등

시험TIP 이때 주의할 것은 **바닷물은 자유재이지만 편의점에서 생수를 사먹는다면 생수는 경제재**입니다! ^ᴗ^

(2) 경제 활동의 주체 중요

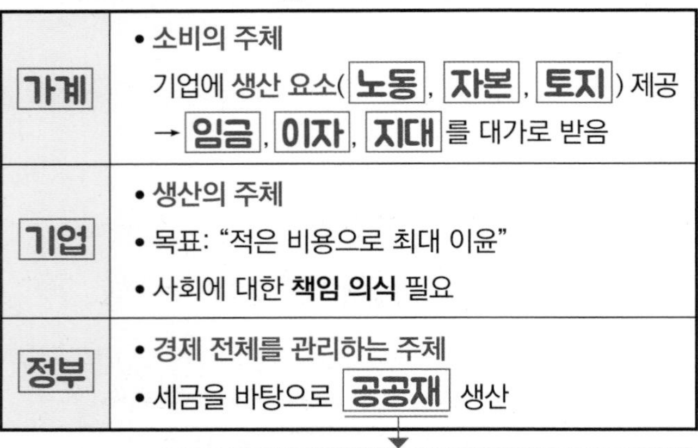

가계	• 소비의 주체 기업에 생산 요소(노동, 자본, 토지) 제공 → 임금, 이자, 지대 를 대가로 받음
기업	• 생산의 주체 • 목표: "적은 비용으로 최대 이윤" • 사회에 대한 **책임 의식** 필요
정부	• 경제 전체를 관리하는 주체 • 세금을 바탕으로 공공재 생산

알고가자!! '공공재'
• **공공재란?** ① 모두에게 너무나 필요하지만
② 이윤이 생기지 않아 기업이 생산하지 않는 재화와 서비스를 의미해요.
③ 그래서 정부가 생산한답니다.
예〉 도로, 공원, 국방 등

시험문제 무조건 1타!! 아래 도표는 반드시 기억해!!

이 도표는 **시험문제 무조건 1타**야!!
아닥하고 무조건 머릿속에 집어넣는거 알쥐?!!

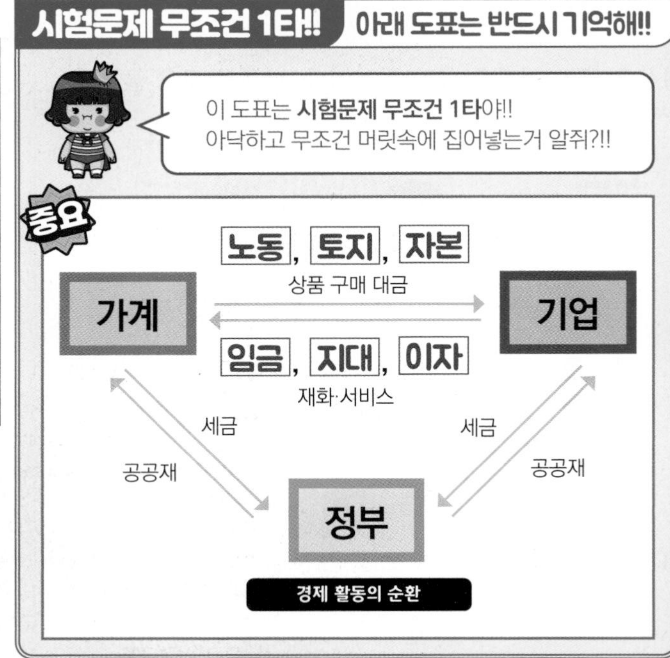

경제 활동의 순환

경제 활동의 주체는 진짜 너무 너무 중요해!! 그래서 시험에 나오는 중요 지문들을 한번 짚고 넘어가보자구!(ง •̀_•́)ง

가계	기업	정부
• 주로 재화와 서비스를 **소비**하는 **주체**이다. • **생산 요소를 기업에게 제공**한다. • **토지, 노동, 자본** 등의 생산 요소를 제공하고 그 대가로 **지대, 임금, 이자** 등을 받는다. • 소득으로 소비 활동을 하고 세금을 납부한다.	• 주로 재화와 서비스를 **생산**하는 **주체**이다. • **생산의 주체**로 생산을 통해 **사회에 기여** 한다. • **최소 비용**으로 **최대 이윤**을 추구한다. • 투명한 경영 등 **사회적 책임**이 강조된다.	• **법과 제도를 통해 경제 전체를 관리**한다. • 도로, 공원 등 **공공재를 제공**한다 • 사람들이 공동으로 이용 할 수 있는 **재화와 서비스를 생산하여 공급**한다. • 공공재는 기업이 충분히 공급하지 않기 때문에 정부가 공급한다.

2. 경제 생활에서의 합리적 선택

중요 ① 자원의 희소성	
의미	• 인간의 욕구는 무한한데 비해, 이를 충족해 줄 자원은 **상대적** 으로 부족한 상태
특징	• 자원의 **절대적인 양** 의 많고 적음에 따라 결정되는 것이 아니라 → 인간의 필요와 욕구에 의해 결정됨 • 시대나 장소에 따라 달라질 수 있음 • 선택의 문제가 발생하는 근본 원인

② 선택의 문제	
원인	• **자원의 희소성** 때문에 발생 [실제 시험에서 자주 질문] Q. 경제 활동 중 **선택의 문제**가 **발생하는 원인**은 무엇인가? A. **자원의 희소성** 때문입니다.
종류	• **무엇을 얼마나 생산할 것인가?** → **생산물**의 **종류**와 **수량**을 결정하는 문제 • **어떻게 생산할 것 인가?** → 생산 방법을 결정하는 문제 • **누구를 위하여 생산할 것인가?** → 생산물의 분배를 결정하는 문제

시험문제!! Q. 위의 문제들이 **발생하는 원인**은 무엇인가?
A. **자원의 희소성** 때문입니다.

실제 시험에 나오는 그림 예>

• 무엇을 얼마나 생산할 것인가?	• 어떻게 생산할 것인가?	• 누구를 위하여 생산할 것인가?
삼겹살이 너무 안 팔리네. 오리 고기로 메뉴를 바꿔 볼까?	사람을 더 고용해 수타식으로 면을 만들까? 아니면 기계를 사용해 만들까?	올해 임금을 10% 이상 올려야 합니다. / 회사가 어려워 3% 인상도 어렵습니다. / 임금 협상

③ 합리적 선택
• 가장 적은 비용으로 가장 큰 편익을 얻을 수 있는 선택 = 비용 〈 편익 = **기회 비용** 〈 **편익** • **비용**: 선택으로 치르는 대가 • **편익**: 선택에 따른 **만족감**

시험에 잘 나오는 자원의 희소성 한 판!!

★★대표적인 예

[열대 지방의 난로]

[극지방의 에어컨]

열대지방에 난로가 1개 밖에 없다고해서 '희소'하다고 말하지 않아. 왜냐하면 열대지방에서는 난로가 필요 없기 때문이야. 또한 극지방에서 에어컨이 1개 밖에 없다고 해도 '희소'하다고 말하지 않지('︵') 이렇듯 **자원의 희소성**이라는 것은!! 자원의 절대적인 양 때문에 결정되는 것이 아니라 시대나 장소, 인간의 필요와 욕구에 의해 결정되는 것이란다!! 알라뷰(^0^)

★★그렇다면 시험에는 이렇게 나온다!!

Q1. ㉠은 무엇에 대한 설명인가?

> 경제 활동을 하기 위해서는 여러 가지 자원이 필요하다. 그런데 **인간의 욕구는 무한하지만 이를 충족할 수 있는 자원은 한정되어 있다.** 이를 (㉠)(이)라고 한다.

〈 〉

• **정답**: 자원의 희소성

Q2-1. 다음 사례와 비슷한 사례를 가진 재화를(이유 포함) 2개 서술하시오.

> 빈센트 반 고흐의 그림은 당시에는 아무도 사려고 하지 않았지만, 그가 사망한 후 그의 작품은 생전에는 상상 할 수 없을 만큼 비싼 가격에 거래되고 있다.

〈 〉

Q2-2. 고흐의 작품의 가격이 올라간 이유를 서술하시오.

〈 〉

• **정답**: Q2-1: 깨끗한 물과 맑은 공기
(이유: 환경 오염으로 인해 깨끗한 물과 맑은 공기에 대한 **희소성이 커지게 되면서 수요가 증가**하고 가격이 상승하게 되었다.)
Q2-2: 작품에 대한 **수요 증가**로 **작품의 희소성이 커졌기 때문**이다.

Q3. 자원의 희소성에 대한 설명으로 **틀린 것**을 **모두 고르시오.**

① **시대**나 **장소**에 따라 **다르게 나타날 수 있다.**
② 자원의 **절대적인 양**에 따라 **결정**되는 개념이다.
③ 이로 인해 **선택의 문제**에 **직면**하게 된다.
④ **사람의 욕구**가 **한정**되어 있기 때문에 발생한다.
⑤ **자원이 절대적으로 부족하기 때문에** 발생한다.

정답 ②④⑤

[기회 비용]

★★기회 비용이란?

어떤 것을 선택함으로써 포기하는 대안 중에 가장 가치가 큰 것

기회 비용 < 편익

★★이때 합리적 선택이란?

- **편익**이 **비용**보다 **큰 것**을 선택한다.
- **기회비용**을 **최소화** 할 수 있는 선택이 합리적이다.
- **최소의 비용**으로 **최대의 만족**을 얻어야한다.
- **비용이 같으면 편익이 큰 쪽**을 선택한다.
- **편익이 같으면 비용이 작은 쪽**을 선택한다.

★★기회비용 계산 문제

Q. 다음은 돌흉의 음식 선택에 대한 **편익**이다.

	떡볶이	치킨	햄버거
편익(만족감)	100	90	80

- **떡볶이** 선택 시 **기회비용**: 치킨 (90)
- **치킨** 선택 시 **기회비용**: 떡볶이 (100)
- **햄버거** 선택 시 **기회비용**: 떡볶이 (100)
→그러므로 **합리적 선택**은 **기회비용이 가장 적은** 떡볶이 **선택**

서술형 Q. **기회비용**에 대해 서술하시오. A. 어떤 것을 **선택함**으로써 **포기**하는 대안 중에 **가장 가치가 큰 것**을 **기회 비용**이라고 한다.

3. 경제 체제

(1) 의미: 경제 문제를 해결하는 방식이 제도적으로 정착된 것

(2) 종류 시험1타

	시장 경제 체제 (개인의 자유 중시)	계획 경제 체제 (국가의 개입 중시)
의미	• 경제 주체들이 자유롭게 **시장 가격**을 통해 경제 문제를 해결하는 경제 체제	• **국가**의 **계획**과 **명령**에 의해 경제 문제를 해결하는 경제 체제
특징	• 자유로운 경제 활동 보장 • 사유 재산 제도 보장 • 개인의 자유로운 이익 추구 인정	• 생산 수단의 **국유화** • 사회의 공동 목표 추구 • 정부의 주도적인 역할 주로 사회주의 국가에서 선택했어!(^0^)
장점	• 개인의 능력과 창의성 발휘 • 희소한 자원을 **효율적**으로 사용 • 사회 전체의 **효율적**인 생산 증대	• 국가가 채택한 주요 목적을 신속하게 달성 가능 • 소득 분배에서 **형평성** 추구
단점	• **빈부 격차 발생** • **환경 오염 심화** • 공동체 이익 침해	• **근로자의 근로 의욕 저하** • 개인의 창의적인 경제 활동 제한 • 사회 전체의 효율성과 생산성 하락 • 국가가 국민의 욕구를 모두 파악하여 생산량과 소비량을 결정하기가 어려움

시장 경제 체제의 창시자 '애덤스미스'

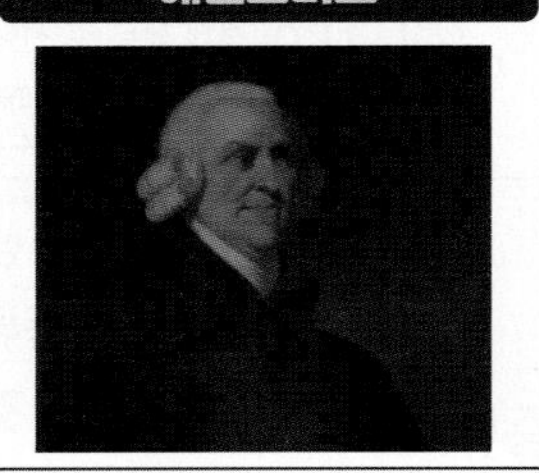

[애덤스미스의 국부론]
여러분은 선의로 마련한 법령과 규제가 경제에 도움을 주고 있다고 생각한다. 그러나 그렇지 않다. **자유방임하라.** …
개인은 오로지 자기 자신의 이익을 위할 뿐이다. 이 경우 그는 많은 다른 경우에서처럼 '보이지 않는 손'에 이끌려 그가 전혀 의도하지 않았던 목적을 달성하게 된다.

[용어 설명]
- 보이지 않는 손 = 가격 기구
- 정부는 개인의 경제 생활에 관여하지 말고 **자유방임**하라!

(1) (가), (나)의 **경제 체제**를 적고 **그 의미**를 **서술하시오.**
〈 • **(가) 시장 경제 체제**-경제 주체들이 자유롭게 **시장 가격**을 통해 경제 문제를 해결하는 경제 체제
• **(나) 계획 경제 체제**-**국가**의 **계획**과 **명령**에 의해 경제 문제를 해결하는 경제 체제 〉

(2) (가), (나)의 배추 수확량 감소에 **대처한 방법을 각각 서술하시오.**
〈 • **(가) 시장 가격**을 통해 해결한다
• **(나) 국가**의 **계획**과 **명령**을 통해 해결한다. 〉

시험에는 이런 표로 나온다!!

시장 경제 체제와 **계획 경제 체제**에 대해 **실제 시험**에서는 아래 표처럼 간단히 묻는 문제가 많이 나오니 꼭 기억하세요 ٩(•̮•)

	경제 활동 동기	의사 결정 주체	문제 해결 수단	장점	단점	특징
시장 경제 체제	개인의 이익 추구	개별 경제 주체	시장 가격	효율성이 높음	환경 오염	자유 중시
계획 경제 체제	공동의 목표 추구	정부	정부의 명령	형평성이 높음	근로 의욕 저하	평등 중시

이렇듯!!
시장 경제 체제와 계획 경제 체제는 둘다 장점과 단점을 가지고 있어!
그래서 오늘날에는 이 두가지를 짬뽕시킨 **'혼합 경제 체제'**를 대부분의 국가가 선택하고 있단다! ＼(^▽^)／

시장 경제 체제 + **계획 경제 체제** = **혼합 경제 체제**

→ **오늘날 대부분의 국가에서 채택하고 있음**!!

→ **오늘날 우리나라가 선택한 경제 체제**!!

시험 1타 자료 (헌법에 나타난 우리나라의 경제체제)

제119조 ①	제 119조 ②
제119조 ① 대한민국의 경제 질서는 **개인과 기업의 경제상의 자유와 창의를 존중함을 기본으로 한다.** →시장 경제 체제	**제 119조** ② 국가는 균형 있는 국민 경제의 성장 및 안정과 적정한 소득의 분배를 유지하고, 시장의 지배와 경제력의 남용을 방지하며, 경제 주체 간의 조화를 통한 경제의 민주화를 위하여 **경제에 관한 규제와 조정을 할 수 있다.** →계획 경제 체제적인 요소

시험 1타 포인트	Q. 우리나라 **헌법**을 통해 알 수 있는 **우리나라의 경제 체제**의 특징은? A. 우리나라는 **시장 경제 체제를 중심**으로 **계획 경제 체제 요소를 일부 도입**한, **혼합 경제 체제**를 **운영**하고 있다.

인간 관계에서 선생님은 말이야~
똑같은 친구들이라고 해도 어떤 친구들 집단에서는 너무 소외감이 들고 적응이 안되었어.
그럴 때 나자신이 너무 초라해보이고 힘들었지..
그런데 또 어떤 친구 집단에서는 적응도 잘하고 쌤이 인기가 짱이었던거야!
이렇듯 인간 관계가 힘들다고 너무 자신을 다그치지마 :) 왜냐하면 내가 환대 받는 곳이 있다면 반대로 환대 받지 못하는 곳도 있거든!
즉, 내가 어딘가에서 환대 받지 못하고 잘 적응을 못한다고 해도 내가 모든곳에서 다 그런 것이 아니라 잘 적응하는 곳도 있는거거든! 누구나 잘되는 것이 있으면 안되는 것도 있는 것은 너무나 당연한것이니깐,
안되는 것에 너무 가슴아파하지 말고 네가 잘하는 것에 기뻐하며 행복하길 바라!
너는 너무 너무 소중한 사람이란다! 사랑해! 알라뷰 넌 충분히 소중하고 환대받는 사람이야!!

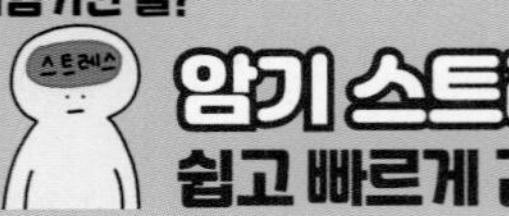

1-1. 경제 활동의 이해

1단계 기본 개념 파악하기

1. 회색 글씨의 중요 내용을 쓰면서 암기해보세요.(¯▽¯)/

경제 활동	• 인간에게 필요한 재화나 서비스를 생산, 분배, 소비하는 모든 활동	
종류	생산	• 재화나 서비스를 만들어 내거나, 그 가치를 증대하는 활동 → 상품을 운반, 저장, 판매하는 활동도 포함함
	소비	• 생활에 필요한 상품을 구입하여 사용하는 활동
	분배	• 생산에 참여한 사람들이 그 대가를 받는 활동

2단계 기본 개념 적용하기

2. **맞는 것**끼리 연결하시오.

① 생산 • • (1) 생산에 참여한 사람들이 **대가**를 나누어 가지는 것을 의미한다.

② 소비 • • (2) 생활에 필요한 재화나 서비스를 **구입**하여 사용하는 것을 의미한다.

③ 분배 • • (3) 필요한 **재화와 서비스를 만들거나 재화의 가치를 증가시키는** 것을 의미한다.

3단계 실제 시험 스타일로 응용하기!

3. 다음 '지문'을 보고 **생산**이면 **'생'**, **소비**면 **'소'**, **분배**면 **'분'**이라고 적어보세요. 우리 친구들 할수있어요!! O(¯▽¯)o

여자친구와 **영화를 본** 누리	상품을 **운반·저장·판매**하는 활동	일을 하고 **월급을 받은** 람보	직원들과 **아이디어 회의를 한** 돌흉
① (　　　)	② (　　　)	③ (　　　)	④ (　　　)
재화나 서비스를 만들거나 가치를 증대시키는 활동	학원에서 **영어 강의를 하는** 슈가	시장에서 **족발을 사온** 윤기	은행 통장에 **이자가 붙은** 은빈
⑤ (　　　)	⑥ (　　　)	⑦ (　　　)	⑧ (　　　)

• 정답: 2. ①(3), ②(2), ③(1) 3. ①소, ②생, ③분, ④생, ⑤생, ⑥생, ⑦소, ⑧분

1-2. 경제 활동의 주체

1단계 기본 개념 파악하기

1. 회색 글씨의 중요 내용을 쓰면서 암기해보세요.(¯▽¯)/

가계	• 소비의 주체 • 기업에 **생산 요소**(노동, 자본, 토지) 제공 → 임금, 이자, 지대를 대가로 받음
기업	• 생산의 주체 • 목표: "적은 비용으로 최대 이윤" • 사회에 대한 **책임 의식** 필요
정부	• 경제 전체를 관리하는 주체 • 세금을 바탕으로 공공재 생산

2단계 시험에 무조건 나오는 도표 암기하기

2. 겁나 중요!! 회색 글씨를 따라써봐요 o(^-^)o

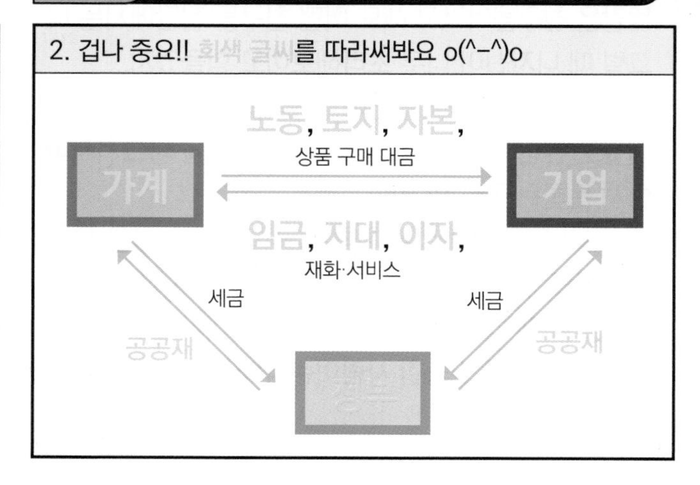

3단계 실제 시험 스타일로 응용하기!

3. 도표 빈칸에 알맞은 말을 넣어보세요.
시험에는 이런 스타일로 나와요.＼(^0^*)/

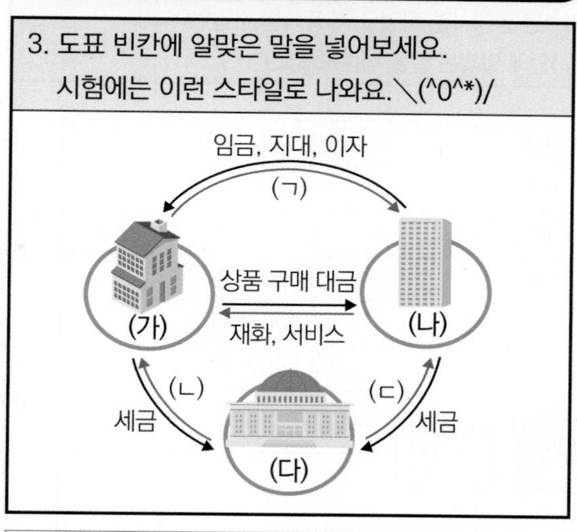

• 정답: 3. (가)가계, (나)기업, (다)정부, (ㄱ)노동, 토지, 자본, (ㄴ)·(ㄷ)공공재
4. ①정, ②가, ③기, ④정, ⑤가, ⑥기, ⑦기, ⑧정, ⑨가, ⑩기, ⑪정

4. 다음 지문을 보고 **가계**면 **'가'**, **기업**이면 **'기'**, **정부**면 **'정'**이라고 쓰세요.

경제 전체를 관리한다	**소비의 주체**	**생산요소**를 가계에게 **제공받음**
① (　　　)	② (　　　)	③ (　　　)
국방, 치안, 도로 등 생산	**생산요소 공급**	**최소 비용!! 최대 이윤!!**
④ (　　　)	⑤ (　　　)	⑥ (　　　)
일자리 제공의 역할	**법과 제도를 만들어 경제 전체 관리**	**생산 요소 제공**하고 **지대, 임금, 이자** 받음
⑦ (　　　)	⑧ (　　　)	⑨ (　　　)
사회적 책임	**모든 사람들이 공동으로 이용할 수 있는 재화와 서비스 생산**	
⑩ (　　　)	⑪ (　　　)	

2. 경제 생활에서의 합리적 선택

1단계 기본 개념 파악하기

1. 회색 글씨의 중요 내용을 쓰면서 암기해보세요.(￣▽￣)/

① 자원의 희소성		② 선택의 문제 발생		③ 합리적 선택
인간의 욕구는 무한한데 비해, 이를 충족해 줄 자원은 상대적으로 부족한 상태		원인: 자원의 희소성 때문에 발생		기회 비용 < 편익

2단계 기본 개념 적용하기

2. 다음 그림을 보고 **'자원의 희소성'**에 대한 문장을 완성하시오.s(ごoご)グ

① 자원의 희소성은 **시대**나 (**ㅈㅅ**)에 따라 **다르게 나타날 수 있다.**
② 자원의 (**ㅅㄷ**)**적인 양**에 따라 **결정**되는 개념이다.
③ 이로 인해 (**ㅅㅌㅇ ㅁㅈ**)에 **직면**하게 된다.

시험에 겁나 잘나오는 헤이크!! 
Q. 다음 **밑줄 친** 틀린 말을 바르게 고치시오.
• **자원의 희소성**은 자원의 **절대적인 양**에 따라 결정되는 개념이다.
〈　　　　　　　　〉

3. 아래의 문제들이 발생하는 원인을 쓰시오.

• 무엇을 얼마나 생산할 것인가?
• 어떻게 생산할 것인가?
• 누구를 위하여 생산할 것인가?

〈정답〉
발생 원인은 (　　　　　　　　)
때문 입니다.

• 정답:
2. ①장소, ②상대, ③선택의 문제
Q.상대적인 양
3. 자원의 희소성

4. 다음 그림에 **맞는 것**을 연결하시오.

① 

② 

③ 

- (a) **무엇을** 얼마나 생산할 것인가?
- (b) 생산물 **분배**의 문제
- (c) **얼마나** 생산할 것인가?
- (d) 생산물의 **종류**와 **수량** 결정 문제
- (e) **어떻게** 생산할 것인가?
- (f) **생산 방법**을 결정하는 문제
- (g) **누구를** 위해 생산할 것인가?

5. 람보쌤과 함께 **합리적 선택**을 하라!!

지민이가 1년간 농사를 지었을 때 품목별 수입이다.
다음 ( )안에 알맞은 말을 적어보세요.(^0^)

과일	연간 예상 수입
사과	3,500만 원
배	5,000만 원
수박	3,000만 원
귤	4,000만 원
망고	4,500만 원

얘들아 안뇽! 잇힝!
일단 **합리적 선택**이란 편익이 기회비용보다 커야돼!
- 가장 합리적 선택은 : (   )를 선택하는거야!
  → 이때의 편익은 : (   ) 만원이고,
  → 이때의 기회비용은 : (   )를 포기함으로,
  (   ) 만원이야.

• 정답: 4. ①–(a), (c), (d) ②–(e), (f) ③–(b), (g) 5. 배/5,000만원/망고/4,500만원

빈센트 반 고흐의 그림은 당시에는 아무도 사려고 하지 않았지만, 그가 사망한 후 그의 작품은 생전에는 상상 할 수 없을 만큼 비싼 가격에 거래되고 있다.

스텝1: 회색 글씨를 따라쓰면서 외워보세요.

Q2-1. 옆의 사례와 비슷한 사례를 가진 재화를(이유 포함) 2개 서술하시오.

- 사례: 깨끗한 물과 석유
- 이유: 깨끗한 물은 환경 오염으로 인해 희소성이 커지게 되면서 수요가 증가하고 가격이 상승하게 되었다.
  석유는 산업이 발달함에 따라 수요가 증가하면서 희소성이 커져 가격이 상승하였다.

Q2-2. 고흐의 작품의 가격이 올라간 이유를 서술하시오.
〈작품에 대한 수요 증가로 작품의 희소성이 커졌기 때문이다.〉

스텝2: 이번엔 괄호안을 채우며 외워보세요s(ごoご)グ

Q2-1. 옆의 사례와 비슷한 사례를 가진 재화를(이유 포함) **2개 서술하시오.**

- **사례:** (   )과 (   )
- **이유:** (   )은 환경 오염으로 인해 (   )되면서
  (   )하고 (   ) 하게 되었다.
  (   )는 (   )에 따라 (   )하면서
  (   ) 가격이 상승하였다.

Q2-2. 고흐의 작품의 가격이 올라간 이유를 서술하시오.
〈작품에 대한 (   )로 (   )이 커졌기 때문이다.〉

스텝3: 그럼 이제 직접 써볼까요!

Q2-1. 답:

Q2-2. 답:

3. 경제 체제

1단계 기본 개념 파악하기

1. 회색 글씨의 중요 내용을 쓰면서 암기해보세요.(¯▽¯)/

	시장 경제 체제	계획 경제 체제
의미	• 경제 주체들이 자유롭게 시장 가격을 통해 경제 문제를 해결하는 경제 체제	• 국가의 계획과 명령에 의해 경제 문제를 해결하는 경제 체제
특징	• 자유로운 경제 활동 보장 • 사유 재산 제도 보장 • 개인의 자유로운 이익 추구 인정	• 생산 수단의 국유화 • 사회의 공동 목표 추구 • 정부의 주도적인 역할
장점	• 개인의 능력과 창의성 발휘 • 희소한 자원을 효율적으로 사용	• 국가의 목적 달성 유리 • 소득 분배에서 형평성 추구
단점	• 빈부 격차 발생 • 환경 오염 심화 • 공동체 이익 침해	• 근로자의 근로 의욕 저하 • 개인의 창의적인 경제 활동 제한 • 사회 전체의 효율성과 생산성 하락

오늘날 대다수의 국가는 **혼합 경제 체제** 선택!!

2단계 중요 개념 적용하기

2. 빈칸에 알맞은 말을 적어보세요. s(ご°oご)グ

	경제 활동 동기	의사 결정 주체	문제 해결 수단	장점	단점	특징
시장 경제 체제	개인의 이익 추구	개별 경제 주체	(①)	(③)이 높음	환경 오염	자유 중시
계획 경제 체제	공동의 목표 추구	정부	(②)	(④)이 높음	근로 의욕 저하	평등 중시

• 정답: ① 시장 가격, ② 정부의 명령, ③ 효율성, ④ 형평성

3단계 시험에 나오는 서술형 미리 연습해보자!!

(가)

(나)

(1) (가), (나)의 **경제 체제**를 적고 **그 의미를 서술하시오.**

〈• (가) ( )-경제 주체들이 자유롭게 ( )을 통해 경제 문제를 해결하는 경제 체제
• (나) ( )-( )의 ( )과 ( )에 의해 경제 문제를 해결하는 경제 체제 〉

(2) (가), (나)의 배추 수확량 감소에 **대처한 방법을 각각 서술하시오.**

〈• (가) ( )
• (나) ( ) 〉

• 정답: (1) (가)시장 경제 체제,시장 가격 (나)계획 경제 체제,국가,계획,명령 (2) (가)시장 가격을 통해 해결한다. (나)국가의 계획과 명령을 통해 해결한다.

제119조 ① 대한민국의 경제 질서는 **개인과 기업의 경제상의 자유와 창의를 존중함을 기본으로 한다.**	제 119조 ② 국가는 균형 있는 국민 경제의 성장 및 안정과 적정한 소득의 분배를 유지하고, 시장의 지배와 경제력의 남용을 방지하며, 경제 주체 간의 조화를 통한 경제의 민주화를 위하여 **경제에 관한 규제와 조정을 할 수 있다.**

시험 1타 포인트	Q. **우리나라 헌법**을 통해 알 수 있는 **우리나라의 경제 체제**의 특징은? A. 우리나라는 ( )를 중심으로 ( ) 요소를 일부 도입한, ( )를 운영하고 있다.

• 정답: 시장 경제 체제/계획 경제 체제/혼합 경제 체제

람보쌤의 자세한 해설을 영상으로 보세요!

경제 활동의 이해

유형 1 경제 활동의 의미

1. ㉠~㉤에 대한 사례로 적절하지 않은 것은?

> 경제란 우리가 생활하는 데 필요한 ㉠재화와 ㉡서비스를 인간의 노력에 의해 ㉢생산하고, ㉣분배하고, ㉤소비하는 모든 활동과 이에 필요한 모든 사회 질서를 말한다.

① ㉠ - 컴퓨터
② ㉡ - 선생님의 수업
③ ㉢ - 농부가 수확한 사과를 판매하였다.
④ ㉣ - 근로자가 일을 하고 월급을 받았다.
⑤ ㉤ - 친구들과 학교 규칙에 대해 의논하였다.

유형 2 경제 활동의 종류

2. 글이 설명하는 경제 활동의 대상을 찾으면?

> • 재화나 서비스를 만들거나 가치를 증대시키는 활동

① 재은이는 서점에서 책을 구입하였다.
② 서진이 삼촌은 학원에서 강의를 하셨다.
③ 현우는 운동장에서 줄넘기 운동을 했다.
④ 수경이 어머니는 시장에서 생선을 사 오셨다.
⑤ 채원이 아버지는 오늘 회사에서 월급을 받으셨다.

3. ㉠, ㉡, ㉢에 해당하는 개념을 바르게 연결한 것은?

> 경제 활동은 (㉠), (㉡), (㉢)활동으로 분류할 수 있다.
> • (㉠)은/는 필요한 재화와 서비스를 만들거나 재화의 가치를 증가시키는 것을 의미한다.
> • (㉡)은/는 생산에 참여한 사람들이 대가를 나누어 가지는 것을 의미한다.
> • (㉢)은/는 생활에 필요한 재화나 서비스를 구입하고 사용하는 것을 의미한다.

	㉠	㉡	㉢
①	생산	분배	소비
②	생산	소비	분배
③	소비	분배	생산
④	소비	생산	분배
⑤	분배	소비	생산

유형 3 경제 용어 문제

4. 경제재와 자유재의 사례를 바르게 연결한 것을 고르면?

	경제재	자유재
①	생수	공기
②	공기	생수
③	햇빛	생수
④	공기	햇빛
⑤	바닷물	생수

유형 4 경제 주체 도표

5. 그림의 경제 활동에 대한 설명으로 알맞은 것은?

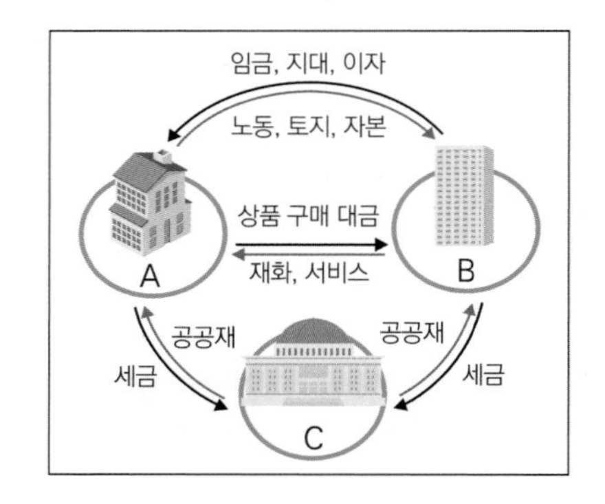

① A는 주로 재화와 서비스를 생산하는 주체이다.
② A는 적은 비용으로 상품을 생산하여 최대의 이윤을 얻기 위해 노력한다.
③ B는 주로 재화와 서비스를 소비하는 주체이다.
④ C는 경제 전체를 관리하는 주체이다.
⑤ A, B, C는(은) 생산 요소라고 한다.

※ 그림 속 경제 주체 간 상호 작용을 보고 물음에 답하시오.

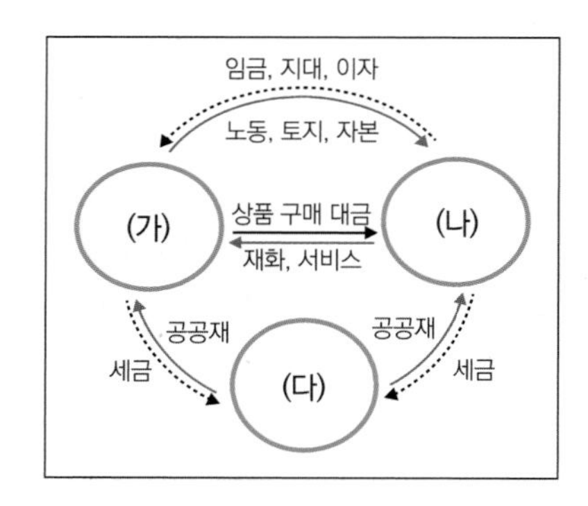

6. 경제 주체에 대하여 잘못 설명한 것은?

① (가)의 소득은 임금, 지대, 이자
② (가)는 가계, (나)는 기업, (다)는 정부
③ (나)의 투명한 경영 등 사회적 책임 강조
④ (나)는 생산요소를 이용한 생산 활동 담당
⑤ (다)는 공공재 공급으로 이윤의 극대화 추구

7. 경제 주체 간 경제 활동에 대한 설명 ㉠~㉤ 중 옳지 않은 것은?

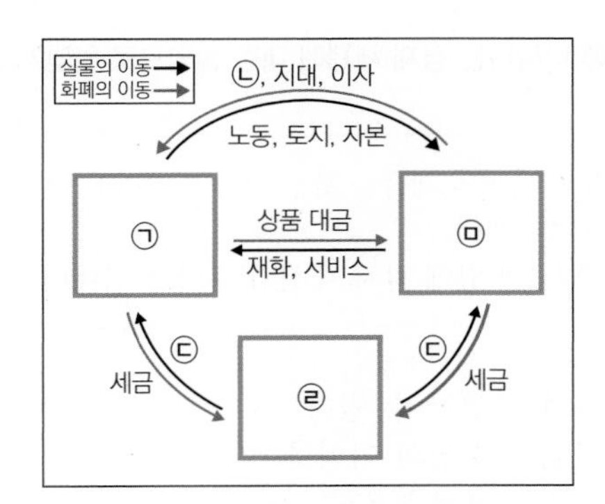

① ㉠ - 소비 활동의 주체이다.
② ㉡ - 노동의 대가로 받는 소득이다.
③ ㉢ - 가계와 기업으로 얻는 세금으로 생산한다.
④ ㉣ - 경제 활동에 관련된 법을 만들어 경제 질서를 유지한다.
⑤ ㉤ - 가계에 생산 요소를 제공한다.

경제 생활에서의 합리적 선택

유형 1 자원의 희소성

8. 다음 내용이 설명하는 경제 용어는?

> • 인간의 욕구는 무한한 데 비해 이를 충족해 줄 자원이 상대적으로 부족한 현상이다.
> • 시간, 장소에 따라 달라질 수 있다.
> • 경제적 선택의 문제가 발생하는 근본 원인이다.

① 경제성 ② 상대성 ③ 형평성
④ 효율성 ⑤ 희소성

9. 다음 글에서 ㉠에 들어갈 경제 용어에 대한 설명으로 옳은 것만을 〈보기〉에서 있는 대로 고른 것은?

> 경제 활동을 하기 위해서는 여러 가지 자원이 필요하다. 그런데 인간의 욕구는 무한하지만 이를 충족할 수 있는 자원은 한정되어 있다. 이를 (㉠)(이)라고 한다.

보 기

ㄱ. 시대나 장소에 따라 다르게 나타날 수 있다.
ㄴ. 자원의 절대적인 양에 따라 결정되는 개념이다.
ㄷ. 기존에 있던 상품의 가치를 증대시키는 활동이다.
ㄹ. 이로 인해 경제 활동을 할 때 선택의 문제에 직면하게 된다.

① ㄱ, ㄴ ② ㄱ, ㄹ ③ ㄴ, ㄹ
④ ㄱ, ㄴ, ㄷ ⑤ ㄱ, ㄷ, ㄹ

유형 2 자원의 희소성 대표적 예

10. 다음 사례에 대한 옳은 설명만을 〈보기〉에서 있는 대로 고른 것은?

> • 극지방에서는 추운 기후 때문에 에어컨을 사고자 하는 사람이 별로 없지만, 열대 지방에서는 무더운 기후때문에 에어컨을 사고자 하는 사람이 많다.
>
> • 과거에는 경제적 대가를 치르지 않고도 깨끗한 물을 얻을 수 있었지만, 환경 오염으로 인해 깨끗한 물의 가치가 높아지면서 오늘날에는 비용을 지불해야 얻을 수 있게 되었다.

보 기

ㄱ. 자원의 희소성은 시간과 장소에 따라 달라진다.
ㄴ. 깨끗한 물은 과거에 비해 희소한 자원이 되었다.
ㄷ. 희소성은 자원 자체의 절대적인 양에 따라 결정된다.
ㄹ. 극지방에서의 에어컨은 열대 지방에서의 에어컨보다 희소한 자원이다.

① ㄱ, ㄴ ② ㄱ, ㄹ ③ ㄷ, ㄹ
④ ㄱ, ㄴ, ㄷ ⑤ ㄴ, ㄷ, ㄹ

유형 3 합리적 선택

11. 다음 사례에서 선택의 문제가 발생하는 근본적인 원인은?

> 은아는 3,000원으로 분식집에서 떡볶이, 김밥, 순대 중에 무엇을 먹을지 고민하고 있다.

① 인간의 욕구는 한정되어 있기 때문이다.
② 사람마다 편익과 비용이 서로 같기 때문이다.
③ 인간의 욕구에 비해 자원이 한정되어 있기 때문이다.
④ 재화나 서비스를 얻으려면 내야 하는 대가가 있기 때문이다.
⑤ 공동체에서 생활하려면 경제 활동을 반드시 해야 하기 때문이다.

유형 4 편익과 기회비용

12. 다음 사례에서 공부를 하는 것에 대한 기회비용으로 알맞은 것은?

> A에게는 2시간이 주어져 있습니다. 이 시간 동안 아르바이트를 하면 시간당 7,500원의 임금을 받을 수 있고, 어머니의 집안일을 도와드리면 10,000원의 용돈을 받을수 있습니다. 그러나 시험이 얼마 남지 않았기 때문에 결국 A는 그 시간 동안 공부를 하기로 했습니다.

① 7,500원 ② 10,000원 ③ 15,000원
④ 17,500원 ⑤ 20,000원

13. 다음은 갑의 선택에 따른 편익이다. 옳은 설명을 <보기>에서 고른 것은? (음식 가격은 모두 동일함)

편익 \ 음식	자장면	우동	만두
편익 (만족감)	100	90	80

보 기

ㄱ. 만두를 선택하면 기회비용이 가장 작다.
ㄴ. 자장면을 선택하면 기회비용이 가장 크다.
ㄷ. 자장면을 선택하는 것이 합리적인 선택이다.
ㄹ. 우동 선택 시 기회비용은 자장면 선택 시 기회비용보다 크다.

① ㄱ, ㄴ ② ㄱ, ㄷ ③ ㄱ, ㄹ
④ ㄴ, ㄷ ⑤ ㄷ, ㄹ

경제 문제를 해결하기 위한 경제 체제

유형 1 기본적인 경제 문제

14. 아래와 같은 문제가 발생하는 근본적인 원인은?

- 무엇을 얼마나 생산할 것인가
- 무엇을 어떻게 생산할 것인가
- 누구를 위하여 생산할 것인가

① 산업의 발달 ② 자원의 희소성
③ 급격한 사회변동 ④ 생산 능력의 향상
⑤ 인구의 지속적인 감소

15. 다음 경제 주체가 고민하는 경제 문제로 옳은 것은?

① 생산 방법 ② 생산물의 종류
③ 생산물의 수량 ④ 생산물의 분배
⑤ 생산물의 소비

유형 2 시장 경제 체제

16. 다음 글에 나타나는 경제 체제에 대한 설명으로 알맞지 않은 것은

회사원 : 우리 기업의 제품을 찾는 사람이 많아졌으니 생산량을 늘려야겠어.
농부 : 올해는 내 땅에 감자 대신 고구마를 심어야지.

① 빈부 격차가 발생할 수 있다.
② 개인과 기업은 자신의 이익을 추구한다.
③ 희소한 자원을 효율적으로 사용할 수 있다.
④ 시장 가격에 기초하여 자유롭게 의사 결정을 함으로써 경제 문제가 해결된다.
⑤ 국가가 경제 활동에 대한 계획을 세우고 개인과 기업에 명령함으로써 경제 문제를 해결한다.

유형 3 계획 경제 체제

17. 사례와 관련이 있는 경제 체제에 대한 설명으로 옳지 않은 것은?

소련의 정치가였던 고르바초프가 차를 타고 이동을 하고 있는데, 앞 트럭이 감자가 계속 떨어지는데도 그대로 가고 있었다. 그래서 차를 세워서 감자가 떨어지고 있다는 것을 알려 주자, 그 운전자는 "나는 정부의 계획에 따라 감자를 운반하는 것만 명령받았지, 수량과 손실에 대해서는 알 바가 아니다."라고 말하였다.

① 자원의 배분 과정에서 정부가 주도적인 역할을 한다.
② '보이지 않는 손'에 의해 시장이 효율적으로 작동한다.
③ 개인이 노력한 만큼 소득을 얻지 못하기 때문에 효율성이 떨어진다.
④ 정부의 계획 하에 경제적 평등을 이루고자 하며 형평성을 추구한다.
⑤ 경제 활동의 자유가 제한되어 있고, 국가나 집단이 생산 수단을 소유하고 있다.

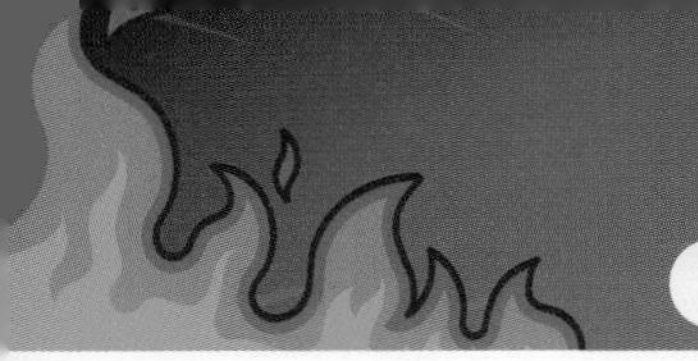

유형 4 우리 나라 경제 체제의 특징

서술형

3. 다음의 헌법 조항을 통해 알 수 있는 우리 나라 경제 체제의 특징을 서술하시오.

> **제119조** 대한민국의 경제 질서는 개인과 기업의 경제상의 자유와 창의를 존중함을 기본으로 한다.
> 국가는 균형 있는 국민 경제의 성장 및 안정과 적정한 소득의 분배를 유지하고, 시장의 지배와 경제력의 남용을 방지하며, 경제 주체 간의 조화를 통한 경제의 민주화를 위하여 경제에 관한 규제와 조정을 할 수 있다.

9. 다음 헌법 조항을 통해 알 수 있는 우리나라의 경제 체제에 대한 설명으로 옳은 것은?

> **헌법 제119조**
> ① 대한민국의 경제 질서는 개인과 기업의 경제상의 자유와 창의를 존중함을 기본으로 한다.
> ② 국가는 균형 있는 국민경제의 성장 및 안정과 적정한 소득의 분배를 유지하고, 시장의 지배와 경제력의 남용을 방지하며, 경제 주체 간의 조화를 통한 경제의 민주화를 위하여 경제에 관한 규제와 조정을 할 수 있다.

) 계획 경제 체제로 운영되고 있다.
) '보이지 않는 손'이 모든 경제 문제를 해결하고 있다.
) 시장 경제 체제에서 계획 경제 체제로 변화하고 있다.
) 계획 경제 체제를 바탕으로 시장 경제 체제를 채택하고 있다.
) 시장 경제 체제를 바탕으로 정부가 시장에 개입하는 혼합 경제 체제이다.

유형 5 시장 경제 체제와 계획 경제 체제 비교

0. 시장 경제 체제와 계획 경제 체제를 비교한 내용 중 옳지 않은 것은?

	구분	시장 경제체제	계획 경제 체제
㉠	경제 활동 동기	개인의 이익 추구	공동의 목표 추구
㉡	의사 결정 주체	개별경제 주체	정부
㉢	문제 해결 수단	시장 가격	정부의 명령
㉣	장점	형평성이 높음	효율성이 높음
㉤	단점	공동체의 이익을 침해하기도 함	국민의 다양한 욕구 파악 어려움

① ㉠ ② ㉡ ③ ㉢ ④ ㉣ ⑤ ㉤

※ 다음을 읽고 물음에 답하시오.

> **보 기**
> (가) 국가가 주도하여 문제를 해결하려고 한다.
> (나) 시장의 가격 기능을 통해 문제를 해결하되 문제가 발생하면 국가가 나서서 규제와 단속을 한다.
> (다) 국가의 개입 없이 시장의 가격 기능을 통해 해결하려고 한다.

21. (가)~(다)와 관련 있는 경제 체제의 종류를 바르게 짝지은 것은?

	(가)	(나)	(다)
㉠	계획경제체제	혼합경제체제	시장경제체제
㉡	계획경제체제	시장경제체제	혼합경제체제
㉢	혼합경제체제	계획경제체제	시장경제체제
㉣	혼합경제체제	시장경제체제	계획경제체제
㉤	시장경제체제	혼합경제체제	계획경제체제

① ㉠ ② ㉡ ③ ㉢ ④ ㉣ ⑤ ㉤

서술형

22. (가), (나)는 태풍으로 배추 수확량이 줄었을 때 서로 다른 경제체제에서 이를 해결하는 방법을 나타낸 것이다. 물음에 답하시오.

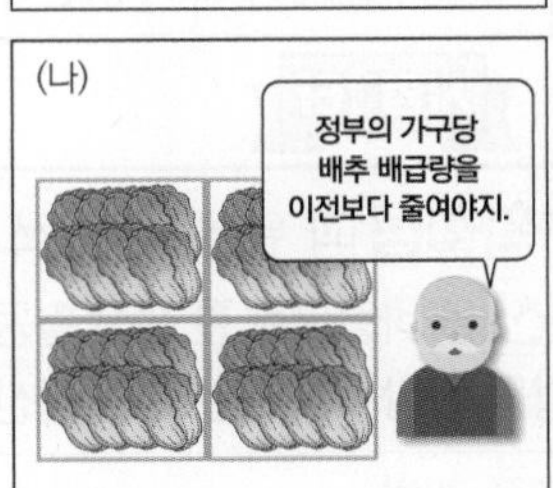

(1) (가), (나)의 경제체제를 적으시오.

(2) (가), (나)의 배추 수확량 감소에 대처한 방법을 각각 서술하시오.

2. 기업의 역할과 사회적 책임

1. 기업의 의미와 역할

(1) 기업: 생산 활동을 담당하는 경제 주체 → 이윤의 극대화 추구

(2) 기업의 역할

① 상품 생산	• 소비자에게 재화와 서비스를 만들어 공급함
② 고용과 소득 창출	• 가계에 일자리 제공 • 가계로부터 노동, 토지, 자본을 제공받아, 그 대가로 임금, 지대, 이자를 지급함 → 가계에 소득 창출
③ 소비자의 만족 증진	• 질 좋은 상품 제공으로 소비자의 만족 증진
④ 세금 납부	• 국가 재정 활동에 기여함
⑤ 경제 성장 촉진	• 기술 개발 등을 통해 경제 성장 촉진함

실제 시험에는 이렇게 나온다!!

Q. **기업의 역할**에 대한 지문 중 **맞는 것에 ○표, 틀린것에 ×표**를 하시오.

① **재화**와 **서비스**를 **생산**하여 **판매**한다. ( )
② **일자리**를 **제공**한다. ( )
③ **소득**을 **창출**한다. ( )
④ **세금**을 **납부**하여 **국가 재정**에 **이바지**한다. ( )
⑤ 국민이 낸 **세금**으로 **국방, 치안** 등을 **공급**한다. ( )
⑥ **가계**에 **노동, 토지, 자본** 등을 제공하여 얻은 **소득**으로 **생산 활동**을 한다. ( )
⑦ 생산에 참여한 사람들에게 **지대, 임금, 이자** 등을 지급하여 **가계의 소득**을 **창출**한다. ( )
⑧ **이윤의 극대화**를 추구한다. ( )

• 정답: ①~⑤:○○○○×, ⑥~⑧: ×○○

2. 기업의 사회적 책임

(1) 의미: 기업은 이윤 추구 활동 외에 **사회에 대한** 윤리적 책임 의식을 **가지고 있어야 한다!!**
→ why? **기업의 활동이 사회에 미치는 영향력**이 크기 때문이다!!

(2) 내용

① 법령 준수	• 법에 근거하여 경제 활동을 한다. • 다른 업체와 공정하게 경쟁하고 거래한다.
② 소비자의 권익 보호	• 안전한 제품을 생산하여 → 소비자의 권익을 침해하지 않도록 한다.
③ 근로자의 권리 보호	• 근로자에게 정당한 임금과 안전한 작업 환경을 제공해야한다.
④ 환경 보호	• 생산 과정에서 생태계를 보호하고 환경 오염을 최소화 한다.
⑤ 사회 공헌 활동 참여	• 교육, 문화, 복지 등을 적극 지원하고, 사회 전체의 복지 증진에 기여한다.

사회적 책임을 지는 기업의 예시

• △△기업은 저소득층 아이들에게 무료 학습지와 도서 등을 기증하였다.
• □□기업은 관련 법령에 따라 투명하게 세금을 납부 하였으며, 이러한 공을 인정받아 모범 납세자상을 받았다.
• ◇◇기업은 각종 유해 물질이 검출되지 않는 깨끗하고 안전한 제품을 만들기 위해 끊임없이 연구하며 설비투자를 아끼지 않고 있다.

웨이크 주의보

기업의 사회적 책임과 관련하여 '기업가는 이윤 추구와 효율성만을 우선시한다'라는 지문이 잘나와! 이건 무조건 틀린 말이지!?(^0^)
기업은 **이윤**도 **추구**하지만 **윤리적 책임 의식**을 진다는 것을 꼭 기억해!! (¯▽¯)/

3. 기업가 정신 시험1타

의미	• **불확실성**과 위험을 무릅쓰고 **혁신**을 바탕으로 한 생산 활동을 통해 기업을 성장시키려는 도전 정신
내용	• 신제품 개발 • 품질 개선과 기술 개발 • 새로운 생산 방법의 도입 • 새로운 시장 개척 • 새로운 경영 조직 도입
영향	• 기업의 이윤 증대 및 성장 • 소비자의 풍요로운 삶 증대 • 경제 발전의 원동력이 됨

시험1타 기업가 정신과 슘페터에 대한 정리

'**기업가 정신**'하면 반드시 기억할 사람이 있으니!!
그는 바로 '**슘페터**'야!!
슘페터는 **기업가 정신**을 '**혁신**'이라고 표현했어!!

기업가 정신 = 혁신

★★시험에 잘나오는 슘페터 관련 지문

미국의 경제학자인 슘페터는 미래의 불확실성 속에서도 장래를 정확하게 예측하고 변화를 모색하는 것이 기업가의 주요 임무이며, 이를 기업가 정신이라고 하였다. 그는 기업 이윤의 원천을 기업가의 혁신, 즉 기업가 정신을 통한 기업 이윤 추구에 있다고 보았다. 따라서 기업가는 혁신, 창조적 파괴, 새로운 생산 기술, 새로운 시장의 개척, 새로운 생산 방식의 도입, 새로운 제품의 개발, 새로운 원료 공급원의 개발 또는 확보, 새로운 산업 조직의 창출 등을 강조하였다.

시험TIP 기업가 정신의 반대어는 '**안정성**'이야!! 기업가 정신은 혁신을 통해 새로운 것을 창출하는거야!! 그러므로 안정성에 안주하는 것은 기업가 정신이 아니라는 것을 꼭 기억해! 알라뷰(^0^)

기업가 정신 시험에는 이렇게 나온다!!

★★최다 빈출 주관식
Q. 다음은 무엇에 대한 설명인가? **미래의 불확실성**과 **높은 위험** 속에서도 주도적으로 기회를 잡으며, 혁신과 창의성을 바탕으로 한 생산 활동을 통해 기업을 성장시키려는 도전 정신이다. 〈 〉 • 정답: 기업가 정신

★★시험에 나오는 '기업가 정신' 실제 지문 모음

맞는 지문	훼이크 지문
• 새로운 것에 과감히 도전하는 혁신적이고 창의적인 자세이다. • 기업가 정신을 통해 기업은 더 많은 이윤을 획득하고 성장할 수 있다. • 끊임없는 혁신을 한다. • 새로운 시장을 개척한다. • 시장의 변화에 능동적으로 대처할 수 있는 새로운 조직을 만든다. • 생산 비용을 줄이기 위해 기존의 생산 기술이나 방법을 새로운 것으로 대체한다.	• 확실한 미래에만 도전하는 자세이다. • 위험한 일에는 투자하지 않는 **안정적**인 기업가의 자세이다. • 기업가 정신과 관련하여 미국의 경제학자 슘페터는 새로운 기술을 개발하기보다는 기존의 생산 방법을 **안정적**으로 유지하는 기업가를 혁신자로 보았다. • **현재 잘 팔리는 제품만 생산량을 늘린다.** • **기존에 만들던 제품의 판매량이 늘자 생산량을 늘린다.** • D사는 **현재 불티나게 팔리고 있는 제품의 생산량을 획기적으로 100% 늘리기로** 결정하였다.

기업과 정신과 더불어 시험에 특히 더 잘나오는 훼이크야!! 기존의 상품이 잘팔린다고해서 **그 상품만 생산량을 늘리는 것은 그냥 단순한 이윤 추구이지** 혁신을 바탕으로하는 기업가 정신에는 위배된단다!! 셤에 위의 지문들이 잘 나오니깐 꼭 기억해!!(^0^)

혼자 외울 수 없는 친구들을 위해 키워드맵이 함께 암기 해드립니다!!

1. 기업의 역할

1단계 기본 개념 파악하기

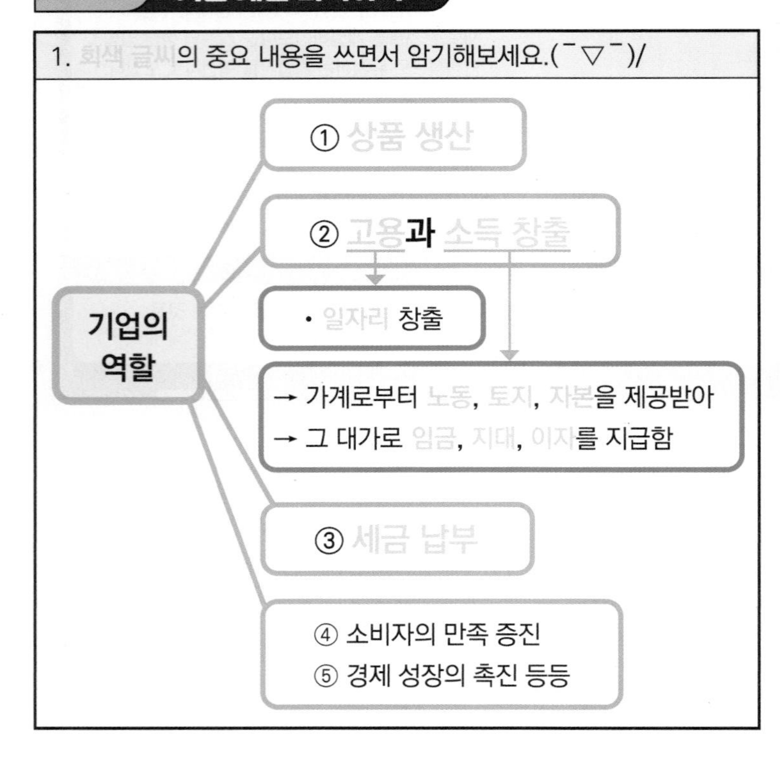

2단계 중요 개념 적용하기

2. 다음은 시험에 훼이크로 잘나오는 지문이다. 틀린말을 바르게 고쳐 실력을 쌓으시오!

① 국민이 낸 **세금**으로 **국방, 치안** 등을 공급한다.
→ 이것은 ( )에 대한 설명이다.

② 다른 기업의 시장 진입을 막기 위해 기존 기업들끼리 가격을 미리 의논하여 정한다.
→ 기업들끼리 가격을 의논하여 정하는 것은 불공정거래이므로 ( )이다.

③ **가계**에 **노동, 토지, 자본** 등을 제공하여 얻은 **소득**으로 **생산 활동**을 한다.
→ 기업은 가계에 ( )를 제공하며, 소득을 얻는 것은 기업이 아닌 ( )이다.

• 정답: 2. ①정부, ②불법, ③임금, 지대, 이자-가계

2. 기업의 사회적 책임

1단계 기본 개념 파악하기

1. 회색 글씨의 중요 내용을 쓰면서 암기해보세요.(¯▽¯)/

기업의 사회적 책임

① 의미: 기업은 이윤 추구 활동 외에 사회에 대한 윤리적 책임 의식을 가지고 있어야 한다!!

② 이유: 기업의 활동이 사회에 미치는 영향력이 크기 때문이다!!

③ 내용	
법령 준수	• 법에 근거하여 경제 활동을 한다. • 다른 업체와 공정하게 경쟁하고 거래한다.
소비자의 권익 보호	• 안전한 제품을 생산하여 → 소비자의 권익을 침해하지 않도록한다.
근로자의 권리 보호	• 근로자에게 정당한 임금과 안전한 작업 환경을 제공해야한다.
환경 보호	• 생산 과정에서 생태계를 보호하고 환경 오염을 최소화 한다.
사회 공헌 활동 참여	• 교육, 문화, 복지 등을 적극 지원하고, 사회 전체의 복지 증진에 기여한다.

짜투리 퀴즈

Q. 다음 **'기업의 사회적 책임'**과 관련된 지문 중 **틀린 것**을 **2개** 골라보시오!(-.-")

① 소비자의 권익을 침해하지 않는다.
② 거래 업체와 공정하게 거래해야 한다.
③ 사람들에게 필요한 재화와 서비스를 생산한다.
④ 이윤 추구와 효율성만을 우선시한다.

• 정답: ③, ④
→ ③은 **기업의 역할**에 대한 설명이다.

3. 기업가 정신

1단계 기본 개념 파악하기

1. 회색 글씨의 중요 내용을 쓰면서 암기해보세요.(¯▽¯)/

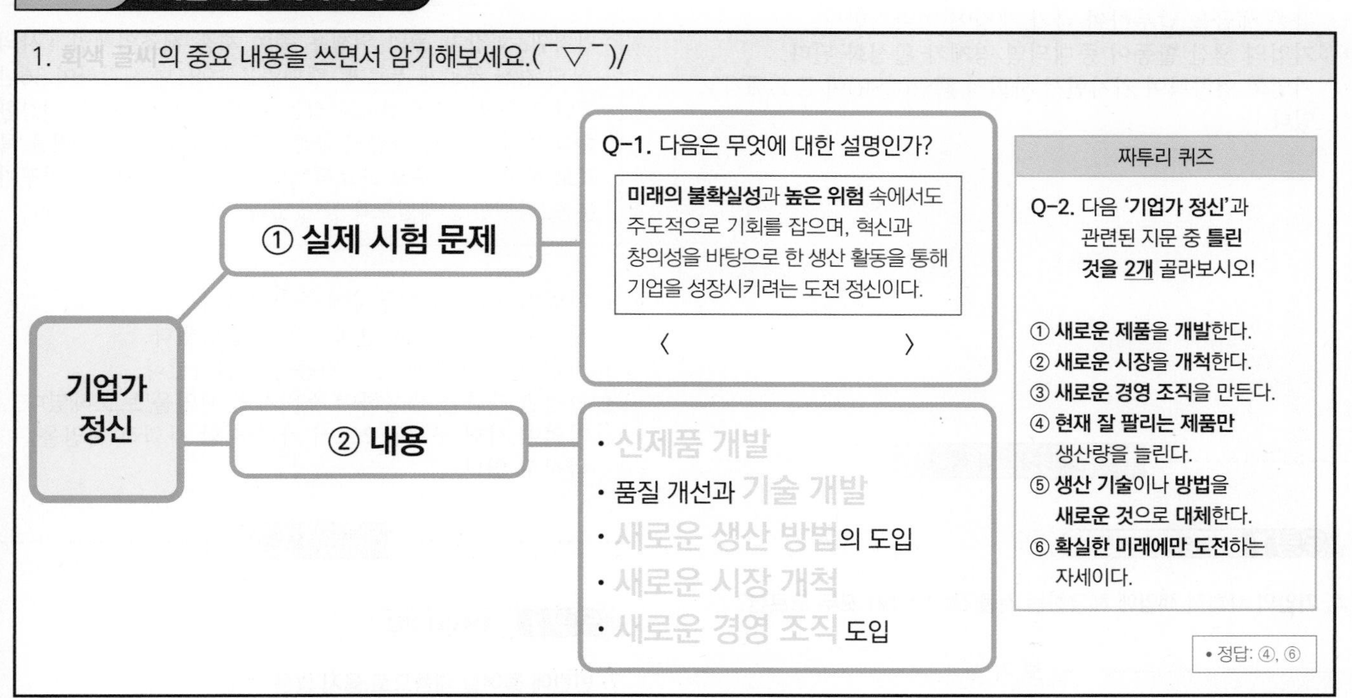

람보쌤의 자세한 해설을 영상으로 보세요!

기업의 의미와 역할

유형 1 기업의 역할

. 기업의 역할에 대한 설명으로 옳은 것만을 〈보기〉에서 있는 대로 고른 것은?

보 기
ㄱ. 국민이 낸 세금으로 국방, 치안 등을 공급 한다. ㄴ. 이윤을 얻기 위해 소비자에게 필요한 상품을 생산한다. ㄷ. 가계에 노동, 토지, 자본 등을 제공하여 얻은 소득으로 생산 활동을 한다. ㄹ. 생산에 참여한 사람들에게 지대, 임금, 이자 등을 지급하여 가계의 소득을 창출한다.

) ㄱ, ㄴ　　② ㄱ, ㄷ　　③ ㄴ, ㄹ
) ㄱ, ㄴ, ㄹ　　⑤ ㄱ, ㄷ, ㄹ

유형 2 기업의 역할 복합

2. 기업의 역할과 사회적 책임에 대한 설명으로 알맞지 않은 것은?

① 고용과 소득을 창출하는 역할을 한다.
② 이윤을 추구하는 과정에서 경제 활동 관련 법률을 준수한다.
③ 안전성 등을 고려하여 상품을 생산하여 소비자의 권익을 침해하지 않도록 한다.
④ 다른 기업의 시장 진입을 막기 위해 기존 기업들끼리 가격을 미리 의논하여 정한다.
⑤ 교육, 문화, 사회 복지 사업 등에 적극적으로 지원함으로써 사회 전체의 복지 증진에 기여한다.

3. 기업에 대한 설명으로 옳지 않은 것은?

① 경제 활동에서 생산을 주로 담당한다.
② 기업은 생산자를 위해 새로운 상품을 만든다.
③ 각종 세금을 납부하여 국가 재정에 이바지한다.
④ 기업의 생산 활동이 증대되면 경제가 활성화 된다.
⑤ 기업의 영향력이 커지면서 사회적 책임(CSR)이 중요해지고 있다.

기업의 사회적 책임

유형 1 기업의 사회적 책임

4. 기업의 사회적 책임에 해당하는 것을 〈보기〉에서 모두 고르면?

보 기

ㄱ. 소비자의 권익을 침해하지 않는다.
ㄴ. 노동자에게 정당한 임금과 안전한 작업 환경을 제공한다.
ㄷ. 거래 업체와 공정하게 거래해야 한다.
ㄹ. 사람들에게 필요한 재화와 서비스를 생산한다.

① ㄱ, ㄴ　② ㄴ, ㄷ　③ ㄷ, ㄹ
④ ㄱ, ㄴ, ㄷ　⑤ ㄱ, ㄴ, ㄷ, ㄹ

5. 기업의 사회적 책임에 해당하는 활동을 〈보기〉에서 고른 것은?

보 기

ㄱ. 이윤을 추구한다.
ㄴ. 가계에 소득을 제공한다.
ㄷ. 투명하게 기업 경영을 한다.
ㄹ. 기부 활동에 적극적으로 참여한다.
ㅁ. 환경 보호 및 장애인·여성 고용 확대에 힘쓴다.

① ㄱ, ㄴ, ㄷ　② ㄱ, ㄷ, ㄹ　③ ㄴ, ㄷ, ㄹ
④ ㄴ, ㄷ, ㅁ　⑤ ㄷ, ㄹ, ㅁ

유형 2 기업의 사회적 책임 사례

6. 다음 사례를 통해 추론할 수 있는 내용으로 가장 적절한 것은?

기저귀, 화장지 등의 위생용 종이 제품 제조업체인 Y사의 '우리 강산 푸르게 푸르게' 캠페인은 1984년 시작하여 36년 동안 지속적으로 추진하고 있는 숲 환경 캠페인으로, 건강한 숲을 만들고 숲과 사람의 공존을 사회에 제안 하는 것을 목표로 하고 있다. 주요 프로젝트로 나무 심기 운동, 숲 가꾸기 운동, 자연환경 체험교육 등이 있다.

① 기업이 생산 시설 투자에 주력하였다.
② 새로운 아이디어로 신제품 개발에 힘썼다.
③ 기술 혁신을 통해 생산 비용을 절감하였다.
④ 안전한 제품을 생산하여 소비자의 권익을 보호하였다.
⑤ 기업이 사회 구성원으로서 가져야 할 사회적 책임을 다하고 있다.

기업가 정신

유형 1 슘페터의 격언

7. 빈칸에 들어갈 내용으로 옳지 않은 것은?

- 슘페터는 기업의 (㉠)의 방법을 크게 새로운 (㉡)의 생산, 새로운 (㉢)의 도입, 새로운 (㉣)의 개척 등으로 주장하였다.
- 기업가가 (㉠)을/를 적극 추진해야 기업이 발전할 수 있으며, 기업의 (㉤)란/이란 결국 기업가의 (㉠)에 대한 보수이다.

① ㉠ : 혁신　② ㉡ : 상품　③㉢ : 판매 방법
④ ㉣ : 시장　⑤ ㉤ : 조세

8. 밑줄 친 ㉠~㉤중 옳지 않은 것은?

㉠기업의 사회적 책임이란 기업이 경제 활동 이외에 법령과 윤리를 준수하고, ㉡기업의 유지 기반이 되는 사회에 구성원의 역할을 다하는 것을 의미한다. 이를 위해서는 국가가 규정한 법에 근거하여 경제 활동을 해야하며, ㉢환경 보호 및 기부 활동 등에 적극적으로 나서는 자세가 필요하다. ㉣기업가 정신이란 불확실성과 위험 요소가 있을 시 도전하지 않고 이윤만을 창출하려는 의지를 말하며, ㉤시장의 변화에 능동적으로 대처할 수 있는 새로운 경영 조직을 만드는 혁신을 추구해야 한다.

① ㉠　② ㉡　③ ㉢
④ ㉣　⑤ ㉤

유형 2 기업가 정신

9. 다음 중 혁신에 해당하지 않는 것은?

① 기존의 새우맛 과자를 생산하던 A사에서 쌀로 만든 새우맛 과자를 개발하였다.
② 국내 판매만 하던 B사가 중국, 남미, 유럽 등으로 소비시장을 개척하기로 하였다.
③ C사는 기존의 경영조직을 파괴하고 새로운 시대에 대처할 수 있는 경영조직을 만들었다.
④ D사는 현재 불티나게 팔리고 있는 제품의 생산량을 획기적으로 100% 늘리기로 결정하였다.
⑤ E사는 생산비용을 줄이기 위해 기존의 생산 방법을 과감히 버리고 새로운 것으로 대체하기로 결정하였다.

10. 다음에서 밑줄 친 '혁신'이 나타난 사례로 옳지 않은 것은?

> 기업가 정신은 불확실성과 위험을 무릅쓰고 이윤을 창출하려는 기업가의 의지이며, 기업가 정신의 핵심은 혁신이다.

① 새로운 제품을 개발한다.
② 기존에 거래하지 않던 새로운 시장을 개척한다.
③ 기존에 만들던 제품의 판매량이 늘자 생산량을 늘린다.
④ 시장의 변화에 능동적으로 대처할 수 있는 새로운 조직을 만든다.
⑤ 생산 비용을 줄이기 위해 기존의 생산 기술이나 방법을 새로운 것으로 대체한다.

3. 금융 생활의 중요성

1. 일생 동안의 경제 생활

(1) 일생 동안의 경제 생활: 경제 생활은 **태어나면서부터 평생에 걸쳐 이루어짐**
→ 생애 주기에 따라 다르게 나타남

(2) 생애 주기에 따른 경제 생활 시험1타

유소년기	• 생산 활동보다 소비 활동을 더 많이 함 • 경제적 자립이 어려워 **부모의 소득에 의존함** • 바람직한 경제 생활 태도를 형성하는 것이 중요함
청년기	• **취업**을 통해 본격적으로 생산 활동에 참여하여 소득이 발생하는 시기 →소득과 소비가 모두 적은 편임
중요 중·장년기	• **소득이 가장 높은 시기**이지만, 자녀 양육, 주택 마련 등으로 소비도 크게 늘어남 • **노후 준비를 해 놓아야 함**
노년기	• 직장 은퇴 후 소득이 크게 줄거나 없어지는 시기 →이전에 마련해 놓은 자금이나 연금으로 생활함 • 고령화 시대에 접어들면서 노년기의 중요성이 커짐

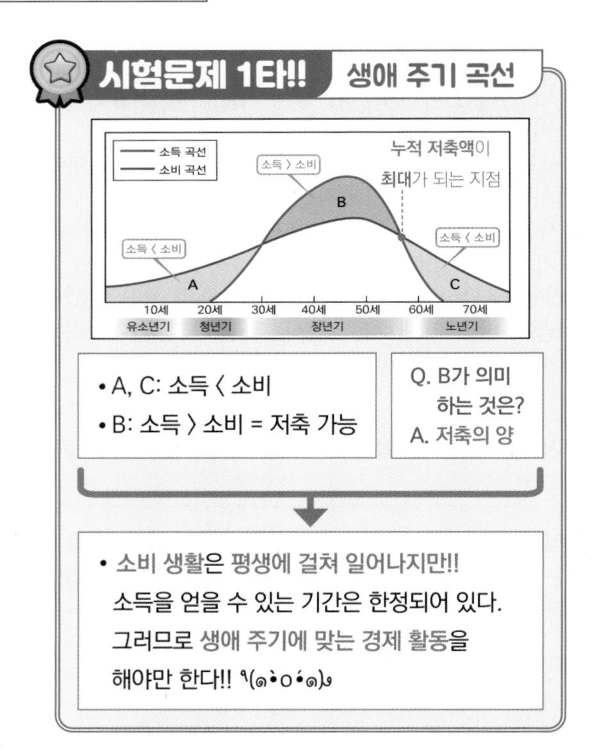

2. 자산 관리

(1) 자산: 자신이 소유하고 있는 것 중에서 경제적 가치를 가진 것

참고: 자산의 종류

금융 자산	실물 자산
• 예금, 주식, 채권 등	• 부동산, 귀금속 등

(2) 자산 관리

- **의미:** 자신의 소득과 소비를 고려하여 자산을 효율적으로 운영하는 것
- **필요성:** ① 일생동안 소득과 소비가 일정치 않음
  → 지속적인 경제 생활을 하기 위해 필요
  ② 불확실한 미래를 대비하고 안정적 노후를 준비함

(3) 자산 관리 시 고려해야 할 점

안전성 (↔위험성)	• 투자한 원금이 손실되지 않는 정도
수익성	• 투자를 통해 이익을 얻을 수 있는 정도
유동성	• 필요할 때 쉽게 현금으로 바꿀 수 있는 정도
분산 투자	• 다양한 유형의 자산에 분산하여 투자하라 • 이유: 투자로 인한 위험을 줄일 수 있음

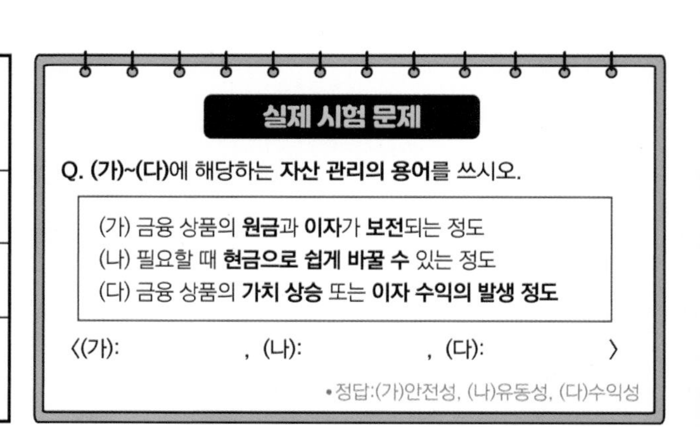
실제 시험 문제

Q. (가)~(다)에 해당하는 **자산 관리의 용어**를 쓰시오.

(가) 금융 상품의 **원금**과 **이자**가 **보전**되는 정도
(나) 필요할 때 **현금으로 쉽게 바꿀 수** 있는 정도
(다) 금융 상품의 **가치 상승** 또는 **이자 수익의 발생 정도**

〈(가): , (나): , (다): 〉

• 정답:(가)안전성, (나)유동성, (다)수익성

참고 : 분산 투자와 관련된 격언

달걀을 한 바구니에 담아서는 안 된다.
만일 바구니를 떨어뜨리면 모든 것이 끝이기 때문이다. -제임스 토빈

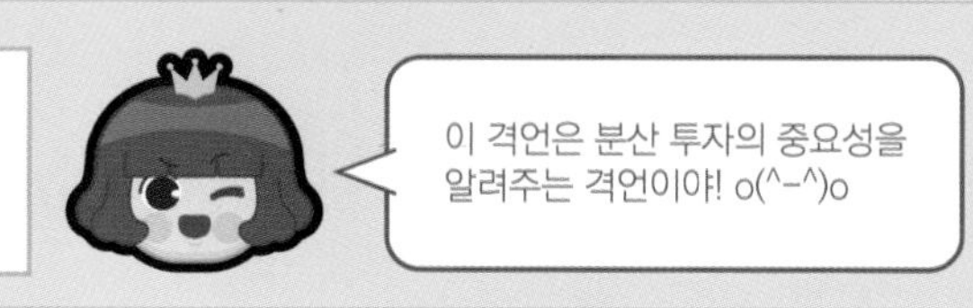

(4) 주요 자산 시험1타

예금·적금	• 은행과 같은 금융 기관에 돈을 맡기고 정해진 이자를 받음 (원금 보장!!) • 안전성은 높지만 → 수익성은 낮음
중요 주식	• 주식회사가 자금 마련을 위해 투자자에게 돈을 받고 발행하는 증서 (원금 손실 위험 있음) 수익성은 높지만 → 안전성이 낮음
채권	• 정부나 기업이 돈을 빌릴 때 주는 차용 증서 • 주식보다는 안전하지만, 예금·적금 보다는 위험함 → 채무자가 못 갚을시 원금과 이자가 손실됨 (원금 손실 위험 있음)
부동산	• 토지나 건물 등과 같이 옮길 수 없는 자산 • 유동성이 매우 낮음
그 외	• 보험: 미래의 예기치 못한 사고나 질병을 대비하기 위해 가입하는 상품 • 연금: 노후 대비를 목적으로 소득의 일부를 저축하여 노후에 매달 일정액을 받는 금융 상품 • 펀드: 금융 전문가가 투자해주는 것

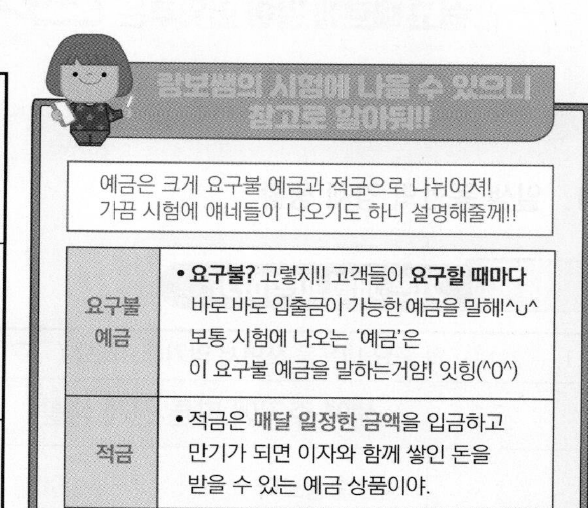

헷갈리는 것 바로잡아주는 시험TIP

채권과 **주식**은 모두 기업이 돈을 빌리고 발행하는 증서이기 때문에 실제 시험에 나오면 어떤 게 채권이고 어떤 것이 주식인지 겁나 헷갈려!
그래서 알려주는 분간하는 꿀TIP★★:
주식은 **기업**만 등장하지만, **채권**은 **정부**와 **기업**이 **모두** 등장해!
왜냐하면 주식이 기업만 발행할 수 있는데 반해, 채권은 기업 뿐만 아니라 정부도 발행할 수 있거든.
그래서 시험에
• **주식회사**가 돈을 빌리고 발행하는 증서 → **주식**
• **정부나 기업**이 돈을 빌리고 발행하는 증서 → **채권**
이 되는거야!! 이 차이를 잘 기억해두면 시험에서 유용할걸!^^

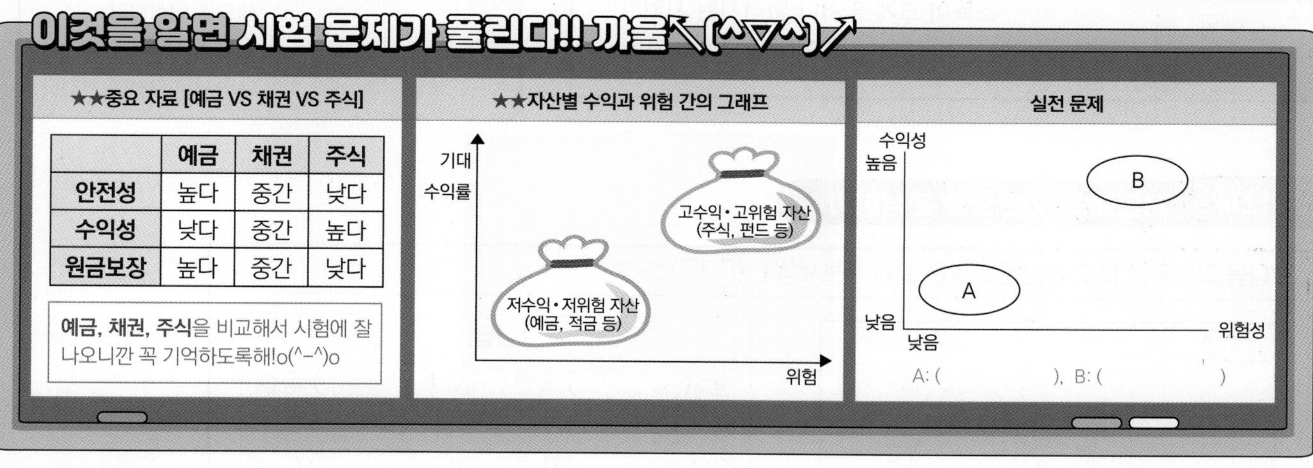

	예금	채권	주식
안전성	높다	중간	낮다
수익성	낮다	중간	높다
원금보장	높다	중간	낮다

3. 신용 관리

(1) 신용: 나중에 대가를 지불할 것을 약속하고 상품이나 돈을 빌릴 수 있는 능력
→ 개인의 지불 능력에 관한 사회적 평가

(2) 신용 거래의 장단점

장점	• 당장 현금이 없어도 구매가 가능하다 • 현재의 소득보다 더 많이 소비 할 수 있다.
단점	• 충동 구매와 과소비의 우려가 있다. • 미래에 갚아야 할 빚이 늘어남

Q. 다음은 무엇에 대한 설명인가?	
• 은행에서 대출을 받았다. • 할부로 산 냉장고 • 한달간 사용한 뒤 청구된 휴대 전화 요금	• 정답: 신용

(3) 신용 관리

중요성	• 신용이 낮아지면 높은 이자 지불, 신용 카드 발급 제한, 대출 거절, 취업 제한 등의 불이익을 받을 수 있다.
방법	• 자신의 소득과 지불 능력을 고려하여 신용을 이용한다. • 상환 약속을 반드시 지킨다.

1. 일생 동안의 경제 생활

1단계 기본 개념 파악하기

1. 회색 글씨의 중요 내용을 쓰면서 암기해보세요.(¯▽¯)/

생애 주기에 따른 경제 생활	
유소년기	·생산 활동보다 소비 활동을 더 많이 함 ·경제적 자립이 어려워 부모의 소득에 의존함 ·바람직한 경제 생활 태도를 형성하는 것이 중요함
청년기	·취업을 통해 본격적으로 소득이 발생하는 시기 →소득과 소비가 모두 적은 편임 ·저축을 통해 결혼, 자녀 출산 등에 대비해야 함
중·장년기	·소득이 가장 높은 시기이지만, 자녀 양육, 주택 마련 등으로 소비도 크게 늘어남 ·노후 준비를 해 놓아야 함
노년기	·직장 은퇴 후 소득이 크게 줄거나 없어지는 시기 ·고령화 시대에 접어들면서 노년기의 중요성이 커짐

2단계 기본 개념 적용하기

2. 맞는 것끼리 연결해보세요.o(^-^)o

① 유소년기 •
② 청년기 •
③ 중장년기 •
④ 노년기 •

• (a) 주로 **부모의 소득**에 의존한다.
• (b) **취업**하여 경제 활동을 시작한다.
• (c) **소득이 가장 높은 시기**이지만 소비 또한 많다.
• (d) **직장에서 은퇴**하고 모아 둔 돈으로 남은 생애를 보낸다.
• (e) 생산 활동을 통해 **소득을 얻기 시작한다.**
• (f) **소득이 늘어나지만, 자녀 교육,주택 마련** 등으로 **소비도 늘어난다.**
• (g) **바람직한 경제 생활 태도**를 형성한다.
• (h) **고령화 시대**에 접어 들면서 중요성이 커졌다.

· 정답: ①(a)(g) ②(b)(e) ③(c)(f) ④(d)(h)

3단계 시험에 나오는 도표 분석하기

3. 다음 그래프를 보고 빈칸에 알맞은 말을 써보세욤 (づ¯ ³¯)づ~♡

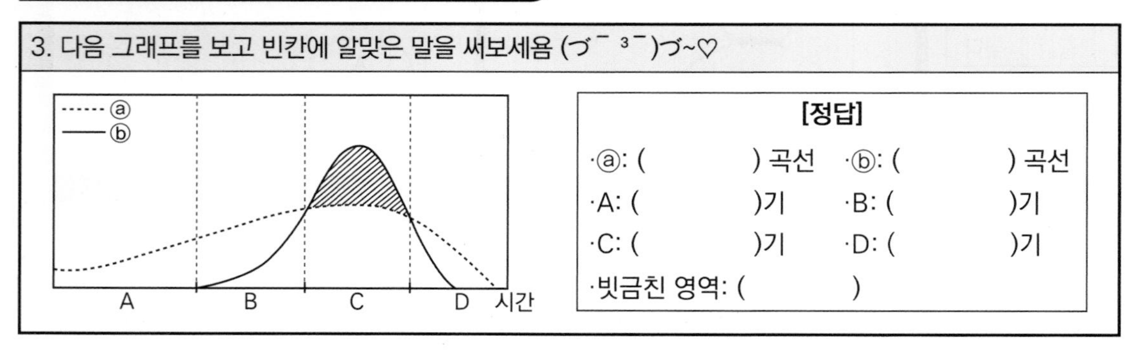

[정답]

·ⓐ: (　　　) 곡선　·ⓑ: (　　　) 곡선
·A: (　　　)기　·B: (　　　)기
·C: (　　　)기　·D: (　　　)기
·빗금친 영역: (　　　)

· 정답
ⓐ: 소비
ⓑ: 소득
A: 유소년기
B: 청년기
C: 중장년기
D: 노년기
빗금친 영역: 저축

2. 자산 관리

1단계 기본 개념 파악하기

1. 다음 맞는 것끼리 연결하시오.s(¯▽¯)v

① 안전성 •
② 수익성 •
③ 유동성 •

• (a) 투자를 통해 **이익을 얻을 수 있는 정도**
• (b) 투자한 원금이 **손실되지 않는 정도**
• (c) **필요할 때 쉽게 현금으로 바꿀 수 있는** 정도

· 정답
①(b)
②(a)
③(c)

1단계 기본 개념 파악하기

2. 회색 글씨를 따라쓰며 암기해보세요↖(^▽^)↗

주요 자산	
예금·적금	·은행과 같은 금융 기관에 돈을 맡기고 정해진 이자를 받음 ·안정성은 높지만 → 수익성은 낮음
주식	·주식회사가 자금 마련을 위해 투자자에게 돈을 받고 발행하는 증서 ·수익성은 높지만 → 안정성이 낮음
채권	·정부나 기업이 돈을 빌릴 때 주는 차용 증서 ·주식보다는 안전하지만, 예금·적금 보다는 위험함
부동산	·토지나 건물 등과 같이 옮길 수 없는 자산 ·유동성이 매우 낮음

2단계 기본 개념 적용하기

3. 맞는 것끼리 연결해보세요.o(^-^)o

① 예금 •
② 적금 •
③ 채권 •
④ 부동산 •
⑤ 주식 •

• (a) 정부나 기업이 돈을 빌릴 때 주는 차용 증서
• (b) 주식회사가 자본금 마련을 위해 돈을 받고 발행하는 증서
• (c) 토지나 건물 등과 같이 옮길 수 없는 자산
• (d) 은행에 돈을 맡기고 정해진 이자를 받는 상품
• (e) 이중에서 유동성이 가장 낮다.
• (f) 매달 일정한 금액을 입금하고 만기가 되면 이자와 함께 쌓인 돈을 받을 수 있는 상품

· 정답: ①(d) ②(f) ③(a) ④(c)(e) ⑤(b)

3. 신용 관리

1단계 기본 개념 파악하기

1. 다음 (　　)에 공통으로 들어갈 단어는?

·경제생활에서 (　　)(이)란 돈을 빌려 쓰거나 상품을 사용한 뒤 **약속한 날짜에 그 대가를 치를 수 있는** 능력을 말한다.
·은행 대출이나 휴대 전화 요금 납부 등은 모두 (　　)을(를) 사용한 사례이다.

〈　　　　　　　　〉

2. 신용에 대한 설명 중 **맞는 것**에 **O표**, **틀린 것**에 **X표**를 하세요:)

① 사람의 **경제적 지불 능력**, 또는 **지불 능력에 관한 사회적 평가**를 **신용**이라고 한다. (　)
② 신용이 높으면 금융 기관에서 돈을 빌릴 때 신용이 낮은 사람보다 높은 이자를 부담하게 된다. (　)
③ 채무를 제때 상환하지 못하면 **신용이 떨어진다**. (　)
④ 신용 카드는 당장 현금을 쓰지 않기 때문에 **과소비로 이어질 수 있다**. (　)

· 정답: 1. 신용 2.①~④: 0X00

람보쌤의 자세한 해설을 영상으로 보세요!

일생 동안의 경제 생활

유형 1 생애 주기에 따른 경제 생활의 모습

1. 생애주기에 따른 경제생활에 대한 설명으로 옳지 않은 것은?

① 유소년기는 주로 소비 활동이 이루어진다.
② 청년기는 본격적으로 생산 활동에 참여하여 소득이 발생한다.
③ 노년기는 직장에서 은퇴하고 모아 둔 돈으로 남은 생애를 보낸다.
④ 장년기는 소득이 많이 증가하고 소비가 감소하여 은퇴 이후를 준비하기에 적절하다.
⑤ 일생동안 지속 가능한 소비 생활을 하기 위해서 자산을 효율적으로 운영해야 한다.

2. 생애 주기에 따른 경제 생활에 대한 설명으로 옳지 않은 것은?

① 경제생활은 태어나면서부터 평생에 걸쳐 이루어진다.
② 청년기는 본격적으로 생산 활동에 참여하여 소득을 형성하는 시기이다.
③ 소득이 증가하는 장년기는 자녀를 낳고 양육하며 집을 마련하는 등 소비도 집중적으로 증가하는 때이다.
④ 유소년기에는 생산 활동보다 소비 활동을 주로 하며, 바람직한 경제생활 태도를 형성하는 것이 중요하다.
⑤ 노년기는 직장에서 은퇴하고 모은 돈을 가지고 여생을 보내는 시기로, 고령화 시대에 접어들면서 중요성이 줄어들고 있다.

3. 생애 주기에 따라 나타나는 소득과 소비에 대한 설명으로 옳은 것은?

① 유소년기에는 소비 활동보다 생산 활동을 주로 한다.
② 청년기는 생산 활동에 참여하여 소득을 형성하는 시기이다.
③ 장년기는 바람직한 경제생활 태도를 형성하는 시기이다.
④ 장년기는 저축보다는 소비를 늘려 안정된 노후 생활을 준비한다.
⑤ 노년기는 경제적으로 소득이 많이 증가하는 시기이다.

유형 2 생애 주기 곡선

4. 그림은 생애 주기에 따른 소득과 소비의 변화를 나타낸다. 이에 대한 설명으로 옳은 것만을 〈보기〉에서 있는 대로 고른 것은?

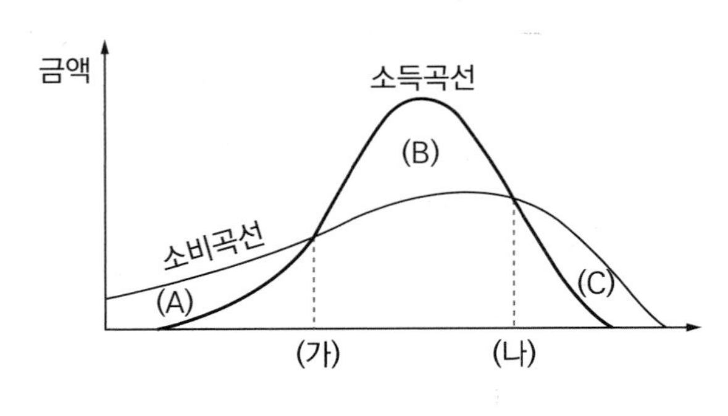

〈보 기〉
ㄱ. (A) 영역은 저축을 나타낸다.
ㄴ. (나) 시점의 누적 저축액이 최대가 된다.
ㄷ. 은퇴 이후를 대비하기 위해 (가)~(나) 시기의 자산 관리가 중요하다.
ㄹ. 소득을 얻을 수 있는 기간은 한정되어 있지만, 소비 생활은 평생 동안 지속된다.

① ㄱ, ㄴ　② ㄱ, ㄷ
③ ㄴ, ㄹ　④ ㄱ, ㄴ, ㄹ
⑤ ㄴ, ㄷ, ㄹ

5. 그래프는 일생 동안 이루어지는 경제생활을 나타낸 것이다. 이에 대한 설명으로 옳은 것은?

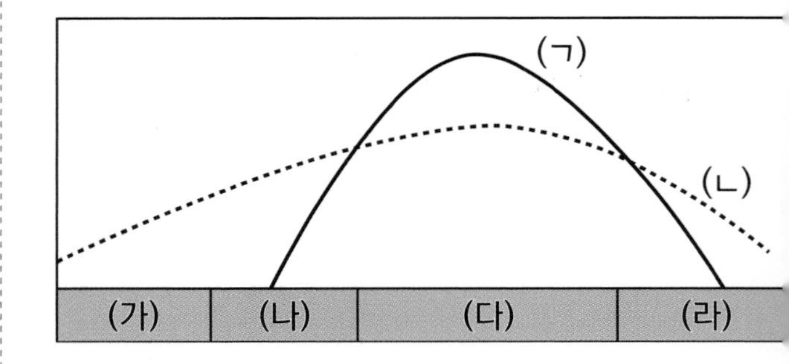

① (ㄱ)은 소비 곡선이고, (ㄴ)은 소득 곡선을 나타낸 것이다.
② (가) 시기는 유소년기이기 때문에 소비생활이 이루어지지 않는다.
③ (나) 시기는 경제 활동을 시작하는 시기로 소비보다 소득이 많은 시기다.
④ (다) 시기는 주택 마련, 자녀 양육 등으로 소득뿐만 아니라 소비 또한 많은 시기이다.
⑤ (라) 시기는 은퇴 이후에 소비 생활을 지속하기 위해 노후 준비를 시작하는 시기이다.

시험에는 반복되는 유형이 있다!

반복유형문제 1차

여러번 반복해서 풀어봄으로서 어떤 문제가 나와도 다 풀게 헤드립니다!

지속 가능한 경제 생활을 위한 자산 관리

유형 1 금융 자산, 실물 자산

6. 자산을 성격에 따라서 실물자산과 금융자산으로 구분할 때, 그 성격이 다른 하나는?

① 예금 ② 채권 ③ 펀드
④ 아파트 ⑤ 파생상품

유형 2 유동성, 안전성(위험성), 수익성

7. (가)~(다)에 해당하는 자산 관리의 용어를 바르게 연결한 것은?

(가) 금융 상품의 원금과 이자가 보전되는 정도
(나) 필요할 때 현금으로 쉽게 바꿀 수 있는 정도
(다) 금융 상품의 가치 상승 또는 이자 수익의 발생 정도

	(가)	(나)	(다)
①	수익성	안전성	유동성
②	안전성	유동성	수익성
③	유동성	안전성	수익성
④	수익성	유동성	안전성
⑤	안전성	수익성	유동성

8. (가)~(다)에 해당하는 자산 관리의 특징과 관련된 용어를 바르게 연결한 것은?

(가) 투자 원금을 손해볼 수 있는 정도
(나) 자산을 손쉽게 현금화할 수 있는 정도
(다) 투자한 원금으로부터 수익이 발생하는 정도

	(가)	(나)	(다)
①	유동성	수익성	위험성
②	유동성	위험성	수익성
③	위험성	유동성	수익성
④	위험성	수익성	유동성
⑤	수익성	유동성	위험성

유형 3 주요 자산 단독

9. 기사를 통해 알 수 있는 부동산의 특징은?

서울에 다세대 주택을 보유한 황모씨는 내놓은지 반년이 넘어도 팔리지 않는 주택 때문에 최근 밤잠을 이루지 못하고 있다. 공시가격 상승으로 보유세 부담은 매년 커지는데 주택은 좀처럼 팔리지 않기 때문이다. 6월부터 다주택자에게 세금이 중과되어 올해 안에 파는 것은 더욱 힘들어졌다.

① 유동성이 낮다.
② 안전성과 수익성 모두 낮다.
③ 가격의 등락폭이 매우 크다.
④ 안전성은 높지만 수익성은 낮다.
⑤ 원할 때 얼마든지 현금화 할 수 있다.

10. ㉠에 들어갈 자산의 종류로 옳은 것은?

① 예금 ② 주식 ③ 적금
④ 채권 ⑤ 펀드

11. <보기>가 설명하는 자산의 종류는?

보 기

정부나 기업이 돈을 빌리며 발행한 차용 증서이다. 그러나 돈을 빌린 채무자가 갚기로 한 약속을 지키지 못하면 채권자는 원금과 이자를 돌려받지 못할 수 있다.

① 채권 ② 주식 ③ 펀드
④ 부동산 ⑤ 예금

유형 4 주요 자산 복합

12. (가)~(라)에 대한 설명으로 옳지 않은 것은?

(가)	은행에 돈을 맡기는 것으로 보통○○, 정기○○ 등이 있다.
(나)	정부나 회사가 돈을 빌릴 때 주는 차용 증서이다.
(다)	기업이 자금 조달을 위하여 회사 소유권의 일부를 투자자에게 주는 증표이다.
(라)	위험에 대비하려는 사람들이 미리 돈을 모아 두었다가 사고를 당한 사람에게 제공하는 제도이다.

① (가)는 안정성이 높지만, 수익성은 낮다.
② (나)는 (다)보다 안전하지만, (가)와 달리 원금 손실 위험이 있다.
③ (다)는 수익성이 높지만, 안정성은 낮다.
④ (라)는 (가)~(다)에 비해 수익성이 가장 높다.
⑤ (가)~(라)는 합리적 금융 생활을 위하여 필요하다.

13. 다음 대화에 대한 설명으로 옳은 것은?

갑 : 만약 여유 자금 1,000만 원이 생긴다면 어떻게 관리할 거야? 난 언제든 바로 찾아서 쓸 수 있는 요구불 예금에 모두 넣을 거야.
을 : 나는 모두 ○○ 회사의 주식을 사둘거야. 돈을 벌려면 어느 정도 손해는 감수해야지.
병 : 난 주식보다 채권에 투자 할 거야.
정 : 난 일단 3년 만기로 정기 예금에 넣어 둘 거야.

① 갑은 자산 관리의 원칙 중 유동성을 중시하고 있다.
② 을은 자산 관리의 원칙 중 안전성을 중시하고 있다.
③ 갑보다 병이 선택한 상품이 수익성이 낮은 편이다.
④ 정이 선택한 금융 상품은 을과 병이 선택한 금융 상품보다 안전성이 낮다.
⑤ 정이 선택한 금융 상품이 을이 선택한 금융 상품보다 수익성이 높을 것으로 기대된다.

14. (가), (나)에 해당하는 자산을 바르게 연결한 것은?

(가) 은행에 일정한 기간 동안 돈을 맡기고 정해진 이자를 받는 금융 상품
(나) 기업이 사업 자금을 마련하기 위해 회사 소유권의 일부를 투자자에게 주는 증서

	(가)	(나)
①	채권	주식
②	주식	부동산
③	주식	예금
④	예금	주식
⑤	예금	채권

15. 다음 제시된 설명의 문맥을 고려하여 (가), (나),(다)에 들어갈 수 있는 자산 관리 방법으로 옳은 것을 순서대로 바르게 나열한 것은?

자산 관리 방법들 중 (가)는(은) 수입이 비교적 낮지만 일정한 이자 수익이 있고, 안전성이 높다. 회사가 발행한 (나)에 투자하면 일반적으로 (가)에 비해 높은 수익을 기대할 수 있지만, 원금이 손실될 우려가 크다. 한편, 국가나 공공 기관, 기업 등이 발행한 (다)에 투자하면 일반적으로 수익성이 (나)에 비해 낮은 편이고 돈을 빌려준 곳이 파산하면 빌려준 돈을 받지 못할 위험도 있다.

	(가)	(나)	(다)
①	적금	채권	주식
②	채권	적금	주식
③	적금	주식	채권
④	보험	채권	주식
⑤	주식	채권	적금

유형 5 주요 자산 그래프

6. 그래프는 자산의 유형을 분류한 것이다. 이에 대한 설명으로 옳은 것은?

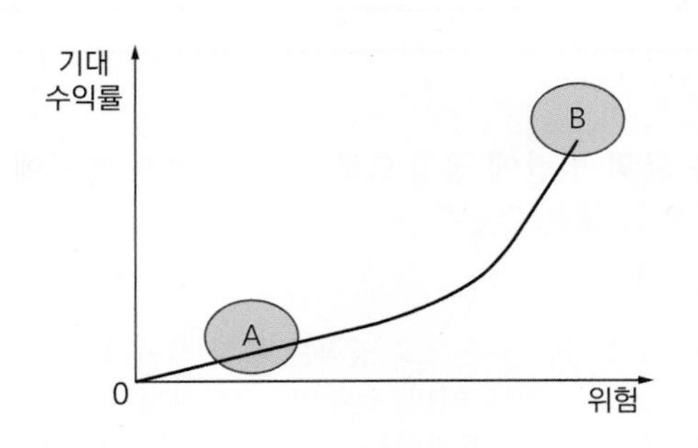

① A에 속하는 자산은 주식이나 펀드가 있다.
② B는 A에 비해 수익성이 높고 안전성이 낮다.
③ B에 속하는 자산 중 대표적인 것이 예금이다.
④ A는 B에 비해 투자한 원금이 손실될 가능성이 높다.
⑤ 노년기에는 B에 속하는 자산에 투자하는 것이 합리적이다.

7. 그래프의 A와 B는 예금 또는 주식 중 하나이다. 〈보기〉에서 옳은 설명을 있는 대로 고른 것은?

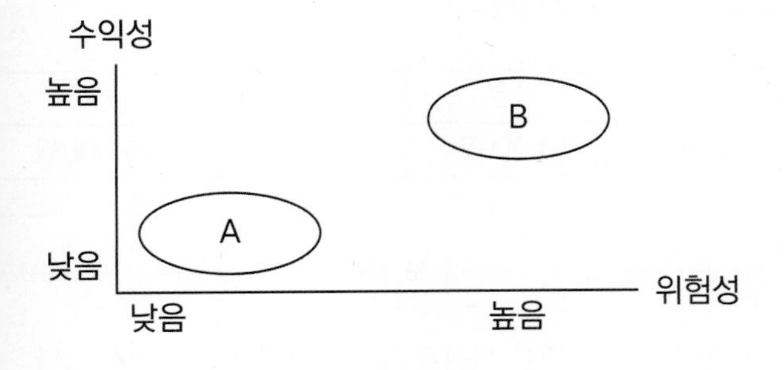

보 기

ㄱ. A는 은행과 같은 금융기관에 돈을 맡기고 이자를 받는 금융 상품이다.
ㄴ. B를 보유하고 있으면 기업의 이익을 배당금으로 받을 권리를 갖는다.
ㄷ. A는 예기치 못한 사고에 대비하기 위한 목적의 상품이다.
ㄹ. B는 정부나 기업이 돈을 빌리며 발생한 차용 증서이다.

① ㄱ, ㄴ ② ㄱ, ㄹ ③ ㄴ, ㄷ
④ ㄴ, ㄹ ⑤ ㄷ, ㄹ

지속 가능한 경제 생활을 위한 신용 관리

유형 1 신용의 정의

18. 다음 제시문 중 ㉠에 들어갈 경제 용어는?

> 사람의 경제적 지불 능력, 또는 지불 능력에 관한 사회적 평가를 (㉠)(이)라고 한다. 미래의 소득이나 지불 능력을 고려하지 않고 비합리적으로 소비하면 (㉠)을(를) 잃게 되어 앞으로의 경제생활에 지장을 초래하게 된다.

① 신용 ② 이윤 ③ 경영
④ 자산 ⑤ 투자

유형 2 신용 관리

19. 다음 설명 중 옳지 않은 것은?

① 채무를 제때 상환하지 못하면 신용이 떨어진다.
② 신용이 낮으면 금융 기관에서 돈을 빌리기 어려워질 수 있다.
③ 신용 카드는 개인의 신용을 전제로 필요한 상품을 구매할 수 있도록 발행된 카드이다.
④ 신용 카드를 사용하면 당장 현금을 지급하지 않기 때문에 과소비로 이어질 가능성이 있다.
⑤ 일반적으로 신용이 높으면 금융 기관에서 돈을 빌릴 때 신용이 낮은 사람에 비해 높은 이자를 부담하게 된다.

20. 다음 자료의 주제로 가장 적당한 것은?

> 갑은 대기업에 입사하자마자 신용 카드를 5장 만들었다. 명품 가방 할부, 자동차 할부 등 신용 카드를 마구 사용하다 카드 대금이 연체되었고 끝내는 다른 금융 거래가 거부되고 다니던 회사마저 그만두게 되었다.

① 저축의 필요성 ② 신용 관리의 중요성
③ 신용 구매의 편리성 ④ 현금 거래의 유용성
⑤ 자산 증식의 필요성

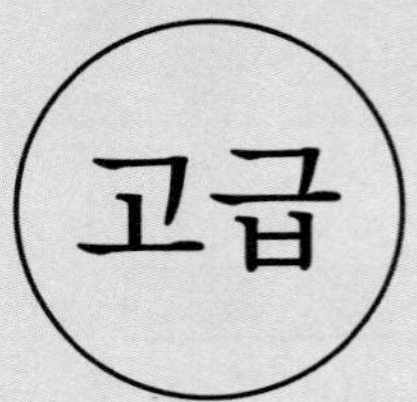

중등사회2 실전고사 문제지

Ⅲ.경제 생활과 선택

빡공시대편찬위원회

날짜		월		일	성명	

1. (가), (나) 사례와 관련한 경제 활동을 옳게 연결한 것은?

> (가) 무역회사에 다니는 김 ○○씨는 매일 배달되는 신문을 들고 지하철을 이용하여 출근한다.
> (나) 김 ○○씨는 회사에서 이것저것 수출에 필요한 서류를 정리하고 직원들과 아이디어 회의를 한다.

	(가)	(나)		(가)	(나)
①	소비	생산	②	생산	소비
③	분배	생산	④	생산	분배
⑤	소비	분배			

※ 그림 속 경제 주체 간 상호 작용을 보고 물음에 답하시오.

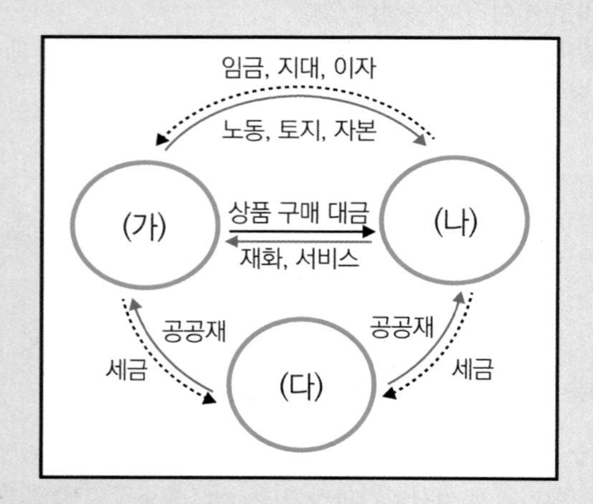

2. (다)에 대한 설명으로 알맞은 것은?

① 생산요소를 제공하고 소득을 얻는다.
② 국방, 치안, 도로, 교육 등을 생산한다.
③ 상품의 생산, 판매를 통해 이윤을 얻는다.
④ 소득으로 소비활동을 하고 세금을 납부한다.
⑤ 생산의 주체로 생산을 통해 사회에 기여한다.

3. 다음 글의 빈칸에 공통으로 들어갈 경제 개념에 대한 설명으로 옳은 것은?

> 내가 가지고 있는 용돈으로 영화를 볼지 책을 살지 고민하는 것은 (　　　) 때문이며, 정부가 사회 보장 예산을 늘릴지 국방 예산을 늘릴지 고민하는 것도 (　　　) 때문이다.

① 시간과 장소에 따라 달라지지 않는다.
② 경제 활동에서 선택의 문제를 발생시킨다.
③ 자원이 절대적으로 부족하기 때문에 발생한다.
④ 사람의 욕구가 한정되어 있기 때문에 발생한다.
⑤ 욕구를 충족시킬 만큼 자원이 많을 때 발생한다.

4. 다음 자료와 관련하여 옳은 설명을 〈보기〉에서 고른 것은?

> 소영이는 주말 오후에 공부, 운동, 독서 중 어느 것을 할지 고민 중이다. 표는 각각의 선택에서 소영이가 얻을 수 있는 편익을 금액으로 나타낸 것이다.

구분	공부	운동	독서
편익	30,000원	20,000원	25,000원

보 기

ㄱ. 운동 선택에 따른 편익과 독서 선택에 따른 편익은 같다.
ㄴ. 운동 선택에 따른 기회비용과 독서 선택에 따른 기회비용은 같다.
ㄷ. 공부 선택에 따른 편익이 독서 선택에 따른 편익보다 10,000원 더 적다.
ㄹ. 운동 선택에 따른 기회비용이 공부 선택에 따른 기회비용보다 5,000원 더 많다.

① ㄱ, ㄴ　② ㄱ, ㄷ　③ ㄴ, ㄷ　④ ㄴ, ㄹ　⑤ ㄷ, ㄹ

5. 그림 (가)와 (나)는 각각 다른 경제 체제를 나타낸 것이다. 이에 대한 설명으로 옳은 것은?

① (가)는 자원이 효율적으로 배분된다.
② (가)는 사회 전체의 이익을 중시하여 환경이 보존된다.
③ (나)는 경제적 효율성이 높아진다는 장점이 있다.
④ 오늘날 대부분의 국가는 (나)를 바탕으로 운영 된다.
⑤ (가)는 (나)와 달리 부와 소득의 불평등 완화를 목표로 한다.

6. 〈보기〉의 '이것'이 설명하는 개념으로 가장 적절한 것은?

보 기

기업은 이윤을 더 많이 얻기 위해 신제품을 개발하고 새로운 생산 방법을 도입하며 새로운 시장을 개척하기도 한다. 실패의 위험을 무릅쓰고 끊임없는 혁신을 통해 새로운 수익을 창출하고, 경쟁력을 확보해 나가려는 기업가의 도전 정신과 의지를 '이것'이라고 한다.

① 기업의 경제적 역할
② 기업의 공익 추구
③ 기업의 경제적 책임
④ 기업가 정신
⑤ 기업의 투명성

7. 기업의 사회적 책임과 관련된 설명 중 옳지 않은 것은?

① 노동자들의 작업 환경 개선을 위해 노력한다.
② 협력업체와의 불공정한 거래를 위해 노력해야한다.
③ 생산 과정에서 환경 피해를 줄이기 위해 노력하기도 한다.
④ 자선 사업 실시 등과 같이 윤리적 책무를 다하려고 노력한다.
⑤ 오늘날 기업의 영향력이 커짐에 따라 사회 구성원으로서 책임 있는 역할에 대한 요구가 커지게 되었다.

8. 그래프를 옳게 해석한 것은?

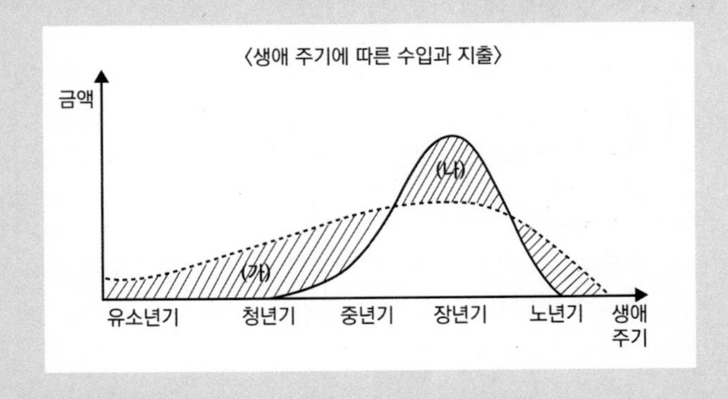

① 수입은 평생에 걸쳐 지속적으로 발생한다.
② 노년기의 수입이 장년기의 수입보다 많다.
③ (가)는 소비보다 수입이 더 많은 부분이다.
④ 실선은 소비 곡선, 점선은 소득 곡선을 나타낸다.
⑤ (나)는 미래의 소비를 위해 저축이 가능한 영역이다.

9. **다양한 자산 관리 상품을 선택할 때 고려해야 할 ㉠~㉣에 들어갈 내용의 설명으로 옳은 것은?**

> 예금은 이자 수익은 낮지만 (㉠)이(가) 높고 필요한 때 현금으로 쉽게 바꿀 수 있는 (㉡)이(가) 크다. 주식은 예금에 비해 (㉢)이(가) 높지만 투자한 원금을 잃을 (㉣)은(는) 크다. 부동산은 다른 자산보다 거래하는데 시간이 많이 걸리기 때문에 (㉡)이(가)떨어진다.

① ㉠ - 펀드에 가입해 이것을 높이는 것이 좋다.
② ㉡ - 이를 위해서는 예금보다 보험에 가입하는 것이 좋다.
③ ㉢ - 투자한 원금으로부터 수익이 발생하는 정도를 말한다.
④ ㉣ - 자산을 쉽게 현금화할 수 있는 정도를 말한다.
⑤ ㉣ - 합리적인 투자자라면 이것이 높은 부동산에 투자하는 것이 좋다.

10. **채권에 대한 설명으로 옳은 것은?**

① 시세 차익을 얻을 수 있다.
② 유동성이 가장 좋은 자산이다.
③ 안전성이 가장 낮은 자산이다.
④ 수익성이 금융 상품 중 가장 좋은 자산이다.
⑤ 금융 기관에 위탁 투자하는 간접 투자 상품이다.

11. **다음 설명에 해당하는 자산은?**

> (가) 금융기관에 일정 금액을 일정 기간 동안 넣은 다음에 찾는 예금으로 안전성이 높은 데 비해 수익성이 낮은 자산이다.
> (나) 주식회사가 자본금을 마련하기 위해 발행하고 있는 증서로 일반적으로 수익성이 높은 데 비해 안전성이 낮은 자산이다.

	(가)	(나)
①	예금	주식
②	적금	주식
③	적금	채권
④	주식	채권
⑤	주식	부동산

12. **다음과 관련된 경제 개념으로 가장 적절한 것은?**

> • 은행에서 대출을 받았다.
> • 할부를 이용하여 물건을 구매하였다.
> • 한 달간 사용한 뒤 청구된 휴대 전화 요금을 냈다.

① 신용　② 무상재　③ 공공재
④ 분산 투자　⑤ 계획 경제 체제

1. 시장의 의미와 종류~ 2. 시장 가격의 결정

1. 시장

(1) 시장: 재화나 서비스를 사려는 사람과 팔려는 사람이 자발적으로 만나 거래가 이루어지는 곳

(2) 시장의 역할

중요 ① 거래 비용 절약	• 거래 상대방을 찾는데 드는 시간과 비용을 줄여 줌 → 거래가 편리해짐
② 상품에 관한 정보 제공	• 상품의 종류, 특징, 가격 등 상품에 관한 정보를 쉽게 얻을 수 있음
③ 생산성 증대	• 교환과 분업의 활성화 →사회 전체의 생산량과 거래량이 증대 됨

시험에 나오는 중요 포인트: 분업

Q. 어떤 물건을 생산하는 과정을 여러 단계로 나누어 **여러 사람들이 일을 나누어 맡는 것**을 무엇이라 하는가? 분업
↳ **포인트1**: 분업은 생산량 증대의 효과를 가져온다!!
↳ **포인트2**: 분업으로 인한 생산량 증대는 결국 시장이 발생되게 되는 원인이 되었다!!

매우 중요한 시험TIP 시험에 '**시장은 자급자족을 활성화 시킨다**'라는 지문이 **훼이크**로 겁나 잘나와!! 그런데 이것은 완전 틀린말이야!! 시장은 자급자족이 불편해서 만들어진거거든!(^▽^)

참고 시장은 이렇게 만들어졌어요o(^-^)o

처음에는 **자급자족**을 하였어요.(/^o^)
↓
농업이 발달하면서 **잉여 생산물**이 생겼어요. 그러자 **물물 교환**이 이루어졌죠! (^0^)
↓
교환이 활발해지자 사람들은 자신이 잘만드는 물건만을 집중적으로 만드는 **분업**을 시작했어요 → 생산량 증대의 효과
↓
시장의 형성
: 일정한 시간과 장소를 정해 사람들이 모이기 시작했어요.

그러니깐 시장은 **자급자족, 물물교환** 등이 너무 불편하니깐 생기게 된거구나!! **시장은 편리한거구나**^ᴗ^

(3) 시장의 종류

거래 형태에 따라	보이는 시장	• 거래가 이루어지는 모습이 구체적으로 드러나는 시장 (직접 거래) 예〉 재래시장, 백화점, 대형 할인점 등
	보이지 않는 시장	• 거래가 이루어지는 모습이 구체적으로 드러나지 않는 시장 예〉 주식시장, 외환 시장, 전자 상거래 등 인터넷의 발달로 **오늘날 전자 상거래가 활발**해졌어!(o^^)o
거래 상품의 종류에 따라	생산물 시장	• 생활에 필요한 재화나 서비스가 거래되는 시장 예〉 농수산물 시장, 영화관, 공연장 등
	생산 요소 시장	• 생산 요소가 거래되는 시장 예〉 부동산 시장, 노동 시장 등
그 외		• 개설 주기에 따라: 상설 시장, 정기 시장 • 판매 대상에 따라: 도매 시장(상인 대상), 소매 시장(소비자 대상)

→ **은행, 취업 박람회**도 **생산 요소 시장의 예**로 시험에 나왔단다.o(^-^)o

중요!! 시험에는 이런게 나온다구!!

Q. 다음 중 **시장**과 관련 없는 설명을 **모두 고르시오.**

① **분업**을 통해 생산된 상품의 **거래**가 이루어지는 곳이다.
② **상품**을 **사려는 사람**과 **팔려는 사람**이 만나 **자유롭게 거래**한다.
③ **거래 상대방**을 찾는 데 드는 **비용**과 **시간**을 줄여준다.
④ **자급자족**을 활성화시킨다.
⑤ 상품의 가격을 비교할 수 있다.
⑥ 필요한 물건을 한 곳에서 쉽게 살 수 있다.
⑦ 자원이 효율적으로 배분되어 **빈부 격차가 해결**될 수 있다.
⑧ 상품별로 어떤 차이가 있는지 등의 **다양한 정보**를 얻을 수 있다.
⑨ **분업**을 촉진하여 **생산성을 증대**시킨다.
⑩ **재화나 서비스를 사고파는 장소**를 말한다.
⑪ 더 많은 상품이 생산되고 거래는 확대되었다.
⑫ 재화나 서비스의 정보를 교환하고 거래하기 위해 협상하는 과정 전체를 포함한다.
⑬ **현대 사회**에서는 인터넷을 통한 **전자 상거래**의 규모가 **점차 축소**되고 있다.

• 정답: ④, ⑦, ⑬ → 이 세 개가 특히 시험에 훼이크로 잘 나오는 지문이니깐 꼭 기억해둬!! 알겠지?^ᴗ^

시험에 잘나오는 그림 자료

(가) 백화점

(나) 은행

이 프린터로 사야겠다.
(다) 전자상거래

(가): • 보이는 시장 • 생산물 시장
(나): • 보이지 않는 시장 • 생산 요소 시장
(다): • 보이지 않는 시장 • 생산물 시장

2. 수요 법칙과 공급 법칙

시험TIP: 특히 이 파트는 용어 하나 하나가 시험에 나와! 그래서 반드시 **키워드맵**에서 용어 외우는 연습을 하고 시험을 봐야해!!(^0^) 어렵지 않으니깐 아무 걱정 말구!(~.^) 미리 준비하면 되는거야 :)

(1) 수요와 수요 법칙

수요	• 일정한 가격에서 어떤 상품을 사고자 하는 **욕구**
수요량	• 일정한 가격에서 수요자가 사려고하는 상품의 **수량**
중요 **수요 법칙**	• **가격이 상승**하면 **수요량은 감소**하고, **가격이 하락**하면 **수요량은 증가**한다.
수요 곡선	• **우하향**하는 곡선 → 가격과 수요량은 **반비례**한다. → 가격과 수요량은 반대 방향으로 움직인다. → 가격과 수요량은 음(−)의 관계이다.

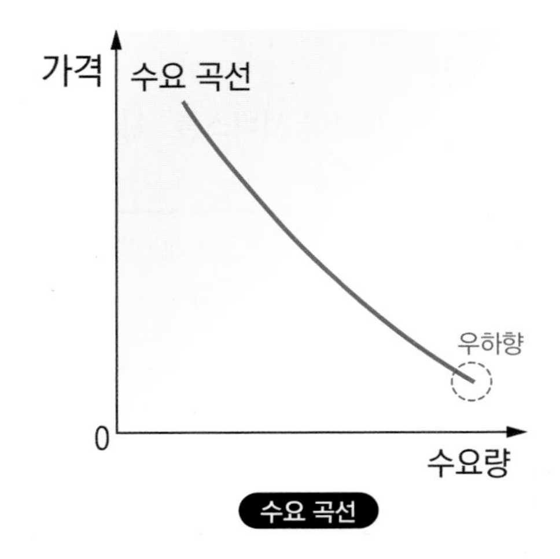

(2) 공급과 공급 법칙

공급	• 일정한 가격에서 어떤 상품을 팔고자 하는 **욕구**
공급량	• 일정한 가격에서 공급자가 팔려고 하는 상품의 **수량**
중요 **공급 법칙**	• **가격이 상승**하면 **공급량은 증가**하고, **가격이 하락**하면 **공급량은 감소**한다.
공급 곡선	• **우상향**하는 곡선 → 가격과 공급량은 **비례**한다. → 가격과 공급량은 같은 방향으로 움직인다. → 가격과 공급량은 양(+)의 관계이다.

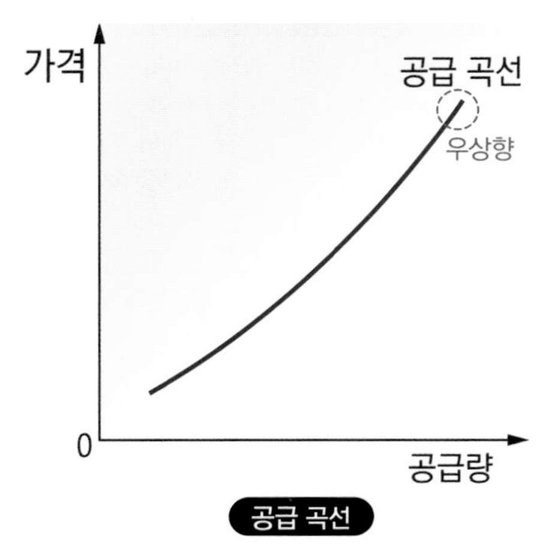

수요와 공급!! 시험에 나오는것들만 정리했다!!

★★서술형 1타!! [수요법칙과 공급법칙]

Q. **수요 법칙**과 **공급 법칙**에 대해 서술하시오.

〈 • 수요 법칙은 **가격이 상승**하면 **수요량이 감소**하고 **가격이 하락**하면 **수요량이 증가**하는 것을 의미하고,
• 공급 법칙은 **가격이 상승**하면 **공급량이 증가**하고 **가격이 하락**하면 **공급량이 감소**하는 것을 의미한다.〉

★★실제 시험 문제

Q. **수요 법칙**과 **공급 법칙**에 어긋나는 행동을 한 사람은?

① 할인 행사하는 화장품을 더 사려는 민하
② 가격이 낮아진 커피를 더 많이 팔려는 혜진
③ 떡볶이 값이 비싸져 평소보다 적은 양을 주문한 지은

• 정답: ②

(3) 시장 가격의 결정

① 시장 가격의 결정

• 시장에서 수요량과 공급량이 일치할 때
→ **균형 가격** (시장 가격) 결정
→ **균형 거래량** 결정

시험1타

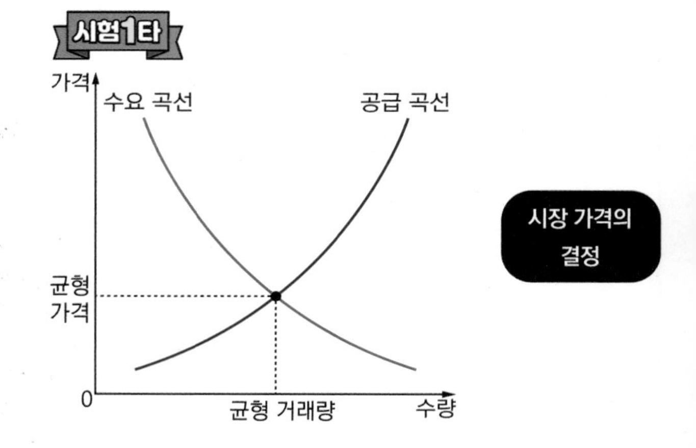

② 초과 수요와 초과 공급	
초과 수요	• 특정 가격에서 수요량이 공급량보다 많은 상태 → 수요자 간의 경쟁 발생 → 가격 상승
초과 공급	• 특정 가격에서 공급량이 수요량보다 많은 상태 → 공급자 간의 경쟁 발생 → 가격 하락

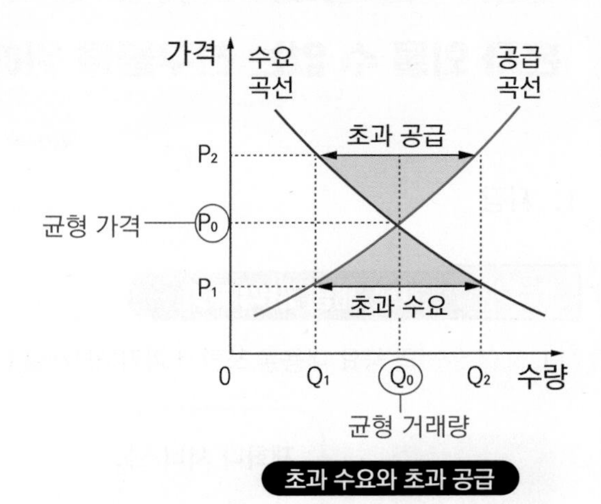

초과 수요와 초과 공급

시험 100% 출제!! 시험에 무조건 출제되니깐 지금부터 람보쌤과 풀어보자!!

★★서술형 1타!! [초과 수요, 초과 공급 서술하기]

가격(원)	700	1,000	1,200	1,500	1,800
수요량(개)	200	170	140	100	70
공급량(개)	40	60	80	100	120

(1) 볼펜 가격이 **700원**일 때 **시장에서 나타나는 상황**을 설명하시오.
〈**수요량**이 **공급량**보다 **160개**가 많은 **초과 수요**가 발생하며, **수요자 간의 경쟁**으로 **가격이 상승**한다.〉

(2) 볼펜 가격이 **1,800원**일 때 **시장에서 나타나는 상황**을 설명하시오.
〈**공급량**이 **수요량**보다 **50개** 많은 **초과 공급**이 발생하며, **공급자 간의 경쟁**으로 **가격이 하락**한다.〉

(3) 볼펜의 **균형 가격**과 **균형 거래량**은 각각 얼마인지 쓰고, 선택한 값이 어떻게 결정되는지 서술하시오.
〈• 균형 가격: 1,500원, ·균형 거래량: 100개,
• 수요량과 공급량이 일치하는 상태에서 균형 가격이 결정된다.〉

★★실제 시험 문제

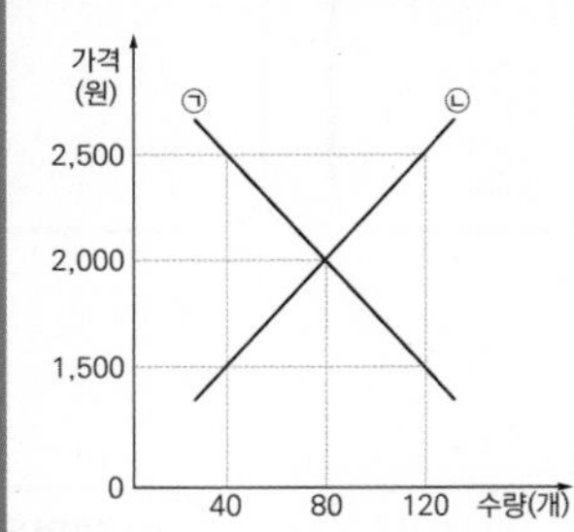

Q. 그림은 토스트 시장의 수요·공급 곡선이다. 이에 대한 설명으로 **옳은 것은?**

① ㉡은 수요 곡선이다. → ㉠수요 곡선, ㉡공급 곡선
② 가격이 2,000원일 때 수요량과 공급량이 일치한다.
③ 가격이 1,500원일 때 120개의 초과 수요가 발생한다. → 80개의 초과 수요 발생
④ 가격이 2,500원일 때 공급자들 간의 경쟁으로 가격이 상승한다. → 가격 하락

• 정답: ②

수요와 **공급** 문제를 풀때는 무조건 **'균형 가격'**과 **'균형 거래량'**을 **먼저 찾고** 문제를 풀어야해! 그래야 헷갈리지 않고 문제를 풀 수 있어!! 완존 꿀팁이당! 헤헤 ╮(º▿º)╭

MEMO

바쁜 시험기간!!

키워드맵으로 빠르게 암기하자!!

혼자 외울 수 없는 친구들을 위해 키워드맵이 함께 암기 해드립니다!!

1. 시장

1단계 기본 개념 파악하기

1. 회색 글씨의 중요 내용을 쓰면서 암기해보세요.(¯▽¯)/

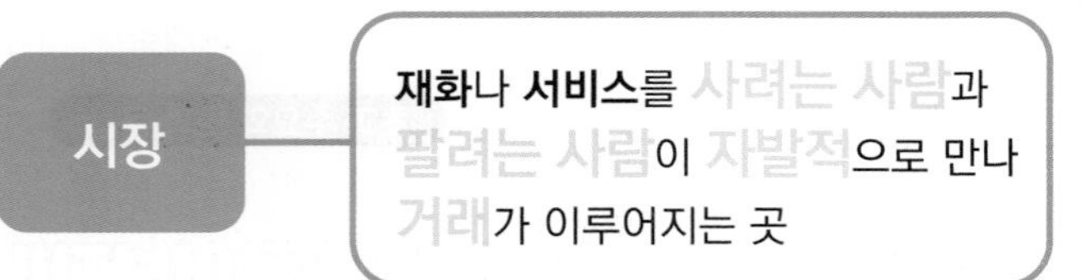

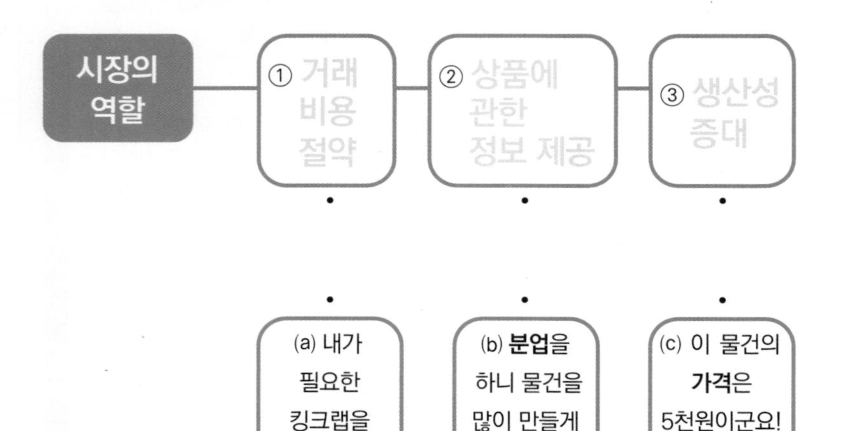

2단계 기본 개념 적용하기

2. 맞는 말을 적어보세요.o(^-^)o

Q1.
재화나 **서비스**를 **사려는 사람**과 **팔려는 사람**이 **자발적**으로 만나 **거래**가 이루어지는 곳

〈 〉

Q2.
어떤 물건을 생산하는 과정을 여러 단계로 나누어 **여러 사람들이 일을 나누어 맡는 것**을 무엇이라 하는가?

〈 〉

파생문제.
이러한 분업은 ( ) 증대의 효과를 가져왔고 결국 ( )이 만들어지는 계기가 되었어요.↖(^▽^)↗

· 정답: 1.①(a),②(c),③(b) 2.시장,분업,생산량,시장

3. 회색 글씨의 중요 내용을 쓰면서 암기해보고 '짜투리 퀴즈'도 풀어보세요.(¯▽¯)/

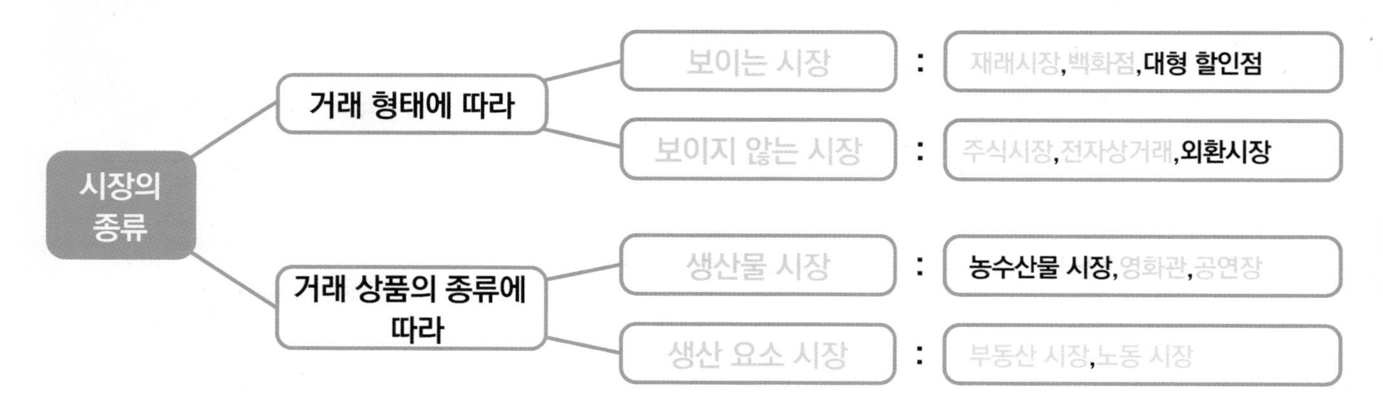

짜투리 퀴즈 1	짜투리 퀴즈 2	짜투리 퀴즈 3	짜투리 퀴즈 4	짜투리 퀴즈 5
영화관과 **공연장**은?	**취업박람회**는?	**인터넷쇼핑몰**은?	**주식 시장**은?	**은행**과 **주식 시장**은?
① 생산물 시장	① 생산물 시장	① 보이는 시장	① 보이는 시장	① 생산물 시장
② 생산 요소 시장	② 생산 요소 시장	② 보이지 않는 시장	② 보이지 않는 시장	② 생산 요소 시장

· 정답: 3. ①,②,②,②,②

2. 수요와 공급

1단계 기본 개념 파악하기

1. 회색 글씨의 중요 내용을 쓰면서 암기해보세요.(¯▽¯)/

수요와 수요 법칙

일정한 가격에서 어떤 상품을 사고자 하는 욕구를 수요라고 해요, 그리고 그때의 수량을 수요량이라고 하죠(^0^) 수요는 기본적으로 가격에 민감한데요, 가격이 상승하면 수요량은 감소하고, 가격이 하락하면 수요량은 증가해요. 이것을 수요 법칙이라고 한답니다. s(¯▽¯)v 기본적으로 수요 곡선은 우하향하는 곡선인데, 이것이 의미하는 것은 가격과 수요량은 서로 반대 방향으로 움직이며 서로 반비례 관계라는 것을 의미합니당!^ᴗ^

공급과 공급 법칙

일정한 가격에서 어떤 상품을 팔고자 하는 욕구를 공급이라고 해요, 그리고 그때의 수량을 공급량이라고 하죠(^0^) 공급은 기본적으로 가격에 민감한데요, 가격이 상승하면 공급량은 증가하고, 가격이 하락하면 공급량은 감소해요. 이것을 공급 법칙이라고 한답니다. s(¯▽¯)v 기본적으로 공급 곡선은 우상향하는 곡선인데, 이것이 의미하는 것은 가격과 공급량은 서로 같은 방향으로 움직이며 서로 비례 관계라는 것을 의미합니당!^ᴗ^

2단계 기본 개념 적용하기

2. 괄호 안에 맞는 것에 O표 해보세요.ど(^0^)つ

① **가격**이 **상승**하면 **수요량**은 (감소, 증가) 하고,
가격이 **하락**하면 **수요량**은 (감소, 증가) 한다.
② **수요 곡선**은 (우상향, 우하향) 하는 곡선으로,
가격과 **수요량**은 서로 (비례, 반비례) 한다.
가격과 **수요량**은 서로 (같은, 반대) 방향으로 움직인다.
③ **가격**이 **상승**하면 **공급량**은 (감소, 증가) 하고,
가격이 **하락**하면 **공급량**은 (감소, 증가) 한다.
④ **공급 곡선**은 (우상향, 우하향) 하는 곡선으로,
가격과 **공급량**은 서로 (비례, 반비례) 한다.
가격과 **공급량**은 서로 (같은, 반대) 방향으로 움직인다.

3. **맞는 말**끼리 연결해 보세요.o(^-^)o

① 수요 •
② 수요량 •
③ 수요자 •
④ 공급 •
⑤ 공급량 •

• (a) **일정한 가격**에서 어떤 상품을 **사고자 하는 욕구**
• (b) **일정한 가격**에서 **공급자**가 팔려고 하는 상품의 **수량**
• (c) **일정한 가격**에서 어떤 상품을 **팔고자 하는 욕구**
• (d) **일정한 가격**에서 어떤 상품을 사고자 하는 **사람**
• (e) **일정한 가격**에서 **수요자**가 사려고 하는 상품의 **수량**

· 정답: 2.①감소,증가 ②우하향,반비례,반대 ③증가,감소 ④우상향,비례,같은 3.①(a),②(e),③(d),④(c),⑤(b)

3단계 시험에 잘 나오는 서술형 암기하기 [1]

스텝1: 회색 글씨를 쓰면서 암기하세요.

Q. **수요 법칙**과 **공급 법칙**에 대해 서술하시오.
〈수요 법칙은 가격이 상승하면 수요량이 감소하고 가격이 하락하면 수요량이 증가하는 것을 의미하고, 공급 법칙은 가격이 상승하면 공급량이 증가하고 가격이 하락하면 공급량이 감소하는 것을 의미한다.〉

➡

스텝2: 괄호안을 쓰면서 암기하세요.

Q. **수요 법칙**과 **공급 법칙**에 대해 서술하시오.
〈(　　　　)은 **가격**이 (　　　)하면 **수요량**이 (　　　)하고 **가격이 하락**하면 (　　　　　) 하는 것을 의미하고, **공급 법칙**은 **가격**이 (　　　)하면 **공급량**이 (　　　)하고 (　　　　　) 하면 **공급량이 감소**하는 것을 의미한다.〉

3단계 시험에 잘 나오는 서술형 암기하기 [2]

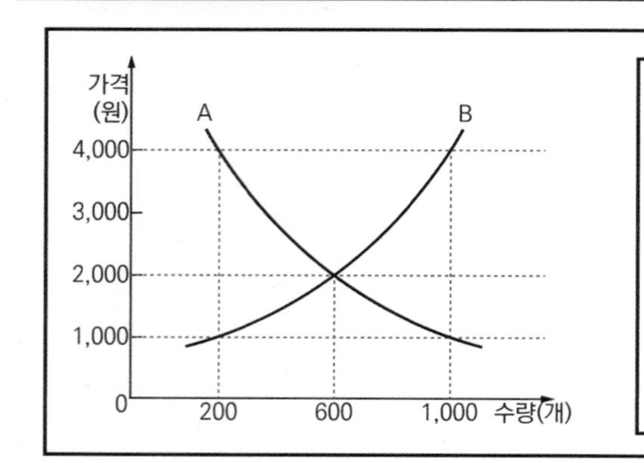

(1) **균형 가격**과 **균형 거래**량을 적어보시오.
〈 · **균형 가격:**
· **균형 거래량:** 〉

(2) 볼펜 가격이 **1,000원**일 때 시장에서 나타나는 상황을 설명하시오.
〈 〉

(3) 볼펜 가격이 **4,000원**일 때 시장에서 나타나는 상황을 설명하시오.
〈 〉

· 정답: (1) 균형 가격: 2,000원, 균형 거래량: 600개 (2) 수요량이 공급량보다 800개가 많은 초과 수요가 발생하며, 수요자 간의 경쟁으로 가격이 상승한다.
(3) 공급량이 수요량보다 800개 많은 초과 공급이 발생하며, 공급자 간의 경쟁으로 가격이 하락한다.

람보쌤의 자세한 해설을 영상으로 보세요!

시장의 의미와 종류

유형 1 시장의 발달 과정

1. (가)~(라)를 시장의 형성과 발달 과정에 따라 순서대로 나열한 것은?

(가) 농업이 크게 발달하여 잉여생산물이 발생하였다.
(나) 사람들은 생활에 필요한 물건을 스스로 만들어 사용하였다.
(다) 사람들은 효율적인 교환을 위해 일정한 장소와 날짜를 정해 모이기 시작하였다.
(라) 사람들은 자신이 더 잘 만들 수 있는 물건을 집중적으로 생산하여 다른 물건과 교환하였다.

① (가) - (나) - (다) - (라)
② (가) - (다) - (라) - (나)
③ (나) - (가) - (라) - (다)
④ (나) - (라) - (다) - (가)
⑤ (다) - (라) - (가) - (나)

유형 2 시장의 의미와 역할

2. 밑줄 친 A에 대한 설명으로 옳은 것끼리 묶인 것은?

사회적 분업과 교환을 통해 사람들은 이전 보다 윤택한 생활을 누릴 수 있게 되었고, 더욱더 효율적인 교환을 위하여 일정한 시간과 장소를 정해서 모이게 되었다. 이렇게 해서 형성된 <u>A</u>에서는 물건을 사고자 하는 사람과 팔고자 하는 사람이 만나 자발적으로 거래가 이루어지게 되었다.

보 기

ㄱ. 생산성 증대
ㄴ. 물품화폐 사용
ㄷ. 자급자족 활성화
ㄹ. 상품에 관한 정보제공

① ㄱ, ㄴ ② ㄱ, ㄹ ③ ㄴ, ㄷ
④ ㄴ, ㄹ ⑤ ㄷ, ㄹ

. 시장의 기능으로 옳은 것을 〈보기〉에서 고르면?

보 기

ㄱ. 자급자족을 가능하게 한다.
ㄴ. 분업을 촉진하여 생산성을 증대시킨다.
ㄷ. 거래에 필요한 시간과 비용을 줄일 수 있다.
ㄹ. 많은 상품과 사람이 모이므로 상품을 비싸게 팔 수 있다.

) ㄱ, ㄴ ② ㄱ, ㄹ ③ ㄴ, ㄷ
) ㄴ, ㄹ ⑤ ㄷ, ㄹ

유형 3 눈에 보이는 시장 vs 눈에 보이지 않는 시장

. 밑줄 친 부분에 해당하는 것만을 〈보기〉에서 고른 것은?

보통 시장이라고 하면 사고파는 모습이 구체적으로 드러나는데, 이러한 시장을 '보이는 시장'이라고 한다. 그러나 사고파는 모습이 보이지 않더라도 사려는 사람과 팔려는 사람 간의 거래가 이루어지면 모두 시장이 된다.

보 기

ㄱ. 이직을 위해 취업박람회에 일자리를 알아보고 있는 정O근
ㄴ. 보너스로 받은 성과금으로 여름 옷을 사러 백화점에 간 최O준
ㄷ. 경기 회복을 계기로 주가 상승을 기대하면서 OO전자 주식을 산 김O랑
ㄹ. 가장 좋아하는 생크림 케이크 구입을 위해 문현동 이X용 빵가게에 들른 이O나

) ㄱ, ㄴ ② ㄱ, ㄷ ③ ㄴ, ㄷ
) ㄴ, ㄹ ⑤ ㄷ, ㄹ

. (가), (나) 시장에 관한 설명으로 옳지 않은 것은?

) (가)는 거래 모습이 눈에 보이는 시장이다.
) (나)는 거래하는 모습이 구체적으로 드러나지 않는 시장이다.
) 외환 시장, 주식 시장은 (나)와 같이 눈에 보이지 않는 시장이다.
) (가)는 상품을 생산하는 데 필요한 생산 요소가 거래되는 시장이다.
) (가), (나)에서 모두 사려는 사람과 팔려는 사람 간의 거래가 이루어진다.

유형 4 생산물 시장 vs 생산 요소 시장

6. (가)와 (나)에 해당하는 시장에 대한 설명으로 옳은 것은?

(가) 최종적으로 소비되는 재화나 서비스가 거래되는 시장
(나) 상품 생산에 필요한 생산요소가 거래되는 시장

① (가)는 생산요소 시장, (나)는 생산물 시장에 해당한다.
② (가)는 공급자가 기업이고, (나)는 공급자가 가계이다.
③ 노동 시장은 (가)와 같은 유형의 시장으로 분류될 수 있다.
④ 농산물 시장은 (나)와 같은 유형의 시장으로 분류될 수 있다.
⑤ (가)와 달리 (나)는 수요자와 공급자 사이에 직접 거래가 이루어진다.

7. ㉠, ㉡의 사례에 해당되는 곳을 바르게 짝지은 것은?

우리 주변에는 다양한 유형의 시장이 있으며, 시장마다 겉모습, 거래 방법, 거래 이용객 등이 다르다. 시장은 크게 ㉠생산물 시장과 ㉡생산 요소 시장으로 구분할 수 있다.

	㉠	㉡
①	은행	취업박람회
②	인터넷 쇼핑몰	백화점
③	인력 시장	홈쇼핑
④	편의점	재래시장
⑤	대형마트	외환시장

유형 5 시장의 종류 복합

서술형

8. (가)~(다)를 아래 표의 기준에 따라 구분해 보자.

(가) (나) (다)

보이는 시장		생산물 시장	
보이지 않는 시장		생산 요소 시장	

9. 시장에 대한 설명으로 옳지 않은 것은?

① 재래시장과 같이 거래 모습과 거래 대상이 보이는 시장만을 의미한다.
② 기업과 구직자 간에 노동을 거래하는 노동 시장은 생산 요소 시장이다.
③ 여가나 문화생활을 즐기기 위해 찾는 영화관, 공연장은 생산물 시장에 해당한다.
④ 재화나 서비스의 정보를 교환하고 거래하기 위해 협상하는 과정 전체를 포함한다.
⑤ 오늘날에는 정보 통신 기술과 인터넷의 발달로 전자상거래 시장의 규모가 점점 더 커지고 있다.

10. (가), (나)에 대한 설명으로 옳은 것을 〈보기〉에서 고른 것은?

(가)

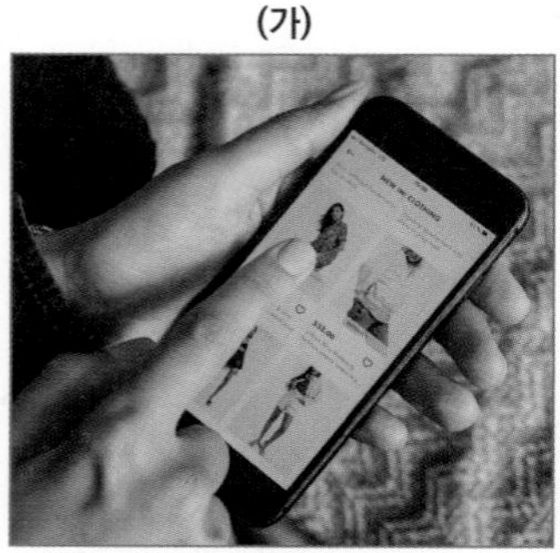

▲ 온라인 쇼핑

(나)

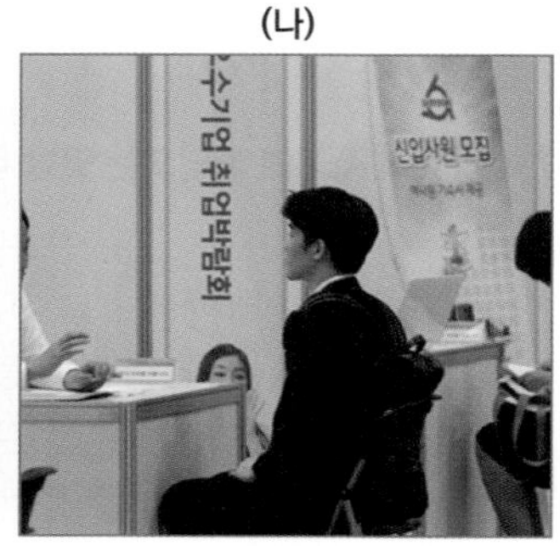

▲ 취업 박람회

보 기

ㄱ. (가)는 보이는 시장이다.
ㄴ. (나)는 자본이 거래되는 시장이다.
ㄷ. (가)는 생산물 시장이고, (나)는 생산요소 시장이다.
ㄹ. (가)와 (나)는 수요자와 공급자가 만나 거래가 이루어진다.

① ㄱ, ㄴ ② ㄱ, ㄷ ③ ㄴ, ㄷ
④ ㄴ, ㄹ ⑤ ㄷ, ㄹ

유형 6 경제 용어

11. (가)와 (나)에 해당하는 단어가 바르게 묶어진 것은?

(가) 각자 잘하는 일에 전념하여 전문화 한다.
(나) 어떤 물건을 생산하는 과정을 여러 단계로 나누고, 각각의 사람들이 특정 단계의 일을 분담한다.

	(가)	(나)
①	특화	분배
②	특화	분업
③	분업	특화
④	분업	분배
⑤	전업	분업

수요 법칙과 공급 법칙

유형 1 수요와 수요 법칙 단독

12. 다음 그래프를 가장 바르게 읽은 것은?

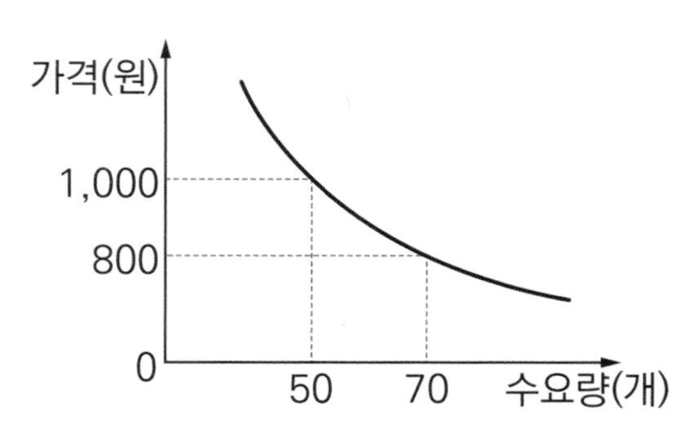

① 공급 법칙을 나타낸 것으로 우하향하는 모양의 그래프이다.
② 일정한 가격에서 공급자가 팔고자 하는 상품의 양을 나타낸 그래프다.
③ 가격이 오르면 더 팔려하고, 가격이 내리면 덜 팔려고 하는 심리를 보여준다.
④ 가격이 내리면 덜 사려하고 가격이 오르면 더 사려는 수요 법칙을 보여주고 있다.
⑤ 가격이 800원에서 1,000원으로 오르면 수요량은 70에서 50개로 줄어드는 것을 나타낸 그래프다.

유형 2 공급과 공급 법칙 단독

13. (가)~(마)에 들어갈 용어로 옳은 것은?

(가)는(은) 생산물 시장에서 특정 재화나 서비스에 대해 생산 능력을 갖춘 공급자들이 판매하고자 하는 욕구를 말하는 반면, (나)는(은) 일정 기간 동안 어떤 재화나 서비스에 대해 특정 가격 수준에서 생산 능력을 갖춘 공급자들이 판매하고자 하는 수량을 말한다. (가)의 법칙은 일반적으로 가격이 상승하면 (나)(이)가 (다)하고, 가격이 하락하면 (나)(이)가 (라)하는 법칙이다. 이처럼 다른 조건이 일정하고 가격만 변할 경우 가격과 (나) 사이에 (마)의 관계가 나타나는 것을 (가)의 법칙이라고 한다.

	(가)	(나)	(다)	(라)	(마)
①	공급	공급량	감소	증가	비례
②	공급량	공급	증가	감소	반비례
③	공급	공급량	증가	감소	비례
④	공급량	공급	증가	감소	비례
⑤	공급	공급량	감소	증가	반비례

4. 공급 법칙에 관련된 설명으로 옳은 것은?

① 가격과 공급량이 같은 방향으로 움직인다.
② 가격이 변해도 공급량은 변화가 없음을 보여준다.
③ 가격이 비싸지면 사람들이 물건을 사지 않으므로 공급량은 감소한다.
④ 상품 가격이 내려가면 공급자는 더 큰 이윤을 얻을 수 있으므로 생산을 늘린다.
⑤ 공급 법칙을 그래프로 표현한 것이 공급 곡선이고, 공급 곡선은 우하향하는 모습을 보인다.

유형 3 수요 법칙과 공급 법칙 복합

5. 수요와 관련된 개념과 그에 대한 설명을 옳게 연결한 것을 〈보기〉에서 고른 것은?

보 기

ㄱ. 수요자 - 상품을 구매하고자 하는 사람
ㄴ. 수요 - 일정한 가격 수준에서 구매하려고 하는 상품의 수량
ㄷ. 수요 곡선 - 가격과 수요량의 관계를 나타낸 것으로 우상향하는 곡선
ㄹ. 수요 법칙 - 가격이 상승하면 수요량이 감소하고 가격이 하락하면 수요량이 증가하는 것

① ㄱ, ㄴ　② ㄱ, ㄹ　③ ㄴ, ㄷ
④ ㄴ, ㄹ　⑤ ㄷ, ㄹ

6. 다음은 수요와 공급과 관련된 설명으로 바르지 못한 것은?

① 소비자가 어떤 상품을 사고자 하는 욕구를 수요라고 한다.
② 일반적으로 가격이 오르면 수요량은 감소하고 가격이 내리면 수요량은 증가하는 가격과 수요량의 관계를 수요 법칙이라고 한다.
③ 가격과 수요량의 관계를 그래프로 나타낸 수요 곡선은 우상향한다.
④ 생산자가 어떤 상품을 특정한 가격에서 팔고자 하는 양을 공급량이라고 한다.
⑤ 일반적으로 가격이 오르면 공급량은 증가하고 가격이 내리면 공급량은 감소하는 가격과 공급량의 관계를 공급 법칙이라고 한다.

7. 수요 법칙과 공급 법칙에 어긋나는 행동을 한 <u>두 사람</u>을 고르면?

① 가격이 낮아진 커피를 더 많이 팔려는 혜진
② 할인 행사하는 화장품을 더 사려는 민하
③ 과자의 가격이 높아져 더 적게 팔려는 현아
④ 가격이 낮아진 연필을 더 많이 사려는 재선
⑤ 떡볶이 값이 비싸져 평소보다 적은 양을 주문한 지은

서술형

18. 아래의 그래프를 참고로 수요 법칙과 공급 법칙을 설명하시오.

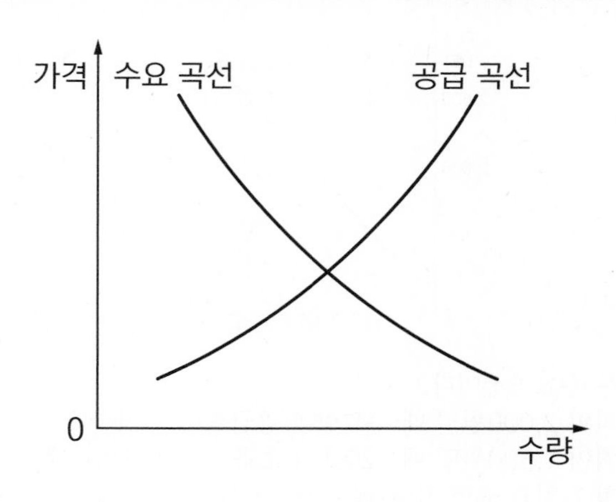

시장 가격의 결정

유형 1 시장 가격의 결정

19. 가격이 1000원일 때 설명으로 알맞은 것은?(단, 주어진 곡선은 공급, 수요 곡선이며, 다른 조건은 동일하다고 가정함.)

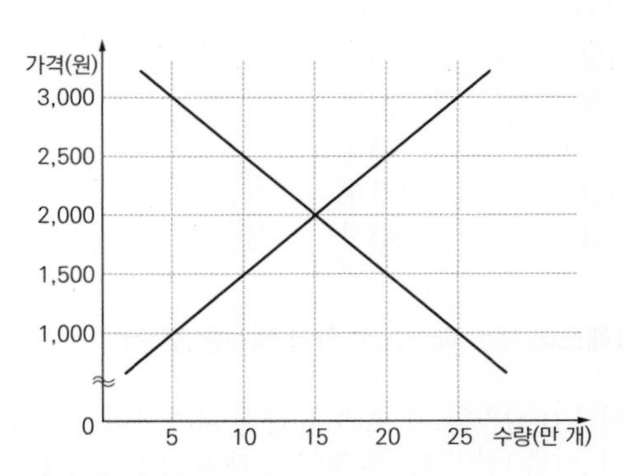

① 수요량과 공급량이 같다.
② 초과 수요량이 20만개이다.
③ 초과 수요량이 10만개이다.
④ 초과 공급량이 20만개이다.
⑤ 초과 공급량이 10만개이다.

20. 그림은 토스트 시장의 수요·공급 곡선이다. 이에 대한 설명으로 옳은 것은?

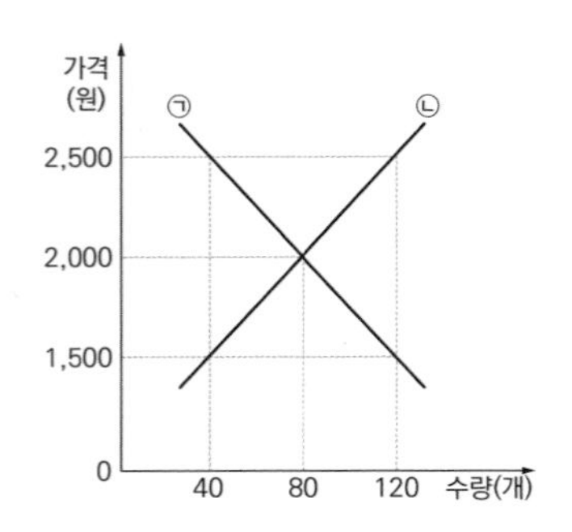

① ㉡은 수요곡선이다.
② 가격이 2,000원일 때 수요량과 공급량이 일치한다.
③ 가격이 1,500원일 때 120개의 초과수요가 발생한다.
④ 균형 가격과 균형 거래량은 한번 형성되면 변화하지 않는다.
⑤ 가격이 2,500원일 때 공급자들 간의 경쟁으로 가격이 상승한다.

※ 다음은 아이스크림 시장의 수요·공급 곡선을 나타낸 것이다. 물음에 답하시오.

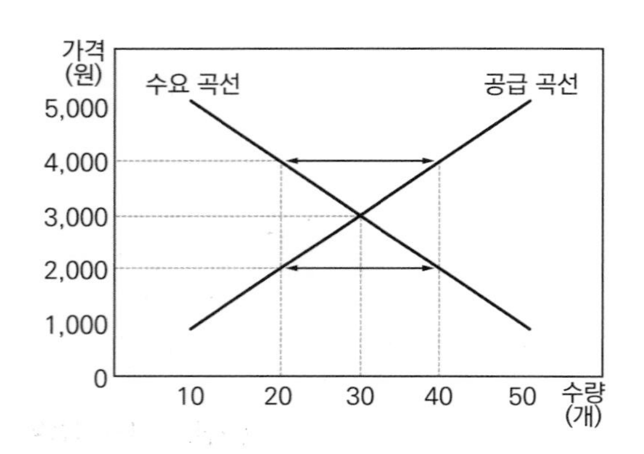

21. 그래프에서 아이스크림 시장의 균형 가격과 균형 거래량은?

	균형 가격	균형 거래량
①	1,000원	10개
②	2,000원	20개
③	3,000원	30개
④	4,000원	40개
⑤	5,000원	50개

22. 위 그래프에 대한 해석으로 가장 적절한 것은?

① 가격이 1,000원일 때 초과 공급이 나타난다.
② 가격이 2,000원일 때 40개의 초과 수요가 발생한다.
③ 가격이 3,000원일 때 수요자 간 경쟁으로 가격이 내려갈 것이다.
④ 가격이 4,000원일 때 20개의 초과 공급이 발생한다.
⑤ 가격이 5,000원일 때 초과 수요가 나타나 가격이 더 올라갈 것이다.

서술형

23. 다음 표는 볼펜에 대한 수요량과 공급량이다. 물음에 답하시오.

가격(원)	700	1,000	1,200	1,500	1,800
수요량(개)	200	170	140	100	70
공급량(개)	40	60	80	100	120

(1) 볼펜 가격이 700원일 때 시장에서 나타나는 상황을 설명하시오.

(2) 볼펜 가격이 1,800원일 때 시장에서 나타나는 상황을 설명하시오.

(3) 볼펜의 균형 가격과 균형 거래량은 각각 얼마인지 쓰고, 선택한 값이 어떻게 결정되는지 서술하시오.

1) 균형 가격 : 원
2) 균형 거래량 : 개
3)

3. 시장 가격의 변동

1. 수요의 변화와 시장 가격의 변동

(1) 수요의 변화: 가격 외의 요인이 변화하여 수요 자체가 변화하는 것
→ 수요 곡선의 이동으로 표현 됨

> **중요 정리**
> - 가격의 변동 : 수요량의 변화
>   → 수요 곡선 상의 점의 이동
> - 가격외의 변동: 수요 곡선 자체의 이동

(2) 수요의 변화 요인 중요

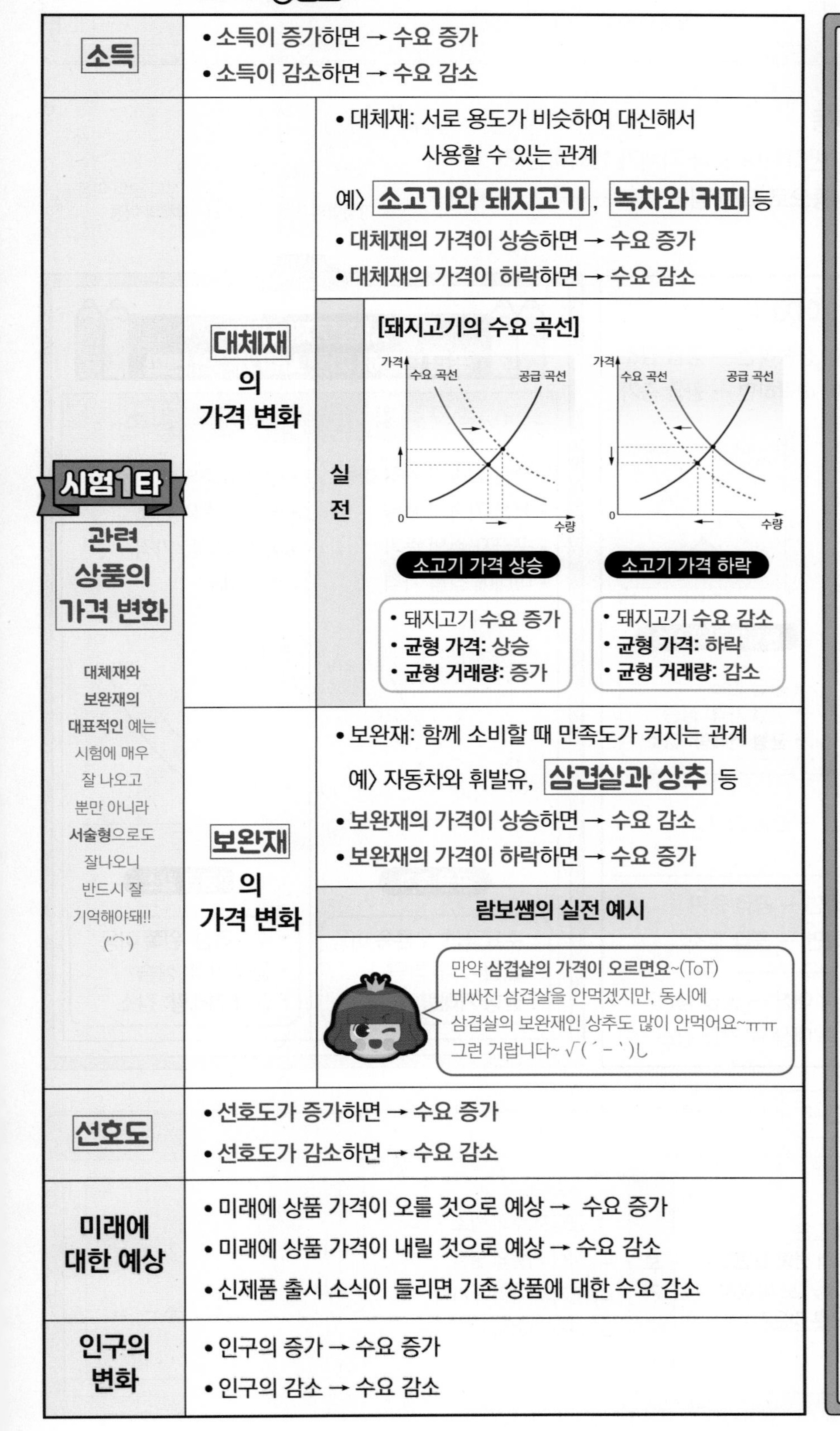

요인		내용
소득		• 소득이 증가하면 → 수요 증가 • 소득이 감소하면 → 수요 감소
시험1타 관련 상품의 가격 변화	대체재의 가격 변화	• 대체재: 서로 용도가 비슷하여 대신해서 사용할 수 있는 관계 예〉 소고기와 돼지고기, 녹차와 커피 등 • 대체재의 가격이 상승하면 → 수요 증가 • 대체재의 가격이 하락하면 → 수요 감소
	실전	[돼지고기의 수요 곡선] 소고기 가격 상승: • 돼지고기 수요 증가 • 균형 가격: 상승 • 균형 거래량: 증가 소고기 가격 하락: • 돼지고기 수요 감소 • 균형 가격: 하락 • 균형 거래량: 감소
	보완재의 가격 변화	• 보완재: 함께 소비할 때 만족도가 커지는 관계 예〉 자동차와 휘발유, 삼겹살과 상추 등 • 보완재의 가격이 상승하면 → 수요 감소 • 보완재의 가격이 하락하면 → 수요 증가
	람보쌤의 실전 예시	만약 삼겹살의 가격이 오르면요~(ToT) 비싸진 삼겹살을 안먹겠지만, 동시에 삼겹살의 보완재인 상추도 많이 안먹어요~ㅠㅠ 그런 거랍니다~ √(´-`)ㄴ
선호도		• 선호도가 증가하면 → 수요 증가 • 선호도가 감소하면 → 수요 감소
미래에 대한 예상		• 미래에 상품 가격이 오를 것으로 예상 → 수요 증가 • 미래에 상품 가격이 내릴 것으로 예상 → 수요 감소 • 신제품 출시 소식이 들리면 기존 상품에 대한 수요 감소
인구의 변화		• 인구의 증가 → 수요 증가 • 인구의 감소 → 수요 감소

대체재와 보완재의 대표적인 예는 시험에 매우 잘 나오고 뿐만 아니라 서술형으로도 잘나오니 반드시 잘 기억해야돼!! (^▽^)

시험문제 1타!! 수요 변동에 따른 시장가격의 변화

① 수요 증가

- 소득 증가
- 인구 증가
- 대체재의 가격 상승
- 보완재의 가격 하락
- 소비자의 선호도 증가
- 미래에 상품 가격 상승 예상

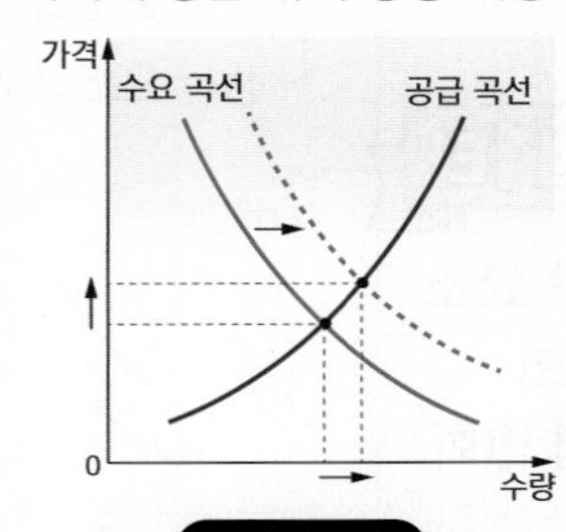

수요 증가

- **수요곡선: 오른쪽** 이동
- **균형 가격: 상승**
- **균형 거래량: 증가**

② 수요 감소

- 소득 감소
- 인구 감소
- 대체재의 가격 하락
- 보완재의 가격 상승
- 소비자의 선호도 하락
- 미래에 상품 가격 하락 예상

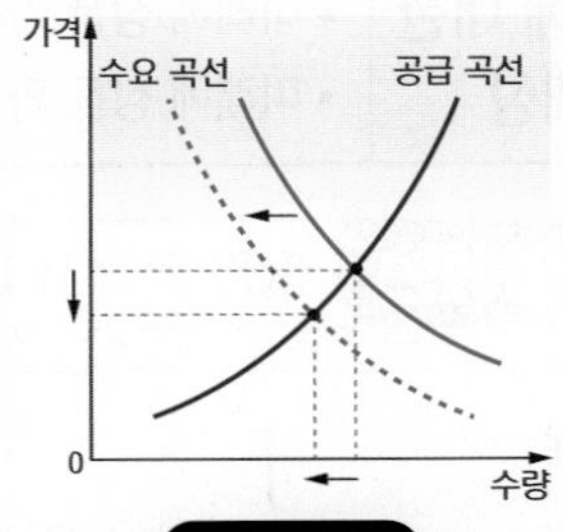

수요 감소

- **수요곡선: 왼쪽** 이동
- **균형 가격: 하락**
- **균형 거래량: 감소**

수요 변동 관련해서는 이런 문제들이 시험에 나온다!!

[대체재와 보완재]

1. 다음중 **대체재**의 관계가 아닌 것은?

① 녹차와 홍차　② 연필과 샤프
③ 삼겹살과 상추　④ 에어컨과 선풍기
⑤ 참기름과 들기름

• 정답: ③

[서술형]

2. **대체재**의 **예**를 **두 개 이상** 쓰시오.

〈　　　　〉

• 정답: 녹차와 커피, 연필과 샤프, 콜라와 사이다, 소고기와 닭고기 등

[수요 변동 요인]

3. 다음중 **수요 곡선의 이동**을 가져오는 요인이 아닌 것은?

① 소득의 변화　② 기술의 발전
③ 소비자 기호의 변화　④ 미래에 대한 예상
⑤ 대체재와 보완재의 가격의 변화

• 정답: ②

2. 공급의 변화와 시장 가격의 변동

(1) 공급의 변화: 가격 외의 요인이 변화하여 공급 자체가 변화하는 것
→ 공급 곡선의 이동으로 표현 됨

중요 정리
- **가격**의 변동 : **공급량**의 변화 → 공급 곡선 상의 **점의 이동**
- **가격외**의 변동: **공급 곡선 자체의 이동**

(2) 공급의 변화 요인 중요

시험1타	
생산 요소의 가격 변화	• **원자재**, **임금**, **이자** 등 생산 요소의 가격이 상승하면 → 공급 감소 생산 요소의 가격이 하락하면 → 공급 증가 (그래프: 가격, 수요 곡선, 공급 곡선, 0, 수량) **원자재 가격 하락**: • 공급 증가 • 균형 가격: 하락 • 균형 거래량: 증가 **원자재 가격 상승**: • 공급 감소 • 균형 가격: 상승 • 균형 거래량: 감소
생산 기술의 발달	• 생산 기술이 발달하면 → 공급 증가
공급자 수의 변화	• 공급자의 수가 증가하면 → 공급 증가 • 공급자의 수가 감소하면 → 공급 감소
미래에 대한 예상	• 미래에 상품 가격 하락 예상 → 공급 증가 • 미래에 상품 가격 상승 예상 → 공급 감소

시험문제 1타!! 공급 변동에 따른 시장가격의 변화

① 공급 증가

- 생산 요소의 가격 하락
- 생산 기술의 발달
- 공급자 수의 증가
- 미래에 상품 가격 하락 예상

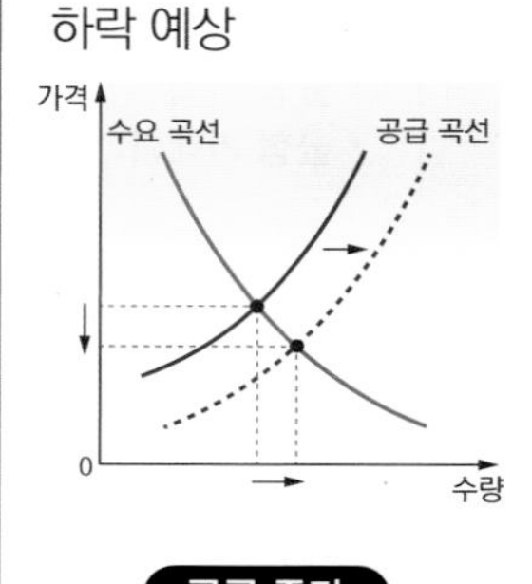

공급 증가

- **수요곡선: 오른쪽** 이동
- **균형 가격: 하락**
- **균형 거래량: 증가**

② 공급 감소

- 생산 요소의 가격 상승
- 공급자 수의 감소
- 미래에 상품 가격 상승 예상

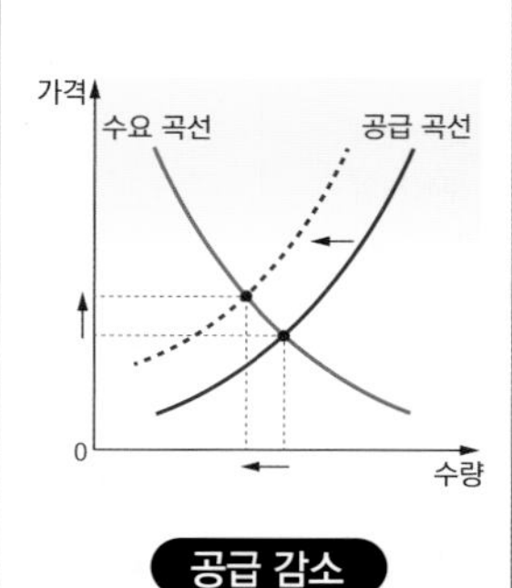

공급 감소

- **수요곡선: 왼쪽** 이동
- **균형 가격: 상승**
- **균형 거래량: 감소**

시험에는 이런 문제가 나온다!!

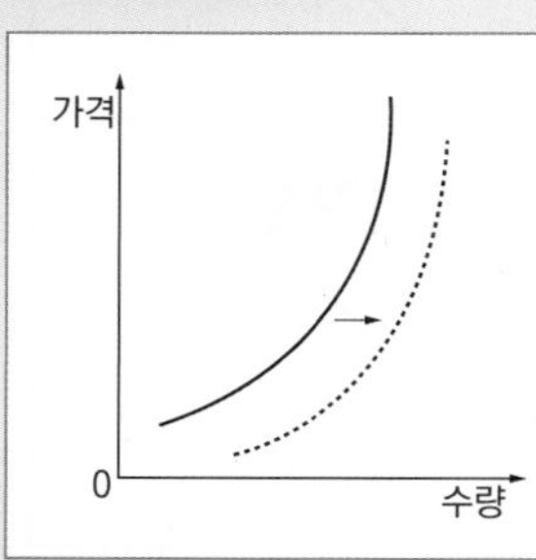

Q. 다음과 같은 **그래프의 변화 요인**으로 옳은 것을 〈보기〉에서 **모두 고른 것은?**

보기
ㄱ. 공급자 수의 감소
ㄴ. 생산 기술의 발달
ㄷ. 원자재 가격의 하락
ㄹ. 미래 가격의 상승 예상

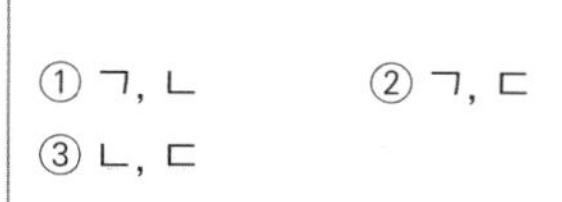

① ㄱ, ㄴ　② ㄱ, ㄷ
③ ㄴ, ㄷ
④ ㄴ, ㄹ　⑤ ㄷ, ㄹ

• 정답: ③

기본적으로 4-3 파트는 서술형이 잘 나오는데
이때!! • **그래프**를 그릴 줄 알아야 하고!!
• **균형 가격**과 **균형 거래량**을 반드시 쓸 줄 알아야 해! 알긋지? ＼(^▽^)／

Q. 다음 제시된 상황이 **수요 변화 요인**인지 **공급 변화 요인**인지 파악하여 **균형 가격 및 균형 거래량 변동**을 분석하시오.
(다른 조건은 일정하다고 가정한다.)

〈유의사항〉
1. 그래프는 이동한 곡선을 점선으로 그리고 이동 방향을 화살표로 표시할 것
2. 그래프를 분석하여 균형 가격과 균형 거래량의 변동을 쓸 것

(1) 돼지고기 가격의 폭등이 상추 시장에 미치는 영향을 분석하시오.

〈그래프〉

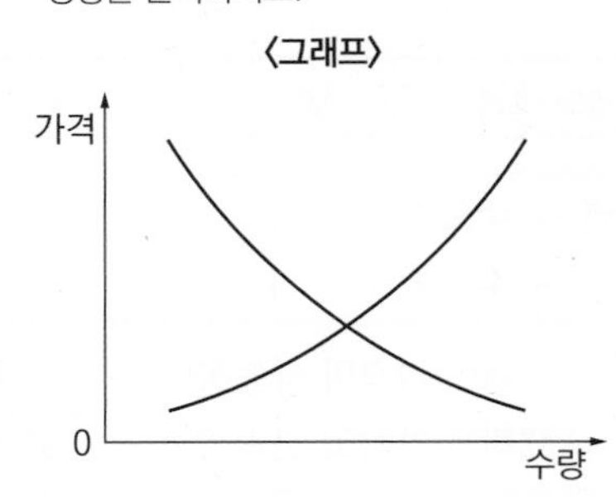

〈분석〉
• 상추의 **균형 가격**은 (　　　　),
• **균형 거래량**은 (　　　　).

(2) 공기 청정기에 사용하는 나노 필터 부품 가격의 인상이 공기 청정기 시장에 미치는 영향을 분석하시오.

〈그래프〉

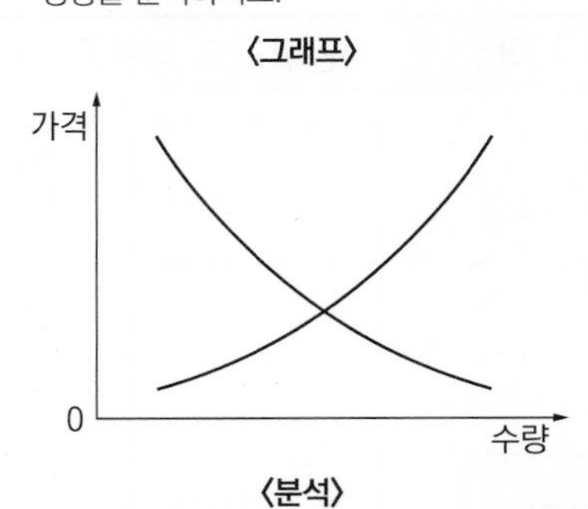

〈분석〉
• 공기청정기의 **균형 가격**은 (　　　　),
• **균형 거래량**은 (　　　　).

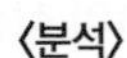

정답

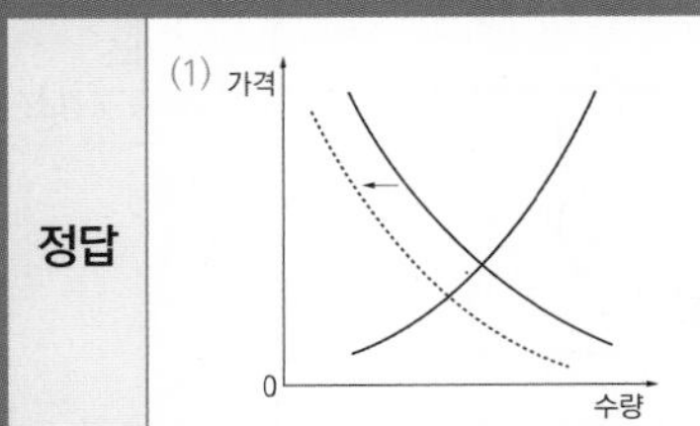

• 상추의 균형 가격은 (하락)하고
• 균형 거래량은 (감소)한다.

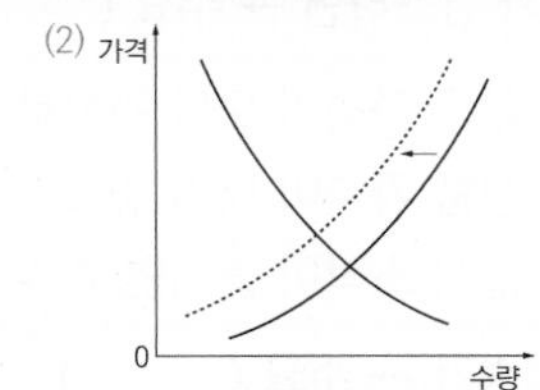

• 공기 청정기의 균형가격은 (상승)하고
• 균형 거래량은 (감소)한다.

시험TIP 그래프를 그릴 때 **Y축에 가격, X축에 수량이라는 글씨를 정확히 써야해!** 저거 안쓰면 겁나 틀려!! 그래프 그리는 연습을 많이 해야 한단다. 뒤에 키워드맵에서 함께 연습하장!! 알라뷰 (^0^)

3. 시장 가격의 기능

① 경제 활동의 신호등 역할

• 의미: 시장 가격은 **소비자**와 **생산자**에게 경제 활동을 어떻게 조절해야 할지를 알려 주는 기능을 함

가격 상승	• 소비자는 소비를 줄이려고 하고 (↓) • 생산자는 생산을 늘리려 함 (↑)
가격 하락	• 소비자는 소비를 늘리려고 하고 (↑) • 생산자는 생산을 줄이려고 함 (↓)

② 자원의 효율적 배분 기능

• 소비자: 가장 큰 만족을 얻을 수 있는 소비자가 상품을 구입하도록 함
• 생산자: 가장 적은 비용으로 생산 할 수 있는 생산자가 상품을 공급하도록 함

신호등의 역할 대표적인 예

[실제 시험 지문]
시장 가격은 소비자와 생산자에게 경제 활동을 어떻게 조절할 것인지 알려 주는 시장 경제의 **신호등과 같은 기능**을 한다. 상품의 가격이 오르면 소비자와 생산자의 행동은 어떻게 변화할까?

효율적 배분 기능 대표적인 예

OO오페라 S석 10만원 A석 5만원
나는 오페라를 좋아하지만 10만원을 내고 볼 생각은 없어.
정말 기다리던 오페라 공연이야. 가장 좋은 자리에서 봐야지.

[실제 시험 지문]
생산된 상품은 **가격을 지급한 소비자에게 돌아가는데,** 가격을 지급했다는 것은 소비로 얻는 만족이 그 가격 이상으로 크다는 뜻이다. 가격은 상품이 꼭 필요한 사람에게 돌아가게 하는 역할을 한다.

서술형
Q. 시장 가격의 기능을 **두 개** 서술하시오.
A. 경제 활동의 신호등 역할을 하며, **자원을 효율적으로 배분**하는 역할을 한다.

1. 수요의 변화와 시장 가격의 변동

1단계 기본 개념 파악하기

1. 회색 글씨와 ( )안의 중요 내용을 쓰면서 암기해보세요.(￣▽￣)/

수요의 변화 요인

① 소득		·소득이 증가하면 → 수요 ( ) ·소득이 감소하면 → 수요 ( )
② 관련 상품의 가격 변화	대체재의 가격 변화	·대체재의 가격이 상승하면 → 수요 ( ) ·대체재의 가격이 하락하면 → 수요 ( )
	보완재의 가격 변화	·보완재의 가격이 상승하면 → 수요 ( ) ·보완재의 가격이 하락하면 → 수요 ( )
③ 선호도		·선호도가 증가하면 → 수요 ( ) ·선호도가 감소하면 → 수요 ( )
④ 미래에 대한 예상		·미래에 상품 가격이 오를 것으로 예상 → 수요 ( ) ·미래에 상품 가격이 내릴 것으로 예상 → 수요 ( ) ·신제품 출시 소식이 들리면 기존 상품에 대한 수요 ( )
⑤ 인구의 변화		·인구의 증가 → 수요 ( ) ·인구의 감소 → 수요 ( )

• 정답
① 증가,감소
② 증가,감소
감소,증가
③ 증가,감소
④ 증가,감소
감소
⑤ 증가,감소

2단계 기본 개념 적용하기

2. 맞는말끼리 연결하세요.(๑•ᴗ•๑)

① 대체재 •
② 보완재 •

• (a) **함께 소비할 때** 만족도가 커지는 관계
• (b) 서로 용도가 비슷하여 **대신해서** 사용 할 수 있는 관계

짜투리 퀴즈 1
다음중 **대체재**는?
① 커피와 홍차
② 삼겹살과 상추

짜투리 퀴즈 2
다음중 **보완재**는?
① 자동차와 휘발유
② 소고기와 닭고기

• 정답
2.①(b) ②(a)
짜투리1. ①
짜투리2. ①

3단계 시험에 나오는 스타일 체득하기!

3. 수요 변동에 따른 시장 가격의 변화를 아래 알고리즘대로 따라 풀어보세요.(￣▽￣)/

소고기의 가격이 상승하면, 돼지고기는?
→
① 수요가 증가한다.
② 수요가 감소한다.
→
그렇다면 두그래프 중에 **어떤 것이 맞아?**

①

②

→ **결론: 돼지고기의 균형 가격**은(상승,하락)하고, **균형 거래량**은 (증가,감소)한다.

• 정답 : 3. ①,①,상승,증가

2. 공급의 변화와 시장 가격의 변동

1단계 기본 개념 파악하기

1. 회색 글씨와 (　　　　)안의 중요 내용을 쓰면서 암기해보세요.(¯▽¯)/

공급의 변화 요인		
	① 생산 요소의 가격 변화	·원자재, 임금, 이자 등 –생산 요소의 가격이 상승하면 → 공급 (　　　) –생산 요소의 가격이 하락하면 → 공급 (　　　)
	② 생산 기술의 발달	·생산 기술이 발달하면 → 공급 (　　　)
	③ 공급자 수의 변화	·공급자의 수가 증가하면 → 공급 (　　　) ·공급자의 수가 감소하면 → 공급 (　　　)
	④ 미래에 대한 예상	·미래에 상품 가격 하락 예상 → 공급 (　　　) ·미래에 상품 가격 상승 예상 → 공급 (　　　)

• 정답
① 감소,증가
② 증가
③ 증가,감소
④ 증가,감소

2단계 기본 개념 적용하기

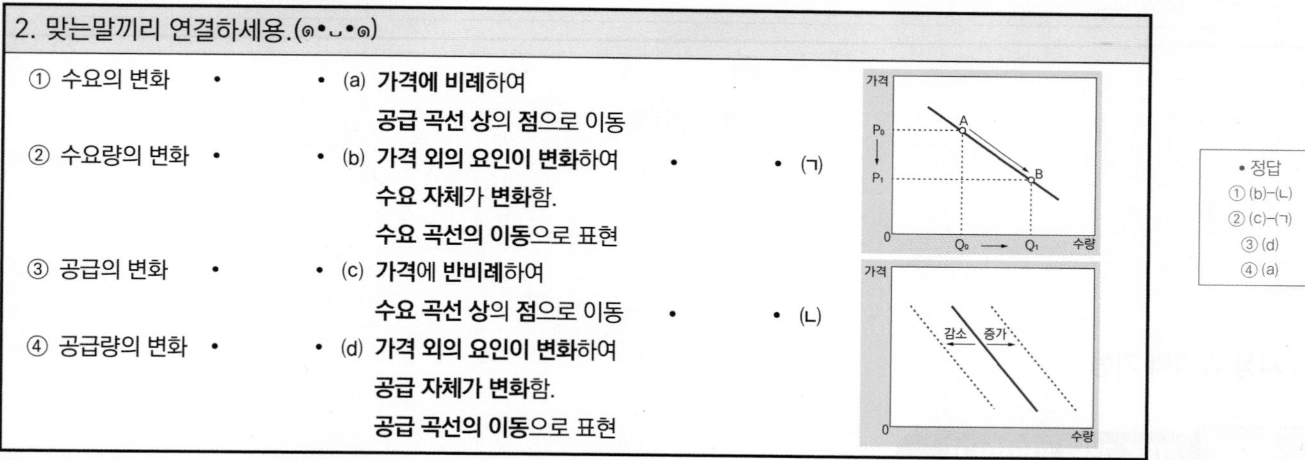

2. 맞는말끼리 연결하세용.(๑•ᴗ•๑)

① 수요의 변화 •
② 수요량의 변화 •
③ 공급의 변화 •
④ 공급량의 변화 •

• (a) **가격에 비례**하여 **공급 곡선 상**의 **점**으로 이동
• (b) **가격 외의 요인이 변화**하여 **수요 자체**가 **변화**함. **수요 곡선의 이동**으로 표현 •
• (c) **가격**에 **반비례**하여 **수요 곡선 상**의 **점**으로 이동 •
• (d) **가격 외의 요인이 변화**하여 **공급 자체가 변화**함. **공급 곡선의 이동**으로 표현

• (ㄱ)
• (ㄴ)

• 정답
① (b)–(ㄴ)
② (c)–(ㄱ)
③ (d)
④ (a)

3단계 시험에 나오는 스타일 체득하기!

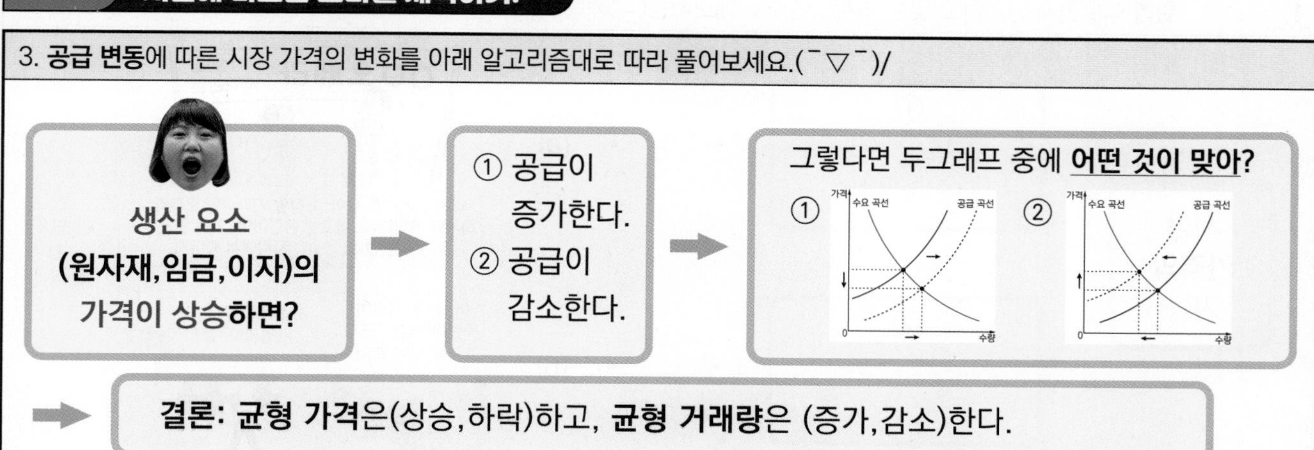

3. **공급 변동**에 따른 시장 가격의 변화를 아래 알고리즘대로 따라 풀어보세요.(¯▽¯)/

생산 요소 (원자재,임금,이자)의 가격이 상승하면?

→ ① 공급이 증가한다. ② 공급이 감소한다.

→ 그렇다면 두그래프 중에 **어떤 것이 맞아?**

→ **결론: 균형 가격**은(상승,하락)하고, **균형 거래량**은 (증가,감소)한다.

• 정답 : ②,②,상승,감소

4. 다음 중 **수요**를 **변동시키는 요인**이 **아닌 것을** 골라봥!! ✪o✪

① 소득의 감소
② 보완재의 가격 변화
③ 공급자 수의 변화
④ 미래에 상품의 가격이 오를것으로 예상

5. 다음 중 **공급을 변동시키는 요인**이 **아닌 것을** 골라봥!! (~˘▾˘)~

① 이자의 상승
② 생산 기술의 발달
③ 선호도의 증가
④ 미래에 상품의 가격이 오를것으로 예상

• 정답 :
4.③
5.③

6. 시험에 진짜 잘 나오는 **서술형** 풀어보자!! (ง •̀_•́)ง

Q. ㉠시장의 균형이 변화하는 과정을 〈보기〉의 단계별로 분석하시오.

코로나19 백신 접종 이후 나타날 수 있는 발열을 가라앉히기 위해, 정부는 시민들에게 ㉠아세트아미노펜 성분의 해열진통제 사용을 권장하였다.

〈보기〉

[1단계] 주어진 상황이 시장의 **수요와 공급** 중 어느 측면의 변동 요인인가? [2점]
[2단계] 주어진 상황에 따라 수요 또는 공급이 증가할지 감소할지 그래프를 그려 해당 곡선을 이동시켜보시오. [2점]
[3단계] 그래프에서 수요와 공급이 만나는 점(균형점)의 위치 변화를 확인하고, 그에 따른 시장의 **균형 가격**과 **균형 거래량**의 변화를 적으시오. [2점]

-정답 쓰는 곳-

[정답]

• 1단계: 수요의 변동 요인이다.

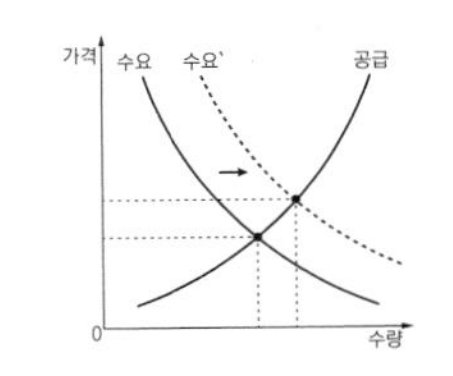

• 3단계: 균형 가격은 상승하고, 균형 거래량이 증가한다.

3. 시장 가격의 기능

1단계 기본 개념 파악하기

1. 회색 글씨위에 적으면서 암기하고 맞는말끼리 연결도 해보세용(¯▽¯)/

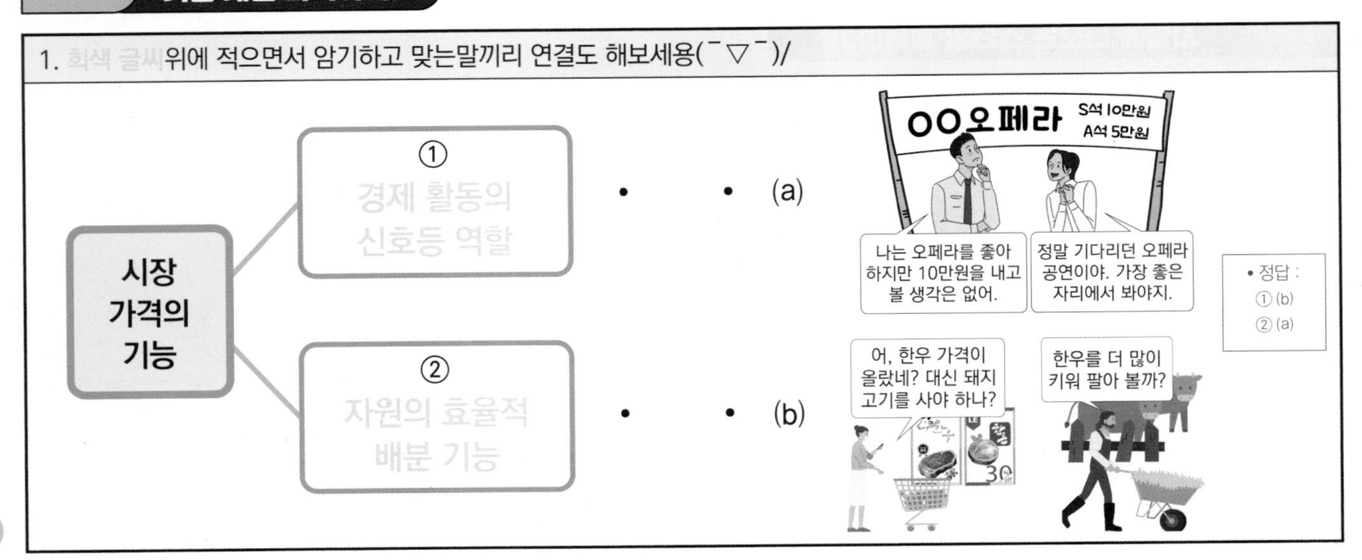

• 정답 :
① (b)
② (a)

람보쌤의 자세한 해설을 영상으로 보세요!

시장 가격의 변동

유형 1 수요의 변화 요인

. 그래프 위의 ㉠지점에서 ㉡지점으로 수요량의 변화가 일어난 원인으로 옳은 것은?

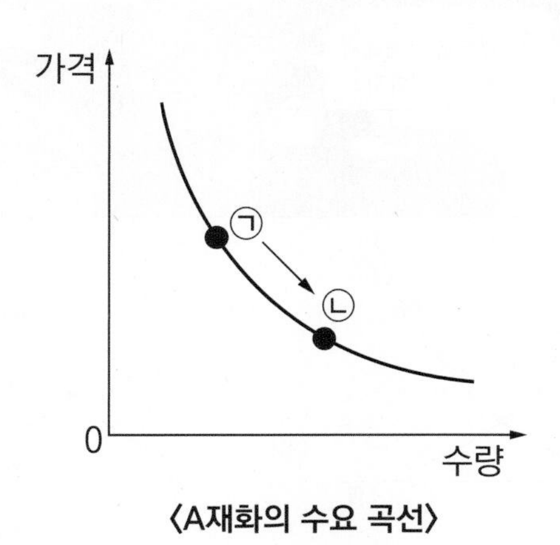

〈A재화의 수요 곡선〉

) A재화의 대체재 가격이 하락하였다.
) A재화의 보완재 가격이 상승하였다.
) A재화의 원료 가격이 상승하였다.
) A재화의 가격이 하락하였다.
) A재화의 가격이 상승하였다.

. 다음 글에 대한 설명으로 옳은 것만을 〈보기〉에서 고른 것은?

> 국제 유가 하락으로 올해 국내 자동차 연간 판매량은 180 만대로 역대 최대치를 기록할 전망이다. 여행업계도 수요가 급증하고 있다. 국내 여행도 급증세다. 최근 한 달간 도로를 이용한 여행 상품 판매가 전년 대비 두 배 이상, 렌터카를 이용한 국내 여행 상품 판매는 20배 가까이 늘었다.

보 기

ㄱ. 자동차 수요는 감소할 것이다.
ㄴ. 여행 상품 공급은 감소할 것이다.
ㄷ. 휘발유와 자동차는 보완 관계이다.
ㄹ. 도로를 이용한 국내 여행이 증가할 것이다.

) ㄱ, ㄴ　② ㄱ, ㄷ　③ ㄴ, ㄷ
) ㄴ, ㄹ　⑤ ㄷ, ㄹ

유형 2 대체재와 보완재

3. 다음 수요와 관련된 내용 중 옳은 것만을 〈보기〉에서 있는 대로 고른 것은?(단, 전체 시장의 수요와 공급에서 고려되는 상품은 돼지고기, 닭고기, 상추로 한정함.)

> 제목 : [Ⓐ]
> 돼지고기 가격이 상승함에 따라 돼지고기의 수요량은 감소하게 되었다. 따라서 닭고기의 수요가 증가하고 있다. 이때 돼지고기와 닭고기는 서로 [Ⓑ]관계의 재화이다. 한편 ⓒ돼지고기의 가격 상승으로 사람들은 돼지고기를 먹지 않게 되었고, 돼지고기와 함께 먹는 상추의 수요는 감소하였다.

보 기

ㄱ. Ⓑ에 들어갈 용어는 '보완재'이다.
ㄴ. Ⓐ에 들어갈 내용은 '관련 상품의 가격 변화가 수요 변화에 미치는 영향'이다.
ㄷ. 밑줄 친 ⓒ에서 상추는 돼지고기와 서로 용도가 비슷하여 돼지고기 대신에 사용할 수 있는 경쟁 관계의 재화를 의미한다.
ㄹ. 특정 상품의 가격이 상승할 경우, 대체재 관계의 재화는 수요가 증가하고, 보완재 관계 재화는 수요가 감소한다.

① ㄱ　② ㄷ
③ ㄱ, ㄴ　④ ㄴ, ㄹ
⑤ ㄱ, ㄷ, ㄹ

4. (가), (나)에 들어갈 용어에 대한 설명으로 옳은 것은?

> 관련 상품의 가격이 변화할 때에도 수요는 변화할 수 있다. 두 상품이 서로 (가) 관계에 있을 때에는 한 상품의 가격이 오르면 다른 상품의 수요가 증가한다. 반면, 두 상품이 서로 (나) 관계에 있을 때에는 한 상품의 가격이 오르면 다른 상품의 수요가 감소한다.

① (가)는 보완재이다.
② (나)의 사례로는 커피와 녹차가 있다.
③ (가)의 사례로는 돼지고기와 닭고기가 있다.
④ (가)는 함께 소비할 때 만족도가 커지는 관계이다.
⑤ (나)는 서로 용도가 비슷하여 대신해서 사용할 수 있는 관계이다.

서술형

5. 다음 글에서 (가)에 들어갈 문장을 완성하고 글에서 설명하고 있는 ㉠ 재화의 예시 한 쌍을 서술하시오.

> ㉠은/는 두 상품이 비슷한 용도로 사용되어 서로 대체하여 사용할 수 있는 재화를 말한다. 이럴 경우, 한 재화의 가격 상승은 다른 재화의 수요를 (　　　(가)　　　)

유형 3 공급의 변화 요인

6. 수요가 변하지 않을 때, 그래프와 같이 공급 곡선이 이동하게 된 원인으로 옳은 것만을 〈보기〉에서 고른 것은?

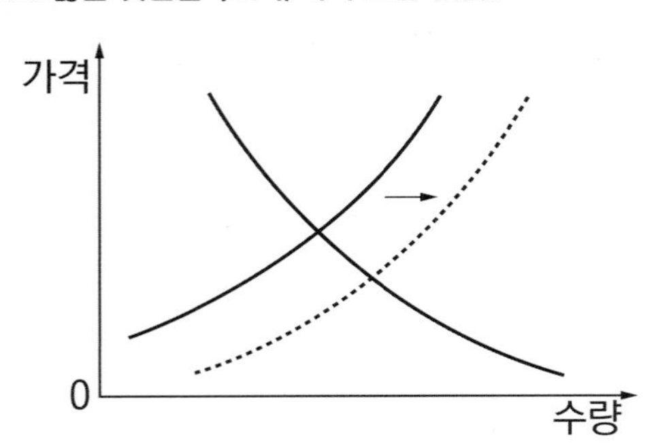

보 기

ㄱ. 생산 요소 가격 하락
ㄴ. 생산 요소 가격 상승
ㄷ. 미래 가격 하락 예상
ㄹ. 미래 가격 상승 예상

① ㄱ, ㄴ　② ㄱ, ㄷ　③ ㄴ, ㄷ
④ ㄴ, ㄹ　⑤ ㄷ, ㄹ

유형 4 수요 변화에 따른 시장 가격의 변동1

7. 콜라 시장에서 '수요 곡선1'이 '수요 곡선 2'로 이동하는 사례를 〈보기〉에서 고르면?

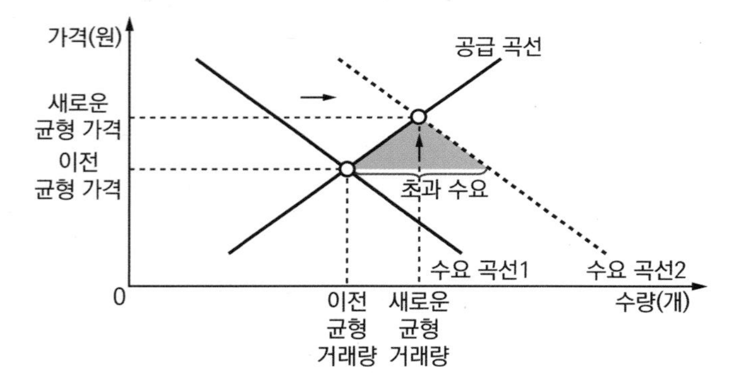

보 기

ㄱ. 대체 관계의 사이다 가격이 올랐다.
ㄴ. 보완 관계에 있는 치킨 가격이 내렸다.
ㄷ. 오랜 경기 침체로 가계 소득이 감소하였다.
ㄹ. 콜라 생산에 들어가는 설탕 가격이 하락하였다.

① ㄱ, ㄴ　② ㄱ, ㄷ　③ ㄴ, ㄷ
④ ㄴ, ㄹ　⑤ ㄷ, ㄹ

8. 다음 뉴스 상황과 관련 있는 요구르트 시장의 변화를 나타낸 그래프로 옳은 것은? (단, 다른 조건은 일정하다고 가정한다.)

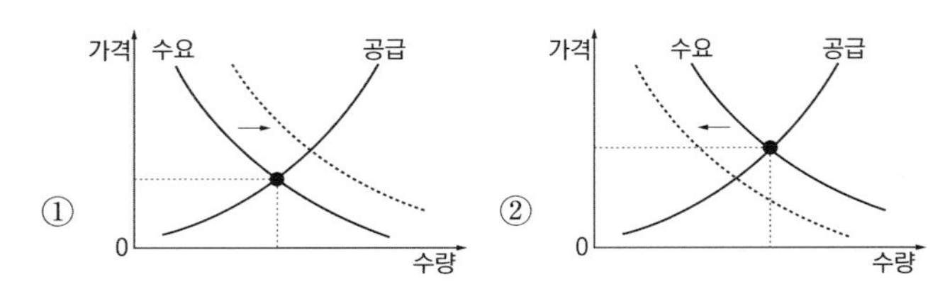

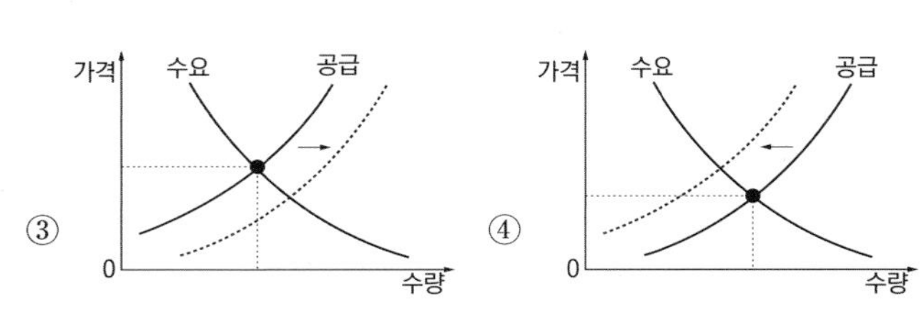

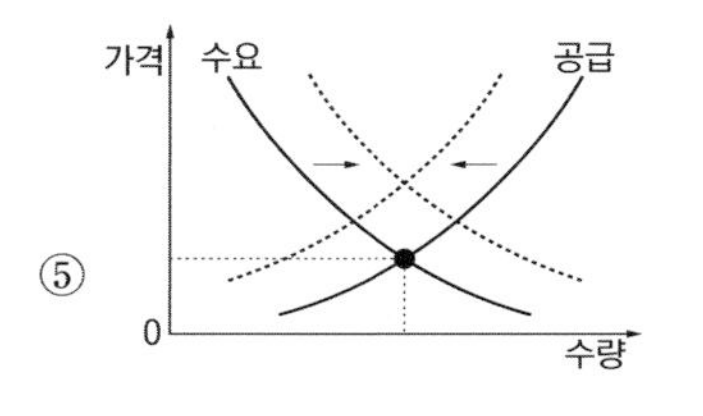

서술형

다음 그림처럼 그래프가 변동하게 되는 요인을 2가지 서술하시오.

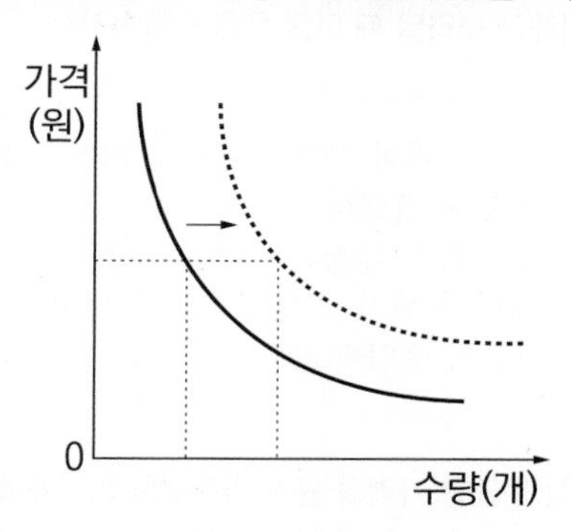

유형 5 수요 변화에 따른 시장 가격의 변동2

. 다음 글에서 밑줄 친 '돼지고기'에 대한 설명으로 옳은 것은?

최근 쇠고기 가격 하락으로 쇠고기 수요량이 늘자 돼지고기를 찾는 사람이 줄어들었다.

시장에서 쇠고기는 돼지고기의 보완재이다.
시장에서 돼지고기의 균형가격은 상승한다.
시장에서 돼지고기의 균형거래량은 감소한다.
시장에서 돼지고기의 균형가격은 변하지 않는다.
시장에서 돼지고기의 보완재인 쇠고기의 가격은 상승한다.

유형 6 공급 변화에 따른 시장 가격의 변동1

11. 다음과 같은 그래프의 변화 요인으로 옳은 것은?

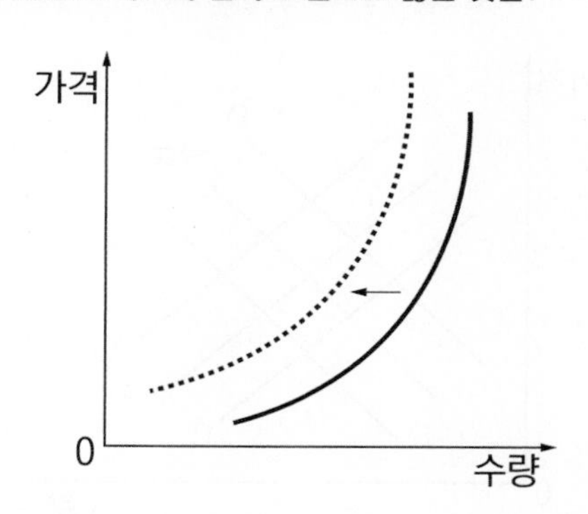

① 공급자 수의 증가
② 생산 비용의 증가
③ 생산 기술의 발전
④ 대체재 가격의 하락
⑤ 보완재 가격의 상승

12. 그래프와 같이 시장의 변화를 가져오는 요인을 〈보기〉에서 고른 것은?

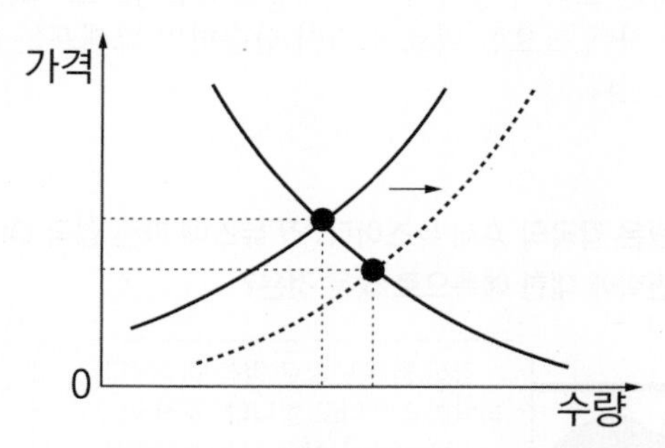

보 기

ㄱ. 소득의 증가
ㄴ. 생산 기술의 발달
ㄷ. 생산 요소의 가격이 하락
ㄹ. 소비자수의 증가와 기호 변화

① ㄱ, ㄴ
② ㄱ, ㄷ
③ ㄴ, ㄷ
④ ㄴ, ㄹ
⑤ ㄷ, ㄹ

유형 7 공급 변화에 따른 시장 가격의 변동2

13. 수요가 변하지 않는다고 가정할 때, 공급 변화와 관련된 내용으로 옳은 것은?

① 공급이 감소하면 균형 가격이 하락한다.
② 공급이 증가하면 균형 거래량이 증가한다.
③ 상품의 가격이 상승하면 공급량이 감소한다.
④ 공급이 증가하면 공급 곡선이 왼쪽으로 이동한다.
⑤ 공급의 감소는 모든 가격 수준에서 이전보다 공급량이 증가하는 것이다.

유형 8 수요 · 공급 변화에 따른 시장 가격의 변동1

14. 그래프에 나타난 오렌지 시장의 변화에 대한 설명으로 옳은 것은?

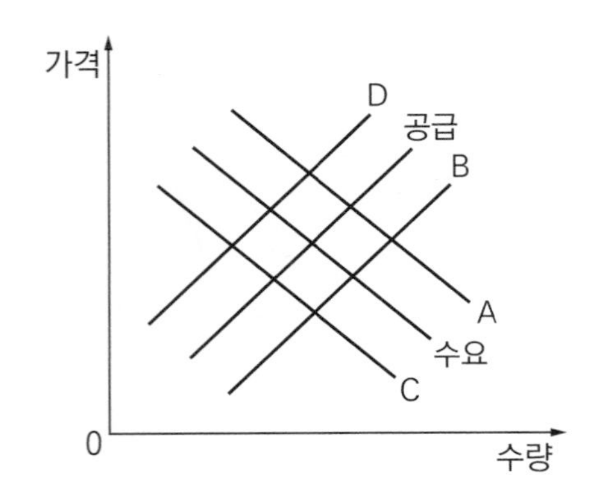

① 대체재인 감귤의 가격이 하락하면 그래프는 A 방향으로 이동한다.
② 소비자가 오렌지 가격이 상승할 것으로 예상하면 그래프는 B방향으로 이동한다.
③ 기상 이변으로 오렌지 농장 수가 감소하면 그래프는 C방향으로 이동한다.
④ 가계의 평균 소득이 증가하면 그래프는 C방향으로 이동한다.
⑤ 오렌지 농사에 필요한 비료 가격이 상승하면 그래프는 D방향으로 이동한다.

15. 다음 그림은 갑국의 경제 뉴스이다. 각 뉴스에 따른 갑국 OO상품 시장의 변화에 대한 예측으로 옳은 것은?

	(가)	(나)
①	공급 증가	수요 증가
②	공급 증가	수요 감소
③	공급 감소	수요 증가
④	수요 증가	공급 증가
⑤	수요 감소	공급 감소

유형 9 수요 · 공급 변화에 따른 시장 가격의 변동2

※ 다음과 같은 사례가 나타날 때 다음 물음에 답하시오.

(가) 녹차 시장 : 최근 커피 가격 하락으로 커피 수요량이 늘자 녹차를 찾는 사람이 줄었다.
(나) 닭고기 시장 : 최근 유행하는 조류 인플루엔자로 인해 닭고기 사육 농가의 피해가 계속 증가하고 있고, 국제 무역 환경의 악화로 닭고기 수입에 많은 어려움을 겪고 있다.

16. (가) 녹차 시장의 균형 가격과 균형 거래량을 바르게 예측한 것을 고르시오.(제시된 조건 외의 모든 조건은 사례가 나타나기 이전과 동일하다고 가정함)

① 균형 가격은 상승하고 균형 거래량은 감소한다.
② 균형 가격은 상승하고 균형 거래량도 증가한다.
③ 균형 가격은 하락하고 균형 거래량은 변화하지 않는다.
④ 균형 가격은 하락하고 균형 거래량도 감소한다.
⑤ 균형 가격은 변화하지 않고 균형 거래량만 증가한다.

17. (나) 닭고기 시장의 균형 가격과 균형 거래량을 바르게 예측한 것을 고르시오.(제시된 조건 외의 모든 조건은 사례가 나타나기 이전과 동일하다고 가정함)

① 균형 가격은 상승하고 균형 거래량은 감소한다.
② 균형 가격은 상승하고 균형 거래량도 증가한다.
③ 균형 가격은 하락하고 균형 거래량은 변화하지 않는다.
④ 균형 가격은 하락하고 균형 거래량도 감소한다.
⑤ 균형 가격은 변화하지 않고 균형 거래량만 증가한다.

서술형

18. 다음 제시된 (가), (나)의 사례에 대하여 〈작성방법〉을 참고하여 그래프를 작성하고, 균형 가격과 균형 거래량은 어떻게 변동하는지 서술 하시오.

(가) 기존의 김밥 가게 옆에 새로운 김밥 가게가 두 군데 더 생기게 되었다.
(나) 만두를 싸게 파니 김밥 대신 만두를 사 먹는 사람이 증가하고 있다.

〈작성 방법〉

㉠ 김밥 시장 수요, 공급 곡선의 그래프를 그릴 것
㉡ 그래프의 가로축과 세로축, 그래프의 명칭을 적을 것
㉢ 그래프 이동 방향(화살표), 증가/감소 표시할 것
㉣ 기존 균형점은 a, 변동 균형점은 b로 표시할 것
㉤ 균형 가격과 균형 거래량의 변동을 서술할 것

(1) (가) :

(2) (나) :

유형 10 시장 가격의 기능

19. 대화에 나타난 가격의 기능으로 가장 적절한 것은?

① 교환의 매개
② 신호등 역할
③ 경제 질서 유지
④ 가치 저장의 기능
⑤ 자원의 효율적 배분

20. 다음 내용을 통해 알 수 있는 시장 가격의 기능으로 옳은 것은?

생산된 상품은 가격을 지급한 소비자에게 돌아가는데, 가격을 지급했다는 것은 소비로 얻는 만족이 그 가격 이상으로 크다는 뜻이다. 가격은 생산된 상품이 꼭 필요한 사람에게 돌아가게 하는 역할을 한다.

① 시장 정보 제공
② 시장 경제 질서 유지
③ 자원의 효율적 배분
④ 인간의 무한한 욕구 충족
⑤ 경제 활동의 신호등 역할

21. 〈보기〉의 질문에 바르게 답한 것은?

시장 가격은 소비자와 생산자에게 경제 활동을 어떻게 조절할 것인지 알려 주는 시장 경제의 신호등과 같은 기능을 한다. 상품의 가격이 오르면 소비자와 생산자의 행동은 어떻게 변화할까?

① 소비자와 생산자의 행동은 변화하지 않는다.
② 소비자는 소비를 늘리고, 생산자는 생산을 늘릴 것이다.
③ 소비자는 소비를 늘리고, 생산자는 생산을 줄일 것이다.
④ 소비자는 소비를 줄이고, 생산자는 생산을 늘릴 것이다.
⑤ 소비자는 소비를 줄이고, 생산자는 생산을 줄일 것이다.

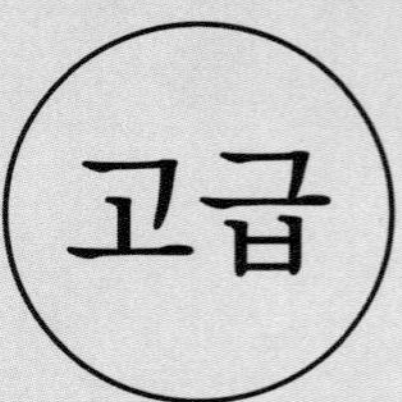

중등사회2 실전고사 문제지

Ⅳ.시장 경제와 가격

빡공시대편찬위원회

날짜		월		일	성명	

1. 시장의 기능으로 적절하지 않은 것은?

① 상품의 가격을 비교할 수 있다.
② 필요한 물건을 한 곳에서 쉽게 살 수 있다.
③ 거래 상대방을 찾는데 드는 비용과 시간을 줄일 수 있다.
④ 자원이 효율적으로 배분되어 빈부 격차가 해결될 수 있다.
⑤ 상품별로 어떤 차이가 있는지 등의 다양한 정보를 얻을 수 있다.

2. 눈에 보이지 않는 시장을 〈보기〉에서 모두 고르면?

보 기

ㄱ. 백화점　　ㄴ. 주식 시장
ㄷ. 수산물 시장　　ㄹ. 전자 상거래

① ㄱ, ㄴ　② ㄱ, ㄷ　③ ㄴ, ㄷ
④ ㄴ, ㄹ　⑤ ㄷ, ㄹ

3. 수요와 공급에 관한 설명을 〈보기〉에서 옳게 고른 것은?

보 기

ㄱ. 가격과 수요량 간 관계는 우하향하는 곡선으로 표현된다.
ㄴ. 어떤 재화의 가격이 하락하면 그 재화의 수요량은 증가한다.
ㄷ. 어떤 재화의 가격이 하락하면 그 재화의 공급량은 증가한다.
ㄹ. 수요는 교환하거나 판매하기 위해 시장에 재화나 서비스를 제공하는 것이다.

① ㄱ, ㄴ　② ㄱ, ㄷ　③ ㄴ, ㄷ
④ ㄴ, ㄹ　⑤ ㄷ, ㄹ

4. 그래프에 대한 설명으로 옳은 것만을 〈보기〉에서 고른 것은?

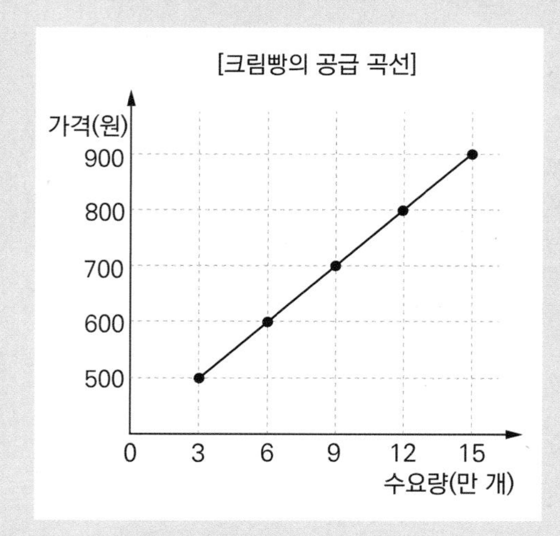

보 기

ㄱ. 500원일 때 공급량은 15만 개이다.
ㄴ. 800원일 때 공급량은 12만 개이다.
ㄷ. 800원일 때 공급량은 700원일 때 공급량보다 많다.
ㄹ. 700원일 때 공급량은 500원일 때 공급량의 2배이다.

① ㄱ, ㄴ　② ㄱ, ㄷ　③ ㄴ, ㄷ
④ ㄴ, ㄹ　⑤ ㄷ, ㄹ

※ 다음 그래프를 보고 물음에 답하시오.

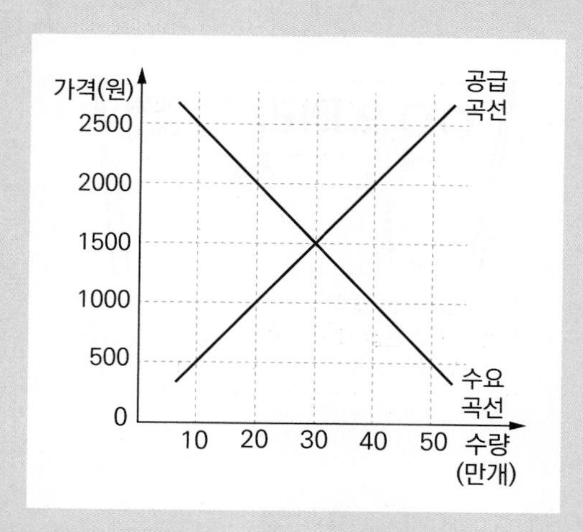

5. 위 그래프에 대한 설명으로 옳은 것은?

① 가격이 1000원일 때, 공급량은 40만 개다.
② 시장에서 균형 가격은 2000원으로 결정된다.
③ 가격이 1000원일 때, 수요량이 공급량보다 많다.
④ 가격이 1500원에서 1000원으로 하락하면 공급량이 30만개에서 40만개로 증가한다.
⑤ 가격이 1500원에서 2000원으로 오르면 공급량은 30만 개에서 20만 개로 줄어든다.

6. 다음과 같이 수요 곡선이 이동한 요인으로 적절한 것은?

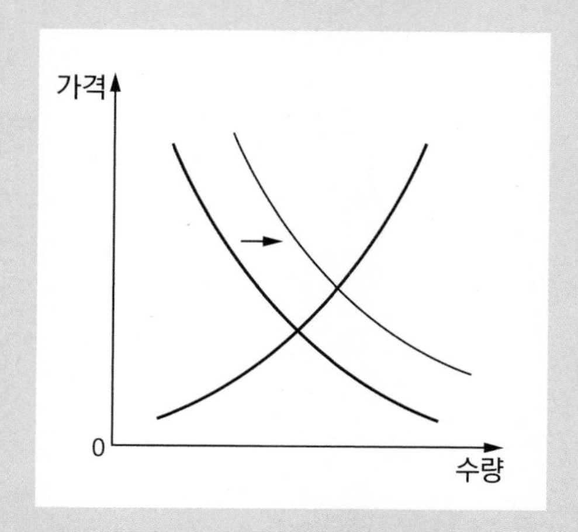

① 소득의 증가
② 지대의 상승
③ 노동 임금의 상승
④ 원료 가격의 상승
⑤ 생산 기술의 발달

7. 다음 그래프처럼 공급 변화에 영향을 주는 요인과 관련 <u>없는</u> 것은?

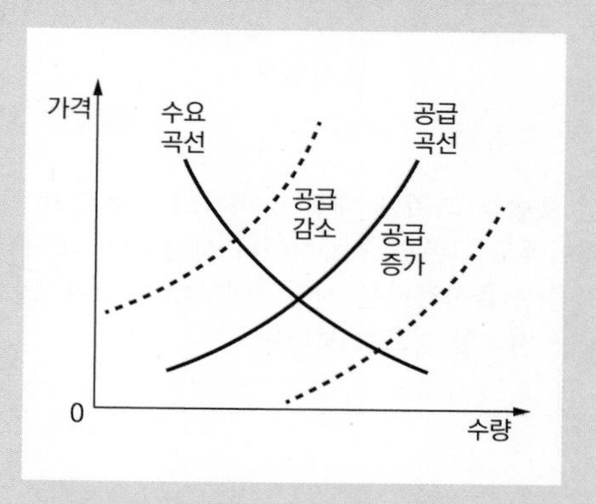

① 생산기술의 발전
② 공급자 수의 변화
③ 미래 가격에 대한 예측
④ 소비자의 취향과 선호도
⑤ 원자재 가격의 변화

8. 공기 청정기 시장의 그래프가 다음과 같이 변화되는 요인을 〈보기〉에서 고른 것은?

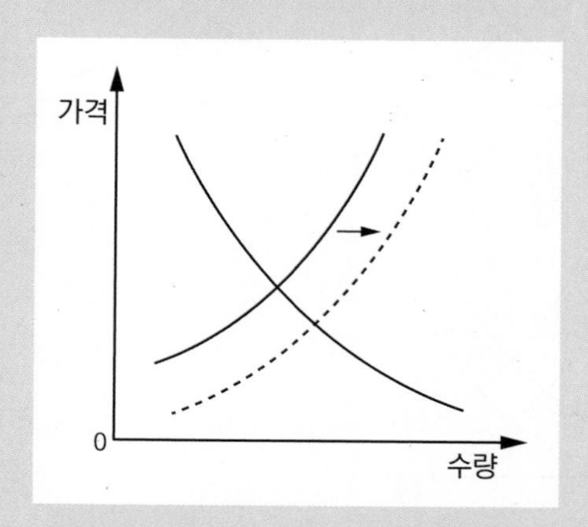

보 기

ㄱ. 공기 청정기를 사려는 소비자가 늘고 있다.
ㄴ. 공기 청정기를 생산하는 기업이 늘고 있다.
ㄷ. 앞으로 공기 청정기의 가격이 오를 것으로 예상되고 있다.
ㄹ. 공기 청정기에 사용하는 나노 필터 제조 기술 향상으로 필터 가격이 인하되었다.

① ㄱ, ㄴ
② ㄱ, ㄷ
③ ㄴ, ㄷ
④ ㄴ, ㄹ
⑤ ㄷ, ㄹ

9. 바나나 맛 초콜릿 과자의 수요·공급 곡선의 이동으로 가장 적절한 것은?

△△일보

○○년 ○월 ○일

바나나 맛 초콜릿 과자에 대한 소비자의 선호도가 급증하면서 ☆☆데이에도 기존의 초콜릿이나 사탕 대신 바나나 맛 초콜릿 과자를 선물하겠다는 사람들이 늘고있으며, 앞으로 이러한 경향은 지속할 것으로 보인다.

①
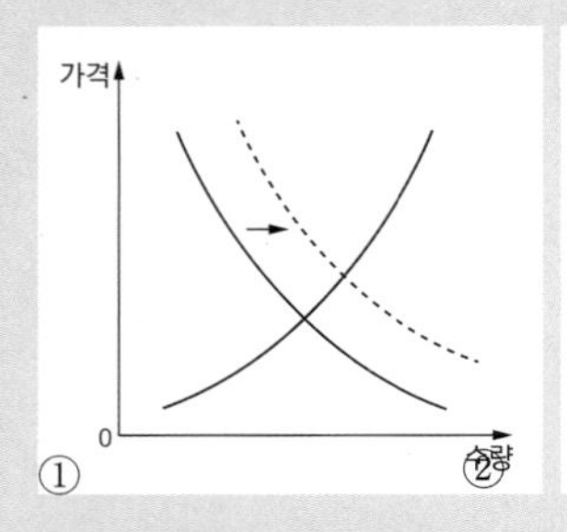

②
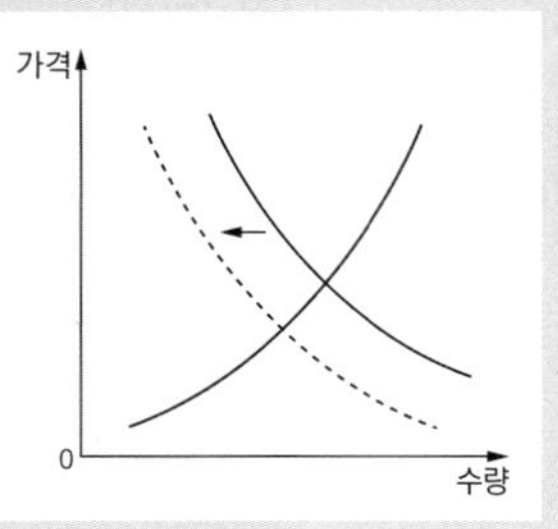

③
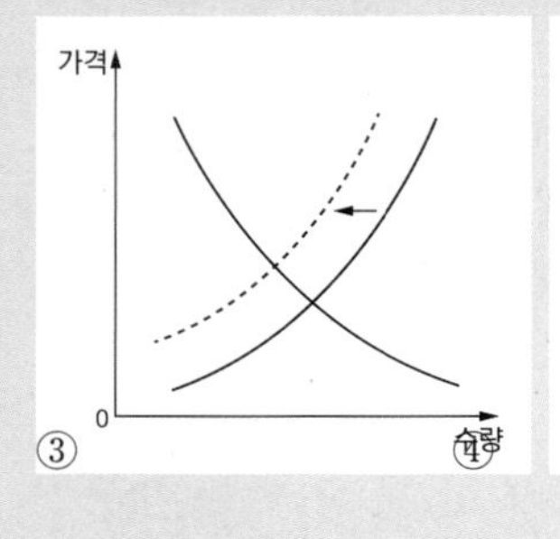

④
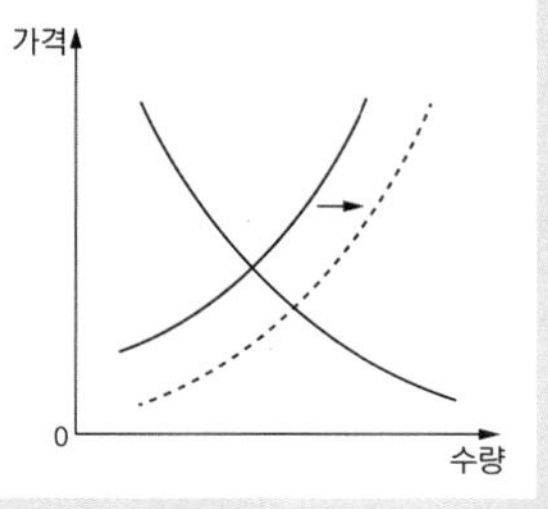

⑤
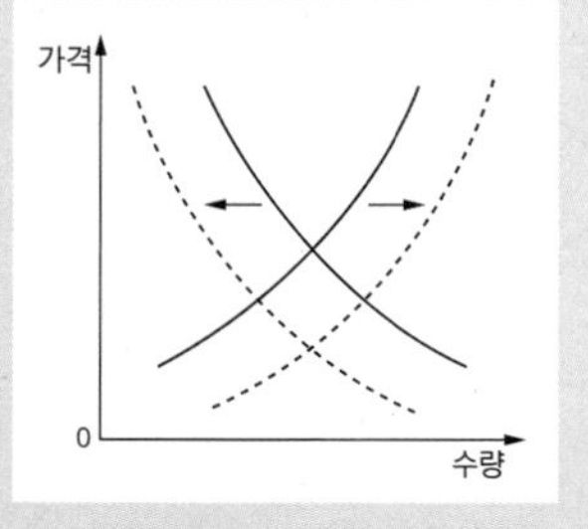

10. 다음 사례에서 나타난 시장 가격의 기능을 서술하시오.

1. 국내 총생산과 경제 성장

1. 국내 총생산의 의미와 한계

(1) 국내 총생산 (GDP) 시험1타

구분	내용
의미	• 일정 기간 동안 한 나라 안에서 새롭게 생산된 최종 생산물의 시장 가치를 합한 것
의의	• 한 나라의 경제 규모와 생산 능력, • 국민 전체의 소득 수준을 파악 할 수 있음 → 대표적인 국민 경제 지표 한 나라의 경제가 어떤 상태에 있는지를 알려주는 일종의 경제 성적표
중요 한계	• 가사 노동, 봉사 활동, 불법 거래 상품 등 시장에서 거래되지 않는 경제 활동은 포함하지 않음 • 생산 과정에서 발생하는 환경 오염, 자원 고갈등의 피해는 반영하지 않아 국민의 삶의 질 수준을 파악하기 어려움 • 소득 분배 상태나 빈부 격차 정도를 알기 어려움

구분	내용
일정 기간	• 보통 1년을 기준으로 함
한 나라 안에서	• 국적과 상관없이 한 국가의 영토 안에서 생산된 것만을 포함함 이해를 돕기 위한 실제 예시 • 한국 영어 학원에서 일하는 외국인 강사 John → 우리나라 안에서 일했으므로 John이 외국인이라고 해도 GDP에 들어감 • 미국에서 앨범을 낸 방탄소년단 → 우리나라 밖에서 일했으므로 방탄소년단이 한국인이라고 해도 GDP에 안들어감.
새롭게 생산	• 그 해에 새롭게 생산된 것만 포함 → 그 전에 생산된 중고품은 제외함 예) 10년전에 지어진 아파트는 GDP에 미포함
최종 생산물	• 최종적으로 생산된 재화나 서비스의 가치만을 측정함 → 생산 과정에서 사용된 중간재는 제외함 예) 과자 만들 때 사용 된 밀가루는 GDP에 미포함
시장 가치	• 시장에서 거래되는 것만을 포함함 → 주부들의 가사 노동, 직접 키운 상추 등은 GDP에 미포함

참고 국내 총생산 계산법

최종생산물의 가치의 합 계산법

Q-1. 국내총생산은 얼마인가?
A. 24만원이다.
→ 설명: 국내총생산은 최종생산물의 가치만 들어가는 개념이므로 중간재인 밀이나 밀가루는 포함하지 않고 최종재인 빵의 값어치 24만원만 들어간다. 그러므로 국내총생산은 24만원이다.

부가 가치의 합 계산법

Q-2. 국내총생산은 얼마인가?
A. 24만원이다.
→ 설명: 국내총생산은 부가가치의 합으로도 구할 수 있다. 밀의 부가가치 10만원+밀가루의 부가가치 9만원+빵의 부가가치 5만원= 24만원이다.(^0^)

시험에 무조건 이렇게 나와!! 이거 한번 풀어봐!!٩(•ᴗ•)

Q-1. 다음 지문 중 **맞는말**에는 ○표, 틀린말에는 ×표를 하시오.

구분	지문
일정 기간	① 기간은 보통 **1년**을 기준으로 한다. (　　)
한 나라 안에서	② 생산자의 **국적과 관계없이 그 나라 안에서** 생산되었으면 GDP에 포함된다. (　　) ③ 우리나라 국민이 외국에서 생산 활동을 하면 우리나라 국내 총생산에 포함한다. (　　)
새롭게 생산	④ 생산 연도와 상관없이 새롭게 만들어진 것이면 된다. (　　) ⑤ 그 해 이전에 생산된 **중고품**은 GDP에서 제외된다. (　　)
최종 생산물	⑥ 생산 과정에서 사용된 **중간재**는 GDP에서 제외된다. (　　) ⑦ **중간 생산물의 가치를 포함**하여 계산한다. (　　)
시장 가치	⑧ **시장에서 거래되는 가격으로 측정된 것만**을 대상으로 한다. (　　)

Q-2. **[심화 문제] 우리나라의 국내 총생산**에 포함되는 사례를 고르면?

① 지은 지 20년도 넘은 주택이 10억 원에 팔렸다.
② 과자를 만들어 팔기 위해 슈퍼에서 산 밀가루
③ 올해 새로운 스마트폰을 출시한 A기업
④ 대구 동성로 맥도날드에서 만들어진 햄버거
⑤ 손흥민 선수가 영국 프리미어리그 토트넘에서 받은 연봉
⑥ 매주 토요일마다 하천 보호를 위한 봉사활동
⑦ 올해 한국에서 미국인이 실시한 영어 회화 강의
⑧ 삼촌이 직접 농사지어 식구끼리 먹은 상추
⑨ 삼촌이 직접 농사지어 마트에서 팔게 된 상추
⑩ 어머니의 가사 노동

• 정답: Q-1. ①~⑤: ○○××○, ⑥~⑧: ○×○, Q-2. ③, ④, ⑦, ⑨

Q-3. 국내총생산(GDP)에 대한 설명으로 **맞으면 ○표, 틀리면 ×표** 하시오.

① 대표적인 **국민 경제 지표** 중의 하나이다. (　　)
② **한 나라의 경제 규모**와 **생산 능력**을 **파악**하기 위해 널리 이용된다. (　　)
③ **국내 총생산이 클수록 경제 활동 규모가 큰 나라**라고 할 수 있다. (　　)
④ **국민 개개인의 소득이나 생활 수준**을 **파악**할 수 있다. (　　)
⑤ **빈부 격차의 정도**를 알 수 있다. (　　)
⑥ **국민의 삶의 질 수준**을 알기 쉽다. (　　)

웨이크 주의보

시험TIP: **위의 지문들이** 특히 시험에 **웨이크**로 잘 나오니깐 꼭 기억해!!
GDP를 통해 **개개인 국민의 생활 수준**이나 **삶의 질 수준**은 절대 파악할 수 없어!!(ㅡ‿ㅡ)

Q-4. 국내총생산의 한계가 **맞으면 ○표, 틀리면 ×표** 하시오.

① **삶의 질 수준**을 평가하기 어렵다. (　　)
② **소득 분배**나 **빈부 격차**를 파악하기 어렵다. (　　)
③ 노동 시간뿐만 아니라 **여가에 사용된 시간도 포함**된다. (　　)
④ 삶의 질을 떨어뜨리는 행위가 오히려 국내 총생산을 증가시키기도 한다. (　　)
⑤ 여가를 늘려 삶의 질이 향상되어도 늘어난 여가 만큼 생산 활동이 감소하면 국내 총생산은 감소할 수 있다. (　　)
⑥ 환경오염이 발생하면 삶의 질이 떨어지지만, 이러한 문제의 해결 과정에서 들어가는 비용으로 오히려 국내 총생산이 증가할 수 있다. (　　)

• 정답: Q-3. ①~⑤: ○○○××, ⑥: ×, Q-4. ①~⑤: ○○×○○, ⑥: ○

사랑하는 얘들아!! 위의 O, X문제 푸느라 너무 수고 많았지?
조금 빡세더라도 이 파트에서는 저런 문제를 꼭 풀어봐야해! 왜냐하면 저런식으로 시험에 나오거든!!(￣▽￣)/
너희들이 애 많이 쓴만큼 고득점에는 더 가까이 간거야!! 너희들의 수고가 정말 헛되지 않단다:)
누구든지 노력하면 잘될 수 있어! 지금 이글을 보는 너는 정말 정말 잘될꺼야!! 진짜 레알이야!!↖(^▽^)↗

(2) 1인당 국내 총생산

의미	• 국내 총생산을 그 나라의 인구수로 나눈 것
의의	• **한 나라 국민들의 평균적인 소득 수준**을 파악 할 수 있다

이거 할 줄 알면 1인당 국내 총생산 관련한 문제는 다 풀 수 있어!!ᕦ(^0^)ᕤ

Q. 다음표를 보고 **1인당GDP**를 구하시오.

	가국	나국
국내총생산	1500만원	2000만원
총인구	100명	200명
1인당GDP	만원	만원

• 가국 1인당GDP:
1500만원÷100명 = 15만원
• 나국 1인당GDP:
2000만원÷200명 = 10만원

[이것을 통해 알 수 있는 것]
• **경제 규모**는 **나국**이 **더 크지만, 1인당GDP**는 **가국**이 **더크다.**
• **경제 성장**이 언제나 삶의 질 향상으로 이어진다고 **볼 수 없다.**
(보통 1인당GDP가 큰 나라일수록 삶의 질이 높은편이야 ^∪^)

시험 TIP **1인당GDP**는 기본적으로 계산할 줄 알아야해. 어렵지 않지? 때로는 1인당GDP를 알려주고 **인구수**를 구하라고 시험에 나오기도한단다!!(^0^)

2. 경제 성장

(1) 경제 성장 : 국내 총생산이 증가하여 **한 나라의 생산 능력**과 **경제 규모**가 커지는 것

→ **경제 성장률**을 통해 나타남

경제성장률

• **의미: 물가의 변동을 제거**한 **실질 국내 총생산**의 **증가율**로 나타냄
• **쉬운 설명:** 예를들어 **2023년**에 한국에서 **자동차**를 **1대** 생산하고, **가격**이 **천원**이라면 **2023년 한국의 GDP**는 **천원**이야. 그리고 **2024년**에도 똑같이 한국이 **자동차**를 **1대**만 생산했는데 **물가가 올라 자동차 가격**이 **2천원**이라면 **2024년 한국의 GDP**는 **2천원**이되지. 분명 2023년이나 2024년이나 생산한 자동차의 수는 1대로 같음에도 불구하고 **2024년 한국의 GDP는 두배로 성장한 꼴이 되어버린거야.** 이걸 경제 성장이라 볼 순 없지.0_0 그래서 **경제 성장률**을 구할 때는 **물가의 변동을 제거한 상태**의 GDP!! 즉, **실질 국내총생산**으로 구해. **실질 국내총생산**은 **기준 년도**를 바탕으로 계산한단다. 예를 들어 기준년도가 **2023년**이고 그때 **자동차 가격이 천원**이라면, **2024년**에 생산한 **자동차 1대**를 **2천원**이 아니라 **천원**으로 놓고 계산하면 정확한 **경제 성장률**을 알 수 있단다.

(2) 경제 성장의 영향 중요

긍정적 영향	• 일자리 창출, 국민 소득 증가 → 물질적 풍요 • 교육·의료·문화 수준 향상 → 삶의 질 향상
부정적 영향	• **자원 고갈** 및 **환경 오염** 발생 • 여가 부족 • **빈부 격차** 발생 → **계층 간 갈등** 발생

시험에 나오는 스타일로 완죤 정리해줄께!!(ò ᴗ ó)

★★빈칸 추론 문제

Q. (a)에 알맞은 말은 무엇인가?

((a))이란 **국내 총생산이 증가**하여 **나라의 생산 능력**과 **경제 규모**가 **커진 것**을 말한다.

〈 〉

★★○, ×문제: 맞는것에 ○표, 틀린것에 ×표 하시오.

① **경제가 성장**하면 **일반적인 소득 수준**은 낮아진다. ( )
② 경제 성장의 혜택이 적절히 분배되지 않으면 **계층 간 갈등이 나타날 수** 있다. ( )
③ 경제가 성장하면 **생산한 재화와 서비스의 양**이 **증가**하여 **경제 규모**가 커진다. ( )
④ **경제 성장**이란 **한 나라의 경제 규모**가 **확대**되는 현상이다. ( )
⑤ 경제가 성장하면 **여가가 부족**해져 **삶의 균형**이 **깨질 수** 있다. ( )
⑥ 경제가 성장하면 **반드시 삶의 질**이 **향상**된다. ( ) **훼이크 주의보**

훼이크 주의보	시험에 '**경제 성장은 반드시 삶의 질 향상을 가져온다**'라고 엄청 훼이크로 잘나와!!(๑•̀ω•́)ง 물론 경제 성장을 이루면 의료 시설이 좋아지는 등 삶의 질이 향상되는건 맞지만, **무조건 향상되는 것은 아니란다.**ọ_ọ 왜냐하면 경제 성장의 부정적 영향도 크기 때문이야!! 알긋지? ╮(º ▿ º)╭

• 정답: Q. 경제 성장, ①~⑤: ×○○○○, ⑥: ×

선생님은 행복이란?
주어지는 것이라고 생각했어!
그러니깐 행복한 상황이 주어져야 행복한것이라고
생각했어!
내가 좋은 대학을 가면! 내가 건강하면!
내가 돈이 많으면!!
이렇게 상황이 주어져야 행복한 것이라고 생각했어!^^
그런데 시간이 지나 나이가 들면서 깨달은 것은:)
행복은 내가 그려나가는 것이라는거야!
바로 옆의 그림처럼!^^
행복은 행복한 상황이 주어져서 행복한 것이 아니라!
내가 행복을 그려나가면 행복한 것이라는 것!
사랑하는 다음세대 개척자들아! 우리 함께 행복을 그려나가보자!
우리 친구들의 인생 가운데 행복으로 가득찰 수 있도록 람보쌤과 함께!!
응가 사회와 함께 그려나가보자!! 사랑해!! 알라븅 :)

바쁜 시험기간!!
키워드맵으로 빠르게 암기하자!!

혼자 외울 수 없는 친구들을 위해 키워드맵이 함께 암기 해드립니다!!

1. 국내총생산 (GDP)

1단계 기본 개념 파악하기

1. 회색 글씨의 중요 내용을 쓰면서 암기해보세요.(¯▽¯)/

국내총생산	
의미	·일정 기간 동안 한 나라 안에서 새롭게 생산된 최종 생산물의 시장 가치를 합한 것
의의	·한 나라의 경제 규모와 생산 능력 등을 파악 ·대표적인 국민 경제 지표
한계	·가사 노동, 봉사 활동 등 시장에서 거래되지 않는 경제 활동은 포함하지 않음 ·환경오염, 자원 고갈 등의 피해는 반영하지 않아 국민의 삶의 질을 파악하기 어려움 ·소득 분배 상태나 빈부 격차 정도를 알기 어려움

파생문제4

Q. **최종 생산물**에 해당하는 경우는?
① 과자 만들려고 산 밀가루
② 오늘 판매하려고 재배한 배추

파생문제5

Q. **시장 가치**에 해당하는 경우는?
① 마트에서 산 짜북칩
② 엄마의 가사 노동

2단계 기본 개념 적용하기

2. 다음은 무엇에 대한 **설명인가**?

> **일정 기간** 동안 **한 나라 안**에서 **새롭게 생산**된 **최종 생산물**의 **시장 가치를 합**한 것을 의미합니다.^▽^

〈 〉

파생문제1

Q. **일정기간**이란?
① 보통 1년
② 보통 2년

파생문제2

Q. **한 나라 안**에 해당하는 경우는?
① 미국에서 앨범을 발매한 BTS
② 한국에서 영어 강사로 일하는 미국인

파생문제3

Q. **새롭게 생산**에 해당하는 경우는?
① 올해 생산한 핸드폰
② 10년전에 지어져 올해 매매한 집

• 정답 :
2. 국내총생산(GDP)
파생문제 1~5: ①②①②①

3. **국내 총생산**을 구해보세요.(✪o✪)

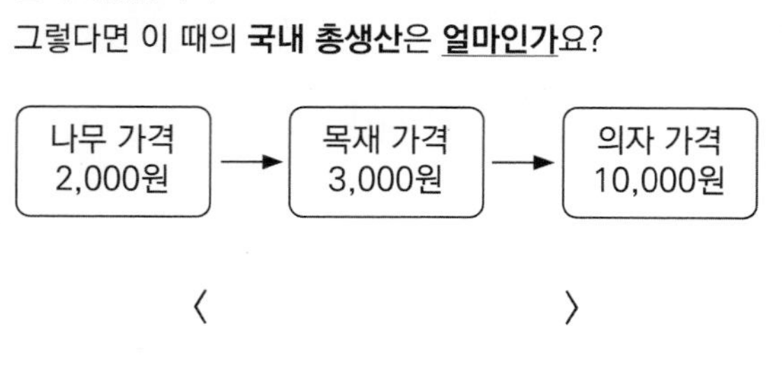

4. 다음 중 **국내 총생산**에 대한 **설명이 아닌 것은**?

① 대표적인 **국민 경제 지표**이다.
② **국내 총생산**이 클수록 **경제 규모**가 큰 나라이다.
③ **국민 개개인의 소득**이나 **생활 수준**을 파악할 수 있다.

5. 다음 중 **국내 총생산**의 **한계**가 **아닌 것은**?

① **삶의 질 수준**을 평가하기 어렵다.
② 노동 시간 뿐만 아니라 **여가에 사용된 시간**도 **포함**된다.
③ **소득 분배**나 **빈부 격차**를 파악하기 어렵다.

• 정답 : 3. 10,000원 4.③ 5.②

6. **1인당 국내 총생산**을 함께 구해봐요.(/^o^)/♡

	가국	나국
국내총생산	1500만원	2000만원
총인구	100명	명
1인당GDP	만원	10 만원

[정답 쓰는 곳]

·가국 1인당GDP:

·나국 총인구 수:

짜투리 퀴즈
Q-1. 경제 규모가 큰 나라는? ① 가국 ② 나국 Q-2. 개인의 평균 소득이 더 높은 나라는? ① 가국 ② 나국

• 정답 : 6. 15만원,200명 짜투리퀴즈.②,①

2. 경제 성장

2단계 기본 개념 적용하기

1. ㉠는 무엇에 대한 **설명일까요?**＼(^0^*)/

(㉠)은/는 **국민 경제의 생산 능력이 커져** 재화와 서비스의 생산량이 늘어나는 것이다. 즉, (㉠)은/는 **국내 총생산**이 **지속해서 증가**한다는 것을 의미한다.

〈 〉

2. **경제 성장**의 **긍정적 영향**에 '긍', **부정적 영향**에 '부'라고 쓰세요.

일자리 창출	국민 소득 증가	환경 오염
① ( )	② ( )	③ ( )
빈부 격차	**의료 수준 향상**	**계층간 갈등**
④ ( )	⑤ ( )	⑥ ( )

• 정답 : 1. 경제 성장 2. ①~⑤: 긍긍부부긍 ⑥: 부

3단계 시험에 나오는 스타일 체득하기!

3. 시험에 잘나오는 훼이크를 회색 글씨 위에 덧대어 쓰며 다시 한번 확인하세요! ᕙ(•̀‸•́‶)ᕗ

훼이크 주의보	'**경제 성장**은 반드시 **삶의 질 향상**을 가져온다!!' 라고 말하면 겁나 틀려!!٩(๑•̀o•́๑)و '경제 성장이 반드시 삶의 질 향상을 가져오는 것은 아니다!!'가 겁나 맞아!＼(^0^*)/

람보쌤의 자세한 해설을 영상으로 보세요!

국내 총생산과 경제 성장

유형 1 국내 총생산의 정의

※ 다음 글을 읽고 물음에 답하시오.

> (가)는 ㉠일정 기간 ㉡한 나라 안에서 ㉢새롭게 생산한 모든 ㉣최종 생산물의 ㉤가치를 합한 것이다.

1. (가)에 들어갈 개념으로 알맞은 것은?

① 국내 총생산　② 국민 총생산
③ 국민 총소득　④ 경제 성장률
⑤ 1인당 국내 총생산

2. 밑줄 친 ㉠~㉤에 대한 설명으로 알맞지 않은 것은?

① ㉠ - 보통 1년을 기준으로 한다.
② ㉡ - 생산자의 국적과 관계없이 그 나라 안에서 생산되었으면 포함된다.
③ ㉢ - 작년에 생산한 것은 포함되지 않는다.
④ ㉣ - 중간 생산물의 가치를 포함하여 계산한다.
⑤ ㉤ - 시장에서 거래되는 가격으로 측정한다.

유형 2 국내 총생산에 대하여

3. 국내 총생산에 대한 설명으로 옳지 않은 것은?

① 1년 동안 새롭게 생산한 것만 포함한다.
② 중고차의 시장 거래는 국내 총생산에 포함된다.
③ 시장에서 거래된 재화와 서비스만을 대상으로 한다.
④ 재화나 서비스를 생산하기 위해 사용된 재료는 포함되지 않는다.
⑤ 생산자의 국적에 상관없이 그 나라 안에서 생산된 것은 모두 포함된다.

4. 국내 총생산(GDP)에 대한 설명으로 옳은 것은?

① 빈부 격차의 정도를 알 수 있다.
② 국민의 삶의 질 수준을 알기 쉽다.
③ 재작년에 출시된 중고차도 GDP에 포함된다.
④ 시장에서 거래되는 재화와 서비스의 가치만을 측정한다.
⑤ 우리나라 근로자가 외국에서 일한 것도 GDP에 포함된다.

유형 3 국내 총생산에 들어가는 것들

5. 밑줄 친 부분 중 올해 우리나라의 국내 총생산에 포함되는 것을 모두 고른 것은?(단, 밑줄 친 부분은 모두 올해 발생했다.)

> **보 기**
> ㄱ. 지은 지 20년도 넘은 성북동 주택이 10억 원에 팔렸다.
> ㄴ. 좋은 과자를 만들어 팔기 위해 슈퍼에서 밀가루를 구입했다.
> ㄷ. 올해 국내 기업들이 새로운 스마트폰을 출시하여 국내에서 판매했다.
> ㄹ. ○○이는 2학기 등록금으로 3백만 원을 내고 △△대학교에서 수업을 들었다.

① ㄱ, ㄴ　② ㄴ, ㄷ　③ ㄷ, ㄹ
④ ㄴ, ㄷ, ㄹ　⑤ ㄱ, ㄴ, ㄷ, ㄹ

6. 우리나라의 국내 총생산에 포함되는 것만을 〈보기〉에서 있는 대로 고른 것은?

> **보 기**
> ㄱ. 엄마가 직접 재배하신 상추의 가치
> ㄴ. 제과점에서 과자를 만드는데 사용한 밀가루
> ㄷ. 손흥민이 프리미어리그 토트넘에서 받은 연봉
> ㄹ. 노은동 영어학원에서 강의하는 미국인 강사의 강의료
> ㅁ. 우리나라에서 운영하는 외국 기업의 프랜차이즈 카페의 수입

① ㄴ, ㄷ　② ㄹ, ㅁ
③ ㄱ, ㄴ, ㄷ　④ ㄷ, ㄹ, ㅁ
⑤ ㄱ, ㄴ, ㄷ, ㄹ, ㅁ

유형 4 국내 총생산의 한계

7. 국내 총생산의 의의와 한계에 대한 설명으로 옳지 않은 것은?

① 대가를 받지 않는 봉사 활동은 국내 총생산에 포함되지 않는다.
② 국내 총생산을 통해 국민 개개인의 소득 수준과 생활 수준을 파악할 수 있다.
③ 국내 총생산으로 생산의 결과가 공정하게 분배 되었는지와 빈부 격차의 정도를 알기 어렵다.
④ 여가를 늘려 삶의 질이 향상되어도 늘어난 여가만큼 생산 활동이 감소하면 국내 총생산은 감소할 수 있다.
⑤ 환경오염이 발생하면 삶의 질이 떨어지지만, 이러한 문제의 해결 과정에서 들어가는 비용으로 오히려 국내 총생산이 증가할 수 있다.

. 밑줄 친 진희의 주장을 뒷받침할 수 있는 근거를 〈보기〉에서 고른 것은?

> 미희 : 국내 총생산은 한 나라의 경제 규모를 파악하는데 매우 유용한 경제 지표야.
> 진희 : 하지만 국내 총생산은 국민들의 실생활을 정확히 나타내지는 못해.

보 기

ㄱ. 국내 총생산에는 재화의 가치만 포함된다.
ㄴ. 국내 총생산은 소득 분배 상태에 관한 정보를 제공하지 못한다.
ㄷ. 삶의 질을 떨어뜨리는 행위가 오히려 국내 총생산을 증가시키기도 한다.
ㄹ. 국내 총생산에는 전업 주부의 가사 노동과 봉사 활동을 포함한다.

) ㄱ, ㄴ　② ㄱ, ㄷ　③ ㄴ, ㄷ
) ㄴ, ㄹ　⑤ ㄷ, ㄹ

유형 5 1인당 국내 총생산

. 빈 칸 □에 들어갈 신문 기사의 제목으로 가장 적절한 것은?

> ○ ○ 일 보
>
> □
>
> 우리나라는 서구 선진국들이 200년 정도 걸려서 이룬 산업화를 반세기만에 이루었다. 이런 압축 성장의 결과 세계 속에서 우리나라의 경제적 위상은 크게 높아졌다. 2020년 국내총생산은 세계 10위, 1인당 국내총생산은 세계 26위이다.
>
> 그러나 삶의 질, 1인당 연간 노동시간, 행복지수 등은 상대적으로 낮은 수준에 머물러, 경제적 성취가 삶의 질 향상으로 잘 연결되지 않고 있다.

① 실패한 경제 성장, 국민들은 불행하다.
② 장기간에 걸친 성장으로 이룬 한강의 기적
③ 세계 속 경제적 위상 높아졌으나, 삶의 질은?
④ 농업 사회에서 산업사회, 이제 정보화 사회로!
⑤ 수출 중심 경제 성장으로 국민의 삶의 질 높혀

서술형

10. 다음 자료의 (가)~(다)의 빈 칸을 채우시오.

각 나라의 국내총생산과 1인당 GDP

내용 \ 나라	A국	B국	C국
국내총생산	1500만원	9000만원	2000만원
1인당GDP	3만원	9천원	(가)
총 인구	500명	(나)	100명

B국이 A국에 비해 국내총생산 규모가 훨씬 더 크다. 그러나 1인당 GDP는 오히려 A국이 더 높다. 이는 B국이 A국보다 (다)가 훨씬 많기 때문이다.

(가)　　　　원
(나)　　　　명
(다)

유형 6 국내 총생산 계산

서술형

11. 국내 총생산을 구하는 방법 2가지를 서술하시오.

(1)

(2)

12. 표는 A나라에서 생산된 상품의 연도별 생산량과 가격이다. 이에 대한 분석으로 옳은 것은?(단, 시장 가격은 1개당 가격이며, 표에 제시된 상품 이외에는 생산되지 않았다.)

〈2020년〉

상품	TV	컴퓨터	스마트폰
시장 가격	150만 원	50만 원	100만 원
생산량	5개	10개	20개

〈2021년〉

상품	TV	컴퓨터	스마트폰
시장 가격	200만 원	50만 원	150만 원
생산량	5개	10개	20개

① 2020년의 국내 총생산은 3000만 원이다.
② 2020년에 비해 2021년의 국내 총생산이 더 크다.
③ 2020년에 비해 2021년에 더 많은 상품이 생산되었다.
④ 2020년에 비해 2021년에 모든 상품의 가격이 더 비싸졌다.
⑤ 2020년과 2021년 모두 스마트폰보다 컴퓨터가 더 많이 생산되었다.

유형 7 도표

13. 표에 대한 분석으로 가장 옳은 것은?

비교 항목	한국	미국	중국	프랑스
GDP (달러)	1조 4,104억	17조 4,190억	10조 3,548억	2조 8,292억
1인당 GDP (달러)	27,971	54,630	7,590	47,733
기대 수명 (세)	81	79	71	82
인터넷 이용자 수 (100명당)	84	87	49	84
연간 노동 시간	2,124	1,789	-	1,473

(OECD, IMF, 통계청, 2016)

① 한국의 국내 총생산이 증가하는 것을 알 수 있다.
② 경제 성장이 언제나 삶의 질 향상으로 이어진다는 것을 알 수 있다.
③ 한국은 연간 노동 시간이 높기 때문에 삶의 질이 높다고 볼 수 있다.
④ 중국의 GDP가 가장 큰 것으로 보아 경제 성장률이 높다는 것을 알 수 있다.
⑤ 1인당 GDP가 높은 국가들은 기대 수명이 높은 것으로 보아 보다 건강한 삶을 산다고 볼 수 있다.

경제 성장의 의미와 영향

유형 1 경제 성장

14. 경제 성장에 대한 설명으로 옳지 않은 것은?

① 경제 성장은 언제나 삶의 질 향상으로 이어진다.
② 경제 성장은 일자리 창출, 소득 증가와 같은 긍정적 영향을 미친다.
③ 경제 성장의 정도를 보여주는 경제 성장률은 국내 총생산의 증가율로 나타낸다.
④ 시간이 지남에 따라 한 나라의 경제 규모가 커지는 현상을 경제 성장이라고 한다.
⑤ 오늘날 많은 국가에서는 복지, 환경 등을 고려한 지속 가능한 경제 성장을 추구하고 있다.

15. ㉠에 대한 설명으로 옳지 않은 것은?

(㉠)은/는 국민 경제의 생산 능력이 커져 재화와 서비스의 생산량이 늘어나는 것이다. 즉, (㉠)은/는 국내 총생산이 지속해서 증가한다는 것을 의미한다.

① 경제 성장을 의미한다.
② 일자리가 늘어나고 국민 소득이 증가할 것이다.
③ 질 높은 교육과 의료 혜택을 제공 받을 수 있다.
④ 빈부 격차가 해소되고 계층 간 갈등이 줄어들 것이다.
⑤ 재화와 서비스의 생산이 증가하여 물질적으로 풍요로워진다.

유형 2 경제 성장의 영향

16. 경제 성장의 영향으로 옳지 않은 것은?

① 문화·교육·의료 등의 수준이 향상된다.
② 빈부 격차와 계층 간 갈등이 나타날 수 있다.
③ 일반적인 소득 수준이 높아져 물질적으로 풍요로워진다.
④ 경제가 성장할수록 자원 고갈과 환경오염 문제가 줄어든다.
⑤ 경제 활동 시간의 증가로 여가가 부족해져 삶의 균형이 깨질 수 있다.

17. 경제 성장이 우리 생활에 미치는 영향으로 옳지 않은 것은?

① 빈부 격차가 해소되어 쾌적한 생활이 가능하다.
② 일자리가 많이 생겨나고 국민 소득이 증가한다.
③ 질 높은 교육과 의료 혜택을 제공 받을 수 있다.
④ 다양한 문화생활을 할 수 있게 되어 삶의 질이 향상된다.
⑤ 더 많은 재화와 서비스를 소비할 수 있어 물질적으로 풍요로운 생활을 누릴 수 있다.

2. 물가와 실업

1. 물가와 물가 지수

물가	• 시장에서 거래되는 여러 상품의 가격을 종합하여 평균한 것
물가 지수	• 물가의 변동을 수치로 표현한 것

람보쌤의 쉬운 설명 '물가'

물가에 대한 개념을 잘 파악하고 있어야 경제파트가 쉬워!! 그래서 쉽게 설명해줄께! 유후!!(^0^)

헐~라면의 가격이 올라버렸잖아!ㅠㅠ 그럼 이럴 때 물가가 **상승됐다고** 할 수 있을까? 아니 그건 아니야! ^◡^ 이건 그냥 라면 가격만 올라간 거지, **물가 전체가 올라갔다고 볼 순 없어!** 〉〈

물가는 **소비자들의 일상 생활에 필요한 대표 품목들을 모아 종합하여 평균한 것**을 의미해!! o(^-^)o
다시한번 중요 포인트!!
물가는 **종합하여 평균한 것이라는 것**을 꼭 기억해!! 알라뷰(¯▽¯)/

람보쌤의 키포인트정리
- **개별 상품의 가치를 화폐 단위**로 나타낸 것은 가격
- 시장에서 거래되는 여러 상품의 가격을 **종합하여 평균한 것**은 물가

중요

중요!! '소비자 물가 지수'

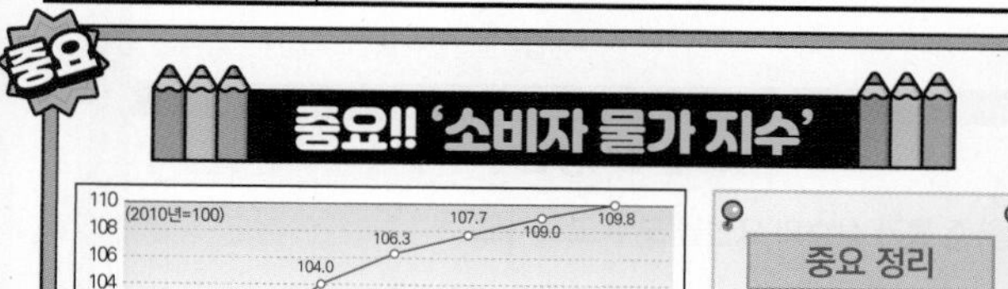

소비자 물가 지수

☞ **소비자 물가지수란?**
- 소비자의 일상 생활에 필요한 대표 품목들의 가격을 종합하여 나타낸 것입니다.
- **기준 연도**를 100으로 하여 **비교 연도**의 물가 수준을 나타낸다.

중요 정리

Q. 옆의 도표에서 **기준년도**는 언제?
A. 2010년
Q. 그렇다면 2013년의 물가 동향을 분석하라!
A. 물가지수가 107.7이므로 기준년도 대비 물가가 7.7% 상승하였다.

'물가와 물가 지수' 시험에는 이렇게 나온다!!٩(•◡•)

★★용어 문제 [이 파트는 용어 문제가 겁나 레알 잘나와!! ＼(^0^*)/]

Q. 다음 ㉠, ㉡, ㉢에 들어갈 말을 쓰시오.

> 한 나라에서 거래되는 **개별 상품의 가치를 화폐 단위로 나타낸 것**을 (㉠)이라고 하고, (㉡)는 시장에서 거래되는 여러 상품의 값을 **종합하여 평균한 것**을 말한다.
> 물가를 기준이 되는 연도(시점)를 100으로 놓고 비교 연도의 수치를 나타낸 것을 (㉢)라고 한다.

• 정답 〈 ㉠: , ㉡: , ㉢: 〉

• **정답**: ㉠가격, ㉡물가, ㉢물가지수

★★'물가와 물가지수'에 대해 시험에 잘나오는 지문 ○, ×

① 소비자 물가 지수는 소비자의 일상 생활에 필요한 대표적인 재화의 가격과 서비스의 요금을 측정하여 작성한다. ( )
② 물가 지수는 비교 시점의 물가를 100으로 한다. ( )
③ 물가 지수가 110이라면 이는 기준 연도에 비해 물가가 10% 상승하였음을 의미한다. ( )
④ 어떤 연도(시점)의 물가 지수가 100보다 크면 물가가 상승한 것이고 100보다 작으면 물가가 하락한 것이다. ( )

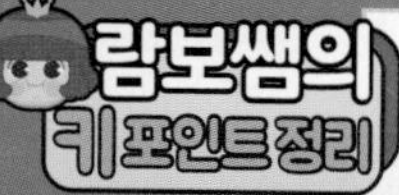

⑤ 물가는 **개별 상품의 가치를 화폐 단위로 나타낸 것**이다. ( )

• **정답**: ①○, ②×→비교 시점이 아니라 **기준시점**을 100으로 놓고 비교한다. ③○, ④○, ⑤×→이것은 **물가**가 아니라 **'가격'**에 대한 설명이다.

2. 인플레이션

(1) **인플레이션** : 물가가 지속적으로 오르는 현상 (**물건의 가치** 상승↑, **화폐 가치** 하락↓)

(2) **물가 상승의 원인** 시험1타

① 통화량의 증가	② 생산비의 상승	③ 총수요 > 총공급
• 시중에 공급되는 통화량이 많아지면 소비나 투자가 활발해져 화폐 가치가 하락하고 물가가 상승함	• 임금, 원자재 등의 생산비가 증가하면 물가가 상승함	• **가계의 소비**, **기업의 투자**, **정부의 재정 지출 증가** 등으로 총수요가 총공급보다 많아지면 물가가 상승함

시험문제 1타 정리 '인플레이션'o(￣▽￣)o

★★시험에 나오는 인플레이션의 예

독일의 인플레이션

[내용]
독일은 1차세계대전이 끝난 후 전쟁 배상금을 갚기 위해 무분별하게 화폐를 발행하였다. 그 결과 물가가 100억배나 상승하게 되어 독일에서는 벽지 대신 돈으로 도배하고 땔감 대신 돈을 태우기도 하였다.

Q. 독일에서 인플레이션이 발생하게 된 원인은?
A. 통화량의 급증

흥선 대원군은 경복궁 공사비를 마련하기 위하여 당백전이라는 화폐를 발행하였는데, 이 화폐는 상평통보의 100배 가치를 가졌다. 이러한 고액 화폐가 대량 발행된 결과!! 쌀값이 1년 사이 6배나 급등하였다. 당백전의 사례는 무분별한 화폐 발행은 급격한 물가 상승을 초래한다는 교훈을 준다.

흥선대원군과 인플레이션

Q. 옆의 예와 같은 문제가 발생하게 된 경제적 원인은?
A. 통화량의 급증

★★용어문제 [인플레이션]

Q. 다음 ㉠, ㉡, ㉢에 들어갈 알맞은 말을 쓰세요.

> **가계의 소비**와 **기업의 투자, 정부의 소비**가 크게 증가하면 **물가가 지속적으로 상승하는 현상**인 (㉠)이/가 발생할 수 있다.
> (㉠)이 발생하면 **화폐 가치**는 (㉡)하고,
> **재화와 서비스의 가치**는 (㉢)한다.

• 정답 〈 ㉠: , ㉡: , ㉢: 〉

• 정답: ㉠인플레이션, ㉡하락, ㉢상승

★★실제 시험 문제

Q. 다음 중 **물가 상승의 요인**을 **모두 고르시오.**

① **가계의 소비**나 **기업의 투자** 또는 **정부의 재정 지출**이 **증가**하는 경우
② 시중 **은행의 이자율 상승**
③ 국내외 **원자재 가격의 하락**
④ 상품을 생산하는 **생산비의 하락**
⑤ 시중에 공급되는 **통화량의 증가**
⑥ **경제 전체의 수요**가 **경제 전체의 공급**보다 **많은 경우**
⑦ 소비나 투자가 활발해짐

• 정답: ①, ⑤, ⑥, ⑦

(3) 물가 상승의 영향

① 화폐의 가치 하락	• 같은 금액으로 살 수 있는 상품의 양이 줄어 듬 → 상품 구매력 하락 ↓ → 재화와 서비스 가치 상승 ↑
② 소득의 불공평한 재분배	• 실물 자산을 소유한 사람들은 유리함 ↑ • 현금을 보유한 사람들은 불리함 ↓
③ 기업의 투자 활동 위축	• 가계의 저축 감소 → 기업의 투자 위축
④ 무역의 불균형 발생	• 외국 상품에 비해 자국 상품의 가격이 상대적으로 비싸져 수출은 감소하고 수입은 증가함
⑤ 투기 발생	• 근로 의욕이 떨어져 부동산 투기와 같은 불건전한 거래가 성행 함

시험1타 서술형1타

(4) 물가 상승 시 유리한 사람 VS 불리한 사람

① 유리한 사람
• 실물 자산 소유자 • 돈을 빌린 사람 • 수입업자
② 불리한 사람
• 봉급, 연금 생활자 • 은행에 돈을 예금한 사람 • 돈을 빌려준 사람 • 수출업자

람보쌤의 서술형 1타!! '유리한 사람' VS '불리한 사람'

인플레이션 상황에서 **유리한 사람**과 **불리한 사람**을 묻는 문제는 강~아닥하고 **시험문제1타!! 서술형 1타!!**(´▽`)

실제 서술형 문제

Q. 인플레이션이 발생했을 때, 경제적으로 **'유리해지는 사람'**과 **'불리해지는 사람'**을 각각 **2가지씩** 서술하시오.
〈정답 : 채무자와 실물 자산 소유자는 유리해지지만, 채권자와 현금보유자는 불리해진다.〉

(4) 물가 안정을 위한 노력

중요 정부	• 재정 지출 축소 • 조세 인상 • 생활 필수품 가격 상승 규제 • 공공 요금 인상 억제	기업	• 기술 개발, 경영 혁신 등을 통한 생산성 향상, 생산비 절감
		근로자	• 과도한 임금 인상 자제 • 자기 계발을 통한 생산성 향상
중요 중앙 은행	• 통화량 감축 • 시중 은행의 이자율 인상 → 저축 유도	소비자	• 과소비 자제 • 건전하고 합리적인 소비 자세 함양

시험 문제 1타 서술형!!

Q. 인플레이션을 해결하기 위해 **정부**와 **중앙 은행**의 **대책**을 각각 **서술하시오.**

〈정답: • 정부는 재정 지출을 줄이고 조세를 인상한다.
• 중앙 은행은 통화량을 감축하고 시중 은행의 이자율을 상승시킨다.〉

특히 이번 파트는 조금 헷갈리는 내용들이 많으니 연습이 많이 필요해(¯▽¯)/ 그러나 걱정 끝!!
너희들이 충분히 연습 할 수 있도록 람보쌤이 키워드맵에 잘 정리해뒀다규!! 키워드맵 꼭 해야한다!! 알긋지?s(¯▽¯)v

3. 실업의 의미와 유형

(1) **실업** : **일할 능력과 의사가 있는데도** 일자리를 구하지 못하는 상태→

구직을 포기한 삼촌은 실업자?

아니다!! 실업자는 일할 의사는 있는데 일자리를 구하지 못한 사람이다. 그에 반해 **구직을 포기한 삼촌은 일할 의사 자체가 없으므로** 실업자는 아니다!!

(2) **실업자** 시험TIP: ↓이 표는 **시험문제 무조건 1타**야!! 그냥 아닥하고 외우자!!(ง •̀_•́)ง

★★시험문제 1타!! 시험에 겁나 잘나오는 표

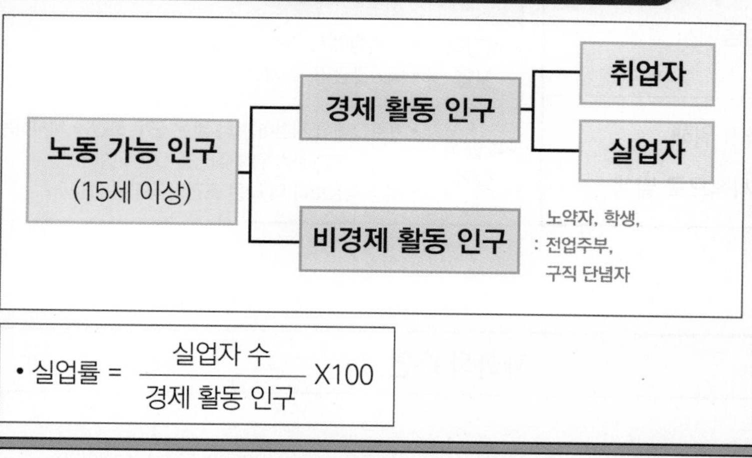

• 실업률 = $\frac{\text{실업자 수}}{\text{경제 활동 인구}}$ X100

람보쌤의 표풀이

• **노동 가능 인구:** 생산 활동이 가능한 15세 이상의 사람
• **경제 활동 인구:** 일할 의사와 능력을 가진 사람 **서술형**
• **비경제 활동 인구** : 노동 가능 인구 중에서 경제 활동 인구가 아닌 사람
• 취업자: 경제 활동 인구 중 일자리가 있는 사람
• **실업자**: 경제 활동 인구 중 일자리가 없는 사람

이부분은 특히 시험받입니다!! 특히 잘 기억하세요!!<(•ᴗ•)> [시험에 나오는 대표유형 2개 알아보기]

★★유형1 [실업자 도표]

㉠ 노동 가능 인구 (15세 이상)
- ㉡ 경제 활동 인구
  - ㉣ 취업자
  - ㉤ 실업자
- ㉢ 비경제 활동 인구

• 일단 이 도표를 아닥하고 암기합니다!!(ง •̀_•́)ง ㉠, ㉡, ㉢, ㉣, ㉤에 어떤 것이 들어가야 하는지 반드시 알고 있어야 합니다!!

실제 서술형 문제

Q-1. ㉡ **경제 활동 인구**에 대해 서술하시오.

[노동 가능 인구 중 **일할 능력**과 **일할 의사**가 있는 사람을 의미한다.]

• 서술형 답 쓸 때 주의 할점!! **'노동 가능 인구'**라는 단어가 반드시 들어가야 합니다! 안들어가면 틀림('⌒')

실제 시험에 가장 잘나오는 문제

Q-2. 다음 ㉢ **비경제 활동 인구**에 **포함되지 않는** 사람을 바르게 고르시오.

① 17살의 고등학생
② 경기침체로 구직을 포기한 성인
③ 집안에서 가사를 돌보는 전업 주부
④ 은퇴 후 봉사활동 하는 노인 김모씨
⑤ 취업 박람회에 참여한 취업 준비생
⑥ 휴가를 이용해 연봉이 높은 다른 회사의 면접에 다녀온 이모씨

• 정답: ⑤, ⑥

★★유형2 [실업자 도표와 실업률 구하기 서술형]

Q. 다음 제시된 표를 보고 (가)~(다)에 들어갈 알맞은 용어를 쓰고, **실업자**의 의미 서술 및 **갑국과 을국의 실업률**을 구하시오.

구분			갑국	을국
(가)	(나)	취업자	1,680	3,520
		실업자	320	480
	(다)		1,200	3,200

(1) (가):
(나):
(다):
(2) 실업자의 의미:
(3) 갑국 실업률:
(4) 을국 실업률:

• 정답: (1) (가)노동 가능 인구, (나)경제 활동 인구, (다)비경제 활동 인구 (2) 일할 능력과 일할 의사가 있지만, 일자리를 구하지 못한 사람이다.
(3) 갑국의 실업률 : 16% (4) 을국의 실업률 : 12%

(3) 실업의 유형 중요

유형	내용	대표적인 예
경기적 실업	• 경기가 침체되어 기업이 신규 채용이나 고용을 줄이는 경우 발생	• **경기 침체**로 기업에서 해고당했다. • **경기가 좋지 않아** 올해는 신규 채용 인원을 줄입니다.
구조적 실업	• 산업 구조의 변화 나 새로운 기술 도입 으로 관련 부분의 일자리가 사라지면서 발생 (사양 산업에서 발생)	• **업무가 로봇에 의해 대체되어 일자리가 사라졌다.** • 기차표 발권 업무를 하던 미연이는 전자티켓을 이용하는 사람들이 늘어나면서 일자리를 잃었다. • 석탄 산업이 쇠퇴하면서 광산 노동자는 실업자가 되었다.
계절적 실업	• 계절의 영향 을 많이 받는 특정 업종에서 발생	• **스키장**에서 일하다가 구직중인 정국 • 예〉 관광업, 스키장 근무 등
마찰적 실업	• 더 나은 조건의 일자리 를 구하기 위해 기존에 다니던 직장을 그만두면서 일시적으로 발생	• 프로그래머 지민이는 **더 좋은 근무 조건**을 제시하는 회사로 이직하기 위해 직장을 그만두었다. • 지금 직장보다 **더 나은 조건의 직장**은 없을까?

마찰적 실업 = 자발적 실업

(4) 실업의 영향

개인적 측면	사회적 측면
• 생계 유지 곤란 • 자아실현 기회 상실 • 경제적·심리적 고통 발생	• 인적 자원 낭비 • 정부의 재정 부담 증가 세금내는 사람은 줄어드는데 실업 인구를 부양하는 비용은 증가하기 때문이야!ㅠㅠ • 사회 문제 발생: 빈곤 확산, 빈부격차 발생, 가족 해체 및 생계형 범죄 증가 • 경기 침체: 가계의 소비 위축

(5) 고용 안정을 위한 노력

주체	구분	노력
정부	경기적 실업	• 경기 회복 정책 실시(총수요 증가 정책) : 일자리 창출 • 재정 지출을 늘려 투자와 소비를 활성화
	구조적 실업	• 체계적인 직업 교육 실시, 인력 개발 프로그램 마련
	계절적 실업	• 구인과 구직에 대한 취업 관련 정보 제공 • 취업 박람회 개최
	마찰적 실업	
기업		• 고용 안정과 일자리 창출을 위한 경영 방안 모색, 신기술 개발
근로자		• 끊임없는 자기 계발, 전문성 향상, 새로운 기술 습득

1. 물가와 물가 지수

1단계 기본 개념 파악하기

1. 회색 글씨의 중요 내용을 쓰면서 암기해보세요.(¯▽¯)/

얘들아 안녕s(¯▽¯)v 오늘은 **물가**에 대해 알려줄께! 개별 상품의 가치를 화폐 단위로 나타낸 것을 가격이라고 해. 그리고 물가는 시장에서 거래되는 여러 상품의 가격을 종합하여 평균한 것을 말하지. 그러니깐 물가는 종합적이고 평균적인거야. 이때 기준 연도의 물가는 100으로 놓고 비교 연도의 물가 수준을 나타낸 값을 물가지수라고 하는데 만약 2024년의 물가 지수가 120이라면!! 기준년도 보다 20%의 물가 상승이 있다는 뜻이란다! 알라븅 ˋ(⁰ ▿ ⁰)ˊ

2단계 기본 개념 적용하기

2. 알맞은 개념끼리 선을 연결하시오.(^^*)

① 물가 •	• (a) **개별 상품의 가치를 화폐 단위**로 나타낸 것
② 가격 •	• (b) **시장에서 거래되는 여러 상품의 가격을 종합하여 평균한 것**
③ 물가 지수 •	• (c) **기준 연도**의 물가를 **100**으로 하여 **비교 연도**의 물가 수준을 나타낸 값
④ 소비자 물가 지수 •	• (d) **소비자의 일상 생활에 필요한 대표 품목들**의 가격을 **종합하여 나타낸 것**

• 정답 : 2. ①(b),②(a),③(c),④(d)

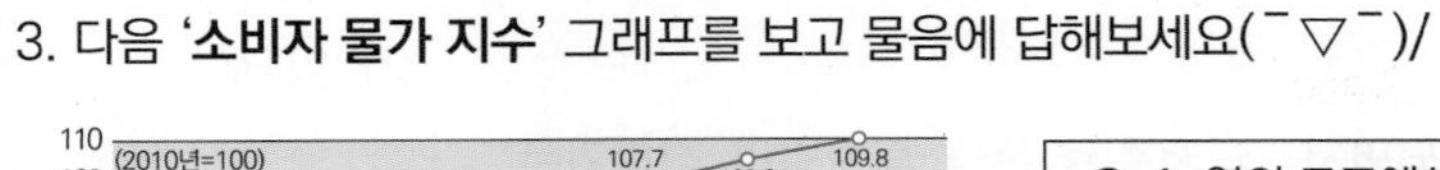

3. 다음 '**소비자 물가 지수**' 그래프를 보고 물음에 답해보세요(¯▽¯)/

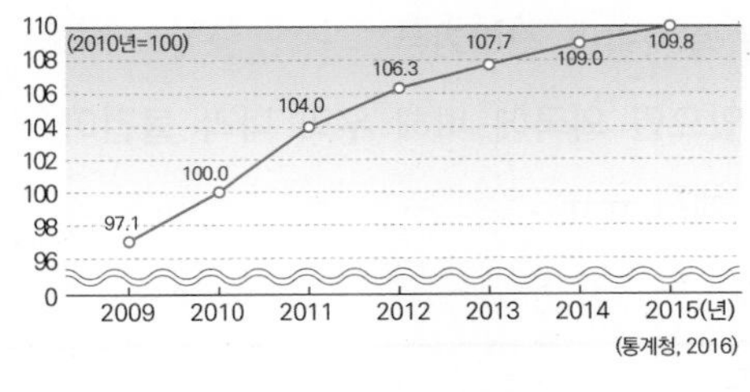

Q-1. 옆의 도표에서 **기준년도**는 언제?
[정답:]

Q-2. 2015년은 기준년도 대비 물가의 동향이 어떠한가?
[정답:]

• 정답 : 3. Q-1.2010년
Q-2.9.8% 상승하였다.

2. 인플레이션

1단계 기본 개념 파악하기

1. 회색 글씨의 중요 내용을 쓰면서 암기해보세요.(¯▽¯)/

람보쌤의 지침 : 특히 이 부분은 내용 이해가 중요하니 차근차근 쓰며 이해해보자! 시간이 없을수록 차근차근 해야해!(ˆ∪ˆ) 그것이야말로 짧은 시간안에 좋은 효과를 얻을 수 있는 지름길이란다! 알라븅(o^^)o

① 인플레이션과 원인

인플레이션이란 물가가 지속적으로 오르는 현상을 말해!!(¯▽¯)/

그러면 왜 물가가 상승하는 걸까? 먼저는 통화량이 증가하면 물가가 상승할 수 있어!

통화가 뭐지? 그래 돈을 말해! 즉, 시중에 돈이 많아지면 화폐의 가치는 하락하고, 상대적으로 물건의 가치가 상승하면서 물가가 상승하게 되는거야 ㅠㅠ

두번째로는 총수요가 총공급보다 많아져도 물가는 상승해. 이건 너무나 당연하지?〈〉.〈〉

수요? 수요는 물건을 사려는 욕구잖아!! 총수요가 높다는 것은 여기 저기서 물건을 사려는 사람이 많다는 것이고 당연히 이것은 물가 상승을 가져오겠지!! 총수요가 높아지는 경우는 가계의 소비가 증가하거나 기업의 투자가 증가하거나 정부가 재정 지출을 활발히 하면서 일어난단다.≺(•̀ ˄ •́ ˘)≻
마지막으로 생산비가 상승하면 당연히 물건의 가격인 물가가 올라가는 것은 당연한거얌.↖(^▽^)↗

② 물가 상승의 영향

물가가 상승하게 되면 당연히 화폐 가치가 떨어지고 재화와 서비스의 가치는 상승하게 되면서 같은 돈으로 살 수 있는 상품의 양이 적어지지ㅠㅠ 우리는 이것을 '상품 구매력이 하락했다' 라고 말해! 그리고 소득의 불공평한 재분배가 발생하는데, 예를들어 부동산과 같은 실물 자산을 가진 자는 졸지에 부자가 되겠지만, 현금을 보유한 사람들은 매우 불리해지지.뿌엥~(˘̴•︵•˘̴)
그럼 여기서 잠깐!! ど(^0^)つ 물가가 상승 했을 때 유리한 사람과 불리한 사람을 암기하고 갈까!! 오키도키?!! 좋아!! ① 물가가 상승 했을 때 유리한 사람은 부동산과 같은 실물 자산 소유자, 돈을 빌린 채무자, 수입업자가 있어. ② 반대로 물가 상승 시 불리한 사람은 봉급이나 연금으로 생활해야 하는 사람들, 은행에 돈을 예금한 사람, 돈을 빌려준 채권자, 수출업자가 있단다.
이어서 물가가 오르면 가계의 저축이 줄어들게 되면서 그 저축된 돈을 투자받아 살아가는 기업 또한 투자 활동이 위축되게 돼. ㅠㅠ 네 번째로는 우리나라의 물가가 상승되어 있으면 외국에 비해 우리 나라 물건이 너무 비싸기 때문에 다른 나라에 물건을 팔 수 없어!! 즉 수출이 불리해져.ㅠㅠ
대신 수입은 증가하게 된단다!! ㅠㅠ

③ 물가 안정을 위한 노력

물가를 안정시키는 방법은 꽤 쉬워!!↖(^▽^)↗ 물가 자체가 **통화량이 증가**하거나, **총수요가 총공급 보다 많거나, 생산비가 상승**하면서 올라간거잖아!! 그럼 물가를 낮추려면 반대로 **통화량을 감소**시키거나 **총수요를 감소**시키거나 **총공급을 늘리**거나 **생산비를 줄이는** 방침을 쓰면 되는거지!!! ど(^0^)つ
① 그래서 정부는 시중에 나와있는 돈들을 다 걷어들이기 위해 조세를 인상한단다. 또한 재정 지출을 줄여 시중에 쓸데없는 돈이 나돌지 않도록 하지. 그리고 실제적으로 생활 필수품이나 공공 요금의 가격이 인상되는 것을 방지하는 규제를 할 수도 있어!
② 우리나라의 돈을 찍어내는 중앙은행은 물가 안정을 위해 돈을 덜 찍기 시작해! 즉, 통화량을 감축하고, 시중 은행의 이자율을 높여 가계가 소비보다는 저축을 많이 할 수 있도록 한단다.
③ 세번째로 기업은 기술 개발, 경영 혁신 등을 통해 공급량을 늘리고 생산비를 절감하려고 노력하지!! 이런 노력 끝에 물가가 안정할 수 있는 것이야!!! 오호!!! 모두 모두 물가 안정을 위해 힘을 모아랏! ٩(๑•̀o•́๑)و

2단계 서술형1타!! 쓰면서 암기하자!

Q-1. 인플레이션이 발생했을 때 **'유리해지는 사람'**과 **'불리해지는 사람'**을 각각 **2가지씩** 서술하시오.

정답: 1단계 (회색 글씨 덧대어 쓰기)

·유리해지는 사람에는 실물 자산 소유자, 채무자, 수입업자가 있고,
·불리해지는 사람에는 봉급·연금 생활자, 은행에 돈을 예금한 사람, 채권자, 수출업자 등이 있다.

정답: 2단계 (괄호 넣기)

·유리해지는 사람에는 (   ), 채무자,(   )가 있고,
·불리해지는 사람에는 봉급·(   ) 생활자, (   )에 돈을 예금한 사람,(   ), 수출업자 등이 있다.

정답: 3단계 (완전히 써보기)

Q-2. 인플레이션을 해결하기 위해 **정부**와 **중앙은행**의 **대책**을 각각 서술하시오.

정답: 1단계 (회색 글씨 덧대어 쓰기)

·정부는 재정 지출을 줄이고 조세를 인상한다.
·중앙은행은 통화량을 감축하고 시중 은행의 이자율을 상승시킨다.

정답: 2단계 (괄호 넣기)

·정부는 (   )을 줄이고 (   )를 인상한다.
·중앙은행은 (   )을 감축하고 (   )의 이자율을 상승시킨다.

정답: 3단계 (완전히 써보기)

3단계 실제 시험에 나오는 스타일로 적용하기!!

2. 다음중 **물가 상승의 요인**이 **아닌 것은**?

① 생산비가 상승했어!
② 수입 원자재의 가격이 하락했어!
③ 경제 전체의 총수요가 총공급을 초과했어!
④ 소비나 투자가 활발해졌어!

3. 다음중 **물가 안정을 위한 방안**이 **아닌 것은**?

① 정부는 재정 지출을 확대하고 공공 요금을 인상한다.
② 소비자는 과소비를 억제하고 합리적인 소비를 한다.
③ 중앙은행은 이자율을 높여 민간의 소비가 줄도록 한다.
④ 기업은 생산 비용을 절감할 수 있도록한다.

• 정답 : 2.②, 3.①

3. 실업

1단계 기본 개념 파악하기

1. 회색 글씨의 중요 내용을 쓰면서 암기해보세요.(¯▽¯)/

(1) 실업 : 일할 능력과 의사가 있는데도 일자리를 구하지 못하는 상태

(2) 실업자

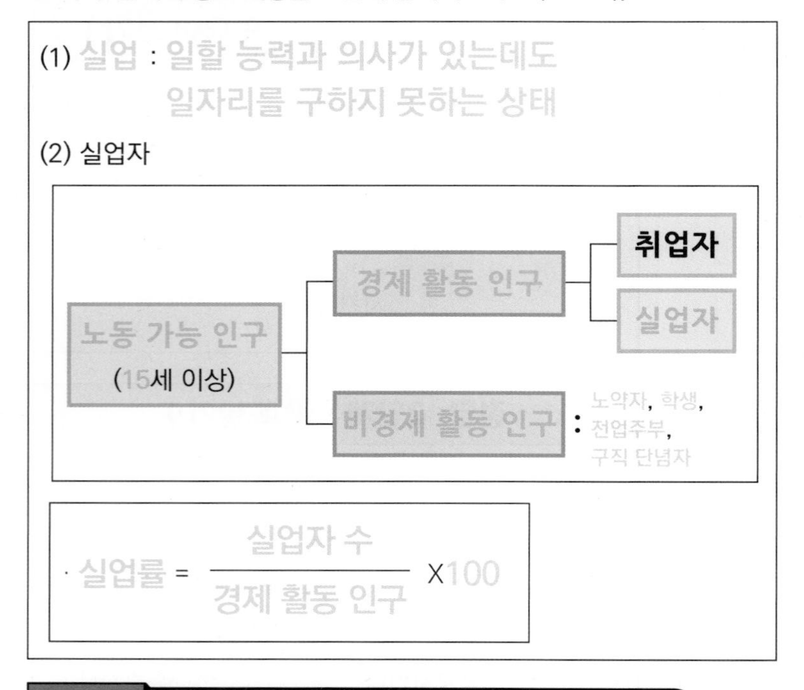

· 실업률 = $\frac{\text{실업자 수}}{\text{경제 활동 인구}}$ X100

2단계 기본 개념 적용하기

2. 알맞은 개념끼리 선을 연결하시오.(^^*)

① 노동 가능 인구 •
② 경제 활동 인구 •
③ 비경제 활동 인구 •
④ 취업자 •
⑤ 실업자 •

• (a) **노동 가능 인구** 중 **일할 의사**와 **능력**을 가진 사람
• (b) **노동 가능 인구** 중 **경제 활동 인구가 아닌** 사람
• (c) 생산 활동이 가능한 **15세** 이상의 사람
• (d) **경제 활동 인구** 중 일자리가 **없는** 사람
• (e) **경제 활동 인구** 중 일자리가 **있는** 사람

• 정답 : 2. ①(c),②(a),③(b),④(e),⑤(d)

3단계 실제 시험에 나오는 스타일로 적용하기!!

3. 실제 시험에 잘나오는 **예1〉 도표 추론**

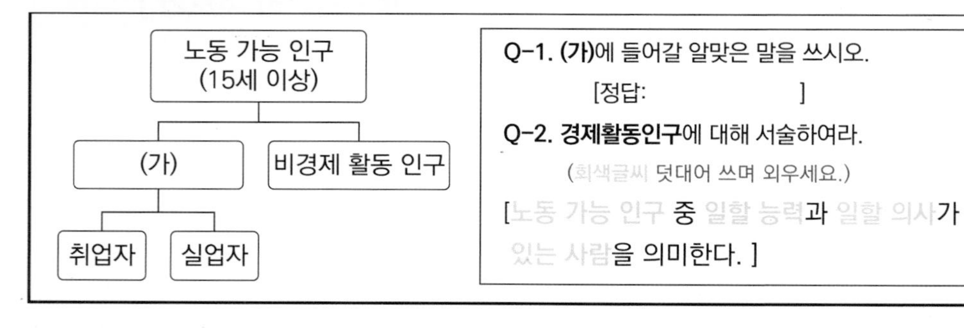

Q-1. **(가)**에 들어갈 알맞은 말을 쓰시오.
[정답:]

Q-2. **경제활동인구**에 대해 서술하여라.
(회색글씨 덧대어 쓰며 외우세요.)
[노동 가능 인구 중 일할 능력과 일할 의사가 있는 사람을 의미한다.]

[스스로 써보기]
Q-2. **경제활동인구**에 대해 서술하여라.
[ ]

• 정답 : Q-1. 경제 활동 인구

4. 실제 시험에 잘 나오는 **예2〉 실업률 구하기**

Q. 다음 자료를 보고 **실업률**을 구하시오.

[자료]
·만 15세 이상 인구 – 3,500만 명
·비경제활동 인구 – 1,500만 명
·경제활동 인구 – 2,000만 명
·전업주부 수 – 700만 명
·취업자 수 – 1,500만 명
·실업자 수 – 500만 명
·학생 수 – 300만 명

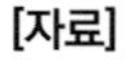

람보쌤의 꿀팁

·먼저는 실업률 공식을 떠올려봐! 실업률 공식은!!

실업률 = $\frac{\text{실업자 수}}{\text{경제 활동 인구}}$ **X100**

즉,아무리 옆의 자료처럼 주어진 정보가 많아도 실제 필요한 것은 **경제 활동 인구**(2, 000만명)와 **실업자수**(500만명)만 필요해!! 그러니 너무 어렵게 생각하지 말고 찬찬히 쉽게 풀어방! 훼이크들에 속지마 ＼(^▽^)／ 꺄울~

[정답]

• 정답 : Q. 25%

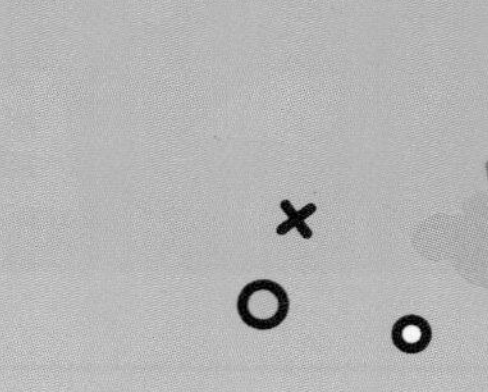

1단계 기본 개념 파악하기

1. 회색 글씨의 중요 내용을 쓰면서 암기해보세요.(￣▽￣)/

실업의 유형	
경기적 실업	·경기가 침체되어 발생
구조적 실업	·산업 구조의 변화나 새로운 기술 도입으로 발생 ·사양 산업에서 발생
계절적 실업	·계절의 영향으로 발생
마찰적 실업	·더 나은 조건의 일자리를 구하기 위해 발생 ·자발적 실업

고용 안정을 위한 노력		
정부	경기적 실업	·경기 회복 정책 실시 →총수요 증가 정책 실시 ·재정 지출을 늘려 투자와 소비를 활성화
	구조적 실업	·체계적인 직업 교육 실시 ·인력 개발 프로그램 마련
	계절적 실업 마찰적 실업	·취업 관련 정보 제공 ·취업 박람회 개최
기업	·일자리 창출을 위한 경영 방안 모색	
근로자	·자기 계발, 새로운 기술 습득	

2단계 기본 개념 적용하기

2. 다음 **경기적 실업**에는 **'경'**, **구조적 실업**에는 **'구'**, **계절적 실업**에는 **'계'**, **마찰적 실업**에는 **'마'**를 쓰시오.

산업 구조의 변화나 새로운 기술 도입으로 발생	계절의 영향을 많이 받는 특정 업종에서 발생	경기가 침체되어 기업이 고용을 줄이는 경우 발생	더 나은 조건의 일자리를 구하기 위해 기존에 다니던 직장을 그만두면서 발생
① (　　)	② (　　)	③ (　　)	④ (　　)
스키장에서 일하다가 구직중인 정국	더 나은 조건의 직장으로 옮기려는 쟈니	업무가 로봇에 의해 대체되어 해고된 돌흉	경기 침체로 해고 당한 람보
⑤ (　　)	⑥ (　　)	⑦ (　　)	⑧ (　　)

• 정답 : 2.구,계,경,마,계,마,구,경

3. 다음 중 **실업의 영향**과 **관련이 없는 사람**을 <u>**골라보세용**</u>.(~˘▾˘)~

① 뿌엥~ 생계가 곤란해

② 빵을 훔치자!!

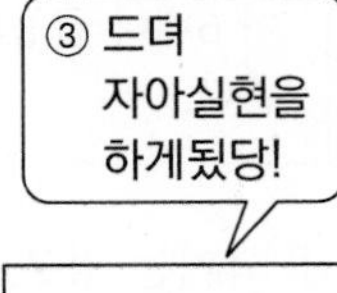

③ 드뎌 자아실현을 하게됐당!

4. **실업**에 대한 **정부의 대책**을 **서로 연결**하시오.

- ① 경기적 실업
- ② 구조적 실업
- ③ 계절적 실업 · 마찰적 실업

- (a) 경기 부양 정책
- (b) 취업 박람회 개최
- (c) 직업 교육 실시
- (d) 재정 지출 늘림

• 정답 : 3.③, 4.①(a)(d),②(c),③(b)

람보쌤의 자세한 해설을 영상으로 보세요!

물가의 의미와 물가 상승의 원인

유형 1 개념

1. 다음 글의 ㉠~㉢에 각각 들어갈 용어를 순서대로 바르게 배열한 것은?

> 한 나라에서 거래되는 개별 상품의 (㉠)을/를 적당한 방법으로 종합하여 평균한 값을 (㉡)(이)라고 한다. 그리고 (㉡)이/가 지속적으로 상승하는 현상을 (㉢)이라고 한다.

	㉠	㉡	㉢
①	가격	물가	인플레이션
②	가격	물가	디플레이션
③	물가	가격	인플레이션
④	물가	가격	디플레이션
⑤	가치	환율	경제 성장

유형 2 물가 지수

2. 다음은 소비자 물가 지수를 나타낸 것이다. 이에 대한 설명으로 옳지 않은 것은?

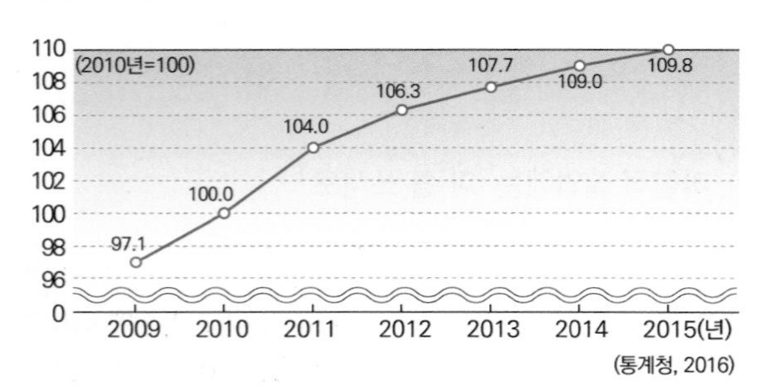

(통계청, 2016)

① 위와 같은 현상이 지속되면 저축과 투자가 감소한다.
② 2015년은 기준 시점에 비해 물가가 약 10% 상승하였다.
③ 원자재의 가격 상승으로 인한 생산비 증가가 원인이 될 수 있다.
④ 위와 같은 현상은 시중에 통화량이 감소하는 경우에 주로 발생한다.
⑤ 위와 같은 현상에서는 봉급 생활자에 비해 부동산 보유자가 더 유리해진다.

3. 물가와 물가 지수에 대한 설명으로 가장 적절한 것은?

① 개별 상품의 가치를 화폐 단위로 나타낸 것이 물가이다.
② 물가 지수는 소비자가 직접 구입하는 재화와 서비스만을 대상으로 조사한다.
③ 시장에서 거래되지 않는 상품의 가격을 아는 것은 물가를 파악하기 위해 중요하다.
④ 기준 연도의 물가를 100으로 하여 비교 연도의 물가 수준을 나타낸 값을 물가 지수라 한다.
⑤ 2020년의 물가 지수가 100, 2021년의 물가 지수가 110이라면, 2020년에 비해 2021년의 물가가 10% 하락했음을 의미한다.

유형 3 물가 상승의 원인

4. (가)에 들어갈 내용으로 적절한 것을 〈보기〉에서 있는 대로 고르면?

> 최근 물가 상승 요인에 대한 조사 보고서
> · 조사 배경
> 최근 물가가 상승하고 있어 그 요인에 대한 조사가 필요함.
> · 조사 결과 파악된 물가 상승 요인
> [(가)]

보 기

ㄱ. 생산비가 상승하였다.
ㄴ. 수입 원자재의 가격이 하락하였다.
ㄷ. 시장에 유통되는 화폐량이 감소하였다.
ㄹ. 경제 전체의 총수요가 총공급을 초과하였다.

① ㄱ, ㄴ ② ㄱ, ㄹ
③ ㄴ, ㄷ ④ ㄱ, ㄷ, ㄹ
⑤ ㄴ, ㄷ, ㄹ

5. 물가와 관련된 내용으로 옳지 않은 것을 고르면?

① 생산비가 증가할 때 상승한다.
② 소비나 투자가 활발해지면 하락한다.
③ 통화량이 과도하게 많아지면 상승한다.
④ 수입 원유나 원자재 가격의 영향을 받는다.
⑤ 국가 경제 전체의 공급보다 수요가 많으면 상승한다.

물가 상승의 영향과 대책

유형 1 인플레이션의 역사적 사례

6. (A)에 들어갈 말로 가장 적절한 것은?

> 흥선 대원군은 경복궁 공사비를 마련하기 위하여 당백전이라는 화폐를 발행하였는데, 이 화폐는 상평통보의 100배 가치를 가졌다. 이러한 고액 화폐가 대량 발행된 결과 쌀값이 1년 사이 6배나 급등하였다. 당백전의 사례는 ____(A)____ 는 교훈을 준다.

① 화폐는 정부가 독점적으로 발행해야 한다.
② 화폐를 많이 발행할수록 경제성장에 도움이 된다.
③ 통화량과 인플레이션 사이에는 유의미한 관계가 없다.
④ 무분별한 화폐 발행은 급격한 물가 상승을 초래한다.
⑤ 실업 문제를 해결하기 위해서는 정부의 통화 정책이 필요하다.

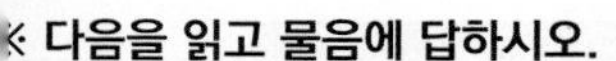

※ 다음을 읽고 물음에 답하시오.

> 제1차 세계대전에서 패한 독일은 막대한 전쟁 배상금을 마련하기 위해서 화폐를 마구 발행하였다. 그 결과 독일에서는 1921년 물가 지수를 100이라고 할 때, 1924년의 물가 지수는 1조에 달해 3년 사이 물가가 100억배나 상승하였다. 이 당시 독일에서는 벽지 대신 돈으로 도배를 하고, 땔감으로 돈을 태우기도 했다.

. 윗글에 나타난 독일 경제 문제의 발생 원인으로 가장 적절한 것은?

① 통화량 급증
② 총 수요의 증가
③ 가계의 소비 증가
④ 원자재 가격 상승
⑤ 정부의 재정 지출 확대

유형 2 인플레이션

. 다음은 인플레이션이 발생하는 원인에 대한 설명이다. 빈칸의 ㉠, ㉡, ㉢, ㉣에 들어갈 말이 알맞게 짝지어진 것은?

> 인플레이션은 가계의 지출이나 기업의 투자, 정부 지출의 (㉠)로 인해 경제 전체의 수요가 경제 전체의 공급보다 (㉡) 경우에 발생한다. 이외에도 통화량이 (㉢)하는 경우 화폐 가치가 (㉣)하여 인플레이션이 발생할 수 있다.

	㉠	㉡	㉢	㉣
①	증가	많은	증가	하락
②	증가	많은	감소	상승
③	증가	적은	증가	상승
④	감소	많은	증가	하락
⑤	감소	적은	감소	상승

유형 3 물가 상승의 영향

. 인플레이션에 따라 나타나는 경제 상황으로 적절한 것을 〈보기〉에서 고르면?

보 기

ㄱ. 은행 예금자는 유리하다.
ㄴ. 수출이 줄고 수입이 늘어난다.
ㄷ. 부동산 투기 현상이 일어날 가능성이 높다.
ㄹ. 돈을 빌린 사람은 불리하고, 돈을 빌려준 사람은 유리하다.

① ㄱ, ㄴ　　② ㄱ, ㄷ
③ ㄴ, ㄷ　　④ ㄴ, ㄹ
⑤ ㄷ, ㄹ

10. 급격한 물가 상승의 영향으로 옳은 것은?

① 경제 전체적으로 수출이 늘고 수입이 줄어든다.
② 화폐 보유자가 실물자산 보유자보다 유리해진다.
③ 부자들이 서민들보다 경제적으로 더 큰 어려움을 겪는다.
④ 부동산 투기와 같은 부작용이 발생하여 사회 갈등이 생기기도 한다.
⑤ 주어진 소득으로 구매할 수 있는 재화나 서비스의 절대적 양이 늘어난다.

유형 4 물가 상승시 유리한 사람 vs 불리한 사람

11. 인플레이션 상황에서 유리해지는 사람을 모두 고른 것은?(단, 다른 요인은 변동하지 않는다.)

보 기

ㄱ. 채무자　　ㄴ. 채권자　　ㄷ. 근로자
ㄹ. 기업가　　ㅁ. 수출업자　　ㅂ. 수입업자

① ㄱ, ㄷ, ㅁ　　② ㄱ, ㄹ, ㅁ　　③ ㄱ, ㄹ, ㅂ
④ ㄴ, ㄷ, ㅁ　　⑤ ㄴ, ㄹ, ㅂ

서술형

12. 자료를 보고 인플레이션이 발생했을 때 유리해지는 사람과 불리해지는 사람을 구분하여 이름을 모두 쓰시오.

> 철수 - 나는 건물을 가지고 있어.
> 정화 - 나는 월급을 받고 생활하는 교사야.
> 상기 - 나는 연금을 받고 생활하는 은퇴자야.
> 영희 - 나는 모든 돈을 은행에 예금해 놓고 있어.

1) 유리해지는 사람 :

2) 불리해지는 사람 :

유형 5 물가 안정을 위한 노력

13. 물가 안정을 위한 방안에 대한 설명으로 적절하지 않은 것은?

① 근로자는 생산성 향상을 위해서 노력한다.
② 기업은 생산 비용을 절감할 수 있도록 노력한다.
③ 정부는 재정 지출을 확대하고 공공요금을 인상한다.
④ 소비자는 과소비를 억제하고 합리적인 소비생활을 한다.
⑤ 중앙은행은 이자율을 높여 민간의 소비가 줄어들도록 유도한다.

14. 물가 안정을 위해 각 주체가 해야 할 노력에 대한 설명으로 적절하지 않은 것은?

① 소비자는 충동구매 및 과소비를 자제한다.
② 정부는 재정 지출을 줄이고 조세를 늘린다.
③ 중앙은행은 이자율을 낮춰 민간의 소비를 유도한다.
④ 기업은 경영 혁신 및 생산 비용 절감을 위해 노력한다.
⑤ 근로자는 자기 계발을 통해 생산성을 향상시키기 위해 노력한다.

서술형

15. 다음 글을 읽고 물음에 답하시오.

> (　)이 발생하면 물가는 지속적으로 오르고, 화폐가치는 하락하여 일정한 금액으로 살 수 있는 재화와 서비스의 양이 줄어든다. 일반적으로 (　)은 국민의 정상적이고 건전한 경제 활동을 어렵게 하여 경제 성장을 저해할 수 있다. 따라서 경제 주체들은 물가 안정을 위해 노력해야 한다.

(1) 괄호 안에 들어갈 공통적인 경제적 현상을 쓰고, 밑줄 친 물가 안정을 위한 방안을 정부와 중앙은행으로 나누어 각각 서술하시오.

물가 상승의 영향과 대책

유형 1 실업이란?

16. 실업에 관한 전반적인 설명으로 옳은 것을 고르면?

① 지속적인 경제 성장은 가장 좋은 실업 대책이다.
② 일할 의사가 없어 쉬고 있는 사람은 실업자이다.
③ 일반적으로 경제성장과 실업자 수는 비례하는 방향으로 움직인다.
④ 더 나은 직장을 위해 현재 직장을 그만 둔 사람은 실업 상태가 아니다.
⑤ 사양 산업에 종사하던 근로자가 새로운 기술을 익히지 못해 일을 하지 못하는 것은 실업이 아니다.

유형 2 인구 분류도

17. ㉠~㉤에 대한 설명으로 옳은 것은?

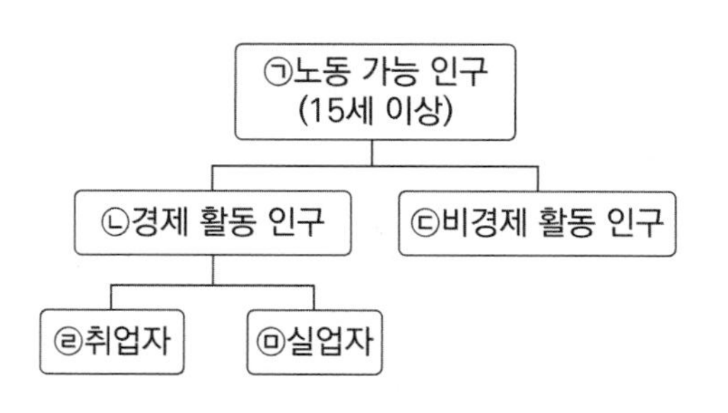

① ㉠은 일할 능력이 없는 사람이다.
② ㉡은 일할 능력은 있으나 의사가 없는 사람이다.
③ ㉢의 사례로는 학생, 전업주부, 취업준비생 등이 있다.
④ ㉣과 ㉤은 모두 일할 능력과 의사가 있는 사람이다.
⑤ ㉣과 달리 ㉤은 자발적으로 일자리 구하기를 포기한 사람이다.

※ 다음 자료를 바탕으로 각 물음에 답하시오.

(자료1) 경제 활동 인구 분류

<table>
<tr><td>취업자</td><td>(가)</td><td></td><td></td></tr>
<tr><td colspan="2">(나)</td><td>(다)</td><td></td></tr>
<tr><td colspan="3">15세 이상 노동 가능 인구</td><td>(라)</td></tr>
<tr><td colspan="4">빡공국 국민(1,000명)</td></tr>
</table>

(자료2) 각 연도별·영역별 인구 수 (단위:명)

연도 영역	(가)	(나)	(다)	(라)
2019년	60	600	200	㉠
2020년	70	700	100	㉡

*인구 조사 시점을 기준으로 할 때, 2019년과 2020년의 빡공국 전체 인구 수는 변함없다고 가정한다.
*주어진 조건 외에 다른 요소는 고려하지 않는다.

8. 위 (자료1)과 (자료2)의 (가)~(라)에 들어갈 용어가 바르게 연결된 것은?

① (가) - 경제 활동 인구
② (나) - 실업자
③ (다) - 비경제활동인구
④ (라) - 실업자
⑤ (라) - 무급가족종사자

9. 위 자료에 대한 설명으로 옳지 않은 것은?

① 2019년과 2020년의 실업률은 동일하다.
② (라)에는 65세 이상의 노령 인구도 포함된다.
③ (자료2)의 ㉠, ㉡에 들어갈 인구 수는 동일하다.
④ 2020년의 취업자 수는 2019년보다 더 늘어났다.
⑤ 2020년의 경제활동인구는 2019년보다 증가했다.

0. 경제 활동 인구 분류에서 (다)에서 해당하는 사람을 <보기>에서 있는 대로 고른 것은?

보 기

ㄱ. 17살의 고등학생
ㄴ. 경기침체로 구직을 포기한 성인
ㄷ. 집안에서 가사를 돌보는 전업 주부
ㄹ. 건물 관리인으로 활동하는 65세의 연로자

① ㄱ, ㄴ
② ㄷ, ㄹ
③ ㄱ, ㄴ, ㄷ
④ ㄴ, ㄷ, ㄹ
⑤ ㄱ, ㄴ, ㄷ, ㄹ

서술형

21. 다음 제시된 표를 보고 (가)~(다)에 들어갈 알맞은 용어를 쓰고, 실업자의 의미 서술 및 갑국과 을국의 실업률을 구하시오.

<table>
<tr><th colspan="3">구분</th><th>갑국</th><th>을국</th></tr>
<tr><td rowspan="3">(가)</td><td rowspan="2">(나)</td><td>취업자</td><td>1,680</td><td>3,520</td></tr>
<tr><td>실업자</td><td>320</td><td>480</td></tr>
<tr><td colspan="2">(다)</td><td>1,200</td><td>3,200</td></tr>
</table>

(1) (가) -
(나) -
(다) -

(2) 실업자의 의미 :

(3) 갑국 실업률 :

(4) 을국 실업률 :

유형 3 실업 유형1 줄글

22. 실업자에 해당하는 사람으로 알맞은 것은?

① 스키장에서 일하다가 그만두고 구직 중인 유신
② 대학교를 다니다가 휴학 후 군대에 입대한 영수
③ 건강이 좋지 않아 요양병원에 입원하신 할아버지
④ 결혼 후 직장을 그만두고 집안일에 전념하는 미라
⑤ 구직 활동을 그만두고 해외여행을 다니고 있는 동진

23. 실업의 사례로 옳지 않은 것은?

① 경기 침체로 기업이 고용을 줄여 해고당했다.
② 업무가 로봇에 의해 대체되어 일자리가 사라졌다.
③ 계절의 변화에 따라 고용기회가 줄어들었다.
④ 더 나은 직장을 얻기 위해 자발적으로 현재의 직장을 그만두었다.
⑤ 취업하려고 했으나 뜻대로 되지 않아 일자리 구하기를 포기하고 대학원에 진학하였다.

유형 4 실업의 유형2 도표나 그림

※ 다음 표를 보고 물음에 답하시오.

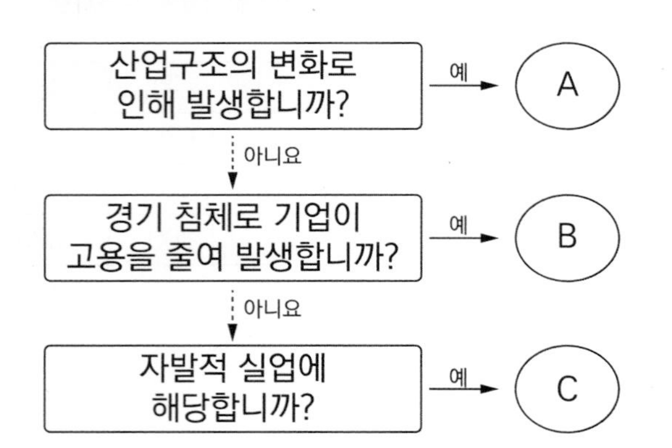

24. 실업의 유형 중 A, B에 해당하는 것은?

	A	B
①	마찰적 실업	경기적 실업
②	구조적 실업	경기적 실업
③	구조적 실업	마찰적 실업
④	경기적 실업	구조적 실업
⑤	마찰적 실업	구조적 실업

25. 그림과 관련된 실업의 유형이 옳은 것은?

	(가)	(나)	(다)
①	마찰적 실업	구조적 실업	경기적 실업
②	마찰적 실업	경기적 실업	계절적 실업
③	구조적 실업	마찰적 실업	경기적 실업
④	구조적 실업	경기적 실업	마찰적 실업
⑤	경기적 실업	계절적 실업	구조적 실업

유형 5 실업률 계산

26. 갑국의 실업률을 알맞게 계산한 것은?

> 갑국의 인구는 총 2,000만 명인데, 그중 노동 가능 인구는 1,500만 명이고, 비경제 활동 인구는 500만 명이다. 이 때 실업자는 100만 명이다.

① 5% ② 6.7% ③ 10%
④ 15% ⑤ 20%

실업의 영향과 대책

유형 1 실업 대책

27. 밑줄 친 ㉠~㉤중, 옳지 않은 설명은?

> 고용 안정을 위한 정부 정책은 다양하게 이루어진다. ㉠실업의 원인이 마찰적 실업인 경우에는 구인과 구직에 대한 정보 시스템을 잘 갖추고 취업 박람회 등을 개최하여 직업 탐색에 드는 시간과 비용을 줄인다. ㉡자발적 실업을 해결하기 위해서는 총수요를 축소하는 정책을 펴서 기업이 생산과 고용을 줄이도록 유도한다. ㉢계절적 실업에 처해지는 사람들에게는 쉬는 기간에 할 수 있는 새로운 직업교육을 실시하는 한편, 다양한 직업 정보를 제공한다.
> 이와 함께 ㉣근로자는 변화하는 작업 환경에의 적응과 자기계발에 힘써야 하며, ㉤기업은 새로운 일자리 창출과 고용 안정 방법을 모색해야 한다.

① ㉠ ② ㉡ ③ ㉢ ④ ㉣ ⑤ ㉤

8. 뉴스에 나온 실업을 해결하기 위한 정부의 정책으로 가장 옳은 것은?

> 대한항공 자회사 한국공항(KAS)과 계약한 케이터링 회사에서 일하는 직원 ㄱ씨는 지난달 강제연차에 이어 권고사직을 통보받았다. 회사는 추후 순차적으로 복직시켜 주겠다며 300명이 넘는 직원 가운데 60여명을 제외하고는 모두에게 권고사직을 강요했다. 승객들의 수화물을 컨테이너에 넣어 비행기에 싣는 지상조업 노동자 ㄴ씨는 한국 공항 도급회사 소속이다. 회사는 코로나19로 비행기 운행이 급감하면서 연차를 소진하도록 강요하더니 결국 4월부터 한 달에 3주 이상 무급휴직을 한다고 통보했다. ㄴ씨는 "아이를 키우는 40~50대 직원들이 어떻게 무급으로 버티냐"며 "고용유지지원금도 못 받고 쫓겨나야 하는지 너무 억울하다"고 토로했다. 코로나19 사태가 두 달 가까이 계속되면서 해고와 권고사직 등 '코로나 실업대란'을 호소하는 노동자들이 급격히 늘고 있는 것으로 조사됐다.

① 구인과 구직에 대한 정보시스템을 마련한다.
② 취업 박람회 등을 개최하여 직업 탐색을 도와준다.
③ 사양 산업이 다시 성장할 수 있도록 지원책을 마련한다.
④ 인력 개발 프로그램을 통해 새 일자리를 찾도록 도와준다.
⑤ 총수요를 확대하는 정책으로 기업이 고용을 늘리도록 유도한다.

유형 2 실업의 영향

9. 실업이 실업자 개인이나 사회에 미치는 부정적 효과가 아닌 것은?

① 자아실현의 기회 상실
② 정부의 재정 부담 감소
③ 개인의 소득 상실에 따른 경제적 고통
④ 인적 자원 낭비로 인한 사회 전체 생산성 저하
⑤ 개인의 사회적 고립에 따른 정서적·경제적 불안 증가

0. 다음 〈보기〉에서 실업의 영향을 바르게 고른 것은?

보 기

ㄱ. 소득이 재분배되어 빈부격차를 완화시킨다.
ㄴ. 실업자는 소득의 상실로 인해 경제적, 심리적 고통을 겪게 된다.
ㄷ. 경제 전체적으로 보면 인적 자원이 활용되지 않고 낭비되고 있음을 의미한다.
ㄹ. 재정 지출이 줄어들어 정부의 재정 부담 완화에 도움을 준다.

① ㄱ, ㄴ　② ㄱ, ㄷ
③ ㄴ, ㄷ　④ ㄱ, ㄴ, ㄹ
⑤ ㄴ, ㄷ, ㄹ

3. 국제 거래와 환율

1. 국제 거래의 의미

(1) 국제 거래: 국가 간에 상품이나 생산 요소가 국경을 넘어 거래 되는 것

(2) 국제 거래의 특징 시험100%출제

① 관세 부과	• 수출과 수입하는 과정에서 관세 라는 세금을 부과함
② 환율 적용	• 나라마다 사용하는 화폐가 달라 환율 을 적용함 •참고 : 국제 거래는 우리 돈 원화가 아닌 외화를 사용해요.(^0^) 보통 미국 화폐인 달러를 사용하는 경우가 많답니다!!(˘ ᴗ ˘)
③ 통관[1] 절차	• 통관 절차를 거쳐야 하고 운송비가 많이 듦
④ 상품 이동의 제약	• 국가 간 법과 제도, 문화 등이 달라 국내 거래보다 자유롭지 못함

중요

시험에 대박 잘 나오는 훼이크 주의보

시험에는 특히 '국제 거래가 국내 거래에 비해 상품 이동이 **자유롭다**'라고 매우 잘 나와!! 그런데 이건 완전 훼이크!!! (๑•̀o•́๑)۶ 국제 거래는 각 나라마다 **법과 제도, 문화나 관습** 등이 달라 국내 거래보다 자유롭지 못하고 제한을 받기도 한단다!!ㅠㅠ

(3) 국제 거래의 필요성과 이익

① 필요성

• 국가 간 생산 조건 차이 : 국가 마다 자연 환경, 천연 자원, 노동·자본·기술 등의 수준이 다름 → 생산비 차이 발생

↓

• 국제 거래 발생!!
: 각국이 비교 우위가 있는 상품을 특화하여 수출하고 그렇지 않은 품목을 수입하면 서로 이익이 됨!!

→ 상대적으로 생산비가 적게 드는 품목

② 이익

• 나라마다 부족한 자원 및 상품 등을 국제 거래를 통해 충족 가능함
• 생산 비용 절감 : 세계 시장을 상대로 대규모로 생산하거나 선진국의 발전된 생산 기술을 도입하여 생산비를 낮출 수 있음
• 소비자: 상품 선택의 기회가 확대 됨
• 기업: ① 넓은 해외 시장 확보를 통해 이윤 확대 가능
② 외국 기업과의 경쟁을 통해 기술 혁신 가능

람보쌤의 여기서 시험에 나오는 것들 정리하고 간다!!

★★실제 시험에 나오는 용어

Q. 다음 글에서 ㉠~㉢에 들어갈 경제 개념을 쓰시오.

> **한 국가가 상대적으로 더 적은 생산비용으로 상품을 생산할 수 있을 때** (㉠)가 있다고 말한다. 생산에 유리한 조건을 갖춘 재화나 서비스만을 **전문적으로 생산**하여 교역하는 것을 (㉡)(이)라고 한다. 세계 각국은 서로 다른 화폐를 사용하므로 국제 거래에서는 화폐를 교환하는 과정이 필요하다. 이때 두 나라 사이의 **화폐 교환비율**을 (㉢)(이)라고 한다.

〈 ㉠:　　　　, ㉡:　　　　, ㉢　　　　〉

•정답: ㉠비교 우위, ㉡특화, ㉢환율

★★시험에 겁나 잘 나오는 훼이크주의보

시험에 국제 거래를 하는 이유에 대해서 '교역을 통해 모든 나라가 **동일한 이익**을 얻을 수 있기 때문이다.'라는 지문이 훼이크로 가장 잘 나와!!(ง •̀_•́)ง 이건 완전 틀린 말이야!! 국제 거래를 하는 이유는 **동일한 이익**이 아니라 **조금이라도 더 이익을 내려고 하는 것**이란다! 알긋지? 알라뷰(¯▽¯)/

★★○,×를 통해 실전 시험 감각을 익혀보자!

Q. **국제 거래**에 대한 설명으로 맞으면 **○표, 틀리면 ×표**를 하시오.

① 우리 나라에는 **없는 자원을 확보** 할 수 있다. (　　)
② 거래 과정에서 우리 돈 원화가 아닌 **외화가 필요하다.** (　　)
③ 국내 거래에 비해 **생산 요소의 이동이 자유롭다.** (　　)
④ 국제 거래는 **국가 간 비교 우위의 차이 때문에 발생한다.** (　　)
⑤ 국내 거래보다 제약 요인이 많아 **거래가 점점 줄어들고 있다.** (　　)
⑥ 전 세계를 대상으로 하고 있기 때문에 **시장의 규모가 크다.** (　　)
⑦ 모든 나라가 거래를 통해 **동일한 이익**을 얻는다. (　　)

•정답: ①~⑤: ○○×○×, ⑥~⑦: ○×

1. **통관:** 국경을 통과하는 상품에 대해 관세청에서 실시하는 검사 o(^-^)o

(4) 국제 거래의 양상

(a) 국제 거래의 확대	
세계화·개방화	• 재화 뿐만 아니라 **서비스, 생산 요소의 국가 간 이동이 활발** 해짐
세계 무역 기구 (**WTO**)의 출범	• 1995년에 출범한 **국제 기구** → 불공정 행위 규제, 무역 마찰 조정 • 자유 무역 확대
(b) 국제적 차원의 경제 협력	
 **지역 경제 협력체**	• **지리적으로 가깝고** 경제적 이해관계를 같이 하는 나라들이 결성 (지역화) • 회원국 간 자유 무역을 촉진하지만 비회원국에 대해서는 무역장벽을 쌓아 무역갈등 발생 • 예〉 유럽연합(EU), 아시아·태평양 경제 협력체(APEC) 동남아시아 국가 연합(ASEAN)
자유 무역 협정 (FTA)	• 개별 국가 간 또는 국가와 지역 경제 협력체 간에 관세 및 비관세 장벽을 없애거나 완화함

국제 거래는 세계화와 **WTO**의 영향으로 이제는 **재화** 뿐만 아니라 눈에 보이지 않는 **서비스, 생산 요소**의 **국가 간 이동이 활발**해졌단다.^u^
이것을 **웨이크로 굉장히 잘 내!**
그럼 관련 ○, ×**문제**를 통해 한번 점검해볼까!!(^0^)

Q. 다음 설명이 **맞으면 ○표, 틀리면 ×표**를 하시오.
① 문화 창작물, 특허권, 기술 등 국제 거래의 대상이 확대되고 있다. (　　)
② 최근에는 서비스, 자본, 노동의 거래보다 상품 거래의 비중이 점점 더 커지고 있다. (　　)
③ 오늘날에는 과거보다 자본과 노동 등의 거래가 줄어드는 추세이다. (　　)

• 정답: ①~③: ○××

또한 **교통과 통신의 발달**은 국제 거래를 더욱 활발하게 하는 계기가 된단다!! (^0^) 이것도 중요하니깐 잘 알아두라공! s(¯▽¯)v

이러한 세계화의 움직임은 자국의 약한 산업에 타격을 입힐 수도 있어 ㅠㅠ

실제 시험 문제를 통해 비슷한 개념 분간하는 법 배우기!!!(/^o^)/♡

WTO?! FTA?! 지역 경제 협력체?! 다 진짜 비슷 비슷한 개념들이라 헷갈리기가 쉬워ㅠㅠ
그래서 짜잔!! 람보쌤이 어떻게 시험에 나왔을 때 분간하는지 그 꿀팁을 알려줄께!! 팔로우 팔로우 팔로우 미!! ┌(^^)┘

Q. 다음은 무엇에 대한 **설명인가?**

• 1995년에 출범한 **국제 기구**
• 국가 간 자유로운 무역과 세계 교역 증진을 목적으로 설립
• 불공정 행위 규제, 국가 간 무역 마찰 조정

• 정답: WTO
• **핵심키워드: 국제 기구**
FTA나 지역경제협력체는 경제 협력인데 반해 **WTO**는 **국제 기구**야!!
그래서 셤에 위의 지문처럼 **국제 기구**라는 단어와 함께 잘 나와!! 기억해뒹!^u^

• **지리적으로 가깝고** 경제적으로 상호의존도가 높은 나라들로 구성
• 회원국 간 자유 무역을 촉진하지만 비회원국에 대해서는 무역 장벽을 쌓는 등의 차별로 무역 갈등 발생

• 정답: 지역 경제 협력체
• **핵심키워드: 지리적으로 가깝고!!**
일단 **지역경제협력체**가 되기 위해서는 **지리적으로 가까워야 돼!**
그래서 셤에 **지역경제협력체**는 **'지리적으로 가깝다'** 라는 표현이 함께 잘나와!! 알긋지?^▽^

이 협력체는 개별 국가 간 또는 개별 국가와 지역 경제 협력체 간에 **관세 및 비관세** 장벽을 없애거나 완화함으로서 경제 협력을 강화하는 데 목적이 있다.

• 정답: 자유 무역 협정(FTA)
• **핵심키워드: 관세 및 비관세**
FTA는 체결국끼리는 무역 장벽을 없애는 것인데 그 무역 장벽은 다름아닌 **관세**야!!
그래서 셤에 **관세 및 비관세**라는 단어가 핵심 키워드로 주어진단다!! s(¯▽¯)v

2. 환율

(1) 환율: 자국 화폐와 외국 화폐의 교환 비율

(2) 환율의 표시

예〉 미국 화폐 1달러가 우리나라 화폐 1,000원과 교환된다면 환율은 '1,000원/달러'로 표시함

(3) 환율의 결정: 외환 시장에서 외화에 의한 수요와 공급에 의해 결정됨 시험100%출제

외화의 **수요**	 외화의 수요? **수요**는 **필요하다**는 뜻이잖아!! 쉽게 말해 우리가 **해외에 돈을 써야해서** 외화가 필요할 때 **외화의 수요**라는 단어를 쓴단다. 외화의 수요는 외화가 해외로 나가는 것을 의미해 ^∪^	• 의미: 외화가 해외로 나가는 것 • 발생 요인 **외국 상품의 수입** **자국민의 해외 여행** **자국민의 해외 투자** **외채 상환**
외화의 **공급**	 외화의 공급? **공급**은 **공급된다**는 뜻이잖아!! 즉, **외화가 국내로 들어온다**는 뜻이야!! 외국인들이 우리나라에서 돈을 쓰면 외화가 공급되는 거지!! 얏호! ٤(^0^)っ	• 의미: 외화가 국내로 들어오는 것 • 발생 요인 **우리 나라 상품의 수출** **외국인 관광객 유치** **외국인의 국내 투자** **차관 도입**

이건 넘나 중요하니깐 *걍~ 닥치고 외우세염!!* 안외우면 완죤 손해 ㅠㅠ

(4) 환율의 변동

환율 상승	• **외화의 수요가 증가**하거나 외화의 공급이 감소한 경우 → 외화 가치 상승 → **환율 상승** ↑ **원화 가치 하락** ↓
환율 하락	• **외화의 공급이 증가**하거나 외화의 수요가 감소한 경우 → 외화 가치 하락 → **환율 하락** ↓ **원화 가치 상승** ↑

환율 (원/달러) — 공급, 수요 증가, E_1, E_0, 수요, 외환 거래량 — **외화의 수요 증가**

환율 (원/달러) — 공급, 공급 증가, E_0, E_1, 수요, 외환 거래량 — **외화의 공급 증가**

1달러 = 1,100원 ↑ **환율 상승**(원화 가치 하락)
1달러 = 1,000원
1달러 = 900원 ↓ **환율 하락**(원화 가치 상승)

(5) 환율의 변동의 영향 시험1타

시험TIP: 빨간 글씨만 외워! 이해하기 쉬우라고 검정 글씨도 써놓은것이지 시험에는 빨간 글씨만 나와!^∪^

환율 상승의 영향		환율 하락의 영향	
수출 증가	• 외화로 표시되는 우리 상품의 가격이 하락하여 수출이 증가함	**수출 감소**	• 외화로 표시되는 우리 상품의 가격이 상승하여 수출이 감소함
수입 감소	• 수입품의 국내 가격이 상승함	**수입 증가**	• 수입품의 국내 가격이 하락함
국내 물가 상승	• 수입 원자재의 가격이 상승하여 생산 비용이 증가하여 국내 물가 상승	**국내 물가 안정**	• 수입 원자재의 가격이 하락하여 생산 비용이 감소하여 국내 물가 안정됨
외채 상환 부담 증가	• 외화로 빚을 진 경우 갚아야 할 빚이 많아짐	**외채 상환 부담 감소**	• 외화로 빚을 진 경우 갚아야 할 빚이 줄어듦

조금 알기 쉽게 람보쌤이 한방에 정리해드리면요!!s(￣▽￣)v

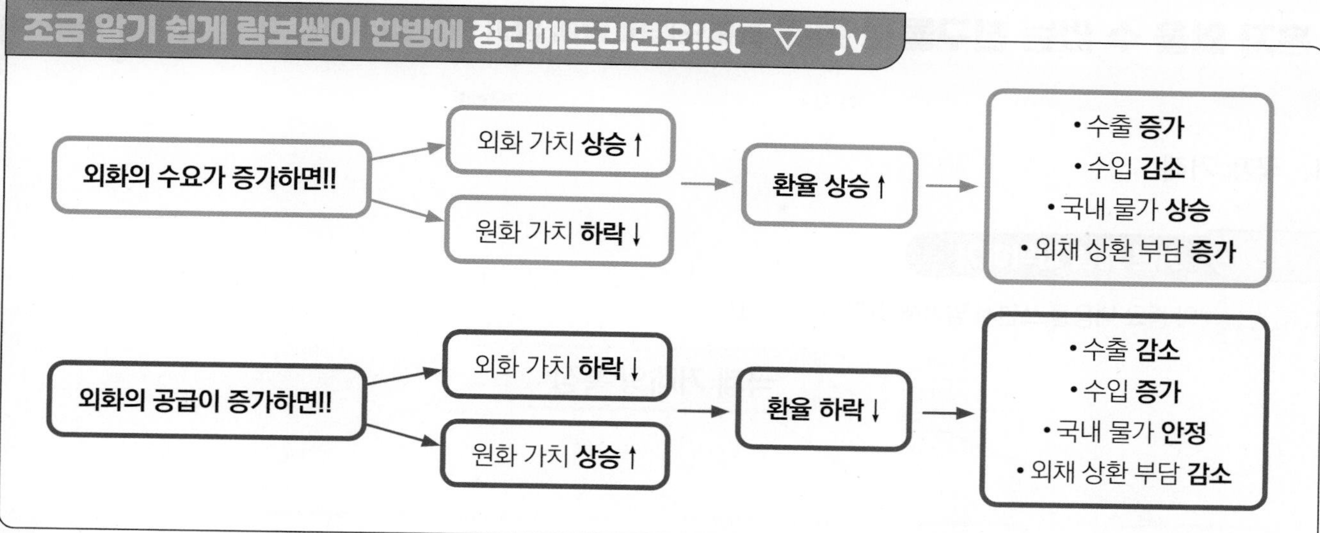

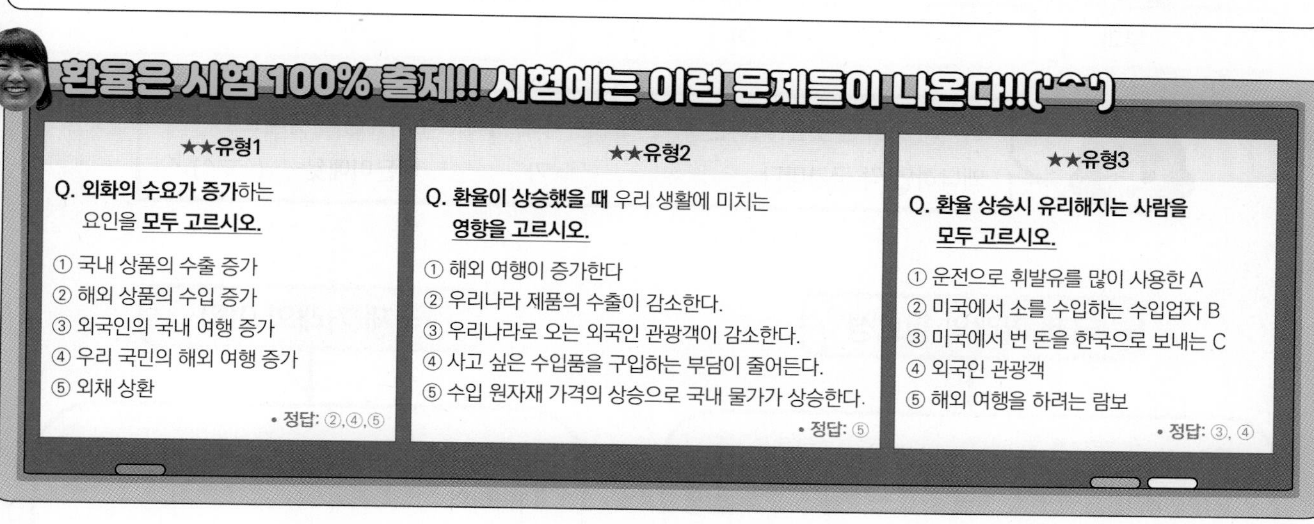

환율은 시험 100% 출제!! 시험에는 이런 문제들이 나온다!!('-^)

★★유형1

Q. **외화의 수요가 증가**하는 요인을 **모두 고르시오.**

① 국내 상품의 수출 증가
② 해외 상품의 수입 증가
③ 외국인의 국내 여행 증가
④ 우리 국민의 해외 여행 증가
⑤ 외채 상환

• 정답: ②,④,⑤

★★유형2

Q. **환율이 상승했을 때** 우리 생활에 미치는 **영향을 고르시오.**

① 해외 여행이 증가한다
② 우리나라 제품의 수출이 감소한다.
③ 우리나라로 오는 외국인 관광객이 감소한다.
④ 사고 싶은 수입품을 구입하는 부담이 줄어든다.
⑤ 수입 원자재 가격의 상승으로 국내 물가가 상승한다.

• 정답: ⑤

★★유형3

Q. **환율 상승시 유리해지는 사람을 모두 고르시오.**

① 운전으로 휘발유를 많이 사용한 A
② 미국에서 소를 수입하는 수입업자 B
③ 미국에서 번 돈을 한국으로 보내는 C
④ 외국인 관광객
⑤ 해외 여행을 하려는 람보

• 정답: ③, ④

얘들아 시험 공부 하느라 많이 힘들지? 정말 수고가 많구나.(^0^) 쓰담쓰담~
환율 문제를 풀때는 조급하게 풀면 안돼. 헷갈리기가 쉽거든.
그러니깐 반드시 차근차근 풀거라! 그러면 틀리지도 않고 좋은 결과를 볼 수 있어! 너는 아주 훌륭한 다음세대란다! 알라뷰(/^o^)/♡

MEMO

1. 국제 거래

1단계 기본 개념 파악하기

1. 회색 글씨의 중요 내용을 쓰면서 암기해보세요.(¯▽¯)/

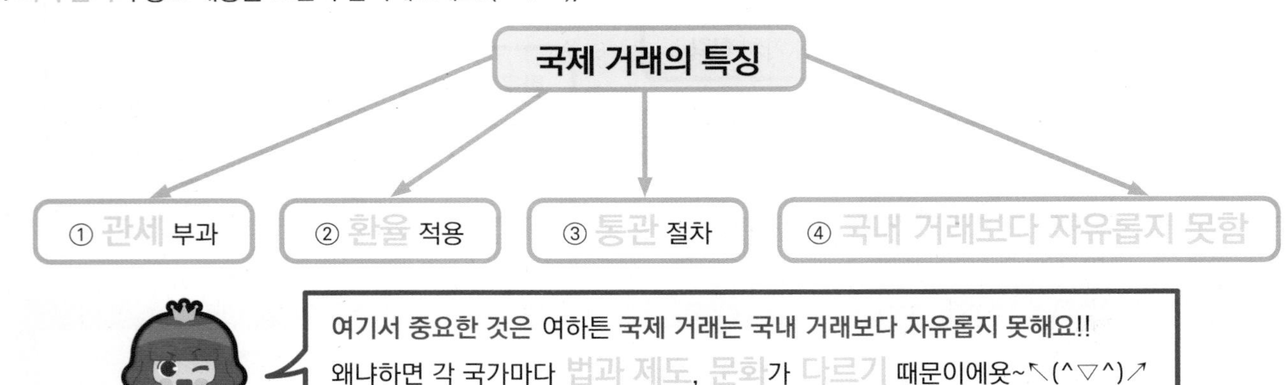

국제 거래의 필요성

·국가 간 생산 조건 차이 발생 — 생산비 차이 발생
: 국가 마다 자연 환경, 천연 자원, 노동·자본·기술 등의 수준이 다름

·국제 거래 발생
: 각국이 비교 우위가 있는 상품을 특화하여 수출하고 그렇지 않은 품목은 수입하자!!

국제 거래의 이익

·나라마다 부족한 자원 충족 가능
·생산 비용 절감
·소비자: 상품 선택의 기회가 확대 됨
·기업: ① 넓은 해외 시장 확보
② 외국 기업과 경쟁 → 기술 혁신

2단계 주요 내용 적용하기

2. 시험에 나오는 **주요 내용** 잘 알고 있는지 한번 점검해보자!! ╮(⁰▿⁰)╭

점검1
Q. 국제 거래의 특징으로 **틀린 것은**?
① **관세**를 부과해욤(ᵕᴗᵕ)
② **환율**을 적용해욤(^0^)
③ **통관** 절차가 있어욤٩(•ᴗ•)
④ 국내 거래에 비해 자유로워요!!^ᴗ^

점검2
Q. 국제 거래의 발생 원인과 **거리가 먼 것**은?
① 나라마다 **생산 조건**에 **차이**가 있어염!
② **비교 우위**가 있는 상품을 생산해서 수출하면 개이득이에욤.
③ 교역을 통해 모든 나라가 **동일한 이익**을 얻을 수 있다규요!!

위 문제들에서 **틀린 지문**들이 실제 시험에서도 **답**인 경우가 많아!! 그러니깐 반드시 기억하라공!!

• 정답 : 2. 점검1.④, 점검2.③

3. **비교우위**가 헷갈리기 쉬우니깐 살짝 점검하고 가자!! ㄴ(￣▽￣oo)ㄱ =33

Q1. 다음 글에서 ㉠,㉡에 들어갈 **경제 개념**을 쓰시오.

> **한 국가가 상대적으로 더 적은 생산비용으로 상품을 생산할 수 있을 때** (㉠)가 있다고 말한다.
> 이때 생산에 유리한 조건을 갖춘 재화나 서비스만을 **전문적으로 생산**하여 교역하는 것을 (㉡)(이)라고 한다.

〈 ㉠: , ㉡: 〉

Q2. 다음 돌흉PD의 **틀린 말**을 **고쳐보세용**!!

> **비교 우위**가 있는 상품은 **특화**하여 **수입**하고, 그렇지 않은 상품들을 **수출**하면 우리 나라는 겁나 개이득 이야!! ㅋㅋ

〈 〉

• 정답 : 3. Q1.㉠비교우위,㉡특화, Q2.비교 우위가 있는 상품을 특화하여 수출하고 그렇지 않은 상품들은 수입해야 개이득이야!!

4. 비슷한 개념 분간하고 가자!! 3가지 중에 골라방!!↖(^▽^)↗

① 세계 무역 기구(WTO) **② 지역 경제 협력체** **③ 자유 무역협정(FTA)**

·**1995년**에 출범한 **국제 기구** ·불공정 행위 규제, 국가 간 무역 마찰 조정	·**지리적으로 가깝고** 경제적으로 상호의존도가 높은 나라들로 구성 ·비회원국에 대해서는 무역 장벽을 쌓는 등의 차별로 무역 갈등 발생	이 협력체는 개별 국가 간 또는 개별 국가와 지역 경제 협력체 간에 **관세 및 비관세** 장벽을 없애거나 경제 협력을 강화하는 데 목적이 있다.
〈 〉	〈 〉	〈 〉

• 정답 : 4. ①,②,③

2. 환율

1단계 기본 개념 파악하기

1. 회색 글씨의 중요 내용을 쓰면서 암기해보세요.(￣▽￣)/

환율의 결정			
외화의 수요	·의미: 외화가 해외로 나가는 것 ·발생 요인 **외국 상품의 수입** **자국민의 해외 여행** **자국민의 해외 투자** **외채 상환**	외화의 공급	·의미: 외화가 국내로 들어오는 것 ·발생 요인 **우리 나라 상품의 수출** **외국인 관광객 유치** **외국인의 국내 투자** **차관 도입**

환율의 변동			
환율 상승	·외화의 수요가 증가하거나 외화의 공급이 감소한 경우 → **환율 상승↑ 원화 가치 하락↓**	환율 하락	·외화의 공급이 증가하거나 외화의 수요가 감소한 경우 → **환율 하락↓ 원화 가치 상승↑**

환율 상승의 영향	환율 하락의 영향
수출 증가	수출 감소
수입 감소	수입 증가
국내 물가 상승	국내 물가 안정
외채 상환 부담 증가	외채 상환 부담 감소

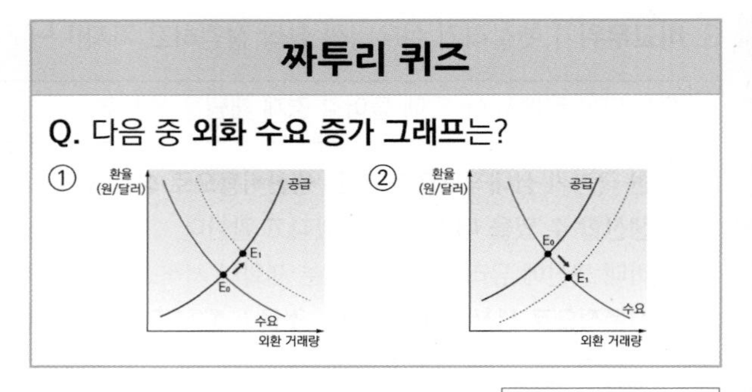

• 정답 : 짜투리퀴즈.①

2단계 확실히 알고 있는지 점검해보자!!

2. 괄호안 알맞은 말에 0표하세용!!o(^-^)o

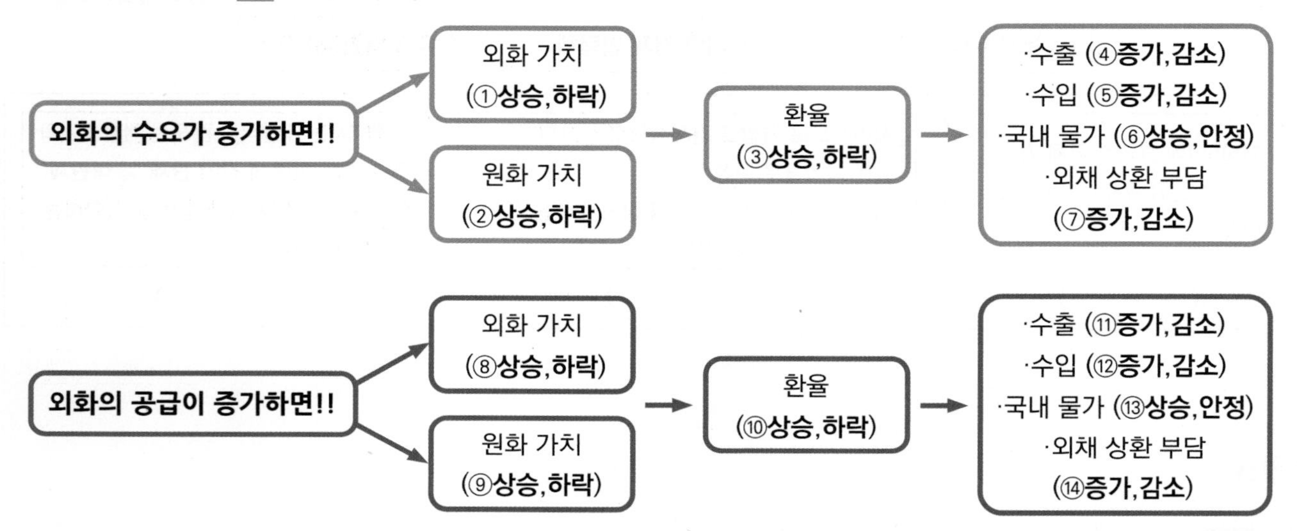

• 정답 : ①~⑤: 상승,하락,상승,증가,감소 ⑥~⑦: 상승,증가 ⑧~⑫: 하락,상승,하락,감소,증가 ⑬~⑭: 안정,감소

람보쌤의 자세한 해설을 영상으로 보세요!

국제 거래의 의미와 필요성

유형 1 국제 거래의 특징

1. 국제 거래만이 가지는 특징으로 옳지 않은 것은?

① 생산 요소의 이동이 자유롭지 못하다.
② 환율에 따라 상품가격이 변하기도 한다.
③ 관세나 수입제한 등의 무역 장벽이 존재한다.
④ 문화나 관습의 차이로 인해 거래 제한을 받기도 한다.
⑤ 각 나라에서 적용되는 법이 같아 분쟁이 발생 했을 때 해결이 쉽다.

2. 국제 거래의 특징과 양상으로 옳은 것은?

① 무역 마찰로 인해 지속적으로 감소하고 있다.
② 다국적 기업의 출현으로 점점 더 감소하고 있다.
③ 전 세계를 대상으로 하기 때문에 시장의 규모가 매우 크다.
④ 재화와 서비스의 이동이 국내 거래에 비해 훨씬 자유롭다.
⑤ 최근에는 서비스, 자본, 노동의 거래보다 상품 거래의 비중이 점점 더 커지고 있다.

3. 국제 거래에 대한 설명으로 알맞지 않은 것은?

① 재화와 서비스의 수출과 수입 과정에서 관세를 내야한다.
② 세계화가 진행됨에 따라 지역주의 움직임은 점차 사라지고 있다.
③ 세계 무역 기구(WTO)의 출범으로 국제 거래의 대상이 확대되었다.
④ 비교 우위에 따라 특화하여 무역을 하면 양국이 모두 이익을 얻을 수 있다.
⑤ 국가 간에 이루어지는 상품, 노동, 자본, 기술 등의 상업적 거래를 말한다.

유형 2 국제 거래의 필요성

4. 다음 글에서 ㉠~㉢에 들어갈 경제 개념을 순서대로 바르게 배열한 것은?

> 한 국가가 상대적으로 더 적은 생산비용으로 상품을 생산할 수 있을 때 (㉠)가 있다고 말한다. 생산에 유리한 조건을 갖춘 재화나 서비스만을 전문적으로 생산하여 교역하는 것을 (㉡)(이)라고 한다. 세계 각국은 다른 화폐를 사용하므로 국제 거래에서는 화폐를 교환하는 과정이 필요하다. 이때 두 나라 사이의 화폐 교환비율을 (㉢)(이)라고 한다.

	㉠	㉡	㉢
①	비교우위	특화	환율
②	비교우위	국제 분업	무역
③	비교우위	국제 분업	국제 수지
④	절대우위	특화	환율
⑤	절대우위	국제 분업	국제 수지

5. 국제 거래에 대한 일반적인 설명으로 옳은 것을 〈보기〉에서 고른 것은?

> 보 기
> ㄱ. 전 세계를 대상으로 하므로 국내 거래에 비해 규모가 크다.
> ㄴ. 국가마다 다른 생산 여건에 따른 생산비의 차이로 발생한다.
> ㄷ. 국내 거래에 비해 상품 및 생산 요소의 이동에 제약이 없다.
> ㄹ. 각 국은 주로 비교우위가 있는 품목을 외국으로부터 수입하여 경제적 이익을 추구한다.

① ㄱ, ㄴ ② ㄱ, ㄷ ③ ㄴ, ㄷ
④ ㄴ, ㄹ ⑤ ㄷ, ㄹ

유형 3 국제 거래의 원인

6. 국제 거래가 발생하는 이유만을 〈보기〉에서 있는 대로 고른 것은?

> 보 기
> ㄱ. 국가마다 처한 환경이 다르기 때문이다.
> ㄴ. 국가마다 생산 비용의 차이가 나기 때문이다.
> ㄷ. 교역을 통해 모든 나라가 동일한 이익을 얻을 수 있기 때문이다.
> ㄹ. 나라마다 상대적으로 생산 비용이 적게 드는 상품을 특화하는 것이 유리하기 때문이다.

① ㄱ, ㄴ ② ㄴ, ㄷ ③ ㄷ, ㄹ
④ ㄱ, ㄴ, ㄹ ⑤ ㄴ, ㄷ, ㄹ

유형 4 국제 거래가 자유롭지 못한 이유

7. ㉠이 국내 거래보다 자유롭지 못한 이유로 옳지 않은 것은?

> 우리 주위를 둘러보면 생활에 쓰이는 많은 물건이 수입된 것임을 알 수 있다. 물건뿐만 아니라 외국에서 들어온 자본과 노동력도 우리 경제에 많은 영향을 끼치고 있다. 우리가 시장에서 거래를 통해 필요한 것을 얻는 것처럼 국가도 교역을 통해 이익을 얻는다. 이처럼 생산물이나 생산 요소가 국경을 넘어 거래되는 것을 (㉠)(이)라고 한다.

① 상대 국가에 관세를 내야 한다.
② 각 나라의 법과 제도를 존중해야 한다.
③ 종교나 문화 정책의 차이를 무시할 수 없다.
④ 국가마다 다른 화폐로 인해 환율을 고려해야 한다.
⑤ 교통과 정보 통신 기술의 발달로 긴밀하게 연결된다.

유형 5 국제 거래의 이익

8. 국제 거래에 대한 설명으로 적절하지 않은 것은?

① 국제 거래가 확대되면 소비자는 재화나 서비스에 대한 선택의 폭을 넓힐 수 있다.
② 인터넷과 같은 정보 통신의 발달로 인하여 국가 간의 시·공간 장벽이 강화되었다.
③ 재화뿐만 아니라 서비스, 자본, 노동력의 국가 간 이동도 활발하게 이루어지고 있다.
④ 세계화와 개방화 추세에 따라 국제 거래의 규모가 커지고 그 대상국도 점차 증가하고 있다.
⑤ 국제 거래가 발생하는 이유는 국가마다 생산 여건이 서로 달라 생산비의 차이가 발생하기 때문이다.

국제 거래의 양상

유형 1 WTO

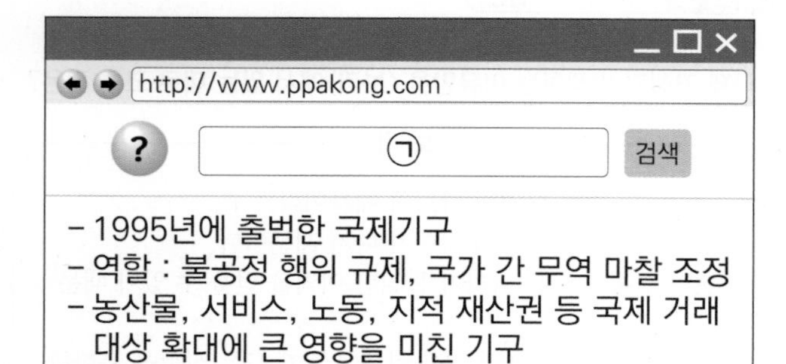

9. ㉠에 들어갈 검색어로 가장 적절한 것은?

① UN ② WHO ③ WTO
④ GATT ⑤ OPEC

유형 2 FTA

10. 다음 신문 기사에 나타난 무역에 대한 설명으로 옳지 않은 것은?

> **이스라엘 외무·경제 장관,**
> **한국-이스라엘 FTA 체결 위해 방한**
>
> 이스라엘의 가비 아슈케나지 외무장관과 아미르페레츠 경제장관이 한국-이스라엘 자유무역협정(FTA) 체결을 위해 10~13일 한국을 방문한다.
> 한국이 이스라엘과 FTA를 체결하면, 한국은 이스라엘과 아시아 최초로 FTA를 체결하는 국가가 된다. 이번 협정은 한국이 중동 국가들과 체결한 최초의 협정이기도 하다.
> 아슈케나지 외무장관은 "한국은 이스라엘의 최대 교역국 중 하나다. 아시아 대륙에서 가장 큰 잠재력을 가지고 있다"며 "이번 외무부, 경제부 장관의 공동 방문은 이스라엘이 FTA를 진전시키기 위해 정치·경제적으로 노력했던 몇 년간의 일을 끝맺게 한다. 이 협정은 이스라엘 경제를 강화시키고 이스라엘의 생활비를 줄이게 할 것"이라고 말했다.

① 국제 경쟁력이 약한 국내 산업을 보호할 수 있다.
② 국내 산업의 생산성 향상과 기술 개발에 자극을 준다.
③ 품질이 좋은 상품을 손쉽게 확보할 수 있는 장점이 있다.
④ 이스라엘과 한국의 상호 교역이 크게 늘어날 것으로 예상된다.
⑤ 협정이 발효되면 관세가 사라져 한국의 이스라엘 수출경쟁력이 높아질 것이다.

유형 3 지역 경제 협력체

11. 지도에서 볼 수 있는 여러 지역 경제 협력체들에 대한 설명으로 바르지 못한 것은?

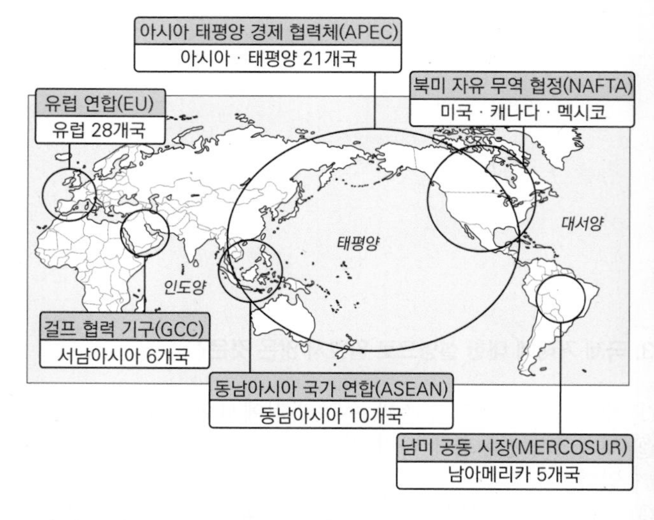

① 회원국 간 자유로운 무역을 촉진한다.
② 비회원국들에 대해 무역장벽을 쌓아 차별을 하기도 한다.
③ 각종 교역 불공정 행위를 규제하고 무역 마찰을 조정한다.
④ 경쟁력을 강화하고 무역 증진을 통한 공동 이익을 추구한다.
⑤ 지역 경제 협력체 외의 국가들과 무역 갈등을 일으키기도 한다.

유형 4 세계화

2. 다음 글에 나타난 국제 거래의 변화에 대한 설명으로 옳지 않은 것은?

> 탈냉전 시대가 도래하고 세계화가 가속화되면서 국제 거래의 규모가 확대되고 있다. 이러한 변화는 수출입 총액이 증가하는 것뿐만 아니라 교역되는 품목이 다양해지는 추세로 이어지고 있다.

① 세계 전체의 무역 거래 규모가 커지고 있다.
② 국가 간에 자본의 이동이 대규모로 이루어진다.
③ 우리나라의 국적선이 외국의 화물을 운송하기도 한다.
④ 외국의 보험 서비스가 국내 소비자에게 제공되기도 한다.
⑤ 민족 정체성을 유지하기 위해 외국인 노동자의 유입이 금지되기도 한다.

환율의 의미와 변동

유형 1 외화 그래프-외화의 공급

3. 그래프는 외화의 수요와 공급을 나타낸 것이다. 이와 같은 변화를 가져온 원인을 〈보기〉에서 고른 것은?

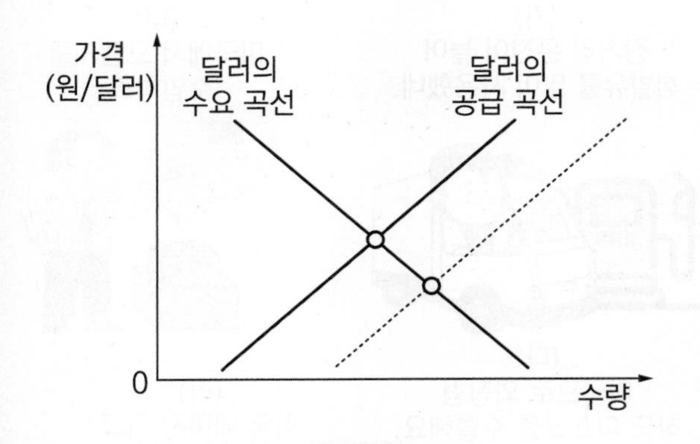

보 기

> ㄱ. 외채를 상환하였다.
> ㄴ. 상품 수출이 증가하였다.
> ㄷ. 외국인의 국내 여행이 증가하였다.
> ㄹ. 외국으로 어학연수를 떠나는 우리나라 학생의 수가 증가하였다

① ㄱ, ㄴ ② ㄱ, ㄹ ③ ㄴ, ㄷ
④ ㄴ, ㄹ ⑤ ㄷ, ㄹ

유형 2 외화 그래프-외화의 수요

14. 우리나라의 외환 시장을 나타낸 것이다. 이와 같은 변화를 가져올 수 있는 상황으로 적절한 것을 〈보기〉에서 고른 것은?

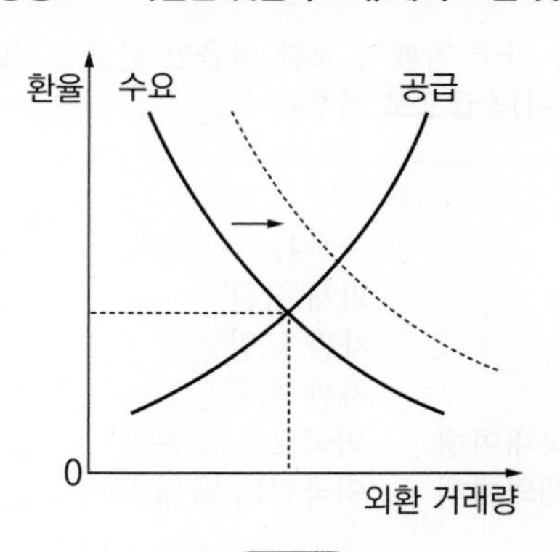

보 기

> ㄱ. 우리나라 기업이 운동화를 대량으로 수입하였다.
> ㄴ. 해외로 여행을 떠나는 우리나라 사람들이 늘어났다.
> ㄷ. 우리나라로 유학을 오는 외국인 학생의 수가 줄어들었다.
> ㄹ. 경제가 어려워지면서 정부가 다른 나라로부터 자금을 빌려 왔다.

① ㄱ, ㄴ ② ㄱ, ㄷ ③ ㄴ, ㄷ
④ ㄴ, ㄹ ⑤ ㄷ, ㄹ

유형 3 외화의 수요

15. 외화의 수요가 증가하는 요인에 해당하는 것을 〈보기〉에서 모두 고르면?

보 기

> ㄱ. 국내 상품의 수출 증가
> ㄴ. 외국 상품의 수입 증가
> ㄷ. 외국인의 국내 여행 증가
> ㄹ. 우리 국민의 해외여행 증가

① ㄱ, ㄴ ② ㄱ, ㄷ ③ ㄴ, ㄷ
④ ㄴ, ㄹ ⑤ ㄷ, ㄹ

유형 4 외화의 공급

16. 외화의 공급이 증가하는 요인으로 옳은 것은?

① 한류 열풍으로 외국인 관광객과 외국인 유학생이 급증하였다.
② 코로나19로 인한 경제 위기로 외국인의 국내 투자가 줄어들었다.
③ 전염병으로 인해 해외여행을 떠나려는 우리나라 국민이 감소하였다.
④ 경제 위기로 수입품의 소비가 줄어들어 외국 상품의 수입이 감소하였다.
⑤ 중국 금융 시장의 투자 수익률이 높아져 우리나라의 중국 투자가 증가하였다.

유형 5 외화의 수요와 공급

17. 밑줄 친 (가), (나)를 발생시키는 요인을 옳게 연결한 것은?

> 외국 화폐와 자국 화폐의 교환 비율인 환율은 외환에 대한 (가)수요와 (나)공급으로 결정된다.

	(가)	(나)
①	수입	외채 상환
②	수출	차관 도입
③	해외 투자	차관 제공
④	외국인의 국내여행	외국으로의 송금
⑤	자국민의 해외여행	외국인의 국내 투자

유형 6 환율의 변동 원인

18. 〈보기〉에서 환율의 하락을 가져다주는 요인으로 옳은 것을 모두 고른 것은?

보 기

ㄱ. 외화 수요의 증가
ㄴ. 외화 수요의 감소
ㄷ. 외화 공급의 증가
ㄹ. 외화 공급의 감소

① ㄱ, ㄴ　② ㄱ, ㄷ　③ ㄴ, ㄷ
④ ㄴ, ㄹ　⑤ ㄷ, ㄹ

환율 변동이 국내 경제에 미치는 영향

유형 1 환율 변동의 영향

19. 환율 변동이 우리 생활에 미치는 영향만을 〈보기〉에서 있는 대로 고른 것은?

보 기

ㄱ. 환율 상승은 외화의 가격이 높아진다는 것을 뜻한다.
ㄴ. 환율이 상승하면 수입품을 사는 것, 외채를 갚는 것이 어려워진다.
ㄷ. 환율이 상승하면 수입 원자재 가격의 상승으로 국내의 물가가 상승한다.
ㄹ. 환율이 하락하면 수출이 증가하고 외국인의 국내 관광이 증가할 수 있다.
ㅁ. 환율이 하락하면 외국 상품보다 우리나라 재화의 서비스의 가격이 상대적으로 낮아진다.

① ㄱ, ㄴ　② ㄱ, ㄴ, ㄷ
③ ㄴ, ㄷ, ㄹ　④ ㄴ, ㄹ, ㅁ
⑤ ㄱ, ㄴ, ㄷ, ㄹ, ㅁ

유형 2 환율 상승의 영향

※ 다음 환율의 변화를 보고 물음에 답하시오.

> 1달러 = 1,000원 → 1달러 = 1,200원

20. 위와 같은 환율 변동이 우리 생활에 미치는 영향으로 가장 알맞은 것은?

① 해외여행이 증가한다.
② 우리나라 제품의 수출이 감소한다.
③ 우리나라로 오는 외국인 관광객이 감소한다.
④ 사고 싶은 수입품을 구입하는 부담이 줄어든다.
⑤ 수입 원자재 가격의 상승으로 국내 물가가 상승한다.

유형 3 환율 상승시 유리해지는 사람

21. 그래프는 외화의 수요와 공급을 나타낸 것이다. 그래프와 같은 변화가 나타났을 때 유리한 사람을 고른 것은?

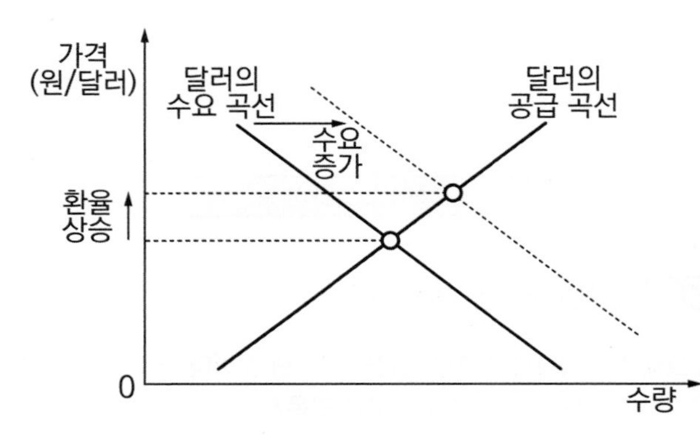

(가)
장거리 운전이 늘어
휘발유를 많이 사용했네.

(나)
미국에서 오렌지를
수입하죠.

(다)
미국으로 외장형
하드 디스크를 수출해요.

(라)
미국 메이저 리그
에서 번 돈을
한국 부모님께
보내 드려요.

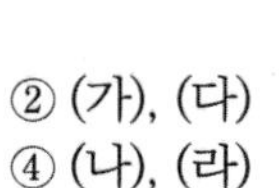

① (가), (나)　② (가), (다)
③ (나), (다)　④ (나), (라)
⑤ (다), (라)

유형 4 환율 하락의 영향

2. 다음 기사에 나타난 현상에 따른 영향으로 옳게 발표를 한 학생은?

> ○○ 신문
> 2015년 ○월 ○일
> 달러화 대비 원화 가치 상승세 지속

① 채은 : 우리 정부의 해외 달러 차관 상환 부담이 커지겠어요.
② 미소 : 우리나라를 여행하는 외국인(미국) 여행객들이 유리하겠어요.
③ 수경 : 미국에서 번 돈을 한국 부모님께 보내드리는 사람은 불리하겠어요.
④ 아정 : 미국에서 유학하고 있는 자녀를 둔 부모님의 부담이 더욱 커지겠군요.
⑤ 예원 : 달러화로 결제하는 수입 원자재 가격의 상승으로 국내 물가가 상승할 수 있을 거예요.

유형 5 환율 하락시 유리해지는 사람

3. 환율이 하락할 때 경제적 관점에서 좋아할 사람과 싫어할 사람을 바르게 짝지어진 것을 고르면?

보 기

A- 반도체 수출업자
B- 바나나 수입업자
C- 한국으로 유학 온 미국인
D- 경유를 사용하는 트럭 운전수
E- 한국 부모님께 생활비를 드리는 미국 소재 기업 회사원

	좋아할 사람	싫어할 사람
㉠	A,B	C,D,E
㉡	B,D	A,C,E
㉢	C,D,E	A,B
㉣	D	A,B,C,E
㉤	D,E	A,B,C

① ㄱ ② ㄴ ③ ㄷ
④ ㄹ ⑤ ㅁ

유형 6 서술형

서술형

24. 다음의 상황에서 갑국의 환율 변동의 양상과 영향을 조건 순서대로 서술하시오.(단, 다른 변수는 모두 일정하다고 가정한다.)

> 최근 기업들의 실적 개선과 함께 갑국에서는 외국인의 투자가 증가하고 있다.

조건1. 위 상황이 갑국의 외화 수요와 공급 중 어떠한 요인을 증가 혹은 감소시키는지 쓸 것.
조건2. 환율이 어떻게 변동하는지 쓸 것.
조건3. 환율 변동의 결과 갑국의 수출과 수입은 증가하는지 감소하는지 각각 쓸 것.

중등사회2 실전고사 문제지

V. 국민 경제와 국제 거래

빡공시대편찬위원회

날짜		월		일	성명	

1. 국내 총생산에 대한 설명으로 옳은 것은?

① 여러 상품의 가격을 합하여 평균한 것이다.
② 국민 개개인의 소득이나 생활 수준을 파악할 수 있다.
③ 국가별로 1인당 평균적인 소득을 비교하기에 적합하다.
④ 우리나라 국민이 외국에서 생산 활동을 하면 우리나라 국내 총생산에 포함한다.
⑤ 일정 기간 동안 한 나라 안에서 새롭게 생산한 최종 생산물의 시장 가치의 합이다.

2. 〈보기〉의 밑줄 친 것 중 국내 총생산(GDP)에 포함되는 것을 고르면?

보 기

ㄱ. 백만원에 판매한 올해 만든 책상
ㄴ. 올해 빵을 만드는데 사용한 밀가루
ㄷ. 매주 토요일마다 하천 보호를 위한 봉사활동
ㄹ. 올해 한국에서 미국인이 실시한 영어 회화 강의

① ㄱ, ㄴ ② ㄱ, ㄹ ③ ㄴ, ㄷ
④ ㄴ, ㄹ ⑤ ㄷ, ㄹ

3. 국내 총생산의 한계에 대한 설명으로 옳지 않은 것을 〈보기〉에서 모두 고르면?

보 기

ㄱ. 삶의 질 수준을 평가하기 어렵다.
ㄴ. 소득 분배나 빈부 격차를 파악하기 어렵다.
ㄷ. 노동 시간뿐만 아니라 여가에 사용된 시간도 포함된다.
ㄹ. 환경오염 및 자급자족을 위한 경제 활동도 포함된다.

① ㄱ, ㄴ ② ㄱ, ㄷ ③ ㄴ, ㄷ
④ ㄴ, ㄹ ⑤ ㄷ, ㄹ

※다음 글을 읽고 물음에 답하시오.

> 한 나라 안에서 가계, 기업, 정부와 같은 경제 주체는 생산, 분배, 소비를 통해 서로 영향을 주고받으며 활발하게 경제 활동을 한다. 경제 활동의 다양한 모습 중 생산 활동의 규모를 측정하여 나라 전체의 경제 규모를 파악한 것을 ㉠국내 총생산(GDP : Gross Domestic Products)이라고 한다. 오늘날 우리가 과거보다 경제적으로 풍요롭게 살게 된 것은 경제가 성장했기 때문이다. ㉡경제 성장이란 국내 총생산이 증가하여 나라의 생산 능력과 경제 규모가 커진 것을 말한다.

4. ㉡에 대한 해석으로 옳은 것만을 〈보기〉에서 고른 것은?

보 기

ㄱ. 경제 성장을 통해 자원 고갈과 환경 오염 문제를 해결할 수 있다.
ㄴ. 경제 활동 시간이 늘어날수록 여가가 늘고 삶의 균형을 이룰 수 있다.
ㄷ. 국내 총생산이 커도 인구가 많으면 소득 수준이 높다고 말하기 어렵다.
ㄹ. 경제 성장의 혜택이 적절히 분배되지 않으면 빈부 격차와 계층 간 갈등이 발생한다.

① ㄱ, ㄴ ② ㄱ, ㄷ ③ ㄴ, ㄷ
④ ㄴ, ㄹ ⑤ ㄷ, ㄹ

5. 〈보기〉에서 경제 성장의 영향에 대한 설명 중 옳은 것만을 모두 고른 것은?

보 기

ㄱ. 경제가 성장하면 반드시 삶의 질이 향상된다.
ㄴ. 경제가 성장하면 일반적인 소득 수준은 낮아진다.
ㄷ. 경제 활동 시간이 늘어남에 따라 삶의 균형이 깨질 수 있다.
ㄹ. 경제 성장의 혜택이 적절히 분배되지 않으면 계층간 갈등이 나타날 수 있다.

① ㄱ, ㄴ ② ㄱ, ㄷ ③ ㄴ, ㄷ
④ ㄴ, ㄹ ⑤ ㄷ, ㄹ

6. 〈보기〉의 (가), (나)에 들어갈 내용을 바르게 짝지은 것은?

보 기

시장에서 거래되는 여러 상품의 가격을 종합하여 평균한 것을 (가)(이)라고 한다. 정부는 이러한 (가)의 움직임을 한눈에 알아볼 수 있도록 (나)를 작성한다.

	(가)	(나)
①	재정	가격 지수
②	소비	소비 지수
③	물가	물가 지수
④	소비	통화 지수
⑤	물가	명목 지수

7. 물가 상승의 요인으로 옳은 것은?

① 가계의 소비 감소
② 시중 은행의 이자율 상승
③ 국내외 원자재 가격의 하락
④ 상품을 생산하는 생산비의 하락
⑤ 시중에 공급되는 통화량의 증가

※다음 글을 읽고 물음에 답하시오.

가계의 소비와 기업의 투자, 정부의 소비가 크게 증가하면 물가가 지속적으로 상승하는 현상인 (㉠)이/가 발생할 수 있다.

8. ㉠에 따라 나타나는 경제 상황으로 적절한 것을 〈보기〉에서 고르면?

보 기

ㄱ. 은행 예금자는 유리하다.
ㄴ. 수출이 줄고 수입이 늘어난다.
ㄷ. 부동산 투기 현상이 일어날 가능성이 높다.
ㄹ. 돈을 빌린 사람은 불리하고, 돈을 빌려준 사람은 유리하다.

① ㄱ, ㄴ　② ㄱ, ㄷ　③ ㄴ, ㄷ
④ ㄴ, ㄹ　⑤ ㄷ, ㄹ

9. 인플레이션이 발생할 경우 일반적으로 유리한 사람만을 〈보기〉에서 고른 것은?

보 기

ㄱ. 채권자　ㄴ. 채무자
ㄷ. 수출업자　ㄹ. 수입업자
ㅁ. 봉급 생활자　ㅂ. 실물 자산 소유자

① ㄱ, ㄷ, ㅁ　② ㄱ, ㄷ, ㅂ
③ ㄱ, ㄹ, ㅁ　④ ㄴ, ㄹ, ㅁ
⑤ ㄴ, ㄹ, ㅂ

10. 다음의 ㉠, ㉡에 해당하는 실업의 유형이 알맞게 짝지어진 것은?

실업은 원인에 따라 여러 유형으로 나뉜다. 경제 상황이 나빠지면 기업은 신규 채용을 줄이거나 고용 인원을 줄이는데, 이때 발생하는 실업을 (㉠)이라고 한다. 기존에 다니던 직장을 그만두고 더 나은 조건의 일자리를 구하기 위해 일시적으로 실업 상태가 된 것을 (㉡)이라고 한다.

	㉠	㉡
①	구조적 실업	마찰적 실업
②	구조적 실업	경기적 실업
③	경기적 실업	구조적 실업
④	경기적 실업	마찰적 실업
⑤	마찰적 실업	구조적 실업

11. 국제 거래의 특징으로 옳지 않은 것은?

① 거래하는 두 나라의 화폐가 서로 다르다.
② 상품이 국경을 통과할 때 관세를 부과한다.
③ 국경을 넘어 물품을 거래할 때 통관 절차를 거친다.
④ 국내 거래보다 제약 요인이 많아 거래가 점점 줄어들고 있다.
⑤ 나라마다 법과 제도가 달라 상품 이동이 국내보다 자유롭지 못하다.

12. 그래프와 같은 변동이 일어날 수 있는 요인만을 〈보기〉에서 고른 것은?

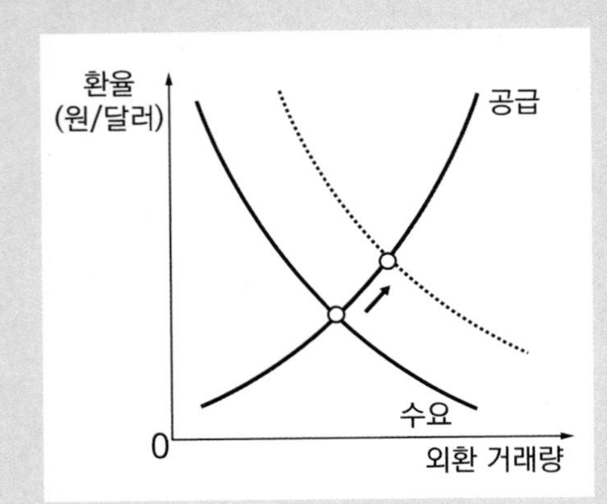

보 기

ㄱ. 외국인이 국내 투자를 할 때
ㄴ. 외국에서 빌려 온 빚을 갚을 때
ㄷ. 외국으로 재화나 서비스를 수출 할 때
ㄹ. 우리나라 사람의 해외 여행이 늘어날 때

① ㄱ, ㄴ ② ㄱ, ㄷ ③ ㄴ, ㄷ
④ ㄴ, ㄹ ⑤ ㄷ, ㄹ

13. 이전에 1,000원이었던 1달러가 1,100원이 되었을 때 나타나는 현상으로 가장 적절한 것은?

① 수입이 증가한다.
② 환율이 감소하였다.
③ 외채 상환 부담이 줄어든다.
④ 외국인 관광객 감소가 나타날 수 있다.
⑤ 우리나라 국민의 해외 여행이 감소한다.

14. 그래프의 상황으로 인해 유리해지는 사람을 〈보기〉에서 모두 고르면?

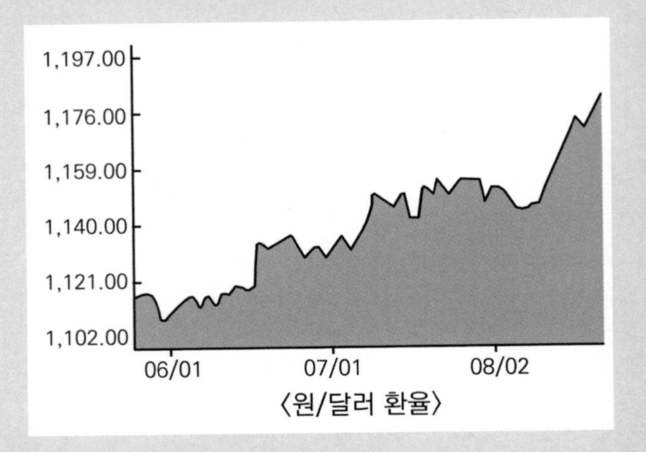

〈원/달러 환율〉

보 기

ㄱ. 미국에서 유학중인 한국인 유학생
ㄴ. 우리나라를 여행하는 미국인 관광객
ㄷ. 미국산 고기를 요리해 판매하는 식당 주인
ㄹ. 국산 자동차를 미국으로 수출하는 사업 사장

① ㄱ, ㄴ ② ㄱ, ㄷ ③ ㄴ, ㄷ
④ ㄴ, ㄹ ⑤ ㄷ, ㄹ

15. 환율이 하락했을 때 유리한 사람들을 〈보기〉에서 고른 것은?

보 기

ㄱ. 외국으로 핸드폰을 수출하는 업체 사장
ㄴ. 한 달간 해외여행을 떠날 우리나라 학생
ㄷ. 외국인 관광객을 안내하는 국내 관광 가이드
ㄹ. 외국으로 유학을 떠난 자녀에게 생활비를 보내주는 부모님

① ㄱ, ㄴ ② ㄱ, ㄷ ③ ㄴ, ㄷ
④ ㄴ, ㄹ ⑤ ㄷ, ㄹ

1. 국제 사회의 이해~2.국제 사회의 모습과 공존 노력

1. 국제 사회의 의미와 특성

(1) 국제 사회: 세계 여러 나라가 서로 교류하면서 공존하는 사회
→ **주권**을 지닌 **국가**들을 **기본 단위**로 함

• 중요 키워드 [주권]: 국가의 의사를 최종적으로 결정할 수 있는 최고의 권력

(2) 국제 사회의 특성 시험1타

자국의 이익 추구	• 각 국은 국제 관계에서 자국의 이익을 최우선으로 추구함
힘의 논리 작용	• 각 국은 원칙적으로 평등한 주권을 지니지만, 실제로는 강대국이 많은 영향력을 행사 함 (약육강식)
중앙 정부의 부재	• 강제력을 가진 중앙 정부가 존재하지 않음 → 국가 간 분쟁이 일어날 경우 해결하기가 어려움
국제 협력 강화	• 국제 문제를 공동으로 대처 할 필요가 있음
일정한 질서 존재	• **국제법**, 국제 기구, 국제 여론 등을 통해 국제 질서를 유지함

국제법은 국제 사회에 적용되는 법규야! **하지만 개별 국가를 강제 할 수는 없단다**(ToT)
그래서 국제 사회의 분쟁을 해결하는데는 한계가 있어 ㅠㅠ

시험에 진짜 잘나오는 훼이크 지문 확인하고 가자!!O(￣▽￣)o

지문1: 국가 간 갈등을 조정해 줄 중앙 정부가 존재한다.
→ 가장 시험에 잘 나오는 훼이크야!! 국제 사회는 강력한 중앙 정부가 존재하지 않기 때문에 국제 분쟁은 해결하기가 어려워!!(ง •̀_•́)ง

지문2: 강제성을 가진 국제법을 통해 분쟁을 해결한다.
→ 국제법은 강제성이 없어!! 그래서 분쟁 해결이 매우 어려워 ㅠㅠ

시험에 나오는 대표적인 실제 예

• 온실가스 배출로 지구 온난화가 심각해지자 일부 선진국들이 온실가스를 의무적으로 줄이기로 합의하였다. 하지만 몇몇 선진국은 산업 보호와 경제 발전이 더 중요하다는 이유로 온실가스를 의무적으로 줄이는 것에 합의하지 않았다.
→ 자국의 이익 추구

• 국제 연합의 안전 보장 이사회에서 중요한 안건을 결정할 때, 상임 이사국인 미국, 영국, 프랑스, 중국, 러시아 중 한 국가라도 반대하면 안건이 통과되지 않는다. 즉, 다섯 개의 상임 이사국이 실질적인 의결 거부권을 가지고 있어 국제 연합 안전 보장 이사회 내에서 다른 국가보다 큰 영향력을 행사할 수 있는 것이다. → 힘의 논리 작용

2. 국제 사회의 행위 주체

① 국가	의미		• 영토+국민+주권을 가진 행위 주체 → 국제 사회에서 **가장 기본이 되는** 행위 주체
	역할		• 국제법에 따라 **독립적인 지위**를 가지고 외교 활동을 함 • 여러 국제 기구에 가입하여 회원국으로 활동함
중요 ② **국제 기구**	종류	정부 간 국제 기구	• 의미: 각국 **정부**를 회원으로 하는 국제 기구 → 국제 조약에 의해 설립 • 예: **국제 연합**(UN), 경제 협력 개발 기구(OECD), 국제 통화 기금(IMF)
		국제 비정부 기구	• **개인**이나 **민간 단체**가 중심이 되어 만들어진 국제 기구 • 예〉 국제 사면 위원회, **그린 피스**, 국경 없는 의사회 등

환경 보호와 핵무기 반대를 위해 수고하는 국제 비정부 기구야!!^ᴗ^

시험에 나오는 핵심 어구는 바로 이것이다!!

[국가]
• **국제 사회에서 가장 기본이 되는 행위 주체이다!!** → 겁나 잘나왓!!('ㅡ')

[국제 기구]
• **훼이크 주의보: 국제 기구의 회원은 정부만 가능하다!!**
→ X, 시험에 국제 기구의 회원 자격에 대한 훼이크가 겁나 잘나와!!('ㅡ')
'정부간 국제 기구'의 회원 자격은 각 국의 **'정부'**가 맞지만 **'국제 비정부 기구'**의 회원 자격은 **개인**이나 **민간 단체**이기 때문에 **정부만 국제 기구의 회원으로 가능하다는 말은 겁나 틀린 말이야!!**
훼이크 조심하라규!!(ง •̀_•́)ง

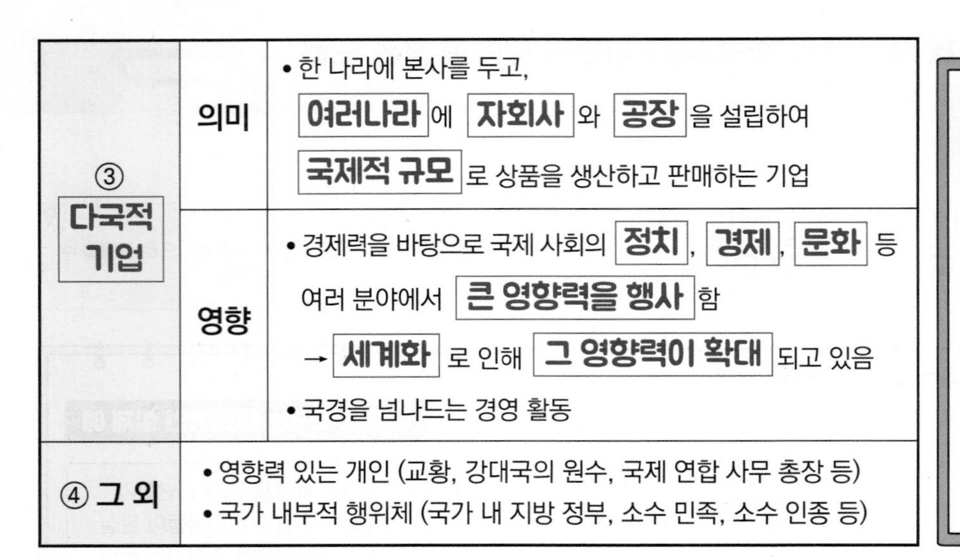

③ 다국적 기업	의미	• 한 나라에 본사를 두고, 여러나라 에 자회사 와 공장 을 설립하여 국제적 규모 로 상품을 생산하고 판매하는 기업
	영향	• 경제력을 바탕으로 국제 사회의 정치, 경제, 문화 등 여러 분야에서 큰 영향력을 행사 함 → 세계화 로 인해 그 영향력이 확대 되고 있음 • 국경을 넘나드는 경영 활동
④ 그 외		• 영향력 있는 개인 (교황, 강대국의 원수, 국제 연합 사무 총장 등) • 국가 내부적 행위체 (국가 내 지방 정부, 소수 민족, 소수 인종 등)

시험에 나오는 핵심 어구는 바로 이것이다!!

[다국적 기업]

• 국제 경제 뿐만 아니라 **국제 정치에도 영향을 미치고 있다.**
→ ○, 다국적 기업의 영향력을 묻는 문제가 잘 나와(^0^)

• **훼이크 주의보: 다국적 기업의 영향력은 점점 줄어들고 있다!!**
→ ×, 겁나 훼이크야!! **다국적 기업**은 그 경제력을 바탕으로 **세계 전체에 엄청난 영향력**을 끼치고 있어!!O(¯▽¯)o

시험에 나오는 스타일 1차!! - [다음은 무엇에 대한 설명인가?]

★★국제 기구

Q. 다음은 무엇에 대한 **설명인가?**

(가) 각국 **정부**를 **회원**으로 하여 조약에 의해 구성되어 활동한다.
(나) 국경을 넘어 활동하는 **개인**이나 **민간 단체**가 모여 조직한 기구이다.

〈 (가): , (나): 〉

• 정답: (가)정부간 국제 기구, (나)국제 비정부 기구

★★국제 기구 예시

Q. 다음은 무엇에 대한 **설명인가?**

(가) **환경 보호**와 핵무기 반대를 위해 활약하는 **국제 비정부 기구**
(나) **제2차 세계 대전** 후에 **국제 평화**와 **안전 보장**을 위하여 설립된 **정부간 국제 기구**

〈 (가): , (나): 〉

• 정답: (가)그린피스, (나)국제 연합

★★다국적 기업

Q. 다음은 무엇에 대한 **설명인가?**

세계 여러 나라에 **자회사**와 **공장**을 설립하여 상품을 생산하고 판매한다.

〈 〉

• 정답: 다국적 기업

시험에 나오는 스타일 2차!! - [진짜 시험에는 이런 유형이 나오니깐 꼭 기억해!! (๑•̀o•́๑)]

★★시험에 나오는 실제 지문 ○, ×

Q. 다음 중 **맞는 말에는 ○표, 틀린말에 ×표**를 하시오.

① **국가**는 국제 사회에서 **가장 기본이 되는 행위 주체**이다. ( )
② **다국적 기업**의 **수와 규모**는 **점차 축소**되고 있다. ( )
③ **다국적 기업**은 **국제 경제**뿐만 아니라 **국제 정치**에도 영향을 미치고 있다. ( )
④ **교황, 유명 연예인, 강대국의 국가 원수**와 같은 영향력 있는 개인은 국제 사회의 행위 주체가 될 수 없다. ( )
⑤ **다국적 기업**은 국경을 초월한 이동성은 강하지만 **본사를 이전할 수는 없다.** ( )

★★정부간 국제 기구와 국제 비정부 기구 분간하기

Q. **정부간 국제 기구**와 **국제 비정부 기구**를 분간 하시오.

① 국제 연합(UN) ② 국제 사면 위원회
③ 경제협력개발기구(OECD)
④ 그린피스 ⑤ 국경 없는 의사회

〈 **정부 간 국제 기구:**
국제 비정부 기구: 〉

• **정답:** Q. ①~⑤: ○×○×× Q. 정부 간 국제 기구: ①, ③, 국제 비정부 기구: ②, ④, ⑤

3. 국제 사회의 경쟁과 갈등·협력

(1) 국제 사회의 경쟁과 갈등

공부TIP: 이 파트는 외운다기 보다는 상식을 묻는 문제가 많이 나오니깐 긴장하지 말고 편하게 공부하자!! (^ ^)

원인	양상
• 각 국이 자국의 이익을 우선적으로 추구함 → 지나친 경쟁이 갈등으로 이어짐	• 한정된 자원을 둘러싼 갈등 • 종교·민족 차이에서 발생한 갈등 • 환경 문제를 둘러싼 갈등

시험에 나오는 [남중국해]

• 동아시아의 중요한 해상로이자 **석유, 천연가스**등의 자원이 풍부한 **남중국해**를 둘러싼 분쟁

• **중국, 베트남, 필리핀** 등이 영유권 분쟁 중
→ 대표적인 **영토·자원 분쟁** 임

(2) 국제 사회의 협력

필요성	양상
• 오늘날 국제 문제는 국경을 초월하여 발생 → **전세계에 영향** 을 미침 → **국제적인 협력** 이 **필요** 함	• 환경 오염, 난민, 전쟁 등의 문제에 공동으로 대처하기 위해 협력을 강화함

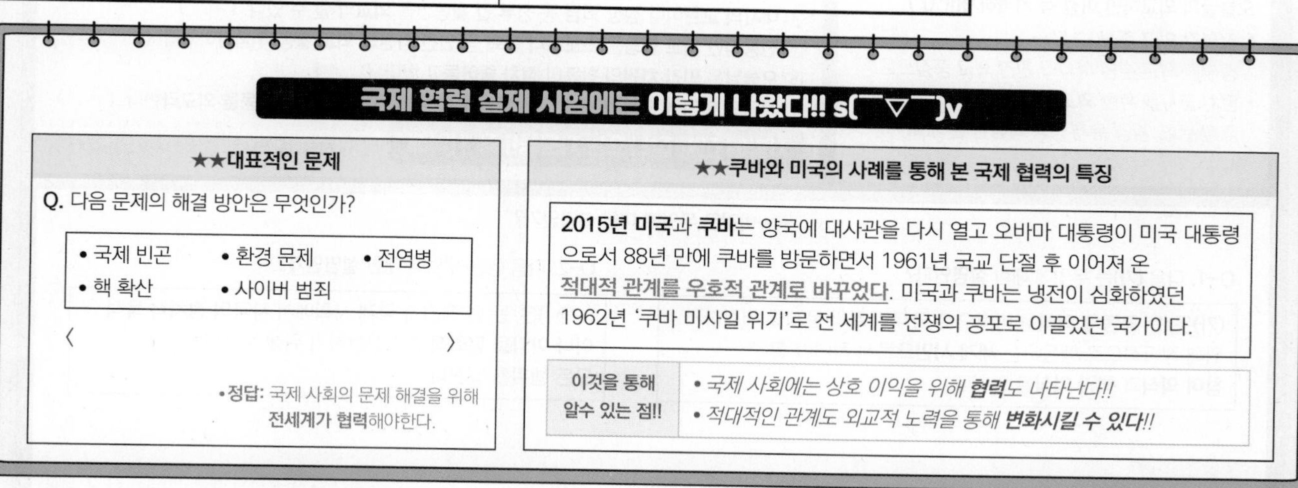

국제 협력 실제 시험에는 이렇게 나왔다!! s(￣▽￣)v

★★대표적인 문제

Q. 다음 문제의 해결 방안은 무엇인가?

• 국제 빈곤 • 환경 문제 • 전염병
• 핵 확산 • 사이버 범죄

〈 〉

• 정답: 국제 사회의 문제 해결을 위해 **전세계가 협력**해야한다.

★★쿠바와 미국의 사례를 통해 본 국제 협력의 특징

2015년 미국과 **쿠바**는 양국에 대사관을 다시 열고 오바마 대통령이 미국 대통령으로서 88년 만에 쿠바를 방문하면서 1961년 국교 단절 후 이어져 온 적대적 관계를 우호적 관계로 바꾸었다. 미국과 쿠바는 냉전이 심화하였던 1962년 '쿠바 미사일 위기'로 전 세계를 전쟁의 공포로 이끌었던 국가이다.

이것을 통해 알수 있는 점!!	• *국제 사회에는 상호 이익을 위해 **협력**도 나타난다!!* • *적대적인 관계도 외교적 노력을 통해 **변화시킬 수 있다!!***

4. 국제 사회의 공존을 위한 노력

(1) 공존을 위한 국제 사회의 노력

국제 사회의 노력	국제법 준수	• 국제법을 통해 국가 간 분쟁 해결함
	국제 기구의 개입	• 국제 연합(UN) 등이 국제 사회의 분쟁 등에 적극적으로 개입함
	민간 단체를 통한 협력	• 민간 차원에서 다양한 활동 전개함
세계 시민 의식	의미	• 공동체 의식을 바탕으로 국제 문제에 관심을 두고 이를 해결하기 위해 적극적으로 행동하는 참여 의식과 책임 의식
	조건	• 국제 사회 문제를 바라보는 균형 잡힌 시선 • 사회 정의와 같은 보편적 가치 존중 • 세계의 다양한 문화 존중 • **극단주의 세력** 에 가담하지 않도록 주의

시험에 나오는 [세계 시민 의식]

세계 시민 의식은 크게 두가지를 조심하면 돼!! (๑•̀ㅇ•́๑)۶

1. 국제 사회 문제에 관심을 둔다!!
→ 세계시민의식은 국제 문제를 남의 문제로 보는 것이 아니라 **자신의 문제로 보는거야!!** 시험에는 '**국제 사회의 문제는 자국의 문제가 아니므로 관심을 두지 않는다.**'라고 훼이크로 너무 잘나와!! 꼭 기억해!!

2. 극단주의적으로 치우치지 않는다!!
→ 시험에 '**극단주의자가 되도록한다!!**'라는 식으로 엄청 잘 나와!! 이건 겁나 틀린말이지!!

(2) 공존을 위한 외교

외교		• 한 국가가 국제 사회에서 자국의 이익을 **평화적** 으로 달성하려는 활동
외교의 중요성		• 자국의 정치적·경제적 이익 실현 • 자국의 위상 강화 • 국가 간 분쟁 해결 및 예방
중요 **외교 활동의 변화**	전통적인 외교	• 외교관 파견, 정상 회담 등 **정부간 활동을 중심** 으로 이루어짐 • 안보를 위한 **정치**, **군사 분야** 를 **중심** 으로 이루어짐
	오늘날의 외교	• 정부 간 활동을 포함하여 **민간 외교가 활발하게 전개 됨** • 경제, 문화, 환경, 자원, 인권 등 **다양한 분야로 확대** 됨

훼이크주의보

시험에 **'외교는 자국의 이익을 위해 무력을 동원하는 활동 이다!!'**라고 엄청 잘나와!!
이건 무조건 훼이크!!
무력이 아니라 평화적인 방법으로 하는 것이 외교라는 것을 꼭 기억해!!
알라븅(/^o^)/♡

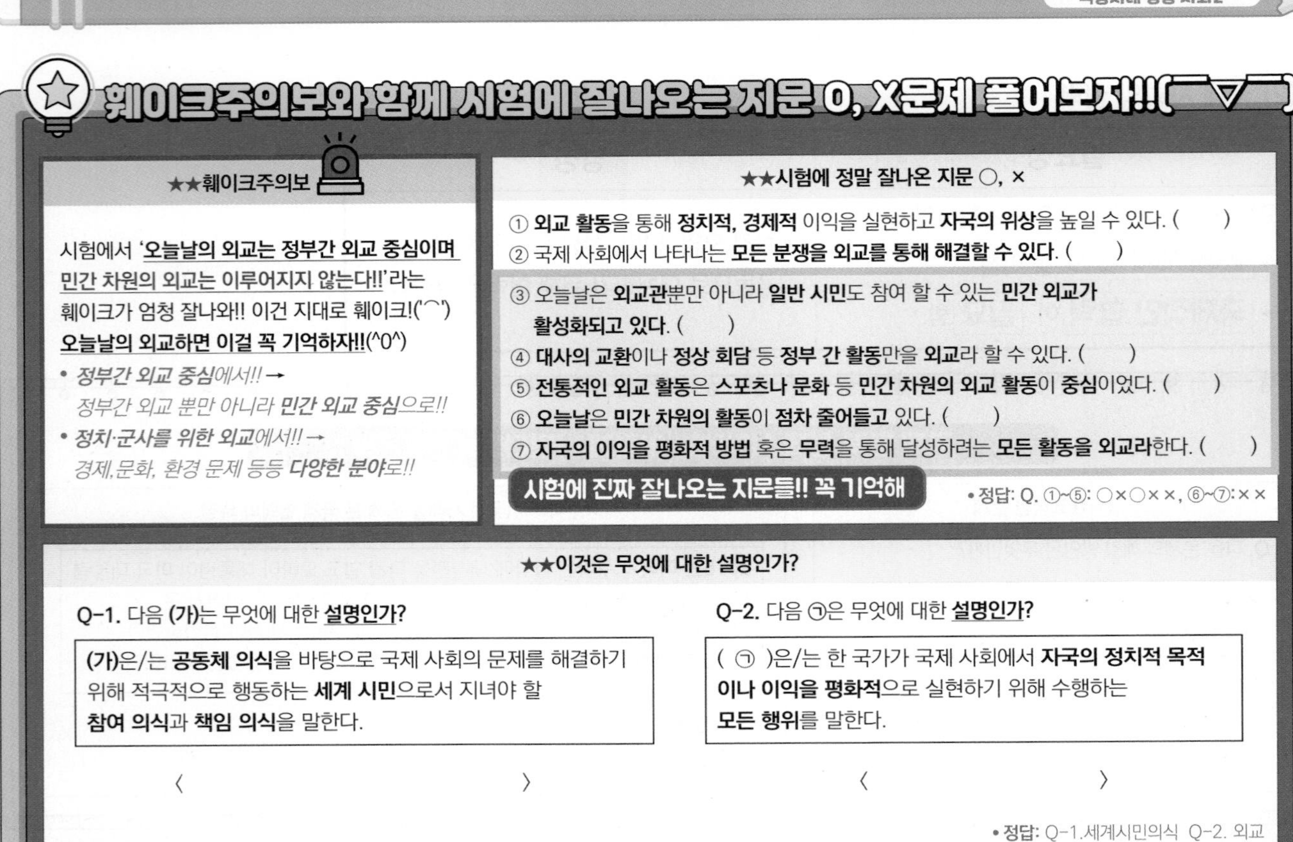

웨이크주의보와 함께 시험에 잘나오는 지문 O, X문제 풀어보자!!(¯▽¯)/

★★웨이크주의보

시험에서 '**오늘날의 외교는 정부간 외교 중심이며 민간 차원의 외교는 이루어지지 않는다!!**'라는 웨이크가 엄청 잘나와!! 이건 지대로 웨이크!('⌒') **오늘날의 외교하면 이걸 꼭 기억하자!!**(^0^)

- *정부간 외교 중심에서!!* → *정부간 외교 뿐만 아니라 **민간 외교 중심**으로!!*
- *정치·군사를 위한 외교에서!!* → *경제,문화, 환경 문제 등등 **다양한 분야**로!!*

★★시험에 정말 잘나온 지문 ○, ×

① **외교 활동**을 통해 **정치적, 경제적** 이익을 실현하고 **자국의 위상**을 높일 수 있다. (　　)
② 국제 사회에서 나타나는 **모든 분쟁을 외교를 통해 해결할 수 있다**. (　　)
③ 오늘날은 **외교관**뿐만 아니라 **일반 시민**도 참여 할 수 있는 **민간 외교가 활성화되고 있다**. (　　)
④ **대사의 교환**이나 **정상 회담** 등 **정부 간 활동**만을 **외교**라 할 수 있다. (　　)
⑤ **전통적인 외교 활동**은 **스포츠나 문화** 등 **민간 차원의 외교 활동**이 **중심**이었다. (　　)
⑥ **오늘날**은 **민간 차원의 활동**이 **점차 줄어들고** 있다. (　　)
⑦ **자국의 이익을 평화적 방법** 혹은 **무력**을 통해 달성하려는 **모든 활동을 외교라**한다. (　　)

시험에 진짜 잘나오는 지문들!! 꼭 기억해

• 정답: Q. ①~⑤: ○×○××, ⑥~⑦: ××

★★이것은 무엇에 대한 설명인가?

Q-1. 다음 **(가)**는 무엇에 대한 **설명인가?**

> **(가)**은/는 **공동체 의식**을 바탕으로 국제 사회의 문제를 해결하기 위해 적극적으로 행동하는 **세계 시민**으로서 지녀야 할 **참여 의식**과 **책임 의식**을 말한다.

〈　　　　　　　　　　〉

Q-2. 다음 ㉠은 무엇에 대한 **설명인가?**

> (㉠)은/는 한 국가가 국제 사회에서 **자국의 정치적 목적이나 이익을 평화적**으로 실현하기 위해 수행하는 **모든 행위**를 말한다.

〈　　　　　　　　　　〉

• **정답:** Q-1.세계시민의식 Q-2. 외교

MEMO

15강 1. 국제 사회의 이해~2.국제 사회의 모습과 공존 노력

1. 국제 사회

1단계 기본 개념 파악하기

1. 회색 글씨의 중요 내용을 쓰면서 암기해보세요.(¯▽¯)/

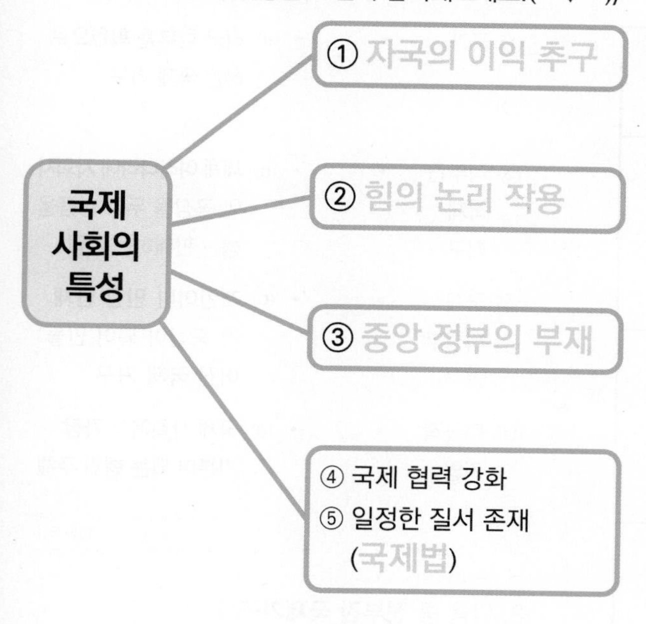

2단계 기본 개념 적용하기

2. 다음은 무엇에 대한 **설명인가**?

> **주권을 가진 국가**를 기본적인 구성 요소로 하여 **여러 나라가 서로 교류하고 의존하면서 영향을 주고받는 사회**

〈　　　　　　　〉

3. 다음 **중요 지문**이 **왜 틀렸지**? s(¯▽¯)v

> ① 어떤 국가가 국제법을 어겼을 때 개별국가를 강력하게 제재하여 분쟁을 해결할 수 있다.
> →
> ② 갈등을 조정하고 해결해 줄 강력한 힘을 가진 중앙 정부가 존재한다.
> →

• 정답 : 2. 국제 사회, 3. ① 국제법은 강제적으로 개별 국가를 제재 할 수 없다. ② 국제 사회는 중앙 정부가 존재하지 않는다.

3단계 시험에 잘나오는 웨이크 점검!!

4. 다음 예시를 보고 국제 사회의 특성을 보기에 골라 넣으세요.(¯▽¯)/

① 자국의 이익 추구　　② 힘의 논리 작용　　③ 국제 협력 강화

〈보기〉

영국은 유럽 연합의 규제와 분담금이 과도하여 자국에 악영향을 미친다며 유럽 연합에서 탈퇴하였다.	세계보건기구가 코로나19 퇴치 가능성에 회의적인 전망을 내놨다. 이에 세계 백신제조업체들과 전문가들은 해결 방법 구상에 착수하였다.	유엔 안전 보장 이사회의 중요한 결의안은 상임 이사국이 모두 찬성해야 의결된다. 2014년 민간인을 공격한 시리아에 대한 제재는 중국과 러시아의 반대로 무산되었다.
〈　　　〉	〈　　　〉	〈　　　〉

• 정답 : 4. ①,③,②

2. 국제 사회의 행위 주체

1단계 기본 개념 파악하기

1. 회색 글씨의 중요 내용을 쓰면서 암기해보세요.(￣▽￣)/

구분	세부	내용
① 국가		·국제 사회에서 가장 기본이 되는 행위 주체 ·독립적인 지위를 가지고 있음
② 국제 기구	정부간 국제 기구	·의미: 각국 정부를 회원으로 하는 국제 기구 ·예: 국제 연합(UN), 경제 협력 개발 기구(OECD)
	국제 비정부 기구	·개인이나 민간 단체가 중심이 되어 만들어진 국제 기구 ·예〉 국제 사면 위원회, 그린피스, 국경 없는 의사회 등
③ 다국적 기업		·한 나라에 본사를 두고, 여러나라에 자회사와 공장을 설립하여 국제적 규모로 상품을 생산하고 판매하는 기업
		·경제 뿐만 아니라 국제 사회의 정치,문화 등 여러 분야에서 큰 영향력을 행사 함 → 세계화로 인해 영향력이 확대되고 있음
④ 그 외		·영향력 있는 개인 ·국가 내부적 행위체

2단계 기본 개념 적용하기

2. 다음 알맞은 것끼리 **연결하시오**.

① 국가 •
② 정부간 국제 기구 •
③ 국제 비정부 기구 •
④ 다국적 기업 •

• (a) 각국 **정부**를 **회원**으로 하는 **국제 기구**
• (b) **세계 여러나라**에 **자회사**와 **공장**을 두고 상품을 생산 판매하는 기업
• (c) **개인**이나 **민간 단체**가 중심이 되어 만들어진 **국제 기구**
• (d) 국제 사회에서 **가장 기본이 되는 행위 주체**

• 정답 : 2. ①(d),②(a),③(c),④(b)

3. 다음 중 **정부간 국제기구**와 **국제 비정부 기구**를 분류해보세요.

① 국제 연합(UN) ② 그린피스
③ 경제 협력 개발 기구(OECD)
④ 국제 사면 위원회 ⑤ 국제 통화 기금
⑥ 국경 없는 의사회

[정부 간 국제 기구:]
[국제 비정부 기구:]

• 정답 : 3. 정부간 국제 기구: ①③⑤, 국제 비정부 기구: ②④⑥

3단계 시험에 잘나오는 중요 내용 점검!!

4. **밑줄 친** 설명이 **왜 틀린 설명인지 이유**를 **쓰시오**.

① **국제 기구**는 국제 사회에서 **가장 기본이 되는 행위 주체**이다!!
[ ]
② **국제 기구**의 회원은 **정부**만 가능하다!!
[ ]
③ **다국적 기업**의 영향력은 **점점 줄어들고 있다**.
[ ]

5. 다음 **보기**들은 무엇에 대한 **설명이지**? (^▽^)

(가) **정부들 간**의 국제 조약에 의해서 설립되며 국가 간에 체결된 국제 협약을 준수하고 이와 관련된 역할을 수행한다.

(나) **정부에 의해 설립된 조직이 아니며**, 어떤 정부로부터 간섭을 받지 않고 독립된 형태로 운영된다. 국제 사회에서 다양한 분야에 걸쳐 활동하고 있다.

(다) 한 나라에 본사를 두고, 여러 나라에 **자회사**와 **공장**을 설립해 **국제적 규모**로 **상품을 생산**하고 **판매**하는 **주체**

• 정답 : 4. ①국제 기구가 아니라 국가에 대한 설명이다.②정부 뿐만 아니라 개인과 민간 단체도 가능하다.③점점 늘어나고 있다./
5. (가)정부 간 국제 기구,(나)국제 비정부 기구,(다)다국적 기업

3. 국제 사회의 경쟁과 갈등·협력

1단계 기본 개념 파악하기

1. **개쉬운 문제**를 통해 개념을 확실히 **파악해보자**!!(¯▽¯)/

(1) 국제 사회의 경쟁과 갈등

Q. 국제 사회에서 **경쟁과 갈등**이 **일어나는 원인은**?
① 각 국이 **자국의 이익**을 **우선적**으로 **추구**하니깐!!
② 금쪽이여서!!

(2) 여긴 어디?

Q. **석유**, **천연가스**등의 자원이 풍부하여 **중국**, **베트남**, **필리핀** 등이 **영유권 분쟁**을 하는 곳은?
① 남극　② 남중국해

(3) 국제 협력

Q. **국제 협력**은 왜 해야하지?
① 오늘날 발생하는 국제 문제들은 전세계에 영향을 미치니깐!!
② 협력안하면 강대국이 고추를 터뜨리니깐!!

(4) 쿠바와 미국

Q. **쿠바**와 **미국**은 원래 서로 **원수 관계**였어! 그런데 2015년에 미국 대통령이 쿠바에 방문하면서 **우호 관계**로 바뀌었지!! 이것을 통해!!?
① 국제 관계는 변하지 않아!!٩(๑•̀o•́๑)و
② 국제 관계는 변할 수 있어!!울라울라(~˘▾˘)~

• 정답 : 1. (1)~(4): ①②①②

4. 국제 사회의 공존을 위한 노력

1단계 기본 개념 파악하기

1. **개쉬운 문제**를 통해 개념을 확실히 **파악해보자**!!(¯▽¯)/

(1) 세계 시민 의식

Q. **세계 시민 의식**과 관계 없는 사람은?
① **람보**: 난 **극단주의 세력**에 가담할끄야!!(๑•̀ω•́)ﾉ
② **돌흥**: 아프리카 아이들을 위해 기부했엉!!(^0^)

(2) 외교

Q. **외교**를 하는 이유가 아닌 것은?
① **자국**의 **정치적·경제적 이익 실현**
② **자국**의 **위상 강화**　③ 카톡 친구 많게 하려고

2단계 기본 개념 적용하기

2. **(가)**와 **(나)**는 무엇에 대한 **설명이지**? ^∪^

(가) **공동체 의식**을 바탕으로 **국제 사회의 문제**를 해결하기 위해 **적극적으로 행동**하는 **세계 시민**으로서 지녀야 할 **참여 의식**과 **책임 의식**을 말한다.

〈　　　　　　　　〉

(나) **한 국가**가 **국제 사회**를 무대로 **자국의 이익**을 평화적으로 실현하기 위해 수행하는 **모든 행위**를 말한다.

〈　　　　　　　　〉

3단계 시험에 잘나오는 최중요 내용 점검!!

3. **맞는 것**끼리 서로 **연결해방**!! ど(^0^)つ

① 전통적인 외교 •
② 오늘날의 외교 •

• (a) **정치·군사 분야**를 중심으로 이루어짐
• (b) 정치 뿐만 아니라 경제, 문화 등 **다양한 분야**로 외교가 확대 됨
• (c) 외교관 파견 등 **정부 간 활동**을 **중심**으로 이루어짐
• (d) **민간 외교**가 활발하게 전개 됨

• 정답 : 1. (1)~(2): ①③ 2. (가)세계 시민 의식, (나)외교
3. ①(a)(c), ②(b)(d)

국제 사회의 의미와 특성

유형 1 국제 사회의 의미

1. 다음 글의 ( )안에 들어갈 옳은 말은?

> 오늘날 세계는 교통·통신의 발달에 힘입어 국가 및 민간 부문의 교류와 상호 의존성이 증가하고 있다. 이처럼 세계 여러 나라가 서로 교류하면서 공존하는 사회를 (　)라고 한다.

① 세계화　② 다문화
③ 주권 국가　④ 국제 사회
⑤ 세계 중앙 정부

유형 2 국제 사회의 특성

2. 국제 사회의 특성으로 옳은 것을 모두 고른 것은?

〈보 기〉

ㄱ. 각 국은 자국의 이익을 추구한다.
ㄴ. 약육강식과 같은 힘의 논리가 작용하기 쉽다.
ㄷ. 어떤 국가가 국제법을 어겼을 때 제재하기 쉽다.
ㄹ. 국가 간 상호 의존성 증가로 국가 간 협력이 필요하다.
ㅁ. 대립과 갈등을 조정하고 해결할 수 있는 중앙 정부가 있다.

① ㄱ, ㄴ　② ㄱ, ㄴ, ㄹ　③ ㄴ, ㄷ, ㄹ
④ ㄷ, ㄹ, ㅁ　⑤ ㄱ, ㄴ, ㄹ, ㅁ

3. 국제 사회에 대한 설명으로 옳지 않은 것은?

① 국가들은 자국의 이익을 우선시한다.
② 국가들은 원칙적으로 평등한 주권을 가진다.
③ 힘의 논리가 적용되어 국력에 따라 영향력에 차이가 있다.
④ 국가 간 갈등을 조정해 줄 수 있는 거대한 중앙 정부가 존재한다.
⑤ 국제법이란 국가 간 합의에 의해 만들어진 국제 규범을 의미한다.

유형 3 사례를 통한 국제 사회의 특징

4. 〈보기〉의 밑줄 친 부분이 의미하는 국제 사회의 특성으로 가장 적절한 것은?

〈보 기〉

온실가스 배출로 지구 온난화가 심각해지자 일부 선진국들이 온실가스를 의무적으로 줄이기로 합의하였다.
<u>하지만 몇몇 선진국은 산업 보호와 경제 발전이 더 중요하다는 이유로 온실가스를 의무적으로 줄이는 것에 합의하지 않았다.</u>

① 모든 국가는 평등하다.
② 국가 간 국제 협력이 강화되고 있다.
③ 자국의 이익을 더 중요하게 생각한다.
④ 국가 간 상호 의존성이 강화되고 있다.
⑤ 국제기구를 통해 질서가 유지되고 있다.

5. 다음의 글에서 강조하고 있는 국제 사회의 특성으로 가장 적절한 것은?

> 국제 연합의 안전 보장 이사회에서 중요한 안건을 결정할 때, 상임 이사국인 미국, 영국, 프랑스, 중국, 러시아 중 한 국가라도 반대하면 안건이 통과되지 않는다. 즉, 다섯 개의 상임 이사국이 실질적인 의결 거부권을 가지고 있어 국제 연합 안전 보장 이사회 내에서 다른 국가보다 큰 영향력을 행사할 수 있는 것이다.

① 국제 여론을 존중하여 공동의 문제 해결을 위해 노력한다.
② 국제 사회에서 강대국은 약소국을 위해 이익을 양보한다.
③ 국제 사회는 강제성을 지닌 중앙 정부가 존재하지 않는다.
④ 힘의 논리가 작용하여 강대국이 더 많은 영향력을 행사한다.
⑤ 전 지구적 차원의 문제가 증가하면서 협력의 범위가 넓어지고 있다.

국제 사회의 행위 주체

유형 1 행위 주체의 특징

6. 국가 이외의 행위 주체에 대한 설명으로 옳지 않은 것은?

① 세계적인 다국적 기업은 개별 국가의 정책 등에 영향력을 행사하기도 한다.
② 국가 내 지방 정부나 소수 민족은 국제 사회에서 행위 주체가 될 수 없다.
③ 교황 같은 영향력 있는 개인도 국제 사회의 주요한 행위 주체가 될 수 있다.
④ 세계화, 정보화 등으로 국제 사회에서 다국적 기업의 영향력이 확대되고 있다.
⑤ 다국적 기업은 해외 여러 국가에 자회사, 지점, 제조공장을 두고 생산과 판매 활동을 한다.

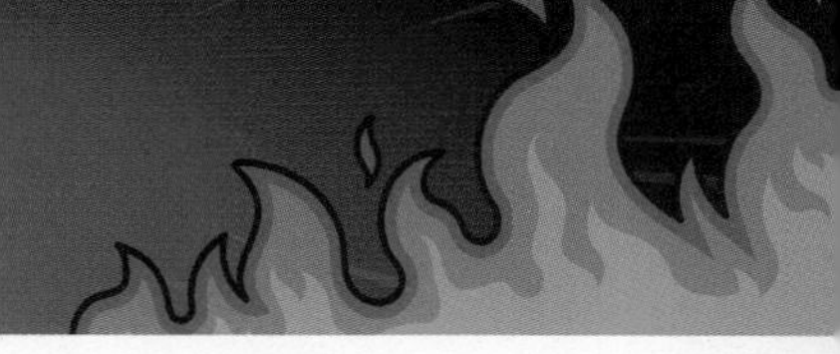

7. ㉠~㉢에 대한 설명으로 옳지 않은 것은?

> 14일(현지시간) 로이터 통신 등 외신에 따르면 G7 정상회의에서 지난주 G7 재무장관들이 ㉠다국적 기업의 조세 회피를 막기 위해 글로벌 법인세 최저 세율을 적어도 15%로 두기로 합의한 안을 승인, 공동성명(코뮈니케)에 담았다.
> 신종 코로나바이러스 감염증(코로나19) 팬데믹(세계적 대유행)이란 위기 상황에서 주요국들이 세원 확보를 위한 합의안을 도출했다는 평가가 나오는 가운데, 주요 20개국(G20)과 ㉡경제협력개발기구(OECD) 회원국 등 더 많은 ㉢국가들이 참여하는 글로벌 합의로 확대될 수 있을지 관심이 집중되고 있다.
> 이번 최저 법인세율 승인은 조세회피처를 찾아 세금을 피해 온 다국적 기업에 세금을 매길 수 있게 됐다는 점에서 조세 정의 실현에 한발 다가선 결정으로 평가된다.

① ㉠, ㉡, ㉢ 모두 국제 사회에서의 행위 주체이다.
② 세계화가 진행되면서 ㉠의 영향력이 확대되었다.
③ '국경 없는 의사회'는 ㉡과 같은 범주의 행위 주체이다.
④ 현재 국제 사회에서 가장 기본적인 행위 주체는 ㉢이다.
⑤ ㉢은 국제 사회에서 독립적인 주권을 행사하는 동등한 행위 주체이다.

유형 2 국제 비정부 기구

8. ㉠에 해당하는 국제 사회 행위 주체의 예시로 옳은 것은?

> 국제 사회의 주요한 행위 주체 중 하나인 ㉠은/는 세계 평화와 질서 유지를 위해 다양한 분야에서 상호 협력한다. ㉠은/는 정부에 의해 설립된 조직이 아니며, 어떤 정부로부터 간섭을 받지 않고 독립된 형태로 운영된다. 특히 최근에는 국제 문제에 대해 정부뿐만 아니라 개인과 민간단체들의 관심이 높아지고, 이들이 국제 문제 해결을 위해 국제 정치 활동에 적극적으로 참여하면서 ㉠의 역할이 확대되고 있다.

① 애플 ② 대한민국
③ 국제연합(UN) ④ 세계무역기구(WTO)
⑤ 국경 없는 의사회

9. 핵무기 반대와 환경 보호를 목표로 국제적인 활동을 벌이고 있는 국제 비정부 기구는?

① AI ② WTO
③ WHO ④ 국제연합
⑤ 그린피스

유형 3 정부간 국제 기구, 비정부 기구의 종류

10. 국제기구 중 (가), (나)의 사례로 적절하게 연결된 것은?

> (가) 정부들 간의 국제 조약에 의해서 설립되며 국가 간에 체결된 국제 협약을 준수하고 이와 관련된 역할을 수행한다.
> (나) 정부에 의해 설립된 조직이 아니며, 어떤 정부로부터 간섭을 받지 않고 독립된 형태로 운영된다. 국제 사회에서 다양한 분야에 걸쳐 활동하고 있다.

	(가)	(나)
①	반크	세계무역기구
②	그린피스	국경 없는 의사회
③	국제 연합	국제 사면 위원회
④	국제 사법 재판소	유엔 난민 기구
⑤	국제 적십자 위원회	경제 협력 개발 기구

유형 4 다국적 기업

11. 다음 글에 해당하는 국제 사회의 행위 주체에 대한 설명으로 옳은 것은?

> 세계 여러 나라에 자회사와 공장을 설립하여 상품을 생산하고 판매하는 기업이다.

① 정부 간 국제기구이다.
② 국제 사회에서 가장 기본이 되는 행위 주체이다.
③ 해당 기업들의 수와 규모는 점차 축소되고 있다.
④ 국제 경제뿐만 아니라 국제 정치에도 영향을 미치고 있다.
⑤ 국경을 초월한 이동성이 강하지만 본사를 이전할 수는 없다.

유형 5 정부간 국제 기구

12. 다음에서 설명하는 기관으로 옳은 것은?

> 193개국의 회원을 보유한 국제기구로서, 세계의 거의 모든 국가를 포함한다. 정부가 국가 내에서 수행하는 여러 가지 활동들을 국제 사회에서 담당하며, 국제 사회의 여러 문제를 해결하기 위해 노력하는 기관이다. 제2차 세계 대전 이후 국제 평화를 위해 창설하였다.

① 그린피스 ② 국제 연합
③ 다국적 기업 ④ 세계 무역 기구
⑤ 국경 없는 이사회

국제 사회의 경쟁과 갈등, 협력

유형 1 국제 사회의 경쟁과 갈등 사례

13. 국제 사회의 경쟁과 갈등 모습에 해당하는 것을 〈보기〉에서 모두 고르면?

보 기

ㄱ. 국제 연합이 난민 위기에 대해 인도주의적 지원을 강화하기로 합의하였다.
ㄴ. 7개 선진국이 모인 G7 회의에서 코로나19 극복을 위해 힘을 합치기로 결의하였다.
ㄷ. 한국이 미국의 미사일 방어 시스템을 도입함에 따라 중국의 경제 보복을 당했다.
ㄹ. 일제강점기 강제징용 피해자에 대한 보상 문제로 한국에서 일본 불매운동이 일어났다.

① ㄱ, ㄴ ② ㄱ, ㄷ ③ ㄴ, ㄷ
④ ㄴ, ㄹ ⑤ ㄷ, ㄹ

유형 2 국제 사회 협력의 필요성

14. 다음 문제의 해결 방안으로 가장 적절한 것은?

· 국제 빈곤 · 환경 문제 · 전염병
· 핵 확산 · 사이버 범죄

① 군사비 지출을 늘린다.
② 강대국이 더 많은 영향력을 행사하여 해결한다.
③ 국제 사회의 문제 해결을 위해 전 세계가 협력한다.
④ 각국은 자국과 직접 관련이 없는 문제에는 개입하지 말아야 한다.
⑤ 각국은 자국의 경제적 이해관계를 같이 하는 국가와만 협력하여 해결해야 한다.

유형 3 국제 협력 모습의 사례

15. 국제 사회에서 공존을 위해 협력하는 모습을 〈보기〉에서 바르게 고른 것은?

보 기

ㄱ. 지구 온난화를 막기 위해 협정을 체결한다.
ㄴ. 첨단 기술을 둘러싸고 기업 간 소송을 벌인다.
ㄷ. 평화를 유지하기 위해 국제 연합 등을 통해 노력한다.
ㄹ. 석유와 천연가스가 풍부한 지역에 관해 서로 영유권을 주장한다.

① ㄱ, ㄴ ② ㄱ, ㄷ ③ ㄴ, ㄷ
④ ㄴ, ㄹ ⑤ ㄷ, ㄹ

유형 4 국제 사회 사례1-쿠바

16. 다음 사례가 시사하는 바로 적절하지 않은 것은?

2015년 미국과 쿠바는 양국에 대사관을 다시 열고 오바마 대통령이 미국 대통령으로서 88년 만에 쿠바를 방문하면서 1961년 국교 단절 후 이어져 온 적대적 관계를 우호적 관계로 바꾸었다. 미국과 쿠바는 냉전이 심화하였던 1962년 '쿠바 미사일 위기'로 전 세계를 전쟁의 공포로 이끌었던 국가이다.

① 국제 사회에서는 다양한 모습의 상호 관계가 존재한다.
② 적대적인 관계도 외교적 노력을 통해 변화시킬 수 있다.
③ 국제 사회에는 상호 이익과 공존을 위한 협력도 나타난다.
④ 국제 사회의 관계는 고정된 것이 아니라 변화하는 것이다.
⑤ 국가 간 갈등이 심화하면 항상 테러나 전쟁으로 이어지게 된다.

유형 5 국제 사회 사례2-남중국해

17. 다음 현상에 대한 설명으로 옳은 것은?

동아시아의 중요한 해상로이자 석유, 천연가스 등 자원이 풍부한 것으로 알려진 남중국해를 두고 중국, 베트남, 필리핀 등이 영유권 분쟁 중이다.

① 영토나 자원을 둘러싼 갈등이 발생하고 있다.
② 종교적 갈등으로 인해 전쟁이 일어나고 있다.
③ 국제 사회에서 국가 간 협력이 증가하고 있다.
④ 서로 다른 인종과 민족이 가치관의 차이로 갈등을 겪고 있다.
⑤ 군사력 증강이나 핵무기 개발을 둘러싼 갈등이 발생하고 있다.

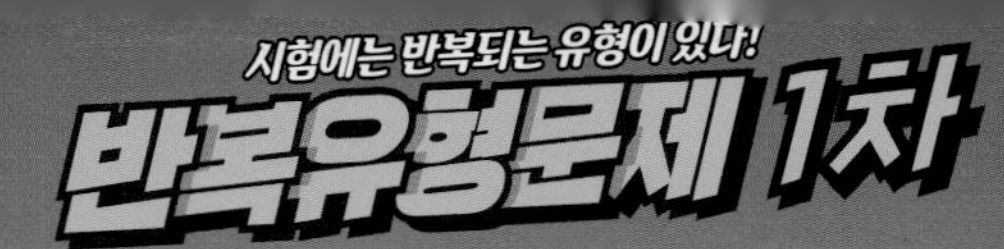

국제 사회의 공존을 위한 노력

유형 1 외교란

18. 외교에 대한 설명으로 옳지 않은 것은?

① 각국은 외교 활동을 통해 자국의 위상을 높일 수 있다.
② 최근에는 민간 차원의 외교 활동도 활발하게 이루어지고 있다.
③ 전통적인 외교 활동은 대사의 교환, 정상 회담 등 정부 간 활동이 중심이 되었다.
④ 자국의 이익을 평화적 방법 혹은 무력을 통해 달성하려는 모든 활동이 외교이다.
⑤ 현재 우리나라는 평화 통일을 위한 국제적 여건 조성을 위해 활발한 외교 활동을 하고 있다.

19. (가)에 대한 설명으로 적절하지 않은 것은?

> (가)은/는 한 국가가 국제 무대에서 자국의 이익을 평화적으로 달성하기 위한 행위이다.

① 자국의 대외적인 위상과 이미지를 높일 수 있다.
② 주로 국가 원수와 외교관을 중심으로 이뤄진다.
③ 최근에는 학문, 예술, 스포츠 등 민간 차원의 활동이 활성화되고 있다.
④ 국가 간 분쟁을 해결하고 갈등으로 인해 발생하는 손해를 예방할 수 있다.
⑤ 과거에는 경제를 중심으로 이뤄졌으나 오늘날은 안보를 중심으로 이루어지고 있다.

유형 2 오늘날의 외교

20. 다음 글의 ( )안에 들어갈 문장으로 가장 적절한 것은?

> 과거에는 안보를 위해 정치적 목적으로 외교가 이루어졌다면 오늘날은 (   ).

① 국제 협력의 필요성만 증대되고 있다.
② 국제기구가 각국의 행위를 엄격하게 규제하고 있다.
③ 경제, 문화, 환경, 자원 등 외교 활동의 영역이 확대되고 있다.
④ 자국의 이익을 극대화하기 위해 전쟁도 외교 수단으로 활용한다.
⑤ 국가 간 경쟁이 더욱 심화되면서 차별, 억압, 테러 등이 나타나고 있다.

유형 3 국제 사회 공존을 위한 노력

21. 〈보기〉에서 국제 사회의 공존을 위한 노력과 관련한 설명으로 옳은 것만을 모두 고른 것은?

> **보 기**
> ㄱ. 외교 활동을 통해 정치적, 경제적 이익을 실현하고 자국의 위상을 높일 수 있다.
> ㄴ. 전통적인 외교 활동은 스포츠나 문화 등 민간 차원의 외교 활동이 중심이 되었다.
> ㄷ. 오늘날 대부분 국가는 무력이 아닌 외교적인 노력을 통해 국제 사회의 공존을 추구한다.
> ㄹ. 우리나라는 국가 안전 보장, 평화 통일을 위한 국제적 여건 조성 등을 목적으로 활발한 외교 활동을 펼치고 있다.

① ㄱ, ㄴ, ㄷ　　② ㄱ, ㄴ, ㄹ　　③ ㄱ, ㄷ, ㄹ
④ ㄴ, ㄷ, ㄹ　　⑤ ㄱ, ㄴ, ㄷ, ㄹ

유형 4 세계 시민 의식

22. 다음 중 세계 시민의 자세로 적절한 것만을 고른 것은?

> ㄱ. 자국에 직접적인 영향을 끼치지 않는 일은 크게 신경쓰지 않는다.
> ㄴ. 세계 빈곤 아동을 돕기 위해 신생아 모자 뜨기에 동참한다.
> ㄷ. 질병을 앓는 아프리카 어린이를 돕기 위해 후원금을 낸다.
> ㄹ. 극단주의 세력에 가담한다.

① ㄱ, ㄴ　　② ㄱ, ㄷ　　③ ㄴ, ㄷ
④ ㄴ, ㄹ　　⑤ ㄷ, ㄹ

3. 우리나라의 국가 간 갈등 문제

1. 우리 나라가 직면한 국가 간 갈등

(1) 우리 나라와 일본과의 갈등

중요 ① 일본의 독도 영유권 주장

독도		• 역사적·지리적·국제법적으로 우리의 국토임 → 현재 우리나라가 영토 주권을 행사 중 =실효적 지배
일본의 독도 영유권 주장	역사	• 일본은 1905년에 독도를 자국 영토로 강제 편입함 (시마네현 고시 제 40호)
	이유	• 독도의 풍부한 해양 자원을 선점하기 위해 • 군사적 거점을 확보하기 위해
	경과	• 국제 사법 재판소에 제소하여 • 독도를 영토 분쟁 지역으로 인식시키고자 함

② 일본의 역사 왜곡

- 일본의 역사 교과서 왜곡
- 일본군 '위안부'에 대한 반성과 사죄 부족
- 야스쿠니 신사 참배

→ 일본의 식민 지배에 대한 반성 부족!!

③ 동해 표기 문제

- 우리나라 입장: '동해', '일본해' 동시 표기 주장
- 일본: '일본해' 단독 표기 주장

독도가 대한민국의 영토라는 증거

이부분은 그렇게 중요한 내용은 아니니깐 적당히 편하게 잘 봐둬(^0^)

[대한민국 자료]
① 신라 지증왕때부터 우리 나라 영토
② [삼국사기], [세종실록지리지], [대한제국 칙령 제41호] 등에서 우리 나라 영토임을 증거함

[일본 자료]
① 태정관 문서에서 독도가 한국 땅임을 증거함

-결론-
우리나라에서 발견된 문서나 일본에서 발견된 문서의 많은 부분에서 독도를 대한민국 영토로 증거함!!
고로, 독도는 겁나 우리땅임!!＼(-0-)/

시험에 잘나오는 우리나라의 국가간 갈등 예
① 독도 영유권 문제 (우리나라 VS 일본)
② 동북공정 (우리나라 VS 중국)
③ 직지심체요절 반환 문제 (우리나라 VS 프랑스)

겁나 중요한 시험TIP: 특히 시험에서 **'우리나라는 독도 문제를 국제 사법 재판소에 제소하고자 한다'** 라고 훼이크로 겁나 잘나와!! 우리나라가 아니라 **일본**이 이렇게 하는거야!! 알긋지?

(2) 우리 나라와 중국과의 갈등

중요 ① 동북 공정

내용	• 고조선, 고구려, 발해를 중국 고대의 지방 정권으로 왜곡
목적	• 한반도 통일 이후 발생 할 수 있는 • 영토 분쟁 가능성 대비 • 중국 내 소수 민족 이탈 방지
대응	고대사 연구 필요

② 그 외

- 해양 자원을 둘러싼 갈등
: 중국 어선의 배타적 경제 수역 침범 → 불법 조업
예) 불법 꽃게 잡이
- 한류 저작권 침해 문제

Q. 다음중 **동북공정**에 대한 설명으로 **맞으면 ○표, 틀리면 ×표**를 하시오.

① 현재의 중국 영토에 속하는 과거사는 모두 중국사라는 역사관을 반영한 것이다. (　　)
② 중국은 동북공정을 통해 중국 내 여러 소수 민족을 통제하려고한다. (　　)
③ 동북공정이란 동북 변경 지역의 역사와 현상에 관한 연구 과제 라는 뜻으로 중국 동북 3성 지역의 역사 연구이다. (　　)
④ 한반도 통일 후에 발생할 수 있는 영토 분쟁에 대비하는 것이다. (　　)
⑤ 중국은 동북 공정을 통해 고조선, 고구려, 발해 등의 우리 역사를 고대 중국의 지방 정부로 인식하여 중국사에 포함하려고 한다. (　　)

• 정답: ①~⑤: ○○○○○

중요 서술형

Q. 일본이 독도 영유권을 주장하고, 중국이 동북공정을 실시하는 목적을 각각 2가지 서술하시오. 〈　　　　　　　　　　　　〉

• 정답: 일본이 독도에 대한 영유권을 주장하는 목적은 독도의 해양 자원과 독도 주변의 군사적 거점을 확보하기 위해서이고, 중국이 동북공정을 실시하는 목적은 한반도 통일 이후 발생 할 수 있는 영토 분쟁의 가능성을 방지하고, 중국 내 소수 민족의 독립을 막기 위해서이다.

이런 문제도 풀어보자!!(¯▽¯)/

Q. 다음중 **우리나라가 직면**하고 있는 국제 문제가 아닌 것은?
① 남중국해 영유권 문제
② 일본군 '위안부' 문제
③ 중국 북동부 지역에 대한 동북공정

• 정답: ①

2. 우리나라가 직면한 국가 간 갈등의 해결 노력

① 정부의 노력	② 시민 사회의 노력
• 적극적인 외교 활동 • 전문 기관의 운영: 체계적인 역사 연구 및 홍보 활동	• 민간 외교 강화: 개인과 시민 단체들이 우리 역사에 관심을 가지고 활동함 • 공동 연구 실시 예〉 한·중·일이 함께 쓰는 역사책 등

훼이크주의보

시험에 우리나라가 직면한 국가 간 갈등을 해결하기 위해 '**무력을 사용한다**'라는 훼이크가 겁나 잘나와!! 절대 속지마!! 어떤 일이 있어도 무력은 안돼!! 무조건 평화!! 평화적으로 해결해야해!! 알긋지? ㅎㅎㅎ

Q. 람보쌤 ㅠㅠ 왜 나는 아무것도 할 수 없는 게으른 사람일까요?
아마도 우리 친구들 중에는 저런 고민을 하는 친구들이 있을거예요. 왜 나는 다른 친구들처럼 척척 해내지 못하고 뒤로 미루기만 할까? 정말 이런 내자신이 한심하다. 엄마는 계속해서 그럴거면 학원도 그만두고 다 그만두라고 하는데.. 정말 내가 안하고 싶어서 안하는 것도 아닌데 속상하다.. 하지만 내가 봐도 난 정말 안한다.. 이런 것이 하도 반복되다보니 난 정말 못하는 사람인거 같다..
사랑하는 다음세대 개척자 여러분들..그동안 정말 많이 힘들었죠?? 다 알아요ㅠㅠ
진짜 얼마나 많이 힘들었나요? 많이 많이 속상하고 힘들었죠? 무엇보다 정말 애 많이 썼어요. 정말 포기하고 무너지고 싶었을텐데도 끝까지 자리를 지켜주어서 고마워요!! 진짜 그것만으로도 대단한거예요!! 그리고 우리 친구들은 분명 할 수 있어요!! 절대 게으른 친구가 아니랍니다.
그러면 람보쌤의 솔루션!!
혹시 자신이 할 일을 계속 미룬다면 이것을 한번 생각해볼래요? 혹시 우울하진 않나요?
단순하게 조금 우울한거 말고 깊이 우울하진 않나요? 특히 이 우울감이 오래된건 아닌지요?
우리 친구들!! 우울감이 있다면 절대 공부를 제대로 할 수 없어요. 왜냐하면 필요이상의 우울감은 분명 마음이 다친거예요! 마치 우리 다리가 똑~하고 부러지면 제 기능을 못하듯이 필요 이상의 우울감은 마음이 부러진것이기 때문에 절대 공부를 제대로 할 수 없어요. 공부를 하려고 해도 내용이 머릿속에 박히지 않고 빠져나가고 활자를 읽어도 머릿속에 잘 안들어오게 돼요. 그러면 왜 이런 깊은 우울감이 여러분들을 장악하게 되었을까요? 그것은 우리 친구들에게 우울감을 준 사건에 대한 치료가 잘 이루어지지 않은채 일반생활 속에 투입되었기 때문이에요. 이렇게 깊은 우울감을 가진 친구들 중에는 과거 학교 폭력이나 가정 폭력을 당한 경우가 많고 왕따, 부모님의 이혼과 같은 마음과 정신을 힘들게 하는 사건을 겪은 경우가 많아요. 그렇기에 이런 친구는 지금 당장 공부를 해야 하는 것이 아니라 '치유'를 받아야해요. 아직 과거 겪은 힘든 일에 대한 치료가 안되어 있는 상태에서 세상이 요구하는 것을 해내야 하니 당연히 머릿속에 공부가 잘 안박히게 되는 것이죠!!
사랑하는 다음세대 개척자 여러분들!! 우리 친구들은 충분히 할 수 있어요!! 진짜 진짜 할 수 있어요!!^^
이제 원인을 알았으니 그 원인을 잘 해결하면 충분히 할 수 있답니다. 우리 친구들은 게으르거나 공부를 안하려고 하는 것이 아니라 원치 않는 사건들을 겪으면서 마음이 크게 부러진것이니 오히려 피해자이며 치료를 받아야하는 사람이에요~^^ 따뜻하게 안아드릴께요.. 정말 그동안 수고 많았어요..ㅠㅠ
진짜 진짜 할 수 있답니다. 오직 다음세대만을 위해 만든 응가사회가 우리 친구들을 차근 차근 이끌어줄께요!! 사랑해요!! 잘 할 수 있어요!!^^ 알라븅~^^

바쁜 시험기간!!

키워드맵으로 빠르게 암기하자!!

혼자 외울 수 없는 친구들을 위해 키워드맵이 함께 암기 해드립니다!!

1. 우리 나라가 직면한 국가 간 갈등

1단계 기본 개념 파악하기

1. 회색 글씨의 중요 내용을 쓰면서 암기해보세요.(¯▽¯)/

[우리나라 VS 일본]

① 일본의 독도 영유권 주장		
독도	·역사적·지리적·국제법적으로 우리 국토임 → 현재 우리나라가 영토 주권을 행사 중	
일본의 독도 영유권 주장	역사	·일본은 1905년에 독도를 자국 영토로 강제 편입 (시마네현 고시 제 40호)
	이유	·독도의 풍부한 해양 자원을 선점하기 위해 ·군사적 거점을 확보하기 위해
	경과	·국제 사법 재판소에 제소하여 독도를 영토 분쟁 지역으로 만들려고 함
② 그 외		
·일본의 역사 교과서 왜곡 ·일본군 '위안부'에 대한 반성과 사죄 부족 ·동해 표기 문제 ·야스쿠니 신사 참배		

[우리나라 VS 중국]

① 동북 공정	
내용	·고조선,고구려,발해를 중국 고대의 지방 정권으로 왜곡
목적	·한반도 통일 이후 발생 할 수 있는 영토 분쟁 가능성 대비 ·중국 내 소수 민족 이탈 방지
② 그 외	
·해양 자원을 둘러싼 갈등 : 중국의 불법 조업 ·한류 저작권 침해 문제	

2단계 기본 개념 적용하기

2. 시험에 나오는 최중요 지문들이다!! **밑줄친 부분**을 바르게 고치시오!!(ง •̀_•́)ง

[우리나라 vs 일본]

① 독도는 역사적·지리적·국제법적으로 **일본**의 국토이다.
→

② 독도의 현재 실효적 지배는 **일본**이 하고 있다.
→

③ 일본은 **1995년**에 독도를 자국 영토로 강제 편입하였다.
→

④ 일본이 독도를 강제 편입한 법령은 **대한제국 칙령 제 41호**이다.
→

⑤ 일본이 독도 영유권을 주장하는 이유는 독도의 풍부한 **광산** 자원을 선점하기 위함이다. →

⑥ **한국**은 국제 사법 재판소에 독도를 제소하여 독도를 분쟁 지역으로 인식시키고자 한다. →

[우리나라 vs 중국]

① 중국은 고조선,**신라**,발해를 중국 고대의 지방 정권으로 왜곡하고 있다. →

② 동북 공정의 목적은 **일본** 통일 이후 발생 할 수 있는 영토 분쟁의 가능성을 대비하는 것이다. →

③ 동북 공정의 목적은 중국 내 **다수** 민족의 이탈을 방지하는 것이다. →

④ 동북 공정에 대응하기 위해서는 **현대사** 연구가 필요하다. →

⑤ 동북 공정은 중국이 고조선, 발해, 고구려의 역사를 **한국사**에 포함하려는 것이다.
→

• 정답 : 2.[일본] ①대한민국,②대한민국,③1905년,④시마네현 고시 제 40호,⑤해양,⑥일본 [중국] ①고구려,②한반도,③소수,④고대사,⑤중국사

3. 다음중 우리나라와 **일본**과의 갈등은 **'일'**, **중국**과의 갈등은 **'중'**, **프랑스**와의 갈등은 **'프'**라고 쓰세용o(^-^)o

동북 공정	역사 교과서 왜곡	야스쿠니 신사 참배	동해 표기 문제
①( )	②( )	③( )	④( )
한류 저작권 침해	직지심체요절 반환 문제	해양 자원을 둘러싼 갈등	침략에 대한 반성 부족 문제
⑤( )	⑥( )	⑦( )	⑧( )

• 정답 : 3. ①~⑤: 중,일,일,일,중/ ⑥~⑧: 프,중,일

3단계 주요 내용 적용하기

1단계 (회색 글씨에 덧대어 쓰기)

Q. **일본**이 **독도 영유권**을 주장하고, **중국**이 **동북 공정**을 실시하는 **목적**을 각각 **2가지 서술하시오.**

[일본이 독도에 대한 영유권을 주장하는 목적은 독도의 해양 자원과 독도 주변의 군사적 거점을 확보하기 위해서이고,
중국이 동북공정을 실시하는 목적은 한반도 통일 이후 발생 할 수 있는 영토 분쟁의 가능성을 방지하고, 중국 내 소수 민족의 독립을 막기 위해서 이다.]

2단계 (괄호 넣기)

Q. **일본**이 **독도 영유권**을 주장하고, **중국**이 **동북 공정**을 실시하는 **목적**을 각각 **2가지 서술하시오.**

[일본이 독도에 대한 영유권을 주장하는 목적은 독도의 ( )자원과 독도 주변의 ( )을 확보하기 위해서이고,
중국이 동북공정을 실시하는 목적은 ( ) 이후 발생 할 수 있는 ( )의 가능성을 방지하고, ( )의 독립을 막기 위해서 이다.]

3단계 (혼자 스스로 써보기＼(^▽^)／)

Q. **일본**이 **독도 영유권**을 주장하고, **중국**이 **동북 공정**을 실시하는 **목적**을 각각 **2가지 서술하시오.**

람보쌤의 자세한 해설을 영상으로 보세요!

우리나라가 직면한 국가 간 갈등

유형 1 일본과의 문제 종합

1. (A)~(C)에 들어갈 판서의 내용으로 옳은 것은?

> 1. 우리나라와 일본의 갈등
> 1) (A) 영유권을 둘러싼 주장
> : 일본은 1905년 (A)를 자국 영토로 편입했다고 주장함.
> 2) 일본 정치인의 (B) 신사 참배 문제
> : (B)는 제2차 세계대전을 일으킨 전쟁 범죄자들의 위패가 있음.
> 3) (C) 표기를 둘러싼 갈등
> : 최근 해외방송에서 (C)를 Sea of japan이라 표기하여 우리나라 팬들의 항의를 받음.

	(A)	(B)	(C)
①	독도	가미가제	동해
②	독도	야스쿠니	동해
③	독도	야스쿠니	황해
④	이어도	가미가제	황해
⑤	이어도	야스쿠니	동해

유형 2 일본 - 독도

2. 독도와 관련된 분쟁에 대한 옳은 설명은?

① 현재 우리나라가 실효적 지배 중이다.
② 한국은 독도를 분쟁지역으로 선포하고 있다.
③ 한국은 국제 사법 재판소를 통해 분쟁을 해결하려고 한다.
④ 독도가 한국 영토라는 일본의 역사 자료는 존재하지 않는다.
⑤ 일본은 한반도 침략에서 비롯된 역사적 문제로 보고 분쟁지역이 아니라고 주장한다.

3. 다음은 우리나라가 겪고 있는 국가 간 갈등 사례이다. 이에 관한 설명으로 옳지 않은 것은?

> 울릉도 동남쪽 뱃길을 따라가다 보면 독도가 있다. 독도에는 우리나라 국민이 거주하고 있으며 우리 정부는 섬을 방문한 사람들에게 독도 명예 주민증을 발급하고 있다. 일본은 1905년 독도를 불법적으로 자국 영토로 편입한 조치를 근거로 독도가 일본의 땅이라고 주장하고 있다.

① 독도는 현재 우리나라가 주권을 행사하고 있다.
② 독도는 역사적, 지리적, 국제법적으로 우리 영토이다.
③ 일본은 독도 영유권 주장 문제를 우리나라 법원을 통해 해결하려고 한다.
④ 울릉도와 독도가 포함된 우산국에 관한 내용은 〈삼국사기〉 등에 기록되어 있다.
⑤ 일본은 국제 사회에서 독도를 분쟁 지역으로 인식시켜 유리한 입장을 확보하려고 한다.

유형 3 중국 - 동북 공정 간단

4. 다음 내용과 관련된 주변국과의 갈등은?

> 중국의 국경 안에서 전개된 모든 역사를 중국의 역사로 편입하려는 연구이다. 이 과정에서 중국은 고조선, 고구려, 발해의 역사가 중국 고대 지방 정권의 일부였던 것으로 왜곡하고 있다.

① 동북공정 사업
② 한류 저작권 침해
③ 배타적 경제 수역 침범
④ 한·중·일 공동 역사 교재 편찬 사업
⑤ 역사 교과서에 위안부 관련 기술 논란

유형 4 중국 - 동북 공정 심화

5. 중국의 동북 공정에 대한 옳은 설명만을 〈보기〉에서 있는 대로 고른 것은?

> **보 기**
> ㄱ. 동북 3성의 지방 정부에 의하여 구체화되고 있다.
> ㄴ. 한반도 통일 후에 발생할 수 있는 영토 분쟁에 대비하는 것이다.
> ㄷ. 우리나라의 역사를 고대 중국의 지방 정권으로 편입하려는 노력이다.
> ㄹ. 1905년 시마네현 고시 제40호를 통하여 랴오허 문명을 자국 역사에 흡수하려는 프로젝트도 진행중이다.

① ㄱ, ㄴ　② ㄱ, ㄹ
③ ㄴ, ㄷ　④ ㄱ, ㄴ, ㄷ
⑤ ㄱ, ㄴ, ㄷ, ㄹ

6. 중국의 동북 공정에 대한 설명으로 옳지 않은 것은?

① 고구려를 고대 중국의 소수민족 지방 정권이라고 왜곡하고 있다.
② 현재의 중국 영토에 속하는 과거사는 모두 중국사라는 역사관이다.
③ 우리나라의 고구려, 백제, 신라의 역사를 중국사 속에 포함하고 있다.
④ 중국의 여러 소수 민족을 통제하고 만주 지역에서의 영향력을 강화하려는 것이다.
⑤ 북한과의 공동역사 연구와 공동 저술로 역사적 근거를 확보하여 논리적으로 대응해야 한다.

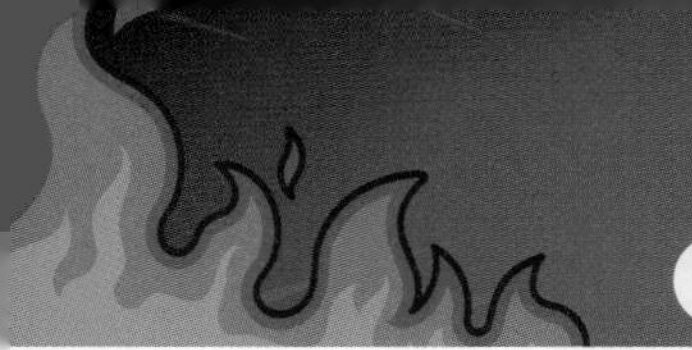

유형 5 종합

. 교사의 질문에 대한 적절한 대답을 <보기>에서 있는 대로 고른 것은?

보 기

ㄱ. 일본은 경제적, 군사적 이유로 독도 영유권을 주장하고 있습니다.
ㄴ. 중국은 한반도 통일 후 영토 분쟁 가능성을 막고자 고구려, 발해를 중국의 역사로 만들려고 시도하고 있어요.
ㄷ. 2차 세계대전을 둘러싼 일본의 역사 왜곡에 대응하기 위해 한국과 중국이 협력하여 동북 공정 사업을 추진하고 있어요.
ㄹ. 우리나라는 독도를 실효적으로 지배하기 위해 독도를 분쟁지역으로 인정하고 국제 사법 재판소를 통해 해결하려고 준비하고 있습니다.

) ㄱ, ㄴ ② ㄷ, ㄹ
) ㄱ, ㄷ, ㄹ ④ ㄴ, ㄷ, ㄹ
) ㄱ, ㄴ, ㄷ, ㄹ

. <보기>에 나타난 우리나라의 국가 간 갈등의 당사국을 올바르게 연결한 것은?

보 기

ㄱ. 동북 공정 문제
ㄴ. 독도 영유권 문제
ㄷ. '동해' 표기를 둘러싼 갈등
ㄹ. 「직지심체요절」 문화재 반환 문제

) ㄱ - 일본 ② ㄴ - 중국
) ㄷ - 러시아 ④ ㄹ - 러시아
) ㄹ - 프랑스

. 우리나라가 직면하고 있는 국제 문제가 아닌 것은?

) 남중국해 영유권 분쟁 문제
) 과거 일본군의 위안부 문제
) 한반도를 둘러싼 비핵화 문제
) 독도와 주변 해역에 대한 영유권 문제
) 중국 북동부 지역에 대한 동북공정 문제

서술형

10. 다음은 우리나라가 직면한 국가 간 갈등이다. 물음에 답하시오.

• 우리나라는 일본과 오랜 갈등 관계에 놓여 있는데 ㉠을/를 둘러싼 갈등이 그 대표적인 예이다. ㉠은/는 역사적, 지리적, 국제법적으로 명백한 우리의 고유영토이다. 그러니 일본이 (㉡)활용할 목적으로 ㉠에 대한 영유권을 주장하면서 양국 간 외교 마찰이 발생하고 있다.

• 우리나라는 역사 왜곡 문제를 두고 중국과도 갈등을 겪고 있다. 중국은 (㉢)을/를 줄이기 위해 중국 동북지방을 연구하는 ㉣을/를 펼쳤다. 이 과정에서 중국은 고조선, 고구려, 발해를 중국 고대 소수 민족 지방 정권으로 왜곡하였다.

(1) ㉠지역 이름을 서술하고 일본이 ㉠에 대한 영유권을 주장하는 목적(㉡)을 두 가지 서술하시오.(단, ㉠, ㉡을/를 연결할 것)

(2) ㉣ 중국이 우리나라와 갈등을 겪고 있는 중국 동북 지방 연구의 용어를 적고, 중국이 ㉣을/를 펼치는 목적(㉢)을 두 가지 서술하시오. (단, ㉢, ㉣을/를 연결할 것)

우리나라가 직면한 국가 간 갈등의 해결 노력

유형 1 동북 공정의 해결 방안

11. 다음 지도에 나타난 중국의 동북 공정에 대한 대응책으로 옳지 않은 것은?

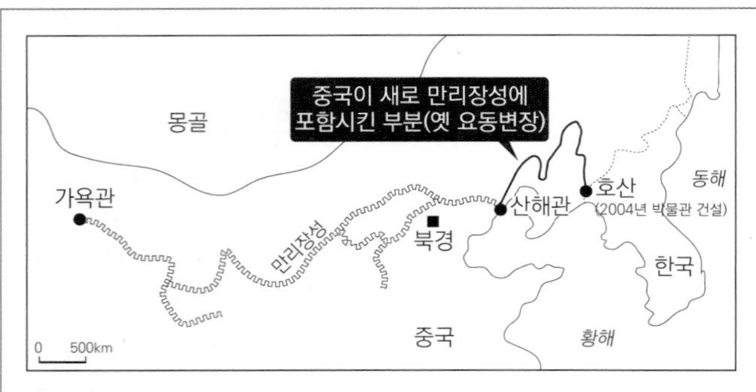

중국은 만리장성의 유적이 새로 발견되어 그 길이가 더 늘어났다며, 옛 고구려와 발해 지역까지 만리장성 안에 포함된다고 보고 있다.

① 중국과 무력을 통한 전쟁에 대비한다.
② 동북 공정의 역사 인식이 확산되지 않도록 대응한다.
③ 국가 차원에서 우리 고대사에 대한 연구를 진행한다.
④ 발해사나 고구려사 왜곡 문제에 대해 지속적인 관심을 가진다.
⑤ 남북한이 통일된 이후에 나타날 수 있는 동북 지역의 영토 분쟁에 대해 미리 대비하는 자세를 가진다.

유형 2 독도 문제 해결 방안

12. 독도 영유권과 관련된 갈등을 해결하기 위한 우리 정부의 노력으로 볼 수 없는 것은?

① 자료 수집 및 연구를 위한 전문 기관을 운영한다.
② 우리의 주장을 뒷받침할 수 있는 객관적 근거를 마련한다.
③ 다양한 자료를 통해 독도가 우리나라의 영토임을 국제 사회에 알린다.
④ 일본에 대해 독도 영유권 주장을 철회할 것을 공식적으로 촉구한다.
⑤ 국제사법재판소에 제소하여 독도를 분쟁 지역으로 만들려는 노력을 계속한다.

유형 3 복합형

13. 우리나라와 주변국 간 갈등을 해결하는 방법으로 적절하지 않은 것은?

① 정부의 체계적인 역사 연구 지원을 중지한다.
② 논리적이고 객관적인 대응 근거를 마련하는 자세를 가진다.
③ 개인은 자발적이고 꾸준한 관심을 가지고 참여하는 태도를 가진다.
④ 국제 사회에 우리의 입장을 알리는 홍보 및 외교 활동이 필요하다.
⑤ 대학과 연구 기관은 활발한 연구 활동을 통해 정부의 입장을 뒷받침한다.

14. 다음 사례에 대응하는 우리의 자세로 옳지 않은 것은?

> • 일본 총리의 야스쿠니 신사 참배
> • 독도를 다케시마로 부르며 영유권을 주장

① 우리 역사에 대해 관심을 가지고 연구한다.
② 국제적으로 다양한 자료를 만들어 홍보한다.
③ 정당한 주권 행사를 통해 군사력으로 해결한다.
④ 상호 존중의 자세를 갖고 문제를 해결해야 한다.
⑤ 개인과 시민단체도 적극적인 참여 자세가 필요하다.

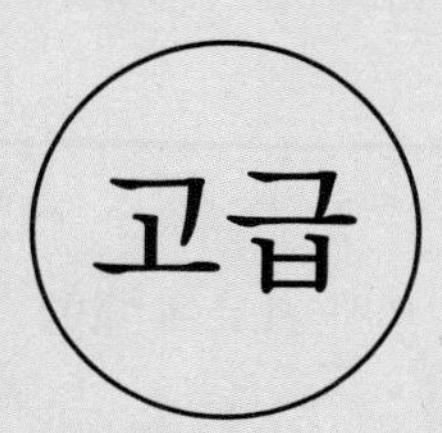

중등사회2 실전고사 문제지

Ⅵ. 국제 사회와 국제 정치

빡공시대편찬위원회

날짜		월		일		성명	

1. 국제 사회의 특성에 대한 설명으로 옳지 않은 것은?

① 각국은 자국의 이익을 추구한다.
② 강력한 중앙 정부가 존재하지 않는다.
③ 약육강식과 같은 힘의 논리가 작용하기 쉽다.
④ 국가 간 상호 의존성 증가로 협력도 필요하다.
⑤ 강제성을 가진 국제법을 통해 분쟁을 해결한다.

. 다음 단체가 속한 행위 주체는?

그린피스는 자연 보호를 위해 1970년 결성된 국제적인 환경 단체이다. 국경을 넘어 활동하는 개인과 민간단체를 회원으로 두고 있다.

국가 ② 국제 연합
다국적 기업 ④ 정부 간 국제기구
국제 비정부 기구

3. 국제 관계에 영향을 미치는 국제기구에 대한 설명이다. 옳은 것은?

① 정부 간 국제기구는 개인과 민간단체를 회원으로 한다.
② 각국의 정부가 회원이 되는 국제 비정부 기구는 국경을 넘어 활동한다.
③ 국제 연합은 평화유지와 국제 협력증진을 위한 국제 비정부 기구이다.
④ 국제연합아동기금(UNICEF), 국제연합난민기구(UNHCR)는 국제 적십자사에 속해있다.
⑤ 국제 비정부 기구에는 그린피스, 국경 없는 의사회 등이 있다.

4. 국제 사회 협력의 필요성으로 옳지 않은 것은?

① 각국이 자국의 이익을 더 추구하기 위해
② 국경이 없는 바이러스의 확산을 막기 위해
③ 국제 문제와 국제 분쟁을 방지하고 해결하기 위해
④ 기후 위기 같은 문제는 한 국가의 노력만으로 해결할 수 없는 문제이기에
⑤ 다국적 기업이 증가하며 한 국가의 경제가 다른 국가들로부터 영향을 받게 됨에 따라

5. 외교에 대한 설명으로 옳지 않은 것은?

① 외교 활동을 통해 국가 간 우호를 증진할 수 있다.
② 국제 사회의 갈등을 평화적으로 해결하는 방법이다.
③ 자국의 대외적 위상을 높이는 기회가 되기도 한다.
④ 국제 사회에서 나타나는 모든 분쟁을 해결할 수 있다.
⑤ 오늘날 국제 사회의 공존을 위한 외교 활동의 중요성이 커지고 있다.

6. 우리나라와 일본의 갈등 사례에 해당하지 않는 것은?

① 일본군 위안부 문제
② 어선 불법 조업 문제
③ 역사 교과서 왜곡 문제
④ 야스쿠니 신사 참배 문제
⑤ 세계 지도에 동해 표기 문제

7. 다음 (가)에 들어갈 내용으로 알맞은 것은?

> 일본은 1904년 이래 만주와 한반도에 대한 이권을 두고 러시아와 전쟁 과정에서 동해에서의 해전을 위한 군사적 필요성에 의해 1905년 독도를 무주지라 주장하면서 영토 편입을 시도하고 ___(가)___ 을(를) 발표했다.

① 태정관 지령
② 시마네현 고시 제40호
③ 일본 돗토리번 답변서
④ 샌프란시스코 강화 조약
⑤ 연합국 최고사령관 각서

8. 중국이 다음과 같이 주장하는 이유로 가장 적절한 것은?

> 중국은 현재의 국경 안에서 이루어진 모든 민족의 역사를 중국의 역사로 만드는 동북 공정을 2002년부터 2007년까지 진행하였다. 이 연구를 통하여 중국은 우리나라의 역사인 고조선, 고구려, 발해 등을 고대 중국의 지방 정권으로 편입하려고 하고 있다.

① 군사적 요충지를 확보하기 위해서
② 동북아시아에서의 영향력을 확대하기 위해서
③ 중국 동북 지방의 지하자원을 확보하기 위해서
④ 다른 나라의 고대사에 대한 공동 연구를 진행하기 위해서
⑤ 중국 내 소수 민족의 이탈을 방지하여 현재의 영토를 확고히 하기 위해서

9. 독도와 관련한 갈등을 이해하기 위한 사료에 대한 설명으로 옳지 않은 것은?

① 「세종실록지리지」에 울릉도와 독도의 지리와 위치를 기록하였다.
② 일본 태정관 지령에 "울릉도 외 1도(독도)는 본국과 관계없음"이라고 밝혔다.
③ 「신증동국여지승람」은 현존하는 인쇄본 중 독도가 등장하는 최초의 지도이다.
④ 연합국 최고 사령관 각서(SCAPIN) 제677호에서는 독도를 일본의 영토로 확인하였다.
⑤ 대한제국 칙령 제41호에 울도군 관할구역을 '울릉전도와 죽도, 석도(독도)'로 규정하였다.

10. 우리나라와 주변국의 갈등을 해결하기 위한 적절한 방안으로 옳지 않은 것은?

① 정부와 학계는 체계적으로 역사를 연구해야 한다.
② 시민 단체는 주변국과의 민간 교류를 통한 해결책을 모색해야 한다.
③ 국제 사회에 우리 입장을 알리는 홍보 활동과 외교 활동을 해야 한다.
④ 영토 주권 침해와 역사 왜곡 문제는 역사적 근거를 바탕으로 논리적으로 대응해야 한다.
⑤ 개인은 국가와 학계가 체계적으로 대응할 수 있도록 개인적 관심이나 참여를 자제해야 한다.

빡공시대 람보쌤이 운영하는 자기주도 독서실

개척독서실

공부하는 이유를 알려주고,
나라와 민족을 일으킬 다음세대 개척자를 기르는,
빡공시대의 자기주도학습 독서실입니다.

1.개척독서실의 선언

하나, 우리의 일은 우리가 스스로 해결한다.
하나, 내일이 아니라 지금 당장 시작한다.

개척독서실은 자신의 문제를 스스로 해결하도록 가르치며 , 미루지 않는 행동력을 심어주며,
불가능하다고 여겨지는 영역에 있어 함께 고민하며 문제를 돌파합니다.
개척독서실은 건강한 기독교 가치관을 중심으로 운영합니다.

2.이렇게 운영됩니다.

오프라인 개척독서실

시험기간에 스스로 공부하기 힘든 친구들을 위해

하루 12시간씩 함께 모여 공부하는 오프라인 독서실입니다.

신청 및 심사를 통해 참가인원을 모집합니다.

(온라인 생중계 동시진행)

온라인 개척독서실

평일에는 매일저녁 7시부터 유튜브 생방송을 통해

온라인 개척독서실을 진행합니다.

람보쌤이 직접 앉아 함께 공부도 하고,

쉬는시간마다 정신교육/학습법/고민상담 등을 진행합니다.

3. 이런 친구들과 함께합니다.

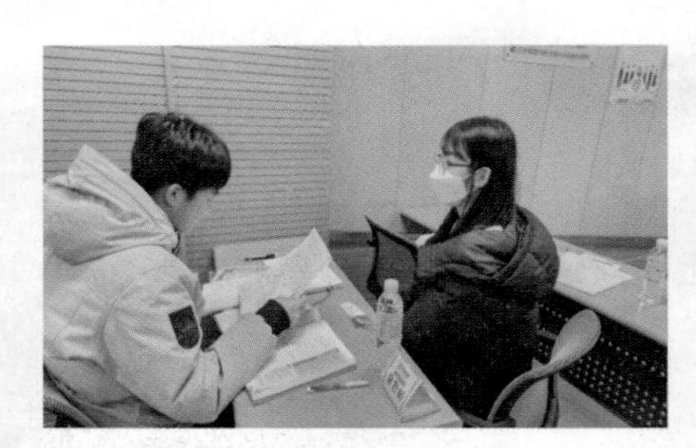

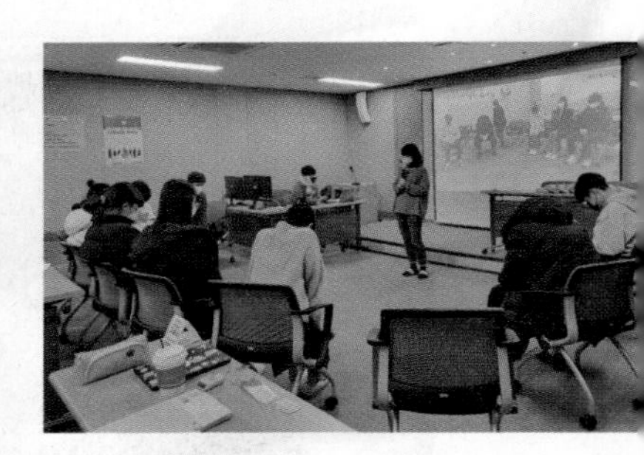

· 혼자서는 도저히 공부가 안되는 친구들
· 왜 공부해야 하는지를 모르는 친구들
· 어려움을 함께 나눌 공동체를 원하는 친구들
· 람보쌤을 실물로 보고싶은 친구들(!)

그리고, 다음세대 개척자로 일어나기를 원하는 친구들을 기다립니다.

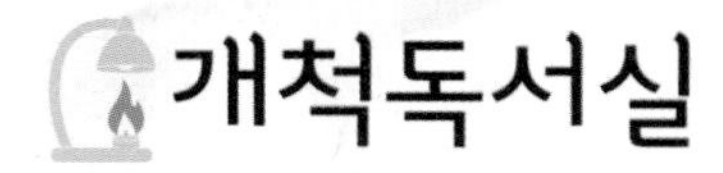

웃어라! 사회가 뻥! 뚫리는 쾌변느낌!

안 뚫리는 사회, 이렇게 뚫어드립니다!

공부시간 완전 단축

전설의 유튜브 강좌 '4시간의 기적'과 함께! 공부시간은 절반으로!

특별한 암기 시스템

쉽고 자연스럽게 반복할 수 있게 하여 누구나 쉽게 외운다!

풍부한 기출문제 수록

진짜 시험에 나오는 문제만 모아 시험대비 완벽하게 끝!

중등도 고등도, 사회는 역시 람보쌤! www.ppakong.com

도서출판 제이그룹

53300

ISBN 979-11-89512-15-6

정가 : 22,000원

람보 관장님과 함께 운동하자!
쉬는시간 7분만에 사회 근육 완성!

중3사회2 1학기 훈련용

빽공시대

들어올때는 맘대로지만

나갈수는 없는 헬스장

매일!! 쉬는시간 7분!! 공부근육 빵빠라빵빵

차근차근헬스장

운동 1일차

[인권이란?] 유산소운동

01. 천부인권

키워드 덧셈

(1) 다음 키워드와 관련 있는 인권의 특징은?
[인간이 태어나면서부터 가지는] +
[하늘이 준] = [ ]

중요 키워드 분석

(2-1) 인간이 [ ]부터 가지는 인권의 특징을 **천부인권**이라고 한다.

(2-2) **천부인권**은 [ ]이 준 권리이다.

밑줄 친 단어 바르게 고치기

(3-1) 인간이 **겨드랑이 털이 나는 시기**부터 가지는 인권의 특징을 **천부인권**이라고 한다.

(3-2) 천부인권은 **포켓몬**이 준 권리이다.

02. 자연권,보편적 권리

회색 글씨위에 덧대어 쓰며 외우기

(1) 인권의 또다른 이름을 자연권이라 부르는 것은 인권은 국가에서 법이나 제도로 보장하기 이전에 자연적으로 주어졌기 때문이에요.(￣▽￣)/

↳[파생 문제] 그렇다면 밑줄친 틀린 말을 바르게 고쳐보세요:)

(1-1) 인권은 국가가 **법으로 정해야** 보장 받을 수 있다.

→

(1-2) 인권은 **국가 형성 이후** 부여된 권리이다.

→

(2) 인권의 특징 중에 보편적 권리는 인권이 인종,성별,신분 등을 초월하여 모든 사람들이 동등하게 누릴 수 있음을 의미해.^ᴗ^

↳[파생 문제]] 그렇다면 밑줄 친 틀린 말을 바르게 고쳐보세요:)

(2-1) 인권은 **소수의** (사람)들이 존중받고 인간답게 살 수 있음을 의미한다.

→

03. 다음 악당들의 인권 침해 발언에 알맞은 일침을 가한 다음세대 개척자를 연결하시오.

유대인들은 더러운 족속이야 그래서 인권이 없닥! 우리 독일인만 인권을 누릴수 있다구!! 큐큐

히틀러 •

어디서 뇌 없는 소리! 인권은 **불가침의 권리**이기 때문에 함부로 해할 수 없어!

• 다음세대 소망이

일본이 연약한 조선의 인권을 침해하는 것은 당연하오!!

이완용 •

무슨 소리!! 인권은 **보편적 권리**이므로 **누구나!! 모든 사람**이 누릴 수 있어!!

• 다음세대 희망이

안녕!! 너는 쉬는 시간에 주로 뭐해?? 쌤은 주로 껌을 씹어!! ㅎㅎㅎ
왠지 뭔가 처묵 처묵 하기엔 양심에 찔리고 그래서 대신 껌을 씹지!!우하하
참고로 껌은 와우껌이라고 먹어봤니?? 와우껌은 콜라맛이 레전드야!! ㅎㅎㅎ
지금도 씹고 있어!! ㅎㅎㅎ

·정답: 01.(1)천부인권,(2-1)태어나면서,(2-2)하늘,(3-1)태어나면서,(3-2)하늘
02.(1-1)법으로 정하는 것과 상관없이,(1-2)국가 형성과 상관없이,(2-1)모든 사람(=누구나) 03. 히틀러-희망이, 이완용-소망이

매일!! 쉬는시간 7분!! 공부근육 빵빠라빵빵

차근차근헬스장

운동 2일차 **[인권이란? 역사,헌법,기본권] 유산소 2차**

01. 인권 보장의 역사

키워드 덧셈

(1) 다음 키워드와 관련 있는 용어는?

(1-1) [근대] + [절대군주의 억압] + [시민의 자유와 평등이 제도적으로 보장] = [ ]

(1-2) [UN 채택] + [모든 사람이 보편적으로 누려야 할 인권의 기준 제시] = [ ]

중요 키워드 분석

(2-1) [ ]을 계기로 **시민의 자유와 평등이 제도적으로 보장되기 시작**하였다.

(2-2) **제2차 세계대전** 이후 **UN**이 채택한 [ ]에서는 **모든 사람이 보편적으로 누려야 할 인권의 기준을 제시**하였다.

(2-3) 선 긋기

시민혁명 •	• ① 시민의 자유와 평등이 제도적으로 보장
세계인권 선언 •	• ② 모든 사람이 보편적으로 누려야 할 인권의 기준 제시

└►[파생 문제] 그렇다면 다음 중 **세계인권선언**은?

① **제1조** 모든 사람은 태어날 때부터 자유롭고, 존엄하며, 평등하다. 모든 사람은 이성과 양심을 가지고 있으므로 서로에게 **형제애의 정신**으로 대한다.

② **제34조** 모든 국민은 인간다운 생활을 할 권리를 가진다.

02. 헌법과 기본권

키워드 덧셈

(1) 다음 키워드와 관련 있는 용어는?

(1-1) [국가 최고의 법 + 인권 보장의 수단] = [ ]

(1-2) [헌법에 보장된 기본적 권리] + [행복추구권,자유권,평등권,참정권,사회권,청구권] = [ ]

중요 키워드 분석

(2-1) [ ]은 **국가 최고의 법**이다.

(2-2) [ ]에 따라 다른 모든 법률이나 정책이 제정된다.

(2-3) **헌법**에 보장된 **기본적 권리**를 [ ]이라고 한다.

(2-4) **인권**이 **자연적 권리**를 강조한 개념이라면 기본권은 [ ]가 강조된 개념이다.

밑줄 친 단어 바르게 고치기

(3-1) 헌법은 국가 최고의 **밥**이다.

(3-2) **MBTI**를(을) 따라 다른 모든 법률이나 정책이 제정된다.

(3-3) 헌법에 보장된 기본적 권리를 **수도권**이라고 한다.

(3-4) 기본권은 **자연적 권리**를 강조했다.

쉬는 시간! 단 7분만으로! 너는 레전드가 될 수 있어!!
차근 차근 헬스장으로 공부의 근육을 키워보자!! 아자 아자 파이팅!!

정답: 01.(1)시민혁명/세계인권선언, (2)시민혁명/세계인권선언,(선긋기)시민혁명-①,세계인권선언-②, (파생문제)①
02.(1)헌법/기본권, (2)헌법/헌법/기본권/시민의 권리, (3)법/헌법/기본권/시민의 권리

매일!! 쉬는시간 7분!! 공부근육 빵빠라빵빵

차근차근헬스장

운동 3일차

[기본권] 코어 다지기

01. 기본권의 종류

키워드 덧셈

(1) 다음 키워드와 관련 있는 용어는?

(1-1) [모든 기본권의 근본 가치] + [다른 기본권들의 궁극적인 이념] = [ ]

(1-2) [국가 권력의 간섭을 받지 않고] + [자유롭게 생활할 권리] = [ ]

↳[파생 문제]] 다음 중 **자유권**과 관련된 그림은?

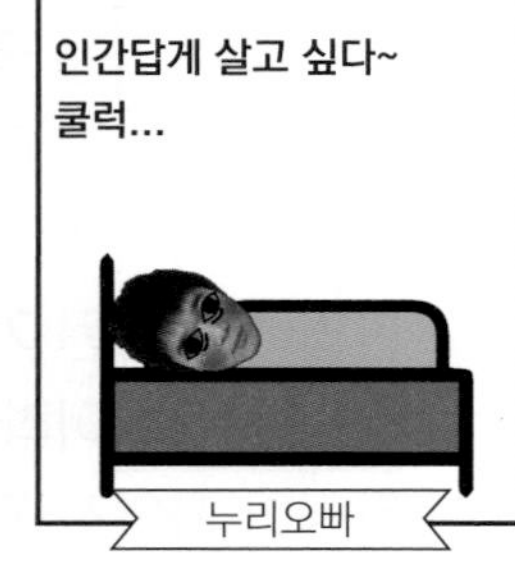

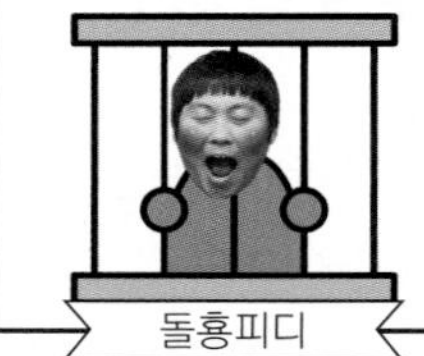

[파생 문제2]] 그렇다면 이것은 어떤 자유권?

① 신체의 자유 ② 하체의 자유 ③ 상체의 자유

(1-3) [차별받지 않고] + [동등하게 대우 받을 권리] = [ ]

↳[회색 글씨 따라쓰기] 이때 **평등권**은 실질적, 상대적 평등을 의미한다.

↳[밑줄친 틀린말 고치기] 이때 **평등권**은 **형식적·비례적** 평등을 의미한다.

(1-4) [국가의 의사 결정에] + [참여할 수 있는 권리] = [ ]

↳[회색 글씨 따라쓰기] **참정권**의 종류에는 선거권, 공무담임권, 국민투표권이 있다.

↳[넌센스 퀴즈] 대통령 선거의 반대말은?

(1-5) [인간다운 생활을 할 권리] + [적극적 권리] = [ ]

↳[회색 글씨 따라쓰기] **사회권**의 종류에는 교육을 받을 권리, 근로의 권리, 인간다운 생활을 할 권리, 쾌적한 환경에서 살 권리, 사회 보장을 받을 권리 등이 있다.

↳[밑줄친 틀린말 고치기] **사회권**의 종류에는 교육을 받을 권리, 근로의 권리, **잼민이다운 생활을 할 권리**, 쾌적한 환경에서 살 권리, 사회 보장을 받을 권리 등이 있다.

(1-6) [국가에 요구 할 수 있는 권리] + [다른 기본권 보장을 위한 수단적 권리] = [ ]

↳[회색 글씨 따라쓰기] 청구권의 종류에는 청원권, 재판청구권, 국가 배상 청구권 등이 있다.

↳[밑줄친 틀린말 고치기] 청구권의 종류에는 **선거권**, 재판청구권, 국가 배상 청구권 등이 있다.

차근 차근 헬스장을 왜 만들게 됐나구?!!
혹시 쉬는 시간에 심심한 친구들이 있을까봐!.. 대다수 친구들은 쉬는 시간이 개꿀이겠지만,
혹시라도 친구가 없어 쉬는 시간이 버거운 친구가 있다면!!
그런 친구들과 쌤이 친구가 되어주고 싶었어. 까짓꺼 친구 없으면 어때? 쌤이랑 친구할래??

·정답:01.(1)(1-1)인간의 존엄과 가치 및 행복 추구권(1-2)자유권/돌흥피디/① 신체의 자유(1-3)평등권/실질적·상대적
(1-4)참정권/대통령 앉은거(1-5)사회권/인간다운 생활을 할 권리(1-6)청구권/청원권

매일!! 쉬는시간 7분!! 공부근육 빵빠라빵빵

차근차근헬스장

운동 4일차 [기본권의 제한] 런닝머신 뛰기

01. 기본권의 제한

회색 글씨 따라쓰며 암기하기

(1) **기본권의 제한**은 국가 안전 보장, 질서 유지, 공공복리를 위해 필요한 경우 법률로써 제한이 가능해요. 그러나 자유와 권리의 본질적인 내용은 침해 할 수 없어요. 이렇게 기본권 제한의 한계를 둔 이유는 국가 권력의 남용을 방지하여 국민의 기본권을 최대한 보장하기 위해서랍니다.

우리 득근하자!

중요 키워드 분석

(2-1) **기본권의 제한**은 **국가 안전 보장,** [　　　　], **공공복리**를 위해 필요한 경우 제한이 가능하다.

(2-2) **국회**에서 만든 [　　　　]로써 제한이 가능하다.

(2-3) 그러나 자유와 권리의 [　　　　]인 내용은 침해 할 수 없다.

(2-4) 이렇게 **기본권 제한의 한계를 둔 이유는 국가 권력의 남용을 방지하여 국민의 기본권**을 [　　　　]하기 위함이다.

밑줄 친 단어 바르게 고치기

(3-1) 기본권의 제한은 국가 안전 보장, **몸매유지,** 공공복리를 위해 필요한 경우 제한이 가능하다.

(3-2) 국회에서 만든 **헌법**(으)로써 제한이 가능하다.

(3-3) 그러나 자유와 권리의 **비본질적**인 내용은 침해 할 수 없다.

(3-4) 이렇게 기본권 제한의 한계를 둔 이유는 국가 권력의 남용을 방지하여 국민의 기본권을 **최소한 보장**하기 위함이다.

↳[파생 문제1] 다음 중 **국가 안전 보장**과 관련된 그림은?

① 

② 

↳[파생 문제2] 다음 중 **질서유지**와 관련된 그림은?

① 

② 

선생님이랑 친구하자! 그래서 쌤을 숨김없이 알려줄께! 친구끼리는 숨기지 않잖아!!
일단 쌤의 MBTI는 ENFP야! 그리고 가장 좋아하는 것은 떡볶이!! 만약 쌤한테 뭔가 잘못한 사람이 있다고 해보자! 그래서 손절 쳤다고해도, 정말 맛있는 떡볶이를 쌤에게 가져다두면 쌤은 바로 풀려!! ㅎㅎㅎ 떡볶이는 사랑이지!
그런 의미로 떡볶이 무한리필 두끼는 천국이란다!! 알라뷰^^

·정답:01.(2)질서유지/법률/본질적/최대한 보장 (3)질서유지/법률/본질적인/최대한 보장/①.②

헬스장의 귀염둥이, 애완호랑이랑 놀자!

초롱이네 놀이방

#자기소개하기

내 이름은 초롱이, 자기소개를 해 보겠다, 리슨.
이 몸은 차근차근 헬스장에서 람보쌤이 기르는 귀여운 호랑이지.
앞으로 너희들과 살벌하게 놀아줄테니 친하게 지내자.
아참, 내 취미는 팔 쎄게 물어버리기야. 궁금하면 얘기해줘 크앙.

(사람도 고기의 일종이지

이름이 초롱이인 이유

고기를 볼 때 눈이 초롱초롱 반짝이는 모습 때문에 초롱이라는 별명이 붙었다.

역할

헬스장에서 탈주하려는 회원들을 감시하고 잡아온다.
그럼으로써 한 명도 낙오되지 않고 끝까지 잘될 수 있게 돕는 것이다.
최근, 람보쌤으로부터 헬스장 회원들을 재밌게 해주라는 지시를 받았다.

3대 2000이 넘는 초롱이의 상세스펙

머리
보통, 누구를 깨물까 생각하는데 쓰지만,
밤에 잠자기 전에는 재밌는 넌센스 퀴즈를 생각해내며
혼자 깔깔 웃는다. 아니, 호랑이니까 호호 웃는다.

꼬리
잠잘 때에도 경계태세를 유지,
24시간 회원들의 운동상태를
감시하는 역할을 한다.
(꼬리싸대기 기능 탑재)

이빨
위에 큰 거 두 개, 아래 큰 거 두
물리면 마이아파.

다리
헬스하다가 조는 회원들을 보면 날카로운 발톱이 나온
이걸로 옆구리를 찌르지 쿡쿡쿡-

차근차근 헬스장 끝페이지마다 초롱이네 놀이방이 스트레스를 풀어드립니다. 기대해주세요 크

인권

유형 1 인권의 특징

: 다음 글을 읽고 물음에 답하시오.

인간은 누구나 피부색, 성별, 나이, 장애의 유무 등에 상관없이 존중받고 인간답게 살 권리인 (가)을/를 가지고 있다.

. (가)의 설명으로 옳은 것은?

) 인간이 태어나면서 가지는 권리이다.
) 한 나라의 국민일 때만 가질 수 있다.
) 고대 사회에서부터 보장되어 온 권리이다.
) 일정 나이 이상의 국민에게 보장되는 권리이다.
) 국가의 법으로 정한 이후에 주어지는 권리이다.

. 다음은 인권에 관한 학생의 필기 내용이다. 내용 중 옳지 않은 것은?

인권의 의미와 특징

인권은 ㉠인간이 성인이 되면 당연히 갖게 되는 기본적 권리로 ㉡성별, 피부색, 종교, 사회적 지원 등과 관계없이 동등하게 부여되는 보편적 권리이다. ㉢인권 사상은 근대 시민혁명을 통하여 성장하였다. 세계대전 후 ㉣국제연합(UN)에서 채택된 세계 인권 선언은 오늘날 가장 많이 인용되는 대표적 인권문서이다. ㉤인권의 이념과 내용은 오늘날 세계 여러나라의 헌법과 법률에 반영되어 있다.

) ㉠　② ㉡　③ ㉢　④ ㉣　⑤ ㉤

. 인권의 특징에 해당하는 것을 보기에서 모두 고르면?

보 기

ㄱ. 헌법에서 보장한 이후에 가질 수 있는 권리이다.
ㄴ. 인간의 존엄성을 실현하기 위해 필요한 가장 기본적인 권리이다.
ㄷ. 인종, 성별, 연령 등에 따라 차등적으로 누릴 수 있는 권리이다.
ㄹ. 타인에게 양도할 수 없으며, 어떤 이유에서라도 침해 할 수 없는 권리이다.

) ㄱ, ㄴ　② ㄴ, ㄹ　③ ㄷ, ㄹ
) ㄱ, ㄴ, ㄷ　⑤ ㄴ, ㄷ, ㄹ

4. 다음 학생들의 대화에서 A에 대한 설명으로 옳지 않은 것은?

① 인간이 태어나면서 가지는 천부인권의 권리이다.
② 모든 사람이 동등하게 누릴 수 있는 보편적 권리이다.
③ 국가의 법으로 정하기 이전에 인간에게 주어지는 권리이다.
④ 다른 사람이나 국가 기관이 함부로 침해할 수 없는 권리이다.
⑤ 개인의 능력이나 노력에 의해 후천적으로 획득하는 권리이다.

5. (가), (나)에서 설명하는 인권의 특징을 옳게 연결한 것은?

(가) 국가에서 법으로 보장하기 이전에 주어진 권리
(나) 인종, 성별, 지위 등을 초월하여 모든 사람이 동등하게 누리는 권리

	(가)	(나)
①	자연권	보편적 권리
②	자연권	천부인권
③	천부인권	보편적 권리
④	천부인권	자연권
⑤	보편적 권리	천부인권

유형 2 세계 인권 선언문

6. '세계 인권 선언'중 일부이다. 이에 대한 옳은 설명만을 〈보기〉에서 있는 대로 고른 것은?

> **제1조** 모든 인간은 태어날 때부터 자유로우며, 그 존엄성과 권리에 있어서 평등하다. 인간은 천부적으로 이성과 양심을 부여받았으며, 서로 형제애의 정신으로 행동해야 한다.

보 기

ㄱ. 인권은 천부적인 권리이다.
ㄴ. 인권은 보편적인 권리이다.
ㄷ. 타인에게 양도할 수 있는 권리이다.
ㄹ. 국가에서 법이나 제도로 보장하기 전부터 부여된 권리이다.

① ㄱ, ㄴ ② ㄱ, ㄹ ③ ㄴ, ㄷ
④ ㄱ, ㄴ, ㄹ ⑤ ㄴ, ㄷ, ㄹ

기본권

유형 1 자유권

7. 다음 사례에서 침해된 기본권은?

> 경찰이 저를 체포하면서 불리한 진술을 거부할 수 있고 변호인의 도움을 받을 수 있다는 것을 알려주지 않았어요.

① 자유권 ② 청구권 ③ 사회권
④ 참정권 ⑤ 평등권

유형 2 평등권

8. 다음 글에서 지키고자 하는 기본권에 대한 설명으로 옳은 것은?

> **"장애인 차별 금지 및 권리 구제 등에 관한 법률"제 6조**
> 누구든지 장애 또는 과거의 장애 경력 또는 장애가 있다고 추측됨을 이유로 차별을 하여서는 아니된다.

① 모든 국민은 법 앞에 평등하여, 성별이나 나이 등에 따라 차별받지 않는다.
② 적극적인 권리를 국가로부터 요구하는 기본권이다.
③ 기회를 동등하게 주는 것만으로 이 기본권은 충분히 보장된다.
④ 야간에 청소년이 노래방에 갈 수 없는 것은 이 기본권의 침해이다.
⑤ 남성만 군대를 가는 것과 같은 모든 차별에 반대하는 기본권이다.

유형 3 참정권

9. 참정권에 대한 설명으로 옳은 것은?

① 국가의 의사 결정에 참여할 수 있는 권리
② 모든 국민이 차별받지 않고 동등하게 대우받을 권리
③ 국민이 국가에 인간다운 생활을 요구할 수 있는 권리
④ 국가 권력의 간섭을 받지 않고 자유롭게 생활할 수 있는 권리
⑤ 다른 기본권이 침해되었을 때 이의 구제를 요구할 수 있는 권리

10. 〈보기〉의 (가)와 (나)가 공통적으로 의미하는 기본권으로 알맞은 것은?

보 기

(가) 강OO씨는 국회의원이 되어 정치에 참여하고자 국회의원 선거에 후보자로 등록하였다.
(나) **헌법 제25조** 모든 국민은 법률이 정하는 바에 의하여 공무 담임권을 가진다.

① 사회권 ② 참정권 ③ 평등권
④ 청구권 ⑤ 자유권

유형 4 사회권

11. 사회권에 대한 설명으로 옳은 것은?

① 현대 사회에서 중요성이 약화되었다.
② 국가 기관 형성에 참여하는 권리이다.
③ 근로의 권리와 공무 담임권이 해당한다.
④ 인간다운 생활의 보장을 요구할 수 있는 권리이다.
⑤ 자유롭게 생활할 수 있는 권리로 재산권이 해당한다.

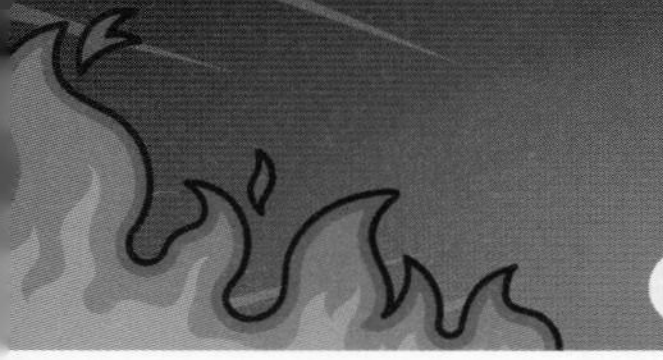

유형 5 청구권

2. 다음 중 과제를 잘못 수행한 모둠을 모두 고르면? (정답 2개)

과제 : 청구권의 실현 사례 조사	
1모둠	갑은 국민 청원을 통해 동네에 가로등을 더 많이 설치해달라고 요구하였다.
2모둠	병은 지방자치단체의 장을 뽑는 지방 선거에 참여하였다.
3모둠	을은 경찰에 의해 신체적 피해를 입어 국가를 대상으로 손해배상을 요청하였다.
4모둠	정은 친구가 빌려준 돈을 갚지 않자 이를 돌려받기 위해 법원에 재판을 요청하였다.
5모둠	무는 우리나라의 정치 상황을 분석한 책을 출간하였다.

) 1모둠　　② 2모둠　　③ 3모둠
) 4모둠　　⑤ 5모둠

3.다음 헌법 조항에 나타난 기본권에 대한 설명으로 옳은 것은?

> **헌법 제26조** 모든 국민은 법률이 정하는 바에 의하여 국가기관에 문서로 청원할 권리를 가진다.

) 국가의 의사 결정에 참여할 수 있는 권리이다.
) 기본권이 침해되었을 때 그 기본권 보장의 수단이 된다.
) 불합리한 차별을 받지 않고 동등하게 대우받을 권리이다.
) 국가에 인간다운 생활 보장을 요구할 수 있는 권리이다.
) 국가의 간섭을 받지 않고 자유롭게 생활할 수 있는 권리이다.

유형 6 기본권 복합

***다음 표는 기본권을 유형별로 구분한 것이다. 물음에 답하시오. (단, A~C는 각각 자유권, 참정권, 청구권 중 하나이다.)**

기본권 유형	관련 헌법 조항
A	(가)
B	**제25조** 모든 국민은 법률이 정하는 바에 의하여 공무 담임권을 가진다.
C	모든 국민은 법률이 정하는 바에 의하여 국가기관에 문서로 청원할 권리를 가진다.

14. A~C에 대한 설명으로 옳은 것은?

① A는 부당한 차별을 받지 않고 동등하게 대우 받을 권리이다.
② B는 다른 기본권 보장을 위한 수단적 기본권에 해당한다.
③ B는 국가의 정치적 의사 형성 과정에 참여할 수 있는 권리이다.
④ C는 국가에 대하여 인간다운 생활의 보장을 요구할 수 있는 권리를 말한다.
⑤ C는 국가 권력의 간섭을 받지 않고 자유롭게 생활할 수 있는 권리이다.

15. (가), (나) 사례에서 실현된 기본권을 바르게 짝지은 것은?

> (가) A씨는 회사에서 퇴직한 후 국가에서 운영하는 실업 급여 제도의 혜택으로 생활비를 지원받았다.
> (나) OO마을에서는 교통 약자들을 위해 저상 마을버스를 대폭 확충하였다.

	(가)	(나)
①	사회권	평등권
②	사회권	청구권
③	청구권	평등권
④	참정권	자유권
⑤	청구권	참정권

16. A~C에 해당하는 기본권의 유형을 바르게 연결한 것은?

> • 갑은 수사 기관에 의해 불법 체포 및 감금되어 (A)을 침해당했다.
> • 을은 자신이 사는 빌라 앞으로 아파트가 새로 지어져 일조량이 줄어들어 쾌적한 환경에서 살지 못하게 되어 (B)을 침해당했다.
> • 병은 자신을 국회의원 후보로 하는 후보 등록 신청서를 제출하였으나 업무 담당 공무원의 실수로 후보 등록이 되지 않아 (C)을 침해당했다.

	A	B	C
①	자유권	사회권	참정권
②	자유권	사회권	청구권
③	자유권	참정권	사회권
④	평등권	참정권	청구권
⑤	평등권	청구권	참정권

유형 7 기본권의 제한

17. 다음 사례를 통해 알 수 있는 기본권 제한의 내용으로 옳은 것은?

> PC방, 노래방 등은 경제적 이익을 위해 자유롭게 영업을 할 수 있다. 그러나 코로나19 시국에 「감염병의 예방 및 관리에 관한 법률」에 따라 영업을 제한할 수 있다.

① 기본권은 법률로써 제한할 수 있다.
② 기본권은 한계 없이 행사할 수 있다.
③ 기본권을 제한하는 것은 헌법에 위배 된다.
④ 우리나라 헌법은 경제 활동의 자유를 보장하지 않는다.
⑤ 자유와 권리의 본질적인 내용은 국가에 의해 제한될 수 있다.

18. 기본권의 제한과 관계에 대한 옳은 설명을 〈보기〉에서 고른 것은

> 보 기
> ㄱ. 국회에서 만든 법률로써 제한할 수 있다.
> ㄴ. 헌법에는 기본권을 제한하는 요건과 한계가 명시되어 있지 않다.
> ㄷ. 필요한 경우에는 자유와 권리의 본질적인 내용을 침해할 수 있다.
> ㄹ. 국가 안전 보장, 질서 유지, 공공복리를 위하여 필요한 경우 제한할 수 있다.

① ㄱ, ㄷ　② ㄱ, ㄹ　③ ㄴ, ㄷ
④ ㄴ, ㄹ　⑤ ㄷ, ㄹ

19. ㉠~㉢에 들어갈 수 있는 용어로 옳지 않은 것은?

> 우리 헌법은 (㉠)을(를) 위해 필요한 경우에 국민의 기본권을 제한할 수 있도록 규정하고 있다. 하지만 기본권을 지나치게 제한하면 인간의 존엄과 가치가 침해될 수 있기 때문에 (㉡)(으)로써만 기본권을 제한할 수 있도록 규정하고, 기본권을 제한하더라도 자유와 권리의 (㉢)인 내용을 침해할 수 없도록 명시하고 있다.

① ㉠ - 국가 안전 보장　② ㉠ - 질서 유지
③ ㉠ - 공공복리　④ ㉡ - 헌법
⑤ ㉢ - 본질적

매일!! 쉬는시간 7분!! 공부근육 빵빠라빵빵

차근차근헬스장

운동 1일차

[인권침해] 짐볼운동

01. 인권침해

키워드 덧셈

(1-1) 다음 키워드와 관련 있는 **단어**는?

[개인,단체,국가 기관에 의하여]
+ [인권이 침해되는 것]
= [ ]

↳ **[파생 문제1]** 다음은 무엇에 대한 설명인가?

개인이나 단체 또는 국가 기관에 의하여 개인의 인권이 침해되는 것

① 인권 침해 ② 동물권 침해

객관식을 통해 개념 정리

(2) 인권 침해의 발생 원인이 **아닌 것은**?

① 고정관념, 편견
② 불합리한 법과 제도
③ 배려와 양보
④ 잘못된 관습

톡보고 골라봥!!

(3-1) 다음 중 인권 침해 사례가 **아닌 것은**?

① **장애인의 상대어는 일반인이야!!**

② **청소년은 밤 10시 이후에 노래방에 출입 할 수 없어!**

(3-2) 다음 중 인권 침해인 것은?

① **시험 성적 결과를 이름과 함께 전교생 앞에 공개했어요!!ㅠㅠ**

② **입사 시험에서 성적과 능력에 따라 합격자를 선발하였어!!**

보기에서 알맞은 말 고르기

(4) 보기는 인권침해의 종류이다.
각 사례들이 어떤 인권침해인지 보기에서 고르세요!!^^

보기1
① 차별 ② 사생활 침해

- 예체능계는 장학금 혜택이 없습니다. -------- (   )
- 한 여성이 걸어가는 모습을 핸드폰으로 찍어 인터넷에 올렸어요. -------- (   )
- 여직원이 결혼하자 퇴사 통보를 받았어요. --------- (   )
- 사원 채용 공고에서 지원 가능한 나이를 25세까지로 제한하였어요. -------- (   )

람보쌤이 생각하는 인권이란? 어떤 사람을 있는 모습 그대로 평가하는 것이 아니라 그 사람안의 잠재력을 보고 판단하는 것이라고 생각해. 사랑하는 얘들아^^ 너희들이 결코 약하지 않단다. 너희들이 결코 부족하지 않단다.

·정답: 01.(1) 인권침해,①/ (2) ③/ (3) ②,①/ (4) ①,②,①,①

매일!! 쉬는시간 7분!! 공부근육 빵빠라빵빵

차근차근헬스장

운동 2일차 **[인권침해의 구제 방법] 짐볼운동**

01. 인권 침해의 구제 방법

키워드 덧셈

(1) 보기에서 알맞은 말을 **골라 넣으시오**.

보기2

① 법원
② 헌법재판소
③ 국가 인권 위원회
④ 국민 권익 위원회
⑤ 언론 중재 위원회

(1-1) [**소**를 **제기**하면] + [**재판**을 통해] + [**분쟁**을 **해결**해 줌] = [ ]

(1-2) [**헌법 소원 심판**] + [**위헌 법률 심판**] = [ ]

↳ **[파생 문제1]** 다음은 무엇에 대한 설명인가?

> **공권력에 의해 기본권이 침해된 국민이 권리 구제를 요청하면 심판함**

① 헌법 소원 심판 ② 위헌 법률 심판

(1-3) [**인권 보호**를 위한 **전반적인 업무**] + [**독립된 기관**] + [**진정**] + [**권고**] = [ ]

(1-4) [**행정 기관**의 잘못된 법 집행으로 피해 발생] + [이를 구제하는 기관] + [**고충 민원**] + [**행정 심판**] = [ ]

(1-5) [**잘못된 언론 보도**] + [피해 발생] = [ ]

우리 득근하자!

키워드 적용

(2) 다음이 무엇에 대한 설명인지 옆의 보기를 보고 **골라넣으시오**.

(2-1)

> **어떤 국가 기관**에도 소속되지 않은 **독립 기구**로 인권을 침해 할 우려가 있는 법이나 제도의 문제점을 찾아 개선을 **권고**하고, **구제**하는 역할을 한다.

[ ]

(2-2)

> 행정 기관의 잘못된 법 집행이나 처분으로 피해가 발생했을 시 구제하는 기관

[ ]

(2-3)

> **# 주요 키워드**:
> **소** 제기, 재판, **소송**, 민사, 형사

[ ]

(2-4)

> **# 주요 키워드**:
> 고충민원, 행정 심판

[ ]

세월을 헛되이 보내지 마라
청춘은 돌아오지 않는다. -도마 안중근-

·정답: 01.(1) ①,②[파생문제1: ①],③,④,⑤ (2) ③,④,①,④

헬스장의 귀염둥이, 애완호랑이랑 놀자!

초롱이네 놀이방

이번 한주도 고생했다 인간. 넌 생각보다 잘하는 녀석이군.
앞으로도 차근차근 매일 빼먹지 않고 하면 더욱 실력이 늘거야.
하지만 방심하지마. 난 늘 뭔가를 물고싶거든, 냠냠.
자 그럼 놀다가시오. 꽤 재밌을 것이니, 호호호호호호호.

1.심리테스트 - 동물로 알아보는 나의 심리상태

Q. 한 무리의 동물과 사막을 건너게 되었습니다. 그런데...
건너는 길이 너무 힘들어 한 마리의 동물을 버려야 하는 상황입니다.
어떤 동물을 가장 먼저 버리시겠습니까?

원숭이

사자

말

소

양

2.알쏭달쏭 넌센스 퀴즈

Q1. 토끼가 강한 이유는 무엇일까?

정답 :

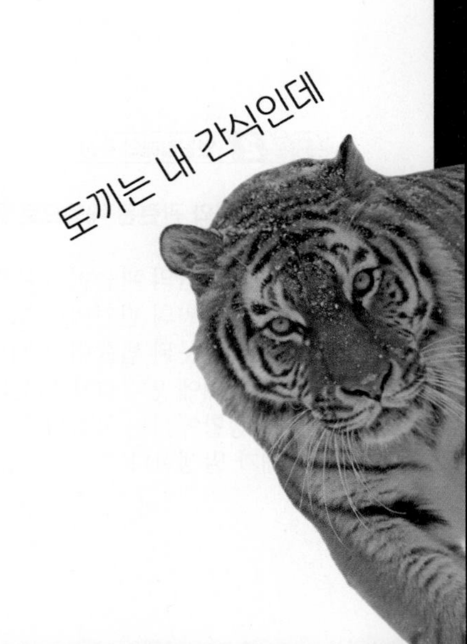

Q2 .세상에서 가장 가난한 왕은?　정답 :

Q3. 자꾸만 미안하다고 사과하는 동물은?　정답 :

심리테스트 결과 : 선택한 동물은 당신이 힘들 때 가장 먼저 포기하게 되는 것을 말함 >> 말-가족 / 사자-자존심 / 양-사랑 / 소-직업 / 원숭이-친구
1)깡도 있고 총도 있어서(깡총깡총) (2)최저임금 (3)오소리(oh, sorry)

일상생활에서의 인권침해

유형 1 인권침해의 원인

※ 제시된 글을 읽고 물음에 답하시오.

> '갑'은 조상들의 땅이 신도시 개발 지역에 포함되면서 집안이 보상금을 받게 되었다는 소식을 들었다. 그런데 집안 어른들이 18세 이상 남성에게는 보상금을 나누어 주지만, 여성에게는 집안의 전통에 따라 보상금을 주지 않기로 했다는 소식을 듣게 되었다. '갑'은 같은 집안 식구이지만 여성이라는 이유로 조상들의 땅에 대한 권리를 인정받지 못하는 것은 부당하다는 생각이 들었다.

1. 위 사례에서 '갑'의 인권 침해가 발생한 직접적인 원인으로 볼 수 있는 것은?

① 관습 ② 종교 제도 ③ 계몽사상
④ 잘못된 법률 ⑤ 행정기관의 오류

유형 2 인권침해의 특징

2. 인권 침해와 관련된 내용으로 옳지 않은 것은?

① 사회나 집단의 관습이나 관행으로 발생하기도 한다.
② 사회 구성원의 편견이나 고정 관념 때문에 발생한다.
③ 국가의 잘못된 법률이나 제도 등으로 발생하기도 한다.
④ 인권 침해에 민감하게 반응하는 사람은 인권 감수성이 낮다.
⑤ 실제 생활에서는 국가나 단체, 또는 다른 개인에 의해 인권 침해가 발생한다.

유형 3 인권침해의 사례

3. 인권 침해에 해당하지 않는 것은?

① 백화점에서 일하는 판매원에게 손님이 반말을 한다.
② 다문화 가정의 자녀라는 이유로 친구들이 따돌림을 한다.
③ 코로나19에 감염된 아버지는 병원에 강제로 격리되셨다.
④ 같은 회사에서 동일한 일을 하는데 여성보다 남성의 임금이 더 많다.
⑤ 비장애인용 화장실은 남녀 구분이지만 장애인용 화장실은 남녀 공용이다.

인권침해의 구제 방법

유형 1 헌법재판소

4. 다음 사례에서 현호가 선택할 수 있는 인권 구제 방법으로 가장 적절한 것은?

> 현호는 출생 신고 때 정해진 주민 등록 번호를 바꾸지 못하도록 정한 주민등록법 규정은 개인의 기본권을 과도하게 침해한다고 생각하였다.

① 수사 기관에 고소한다.
② 법원에 재판을 청구한다.
③ 행정법원에 행정 소송을 제기한다.
④ 헌법재판소에 헌법소원 심판을 청구한다.
⑤ 대한 법률 구조 공단에 법률 구조를 요청한다.

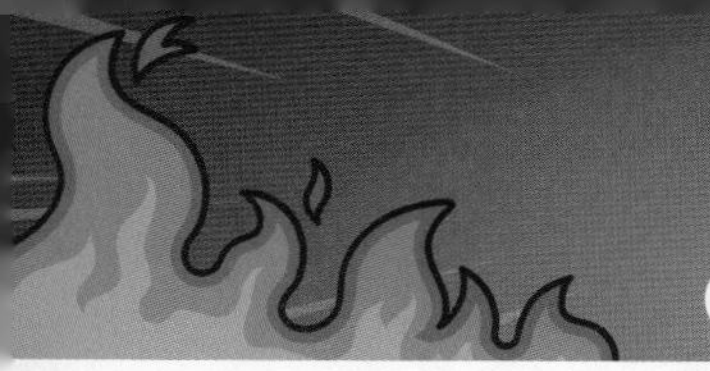

여러번 반복해서 풀어봄으로서 어떤 문제가 나와도 다 풀게 해드립니다!

유형 2 국가 인권 위원회

※ 다음 내용을 읽고 물음에 답하시오.

> 화장실 설치에서도 인권의 성장을 엿볼 수 있다. 우리나라의 경우 1998년부터 공공장소에 장애인 화장실을 설치하는 것이 의무화되었고, 2007년 이후에는 남녀가 분리된 장애인 화장실이 설치되고 있다. 이것은 남녀의 구분이 없는 장애인 화장실이 장애인의 평등권과 __Ⓐ__ 을(를) 침해한다는 __(가)__ 의 권고에 따른 것이다.

5. (가)에 해당하는 기관을 고르면?

① 감사원 ② 대법원 ③ 한국 소비자원
④ 국가인권위원회 ⑤ 언론중재위원회

※ 다음을 읽고 물음에 답하시오.

> • 갑은 장학재단이 특정 대학 합격자에게만 장학금을 지급하는 것은 학벌주의를 양산하는 차별이므로 개선이 필요하다고 (㉠)에 진정을 제기하였다.

6. ㉠에 해당하는 인권침해 구제 기관으로 가장 적절한 것은?

① 국회 ② 감사원 ③ 대법원
④ 노동위원회 ⑤ 국가 인권 위원회

유형 3 국민 권익 위원회

7. 다음과 같은 기능을 하는 인권 구제기관은?

> 행정기관의 잘못된 법 집행 등으로 피해가 발생했을 때 이를 조사하여 침해된 권리를 구제한다.

① 대법원 ② 고등법원 ③ 헌법 재판소
④ 국민 권익 위원회 ⑤ 국가 인권 위원회

유형 4 복합형

8. 인권 침해와 구제 방법에 대한 설명으로 옳지 않은 것은?

① 국가 기관이 국민의 기본권을 침해한 경우 헌법재판소에 헌법소원 심판을 청구할 수 있다.
② 입법 기관의 법 제정 미흡으로 인한 인권 침해는 입법 청원을 통해 구제받을 수 있다.
③ 다른 개인이 인권을 침해한 경우에는 행정소송을 통해 구제를 요청할 수 있다.
④ 행정 기관이 인권을 침해한 경우에는 행정심판을 통해 구제를 요청할 수 있다.
⑤ 사법기관이 법을 잘못 적용한 판결로 인권을 침해한 경우 상급 법원에 상소할 수 있다.

9. 인권 침해 시 권리 구제 방법에 대해 옳게 설명한 학생은?

① 세희 : 법원에 헌법소원을 청구한다.
② 찬영 : 헌법재판소에 민원을 제기한다.
③ 윤혁 : 국가인권위원회에 진정을 신청한다.
④ 재환 : 법제사법위원회에 소송을 제기한다.
⑤ 성재 : 국민 권익 위원회에 행정소송을 신청한다.

매일!! 쉬는시간 7분!! 공부근육 빵빠라빵빵

차근차근헬스장

운동 1일차

[근로자] 삼두근 단련

01. 근로자

키워드 분석

(1-1) 다음 키워드와 관련 있는 **단어**는?
[**사용자**에게] + [**노동**을 제공하는 사람] = [　　　]

(1-2) **사용자**에게 [　　]을 제공하는 사람을 **노동자**라고 한다.

(1-3) **밑줄친 틀린말**을 고쳐보시오.
사용자에게 **노동**을 제공하는 사람을 **CEO**라고 한다.

톡보고 골라방!!

(2-1) 다음중 근로자가 **아닌 사람**은?

① 시청에서 일하는 공무원　② 주유소를 운영하는 아버지

(2-2) 다음중 근로자가 **아닌 사람**은?

① 

② 

편의점 단기 알바생

↳ [파생 문제1] 그렇다면 **근로자의 범위**는?
① 일한 기간이나 종류와 상관**없다**.
② 일한 기간이나 종류와 상관**있다**.

02. 근로자의 권리

(1) 다음 보기에서 맞는 말을 골라 넣으시오.

보기1
① 헌법　② 법률

- **근로자의 권리**와 **근로의 권리**는 [　　　]으로 보장한다.
- **근로 조건**은 [　　　]으로 **보장**한다.
- **최저임금제**는 [　　]로서 **보장**한다.

보기2
① 협의　② 쟁의　③ 노동조합

- **단결권**은 [　　　　]을 **결성**하고 **가입**하여 활동 할 수 있는 권리이다.
- **단체 교섭권**은 노동 조합이 근로 조건에 관하여 **사용자**와 [　　　] 할 수 있는 권리이다.
- **단체 행동권**은 단체 교섭이 원만하게 이루어지지 않을 경우 [　　　] 활동을 할 수 있는 권리이다.

보기3
① 노동3권　② 최소한

- [　　]의 **근로 조건**을 보장한다.
- [　　]은 **단체권, 단체 교섭권, 단체 행동권**이다.

쌤이 토막상식 알려줄께!!^^ 너희들 2월 14일은 어떤 날이니? 발렌타인 데이로 알고 있지? 그런데 이날은 사실 안중근 의사의 '사형 선고일'이란다. 2월 14일에 초콜릿을 주고 받을 때마다, 오늘날 우리들이 이렇게 자유롭게 초콜릿을 주고 받을 수 있는 것은 누군가의 죽음 때문에 가능했다는 것을 꼭 기억하자! 안중근 의사님 너무 너무 감사드립니다!! 꺄악!!

·정답: 01.(1) 노동자,노동,노동자/ (2) ②,①/파생문제1: ①/ 02.(1) 보기1: ①,②,②/ 보기2: ③,①,②/ 보기3: ②,①

매일!! 쉬는시간 7분!! 공부근육 빵빠라빵빵

차근차근헬스장

운동 2일차 [노동3권과 근로조건] 삼두근 단련

01. 노동삼권

키워드 덧셈

(1-1) [**노동조합**을] + [**결성**하고 **가입** 할 수 있는 권리] = [ ]

(1-2) [**노동조합**이] + [근로 조건에 관하여] + [사용자와] + [**협의** 할 수 있는 권리] = [ ]

(1-3) [단체 교섭이] + [원만하게 이루어지지 않을 경우] + [**쟁의** 활동을 할 수 있는 권리] = [ ]

중요 키워드 분석

(2-1) **단결권**은 [ ]을 **결성**하고 **가입**하여 **활동** 할 수 있는 권리이다.

(2-2) **단체교섭권**은 **노동조합**이 **근로 조건**에 관하여 **사용자**와 [ ] 할 수 있는 권리이다.

(2-3) **단체 행동권**은 단체 교섭이 원만하게 이루어지지 않을 경우 [ ] 활동을 할 수 있는 권리이다.

밑줄친 단어 바르게 고치기

(3-1) **단체교섭권**은 노동조합을 **결성**하고 **가입**하여 **활동** 할 수 있는 권리이다.

(3-2) **단체교섭권**은 **노동조합**이 **근로 조건**에 관하여 **사용자**와 **쟁의** 할 수 있는 권리이다.

(2-3) **단체 행동권**은 단체 교섭이 원만하게 이루어지지 않을 경우 **협의** 활동을 할 수 있는 권리이다.

우리 득근하자!

02. 근로조건

보기를 보고 알맞은 말 넣기!!

보기1

①30 ②1 ③통화 ④8 ⑤40

- 적정 **근로 시간**은 **1일** ( )시간, **1주** ( )시간을 초과 할 수 없다.
- **4시간**이면 **30분 이상**의 **휴식 시간**을 주어야한다. **8시간**이면 ( )시간 이상의 휴식 시간을 주어야한다.
- **임금**은 매달 1회 이상 일정한 날짜에 본인에게 직접 ( )로 주어야 한다.
- 근로자를 **해고**하려면 최소 ( )일 전에 알려주어야한다.

↳ **[파생 문제1]** 적정 **근로 시간**은 1일 몇시간을 초과 할 수 없는가?

① 7시간 ② 8시간

↳ **[파생 문제2]** 휴식시간은 **4시간**이면 얼마를 지급 해야 하는가?

① 20분 이상 ② 30분 이상

안중근 의사의 마지막 유언
"대한 독립의 소리가 천국에 들려오면, 나는 마땅히 춤추며 만세를 부를 것이다."

정답: 01.(1) 단체권, 단체교섭권, 단체행동권/ (2) 노동조합, 협의, 쟁의/ (3) 단체권, 협의, 쟁의/ 02. ④,⑤,②,③,①/ 파생문제: ②,②

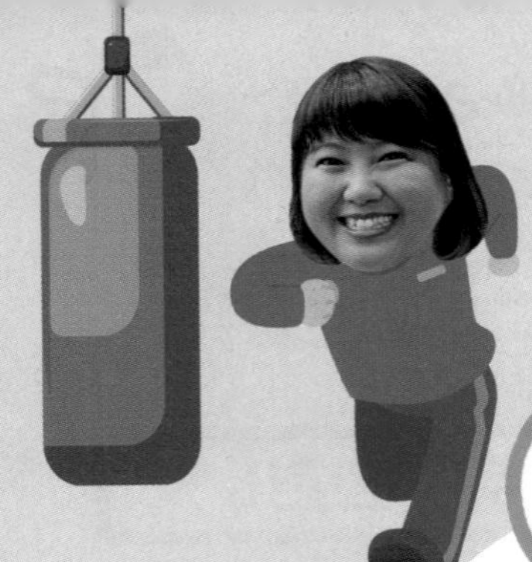

매일!! 쉬는시간 7분!! 공부근육 빵빠라빵빵

차근차근헬스장

운동 3일차

[노동권의 침해] 삼두근 단련

01. 노동권 침해

보기를 보고 알맞은 말 넣기!!

보기1
① 부당해고 ② 부당 노동 행위
③ 임금체불

(1-1) 정당한 이유없이 **해고**하는 것을 [ ]라고 한다.

(1-2) 사용자가 노동자의 **노동삼권**을 **침해** 할 때 [ ]라고 한다.

(1-3) 사용자가 노동자에게 **임금을 미지급** 할 때 [ ]이라고 한다.

밑줄친 단어 바르게 고치기

(2-1) 정당한 이유없이 **해고**하는 것을 **부당 노동 행위**라고 한다.

(2-2) 사용자가 노동자의 **노동사권**을 침해 할 때 부당 노동 행위라고 한다.

(2-3) 사용자가 노동자에게 임금을 미지급 할 때 **임금 인상**이라고 한다.

└►**[파생 문제1]** 노동 조합의 가입을 막았어요!! 그렇다면?

① 이것은 임금 체불이에요!
② 이것은 부당 노동 행위 예요!
③ 이것은 부당 해고예요!

02. 노동권 침해의 구제

보기를 보고 알맞은 말 넣기!!

보기2
① 노동위원회 ② 고용 노동부
③ 법원

(1-1) **부당해고**는 [ ]에 구제 신청을 하거나, [ ]에 **소** 제기를 한다.

(1-2) **부당 노동 행위**는 [ ]에 구제 신청을 하거나, [ ]에 **소** 제기를 한다.

(1-3) **임금 체불**은 [ ]에 **진정**을 넣거나, [ ]에 **소** 제기를 한다.

밑줄친 단어 바르게 고치기

(2-1) **부당해고**는 **고용노동부**에 구제 신청을 하거나, 법원에 **소 제기**를 한다.

(2-2) **부당 노동 행위**는 **노동위원회**에 구제 신청을 하거나, **국회**에 **소 제기**를 한다.

(2-3) **임금 체불**은 **노동위원회**에 **진정**을 넣거나, 법원에 **소** 제기를 한다.

└►**[파생 문제1] 육아 휴직**으로 **해고**를 당했다면?

① 노동위원회로! ② 고용노동부로!

많은 친구들이 걱정을 하는 이유에는 '미래'에 대한 것이 많아!
그런데 그거 아니? 미래는 막연한 어떤 것이 아니라 지금 자신이 무엇을 선택하느냐에 대한 '결과'라는 것을!!^^
즉, 지금 좋은 것을 선택한다면 미래도 좋을것이라는 뜻이야!
과거에 안해놓은 것들은 잊어! 지금 네가 좋은것을 선택한다면 반드시 미래는 좋을꺼야!!
알겠지? 사랑해!

·정답: 01. (1) ①,②,③/ (2) 부당해고,노동삼권,임금 체불/ 파생문제1: ②/
02. (1) ①-③,①-③,②-③/ (2) 노동위원회,법원,고용노동부/ 파생문제1: ①

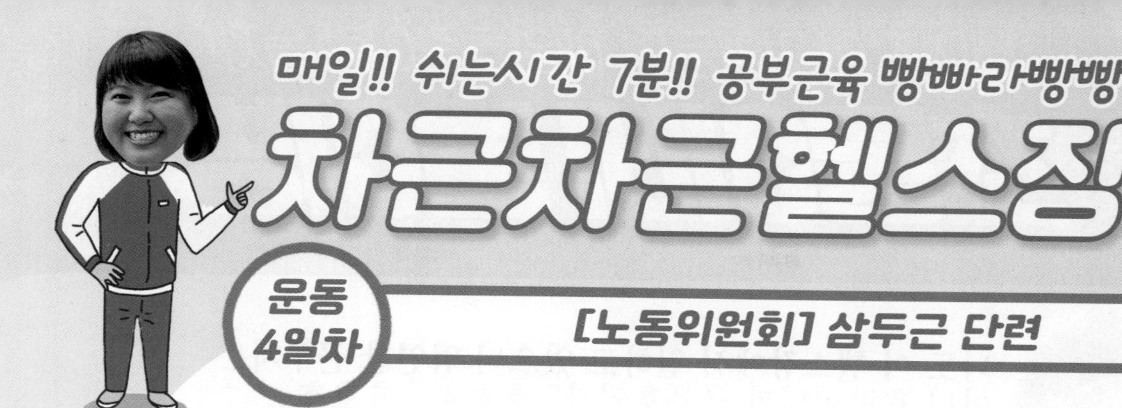

운동 4일차

[노동위원회] 삼두근 단련

우리 득근하자!

01. 노동위원회

키워드 덧셈

(1-1) [**노사 문제**의] + [**공정**하고] + [**신속한 처리**를 위한 목적]으로 만들어짐 = [ ]

↳ **[파생 문제1]** 다음 내용은 무엇에 대한 설명인가?

- 노사 문제의 **공정**하고 **신속한 처리**를 위한 **목적**으로 만들어짐
- **부당해고**와 **부당노동행위**에 대한 구제
- 회의에는 **근로자 위원,사용자 위원,공익 위원** 들이 모여 함께 결의함

① 노동위원회 ② 고용노동부

02. 노동위원회의 구제 절차

회색글씨 덧대어 쓰며 암기해!!

피해 당사자
(근로자,노동조합)

3개월 이내 구제 신청

지방 노동 위원회

불복시 **재심** 신청

중앙 노동 위원회

불복시 **행정 소송** 제기

행정 소송

중요 개념 정리하기!!

(1-1) **노동위원회**에 구제를 신청할 수 있는 것은 **근로자**와 [ ] 둘다 가능하다.

(1-2) **노동위원회**에 구제 신청할 때는 [ ]개월 이내에 해야한다.

(1-3) **노동위원회**에 구제 신청할때는 먼저 [ ]노동위원회에 신청하고 불복시 **중앙 노동위원회**에 신청한다.

(1-4) **중앙 노동위원회**의 결과도 불복이라면 [ ] 소송을 제기한다.

밑줄친 단어 바르게 고치기

(2-1) 노동위원회에 구제를 신청할 수 있는 것은 **사용자**와 노동조합 둘다 가능하다.

(2-2) 노동위원회에 구제 신청할 때는 **6**개월 이내에 해야한다.

(2-3) 노동위원회에 구제 신청할때는 먼저 **고용노동부**에 신청하고 불복시 중앙 노동위원회에 신청한다.

(2-4) 중앙 노동위원회의 결과도 불복이라면 **특허** 소송을 제기한다.

사랑하는 얘들아^^ 과거는 왜 과거인지 아니? 그거는 지나간 것이기 때문에 과거야! 지나간 것은 그야말로 진짜로 지나간거야! 그런데 너무 과거에 매여있는 것은 아니니? 과거는 다 잊고 오늘에 충실하자! 혹시 과거에 공부를 안해놓았다고해도 오늘부터 시작하면 되는거야! 그러니깐 용기를 가지고 최선을 다해 나아가자 알라븅^^

·정답: 01. (1) 노동위원회,①/ 02. (1) 노동조합,3,지방,행정/ (2) 노동자,3,지방 노동위원회,행정

헬스장의 귀염둥이, 애완호랑이랑 놀자!

초롱이네 놀이방

나도 이 헬스장에서 일하고 있으니 엄연한 근무자...
아니 호랑이니까 근무호인가? 호호호호호호호...
안웃어? 그럼 앞발톱으로 옆구리 간질러준다?
농담이야 긴장하긴, 잘 놀다가. 다음에 올 땐 치킨한마리 사오고~
생닭도 상관없으!

1.그림 퀴즈-제목을 맞혀라!

Q1.다음 그림의 제목은 무엇일까?

Q2.이것도 맞춰보세요. 3글자!

2.초롱이가 뒤를 쫓아오는 미로찾기

열 세고 출발한다 히히

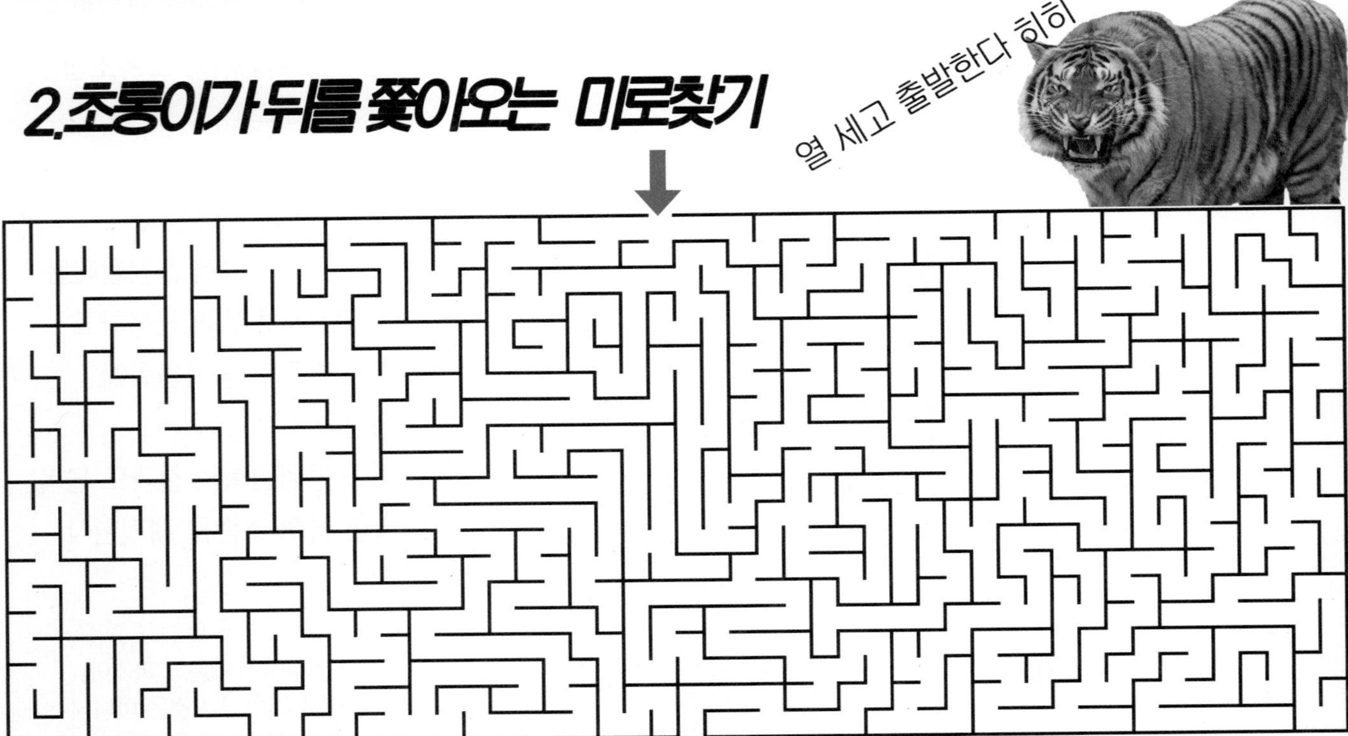

얘들아 일루와! ㅎㅎ

1.(1)해산물 (2)검문소
2.답은 알려주지 않습니다. 힌트를 주자면 너무 어렵게 생각하지 말고 락브쌤쪽으로 최대한 가까이 붙어서 쭉 내려오세요!

헌법에 보장된 근로자의 권리

유형 1 근로자의 범위

근로자에 해당되지 않는 사람은?

공립 학교 교사
치킨집을 운영하는 자영업자
주유소에서 일하는 16세 청소년
단기 아르바이트를 하는 대학생
7호선 OO역에서 근무하는 역무원

유형 2 근로 조건

근로 조건에 대한 설명으로 옳은 것끼리 묶인 것은?

보 기

ㄱ. 근로자가 노동력을 제공하는 조건을 의미한다.
ㄴ. 임금, 휴가, 근로 시간 등이 해당된다.
ㄷ. 근로 조건은 법률이 정한 기준보다 낮아도 된다.
ㄹ. 인간다운 삶을 위해 최소한의 근로 조건 보장이 필요하다.

ㄱ　② ㄴ, ㄷ　③ ㄱ, ㄴ, ㄹ
ㄴ, ㄷ, ㄹ　⑤ ㄱ, ㄴ, ㄷ, ㄹ

유형 3 근로계약서

계약서의 ㉠~㉤중 법으로 보장된 근로 조건에 위배되는 것을 모두 고르면?(정답 2개)

〈근로계약서〉

사용자(진선명)과 근로자(권진용)은 다음과 같이 근로 계약을 체결한다.

1. 계약 기간 : 2021년 5월 29일~2021년 12월 29일
2. 근무 장소/근무 내용 : 방산 통닭/음식 서빙
3. 근로 시간 : ㉠13시 ~ 22시(휴게시간:17시 ~ 17시30분)
4. 근무일 : ㉡매주 2일 근무
5. 임금 : ㉢시간당 9,500원, ㉣월 1회 지급
6. 기타
   1) ㉤매장 운영상황에 따라 임금을 치킨 교환권으로 지급할 수 있음.

* 2021년 최저임금은 시간당 8,720원임.

㉠　② ㉡　③ ㉢　④ ㉣　⑤ ㉤

유형 4 근로자의 권리

4. 근로자의 권리에 대한 설명으로 옳지 않은 것은?

① 헌법에 의해 노동 3권을 보장받고 있다.
② 노동조합을 결성할 수 있는 단결권을 가진다.
③ 법률이 정하는 최저 수준 이상의 임금을 지급 받는다.
④ 근로자가 원하는 시간만큼 제한 없이 근무할 수 있다.
⑤ 인간다운 삶을 살기 위한 최소한의 근로 조건을 보장 받는다.

유형 5 노동삼권

5. (가)~(다)에 해당하는 근로 3권을 바르게 연결한 것은?

(가)	근로자는 노동조합을 만들고 그에 가입하여 활동할 수 있다.
(나)	근로자는 근로 조건에 관하여 사용자와 집단으로 협의할 수 있다.
(다)	근로자는 사용자와의 합의에 실패할 경우 일정한 절차를 거쳐 파업, 태업 등의 쟁의 행위를 할 수 있다.

	(가)	(나)	(다)
①	단결권	단체 교섭권	단체 행동권
②	단결권	단체 행동권	단체 교섭권
③	단체 교섭권	단체 행동권	단결권
④	단체 교섭권	단결권	단체 행동권
⑤	단체 행동권	단결권	단체 교섭권

6. 헌법 제 33조의 노동 3권에 대한 설명으로 옳지 않은 것은?

① 근로자는 노동조합을 만들 수 있는 권리가 있다.
② 노동 3권은 단결권, 단체 교섭권, 단체 행동권을 말한다.
③ 파업과 같은 쟁의 행위는 사용자에게 막대한 손해를 주기 때문에 인정되지 않는다.
④ 노동조합을 통해 사용자와 근로조건을 협의할 수 있는 권리를 단체 교섭권이라고 한다.
⑤ 사용자가 노동조합 활동을 이유로 근로자에게 불이익을 주는 행위를 부당노동행위라고 한다.

유형 6 청소년 아르바이트 10계명

7. 고용 노동부에서 제시한 '청소년 알바 10계명'의 내용으로 옳은 것만을 〈보기〉에서 고른 것은?

보 기

ㄱ. 만 16세 이상부터 근로가 가능하다.
ㄴ. 성인과 동일한 최저 임금을 적용받는다.
ㄷ. 근로자가 합의하면 1주 최대 40시간 일할 수 있다.
ㄹ. 부모님 동의서를 받으면 근로계약서를 작성하지 않아도 된다.

① ㄱ, ㄴ ② ㄱ, ㄷ ③ ㄴ, ㄷ
④ ㄴ, ㄹ ⑤ ㄷ, ㄹ

8. 청소년의 근로에 대한 설명으로 옳지 않은 것은?

① 근로계약서를 작성해야 한다.
② 부모님의 동의서가 필요하다.
③ 만 15세 이상이면 근로가 가능하다.
④ 위험하거나 유해한 업종에서 일할 수 없다.
⑤ 성인과 구분되는 별도의 최저 임금을 적용받는다.

노동권의 침해와 구제 방법

유형 1 노동권의 침해

9. (가)와 (나)의 노동권 침해 유형을 바르게 나열한 것은?

	(가)	(나)
①	부당 해고	임금 체불
②	부당 해고	부당 노동 행위
③	임금 체불	부당 노동 행위
④	부당 노동 행위	임금 체불
⑤	부당 노동 행위	부당 해고

10. 다음 사례에 해당하는 노동권 침해 행위는 무엇인가?

- ○○회사는 근로자가 노동조합에 가입해 활동했다는 이유로 근로자의 임금을 줄이고, 노동조합의 운영을 방해하였다.
- △△회사는 근로자가 파업에 참여했다는 이유로 근로자에게 상여금을 지급하지 않고, 맡고 있던 업무와 전혀 상관없는 부서로 발령을 내렸다.

① 부당 해고 ② 부당 근로 행위 ③ 부당 임금 체
④ 부당 사용 행위 ⑤ 부당 노동 행위

유형 2 인권침해의 특징

11. 밑줄 친 ㉠~㉤중 내용이 옳지 않은 것은?

수행평가 : 부당 해고에 대한 정의와 구제 방안을 쓰시오.
부당 해고는 크게 두 가지 경우가 있다. 첫 번째로 사용자가 ㉠정당하지 않는 사유로 근로자를 해고한 경우다. 두 번째로 사용자가 합리적인 사유로 해고하였으나, 해고 통지를 잘못한 경우이다.
사용자가 합리적인 사유로 해고할 경우, 적어도 ㉡30일 이전에 해고 계획을 알려야 하며, ㉢구두를 통해 해고 사유와 시기를 알려야 한다. 부당 해고가 발생 시에는 ㉣노동 위원회에 구제 신청을 하거나 ㉤법원에 재판을 통해 권리를 구제받을 수 있다.

① ㉠ ② ㉡ ③ ㉢ ④ ㉣ ⑤

매일!! 쉬는시간 7분!! 공부근육 빵빠라빵빵

차근차근헬스장

운동 1일차

[국회] 스핀바이크

01. 국회

키워드 빈칸 ღˇ◡ˇღ

보기 빈칸에 알맞은 단어를 골라 써 보자~

• 선거 • 사장 • 대표
• 직접 • 간접

(1-1) 국회 = 국민이 [ ]를 통해
➜ 선출한 [ ]로 구성된
국가 기관

(1-2) 국회 = [ ] **민주제** 실시

단답형 MASTER (✪o✪)

(2) 다음 도표는 **'삼권 분립'**을 **도식화** 하여 나타낸 것이다. **'㉠,㉡,㉢'**에 들어갈 **알맞은 단어**를 **[보기]**에서 **골라 쓰시오.**

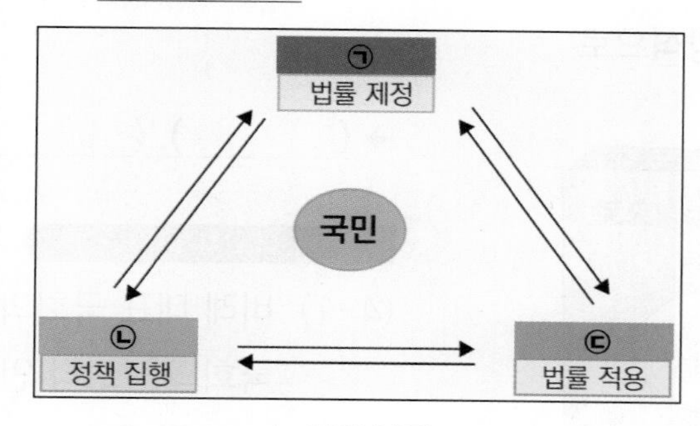

▲ 삼권 분립

보기 이거 맞추면 진짜 천재 ㅎㅎ!

• 입법부 • 사법부 • 행정부

㉠________ ㉡________ ㉢________

O/X 퀴즈 (*ー .ー)a

(3-1) **국회**란 **국민**이 **선거**를 통해 선출한 **대표**로 구성된 **국가 기관**을 의미한다.
------------------ (O/X)

(3-2) **국회**는 **국민의 대표기관**으로서 **직접 민주제**를 실시한다.
------------------ (O/X)

(3-3) **국회**는 **사법 기관**으로 법을 만들거나 고치는 역할을 한다.
------------------ (O/X)

복합형 MASTER s(ごoご)グ

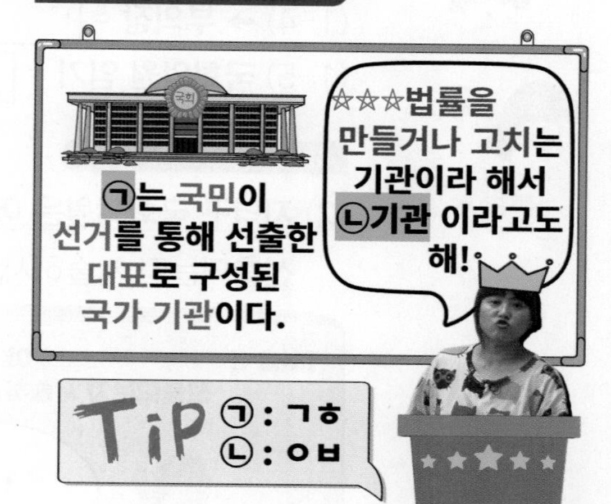

(4-1) **㉠은 무엇**인가?
➜ 정답 : ____________________

(4-2) **㉡에 들어갈 단어**는 무엇인가?
➜ 정답 : ____________________

사형 직전에 학생들에게 남기신 유언
"내가 한국 독립을 위하여 해외에서 풍찬노숙하다가 마침내 그 목적에 도달치 못하고 이곳에서 죽노니 우리들 조선의 학생들은 각각 스스로 분발하여 학문에 힘쓰고 진흥하며 나의 끼친 뜻을 이어 자유독립을 회복하면 죽는 자 여한이 없겠노라!"

·정답: 01.(1) (1-1) 선거,대표 / (1-2) 간접 (2) ㉠입법부, ㉡행정부, ㉢사법부
(3) (3-1) O / (3-2) X / (3-3) X (4) (4-1) 국회 / (4-2) 입법(기관)

매일!! 쉬는시간 7분!! 공부근육 빵빠라빵빵

차근차근헬스장

운동 2일차

[국회의 구성] 스핀바이크

01. 국회의 구성

키워드 빈칸 (ง •̀_•́)ง

보기 빈칸에 알맞은 단어를 골라 써 보자!

• 지역구 • 비례대표
• 1 • 2 • 3 • 4 • 5

(1-1) [　　　　] **국회의원**
➜ **각 지역구**에서 최고 득표자

(1-2) [　　　　] **국회의원**
➜ **정당별 득표율**에 비례하여 선출된 국회의원

(1-3) **국회**가 구성되면✌
➜ **국회 의장** = [　　] **인** +

(1-4) ➜ **부의장** = [　　] **인**

(1-5) **국회의원 임기** = [　　] **년**

우리 득근하자!

서술형 MASTER (๑•̀ᴗ•́๑)

(2) **지역구 국회의원은 어떤 방식**으로 **선출**되는지 서술하시오.

➜ **지역구 국회의원**은 (　　　　　　)**한** 후보자가 선출된다.

사고력 UP (๑•̀ω•́)۶

(3) 다음 중 **비례 대표 국회의원 선출**에 해당하는 것을 **모두** 골라보자.

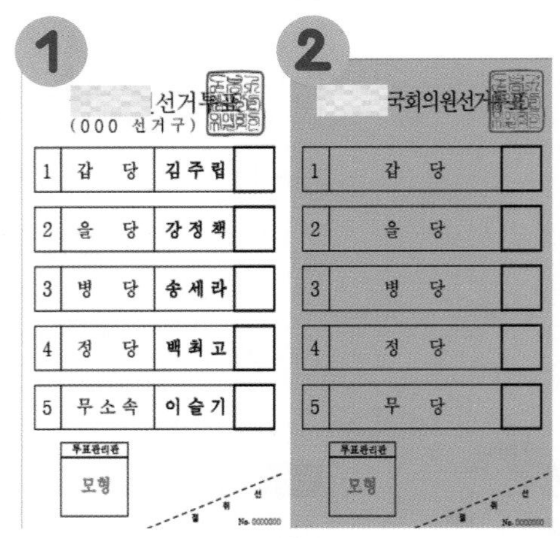

③ **지역구 국회의원의** 한계 보완

④ 정당별 **국회의원에** 비례**하여** **선출된** **국회의원**

➜ (　　), (　　), (　　)

밑줄친 단어 고치기 ᕙ(•̀‸•́‶)ᕗ

(4-1) '비례 대표 국회의원'이 '지역구 국회의원'보다 인원이 더 **많다**.
➜ **수정 후** : ______________

(4-2) 국회의원 수는 헌법상 **50인** 이상 구성이 가능하다.
➜ **수정 후** : ______________

안녕! 오늘은 기분이 좀 어떻니? 만약 꿀꿀하다면 람보쌤의 춤추는 영상 한번 보면 어때??
너를 위해 준비했어!! 무지 무지 사랑해! 핸드폰 큐알로 찍어봐!!
람보쌤은 우리 친구들을 위해서라면 무엇이든지 할 마음의 준비를 하고 있단다!!
너희들이 있기 때문에 쌤이 있는거야!! 알라뷰

·정답: 01.(1) (1-1) 지역구 / (1-2) 비례대표 / (1-3) 1 / (1-4) 2 / (1-5) 4 (2) 각 지역구에서 가장 많은 득표를
(3) ②,③,④ (4) (4-1) 적다. / (4-2) 200인

매일!! 쉬는시간 7분!! 공부근육 빵빠라빵빵

차근차근헬스장

운동 3일차

[국회의 조직] 스핀바이크

01. 국회의 조직

키워드 빈칸 (/^o^)/♡

보기 빈칸에 알맞은 단어를 골라 써 보자!

• 본회의 • 봄회의
• 상임 • 특별 • 교섭 • 교류

(1-1) [ ] =법률안+예산안 등
➜ 중요한 **의사**를 **최종 결정**

(1-2) [ ] **위원회** = 각 분야의 **전문성**을 가진 국회의원들이
➜ **본회의 전** 조사 하는 기구

(1-3) [ ] **위원회** = **특별한 안건**을 처리할 목적으로 구성

(1-4) [ ] **단체** = **효율적인 의사 진행**을 위해 설치된 기구

단답형 MASTER ᕦ(ò_óˇ)ᕤ

(2) **(가)**와 **(나)**는 **상임위원회**와 **교섭단체에 대한 설명**을 **순서없이** 나타낸 것이다. 그렇다면 (가)와 (나)는 무엇인가?

보기 하나는 '상임위원회' 다른 하나는 '교섭단체'!!

(가) 일정한 수(20명) 이상의 국회의원으로 구성되며, 국회의원들의 의사를 사전에 통합하고 조정한다.
(나) 각 분야의 전문성을 가진 국회의원들이 모여 본회의에 앞서 관련된 안건이나 법률안을 심사한다.

➜ 정답 (가) : ____________

➜ 정답 (나) : ____________

복합형 MASTER ٩(๑`o´๑)۶

(3) 아래 질문에 답하시오.

<㉠>

***각 분야의 전문성을 가진 국회의원들이 모여 관련 안건을 본회의 전에 조사 및 심의하는 기구**

(3-1) **㉠은 무엇**인지 쓰시오.

➜ **정답** : ____________

(3-2) **㉠의 목적**은 무엇인지 쓰시오.

➜ **정답** : ____________

밑줄친 단어 고치기 ᕙ(•̀‸•́‶)ᕗ

(4-1) 법률안, 예산안 등은 **상임 위원회**에서 최종적으로 결정한다.

➜ **수정 후** : ____________

(4-2) 상임위원회의 목적은 **비효율적인** 의사 진행을 하기 위함이다.

➜ **수정 후** : ____________

이건 실화인데, 한 서커스단에서 코끼리를 어렸을적부터 끈으로 묶어놓고 키웠대!
그래서 이 코끼리는 딱 줄의 길이만큼만 움직일 수 있었지. 코끼리가 어른이되자 주인은 코끼리의 끈을 풀어줬다고해! 와!!자유다!! 코끼리가 얼마나 좋았을까?
그러나 여기서 중요한 포인트는! 자유롭게 여기 저기 다닐거라고 생각한 코끼리는 그와는 반대로 여전히 묶여져 있는것처럼 살더라 이거야!
➜ 나머지 이야기는 내일 차근차근 헬스장에서 해줄께!! 잇힝!!

·정답: 01.(1) (1-1) 본회의 / (1-2) 상임 / (1-3) 특별 / (1-4) 교섭 (2) (가): 교섭단체, (나):상임위원회
(3) (3-1) 상임위원회 / (3-2) 효율적인 의사 진행을 위해서이다.
(4) (4-1) 본회의 / (4-2) 효율적인

매일!! 쉬는시간 7분!! 공부근육 빵빠라빵빵

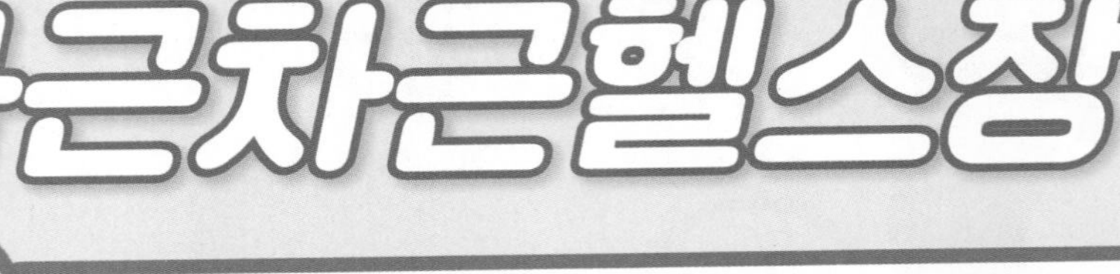

차근차근헬스장

운동 4일차 [국회의 권한~법률 제정 절차] 스핀바이크

01. 국회의 권한

키워드 빈칸 o(^-^)o

보기 빈칸에 알맞은 단어를 골라 써 보자!

• 재정 • 입법 • 일반 국정

(1-1) [　　　] 에 관한 권한
➜ 법률 제정·개정 & 조약 체결 동의권 & 헌법 개정안 제안

(1-2) [　　　] 에 관한 권한
➜ 예산안 심의·확정 & 결산 심사

(1-3) [　　　] 에 관한 권한
➜ 국정 감사 및 국정 조사 & 주요 공무원 임명 동의권 & 탄핵 소추 의결

우리 득근하자!

사고력 UP

(2) 국회의 권한 중 **재정에 관한 권한**만 **모두** 고르시오. (정답2개)

보기 Hint. 2개!

ㄱ. 결산 심사
ㄴ. 국정 조사
ㄷ. 조약 체결 동의
ㄹ. 탄핵 소추 의결
ㅁ. 예산안 심의·확정
ㅂ. 헌법 개정안 의결

➜ **정답 (　　　), (　　　)**

02. 법률 제정 절차

순서 MASTER s(-▽-)v

(1) 다음은 '법률 제정 절차 과정'을 순서 없이 나타낸 것이다. 과정을 순서대로 나열해 보시오.

보기 순서를 바르게 나열해 봅시다!!

(가)

(나)

법률안 공포

(다)

법률안 의결

(라)

법률안 심의

(　　) ➜ (　　) ➜ (　　) ➜ (　　)

O/X 퀴즈 (˘ε˘)

(2-1) **법률안 제안**은 **국회만** 할 수 있다. ---------------- (O/X)

(2-2) 국회를 통과한 법률안은 **국회 의장**이 **15일 내**에 공포한다. ---------------- (O/X)

(2-3) **상임위원회**에서 **법률안**을 **심의**하고 **본회의**에 **상정**한다. ---------------- (O/X)

어쩌면 우리가 이 코끼리와 같을 수 있어!
사람은 자신이 겪은 경험! 특히 안좋은 트라우마를 바탕으로 살아가기가 쉬워!ㅠㅠ
과거에 이랬으니깐 지금도 이럴것이다!! 그러나 트라우마는 트라우마일뿐!!
그때 그랬다고해서 지금도 그런 것은 아니야! 꼭 기억해! 지금의 너는 너를 붙잡고 있던
그 끈은 풀어졌다는것을!! 두려워 말고 자유롭게 살아가렴!! 알겠지??^^ 사랑해!!

·정답: 01.(1) (1-1) 입법 / (1-2) 재정 / (1-3) 일반 국정 (2) ㄱ,ㅁ
02.(1) (가)→(라)→(다)→(나) (2) (2-1) X / (2-2) X / (2-3) O

헬스장의 귀염둥이, 애완호랑이랑 놀자!

초롱이네 놀이방

나라를 위해 일하는 사람들이 국회에 모여있듯
나 초롱이, 우리 다음세대 헬스장 회원님들을 위해 이곳에 있노라.
다른 점이 있다면 내 임기는 무한이지 호호호.
너희들의 트레이닝 의지를 무한으로 자극시켜주마.
아참, 치킨 사왔어? 안 사왔으면 저쪽가서 푸시업 1000개 ㄱㄱ

1.틀린그림찾기 - 무려 11개나 숨어있다!

2.손으로 알아보는 성격 심리테스트

눈을 감고 자기가 가장 편한 모양대로 손을 앞으로 쭉 내밀어보세요!

▶자기가 뻗은 손과 가장 비슷한 모양의 번호를 고른 뒤 아래 결과 확인!

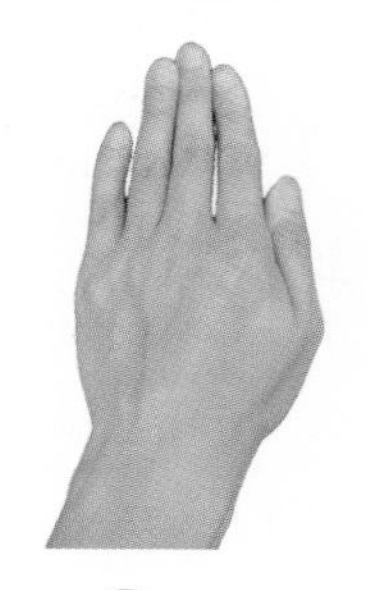

① 손가락 간격이 좁고 손등을 위로

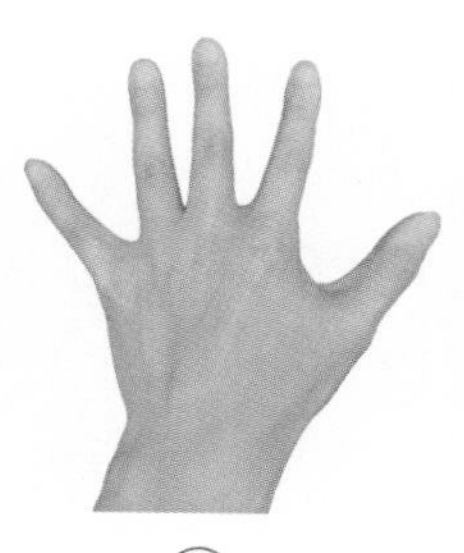

② 손가락 간격이 넓고 손바닥을 위로

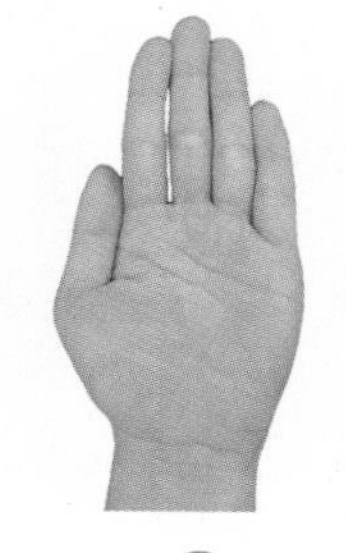

③ 손가락 간격이 넓고 손등을 위로

④ 손가락 간격이 좁고 손바닥을 위로

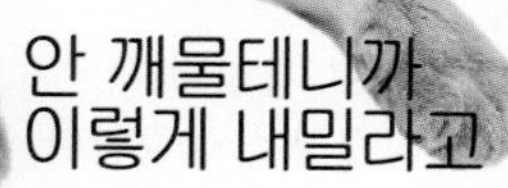

①배려심이 강하고 타인에게 맞추는 게 편한 타입. 다투거나 경쟁하는 행위를 싫어하며 여유로운 삶을 추구하는 편이다.
②감정을 잘 숨기고 조용히 삭히는 스타일, 그러면서도 누군가가 자신의 감정을 알아주기를 바란다. 친한 사람들 앞에서 의외로 애교가 많은 타입!
③감정이 얼굴에 잘 드러나는 타입. 자신이 싫어하는 사람에게는 친해질 기회를 주지 않는 편. 다른 사람에게 받은 호의는 반드시 갚는 스타일이기도 하다.
④은근한 관종끼가 넘치는 타입! 집에서 혼자 멍때리기를 좋아하며, 낯을 많이 가리지만 한 번 친해지면 사람을 ... 편이다.

국회의 지위와 조직

유형 1 국회란?

1. 국회의 위상에 대한 설명으로 옳은 것은?

① 국민이 직접 국민의 대표들을 임명한다.
② 우리나라에서는 5년마다 국회를 재구성한다.
③ 국민을 대신해서 나랏일을 하므로 행정부라고도 한다.
④ 국민의 기본권 보장을 위해 법원의 재판에 직접 개입한다.
⑤ 국회 의원들이 모여 법을 만들고 국가의 주요 의사를 결정한다.

2. 국회에 관한 설명으로 옳은 것은?

① 국민의 의사를 반영하여 법률을 제정한다.
② 공익을 실현하기 위해 정책을 만들고 실행한다.
③ 국회의 회의는 비공개 하는 것을 원칙으로 한다.
④ 지역구 국회의원은 각 정당의 득표율에 비례하여 선출된다.
⑤ 국회의 상임위원회는 본회의에서 심의한 법률안, 예산안 등을 최종적으로 결정한다.

유형 2 국회의 구성과 조직

3. 국회의 조직과 구성에 대한 설명으로 옳은 것은?

① 국회의 회의는 비공개를 원칙으로 한다.
② 국회 의장과 국회 부의장은 각각 1명이다.
③ 비례대표 국회 의원의 수가 지역구 국회 의원보다 많다.
④ 국회에서 법률안을 최종적으로 의결하는 곳은 위원회이다.
⑤ 국회의원 20명 이상을 배출한 정당은 하나의 교섭단체가 된다.

4. 우리나라 국회의 구성과 주요 조직에 대한 설명으로 옳은 것을 〈보기〉에서 모두 고른 것은?

보 기

ㄱ. 국회의원의 임기는 4년이고 연임할 수 있다.
ㄴ. 비례대표 국회의원은 각 지역구에서 최고 득표자로 선출된다.
ㄷ. 국회의 회의는 정기회와 임시회로 나뉘며 공개하는 것을 원칙으로 한다.
ㄹ. 본회의에서 심사한 법률안, 예산안, 청원 등은 상임위원회에서 최종적으로 결정한다.

① ㄱ, ㄴ　② ㄱ, ㄷ　③ ㄴ, ㄷ
④ ㄴ, ㄹ　⑤ ㄷ, ㄹ

5. 국회의 구성에 대한 설명으로 옳은 것은?

① 본회의는 매년 2회 정기회가 열린다.
② 국회의 회의는 원칙적으로 비공개이다.
③ 교섭 단체는 국회의원 20인 이상으로 구성된다.
④ 국회가 구성되면 의장 2명, 부의장 2명을 선출한다.
⑤ 임시회는 국회 재적 의원 2분의 1 이상의 요구로 열린다.

유형 3 투표 용지 및 서술형

6. 밑줄 친 <u>한 학생</u>에 해당하는 사람은?

국회의원 선거투표
(○○구선거구)

1	갑 당	박○○
2	을 당	김○○
3	병 당	이○○
4	정 당	정○○
5	무소속	김○○

투표관리란

절취선

No. 0000

> 교사 : 이건 국회의원을 뽑는 투표용지 중 하나입니다. 투표용지를 보고 여러분이 국회와 국회의원과 관련해서 설명해 보세요.
>
> 갑 : 국회는 국민의 대표 기관이며 입법 기관입니다.
> 을 : 이 투표용지는 정당 득표율을 확인하기 위한 용지이며, 이를 통해 비례 대표를 선출합니다.
> 병 : 국회 의원은 보통, 평등, 직접, 비밀 선거에 의해서 선출됩니다.
> 정 : 이 투표용지를 통해서 선출된 국회의원은 국회 구성의 대다수에 해당합니다.
> 무 : 본회의 투표 결과에 따라 국회의 최종적 의사 결정이 진행됩니다.
> 교사 : <u>한 학생</u>만 빼고 정확하게 말했어요.

① 갑 ② 을 ③ 병 ④ 정 ⑤ 무

서술형

※ 다음 사진을 보고 물음에 답하시오.

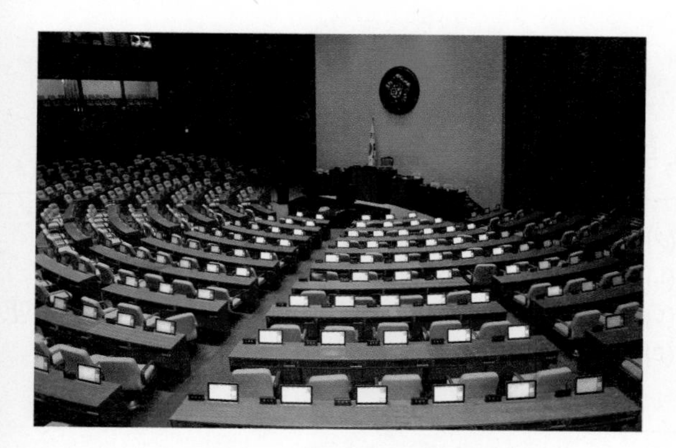

7. 다음의 사진은 국회의원이 의정활동을 하는 본회의장이다.
1)<u>이 곳에서 하는 역할을 쓰고</u>, 2)<u>이 회의가 통과되기 위한 조건</u>을 서술하시오.

국회의 권한

유형 1 국회의 권한-일반 국정에 관한 권한

8. 다음 국회의 권한 행사에 대한 설명으로 옳은 것은?

> 국회, <u>국정 조사</u> 진행!!
>
> 국회는 가습기 살균제 사고 진상 규명과 피해 구제 및 재발 방지 대책 마련을 위한 국정 조사특별위원회의 조사 계획서를 통과시켰다. 2016년 7월 7일부터 10월 4일까지 90일 동안 국정 조사를 실시하였다. …

① 재정에 관한 권한에 해당한다.
② 행정부의 활동을 감시하고 비판한다.
③ 여러 정책을 수립하고 집행하는 권한이다.
④ 법의 적용을 통하여 법적 분쟁을 해결한다.
⑤ 행정부의 명령이나 규칙이 헌법에 위배되는지 최종 심사한다.

9. 밑줄 친 부분에 나타난 국회의 권한과 그 권한에 속하는 국회 활동을 바르게 짝지은 것은?

> 9월 1일, 1년에 한번 열리는 <u>정기 국회</u>가 시작되었다. 정기 국회는 100일 동안 이어지는데, 오늘은 대통령이 제출한 대법원장 임명 동의안에 대한 표결이 있었다.

① 입법에 관한 권한 - 국정 감사권
② 입법에 관한 권한 - 조약에 대한 동의권
③ 재정에 관한 권한 - 예산안 심의 확정권
④ 일반 국정에 관한 권한 - 탄핵 소추 의결권
⑤ 일반 국정에 관한 권한 - 헌법 개정안 제안 및 의결권

유형 2 국회의 권한-입법에 관한 권한

10. 다음 중 국회의 입법 기능에 해당하는 것만을 〈보기〉에서 있는 대로 고른 것은?

> 보 기
>
> ㄱ. 국정 감사 ㄴ. 법률 제정·개정
> ㄷ. 헌법 개정안 의결 ㄹ. 예산안 심의·확정
> ㅁ. 탄핵 소추 의결

① ㄱ, ㅁ ② ㄴ, ㄷ ③ ㄱ, ㄹ, ㅁ
④ ㄴ, ㄷ, ㄹ ⑤ ㄷ, ㄹ, ㅁ

유형 3 국회의 권한-재정에 관한 권한

11. 정기 국회 일정의 일부이다. 이에 나타난 국회의 역할로 옳은 것은?

> - 20○○년 12월 1일 -
> 정부가 ◇◇◇조 원 규모의 내년도 예산 계획안을 제출하였다. 해당 위원회에서 실시한 예산안을 오늘 본회의에서 확정하였다.

① 입법에 관한 권한
② 사법에 관한 권한
③ 행정에 관한 권한
④ 재정에 관한 권한
⑤ 일반 국정에 관한 권한

유형 4 복합

12. 다음 중 보기에 제시된 국회의 권한이 바르게 연결된 것은 무엇인가?

보 기

> 가. 국정 감사
> 나. 탄핵 소추 의결권
> 다. 법률의 제정 및 개정
> 라. 조약 체결에 대한 동의권
> 마. 정부 예산안의 심의, 확정

	입법에 관한 권한	일반 국정에 관한 권한
①	다, 마	가, 나
②	다, 나	가, 라
③	가, 나	다, 라
④	나, 마	가, 다
⑤	다, 라	가, 나

서술형

13. 글의 내용과 관련된 국회의 권한을 서술하시오.

> 정부가 740조원 규모의 내년도 예산 계획안을 제출하였다. 해당 위원회에서 심사한 예산안을 오늘 본회의에서 확정하였다.

유형 5 법률 제·개정 절차

14. 그림은 우리나라 법률 제·개정 절차를 나타낸 것이다. 이에 대한 옳은 설명을 〈보기〉에서 고른 것은?

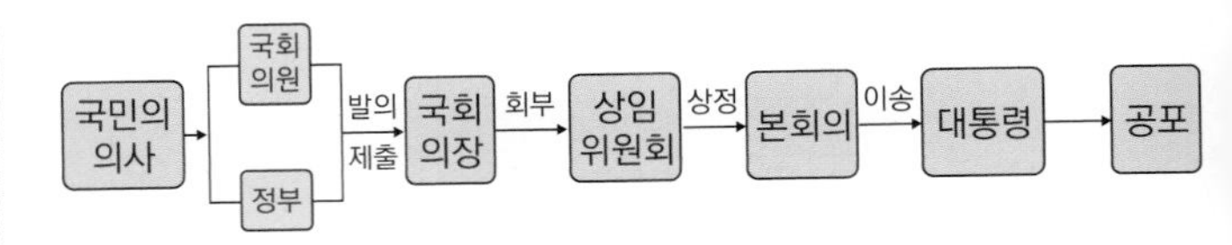

보 기

> ㄱ. 일반적으로 공포 후 즉시 법률의 효력이 발생한다.
> ㄴ. 법률안 발의는 국회의원 10인 이상으로 이루어진다.
> ㄷ. 대통령은 이송된 법률안에 대해 이의가 있을 때 거부권을 행사할 수 있다.
> ㄹ. 본회의에서는 특별한 규정이 없는 경우 재적 의원 과반수의 찬성으로 의결한다.

① ㄱ, ㄴ　② ㄱ, ㄷ　③ ㄴ, ㄷ
④ ㄴ, ㄹ　⑤ ㄷ, ㄹ

15. 국회의 법률안 제정 절차를 순서대로 옳게 배열한 것은?

① 법률안 제안→본회의 의결→법률안 심의→법률안 공포→효력
② 법률안 제안→법률안 심의→법률안 공포→본회의 의결→효력
③ 법률안 제안→법률안 심의→본회의 의결→법률안 공포→효력
④ 본회의 의결→법률안 심의→법률안 공포→법률안 제안→효력
⑤ 법률안 심의→법률안 제안→법률안 공포→본회의 의결→효력

16. 우리나라 법률 제정 절차를 순서대로 나열한 것은?

> (가) 의결 : 국회 본회의에서 법률안을 의결함.
> (나) 심의 : 국회 상임 위원회에서 법률안을 심의함.
> (다) 발의 : 국회의원 10명 이상 또는 정부가 법률안을 제출함.
> (라) 공포 : 법률안은 대통령이 15일 이내에 공포함으로써 확정됨.

① (가) - (나) - (다) - (라)
② (나) - (다) - (라) - (가)
③ (다) - (나) - (가) - (라)
④ (라) - (가) - (나) - (다)
⑤ (라) - (나) - (다) - (가)

매일!! 쉬는시간 7분!! 공부근육 빵빠라빵빵

차근차근헬스장

운동 1일차

[행정부] 점핑운동

01. 행정과 행정부의 의미

키워드 빈칸 & 맞는 말에 O표

보기 빈칸에 알맞은 단어를 골라 써 보자~

• 법률 • 운율 • 정책 • 정부
• 행정 • 입법 • 커 • 작아

(1-1) **행정** = [ ] 을 **집행** + **공익**을 실현할 목적으로 [ ] 을 수립하는 것

(1-2) **행정부** = [ ] 을 **담당**하는 국가기관

(1-3) **현대사회**에서는 **행정부**의 **역할**이 더욱 [ ] 졌다.

맞는 단어에 O표 <(¨ • ¨)>

(2-1) 행정이란 법률을 **(제정/집행)** 하는 것을 의미한다.

(2-2) 행정이란 **(사익/공익)**을 위해 정책을 수립하는 것을 의미한다.

O/X 퀴즈 (*¯ . ¯)a

(3-1) **현대 사회**에서는 **행정부**의 **역할**이 더욱 **작아졌다.**
------------------ (O/X)

(3-2) **현대 사회**는 **복지**를 **중요**시 하는 경향이 있다.
------------------ (O/X)

02. 행정부의 조직과 기능(1)

키워드 빈칸 (˘◡˘)

보기 빈칸에 알맞은 단어를 골라 써 보자~

• 국회 • 대통령 • 국무 회의

(1-1) [ ] = 행정부의 최고 책임자

(1-2) **대통령** = **[국무 총리]** + **[감사원장]** 임명 시 ➜ [ ] 의 동의 필요

(1-3) [ ] = 행정부의 최고 심의 기관 ➜ **[대통령]** + **[국무총리]** + **[국무위원]으로 구성**

객관식 MASTER ٩(◍`^´◍)۶

(2) 다음 중 **국무회의**에 **들어갈 수 없는 사람**은?

① 
▲ 대통령

② 
▲ 국무총리

③ 
▲ 국회의원

④ 

▲ 각부 장관

선생님이 존경하는 독립운동가 중에 일가 김용기 선생님이 계셔!
이분은 '조국이여 안심하라!' 라는 구호아래 매일 하루에 4시간씩 나라와 헐벗은 백성들을 위해 기도하셨고 실천하며 사셨다고 해!
나는 어린 너희들이 하는 공부가 조국을! 그리고 약자들을 안심시키기 위한 그런 공부가 되었으면 좋겠어!! 우리 시험기간이라 너무 힘들지만, 그래도 지금하는 내 공부가 나라를 안심 시킬 수 있다는 다짐으로 공부하자!! 아자 아자 파이팅!!

·정답: 01.(1) (1-1) 법률, 정책 / (1-2) 행정 / (1-3) 커 (2) (2-1) 집행 / (2-2) 공익 (3) (3-1) X / (3-2) O
02.(1) (1-1) 대통령 / (1-2) 국회 / (1-3) 국무 회의 (2) ③

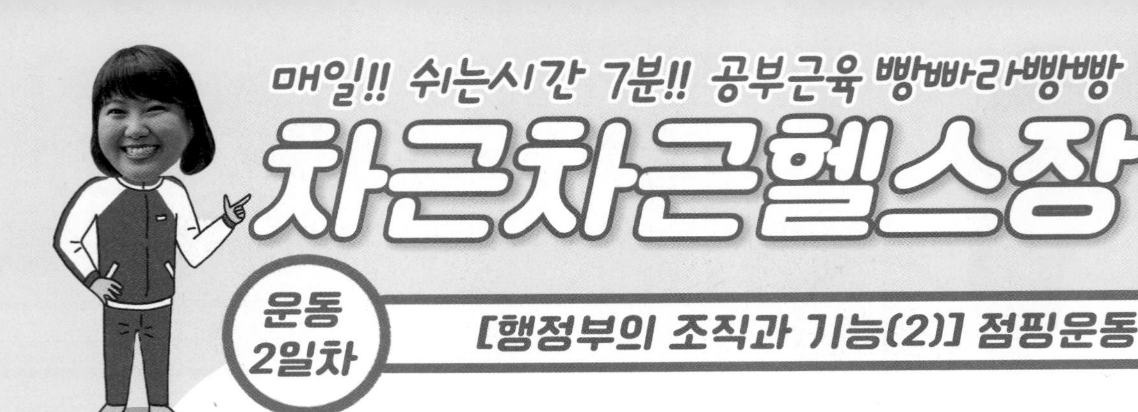

운동 2일차

[행정부의 조직과 기능(2)] 점핑운동

01. 행정부의 조직과 기능(2)

키워드 빈칸 (✪o✪)

(1) **우리나라 정부 조직도**를 완성하여 봅시다. ^_^

보기 빈칸에 알맞은 단어를 골라 써 보자~

• 대통령 • 국회의원 • 국무총리
• 행정부 • 행정각부 • 감사원

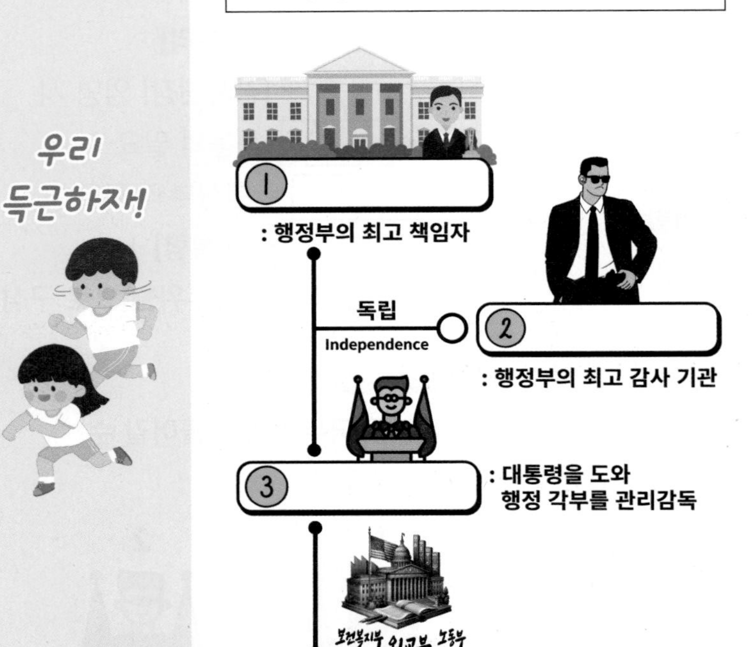

우리 든든하자!

이 도표는 섬문제 1타야!!!
책상 앞에 붙여놓고 매일 보도록 하자!

복합형 MASTER (๑•̀ᴗ•́๑)

(2) 아래 문제에 답하시오.

> **㉠은 행정부의 최고 책임자이다.**
> **㉠은 행정부의 일을 최종적으로 결정한다.**

(2-1) ㉠은 무엇인가?

➜ 정답 : ______________

(2-2) 다음 중 **㉠에 대한 설명**으로 **틀린 것**을 **모두** 고르시오. .... (　　,　　)

① ㉠의 임기는 4년이다.
② 각부 장관과 국무위원은 국회의 동의를 얻어야 한다.
③ 국무총리, 감사원장, 각부 장관을 임명할 수 있는 권한을 가지고 있다.

O/X 퀴즈 (*˘ᴗ˘*)

(3) 다음은 **국무총리**에 관한 설명이다. **맞으면 O, 틀리면 X**에 체크하시오.

(3-1) **국무총리**는 **대통령**을 **보좌**하고, **국무회의의 의장**을 담당한다. ------------------ (O/X)

(3-2) **국무총리**는 대통령을 도와 **행정 각부**를 **감독**한다. ------------------ (O/X)

안중근 의사의 이름 중근은 무거울 '중'에 뿌리 '근'이라고해! 왜 이런 이름이 지어졌냐면 아기 시절 안중근 의사가 너무 산만하여 아버지께서 좀 진중한 사람이 되라고 중근이라고 이름을 지어주셨대!
사랑하는 얘들아! 너희들의 지금 모습이 어쩌면 안중근 의사의 어린 시절처럼 산만하고, 집중력 부족하고, 연약한 모습일지라도 훗날 안중근과 같은 나라를 살리는 사람이 될것이란다
그러니 포기하지 말고 차근 차근 공부 근력을 쌓아보자!! 알라뷰^^

정답: 01.(1) ① 대통령, ② 감사원, ③ 국무총리, ④ 행정 각부 (2) (2-1) 대통령 / (2-2) ①,②
(3) (3-1) X / (3-2) O

매일!! 쉬는시간 7분!! 공부근육 빵빠라빵빵

차근차근헬스장

운동 3일차

[행정부의 조직과 기능(3)] 점핑운동

01. 행정부의 조직과 기능(3)

단답형 MASTER (ง •̀_•́) ง

(1) 람보쌤이 설명하는 **행정 각부**를 **[보기]**에서 찾아 쓰시오.

보기 행정 각부 중 잘 나오는 부분만 체크하자!

- 보건복지부
- 행정안전부
- 여성가족부
- 국토 교통부

(1-1) **람보쌤**이 설명하는 **부서**는?

이 부서는 노인들을 위해 건강 검진을 지원해.

➜ **정답 :** ______________________

(1-2) **람보쌤**이 설명하는 **부서**는?

이 부서는 산사태날 때 꽉막힌 도로를 정비해.

➜ **정답 :** ______________________

(1-3) **람보쌤**이 설명하는 **부서**는?

이 부서는 어린이 보호 구역의 제한 속도를 30km로 제한하고 있어.

➜ **정답 :** ______________________

단답형 MASTER (๑•̀ㅁ•́๑)

(2) 람보쌤이 설명하는 **행정 각부**를 **[보기]**에서 찾아 쓰시오.

보기 빈칸에 알맞은 단어를 골라 써 보자~

- 감사원
- 국무 회의
- 대통령

(2-1) [   ] = **행정부**의 최고 **심의 기관 ➜ 대통령, 국무총리, 국무의원**으로 구성

(2-2) [   ]은
① 조직상 **대통령 직속 기관**
② 업무상 **독립적인** 지위 有

밑줄친 단어 고치기 (>ᴖ<)

(3-1) 국무 회의는 행정부의 최고 의결 기관으로 정부의 권한에 속하는 중요한 정책을 최종적으로 **의결**한다.

➜ **수정 후** : ______________________

(3-2) 감사원은 **국무총리** 직속 기관으로 공무원의 직무를 감찰한다.

➜ **수정 후** : ______________________

(3-3) 대통령의 임기는 **4년**이며, 중임할 수 없다.

➜ **수정 후** : ______________________

"나는 학문 가지고 세상에 이름을 드러내고 싶지는 않다." -도마 안중근-
안중근 의사는 뛰어난 수재였지만 그가 배운 학문을 자신을 높이는데 쓰고 싶어 하지 않았어! 이와 같이 우리 또한 우리가 배우는 공부가 남에게 자랑하기 위한 공부가 아닌, 오히려 다른 사람보다 더 낮은곳에서 그들을 잘 섬기기 위한 겸손한 공부가 되어야 진짜 공부야! 나를 드러내지 않고 다른 사람을 이롭게 한다!! 그게 바로 너희들이야!^^멋져!!

정답: 01.(1) (1-1) 보건복지부 / (1-2) 국토 교통부 / (1-3) 행정안전부 (2) (2-1) 국무회의 / (2-2) 감사원
(3) (3-1) 심의 / (3-2) 대통령 / (3-3) 5년

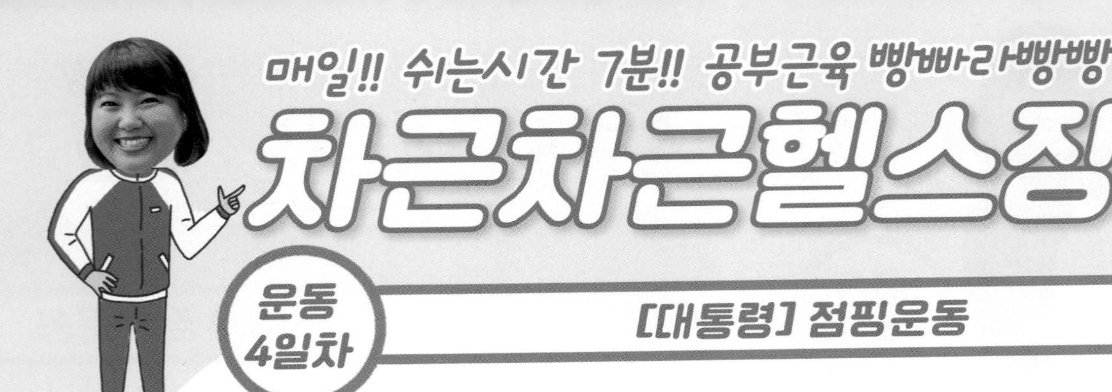

운동 4일차

[대통령] 점핑운동

01. 대통령

맞는 단어에 O표 <(•.•")>

(1-1) 대통령은 국민의 **(직접/간접)** 선거로 선출된다.

(1-2) 대통령의 임기는 **(4/5)**년 이며, 중임이나 연임할 수 **(있다/없다)**.

사고력 UP

람보쌤 이 부분은 꼭 키워드 맵을 완료하고 풀어보자!!

우리 득근하자!

(2-1) 대통령이 **'국가 원수로서 가지는 권한'**을 **모두** 찾아보자.

1 ▲ 외교에 관한 권한

2 ▲ 대통령령 제정

3 ▲ 국민 투표 진행

4 ▲ 긴급 명령권 행사

5 ▲ 헌법 기관 구성

6 ▲ 법률안 거부권

→ ( ), ( ), ( ), ( )

(2-2) 대통령이 **'행정부 수반으로 가지는 권한'**을 **모두** 찾아보자.

1 ▲ 행정부 고위 공무원 임명

2 ▲ 국민 투표 진행

3 ▲ 법률안 거부권

4 ▲ 대통령령 제정

5 ▲ 국군 통수권

6 ▲ 헌법 기관 구성

→ ( ), ( ), ( ), ( )

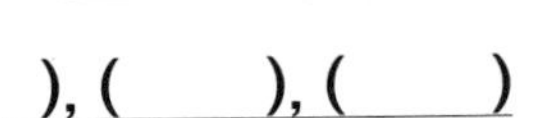

서술형 MASTER s(￣▽￣)v

(3) 다음 **(가),(나) 그림**에 해당하는 **대통령의 역할**을 서술하시오.

(가) 국회의 동의를 얻어 대법원장을 임명하였다.

(나) 국무회의에 참석하여 정무를 살폈다.

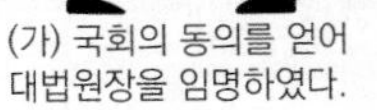

→ **(가) :**

→ **(나) :**

안중근에 대한 토막 상식!!
안중근의 호는 '도마'이다!! 여기서 도마는 안중근이 세례를 받을 때 성경 인물 중 도마를 세례명으로 받으면서 자연스럽게 도마가 그의 호가 되었다!! 와!!
람보쌤의 호는? 응가!! 응가 이보람으로 할래!!
너희들은 자신에게 호를 붙이다면 무엇으로 하고 싶니??^^

·정답: 01.(1) (1-1) 직접 / (1-2) 5,없다 (2) (2-1) ①,③,④,⑤ / (2-2) ①,③,④,⑤
(3) (가):국가 원수로서의 역할이다. (나):행정부의 수반으로서의 역할이다.

헬스장의 귀염둥이, 애완호랑이랑 놀자!

초롱이네 놀이방

나라가 잘 되려면 대통령이 일을 잘 해야되겠지?
그런 의미에서 우리 헬스장은 걱정이 없어. 왜냐고?
이 헬스장의 대통령은 나니까. 억울하면 싸우자.
싸우기 싫으면 그냥 재밌게 놀다가슈. 자 오늘은 새로운 거 가보자.

1.매직아이 - 숨어있는 글씨를 읽어보세요

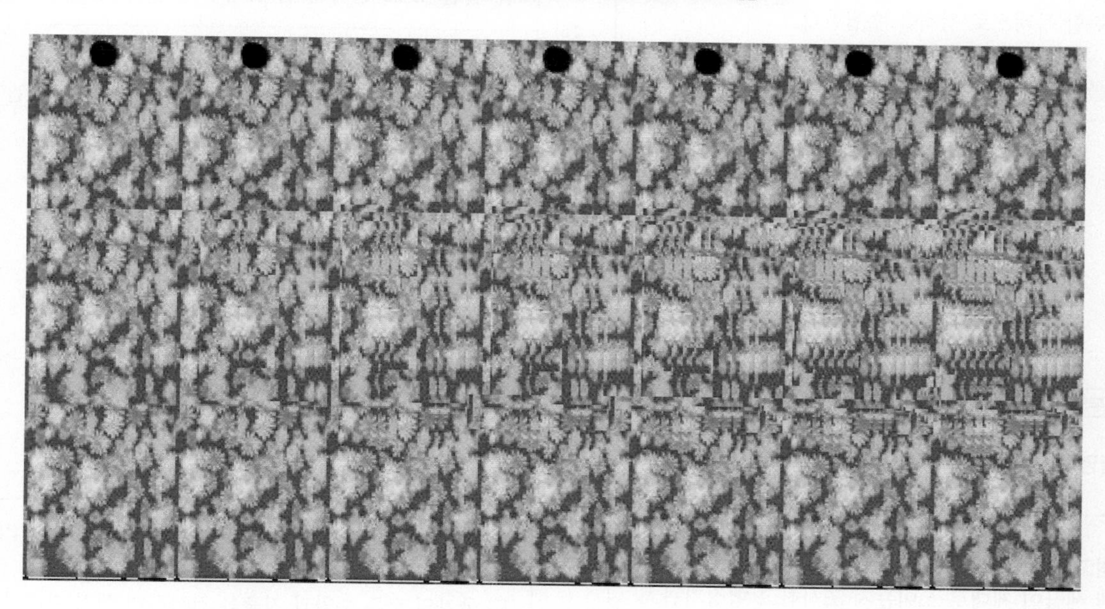

*보는 법 : 가운데 검은 점에 다른 점들을 한 번에 모은다고 생각하고
눈을 모으면서 흐리멍텅하게 바라보면 글자가 떠오릅니다.

2.일쏭달쏭 넌센스 퀴즈

Q1. 소가 죽은 것을 3글자로 하면? 정답 :

Q2. 소가 다같이 노래를 부르면? 정답 :

Q3. 설날에 세뱃돈을 못 받은 것을 3글자로? 정답 :

소고기...♥

행정부

유형 1 행정부란

1. 다음 국가 기관의 작용에 대한 옳은 설명을 〈보기〉에서 있는 대로 고른 것은?

국회에서 만든 법률을 집행하는 국가 기관이다.

보 기

ㄱ. 재판을 담당한다.
ㄴ. 공익을 실현할 목적으로 정책을 수립한다.
ㄷ. 민원 처리, 치안 유지 등이 이에 해당한다.
ㄹ. 국정 감사를 통해 국정의 잘못된 부분을 바로잡도록 한다.

① ㄱ, ㄴ ② ㄱ, ㄷ ③ ㄴ, ㄷ
④ ㄴ, ㄹ ⑤ ㄷ, ㄹ

유형 2 행정부의 조직과 기능

2. 〈보기〉에서 설명하는 행정부의 주요 조직을 바르게 연결한 것은?

보 기

(가) 행정부 최고 책임자로 행정부의 일을 최종적으로 결정함
(나) 국민이 낸 세금이 제대로 쓰이는지 조사하고 행정기관 및 공무원의 직무를 감찰함
(다) 행정부의 최고 심의 기관으로 정부의 권한에 속하는 중요한 정책을 심의함.

	(가)	(나)	(다)
①	대통령	감사원	국무회의
②	국무총리	감사원	상임위원회
③	대통령	법원	국무회의
④	국무총리	법원	상임위원회
⑤	국회의장	국무회의	감사원

3. 우리나라 행정부의 주요 조직과 그 기능에 대한 설명으로 옳은 것은?

① 국무 회의는 행정부 최고 감사 기관이다.
② 감사원은 대통령의 명령에 따라 업무를 수행한다.
③ 현대 복지 국가에서는 행정부의 역할이 줄어들고 있다.
④ 국무총리는 대통령을 도와 행정 각부를 관리하고 감독한다.
⑤ 대통령은 입법부와 사법부의 수장으로 국회의장과 대법원장을 임명하여 헌법 기관을 구성한다.

유형 3 행정 각부

4. ㉠~㉤의 행정 사무와 이를 담당하는 행정 각 부로 바르게 짝지어진 것은?

㉠ '문화가 있는 날' 실시
㉡ 코로나19로 인한 원격수업 실시
㉢ 저소득층 노인을 위한 건강검진 지원
㉣ 기후 변화 적응을 위한 환경 정책 마련
㉤ 위험 도로, 산사태 위험 지구 등 도로 정비

① ㉠ - 국토교통부 ② ㉡ - 환경부
③ ㉢ - 보건복지부 ④ ㉣ - 문화체육관광부
⑤ ㉤ - 교육부

유형 4 행정부 조직 개별 문제

5. 다음에서 설명하는 조직은?

□ 행정부를 감시하고 조사하는 기관이다.
□ 대통령 직속 기관으로 독립적인 지위를 갖는다.
□ 국가의 모든 수입과 지출을 검사하며 행정 기관과 공무원이 직무를 제대로 처리하는지 확인한다.

① 감사원 ② 대법원
③ 국무위원 ④ 행정 각부
⑤ 노동 위원회

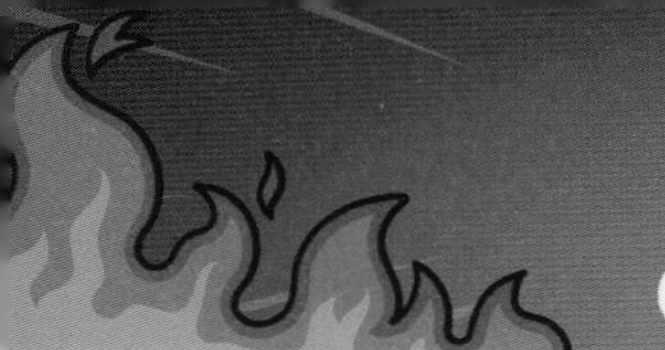

시험에는 반복되는 유형이 있다!

반복유형문제 2차

여러번 반복해서 풀어봄으로서 어떤 문제가 나와도 다 풀게 해드립니다!

대통령

유형 1 대통령이란?

. 대통령에 대한 설명으로 옳지 않은 것은?

) 임기는 5년이다.
) 중임과 연임이 불가능하다.
) 국민의 간접 선거로 선출된다.
) 국가를 대표하는 역할을 맡는다.
) 국가 원수이자 행정부 수반으로서 지위를 갖는다.

유형 2 대통령의 지위와 권한

. 우리나라 대통령의 연간 주요 업무를 가상으로 정리한 것이다. ㉠~㉤의 권한 행사를 뒷받침 하는 대통령의 지위를 바르게 연결한 것은?

•2월 : 천재지변으로 긴급명령권 발동 -------- ㉠
•5월 : 신임 대법원장 임명 ---------------- ㉡
•7월 : '가축전염병예방법' 대통령령 공포 ---- -㉢
•8월 : 한국·중국 FTA 체결 --------------- ㉣
•10월 : 국군의 지휘 및 통솔 -------------- ㉤

행정부 수반	국가 원수
) ㉠, ㉡	㉢, ㉣, ㉤
) ㉠, ㉢	㉡, ㉣, ㉤
) ㉢, ㉤	㉠, ㉡, ㉣
) ㉠, ㉡, ㉣	㉢, ㉤
) ㉢, ㉣, ㉤	㉠, ㉡

. 밑줄 친 ㉮에 해당하는 것만을 <보기>에서 있는 대로 고른 것은?

대통령의 지위
우리 헌법에 따르면 대통령은 국가 원수로서 국가의 최고 지도자이며, 외국에 대하여 국가를 대표할 자격을 지닌다. 또한 대통령은 ㉮행정부 수반으로서 최종적인 권한과 책임을 지닌다.

보 기
ㄱ. 조약 체결
ㄴ. 대통령령 제정
ㄷ. 외교 사절 접견
ㄹ. 국군 지휘 및 통솔
ㅁ. 헌법 재판소장 임명

) ㄱ　　② ㄴ
) ㄱ, ㅁ　　④ ㄴ, ㄹ
) ㄴ, ㄹ, ㅂ

9. 대통령의 국가 원수로서의 권한에 대한 옳은 설명을 <보기>에서 고른 것은?

보 기
ㄱ. 대통령령을 만들 수 있다.
ㄴ. 국군을 지휘하고 통솔할 수 있다.
ㄷ. 국가 비상사태가 발생했을 때 계엄을 선포할 수 있다.
ㄹ. 국가에 긴급한 일이 생긴 경우 긴급 명령을 내릴 수 있다.

① ㄱ, ㄴ　　② ㄱ, ㄷ　　③ ㄴ, ㄷ
④ ㄴ, ㄹ　　⑤ ㄷ, ㄹ

10. 대통령의 권한에 대한 설명으로 옳은 것만을 <보기>에서 있는 대로 고른 것은?

보 기
ㄱ. 국군의 최고 사령관으로 국군을 지휘하고 통솔한다.
ㄴ. 외교나 국방에 관한 중요 정책을 국민투표에 부칠 수 있다.
ㄷ. 정책을 집행하기 위해 필요한 사항에 대해 법률을 만들 수 있다.
ㄹ. 국가가 위태로운 상황에 직면했을 때 긴급 명령을 내릴 수 있다.
ㅁ. 국회의 동의를 얻어 대법원장, 대법관을 임명하여 헌법 기관을 구성한다.

① ㄱ, ㄴ　　② ㄹ, ㅁ　　③ ㄷ, ㄹ, ㅁ
④ ㄱ, ㄴ, ㄹ, ㅁ　　⑤ ㄴ, ㄷ, ㄹ, ㅁ

서술형

11. 그림에서 공통된 대통령의 역할을 서술하시오.

(가) 국회의 동의를 얻어 대법원장을 임명하였다.

(나) 미국 대통령과 양국 간 동맹을 강화하기로 하였다.

매일!! 쉬는시간 7분!! 공부근육 빵빠라빵빵

차근차근헬스장

운동 1일차 [사법과 법원의 의미~사법권의 독립] TRX운동

01. 사법과 법원의 의미

키워드 빈칸 (˘◡˘)

보기 빈칸에 알맞은 단어를 골라 써 보자~

• 사법 • 법원 • 재판

(1-1) ☐ = **법을 해석**+**적용**하는

➜ 국가 활동

➜ ☐ 을 통해 이루어짐

(1-2) ☐ = 사법을 담당하는

➜ 국가 기관

➜ 주로! **법적인 분쟁을 해결**함

맞는 단어에 O표

(2-1) **(법원/행정부)**는 사법을 담당하는 국가 기관이다.

(2-2) 사법이란 법을 해석하고, 적용하는 **(국가/지방)**활동이다.

(2-3) **(법원/정부)**는 법적인 분쟁을 해결하는 곳이다.

단답형 MASTER

(3) ㉠은 **어떤 국가 기관**인가?

(초성 힌트 : ㅂㅇ)

㉠은 분쟁을 해결하고 사회 질서 유지를 위해 법을 해석하고, 구체적인 사건에 적용한다.

➜ 정답 :

02. 사법권의 독립

키워드 빈칸

보기 빈칸에 알맞은 단어를 골라 써 보자~

• 사법권 • 입법권 • 재판권 • 기본권 • 인권

(1-1) ☐ **의 독립**이란?

➜ 재판이 외부의 간섭없이 **독립적**으로 이뤄지는 것

(1-2) **사법권의 독립**을 하는 **이유**!

➜ **국민**의 ☐ 을 **보장**하기 위함이다.

O/X 퀴즈

(2-1) 사법권은 법관으로 구성된 **법원에 속한다**.

------------------ (O/X)

(2-2) 대법원장이 아닌 법관은 대법원장의 제청에 의하여 **대통령이 임명한다**.

------------------ (O/X)

서술형 MASTER

(3) ㉠**의 이유**는 무엇인지 **서술**하라.

㉠ 사법권의 독립을 보장한다.

➜

하나! 둘! 셋!! 믿음의 이어달리기를 하자!!
1907년 일본의 압제로부터 안중근 의사가! 유관순 열사가! 이봉창 의사가! 윤봉길 의사가 뛰었던 것처럼!!
우리 또한 그 배턴을 이어받아 믿음의 이어달리기를 하자!!
열심히 뛰자! 최선을 다해 뛰자!!

·정답: 01.(1) (1-1) 사법, 재판 / (1-2) 법원 (2) (2-1) 법원 / (2-2) 국가 / (2-3) 법원 (3) 법원
02.(1) (1-1) 사법권 / (1-2) 기본권 (2) (2-1) O / (2-2) X
(3) 공정한 재판을 통해 국민의 기본권을 보장하기 위해서이다. (키워드 : 공정한 재판, 국민의 기본권 보장)

운동 2일차

01. 법원의 조직

헤이크주의

✦ 이 부분은 문제를 잘못 읽어서 많이 틀려!! ✦
특히, 상고, 항소 부분!! 주의하자!!

키워드 빈칸 ღ˘◡˘ღ

보기 빈칸에 알맞은 단어를 골라 써 보자~

• 대 • 소 • 고등
• 상고 • 항고 • 지방

(1-1) [ ] **법원** = **사법부**의 **최고**기관

(1-2) [ ] **법원** = 주로 **2심** 재판
➜ 지방법원, 가정 법원, 행정 법원의 **1심판결에 대한**
➜ [ ] **사건**을 재판

(1-3) [ ] **법원** = 주로 **1심** 재판

우리 득근하자!

O/X 퀴즈

(2-1) **가정 법원**에서는 **특허**와 관련된 사건을 재판한다. ------------------ (O/X)

(2-2) **특허 법원**에서는 **국가 기관**의 **잘못된 행정 작용**에 대한 **재판**을 실시한다. ------------------ (O/X)

(2-3) **행정 법원**에서는 **가사 사건**과 **소년 보호 사건**을 재판한다. ------------------ (O/X)

조직도 MASTER s(¯▽¯)v

(3) ㉠~㉣에 들어갈 단어를 [보기]에서 찾아 쓰시오.

보기 빈칸에 알맞은 단어를 골라 써 보자~

• 대법원 • 특허 법원 • 고등법원
• 상고 • 항소

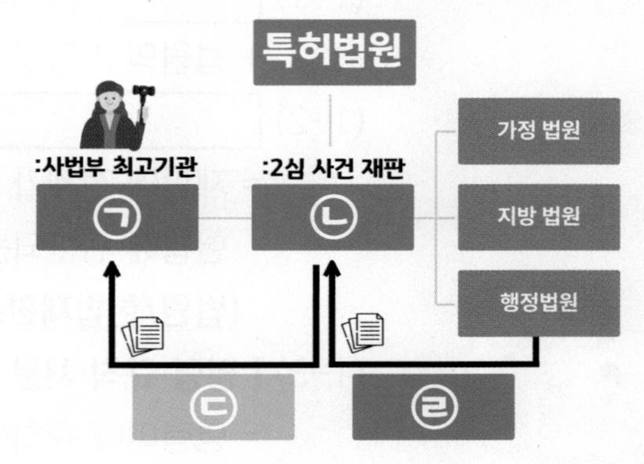

▲ 법원 조직도

➜ ㉠ : ______ ㉡ : ______
㉢ : ______ ㉣ : ______

사례 MASTER (/^o^)/♡

(4) ㉠에 들어갈 **단어**를 쓰시오.

사례

박OO씨는 주차 문제로 이웃인 장OO씨와 시비를 벌이다 그를 다치게 했다. 상해 혐의로 기소된 박OO씨는 지방 법원 형사 합의부 1심 재판에서 징역 2년을 선고받았다. 박OO씨는 자신이 받은 형벌이 과하다고 생각하여 고등 법원에 ㉠ 하기로 하였다.

➜ **정답** : ______

안중근 의사는 이토 히로부미를 저격하고 일본에 잡혀 재판을 받을 때도 "나를 죄인이 아닌 대한제국의 참모중장으로서 대우해주시오!"라고 당당히 요구했어! 이것이 바로 안중근 의사를 끝까지 의롭게 한 '정체성'이었지!! 얘들아! 안중근 의사처럼 당당하거라!! 절대 그 어디에서도 쫄지 않고 당당하게 살아가길 바라!! 알라븅:)

·정답: 01.(1) (1-1) 대 / (1-2) 고등,항소 / (1-3) 지방 (2) (2-1) X / (2-2) X / (2-3) X
(3) ㉠:대법원, ㉡:고등법원, ㉢:상고, ㉣:항소 (4) 항소

매일!! 쉬는시간 7분!! 공부근육 빵빠라빵빵

차근차근헬스장

운동 3일차

[법원의 기능] TRX운동

01. 법원의 기능

키워드 빈칸 & 맞는 단어 O표

보기 빈칸에 알맞은 단어를 골라 써 보자~

- 재판 • 불판 • 위헌 법률 심판
- 대법원 • 고등법원 • 지방법원

(1-1) [ ] = 법적 분쟁 해결 + 법원의 가장 중요한 기능

(1-2) [ ] **제청** = 재판에 전제가 된 법률이 헌법에 위반되는지 **(법원/헌법재판소)**에 심판 제청

(1-3) **[명령·규칙·처분] 심사** = 명령이나 규칙이 헌법과 법률에 어긋나는지 → [ ] 이 **최종적 심사**

구조도 MASTER (๑•̀ω•́)ง

(2) **㉠에 들어갈 권한**으로 **옳은** 것은?

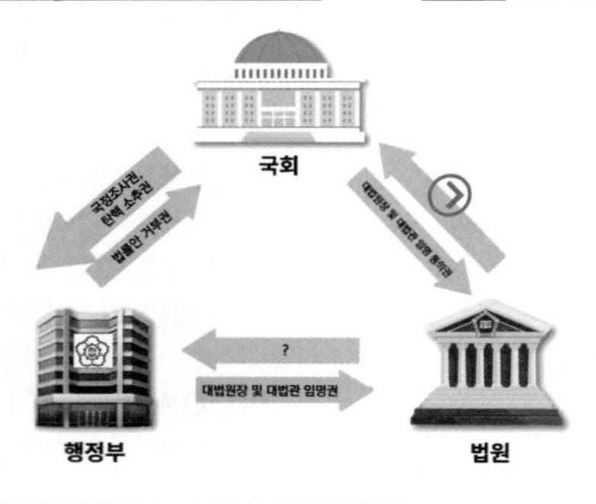

① 위헌 법률 심판 제청권

② 명령·규칙·처분 심사권

사례 MASTER ૮(ò_ó˘)ɔ

(3) 다음 사례는 **누가 누구를 견제하기 위함**인지 맞춰보자!

보기 누가 누굴 견제하기 위함 일까??~

- 행정부 • 입법부(국회)
- 사법부(법원) • 국민

(3-1) **법률안 거부권** 사례

> **대통령은 국회에서 의결된 국회법 개정안에 대해 다시 논의할 것을 요구하였다.**

: [ ]가 → [ ]견제

(3-2) **대법원장 및 대법관 임명권** 사례

> **대통령은 대법원장의 제청으로 국회의 동의를 얻어 000을 대법관으로 임명하였다.**

: [ ]가 → [ ]견제

(3-3) **위헌 법률 심판 제청** 사례

> **법원은 집회 및 시위에 관한 법률의 일부 조항이 기본권을 침해한다며, 헌법 재판소에 위헌 법률 심판을 제청하였다.**

: [ ]가 → [ ]견제

(3-4) **명령·규칙·처분 심사권** 사례

> **명령·규칙·처분의 법률 위반 여부가 재판의 전제가 되는 경우 법원이 이를 심사하여 취소하거나 변경할 수 있다.**

: [ ]가 → [ ]견제

이 세상에서 가장 희망이 되는 말은!!
바로 부모님의 너희들을 향한 메시지!! 뼈가 되고 살이 되는 그 말씀을 잘 기억해!^^
사실 부모님과 가장 많이 부딪히고 때로는 부모님의 말씀이 너무 너무 서운하지만,
이것만은 꼭 기억해! 부모님은 이세상에서 유일하게 너를 위해 불구덩이라도 들어가실 수 있는 분이시라는 것을 말이야!! 얘들아 사랑해!^^

·정답: 01.(1) (1-1) 재판 / (1-2) 위헌 법률 심판, 헌법 재판소 / (1-3) 대법원 (2) ①
(3) (3-1) 행정부 → 입법부(국회) / (3-2) 행정부 → 사법부(법원) / (3-3) 사법부(법원) → 입법부(국회)
(3-4) 사법부(법원) → 행정부

매일!! 쉬는시간 7분!! 공부근육 빵빠라빵빵

차근차근헬스장

운동 4일차 [헌법 재판소] TRX운동

01. 헌법 재판소

키워드 빈칸 & 맞는 말에 O표

보기 빈칸에 알맞은 단어를 골라 써 보자~

• 대법원 • 헌법 재판소
• 3 • 6 • 9

(1-1) [ ] = 헌법 재판 담당
➜ **(헌법/법률) 수호**
+ 기본권 보장 기관

(1-2) **헌법 재판소** = [ ] 명의 **재판관**
➜ **대통령**이 [ ] 명 지명
➜ **대법원장**이 [ ] 명 지명
➜ **국회**에서 [ ] 명 지명
➜ **(대통령/대법원장)**이 임명

우리 득근하자!

사고력 UP

(2) **헌법 재판의 청구 주체(㉠~㉤)**는 누구인지 **[보기]**를 참고하여 써보자.

보기 빈칸에 알맞은 단어를 골라 써 보자~

• 법원 • 국회 • 국민
• 정부 • 국가기관

헌법재판		청구 주체
탄핵 심판		(㉠)
위헌 법률 심판	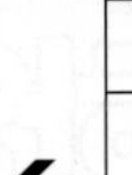	(㉡)
정당 해산 심판		(㉢)
헌법 소원 심판		(㉣)
권한 쟁의 심판		(㉤)

➜ ㉠ : ㉡ :
㉢ : ㉣ :
㉤ :

밑줄친 단어 고치기

(3-1) 헌법 소원 심판의 청구 주체는 **국회**이다.
➜ **수정 후** :

(3-2) **권한 쟁의 심판**은 재판의 전제가 되는 법률의 헌법 위반 여부를 심판한다.
➜ **수정 후** :

서술형 MASTER

(4) **람보쌤**의 **질문**에 답하여 보자.

➜ **헌법 재판소의 역할**은
첫째,
둘째,
셋째,
넷째,
다섯째, 이다.

집에서 잡채가 남았을 때 람보쌤이 맛있게 먹는 비법!!일단 라이스페이퍼 하나를 준비해! 그런다음 라이스 페이퍼를 물에 살짝 넣었다 빼고 그위에 잡채를 놓고 반으로 접어서 만두 모양을 만들어! 그리고 기름에 살짝 구우면 정말 맛있는 잡채 군만두가 된단다!! 빡친들도 남은 잡채가 있다면 한번 시도해봐!! ㅎㅎ 알라븅

·정답: 01.(1) (1-1) 헌법 재판소, 헌법 / (1-2) 9,3,3,3, 대통령 (2) ㉠:국회 ㉡:법원 ㉢:정부 ㉣:국민 ㉤: 국가기관
(3) (3-1) 국민 / (3-2) 위헌 법률 심판
(4) ① 위헌 법률 심판, ② 헌법 소원 심판, ③ 탄핵 심판, ④ 권한 쟁의 심판, ⑤ 정당 해산 심판

헬스장의 귀염둥이, 애완호랑이랑 놀자!

초롱이네 놀이방

잘못을 저지르면 법의 심판을 받게 되는 거 알지?
그러니까 쓸데없는 마음 먹지 말고 착하게 살도록 하거라.
단, 여기서 지은 잘못에 대해서는 법의 적용을 피할 수 있어.
대신 나의 심판을 받을 것이다. 어떡할래? 잘할거지?ㅎㅎ 놀다가!

1.과자퀴즈 – 다음 과자의 이름을 맞춰보세요.

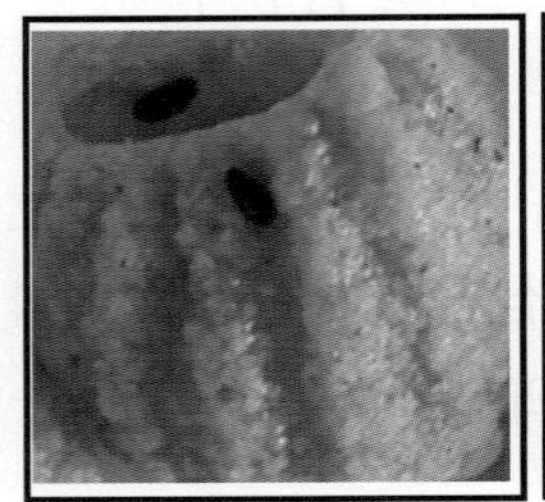

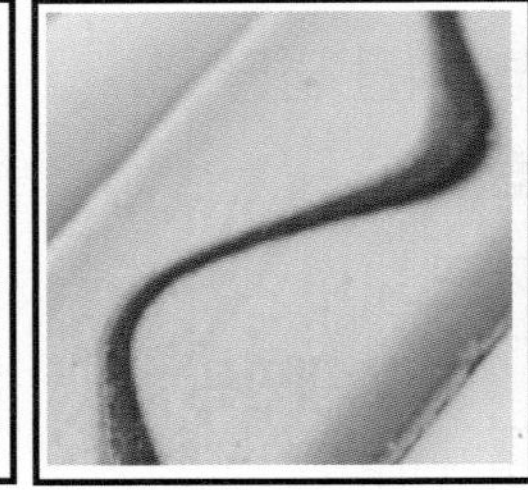
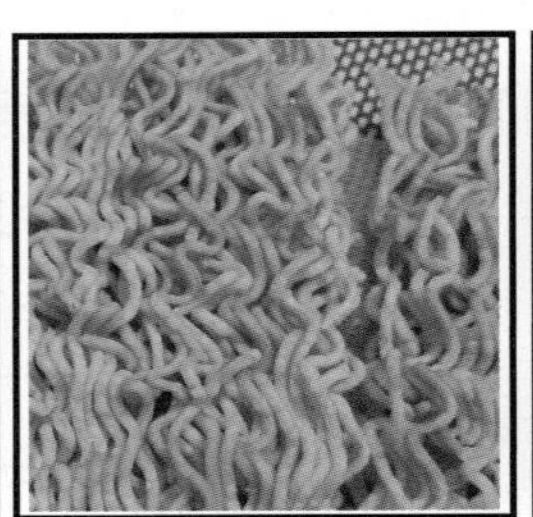

A: B: C: D: E:

2.꽃다발 색으로 알아보는 나의 연애스타일

평생 고기먹게 해주겠소

**Q.사랑하는 연인에게 꽃다발을 받게 되었다.
이 때 꽃다발의 색깔은 무슨색인가?**

노랑 보라 하양 빨강 파랑

1. A.짱구 B.바나나킥 C.쿠크다스 D.에낙 E.오징어 땅콩
2. 노랑 – 연애에 대해 순수한 편이나 한 번 빠져들면 무섭게 빠져드는 스타일 / 보라 – 평범하기 보다는 독특한 개성을 가진 사람에게 끌리는 스타일
하양 – 서로를 배려하고 이해해주는 연애를 꿈꾸는 스타일 / 빨강 – 한 번 불붙으면 쉽게 꺼지지 않는 열정적인 연애를 하는 스타일
파랑 – 주변으로부터 매력이 철철 넘친다는 평가를 받으며 인기가 많지만 굉장히 쿨한 연애스타일을 가지고 있어 상처도 많이 주는 스타일

법원의 조직과 기능

유형 1 법원이란?

. 법원의 역할로 옳은 것은?

) 법률을 제정한다.
) 법률을 집행한다.
) 법률을 심의·의결한다.
) 법률을 적용하여 판단한다.
) 법률에 따라 정책을 실행한다.

유형 2 사법권의 독립

. 다음 헌법 조항 (가)~(마)중 사법권의 독립을 보장하는 근거 조항으로 보기 어려운 것은?

> (가) 제101조 ①사법권은 법관으로 구성된 법원에 속한다.
> (나) 제102조 ②대법원에 대법관을 둔다. 다만, 법률이 정하는 바에 의하여 대법관이 아닌 법관을 둘 수 있다.
> (다) 제103조 법관은 헌법과 법률에 의하여 그 양심에 따라 독립하여 심판한다.
> (라) 제104조 ③대법원장과 대법관이 아닌 법관은 대법관 회의의 동의를 얻어 대법원장이 임명한다.
> (마) 제105조 ③대법원장과 대법관이 아닌 법관의 임기는 10년으로 하며, 법률이 정하는 바에 의하여 연임할 수 있다.

) (가)　② (나)　③ (다)　④ (라)　⑤ (마)

. 사법권의 독립에 관한 아래 헌법 조항의 궁극적인 목적은?

> **헌법**
> **제101조** ①사법권은 법관으로 구성된 법원에 속한다.
> ②법관의 자격은 법률로 정한다.
> **제103조** 법관은 헌법과 법률에 의하여 그 양심에 따라 독립하여 심판한다.

) 신속한 재판을 보장한다.
) 선거를 통해 법관을 선출한다.
) 권력 분립의 원리를 실현한다.
) 외부 세력의 영향을 받아 재판한다.
) 공정한 재판을 통해 국민의 기본권을 보호한다.

서술형

4. 사법권이 독립되어야 하는 이유를 국민과 관련지어 서술하시오.

> 사법권의 독립이란 법관이 법원 내부나 외부의 영향으로부터 완전히 독립하여 판결을 내려야 한다는 원칙이다. 우리나라에서는 다음 헌법 조항을 통해 사법권의 독립을 보장하고 있다.
>
> **헌법**
> **제101조** ①사법권은 법관으로 구성된 법원에 속한다.
> ③법관의 자격은 법률로 정한다.
> **제103조** 법관은 헌법과 법률에 의하여 그 양심에따라 독립하여 심판한다.

유형 3 법원의 조직

5. 그림 (가), (나), (다)와 관련된 내용으로 옳은 것은?

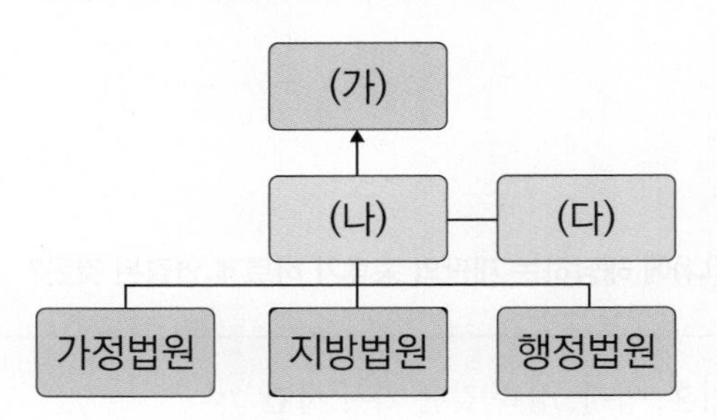

① (가) 1심 재판을 담당한다.
② (가) 사법부의 최고 기관이다.
③ (나) 최종 재판을 담당한다.
④ (나) 3심 판결을 다시 재판해 달라고 요청한 사건을 재판한다.
⑤ (다) 헌법과 관련한 재판만을 한다.

6. 법원의 조직과 기능에 대한 설명으로 옳지 않은 것은?

① 하급법원의 최종심 담당은 대법원이다.
② 법원은 정당 해산 심판을 청구할 수 있다.
③ 가정 법원은 가정과 소년에 관한 문제를 담당한다.
④ 고등 법원은 주로 1심 법원의 판결에 대한 항소 사건을 재판한다.
⑤ 대법원은 행정부의 명령이나 규칙이 헌법에 위반되는지를 최종적으로 심사한다.

유형 4 디테일한 문제

7. 그림은 법원의 조직도를 나타낸 것이다. (가)에 해당하는 설명으로 옳은 것은?

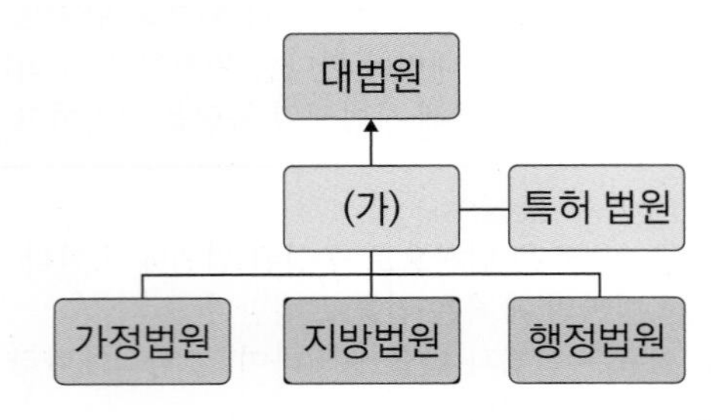

① 3심 사건의 최종적인 재판을 담당한다.
② 소년 보호 사건을 담당하는 특수 법원에 해당한다.
③ 위헌 법률 심판을 통해 헌법을 수호하는 역할을 담당한다.
④ 지방 법원의 1심 합의부 판결에 대한 항소 사건을 재판한다.
⑤ 행정부가 제정한 명령·규칙·처분에 대한 심사권을 가진다.

8. (가), (나)에 해당하는 재판의 종류가 바르게 연결된 것은?

> (가) 이혼, 양자, 상속 같은 가사 사건
> (나) 범죄의 유무를 결정하는 형사 재판 1심

	(가)	(나)
①	지방법원	가정법원
②	지방법원	특허법원
③	가정법원	지방법원
④	특허법원	행정법원
⑤	행정법원	지방법원

9. (가), (나)의 사례에서 ㉠, ㉡에 들어갈 법원의 종류를 가장 바르게 연결한 것은?

> (가) 갑은 주차 문제로 이웃인 을과 시비를 벌이다 그를 다치게 했다. 상해 혐의로 기소된 갑은 지방 법원 합의부 1심 재판에서 징역 2년을 선고받았다. 갑은 자신이 받은 형벌이 과하다고 생각하여 (㉠)에 항소하기로 하였다.
> (나) 전기밥솥을 만드는 A회사와 B회사는 압력 밥솥 안전 기술과 관련한 특허를 두고 몇 년째 소송을 이어가고 있다. 최근 특허 법원의 판결에서 패소한 B회사는 이번 소송의 결과를 인정할 수 없다며 (㉡)에 상고하려고 한다.

	㉠	㉡
①	고등 법원	행정 법원
②	고등 법원	대법원
③	지방 법원	고등 법원
④	지방 법원	대법원
⑤	가정 법원	고등 법원

유형 5 입법·행정·사법의 견제

※ 다음은 국가 기관을 나타낸 것이다. 다음을 보고 물음에 답하시오.

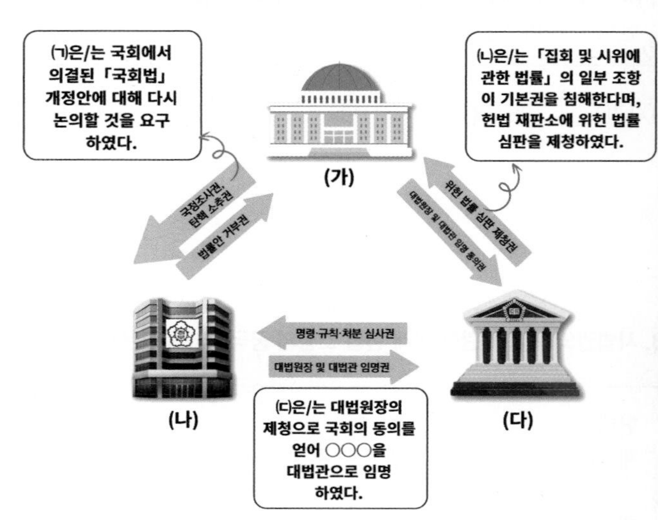

10. (ㄱ)~(ㄷ)에 들어갈 내용을 옳게 연결한 것은?

	(ㄱ)	(ㄴ)	(ㄷ)
①	대통령	법원	대통령
②	국회	대통령	법원
③	대통령	법원	법원
④	법원	국회	대통령
⑤	국회	법원	대통령

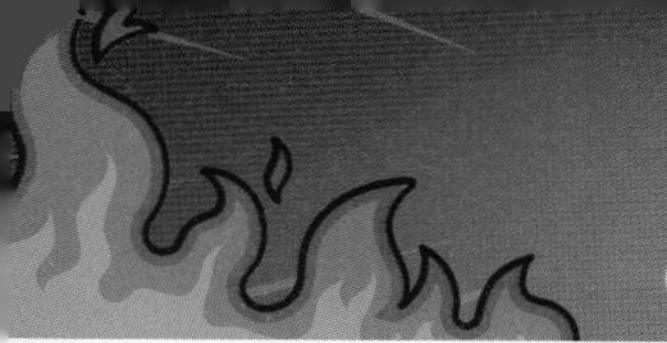

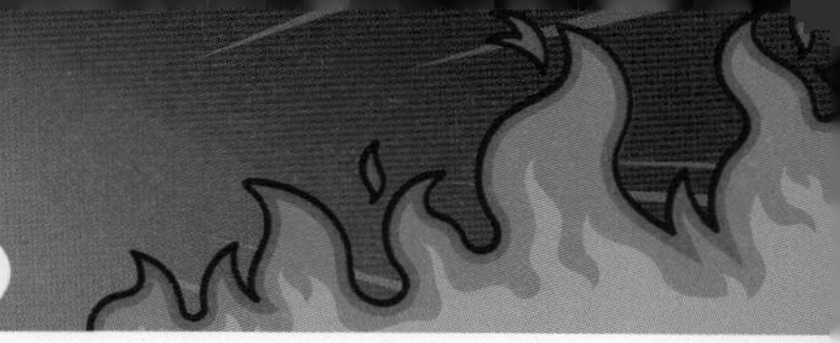

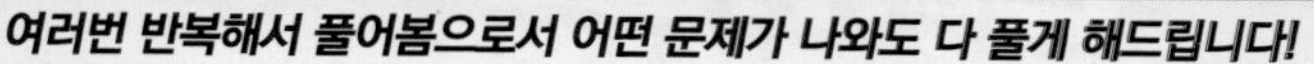

1. 국가 기관의 권한 (가), (나)를 옳게 짝지은 것은?

· (가) : 국회가 정부에 대해서 가지는 권한
· (나) : 정부가 법원에 대해서 가지는 권한

	(가)	(나)
①	법률안 거부권	대법관 임명권
②	법률안 거부권	위헌 법률 심판 제청권
③	탄핵 소추권	위헌 법률 심판 제청권
④	법률안 거부권	명령, 규칙, 처분 심사권
⑤	탄핵 소추권	대법관 임명권

헌법 재판소

유형 1 용어

2. ㉠,㉡에 해당하는 헌법 재판소의 권한을 옳게 연결한 것은?

권한	권한에 대한 내용
㉠	국가 기관 사이에 권한의 다툼이 발생했을 때 이를 심판하는 것이다. 이러한 심판은 재판관 과반수 이상의 찬성으로 결정되고, 모든 국가기관은 그 결정을 따라야 한다.
㉡	법원이 재판의 전제가 된 법률이 헌법에 위반된다고 판단하여 위헌 여부를 심사해 달라고 제청했을 때, 그 법률의 위헌 여부를 심판하는 것이다.

	㉠	㉡
①	권한 쟁의 심판	헌법 소원 심판
②	권한 쟁의 심판	위헌 법률 심판
③	헌법 소원 심판	정당 해산 심판
④	헌법 소원 심판	위헌 법률 심판
⑤	정당 해산 심판	헌법 소원 심판

13. 헌법재판소의 권한에 대한 설명이 옳게 연결된 것은?

	권한	설명
㉠	탄핵심판	민주적 기본 질서를 어긴 정당의 해산 여부를 심판한다.
㉡	헌법소원심판	국가 기관이나 지방 자치 단체 간의 권한 분쟁을 해결한다.
㉢	위헌법률심판	법률이 헌법에 위반되는지 여부를 심판한다.
㉣	정당해산심판	국가권력의 행사가 국민의 기본권을 침해하였는지 심판한다.
㉤	권한쟁의심판	고위 공직자가 위법한 행위를 한 경우 파면 여부를 심판한다.

① ㉠ ② ㉡ ③ ㉢ ④ ㉣ ⑤ ㉤

유형 2 헌법 재판소 통합

14. 헌법재판소에 대한 설명으로 옳은 것을 <보기>에서 모두 고른 것은?

보 기

ㄱ. 법관의 자격을 가진 9명의 재판관으로 구성된다.
ㄴ. 헌법을 수호하고 국민의 기본권을 보장하기 위해 만들어진 국가 기관이다.
ㄷ. 헌법 소원 심판과 정당 해산 심판은 정부의 청구에 따라 재판이 이루어진다.
ㄹ. 재판의 전제가 되는 명령이나 규칙이 헌법이나 법률에 위반되는지 여부를 최종적으로 심사한다.

① ㄱ, ㄴ ② ㄱ, ㄷ ③ ㄴ, ㄷ
④ ㄴ, ㄹ ⑤ ㄷ, ㄹ

유형 3 헌법 소원 및 서술형

15. 빈칸에 들어갈 공통된 용어로 옳은 것은?

> 청소년 게임 셧다운제 [　　　] 청구서
>
> 1. 청구인
> 16세 미만의 청소년과 16세 미만의 자녀를 둔 학부모
>
> 2. 청구 취지
> 청소년보호법 제23조 셧다운제(16세 미만 청소년에게 오전 0시부터 오전 6시까지 인터넷 게임을 제공해서는 안 된다.)는 헌법 제10조 행복 추구권 및 교육권, 제11조 평등권에 위배된다며 헌법 재판소에 [　　　] 을 청구하였다.
>
> 3. 헌법 재판소의 결과
> 헌법 재판소는 '셧다운제는 청소년의 건전한 성장과 발달을 위해 특별한 보호가 필요하며 시간과 대상이 심야, 16세 미만 청소년으로 제한돼 있어 과잉금지 원칙에 위반된다고 볼 수 없다.'며 합헌으로 결정했다.

① 탄핵 심판　② 정당 해산 심판
③ 권한 쟁의 심판　④ 헌법 소원 심판
⑤ 위헌 법률 심판

서술형

16. 헌법 재판소의 역할을 서술하시오.

> 〈조건〉
> · '헌법 재판소의 역할은 ~이다.'의 형식으로 쓰시오.
> · 헌법 재판소의 역할 '명칭' 다섯 가지를 쓰시오.

서술형

17. 헌법 재판소가 담당하는 심판의 종류이다. (가), (나)의 청구권자를 들어 그 역할을 서술하시오.

> (가) 탄핵 심판
> (나) 위헌 법률 심판

(가) 탄핵심판 :
(청구권자)
(그 역할)

(나) 위헌 법률 심판 :
(청구권자)
(그 역할)

매일!! 쉬는시간 7분!! 공부근육 빵빠라빵빵

차근차근헬스장

운동 1일차 **[경제 활동] 하체 스트레칭**

01. 경제 활동

키워드 덧셈

(1) 다음은 무엇에 대한 **설명**인가?

[인간에게 필요한] + [재화나 서비스를] + [생산,소비,분배하는 활동] = [ ]

중요 키워드 분석

(2-1) **경제 활동**이란 인간에게 필요한 **재화**나 **서비스**를 [, ,] 하는 활동을 의미한다.

(2-2) [ ]은 **재화**나 **서비스**를 만들어 내거나 **그 가치를 증대**하는 활동이다.

(2-3) **소비**는 생활에 필요한 상품을 [ ]하여 사용하는 활동이다.

(2-4) **분배**는 생산에 참여한 사람들이 그 [ ]를 받는 활동이다.

밑줄 친 단어 바르게 고치기

(3-1) **경제 활동**이란 인간에게 필요한 **재화**나 **서비스**를 **믿음,소망,사랑** 하는 활동을 의미한다.

(3-2) **생선**은 **재화**나 **서비스**를 만들어 내거나 **그 가치를 증대**하는 활동이다.

(3-3) **소비**는 생활에 필요한 상품을 **보려서** 사용하는 활동이다.

(3-4) **분배**는 생산에 참여한 사람들이 그 **세뱃돈**을(를) 받는 활동이다.

톡 보고 골라봐!!

(4-1) 다음 중 **생산**은 무엇인가?

① 람보쌤이 수업을 해요.

② 자전거를 질렀어요! 플렉스

(4-2) 다음 중 **소비**는 무엇인가?

① 병원에서 진료를 받았어요.

② 일을 하고 월급을 받았어요

(4-3) 다음 중 **분배**는 무엇인가?

① 은행에서 이자를 받았어요.

② 머리카락을 잘라줬어요.

둘 중에 하나만 골라방!

(5-1) 누가 **재화**지?

①

핸드폰

②

미모의 여강사의 강의

국가를 위해 몸을 바치는 것은 군인의 본분이다.

-도마 안중근-

정답: (1)경제 활동, (2)생산-소비-분배,생산,구입,대가/ (3)생산-소비-분배,생산,구입하여,대가/ (4)①①①/ (5)①

매일!! 쉬는시간 7분!! 공부근육 빵빠라빵빵

차근차근헬스장

운동 2일차

[경제 활동의 주체] 스쿼트 한 판

01. 경제 활동의 주체

키워드 덧셈

(1) 다음은 무엇에 대한 **설명**인가?

(1-1) [소비의 주체] + [기업에 노동, 토지,자본 제공] = [ ]

(1-2) [생산의 주체] + [적은 비용으로 최대 이윤] = [ ]

(1-3) [경제 전체를 관리하는 주체] + [공공재 생산] = [ ]

우리 득근하자!

중요 키워드 분석

(2-1) **가계**는 [ ]의 **주체**이다.

(2-2) **가계**는 **기업**에 **노동, 토지,** [ ]을 제공한다.

(2-3) **가계**는 **기업**에 **생산 요소**를 제공하고 그 대가로 [ ],**이자, 지대**를 받는다.

(2-4) **기업**은 [ ]의 **주체**이다.

(2-5) **기업의 목표**는 **적은 비용으로 최대** [ ]을 남기는 것이다.

(2-6) [ ]는 **경제 전체를 관리하는 주체**이다.

(2-7) **정부**는 세금으로 [ ]를 생산한다.

밑줄 친 단어 바르게 고치기

(3-1) **기업**은(는) **소비**의 **주체**이다.

(3-2) **가계**는 **기업**에 **임금,지대,이자**(을)를 제공한다.

(3-3) **정부**는(은) **생산**의 **주체**이다.

(3-4) **기업의 목표**는 **많은 비용으로 최소 이윤**을 남기는 것이다.

(3-5) **기업**은(는) **경제 전체를 관리하는 주체**이다.

(3-6) **정부**는 세금으로 **자유재**를 생산한다.

톡 보고 골라봐!!

(4-1) 공공재는 **누구를 위해** 존재하지?

① 모두 ② 특정인

(4-2) 공공재는 기업이

① 생산한다 ② 생산하지 않는다

(4-3) 다음 중 **공공재**는?

①

도로

②

돌홍 브로마이드

이어달리기를 할 때 말이야!! 뭔가 더 많이 뛰어주는 선수가 있다면 그 팀이 이어달리기에서 승리하기가 쉬울꺼야! 그와 같이 우리들 또한 누군가보다 더 많이 뛰어주는 사람이 되면 어떨가 우리팀이 승리 할 수 있도록 말이야! 내가 조금 더 뛰어 누군가가 좀 더 쉴 수 있다면 좀 더 뛰어주는 그 한사람이 되도록하자!! 지금과 같은 어려운 시대에는 그 한사람이 정말 정말 필요하지 우리는 그런 사람을 개척자라고 한단다! 알라뷰^^

정답: (1)가계,기업,정부 (2)소비,자본,임금,생산,이윤,정부,공공재 (3)가계,노동-토지-자본,기업,적은 비용으로 최대 이윤,정부,공공재 (4)①②①

매일!! 쉬는시간 7분!! 공부근육 빵빠라빵빵

차근차근헬스장

운동 3일차

[합리적 선택] 와이드 스쿼트

01. 자원의 희소성

키워드 덧셈

(1) 다음은 무엇에 대한 **설명**인가?
[인간의 욕구는 무한] +
[자원은 상대적으로 부족한 상태]
= [ ]

중요 키워드 분석

(2-1) **인간의 욕구**는 **무한**한데 비해 이를 충족해 줄 **자원은 상대적으로 부족한 상태**를 자원의 [ ] 이라고 한다.

(2-2) **자원의 희소성**은 **자원의 절대적인 양**이 아닌 [ ]인 양에 의해 결정된다.

[파생 문제1] 그렇다면 **자원이 희소한 경우**는?

① 
열대지방-난로 1개

② 
극지방-난로 5개

[파생 문제2] **석유의 가격**이 과거에 비해 상승한 이유는?

① 수요 증가 →희소성 커짐

② 수요 증가 →희소성 작아짐

(2-3) **자원의 희소성**은 [ ]의 문제가 발생하는 **근본 원인**이다.

[파생 문제3] 다음 중 **선택의 문제**가 아닌 것은?

① **무엇을 얼마나** 생산할 것인가?

② **어떤 옷**을 입고 생산할 것인가?

③ **누구를 위하여** 생산할 것인가?

[파생 문제4] **어떻게 생산할 것인가**와 관련된 그림은?

① 

② 

02. 합리적 선택

키워드 덧셈

(1) 다음은 무엇에 대한 **설명**인가?
[어떤 것을 선택함으로써] +
[포기하는 대안 중 가장 가치가 큰 것] = [ ]

중요 키워드 분석

(2) **합리적 선택**이란 [ ]이 **기회비용**보다 큰 선택을 말한다.

	마라탕	설렁탕	갈비탕
편익(만족감)	100	90	80

[파생 문제5] 다음 중 **합리적 선택**은?

[파생 문제6] 그리고 **기회비용**은?

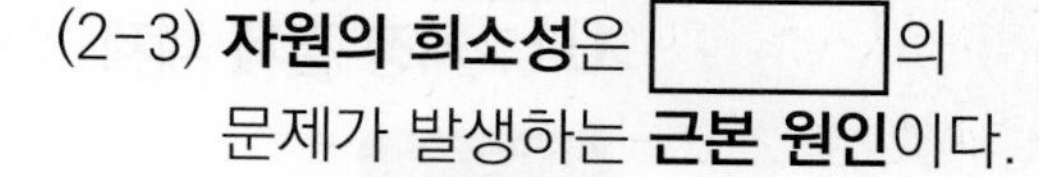

람보쌤이 제일 좋아하는 캐릭터는??!!
1. 도라에몽 2. 스폰지밥 3. 베지터 (아는 사람!!?!!! 베지터 알면 겁나 내세대!! ㅎㅎㅎㅎ)

정답: 01.(1)자원의 희소성 (2)희소성,상대적,②,①,선택,②,①/ 02.(1)기회비용 (2)편익,마라탕,설렁탕-90

[경제 체제] 런지100회

01. 시장 경제 체제

키워드 덧셈

(1) 다음은 무엇에 대한 **설명**인가?
[경제 주체들이 자유롭게] + [시장 가격을 통해] + [경제 문제를 해결하는 경제 체제] = [ ]

우리 득근하자!

둘 중에 골라방

(2-1) **시장경제체제**는 [시장 가격/국가의 계획]을 통해 경제 문제를 해결한다.

(2-2) **시장경제체제**는 **개인**의 [자유/슬기]로운 **경제 활동을 보장**한다.

(2-3) **시장경제체제**는 [사적/공적] **이익**을 추구한다.

(2-4) **시장경제체제**는 **개인의 능력**을 맘껏 **발휘 할 수** [있다/없다]

(2-5) **시장경제체제**는 **희소한 자원**을 [효율적/형평적]으로 사용한다.

(2-6) **시장경제체제**는 [빈부 격차/근로 의욕 저하]가 발생하는 단점이 있다.

(2-7) **시장경제체제**는 [효율성 하락/환경 오염 심화]라는 단점이 있다.

02. 계획 경제 체제

키워드 덧셈

(1) 다음은 무엇에 대한 **설명**인가?
[국가의 계획과 명령에 의해] + [경제 문제를 해결하는 경제 체제] = [ ]

둘 중에 골라방

(2-1) **계획경제체제**는 [국가의 계획/시장 가격]을 통해 경제 문제를 해결한다.

(2-2) **계획경제체제**는 **생산 수단**을 [사유화/국유화]한다.

(2-3) **계획경제체제**는 [개인 목표 추구/사회의 공동 목표 추구]한다.

(2-4) **계획경제체제**는 소득 분배에서 [형평성/효율성]을 중시한다.

(2-5) **계획경제체제**는 근로자의 근로 의욕이 [상승/저하]된다.

03. 혼합 경제 체제

키워드 덧셈

(1) 다음은 무엇에 대한 **설명**인가?
[오늘날 대부분의 국가가 채택한 경제체제] + [시장경제+계획경제] = [ ]

세상은 영웅들의 거대한 추진력에 의해서만이 아니라, 성실한 일꾼들의 조그만 추진력이 합쳐져서도 움직인다. -헬렌켈러-

·정답: 01.(1)시장경제체제 (2)시장가격/자유/사적/있다/효율적/빈부 격차/환경오염심화
02.(1)계획경제체제 (2)국가의 계획/국유화/사회의 공동 목표 추구/형평성/저하 03. (1)혼합경제체제

헬스장의 귀염둥이, 애완호랑이랑 놀자!

초롱이네 놀이방

(초롱이 아기때 프사)

당연하지만 나에게도 부모님이 계시지.
잼민이...아니 잼민호였던 내가 이렇게 구강튼튼한 호랑이로 자란건
다 부모님이 사슴,토끼,멧돼지들을 잡아다 먹여주셔서 그런거야.
그러니까 니네들도 부모님이 주신 용돈 함부로 쓰지말고 애껴써라.
불효 또한 우리 헬스장에서는 금지사항이니라.

1.아이스크림 퀴즈 - 이름을 맞춰보세요!

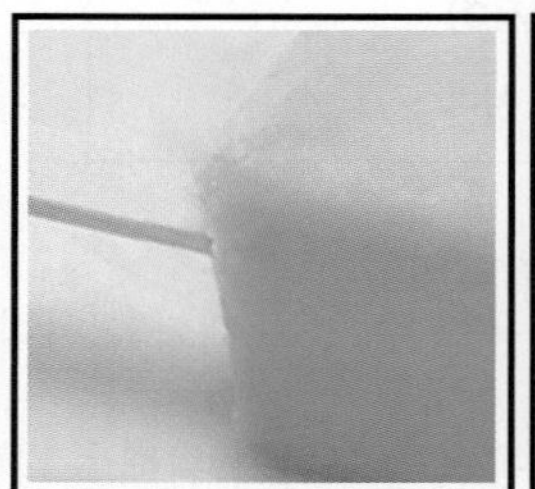
A:

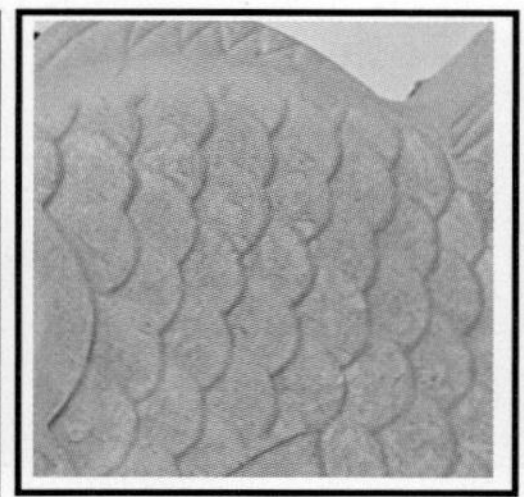
B:

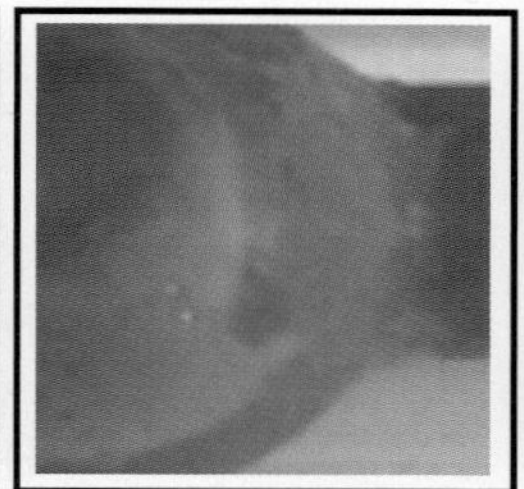
C:

D:

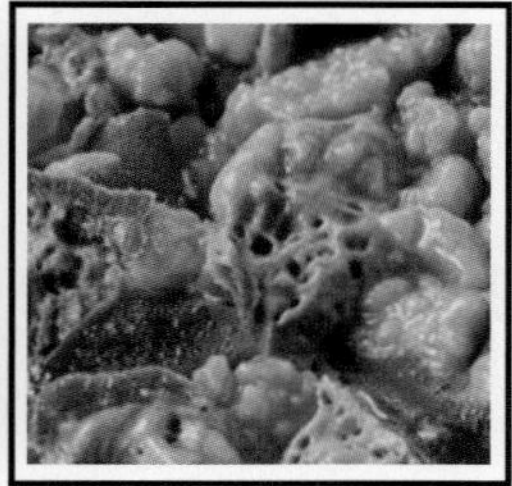
E:

←조선 최고의 공주

2.생일로 공주이름 짓기 - 넌 공주처럼 소중해♥

1월	그레이스
2월	다이애나
3월	샬롯
4월	올리비아
5월	크리스티나
6월	소피아
7월	매기
8월	엘사
9월	클로이
10월	안젤리나
11월	레이첼
12월	수잔

일	이름	일	이름	일	이름
1일	콩순	13일	그란데	25일	코코
2일	캔디	14일	졸리	26일	쥬디
3일	통키	15일	메리	27일	밍키
4일	춘삼	16일	영순	28일	보노보노
5일	숙희	17일	둘리	29일	랭
6일	써니	18일	도로시	30일	성길
7일	장첸	19일	리치	31일	사쿠라
8일	포로리	20일	마티나		
9일	릴리	21일	진구		
10일	라라	22일	길동		
11일	조이	23일	메리		
12일	미미	24일	슈리		

나의 이름은 :

매기 랭...?

A.메로나 B.붕어싸만코 C.빠삐코 D.돼지바 E.월드콘

경제 활동의 이해

유형 1 경제 활동의 의미

1. 경제 용어에 대한 설명으로 옳은 것은?

① 노동 : 생산을 위한 인간의 육체적·정신적 활동을 말한다.
② 서비스 : 옷, 집, 음식 등과 같이 형태가 있는 물건을 말한다.
③ 자본 : 땅, 나무, 광석과 같이 자연이 직접 제공하는 각종 자연 자원을 말한다.
④ 분배 : 생활에 필요한 재화와 서비스를 만들거나 그 가치를 높이는 경제 활동이다.
⑤ 생산 : 생산요소를 제공받은 대가로 임금, 지대, 이자를 지불하는 경제 활동이다.

유형 2 경제 활동의 종류

2. 다음 글과 관련이 깊은 경제 활동은?

생산 과정에 참여한 대가를 나누어 갖는 행위

① 교사가 교실에서 강의를 한다.
② 의사가 병원에서 환자 진료를 한다.
③ 가수가 음반을 만들어 시장에 내놓았다.
④ 고객이 은행에서 예금과 이자를 찾는다.
⑤ 소송을 위해 변호사에게 변호를 맡겼다.

3. 경제 활동의 사례를 바르게 연결한 것은?

① 생산 – 선생님이 학교에서 수업을 하는 것
② 생산 – 아버지가 회사에서 일 한 대가로 받은 임금
③ 분배 – 유명 가수의 공연을 보는 것
④ 소비 – 의사가 환자를 치료하는 것
⑤ 소비 – 은행에서 이자를 받는 것

유형 3 경제 용어 문제

4. 재화와 서비스의 사례로 옳은 것을 바르게 나열한 것은?

	재화	서비스
①	휴대 전화	교사의 수업
②	의사의 진료	노트북 컴퓨터
③	휴대 전화	노트북 컴퓨터
④	교사의 수업	의사의 진료
⑤	배달원의 음식배송	휴대 전화

유형 4 경제 주체 도표

5. 경제 주체 간의 상호 작용을 나타낸 그림에 대한 설명으로 옳은 것은?

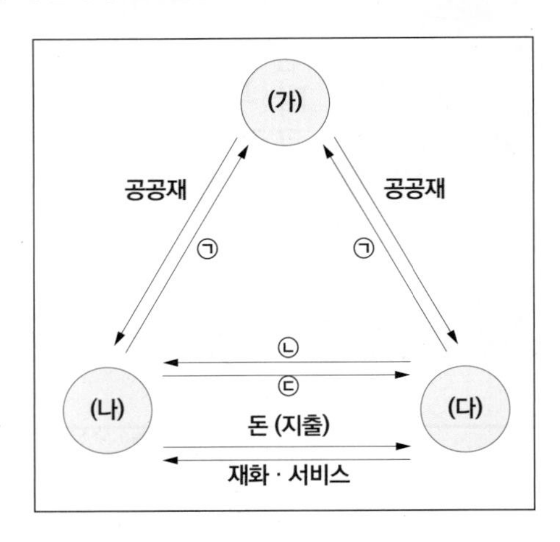

① ㉠은 세금, ㉡은 노동, ㉢은 임금이다.
② (가)는 사람들이 공동으로 이용할 수 있는 재화와 서비스를 생산하여 공급한다.
③ (가)는 최소비용으로 최대 이윤을 추구하기 위해 노력한다.
④ (나)는 경제 전체를 관리하는 경제 주체이다.
⑤ (다)는 주로 재화와 서비스를 소비하는 주체이다. 상급 법원에 상소할 수 있다.

6. 그림에 대한 설명으로 옳은 것은?

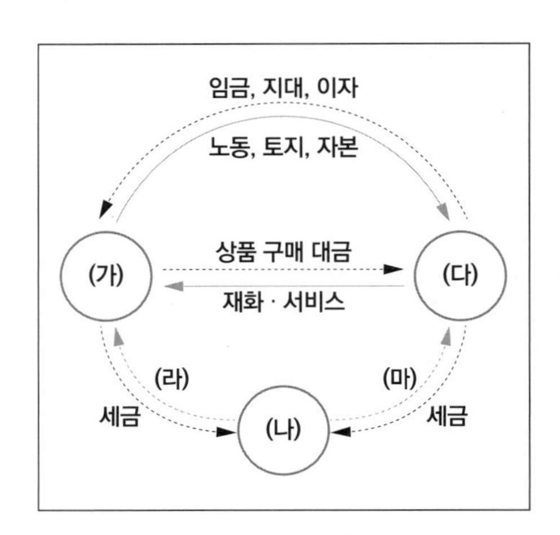

① (가)는 정부다.
② (가)는 (다)에서 일자리와 소득을 제공한다.
③ (나)는 생산 활동을 통한 이윤의 극대화를 추구한다.
④ (다)는 (가)에게 생산요소를 제공한다.
⑤ (라), (마)에는 도로, 교육, 국방 등이 포함된다.

경제 생활에서의 합리적 선택

유형 1 자원의 희소성

서술형

※ 다음 글을 읽고 물음에 답하시오.

(가) 시장에서 필름 카메라를 구하기가 어려워지고 있다. 아직도 사진작가들처럼 필름 카메라를 사용하는 사람이 많지만, 디지털카메라의 사용이 보편화되면서 기업들이 필름 카메라의 생산을 대폭 줄였기 때문이다.
(나) 빈센트 반 고흐의 작품은 고흐가 살아 있을 당시에는 사려는 사람이 거의 없었다. 하지만 고흐가 사망한 후 그의 작품은 생전에는 상상할 수 없을 만큼 비싼 가격에 거래되고 있다.

7. (가)에서 설명하는 것과 관련되는 용어는?

8. (나)와 같은 사례를 가진 재화(이유 포함) 2개를 서술하라.

1)

2)

유형 2 자원의 희소성 대표적 예

9. 다음 내용을 통해 알 수 있는 희소성에 대한 설명으로 옳은 것만을 〈보기〉에서 고른 것은?

무더운 열대 지방에서는 에어컨의 양이 많더라도 그것을 원하는 사람들의 수가 더 많기 때문에 에어컨은 희소성을 띨 것이다. 반면 추운 극지방에서는 에어컨의 양이 적더라도 에어컨을 원하는 사람이 매우 적기 때문에 에어컨은 희소하지 않을 것이다.

보 기

ㄱ. 희소성은 시대나 장소에 따라서 변하지 않는다.
ㄴ. 희소성은 자원의 절대적인 양에 의해서 결정된다.
ㄷ. 희소성은 인간의 필요와 욕구에 따라 달라질 수 있다.
ㄹ. 자원의 양이 매우 적더라도 그것을 원하는 사람이 없다면 그 자원은 희소하지 않다.

① ㄱ, ㄴ ② ㄱ, ㄹ ③ ㄴ, ㄷ
④ ㄴ, ㄹ ⑤ ㄷ, ㄹ

10. 다음 사례에 대한 분석으로 옳은 것은?

1859년 석유가 최초로 상업적으로 개발되기 시작하면서 석유는 점차 유연탄, 무연탄 등의 여타 화석 연료를 대체하기 시작하였다. 석유의 유용성에도 불구하고 1970년대 초까지 중동 산유국 등이 석유를 풍부하게 공급함에 따라 석유는 배럴당 3달러의 낮은 가격에 거래되었다. 그러나 1차 석유 파동을 계기로 주요 산유국인 사우디아라비아, 이란, 이라크 등이 석유 자원을 무기화하면서 석유 공급을 줄이자 석유 가격은 배럴당 11달러로 4배 가까이 증가했다.

① 장소에 따라 석유의 희소성이 달라진다.
② 석유 파동 이후 석유는 희소성이 없어졌다.
③ 석유 가격은 절대적 가치에 의해 결정된다.
④ 석유 파동 이후 석유는 무상재의 성격을 가지게 되었다.
⑤ 석유에 대한 사람들의 욕구에 비해 공급이 줄어들자 석유의 가격이 상승하였다.

유형 3 합리적 선택

11. 합리적 선택에 대한 설명으로 옳지 않은 것은?

① 편익이 비용보다 큰 것을 선택해야 한다.
② 편익이 기회비용보다 작은 것을 선택해야 한다.
③ 최소의 비용으로 최대의 만족을 얻는 선택해야 한다.
④ 비용이 동일한 경우 편익이 가장 큰 대안을 선택해야 한다.
⑤ 편익이 동일한 경우 비용이 가장 작은 대안을 선택해야 한다.

12. 다음 글과 관련된 내용으로 옳은 것은?

> 홍길동은 주말 오후에 시험공부를 하고 있는데 친구들이 축구를 하자고 제안하여 축구를 선택하였다.

① 경제 체제에 관한 내용이다.
② 경제 문제에 관한 내용이다.
③ 편익은 시험공부 할 수 있는 시간이다.
④ 편익은 친구들과 축구를 하면서 얻는 만족감이다.
⑤ 비용은 친구들과 축구를 하면서 얻는 만족감이다.

유형 4 편익과 기회비용

13. 철수의 선택에 대한 설명으로 가장 적절한 것은?

> 철수는 주말에 무엇을 해야할지 고민 중이다. 주말에 볼 수 있는 공짜 영화티켓을 선배가 주었기 때문이다. 그러나 주말 배달 아르바이트를 하면 시간당 3,000원을 벌 수 있고, 평소 아르바이트하던 카페 사장님이 주말에 나와 일해주면 시간당 10,000원을 주겠다고 해서 무엇을 선택해야할지 고민하고 있다.
> (*영화, 배달, 카페 아르바이트 모두 1시간이 소요되며, 날짜와 시간도 모두 같다.)

① 영화티켓은 공짜이므로 영화의 기회비용은 없다.
② 철수는 편익보다 기회비용이 큰 선택을 해야 한다.
③ 철수가 영화를 선택했을 때의 기회비용은 10,000원이다.
④ 철수가 배달을 선택하면 매몰비용 3,000원이 발생하게 된다.
⑤ 철수가 카페 아르바이트를 선택하면 기회비용은 발생하지 않는다.

14. 다음 글에 대한 설명으로 옳은 것은?

> A는 용돈으로 옷, 신발, 가방 중에서 한 가지를 사려고 한다. 각각의 만족감(편익)을 예상해 보니 가방은 5, 신발은 7, 옷은 9가 나왔다.

① 옷과 신발에 대한 기회비용은 같다.
② 가방을 선택하는 것이 가장 합리적이다.
③ 기회비용과 편익 모두 클수록 합리적인 선택이다.
④ 가방에 대한 기회비용이 옷에 대한 기회비용보다 크다.
⑤ 옷에 대한 기회비용은 가방과 신발의 기회비용을 더한 것이다.

경제 문제를 해결하기 위한 경제 체제

유형 1 기본적인 경제 문제

5. 그림은 일상생활에서 발생하는 기본적인 경제 문제를 나타낸 것 이다. (가)와 (나)에 해당 하는 경제 문제를 바르게 연결한 것은?

(가)

(나)

	(가)	(나)
①	생산 방법의 결정	생산물의 분배 결정
②	생산 방법의 결정	생산물의 종류 결정
③	생산물의 분배 결정	생산 방법의 결정
④	생산물의 종류 결정	생산 방법의 결정
⑤	생산물의 종류 결정	생산물의 분배 결정

유형 2 우리 나라 경제 체제의 특징

6. 다음 헌법 조항에서 알 수 있는 우리나라 경제 체제의 특징을 옳게 설명한 사람을 고른 것은?

헌법 제119조 ①대한민국의 경제 질서는 개인과 기업의 경제상의 자유와 창의를 존중함을 기본으로 한다.
②국가는 균형 있는 국민경제의 성장 및 안정과 적정한 소득의 분배를 유지하고, 시장의 지배와 경제력의 남용을 방지하며, 경제 주체 간의 조화를 통한 경제의 민주화를 위하여 경제에 관한 규제와 조정을 할 수 있다.

① 갑, 을 ② 갑, 병 ③ 갑, 정
④ 을, 병 ⑤ 병, 정

유형 3 시장 경제 체제와 계획 경제 체제 비교

17. 시장 경제 체제와 계획 경제 체제를 비교한 ㉠~㉤에 대한 내용으로 옳지 않은 것은?

	시장 경제 체제	계획 경제 체제
생산 수단 소유 형태	㉠	
경제 활동 결정 주체		㉡
경제적 동기	㉢	
장점		㉣
단점	㉤	

① ㉠ - 사유재산제도
② ㉡ - 국가
③ ㉢ - 개인의 이익 추구
④ ㉣ - 최소 자원의 효율적 활용
⑤ ㉤ - 환경오염, 빈부 격차 심화

매일!! 쉬는시간 7분!! 공부근육 빵빠라빵빵

차근차근헬스장

운동 1일차

[기업의 역할과 사회적 책임] 줄넘기

01. 기업의 역할

키워드 덧셈

(1) 다음은 누가 하는 **역할**인가?
[상품 생산] + [고용과 소득 창출]+
[세금 납부] + [소비자의 만족 증진]
= [ ]의 역할

중요 키워드 분석

(2-1) 기업은 [ ] 의 주체이다.
(2-2) 기업은 [ ] 을 창출하여 가계에 **일자리**를 **제공**한다.
(2-3) 기업은 가계로부터 **노동,** [ ] **,** **자본** 등을 공급받아 그 대가로 **임금,** [ ] **,지대**를 지불한다.
(2-4) 기업은 **세금**을 **납부**한다.

밑줄 친 단어 바르게 고치기

(3-1) 기업은 **소비**의 주체이다.
(3-2) 기업은 **알바몬**을 창출하여 가계에 **일자리**를 제공한다.
(3-3) 기업은 가계로부터 **임금,지대,이자**를 공급받아 그 대가로 **노동,토지, 자본**을 지불한다.

└►[파생 문제1] 다음 중 **기업의 역할**이 아닌 것은?

① 재화와 서비스 생산
② 공공재 생산

02. 기업의 사회적 책임

키워드 덧셈

(1) 다음을 나타내는 **용어**는?
[법령 준수] + [소비자의 권익 보호] +
[근로자의 권리 보호] + [환경 보호] +
[사회 공헌 활동] = [ ]

중요 키워드 분석

(2-1) 법령 준수: 기업은 [ ] 에 근거하여 경제 활동을 한다. 또한 다른 업체와 [ㄱ ㅈ ㅎ] 경쟁을 한다.
(2-2) 소비자의 권익 보호: 기업은 [ ] 제품을 생산하고 소비자의 권익을 [ㅊ ㅎ] 하지 않는다.
(2-3) 근로자의 권리 보호: 근로자에게 정당한 [ㅇ ㄱ] 과 [ㅇ ㅈ ㅎ] 작업 환경을 제공해야 한다.
(2-4) 환경 보호: 환경 [ ] 방지
(2-5) 사회 공헌 활동 참여: 기업은 교육,문화,복지 등을 적극 지원하고, 사회 전체의 [ ] 증진에 기여한다.

└►[파생 문제2] 다음 중 **기업의 사회적 책임**과 관련 없는 톡의 내용은?

① 환경 보호 합시다!
② 이윤만 추구합시다

공부를 할 때 뭔가 잘 안끝나는 느낌이 있다면!! 너무 많은 종류의 공부를 하고 있지는 않은지 점검해봐야해^^ 한가지를 끝내야 그다음것을 하는거야! 그래야 끝나!!
한꺼번에 여러 가지를 동시에 하거나! 이 문제집이 채 끝나기 전에 '딴 문제집도 풀어야하는데' 하는 생각들은 사실 공부를 느리게 하게 한단다! 그냥 일단은 하나를 붙잡고 그것 먼저 끝내고 다음 것을 해야 시험 공부가 쉽게 끝나는 거야! 알겠지?!! 알라뷰^^

·정답: 01.(1)기업의 역할,(2)생산,고용,토지,이자/(3)생산,고용,노동-토지-자본,임금-지대-이자/②
02.(1)기업의 사회적 책임,(2)법-공정한,안전한-침해,임금-안전한,오염,복지/②

운동 2일차

[기업가 정신!] 훌라후프

01. 기업가 정신

키워드 덧셈

(1) 다음은 나타내는 **용어**는?

[불확실성] + [위험을 무릅쓰고] + [혁신]
[도전 정신] = [　　　　　　　　　　]

그림 고르기

(2) **기업가 정신**이 **아닌 것**을 고르시오.

① 마라맛 새우 과자를 만들자!

우리 득근하자!

회색 글씨 따라쓰며 외우기

(3) 기업가 정신 하면 반드시 슘페터를 떠올려! 슘페터는 기업가 정신이란 혁신이라고 주장하였어.

기업가 정신= [　　　　]

시험에 잘나오는 문제 맞추기

(4) 다음은 무엇에 대한 설명인가?

미래의 불확실성과 **높은 위험** 속에서도 주도적으로 기회를 잡으며, 혁신과 창의성을 바탕으로 한 생산 활동을 통해 기업을 성장시키려는 도전 정신이다.

〈　　　　　　　　　　〉

(5) **기업가 정신**이 **아닌 톡**을 고르시오.

① 끊임없이 혁신합시다!

② 현재 잘팔리는 제품만 생산합시다.

③ 새로운 생산 기술을 개발합시다!

너무 더러운 방을 한꺼번에 치우려면 뭔가 어디서부터 어떻게 해야할지 모르겠잖아!
그럴 때 좋은 방법은 방을 4등분으로 나누어서 먼저 1/4을 치우고, 그다음에 또 남은 1/4을 치우고 또 이런식으로 치우면 어느순간 더러운 방을 다 치우게 되지!!
그것과 똑같이 공부도 한꺼번에 다 할 생각보다는 차근 차근 한과목씩 끝내면 많은 양의 시험 공부도 충분히 해낼 수 있어!! 알겠지!! 알라븅^^

·정답: 01.(1)기업가 정신,(2)②②②,(3)혁신,(4)기업가 정신,(5)②

헬스장의 귀염둥이, 애완호랑이랑 놀자!

초롱이네 놀이방

우리가 헬스장을 통해 훈련했듯이 기업은 기업대로,
사회는 사회대로 책임을 다하여야 하는 것이니라.
자 그럼 너의 책임은 뭐다? 여얼심히 공부하고, 저영직하게 사는거지.
잘 못하겠어? 걱정마 내가 도와줄게. 될 때까지 물고있지 뭐.

1. 그림 퀴즈 - 제목을 맞혀라!

Q1. 다음 그림의 제목은 무엇일까?

Q2. 이것도 맞춰보세요. 2글자!

2. 난이도가 바짝 올라간 미로찾기 챌린지

이게 어려워?

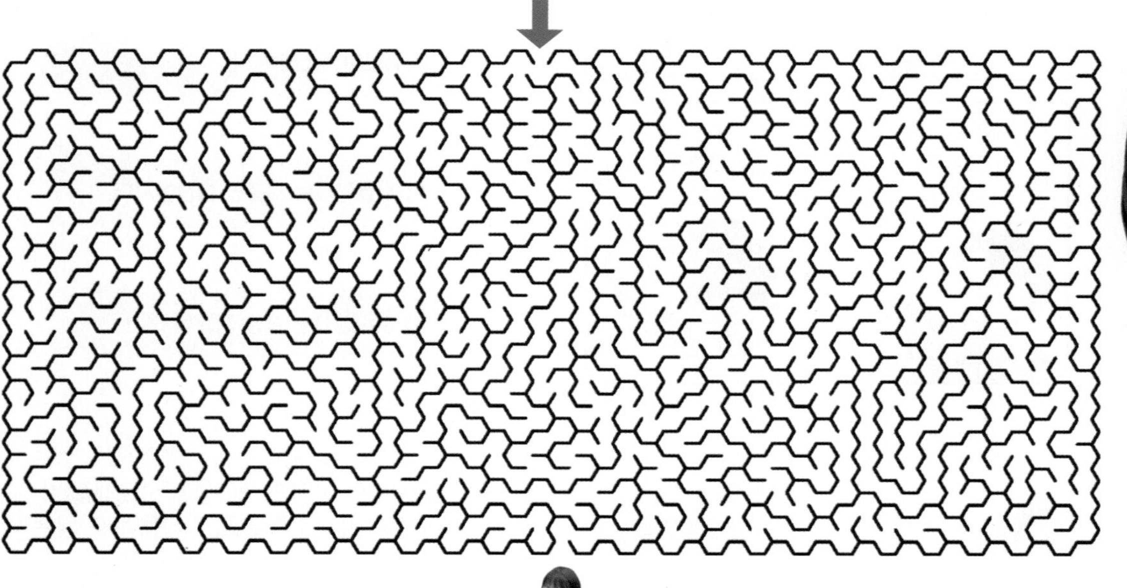

여기로 커몬커몬

1. Q1. 키보드 Q2. 퇴학(퉤하는 학)
2. (힌트)3분의 1쯤 쭈욱 내려다가다 오른쪽으로 한 번 꺾어서 가보세요. 하다보면 됨(...)

기업의 의미와 역할

유형 1 기업의 역할

. 기업에 관해 옳은 설명을 〈보기〉에서 모두 고른 것은?

> 보 기
>
> ㄱ. 다양한 일자리를 창출한다.
> ㄴ. 재화와 용역을 공급하고 판매한다.
> ㄷ. 세금을 받고 공공재를 생산한다.
> ㄹ. 생산요소를 제공하고 분배소득을 받는다.

) ㄱ, ㄴ　　② ㄱ, ㄹ　　③ ㄴ, ㄷ
) ㄱ, ㄴ, ㄷ　　⑤ ㄴ, ㄷ, ㄹ

유형 2 기업의 역할 복합

. 기업에 대한 설명으로 옳지 않은 것은?

) 기업은 각종 세금을 납부하여 국가 재정에 이바지한다.
) 기업은 생산 과정에서 사람들을 고용하여 일자리를 준다.
) 기업의 생산 활동이 활발하면 가계 소득이 늘어나 경제가 활성화된다.
) 기업은 이윤을 증대하기 위해 새로운 상품을 만들거나 생산 기술을 개발한다.
) 일반적으로 기업이 사회적 책임을 다할 때 환경오염이나 노동 문제가 심각해진다.

기업의 사회적 책임

유형 1 기업의 사회적 책임

3. 기업의 사회적 책임에 해당하는 내용을 〈보기〉에서 있는 대로 고른 것은?

> 보 기
>
> ㄱ. 경제적 효율성만을 기업의 목표로 삼는다.
> ㄴ. 공익을 고려하지 않고 기업의 이익만을 우선시한다.
> ㄷ. 유해 물질이 검출되지 않는 제품을 만들기 위해 끊임없이 연구한다.
> ㄹ. 저소득층 아이들을 대상으로 자원봉사, 기부 및 후원 활동을 꾸준히 전개한다.

① ㄱ, ㄴ　　② ㄱ, ㄷ　　③ ㄴ, ㄷ
④ ㄴ, ㄹ　　⑤ ㄷ, ㄹ

유형 2 기업의 사회적 책임 사례

4. 다음 사례로 알 수 있는 기업의 사회적 책임으로 가장 옳은 것은?

> 국내 'o'식품회사는 100% 국내산 원료만 사용한다고 광고해왔다. 그런데, 'o'사의 원료 공급업체들 중에서 중국산 원료를 섞어서 납품한 업체가 적발되어, 원산지 표시위반 등의 혐의로 수사를 받고 있다. 이에 'o'사는 사건 수사 여부와 상관없이, 고객의 불안과 의혹을 해소 하기 위해 해당 제품을 자진 회수하고 전량 환불해주기로 결정했다.

① 거래 업체와 공정하게 거래한다.
② 소비자의 권익을 침해하지 않는다.
③ 환경오염을 줄이기 위해 노력한다.
④ 기부와 같은 사회 공헌 활동에 참여한다.
⑤ 노동자에게 안전한 작업 환경을 제공한다.

기업가 정신

유형 1 슘페터의 격언

서술형

5. ( )에 공통으로 들어갈 용어를 쓰시오.

> 새로운 사업에서 야기될 수 있는 위험을 부담하고 어려운 환경을 헤쳐 나가면서 기업을 키우려는 뚜렷한 의지를 말한다.
> 미국의 경제학자인 슘페터가 강조한 것으로, 미래의 불확실성 속에서도 장래를 정확하게 예측하고 변화를 모색하는 것이 기업가의 주요 임무이며, 이를 (   )이/라고 하였다.
> 그는 기업 이윤의 원천을 기업가의 혁신, 즉 (   )을/를 통한 기업 이윤 추구에 있다고 보았다. 따라서 기업가는 혁신, 창조적 파괴, 새로운 결합, 남다른 발상, 남다른 눈을 지니고 있어야 하며, 새로운 생산 기술과 창조적 파괴, 새로운 시장의 개척, 새로운 생산 방식의 도입, 새로운 제품의 개발, 새로운 원료 공급원의 개발 또는 확보, 새로운 산업 조직의 창출 등을 강조하였다.

유형 2 기업가 정신

6. 기업가 정신과 관련된 설명으로 옳지 않은 것은?

① 기업가 정신을 통해 기업은 더 많은 이윤을 획득하고 성장할 수 있다.
② 기업가 정신을 통해 새로운 기술과 상품이 더욱 다양하게 개발될 수 있다.
③ 독일의 한 기업이 간단한 집안일을 거들어 주는 가정용 로봇을 개발하여 판매하고 있는 것은 기업가 정신이 발휘된 사례로 볼 수 있다.
④ 기업가 정신과 관련하여 미국의 경제학자 슘페터는 새로운 기술을 개발하기보다는 기존의 생산 방법을 안정적으로 유지하는 기업가를 혁신자로 보았다.
⑤ 기업 A사가 손목에 차고만 있으면 근육량, 체지방, 체질량 지수 등을 알려 주는 시계를 개발하여 세계 각국에 수출하고 있는 것은 기업가 정신이 발휘된 사례로 볼 수 있다.

매일!! 쉬는시간 7분!! 공부근육 빵빠라빵빵

차근차근헬스장

운동 1일차 **[일생동안의 경제 생활] 덤벨1kg**

01. 일생 동안의 경제 생활

키워드 덧셈

(1) 다음은 생애주기(**유소년기,청년기, 중·장년기,노년기**) 중 **어떤 시기**에 대한 설명인지 적어보세요.(✪○✪)

(1-1) [소비 활동이 많음] + [부모의 소득 의지] + [바람직한 경제 생활 태도 형성] = [ ]

(1-2) [취업을 통해 본격적으로 소득 발생] + [소득과 소비 모두 적음] = [ ]

(1-3) [소득이 가장 높은 시기이지만 소비도 증가] + [자녀 양육,주택 마련] + [노후 준비 필요] = [ ]

(1-4) [직장 은퇴 후] + [고령화 시대가 되면서 그 중요성이 커짐] = [ ]

중요 키워드 분석

(2-1) **유소년기**에는 **생산 활동**보다 ☐ 활동을 더 많이 하기 때문에 **부모의 소득**에 의지한다.

(2-2) **유소년기**에는 ☐ 경제 생활 태도를 형성하는 것이 중요하다.

(2-3) 청년기에는 ☐을 통해 **본격적**으로 **생산 활동에 참여**하여 **소득**이 발생한다.

(2-4) **중장년기**에는 소득이 가장 ☐ 시기이지만 **자녀 양육,주택 마련** 등으로 **소비도 크게 늘어난다.**

(2-5) **중장년기**에는 ☐를 준비해야 한다.

(2-6) **노년기**는 ☐ 시대가 되면서 그 중요성이 커지게 되었다.

밑줄 친 단어 바르게 고치기

(3-1) **유소년기**에는 **생산 활동**보다 **소비 활동**을 더 많이 하기 때문에 **동생의 소득**에 의지한다.

(3-2) **유소년기**에는 **먹음직한** 경제 생활 태도를 형성하는 것이 중요하다.

(3-3) **청년기**에는 **취업**을 통해 **본격적**으로 **생산 활동에 참여**하여 **개이득**이 발생한다.

(3-4) **중장년기**에는 소득이 가장 높은 시기이지만 **자녀 양육, 여친 마련** 등으로 **소비도 크게 늘어난다.**

(3-5) **청년기**에는 **노후**를 준비해야 한다.

└►[파생 문제] **저축**이 발생하는 **시기**는?

① 유년기 ② 중장년기

(3-6) **노년기**는 **소녀** 시대가 되면서 그 중요성이 커지게 되었다.

'악인들은 결국 자기가 뿌린 씨의 열매를 먹고, 자기 꾀의 결과로 배부를 것이다.' 라는 말이 있어! 학교에서 보면 친구들을 괴롭게 하는 친구들이 있어. 절대 그래서는 안돼! 결국 악인은 만천하에 드러나게 되고 뿌린대로 거두게 될꺼야!! 혹시 악한 친구로 괴로운 친구들이 있다면 결국은 그 악은 처벌받게 될꺼야! 그러니 용기를 내! 알겠지? 너를 위로해!! 힘내!!

·정답: 01.(1)유소년기,청년기,중·장년기,노년기/ (2)소비,바람직한,취업,높은,노후,고령화/ (3)부모,바람직한,소득,주택 마련,중·장년기,②,고령화

운동 2일차

[생애 주기 곡선과 자산 관리] 덤벨2kg

01. 생애 주기 곡선

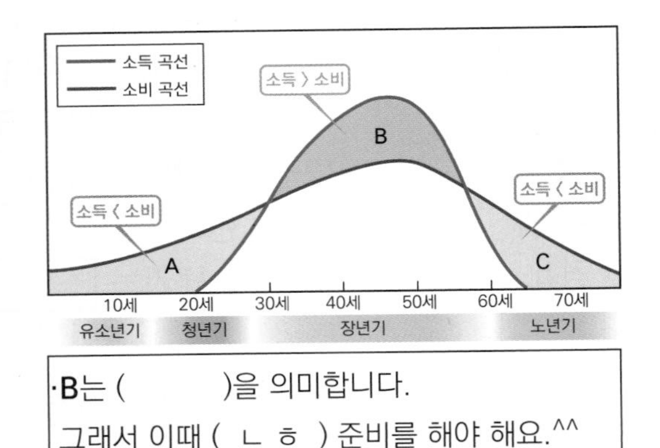

·B는 (   )을 의미합니다.
그래서 이때 (ㄴ ㅎ) 준비를 해야 해요.^^

02. 자산 관리

(1) 다음 중 **실물 자산**에 **O표**를 하시오.

·예금	·부동산	·주식	·채권

↳[심리테스트1] 다음 중 **실물**이 뛰어날거 같은 사람은?

①

우주최강 람보쌤

②
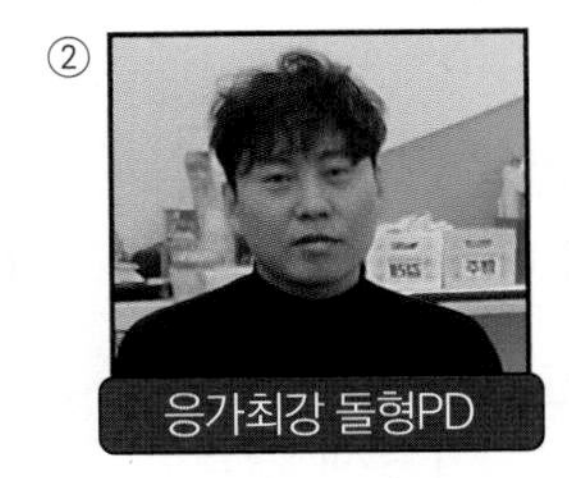
응가최강 돌형PD

03. 자산 관리시 고려해야 할 점

키워드 덧셈

(1) 다음 보기에서 골라 쓰세요.

· 안정성	· 수익성	· 유동성

(1-1) [투자한 원금이] + [손실되지 않는 정도] = [   ]

(1-2) [투자를 통해] + [이익을 얻을 수 있는 정도] = [   ]

(1-3) [필요할 때] + [현금으로 쉽게 바꿀 수 있는 정도] = [   ]

중요 키워드 분석

(2-1) 금융 상품의 **원금**과 **이자**가 **보전되는** 정도를 [   ]이라고 한다.

(2-2) 필요할 때 **현금**으로 쉽게 바꿀 수 있는 정도를 [   ]이라고 한다.

(2-3) 금융 상품의 **가치 상승** 또는 **이자 수익의 발생 정도**를 [   ] 이라고 한다.

밑줄 친 단어 바르게 고치기

(3-1) 금융 상품의 **원금**과 **이자**가 **보전되는** 정도는 **수익성**이라고 한다.

(3-2) 필요할 때 **현금**으로 쉽게 바꿀 수 있는 정도는 **안전성**이라고 한다.

"교육이 거둘 수 있는 최고의 성과는 관용이다."
-헬렌켈러-

·정답: 01.(1)저축,노후 02.부동산,심리테스트(①선택: 당신은 현실성이 풍부한 사람입니다. 앞으로 무슨일을 하던 탁월한 판단력으로 성공할 가망성이 높습니다. ②선택: 당신은 청개구리입니다. 누가봐도 람보쌤이 뛰어난데 도라에몽 PD를 고른 것으로 보아 매사에 모든 것을 거꾸로 행하는군요.) 03.(1)안전성,수익성,유동성 (2)안전성,유동성,수익성 (3)안전성,유동성

매일!! 쉬는시간 7분!! 공부근육 빵빠라빵빵

차근차근헬스장

운동 3일차

[주요 자산1] 덤벨들고 러닝

01. 주요 자산

키워드 덧셈

(1) 다음 보기에서 골라 쓰시오.

· 예금 · 주식 · 채권 · 부동산

(1-1) [은행과 같은 금융기관에 돈을 맡김] + [정해진 이자 받음] = [ ]

(1-2) [주식 회사가] + [자본금 마련을 위해] + [돈을 빌리고 발행하는 증서] = [ ]

(1-3) [정부나 기업이] + [돈을 빌릴 때 주는 차용 증서] = [ ]

(1-4) [토지나 건물 등과 같이] + [옮길 수 없는 자산] = [ ]

중요 키워드 분석

(2-1) **예금**은 [ ]과 같은 **금융 기관**에 돈을 맡기고 **이자**를 받는다.

(2-2) **주식**은 [ ]가 **자금 마련**을 위해 투자자들에게 돈을 받고 발행한 증서이다.

(2-3) **채권**은 [ ]나 [ ]이 돈을 빌릴 때 주는 차용 증서다.

(2-4) **부동산**은 토지나 건물 등과 같이 [ ] 없는 자산이다.

맞는 것에 O표 하기

(3-1) **예금**은 **안전성**이 매우 (낮다, 높다) 그러나 **수익성**은 (낮다, 높다)

(3-2) **주식**은 **수익성**이 매우 (낮다, 높다) 그러나 **안전성**은 (낮다, 높다)

(3-3) **채권**은 (주식, 예금) 보다는 **안전**하지만 (주식, 예금) 보다는 **위험**하다.

(3-4) **부동산**은 (수익성, 유동성)이 매우 **낮다**.

중요 내용 찝고 가기

4) 다음 문제를 보고 **순서대로** 배열해보자.

· 예금 · 주식 · 채권

① **안전성**이 높은 순서대로 배열하면?
[〉 〉]

② **수익성**이 높은 순서대로 배열하면?
[〉 〉]

잔챙이들도 다루고가자(~˘▾˘)~

(5-1) 미래의 예기치 못한 사고나 질병을 대비하기 위해 가입하는 상품
〈 〉

(5-2) 노후 대비를 목적으로 소득의 일부를 저축하여 노후에 매달 일정액을 받는 금융 상품
〈 〉

왜 책이름이 응가 사회냐고 질문이 자주 들어와!!
그것은 화장실에서도 공부할 수 있을 만큼 쉽고 재미난 책이라는 의미에서 응가 사회야!!
나는 너희들이 느끼는 사회의 변비를 탈출시켜주고 사회 쾌변의 기쁨을 주고 싶어!!
그래서 응가 역사야!! 요호!!^^

·정답: 01.(1)예금,주식,채권,부동산 (2)은행,주식회사,정부-기업,옮길 수 (3)높다-낮다,높다-낮다,주식-예금,유동성
(4)예금〉채권〉주식, 주식〉채권〉예금 (5)보험,연금

헬스장의 귀염둥이, 애완호랑이랑 놀자!

초롱이네 놀이방

요즘들어 열심히 일 안하고 한 방에 벼락부자가 되려는 사람들이 많다고 하더군. 조심해. 그러다가 벼락거지 되는거야. 알간? 근육도 땀흘려서 차근차근 쌓아야 내것이 되듯 말이야. 대충 하려다 나한테 걸리면 식은땀 날 줄 아슈.

1.매직아이 - 지난 번에 해봤으니 더 잘할 수 있어!

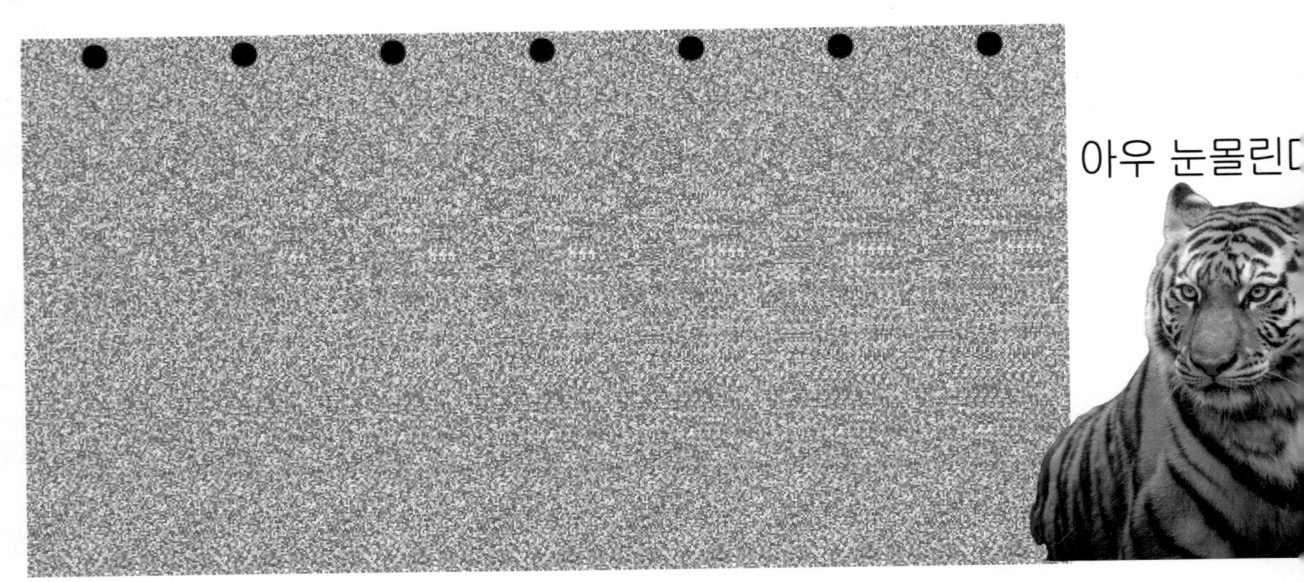

2.무의식 속 생각 테스트 (각 질문당 생각 시간은 5초 이내입니다)

Q1 .당신은 숲 속을 걷고 있다. 이 때 옆에 있는 사람은? **답 :**

Q2 .숲 속을 가다 예상치 못한 동물을 만났다. 이 동물은? **답 :**

Q3 . 그 동물에게 가까이 다가갈 수 있나요? **예/아니오**

Q4. 숲 속을 걷다가 집을 발견했고, 그 집 안에는 테이블이 있었다.
그 테이블 위에 물건이... **많다/적다**

Q5 .집 근처의 강으로 와서 얼굴을 비춰본다. 얼굴이 얼마나 선명하게 보이나요?
0%~100% 사이에서 고르세요 답 :

1. 가운데 점으로 눈초점을 모으다보면 '잘했어' 라는 글씨가 보입니다.
2. Q1 - 당신이 지금 가장 소중하다고 생각하는 사람 / Q2 - 당신의 성격 / Q3 - 다가가기 어려울수록 적극적인 성격, 다가가기 쉬울 수록 소극적인 성격
Q4 - 행복지수(물건이 많을수록 행복지수가 높음) Q5 - 1번에서 생각한 사람과의 관계(선명할 수록 가까운 사이)

일생 동안의 경제 생활

유형 1 생애 주기에 따른 경제 생활의 모습

. 생애 주기를 고려하여 바람직한 경제 생활을 하고 있는 사례를 〈보기〉에서 모두 고른 것은?

보 기

ㄱ. 유소년기에는 부모의 소득에 의존하여 소비 활동을 한다.
ㄴ. 중장년기에는 생산 활동을 통해 소득을 얻기 시작한다.
ㄷ. 노년기에는 은퇴를 하고 이전에 모아 둔 자금이나 연금 등을 통해 생활한다.
ㄹ. 청년기에는 소득이 늘어나지만 자녀 교육, 주택 마련 및 사업확장 등과 관련한 소비도 늘어난다.

) ㄱ, ㄴ ② ㄱ, ㄷ ③ ㄱ, ㄹ
) ㄴ, ㄷ ⑤ ㄷ, ㄹ

유형 2 생애 주기 곡선

. 생애 주기 곡선에 대한 설명으로 옳지 않은 것은?

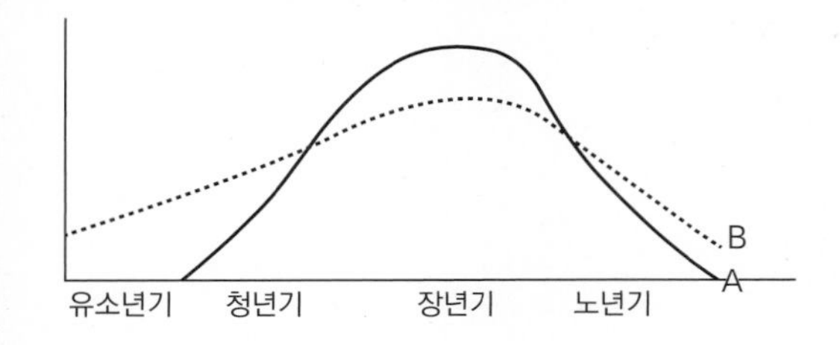

) A는 소비 곡선, B는 소득 곡선이다.
) 유소년기는 주로 부모의 소득에 의존하여 생활한다.
) 청년기는 소득과 소비가 모두 적은 편이지만, 취업 후 안정적인 소득을 얻는 시기이다.
) 장년기는 자녀 양육과 자녀 결혼 등으로 소비가 증가한다.
) 노년기는 소득이 중단되기 때문에 예금, 연금 등을 준비해야 안정된 소비를 지속할 수 있다.

지속 가능한 경제 생활을 위한 자산 관리

유형 1 유동성, 안전성(위험성), 수익성

: 그림은 교사의 수업 장면이다. 이를 보고 물음에 답하시오.

3. 자산 관리의 원칙 A~C에 대한 설명으로 옳은 것은?

① 일반적으로 주식은 채권에 비해 A가 높다.
② 주식은 예금에 비해 B는 높지만 A는 낮다.
③ 일반적으로 부동산은 요구불 예금에 비해 C가 높다.
④ 일반적으로 A가 높은 금융 상품일수록 B도 높을 가능성이 크다.
⑤ 높은 위험을 감수하더라도 높은 수익을 추구하는 투자자는 B보다 A가 높은 금융 상품을 선호할 것이다.

유형 2 주요 자산 단독

4. 판서 내용 중 ㉠에 들어갈 자산의 종류는?

학습주제 : 자산 관리
• 필요성 : 일생 동안의 지속 가능한 소비 생활을 위하여
• 자산의 특성 : 안전성, 유동성, 수익성
• 자산별 특성 :
(㉠) : 일반적으로 수익성은 높은 데 비해 안전성이 낮음

① 주식 ② 예금 ③ 적금
④ 채권 ⑤ 부동산

유형 3 주요 자산 복합

5. 자산 관리의 방법 중 A와 B에 대한 분석으로 옳은 것은?

•A : 매달 일정한 금액을 입금하고 만기가 되면 이자와 함께 쌓인 돈을 받을 수 있다.
•B : 주식회사가 자본을 마련하기 위하여 투자자로부터 돈을 받고 그 증표로 발행하는 것이다.

① A는 B보다 안전성이 높다.
② B는 A보다 수익성이 낮다.
③ A와 B는 수익이 고정되어 있다.
④ A와 B는 다른 자산 관리 방법에 비하여 유동성이 매우 낮다.
⑤ A를 해약하고 B를 구입하는 것은 안전성을 중시하는 선택이다.

6. 자산 관리와 관련된 용어의 설명으로 옳은 것을 〈보기〉에서 고른 것은?

보 기

ㄱ. 예금은 원금 보장으로 안전성이 높다.
ㄴ. 부동산은 필요할 때 언제든 현금으로 바꿀 수 있기 때문에 유동성이 높다.
ㄷ. 주식은 정부와 기업이 자금을 빌리면서 원금과 이자를 갚겠다는 것을 표시하여 발행하는 증서이다.
ㄹ. 합리적인 자산 관리를 위해서는 저축이나 투자의 목적과 기간을 살펴보고, 수익성, 안전성, 유동성을 고려해야 한다.

① ㄱ, ㄴ ② ㄱ, ㄹ ③ ㄴ, ㄷ
④ ㄴ, ㄹ ⑤ ㄷ, ㄹ

유형 4 주요 자산 그래프

7. 영희와 철수는 다음 규칙을 그림에 적용하여 소풍에 가져갈 간식을 결정하려고 한다. 철수와 영희가 가져가게 될 간식이 바르게 짝지어진 것은?

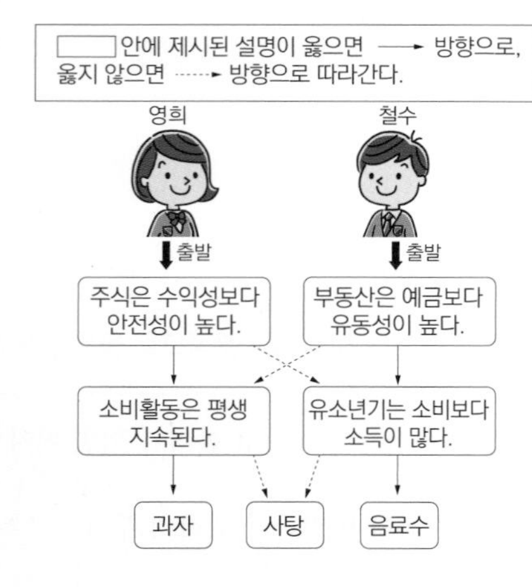

	(영희)	(철수)
①	과자	사탕
②	과자	음료수
③	사탕	과자
④	사탕	음료수
⑤	음료수	과자

지속 가능한 경제 생활을 위한 신용 관리

유형 1 신용의 정의

8. 신용에 대한 설명으로 옳은 것을 〈보기〉에서 모두 고르면?

보 기

㉠ 신용으로 빌린 돈은 빚이 된다.
㉡ 신용이란 돈을 갚을 것을 약속하고 빌려 쓸 수 있는 능력이다.
㉢ 신용카드의 사용, 할부 구매 등은 신용과 관련이 전혀 없다.
㉣ 신용 거래는 자신의 소득과 경제적 능력 이상으로 이루어져야 한다.

① ㉠, ㉡ ② ㉠, ㉢ ③ ㉡, ㉢
④ ㉡, ㉣ ⑤ ㉢, ㉣

유형 2 신용 관리

9. 신용 관리 방법 중 적절한 것만을 〈보기〉에서 모두 고른 것은?

보 기

ㄱ. 주거래 은행을 만들어 꾸준히 거래한다.
ㄴ. 상환 능력을 고려하여 대출을 신중히 한다.
ㄷ. 연체된 휴대 전화 요금의 지불보다는 내게 꼭 필요한 것들을 우선 구매한다.
ㄹ. 자신의 신용 정보를 확인하면 신용 등급이 하락하므로 등급을 확인하지 않는다.

① ㄱ, ㄴ ② ㄱ, ㄷ ③ ㄴ, ㄹ
④ ㄱ, ㄴ, ㄷ ⑤ ㄴ, ㄷ, ㄹ

매일!! 쉬는시간 7분!! 공부근육 빵빠라빵빵

차근차근헬스장

운동 1일차

[시장] 버피테스트

01. 시장

키워드 덧셈

(1) 다음은 무엇에 대한 **설명**인가?

[재화나 서비스를] + [사려는 사람]
+ [팔려는 사람] + [자발적으로]
+ [거래하는 곳] = [ ]

두개 중에 골라방 ^‿^

(2) 다음 설명에 맞는 **시장의 역할**을 바르게 골라보시오.

치킨 먹고 싶을 때 직접 닭을 안 잡아도 되니 편리하구나~

① 거래 비용 절약 ② 생산성 증대

이번 새로 나온 핸드폰에 이런 기능도 있다구??

① 거래 비용 절약
② 상품에 관한 정보 제공

분업을 하니깐 이렇게나 많은 상품을 생산하게 됐구나!! 에헤라디야~

① 거래 비용 절약 ② 생산성 증대

중요 내용 짚고 넘어가기

(3) 다음 **보기**를 보고 맞는 말을 쓰시오.

> **〈3-1. 보기〉**
> **재화**나 **서비스**를 **사려는 사람**과 **팔려는 사람**이 **자발적**으로 만나 **거래**가 이루어지는 곳

〈 〉

> **〈3-2. 보기〉**
> 어떤 물건을 생산하는 과정을 여러 단계로 나누어 **여러 사람들이 일을 나누어 맡는** 것을 무엇이라고 하는가?

〈 〉

> **〈3-3. 보기〉**
> **분업**은 실제 ( ) 증대의 효과가 있습니당!! ↖(^▽^)↗

〈 〉

시장의 발생: 순서대로 연결해방

① 끄엉~**자급자족**은 힘들어유~(T^T)

② 이제는 **일정한 시간**과 **일정한 장소**인 **시장**에서 모이자규~ ↖(^▽^)↗

③ **농사**를 지으니께 **잉여생산물**이 생겼네!

④ **분업**을 하니 **생산량이 증대**되는구먼~

〈 → → → 〉

선생님이 생각할 때 미래에 대한 최고의 투자는 바로 '다음세대'야!!
다음세대를 훌륭히 키워내는 것이야말로 선생님이 생각하는 미래에 대한 최고의 투자란다!!
너희들은 선생님의 미래이며!!동시의 이나라 이민족의 미래이며! 동시에 세계의 미래란다!!
무럭 무럭 잘 자라나거라!!그러니깐 슬프지도, 속상하지도 말아!!알았지!!
너희들은 참 소중해!! 알라뷰^^

정답: 01.(1)시장 (2)①②② (3)시장,분업,생산성 (순서 문제)①→③→④→②

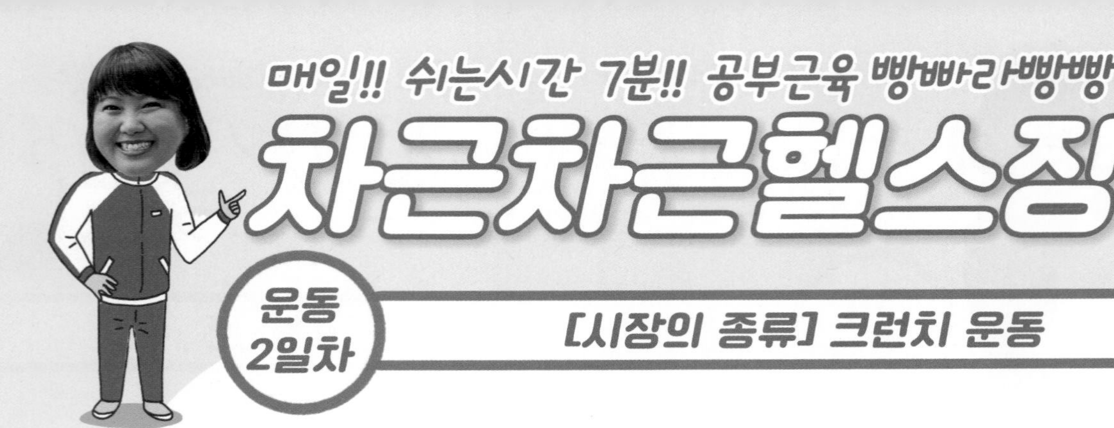

01. 시장의 종류

알고리즘 쫓아가기

(1) 회색글씨를 따라쓰세요.s(￣▽￣)v

시장은 크게 **거래 형태**에 따라

▼

보이는 시장	보이지 않는 시장
▼	▼
예〉 재래시장, 백화점	예〉 전자 상거래, 주식 시장

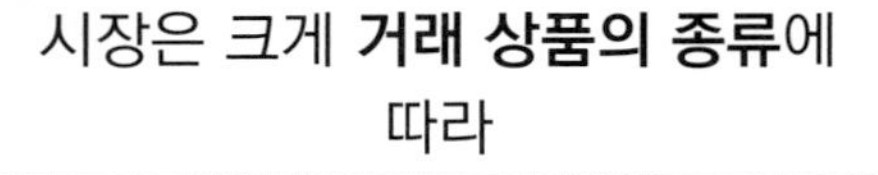

시장은 크게 **거래 상품의 종류**에 따라

▼

생산물 시장	생산 요소 시장
▼	▼
예〉 대형마트, 영화관	예〉 부동산 시장, 노동 시장

↳[파생 문제1] 생활에 필요한 **재화**나 **서비스**가 거래되는 시장은?

① 생산물 시장 ② 생산 요소 시장

우리 득근하자!

그림 보고 짝맞추기

(2) 그림마다 보기를 보고 알맞은 시장을 **두개씩** 넣으세요.ど(^0^)つ

① 보이는 시장 ② 보이지 않는 시장 ③ 생산물 시장 ④ 생산 요소 시장

(가)

-정답-

사업 자금 때문에 오셨군요.

기계를 새로 구입해야 해서 왔어요.

(나)

-정답-

(다)

-정답-

(라)

-정답-

땅이란 무엇일까? 수많은 사람들이 너무 많은 아파트! 너무 많은 땅을 소유하려고하는데, 땅은 소유해야 하는 영역이 아니라 이롭게 해야 하는 영역이라고 생각해!
우리는 땅을 소유하기 위해 태어난 것이 아니라, 땅을 이롭게 하기 위해 태어났다!!
우리는 땅을 소유하기 위해 공부하기 보다는 땅을 이롭게 하기 위해 공부하자!! 꼭 말이야!!
알겠지?^^ 너희들은 자랑스런 개척자란다!!알라븅^^

·정답: 01.(1)① (2) (가)①,③ (나)②,④ (다)②,③ (라)②,④

매일!! 쉬는시간 7분!! 공부근육 빵빠라빵빵

차근차근헬스장

운동 3일차 [수요와 공급] 팔굽혀펴기

01. 수요

키워드 덧셈

(1) 다음은 무엇에 대한 **설명인가**?

(1-1) [일정한 가격에서] + [사고자 하는 욕구] = [ ]

(1-2) [일정한 가격에서] + [사려고하는 상품의 수량] = [ ]

(1-3) [가격이 상승하면 수요량은 감소하고] + [가격이 하락하면 수요량이 증가하는 법칙] = [ ]

(1-4) [우하향] +[하는 곡선] = [ ]

중요 키워드 분석

(2-1) **수요**는 **일정한 가격**에서 어떤 상품을 사고자 하는 [ ]이다.

(2-2) **수요량**은 **일정한 가격**에서 **수요자**가 사려고 하는 상품의 [ ]이다.

(2-3) **일정한 가격**에서 상품을 사려고 하는 사람을 [ ]라고 한다.

둘 중에 골라방

(3-1) **수요 법칙**은 **가격이 상승**하면 수요량은 [증가, 감소]하고 **가격이 하락하면** 수요량은 [증가, 감소]하는 것을 말한다.

(3-2) 수요 곡선은 [우하향, 우상향]하는 곡선으로 가격과 수요량은 [비례, 반비례]한다.

└►[파생 문제1] 다음 중 **수요곡선**은?

① 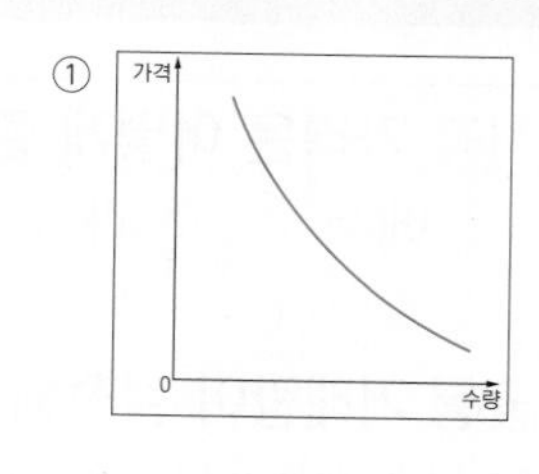

② 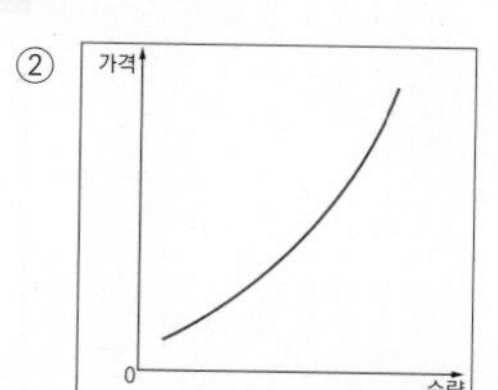

02. 공급

키워드 덧셈

(1) 다음은 무엇에 대한 **설명인가**?

(1-1) [일정한 가격에서] + [팔고자 하는 욕구] = [ ]

(1-2) [일정한 가격에서] + [팔려고하는 상품의 수량] = [ ]

(1-3) [가격이 상승하면 공급량은 증가하고] + [가격이 하락하면 공급량이 감소하는 법칙] = [ ]

(1-4) [우상향] +[하는 곡선] = [ ]

중요 키워드 분석

(2-1) **공급**은 **일정한 가격**에서 어떤 상품을 팔고자하는 [ ]이다.

(2-2) **공급량**은 **일정한 가격**에서 **공급자**가 팔려고 하는 상품의 [ ]이다.

(2-3) **일정한 가격**에서 상품을 팔려고 하는 사람을 [ ]라고 한다.

행복은 주어지는 것이 아닌 그려가는 것이란다!!^^
그러니깐 우리 오늘도 행복을 그려나가자!!

·정답: 01.(1)수요,수요량,수요법칙,수요곡선 (2)욕구,수량,수요자 (3)감소,증가/우하향,반비례/①
02.(2)공급,공급량,공급법칙,공급곡선 (2)욕구,수량,공급자

매일!! 쉬는시간 7분!! 공부근육 빵빠라빵빵

차근차근헬스장

운동 4일차 [시장 가격의 결정] 마무리 운동

01. 시장 가격의 결정

회색글씨 따라쓰면서 외우기٩(•◡•)

시장 가격은 어떻게 결정될까?
시장에서 수요량과 공급량이 일치할 때 시장 가격 (= 균형 가격)이 결정되고 **균형 거래량**이 결정되는거야 (•◡•)
다시한번!! 시장에서 수요량과 공급량이 일치할 때 균형 가격이 결정된다!!
꼭 기억해!! 알라뷰 (/^o^)/♡

↳ [파생 문제1] ①,②에 들어갈 말을 써봐용 ^▽^

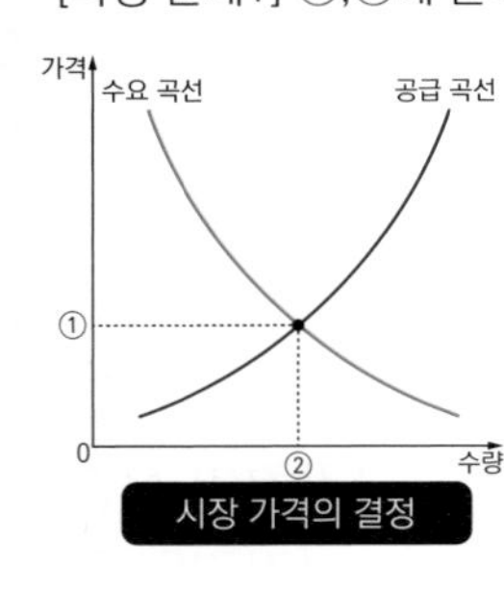

시장 가격의 결정

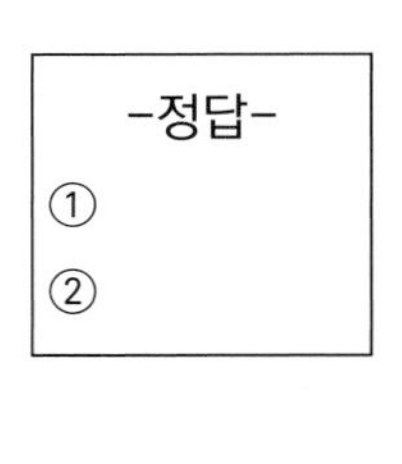

우리 득근하자!

02. 초과 수요와 초과 공급

회색글씨 따라쓰면서 외우기٩(•◡•)

초과 수요
수요량이 공급량보다 많은 상태를 초과수요라고 해 \(⁰▿⁰)/ (수요량 〉 공급량)

초과수요가 발생하면 수요자 간의 경쟁이 발생하여 가격이 상승한단다.ㅠㅠ

초과 공급
공급량이 수요량보다 많은 상태를 초과공급이라고해 \(⁰▿⁰)/ (수요량 〈 공급량)
초과공급이 발생하면 공급자 간의 경쟁이 발생하여 가격이 하락한단다.ㅠㅠ

↳[파생 문제2] ①,②에 들어갈 말을 써봐용 ^▽^

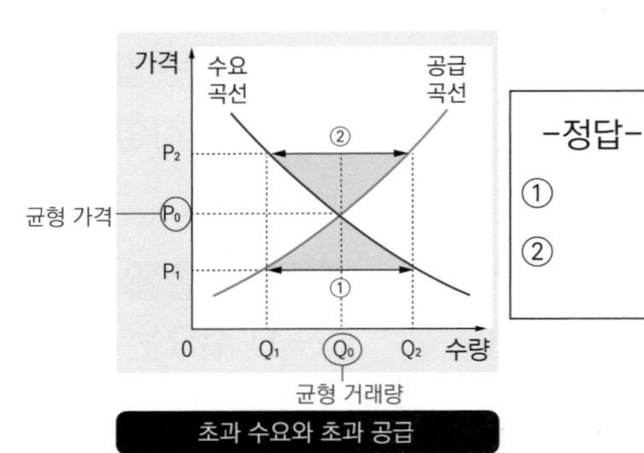

초과 수요와 초과 공급

맞는것끼리 연결해방(づ ̄ ³ ̄)づ♡

① 초과수요 •	• ㉠ 수요량〉공급량
	• ㉡ 공급량〉수요량
② 초과공급 •	• ㉢ 수요자간의 경쟁 발생
	• ㉣ 공급자간의 경쟁 발생

"우리가 할 수 있는 최선을 다할 때, 우리 혹은 타인의 삶에 어떤 기적이 나타나는지 아무도 모른다!!" -헬렌캘러-

·정답: 파생문제1. 균형 가격,균형 거래량/ 파생문제2. 초과수요,초과공급/ 맞는것끼리연결해방 ①㉠㉢,②㉡㉣

헬스장의 귀염둥이, 애완호랑이랑 놀자!

초롱이네 놀이방

배워서 알겠지만 시장의 가격은 그 물건의 가치에 따라 변하게 되어있지.
그렇다면 너의 가치는 얼마인가? 스스로 답을 해 봐.
분명한 사실은 너는 존재 자체만으로도 억만금의 가치를 지닌 소중한
존재라는 거야. 갑자기 왜케 따뜻하냐고? 나 원래 따뜻해. 배고플 때 빼면!

1.틀린그림찾기 - 난이도 확 오름! 10개 찾아보세요!

2.머리가 좋아지는 두뇌 퀴즈 솔직히 쉽다! 난이도 별 2개! ★★

Q. 컵을 단 한개만 움직여서 〈물이 든 컵〉과 〈빈 컵〉이 서로 같은 것끼리 붙어있지 않도록 만들어 보세요. 답 :

1. 그림 참고
2. 5번컵을 들어서 2번에 붓고 다시 원래자리로 두면 끝!

시장의 의미와 종류

유형 1 시장의 의미와 역할

1.㉠과 관련된 설명으로 옳은 것을 〈보기〉에서 고르면?

(㉠)은/는 상품 교환 행위인 거래가 이루어지는 곳이다.

보 기

ㄱ. 주식 거래는 ㉠에 해당하지 않는다.
ㄴ. 물물 교환에 비해 거래 비용을 줄일 수 있다.
ㄷ. 거래 모습이 눈에 보이지 않아도 형성될 수 있다.
ㄹ. 반드시 일정한 지역적 공간을 가지고 있어야 한다.

① ㄱ, ㄴ ② ㄱ, ㄷ ③ ㄴ, ㄷ
④ ㄴ, ㄹ ⑤ ㄷ, ㄹ

유형 2 눈에 보이는 시장 VS 눈에 보이지 않는 시장

2. 밑줄 친 시장의 종류가 나머지와 다른 것을 고르면?

① 면접에 응시하기 위해 <u>백화점</u>에서 양복과 구두를 구입하였다.
② 친구의 취업을 축하해주기 위해 <u>꽃 가게</u>에 가서 꽃다발을 구입하였다.
③ 어린이집 생일파티 때 답례로 전해줄 선물을 <u>인터넷 쇼핑몰</u>에서 대량 구입하였다.
④ 가족과 캠핑을 하기 위해 <u>대형 마트</u>에 가서 캠핑 용품과 간편식재료를 구입하였다.
⑤ 에어컨의 오래된 필터를 교체하기 위해 <u>전자 상점</u>에 가서 교체할 필터를 구입하였다.

유형 3 생산물 시장 VS 생산 요소 시장

3. (가), (나)에 해당하는 시장의 종류를 바르게 연결한 것은?

(가) 생활에 필요한 재화나 서비스가 거래되는 시장 (나) 상품을 생산하는 과정에서 필요한 생산 요소가 거래되는 시장

	(가)	(나)
①	영화관	의류 시장
②	문구 시장	교복 시장
③	의료 시장	노동 시장
④	노동 시장	청과물 시장
⑤	청과물 시장	가구 시장

유형 4 시장의 종류 복합

4. (가), (나) 시장에 대한 설명으로 옳은 것은?

(가)

대형 마트의 모습

(나)

취업 박람회의 면접 모습

① (가)는 생산 요소 시장이다.
② (가)는 눈에 보이지 않는 시장이다.
③ (나)에서 거래되는 대상은 노동이다.
④ 부동산 시장은 (나)와 같이 생산물 시장에 속한다.
⑤ (나)는 생활에 필요한 재화나 서비스가 거래되는 시장이다

시험에는 반복되는 유형이 있다!

반복유형문제 2차

여러번 반복해서 풀어봄으로서 어떤 문제가 나와도 다 풀게 해드립니다!

수요 법칙과 공급 법칙

유형 1 수요와 수요 법칙 단독

5. 다음 그래프에 대한 설명으로 옳지 않은 것은?

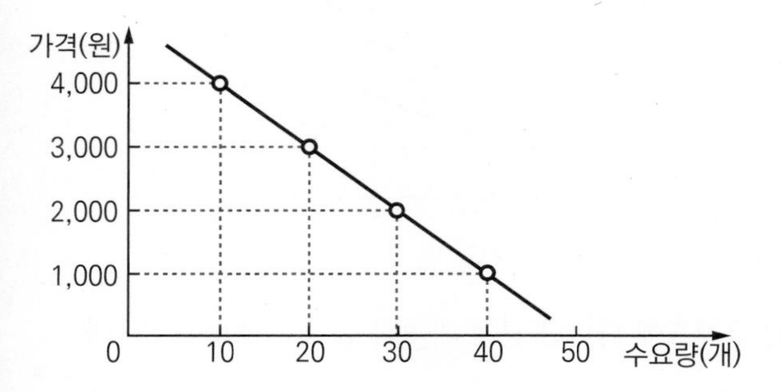

① 우하향하는 수요 곡선이다.
② 수요 법칙을 그래프로 나타낸 것이다.
③ 4,000원 이상의 가격에서는 수요량이 0이다.
④ 상품의 가격이 상승하면 수요량은 감소한다.
⑤ 각각의 가격대에서 수요자가 사려는 상품의 양을 수요량이라고 한다.

유형 2 공급과 공급 법칙 단독

*다음 글을 읽고 물음에 답하시오.

> 일정 기간 상품을 구입하고자 하는 욕구를 수요라 하고, 상품을 구입하고자 하는 사람을 수요자라고 한다. 일반적으로 사람들은 물건을 살 때 상품의 가격을 고려하는데, 가격이 달라지면 사고자 하는 양도 달라진다. 이때 각 가격 수준에서 수요자가 사려는 구체적인 양을 수요량이라고 한다. 반면에 ㉠ 일정 기간 상품을 팔고자 하는 욕구를 공급이라고 하고, 상품을 팔고자 하는 사람을 공급자라고 한다. 공급자 또한 시장 가격이 달라지면 팔고자 하는 양도 달라진다. 이때 각 가격 수준에서 공급자가 판매하고자 하는 구체적인 양을 공급량이라고 한다.

6. ㉠에 대한 설명으로 옳은 것은?

① 가격이 오르면 공급량은 감소한다.
② 가격이 하락하면 공급량은 증가한다.
③ 가격과 수요량의 관계를 공급곡선이라고 한다.
④ 가격 변화에 수요와 공급은 동일하게 변화한다.
⑤ 일반적으로 공급 곡선은 우상향하는 모양으로 그려진다.

유형 3 수요 법칙과 공급 법칙 복합

7. 수요와 공급에 대한 O, X퀴즈 문제이다. 정답을 순서대로 나열한 것은?

(가)수요	일정 기간 상품을 구입하고자 하는 욕구
(나)수요자	상품을 팔고자 하는 사람
(다)공급	다른 조건이 일정할 때 소득과 같은 방향으로 움직이는 것
(라)공급량	각 가격 수준에서 공급자가 판매하고자하는 구체적인 양

(가) (나) (다) (라)
① X - X - X - X
② O - O - X - X
③ O - X - X - O
④ O - X - O - O
⑤ O - O - O - O

8. 수요와 공급에 관한 설명으로 알맞지 않은 것은?

① 수요 법칙에 따르면 상품의 가격이 올라가면 수요량이 감소한다.
② 공급 법칙이란 상품의 가격과 공급량이 양의 관계에 있는 것이다.
③ 수요량은 일정한 가격에 어떤 상품을 구매하고자 하는 욕구를 말한다.
④ 상품의 가격이 올라갈수록 공급자가 생산을 통해서 얻을 수 있는 이윤의 크기는 더 커진다.
⑤ 공급은 판매 능력이 있는 공급자가 일정한 가격에 어떤 상품을 판매하고자 하는 욕구를 말한다.

시장 가격의 결정

유형 1 시장 가격의 결정

9. 가격이 10,000원일 경우 시장에서 나타날 현상으로 옳은 것을 〈보기〉에서 고른 것은?

오리고기 가격(원)	공급량(만마리)	수요량(만마리)
6,000	12	20
7,000	14	18
8,000	16	16
9,000	18	14
10,000	20	12

보 기

(가) 공급자들 간에 경쟁이 벌어진다.
(나) 균형 가격과 균형 거래량이 형성된다.
(다) 공급량이 수요량보다 많은 초과 공급이 발생한다.
(라) 수요자들은 돈을 더 주고라도 상품을 사려고 한다.

① (가), (나) ② (가), (다) ③ (나), (다)
④ (나), (라) ⑤ (다), (라)

10. 그래프 ㉠에 대한 설명 중 옳은 것만을 〈보기〉에서 있는 대로 고른 것은?

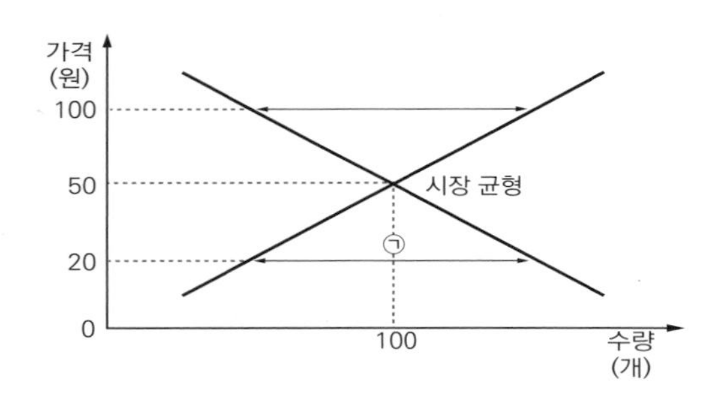

보 기

ㄱ. 시장에서 상품이 남아도는 상황이 발생한다.
ㄴ. 수요자들 사이의 경쟁으로 상품의 가격이 올라간다.
ㄷ. 상품의 수요량과 공급량이 일치하지 않는 상태를 일컫는다.
ㄹ. 가격이 조정되면서 수요량이 줄고 공급량이 늘어나게 된다.

① ㄱ, ㄴ ② ㄱ, ㄷ ③ ㄴ, ㄹ
④ ㄱ, ㄷ, ㄹ ⑤ ㄴ, ㄷ, ㄹ

서술형

11. 다음 그래프를 보고 물음에 답하시오.

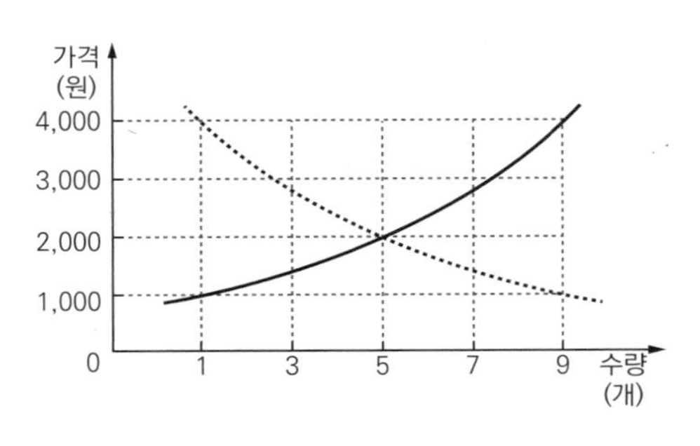

(1) 그래프에 나타난 균형 가격과 균형 거래량을 쓰시오.

(2) 가격이 4000원일 때 초과 공급량이 얼마인지 쓰시오.

매일!! 쉬는시간 7분!! 공부근육 빵빠라빵빵

차근차근헬스장

운동 1일차 [수요의 변화와 시장 가격의 변동] 준비운동

01. 수요의 변화 요인

회색글씨 위에 덧대어 쓰기

수요를 변화 시키는 요인에는 소득, 관련 상품의 가격 변화(대체재의 가격 변화, 보완재의 가격 변화), 선호도, 미래에 대한 예상, 인구의 변화가 있습니다.(¯▽¯)/

↳[파생 문제1] 다음중 **수요의 변화 요인**이 **아닌 것**을 골라보시오.(^0^)

① 대체재의 가격 변화 ② 소득의 변화
③ 생산 기술의 발달 ④ 선호도의 변화

시험에 나오는 형태로 무한 반복

① **그래프**를 그리고,
- 변화된 그래프는 **점선**으로 표시

② **균형 가격**과 **균형 거래량**의 변화를 **상승,하락**으로 쓰세요.

(1) **소득**이 **증가**하면!!

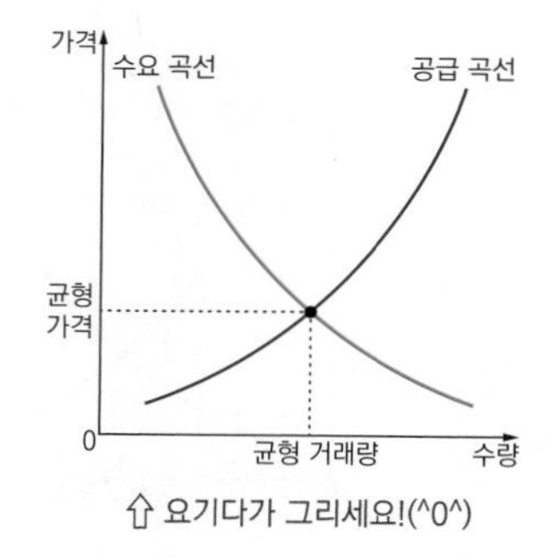

⇧ 요기다가 그리세요!(^0^)

-정답-
·균형 가격: ( )
·균형 거래량: ( )

(2) **소고기의 가격**이 **오르면 돼지고기**는!!

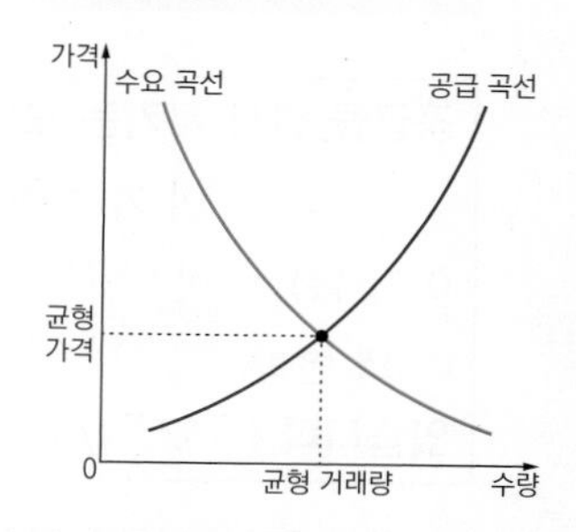

-정답-
·균형 가격: ( )
·균형 거래량: ( )

↳[파생 문제2] 돼지고기와 소고기의 관계는?

① 대체재 ② 보완재

(3) **삼겹살 가격**이 **오르면 상추**는!!

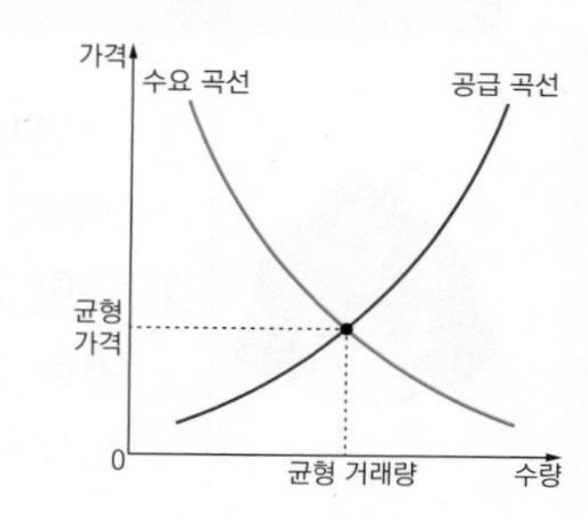

-정답-
·균형 가격: ( )
·균형 거래량: ( )

(4) **선호도**가 **감소**하면!!

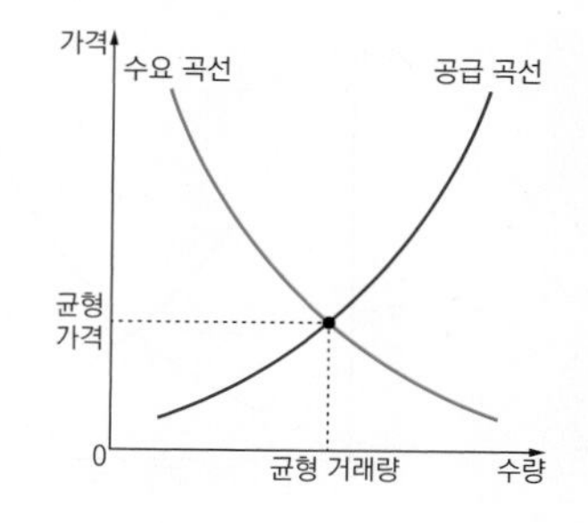

-정답-
·균형 가격: ( )
·균형 거래량: ( )

"먹을거 다 먹고, 놀거 다 놀고는 절대 저의 꿈을 이룰 수는 없습니다!!"
-축구선수 손흥민-

·정답: 01. 파생문제1.③/ (1) 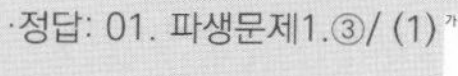 상승,상승/ (2) 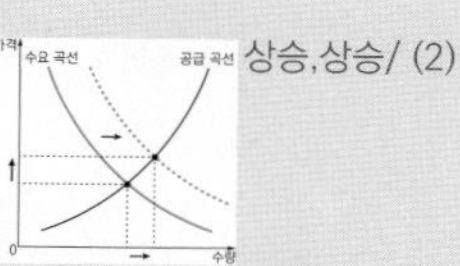 상승,상승,①/ (3) 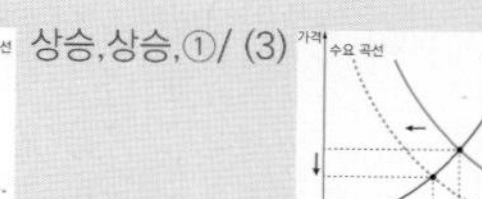 하락,하락/ (4) 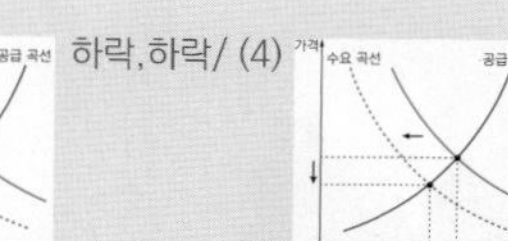 하락,하락

01. 공급의 변화 요인

회색글씨 위에 덧대어 쓰기

공급을 변화 시키는 요인에는 생산 요소의 가격 변화(원자재, 임금, 이자 등), 생산 기술의 발달, 공급자 수의 변화, 미래에 대한 예상 **등이 있습니다.(¯▽¯)/**

↳[파생 문제1] 다음중 **공급의 변화 요인**이 **아닌 것**을 골라보시오.(^0^)

① 생산 요소의 가격 변화
② 생산 기술의 변화 ③ 수요자 수의 변화

우리 득근하자!

시험에 나오는 형태로 무한 반복

① **그래프**를 그리고,
- 변화된 그래프는 **점선**으로 표시
② **균형 가격**과 **균형 거래량**의 변화를 **상승,하락**으로 쓰세요.

(1) **원자재의 가격**이 **상승**하면!!

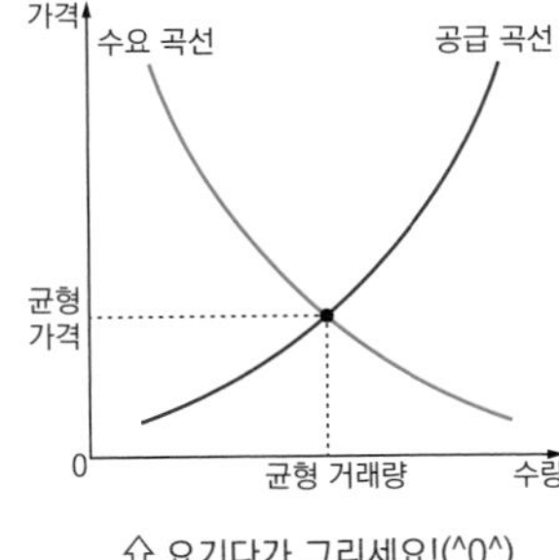

-정답-
·균형 가격: ( )
·균형 거래량: ( )

⇧ 요기다가 그리세요!(^0^)

(2) **생산 기술**이 **발달**하면!!

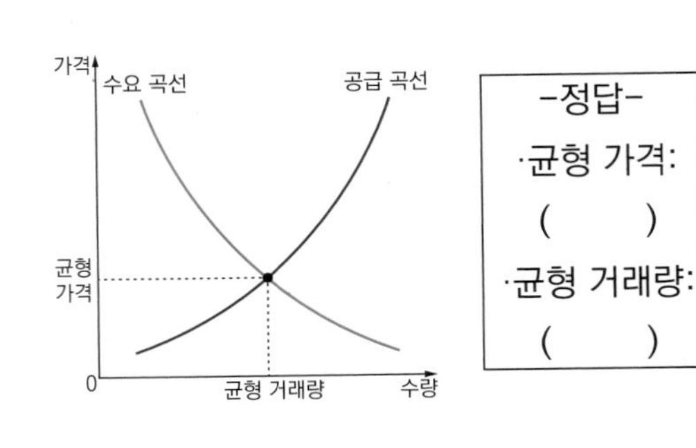

(3) **공급자의 수**가 **감소**하면!!

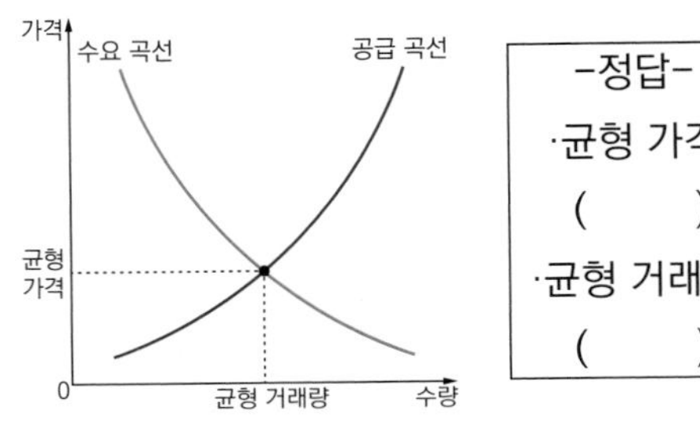

-정답-
·균형 가격: ( )
·균형 거래량: ( )

(4) **미래에 상품 가격 하락**이 **예상**되면!!

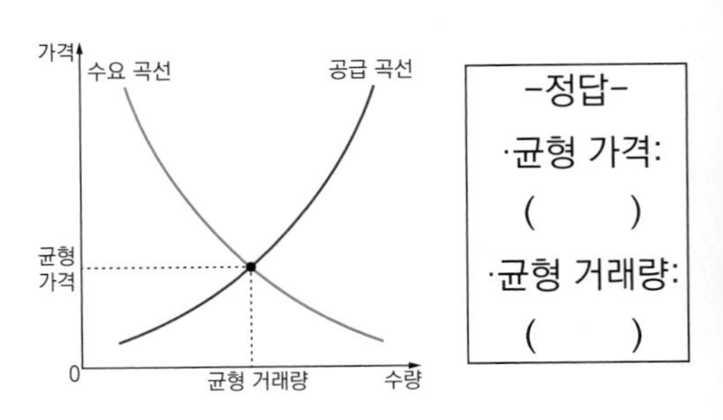

만약 명절 때 남은 나물이 있다면 고추장을 살짝 넣고 비빈다음 모짜렐라 치즈를 넣어 치즈밥을 만들어보세요!! 진짜 진짜 말도 안되는 대학가에서 인기 좋은 치즈밥을 먹을 수 있답니다!! 명절 때 남은 나물 버리지 말고 이렇게 먹어보세요!! 람보쌤은 이렇게 먹는답니다!!^^

·정답: 01. 파생문제1.③/ (1) 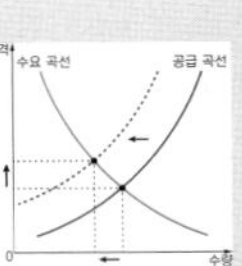 상승,하락/ (2) 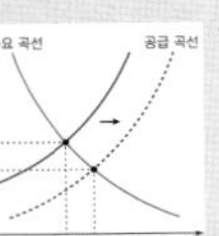 하락,증가/ (3) 상승,하락/ (4) 하락,증가

매일!! 쉬는시간 7분!! 공부근육 빵빠라빵빵

차근차근헬스장

운동 3일차 [시장 가격의 기능] 로우바스쿼트

01. 시장 가격의 기능

회색글씨 위에 덧대어 쓰기

시장 가격은 첫째, 경제 활동의 신호등 역할을 해! 이 말은 시장 가격이 마치 신호등처럼 소비자와 생산자에게 경제 활동을 어떻게 조절해야 하는지 알려주는 역할을 한다는거야(• •) 예를 들어 가격이 상승했다면 **소비자는 소비**를 줄일 것이고, **생산자**는 이 때가 돈 벌 기회다 하면서 **생산**을 늘릴거야!(￣▽￣)/ 반대로 가격이 하락한다면 **소비자** 입장에서는 '이게 웬 개이득!!' 하면서 **소비**를 늘리겠지만, **생산자**는 '지금 팔면 내가 호구지!!'라면서 **생산**을 줄일꺼야!! ㅎㅎ **두 번째로 시장 가격**은 자원을 효율적으로 배분한단다. 모든 사람들이 자원을 가지고 싶지만, 자원의 양은 한계를 가지지.ㅠㅠ 그래서 정말 필요한 사람에게 배분되어야 하는데 그 역할을 시장 가격이 해주는거지!! 예를들어 유명한 세븐틴 콘서트의 가격이 30만원이라고 해보자!! 어떤 팬은 비싸다고 포기하겠지만, 또 어떤 팬은 30만원을 내서라도 세븐틴 콘서트는 들을만한 가치가 있다고 생각 할 수도 있지!! 오호!! 즉 30만원이라는 시장 가격이 자원을 꼭 필요한 존재에게 배분하는 자원의 효율적 배분 역할을 해주고 있는거야!!! 꺄악!!!↖(^▽^)↗

둘중에 어떤 것이 맞지?٩(•ᴗ•)

(1) 다음 중 시장 가격의 기능 중 **경제 활동의 신호등 역할**은?

①

②

(2) 다음 중 시장 가격의 기능 중 **자원의 효율적 배분 기능**은?

① 시장 가격은 **소비자와 생산자에게 경제 활동을 어떻게 조절 할 것인지 알려 주는 역할**을 한다. 상품의 가격이 오르면 소비자와 생산자의 행동은 어떻게 변화할까?

② 생산된 상품은 **가격을 지급한 소비자에게 돌아가는데,** 가격을 지급했다는 것은 **소비로 얻는 만족이 그 가격 이상으로 크다는 뜻이다.** 가격은 상품이 꼭 필요한 사람에게 돌아가게 하는 역할을 한다.

" 만약 세상에 즐거움만 있다면 우리는 결코 인내하는 법을 배울 수 없을 것이다."
-헬렌켈러-

·정답: 01.(1)②, (2)②

헬스장의 귀염둥이, 애완호랑이랑 놀자!

초롱이네 놀이방

아무리 시장 가격이 변하고 난리를 쳐도 변하지 않아야 하는 것이 있으니
그것은 바로 '꾸준히 열심히 하는 태도'이니라.
나도 평소에는 착해. 근데 열심히 안하면 나도 변할거야 무섭게. 크앙.

1.길찾기 퀴즈 - 비온다! 빨래걷어라!

*문제출처 - 영국 일간지 〈the SUN〉

※제한시간 10초※

으악 비온다! 빨래널었는데!!
빨래가 다 젖어버리기 전에 옥상으로
올라가는 길을 찾아 빨래를 걷어야 합니다.
과연 여러분은 10초 안에 도착할 수 있을까요?
늦으면 빨래를 다시 해야합니다!

2.넌센스 퀴즈 - 이건 좀 어려울지도?

Q1 .말을 못하는 사람들이 모인 시골동네를 두 글자로? **답 :**

Q2 .정말 어렵게 어렵게 지은 절의 이름은? **답 :**

Q3 .똥을 싸고 나온 물고기를 세 글자로? **답 :**

Q4 .도둑이 물건 훔치러 걸어갈 때 나는 소리는? **답 :**

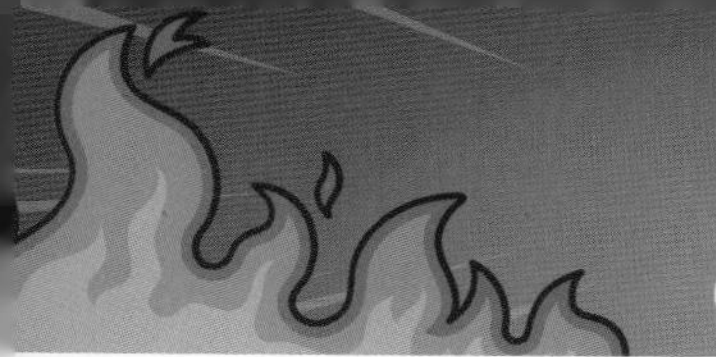

시험에는 반복되는 유형이 있다!

반복유형문제 2차

여러번 반복해서 풀어봄으로서 어떤 문제가 나와도 다 풀게 해드립니다!

1. 시장 가격의 변동

유형 1 수요의 변화 요인

1. 공급이 변하지 않을 때, 그래프와 같이 수요 곡선이 이동하게 된 원인으로 옳은 것만을 〈보기〉에서 고른 것은?

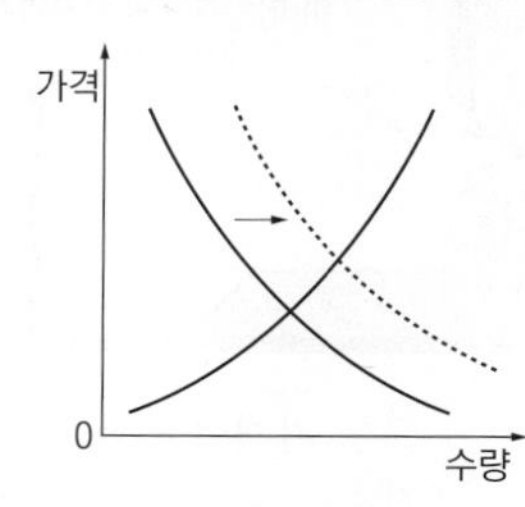

보 기

ㄱ. 소득 감소
ㄴ. 보완재 가격 하락
ㄷ. 대체재 가격 상승
ㄹ. 미래 가격 하락 예상

① ㄱ, ㄴ ② ㄱ, ㄷ ③ ㄴ, ㄷ
④ ㄴ, ㄹ ⑤ ㄷ, ㄹ

유형 2 대체재와 보완재

*다음 글을 읽고 물음에 답하시오.

△△일보

○○년 ○월 ○일

바나나 맛 초콜릿 과자에 대한 소비자의 선호도가 급증하면서 ☆☆데이에도 기존의 초콜릿이나 사탕 대신 바나나 맛 초콜릿 과자를 선물하겠다는 사람들이 늘고있으며, 앞으로 이러한 경향은 지속할 것으로 보인다.

2. 위 글의 밑줄 친 부분의 관계에 대한 분석으로 옳은 것은?

① 위 재화의 관계는 보완재 관계이다.
② 서로 비슷한 용도로 사용되어 대체해 사용할 수 있는 재화이다.
③ 기존의 초콜릿 가격이 상승하면 바나나 맛 초콜릿 과자의 수요는 감소한다.
④ 기존의 초콜릿 가격이 상승하면 바나나 맛 초콜릿 과자의 가격은 하락한다.
⑤ 기존의 초콜릿과 바나나 맛 초콜릿 과자의 관계는 치킨과 콜라와 같은 관계이다.

유형 3 공급의 변화 요인

3. 공급 변동에 영향을 주는 요인으로 옳은 것은?

① 기술 혁신 ② 소득의 변화
③ 선호도의 변화 ④ 인구수의 변화
⑤ 대체재와 보완재의 가격

유형 4 수요 변화에 따른 시장 가격의 변동1

4. 다음 상황에서 나타날 수 있는 유기농 채소 시장의 변화를 나타낸 그래프로 옳은 것은?

유기농 채소가 비타민의 소화·흡수를 돕고 다이어트에 효과가 있다는 연구 결과가 발표되었다.

①
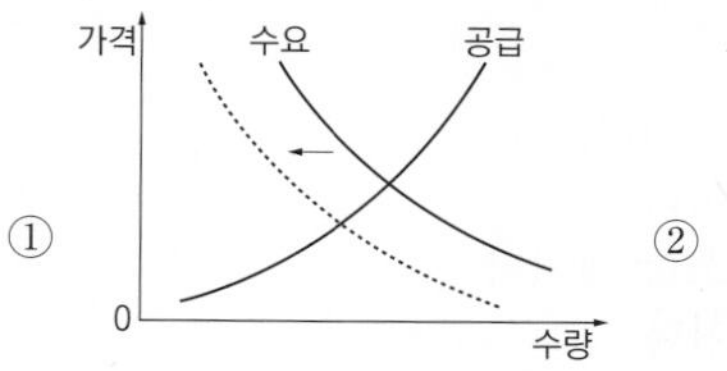

②
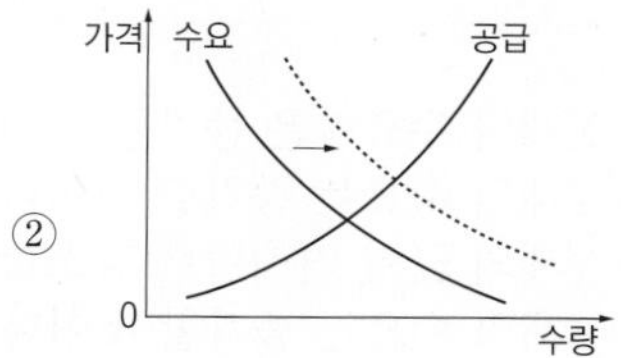

③
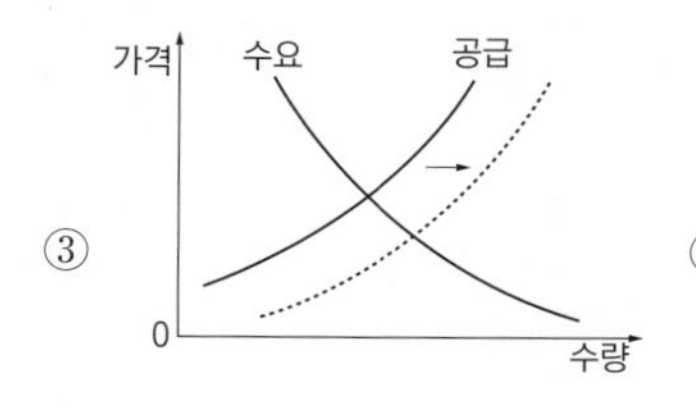

④
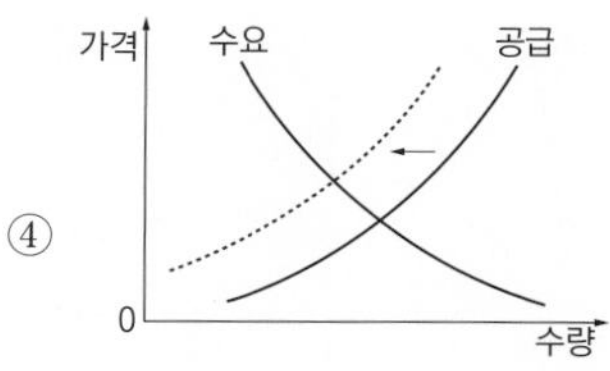

⑤
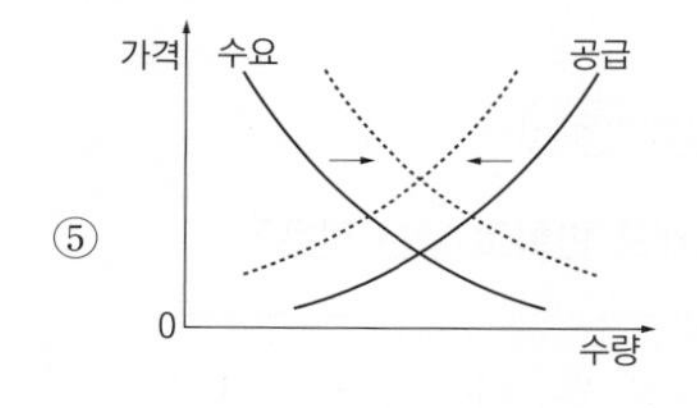

5. 그래프 A가 B로 변화하는데 영향을 준 요인에 해당하는 것을 〈보기〉에서 고른 것은? (단, 공급은 일정)

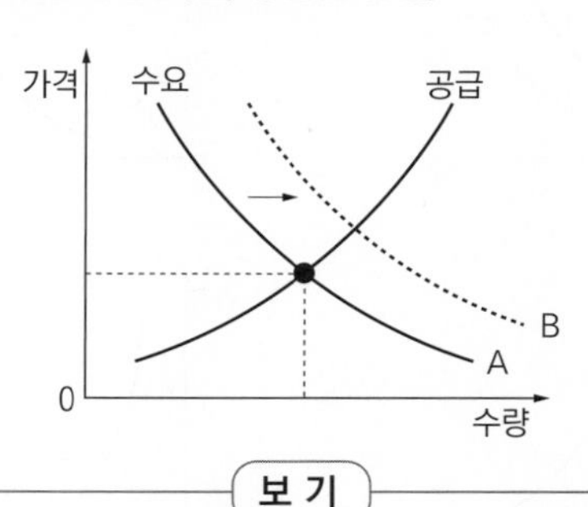

보 기

ㄱ. 소득 증가
ㄴ. 공급자의 수 증가
ㄷ. 생산 기술의 발전
ㄹ. 보완재의 가격 상승
ㅁ. 대체재의 가격 상승
ㅂ. 소비자의 선호 증가

① ㄱ, ㄴ, ㄷ ② ㄱ, ㅁ, ㅂ ③ ㄴ, ㄷ, ㄹ
④ ㄷ, ㄹ, ㅂ ⑤ ㄹ, ㅁ, ㅂ

유형 5 수요 변화에 따른 시장 가격의 변동2

6. 자료는 X~Z재의 관계를 나타낸 것이다. X재의 가격 상승이 각 재화 시장에 미칠 영향에 대한 추론으로 옳은 것은?

> X재와 Y재는 용도가 비슷하여 서로 대체하여 소비할 수 있는 관계이고, X재와 Z재는 함께 사용함으로써 만족감이 더욱 커지는 관계이다. Y재와 Z재는 연관 관계가 없다.

① X재의 수요량은 증가할 것이다.
② Y재의 수요는 증가할 것이다.
③ Y재의 균형 거래량은 감소할 것이다.
④ Z재의 수요는 증가할 것이다.
⑤ Z재의 균형 가격은 상승할 것이다.

유형 6 공급 변화에 따른 시장 가격의 변동1

7. 글을 읽고 밑줄 친 '초콜릿'의 그래프 변화로 옳은 것은?

> 초콜릿의 원료인 코코아의 45%를 생산하는 코트디부아르의 내전으로 초콜릿 생산이 급감했다.

①
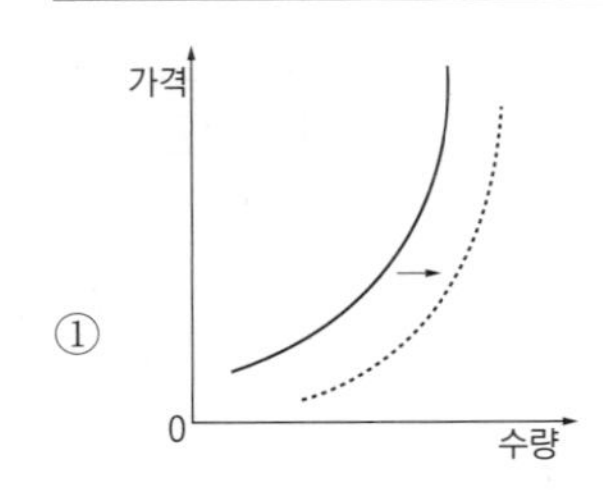

②
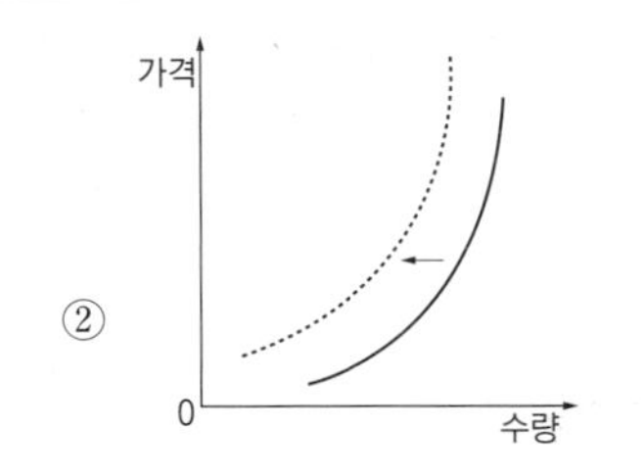

③
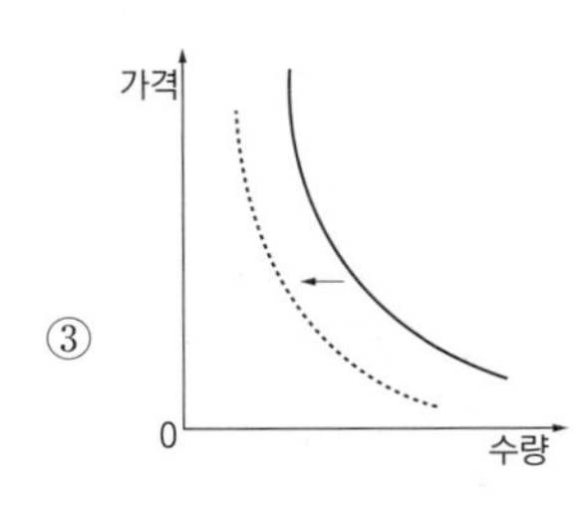

④
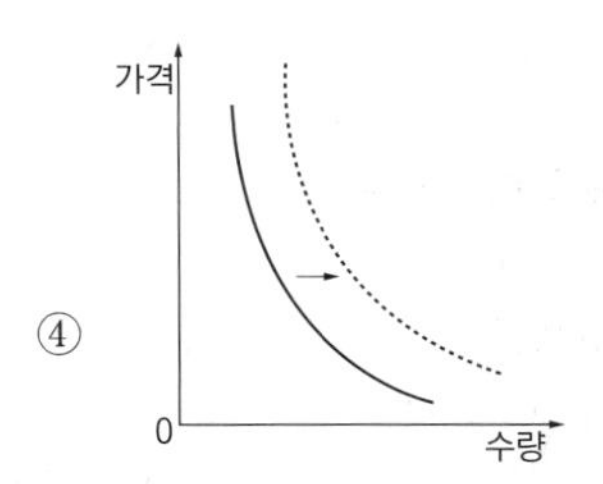

⑤
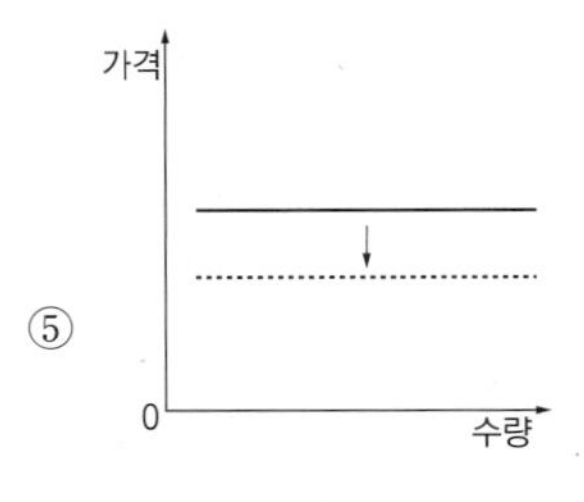

유형 7 공급 변화에 따른 시장 가격의 변동2

8. 밑줄 친 ㉠과 ㉡상황이 가져올 과자 시장의 변화로 옳은 것은?

	균형 가격	균형 거래량
①	상승	감소
②	상승	증가
③	알 수 없음	감소
④	하락	증가
⑤	하락	알 수 없음

유형 8 수요 · 공급 변화에 따른 시장 가격의 변동1

9. 그래프와 같이 수요-공급 곡선이 이동하는 상황으로 가장 적절한 것은?

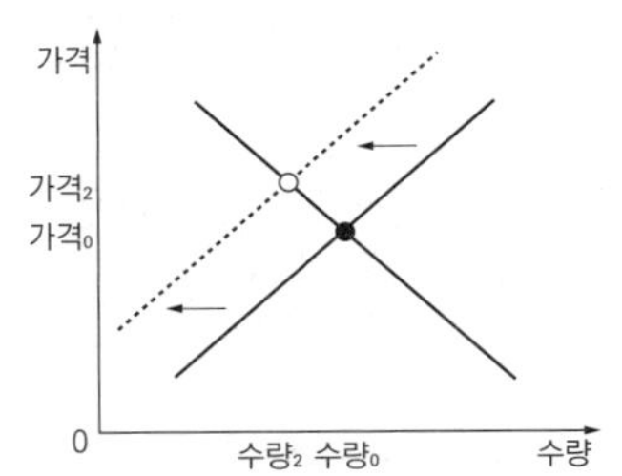

① 경기 침체로 일자리가 줄어 소비자들의 소득이 감소하였다.
② 가을에 일조량이 늘면서 과일 생산이 예년보다 증가하였다.
③ 국제 곡물 가격의 상승으로 빵의 원료인 밀가루 가격이 크게 오르고 있다.
④ 텔레비전의 화질을 개선하는 기술이 개발되어 텔레비전의 대량 생산이 가능해졌다.
⑤ 곧 새로운 스마트폰이 출시된다는 계획이 발표되자 사람들이 스마트폰 구매를 줄이고 있다.

유형 9 수요 · 공급 변화에 따른 시장 가격의 변동2

10. (가), (나)의 상황에 따른 자동차 시장의 변화를 옳게 연결한 것은?

> (가) 경기가 좋아지면서 사람들의 평균 소득이 증가하였다.
> (나) 부품 조립 기술 혁신으로 자가용 승용차의 생산비가 감소하였다.

① (가) - 균형 가격 상승, 거래량 증가
② (가) - 균형 가격 하락, 거래량 감소
③ (나) - 균형 가격 상승, 거래량 증가
④ (나) - 균형 가격 하락, 거래량 감소
⑤ (나) - 균형 가격 하락, 거래량 변동 없음.

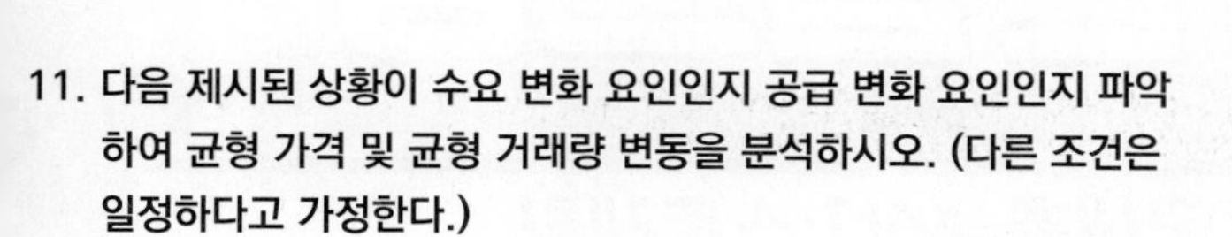

11. 다음 제시된 상황이 수요 변화 요인인지 공급 변화 요인인지 파악하여 균형 가격 및 균형 거래량 변동을 분석하시오. (다른 조건은 일정하다고 가정한다.)

〈유의사항〉 1. 그래프는 <u>이동한 곡선을 점선으로 그리고 이동 방향을 화살표로 표시할 것</u> 2. 그래프를 분석하여 <u>균형 가격과 균형 거래량의 변동을</u> 쓸 것

(1) 돼지고기 가격의 폭등이 상추 시장에 미치는 영향을 분석하시오.

〈그래프〉

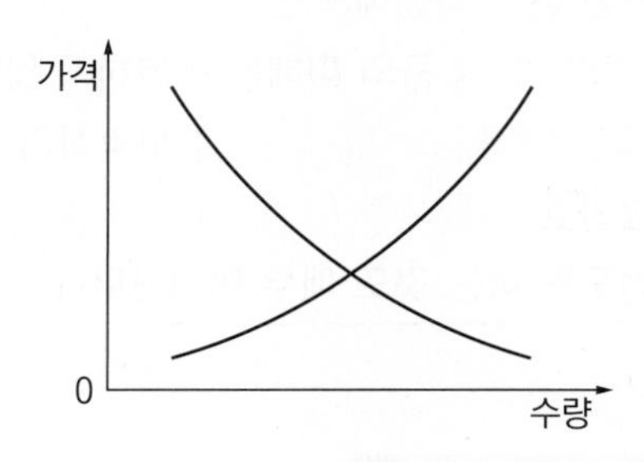

〈분석〉
상추의 균형 가격은 (   ),
균형 거래량은 (   ).

(2) 공기 청정기에 사용하는 나노 필터 부품 가격의 인상이 공기 청정기 시장에 미치는 영향을 분석하시오.

〈그래프〉

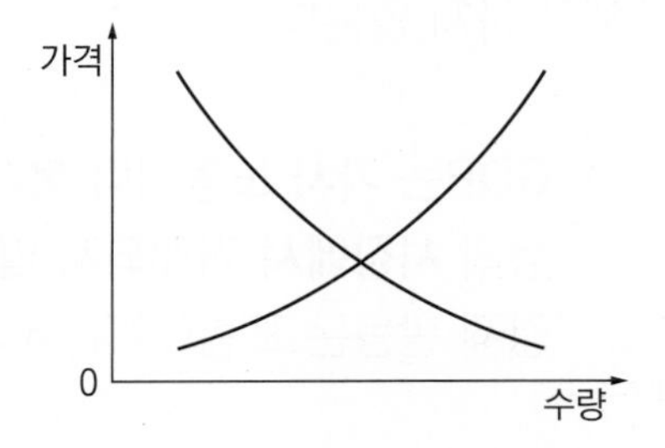

〈분석〉
공기 청정기의 균형 가격은 (   ),
균형 거래량은 (   ).

유형 10 시장 가격의 기능

12. 시장 가격의 기능에 대한 설명으로 가장 적절하지 <u>않은</u> 것은?

① 시장 가격은 한정된 자원이 시장에서 효율적으로 배분될 수 있도록 한다.
② 생산자들은 가격을 보고 생산비를 최대한 높여서 질좋은 상품을 생산하려고 노력할 것이다.
③ 시장 가격이 하락하면 소비자는 소비를 늘리려 할 것이며, 생산자는 생산을 줄이려 할 것이다.
④ 시장 가격은 소비자와 생산자가 어떻게 경제 활동을 해야 할지 알려주는 신호등과 같은 역할을 한다.
⑤ 시장 가격은 같은 상품에 대해 가장 높은 가격을 지불할 의사가 있는 소비자가 상품을 구매하게 한다.

매일!! 쉬는시간 7분!! 공부근육 빵빠라빵빵

차근차근헬스장

운동 1일차

[국내총생산] 스트레칭

01. 국내총생산(GDP)

키워드 덧셈

(1) 다음은 무엇에 대한 **설명**인가?
[일정 기간 동안] + [한 나라 안에서] + [새롭게 생산된] + [최종 생산물의 시장 가치를 합한 것] = [ ]

둘중에 맞는 것을 골라빵٩(•ᴗ•)

(2-1) **일정기간**이란 **보통 몇 년**?
① 1년 ② 2년

(2-2) **한 나라 안에서**에 **해당 되는 것은**?
① 우리나라 영어 학원에서 일한 미국인 잔
② 미국에서 앨범 발매한 한국 그룹 BTS

(2-3) **새롭게 생산된 것**에 **해당되는 것은**?
① 10년전에 생산된 아파트
② 올해 생산된 생크림 듬뿍 빵

(2-4) **최종 생산물**에 **해당되는 것은**?
① 꽈북칩 ② 꽈북칩에 들어가는 밀가루

(2-5) **시장 가치가 있는 것**에 **해당되는 것은**?
① 삼촌이 키워 마트에 판 상추
② 엄마의 가사 노동

02. 국내총생산의 한계

회색글씨 위에 덧대어 쓰며 외우기

국내총생산의 한계는!!
가사 노동, 봉사 활동과 같은 시장에서 거래되지 않는 경제 활동은 포함 되지 않아o(T^T)o
또한 생산 과정에서 발생하는 환경오염, 자원 고갈 등의 피해는 반영하지 않아서 국민의 삶의 질 수준을 파악하기 어렵지.
그리고 소득 분배 상태나 빈부 격차 정도를 아는 것도 매우 어렵단다(T^T)

옳은 것을 골라빵^ᴗ^

(1-1) **국내총생산의 한계**로 옳은 것을 고르시오.
① 국민 개개인의 소득이나 생활 수준을 파악할 수 있다.
② 빈부 격차의 정도를 알 수 있다.
③ 국민의 삶의 질 수준을 알기 쉽다.
④ 시장에서 거래되지 않는 경제 활동은 포함 하지 않는다.

(1-2) GDP는 **가사 노동**이나 **봉사 활동** 등의 **시장에서 거래되지 않는** 경제 활동은 포함(한다, 하지 않는다

(1-3) GDP는 **국민의 삶의 질 수준**을 파악할 수 (있다, 없다)

사랑하는 얘들아! 사람들이 너에 대해서 뭐라고 하던지 상관하지 마!
너는 말이야! 마스터피스야!! 마스터피스가 뭔지 아니? 그것은 걸작품이라는 뜻이야!!
너는 누가뭐래도 걸작품! 명품이란다!!^^ 그러니 다른 사람들이 너를 잘 모르고 하는 말에 대해 별로 신경 쓰지말고 너의 길을 차근 차근 가렴!! 알았지??^^

·정답: 01. (1)국내총생산(GDP)/ (2)①①②①① 02.④,하지 않는다,없다

매일!! 쉬는시간 7분!! 공부근육 빵빠라빵빵

차근차근헬스장

운동 2일차

[1인당 국내 총생산과 경제 성장] 요가

01. 1인당 국내 총생산(1인당 GDP)

키워드 덧셈

(1) 다음은 무엇에 대한 **설명**인가?
[국내 총생산을] + [그 나라의 인구 수로 나눈 것] = [ ]

중요 키워드 분석

(2-1) **1인당 GDP**는 국내 총생산을 그 나라의 [ ] 수로 나눈 것을 말한다.

(2-2) **1인당 GDP**를 통해 한 나라 [ ] 들의 평균적인 소득 수준을 알 수 있다.

우리 득근하자!

밑줄 친 틀린 말을 고쳐보시오.

(3-1) **1인당 GDP**는 국내 총생산을 그 나라의 **애완견 수**로 나눈 것을 말한다.

(3-2) **1인당 GDP**를 통해 한 나라 **부자**들의 평균적인 소득 수준을 알 수 있다.

└►[파생 문제1] 다음표를 보고 **1인당 GDP**를 구하시오.

	가국	나국
국내총생산	1500만원	2000만원
총인구	100명	200명
1인당GDP	( )만원	( )만원

02. 경제 성장

키워드 덧셈

(1) 다음은 무엇에 대한 **설명**인가?
[국내 총생산이 증가하여] + [한 나라의 생산 능력과 경제 규모가] + [커지는 것] = [ ]

괄호안에 알맞은 말 넣기

(2) (   )안에 알맞은 말은?

(   )이란 **국내 총생산이 증가**하여 **나라의 생산 능력**과 **경제 규모**가 **커진 것**을 말한다.

회색글씨 위에 덧대어 쓰며 외우기

경제 성장의 긍정적 영향은!!

일자리 창출, 국민 소득 증가에 따른 물질적 풍요가 있어! 또한 교육·의료·문화 수준이 향상 됨으로서 삶의 질이 향상돼!! 와우!!(/^o^)/♡

경제 성장의 부정적 영향은!!

자원 고갈 및 환경 오염이 발생하고, 빈부 격차가 발생하여 계층 간 갈등을 일으킨단다!!

즉, 경제가 성장한다고 꼭 삶의 질이 향상 되는 것은 아니구나!! ☜ 이건 중요하니깐 꼭 기억하라공!!('⌒')

선생님은 차근 차근 헬스장을 기획할 때 이런 마음으로 기획했어! 이 헬스장을 다 풀고 나면 아이들의 어깨 위에 근육이 하나씩 붙었으면 좋겠다!! 그 근육은 바로 나라와 민족을 살리는 '안중근'!! 얘들아 희망을 가지고 차근 차근 나아가자!!
그러면 어느순간 너희들의 어깨 위에 '안중근'이라는 훌륭한 근육이 붙어 있을꺼야!!
알겠지!!??^^ 알라뷰^^

·정답: 01. (1)1인당 국내 총생산/ (2)인구,국민/ (3) 인구,국민,가국-15만원, 나국-10만원 02.(1)경제 성장/ (2)경제 성장

헬스장의 귀염둥이, 애완호랑이랑 놀자!

초롱이네 놀이방

지금 졸았지? 계속 잠만 잘거야? 사람이 발전을 하고 성장을 해야지!
잠은 줄이고 공부하는 시간은 늘려야 성장이 있느니라.
다행히 오늘은 노는 날, 재밌게 놀고 내일부터 공부해! 알겠나? 대답!

1. 그림 퀴즈 - 제목을 맞혀라!

Q1. 다음 그림의 제목은 무엇일까?

Q2. 천재는 금방맞추는 두 번째 문제!

2. 성냥개비 성격테스트 - 나는 어떤 사람일까?

Q. 여기 나란히 놓인 2개의 성냥개비가 있습니다. →
이 때, 하나의 성냥개비를 추가한다면 어디에 두겠습니까?
(아래 보기 중 하나만 골라주세요)

① 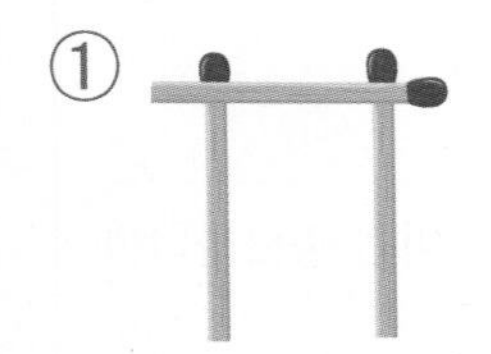

② 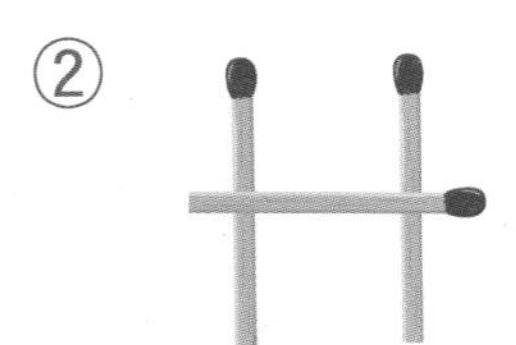

③ 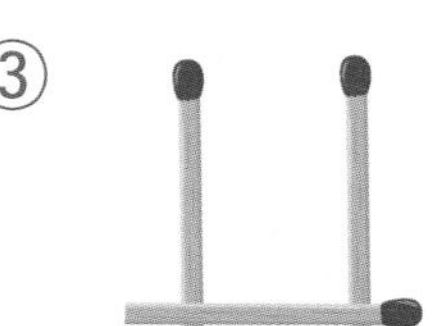

④ 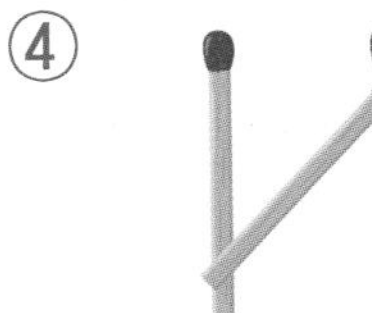 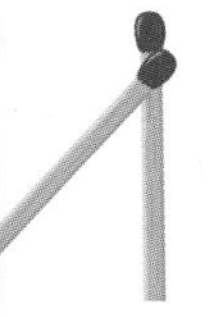

⑤ 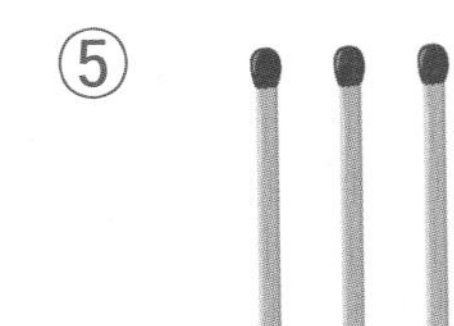

불장난하면
밤에 오줌싸지

1. (1) 포크레인 / (2) 도라지(도 Large)
2. ① 지배욕과 독점욕이 강한 사람, 가지고 싶은 건 꼭 가져야 하는 야망있는 성격이네요!
② 개방적이고 사교적인 성격, 분위기 메이커이시네요! ③ 소극적이고 신중한 성격, 타인의 의견을 잘 들어주는 사람이네요!
④ 안정적이고 차분한 성격, 주변으로부터 모범적이라는 이야기를 많이 듣는 성격입니다.
⑤ 안쪽에 추가한 경우 - 자주성과 독립성이 강한 성격 / 바깥쪽에 둔 경우 - 호기심과 승부욕이 많은 집요한 성격

국내 총생산과 경제 성장

유형 1 국내 총생산의 정의

㉠~㉤에 대한 설명으로 옳지 않은 것은?

> 국내 총생산(GDP)의 의미
> ㉠일정 기간 동안 ㉡한 나라 안에서 ㉢새롭게 생산된 ㉣최종 생산물의 가치를 ㉤시장 가격으로 환산한 것

① ㉠에서 말하는 기간은 보통 1년을 기준으로 한다.
② ㉡에 따르면 GDP 계산의 기준은 생산자의 국적이다.
③ ㉢에 따르면 그 해 이전에 생산된 중고품은 GDP에서 제외된다.
④ ㉣에 따르면 생산 과정에서 사용된 중간재는 GDP에서 제외된다.
⑤ ㉤에 따르면 가정 주부가 식사와 빨래를 한 서비스의 가치는 GDP에서 제외된다.

유형 2 국내 총생산에 대하여

〈보기〉에서 국내 총생산에 대한 설명으로 옳은 것만을 모두 고른 것은?

> 보 기
> ㄱ. 국내 총생산은 생산자의 국적을 따져 그 나라의 국민이 생산한 것만을 포함한다.
> ㄴ. 국내 총생산은 생산 활동의 규모를 측정하여 나라 전체의 경제 규모를 파악한 것이다.
> ㄷ. 생산한 재화를 판매하지 않고 자신이 사용한다면 그 재화는 국내 총생산에 포함하지 않는다.
> ㄹ. 국내 총생산은 일정 기간 한 나라 안에서 새롭게 생산한 모든 최종 생산물의 가치를 합한 것이다.

① ㄱ, ㄴ ② ㄴ, ㄹ ③ ㄱ, ㄴ, ㄷ
④ ㄱ, ㄴ, ㄹ ⑤ ㄴ, ㄷ, ㄹ

유형 3 국내 총생산에 들어가는 것들

3. 우리나라의 국내 총생산에 포함되는 사례로 옳은 것만을 〈보기〉에서 고른 것은?

> 보 기
> ㄱ. 대구 동성로 맥도날드에서 만들어진 햄버거
> ㄴ. 경기도 평택 삼성전자 공장에서 생산된 반도체
> ㄷ. 가수 BTS가 미국에 진출하여 받은 방송 출연료
> ㄹ. 손흥민 선수가 영국 프리미어리그 토트넘에서 받은 연봉

① ㄱ, ㄴ ② ㄱ, ㄷ ③ ㄴ, ㄷ
④ ㄴ, ㄹ ⑤ ㄷ, ㄹ

유형 4 국내 총생산의 한계

4. 국내 총생산의 한계로 알맞지 않은 것은?

① 빈부 격차의 정도를 알 수 없다.
② 국민의 삶의 질 수준을 알기 어렵다.
③ 환경 오염으로 인한 피해 정도를 반영한다.
④ 생산의 결과가 공정하게 분배되었는지 알 수 없다.
⑤ 시장에서 거래되는 재화와 서비스의 가치만을 측정한다.

유형 5 1인당 국내 총생산

5. 다음 자료에 대한 분석으로 옳지 않은 것은?

구분	A국	B국
국내 총생산	7,305억 달러	5,234억 달러
1인당 국내 총생산	670달러	8,923달러

① A국이 B국보다 인구가 많다.
② A국이 B국보다 실업률이 크다.
③ A국이 B국보다 경제 활동 규모가 크다.
④ 1인당 국내 총생산은 B국이 A국보다 크다.
⑤ 국민들의 평균적인 소득 수준은 B국이 A국보다 크다.

유형 6 국내 총생산 계산

6. 갑국에서 2,000원인 나무를 가공하여 만든 3,000원짜리 목재로 시장에서 10,000원에 거래되는 의자를 만들었을 때, 갑국의 국내 총생산의 계산에 대한 설명으로 옳은 것은? (단, 이것이 갑국의 모든 생산 활동이며, 나무와 목재는 의자를 만드는 데 모두 사용되었다.)

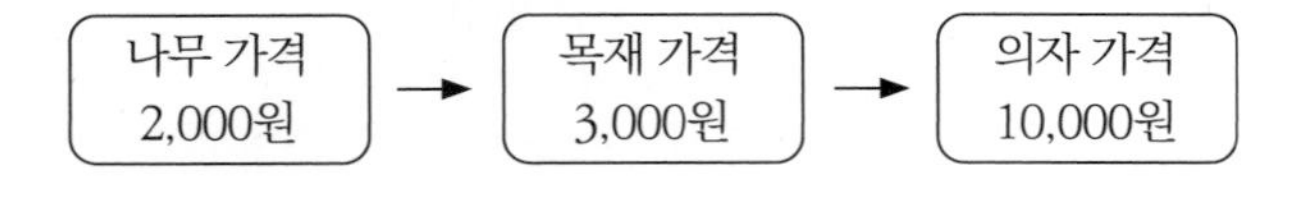

① 나무 가격과 의자 가격을 더한 12,000원이 국내 총생산이다.
② 최종적으로 생산된 의자 가격인 10,000원이 국내 총생산이다.
③ 의자 가격에서 목재와 나무 가격을 제외한 5,000원이 국내 총생산이다.
④ 나무 가격과 목재 가격, 의자 가격을 모두 더한 15,000원이 국내 총생산이다.
⑤ 목재 생산의 부가 가치인 1,000원과 의자 생산의 부가가치인 7,000원을 더한 8,000원이 국내 총생산이다.

경제 성장의 의미와 영향

유형 1 경제 성장

7. 경제 성장에 대한 옳은 설명을 〈보기〉에서 있는대로 고른 것은?

보기

ㄱ. 국내 총생산이 증가한다는 것을 의미한다.
ㄴ. 물질적으로 풍요로운 생활을 누릴 수 있다.
ㄷ. 모든 국민이 균등하게 소득을 나눠 가질 수 있다.
ㄹ. 경제 성장률은 물가의 변동을 포함한 실질 국내 총생산의 증가율로 측정한다.

① ㄱ, ㄴ ② ㄱ, ㄷ ③ ㄴ, ㄷ
④ ㄴ, ㄹ ⑤ ㄷ, ㄹ

유형 2 경제 성장의 영향

8. 경제 성장의 영향으로 적절하지 않은 것은?

① 빈부 격차가 발생하지 않음
② 환경오염으로 인한 정화 비용 발생
③ 의료 혜택, 질 높은 교육을 받을 수 있음
④ 고용 확대와 소득 증가로 물질적 풍요를 가져옴
⑤ 여가 활동의 향상 등 삶의 질이 향상될 수 있음

매일!! 쉬는시간 7분!! 공부근육 빵빠라빵빵

차근차근헬스장

운동 1일차 [물가와 물가지수] 워킹 런지

01. 물가

키워드 덧셈

(1) 다음은 무엇에 대한 **설명**인가?

- [개별 상품의 가치를] + [화폐 단위로 나타낸 것] = [ ]
- [시장에서 거래되는 여러 상품의 값을] + [종합하여 평균한 것] = [ ]
- [물가의 변동을] + [수치로 표현 한 것] = [ ]

중요 키워드 분석

(2-1) 가격은 개별 상품의 가치를 [ ] 단위로 나타낸 것을 말한다.

(2-2) 물가는 시장에서 거래되는 여러 상품의 값을 [ ] 하여 평균한 것을 의미한다.

밑줄 친 틀린 말을 고쳐보시오.

(3-1) **물가**는(은) 개별 상품의 가치를 화폐 단위로 나타낸 것을 말한다.

(3-2) **가격**은(는) 시장에서 거래되는 여러 상품의 값을 종합하여 평균한 것을 의미한다.

↳ [파생 문제1] 다음중 물가를 표현한 그림은?

①

②

02. 소비자 물가 지수

다음은 무엇에 대한 설명일까?

소비자의 일상 생활에 필요한 **대표 품목들의 가격**을 종합하여 나타낸 것입니다.(¯▽¯)/

〈 〉

회색글씨를 덧대어 쓰며 외우기

물가지수는 여러 가지가 있는데요(✪o✪)
그 중 소비자의 일상 생활에 필요한 대표 품목들의 가격을 종합하여 나타낸 것을 **소비자 물가 지수**라고해요.(¯▽¯)/
보통 기준년도를 100으로 놓는데 기준년도보다 비교년도의 물가가 높을때에는 100보다 높아지고, 기준년도보다 비교년도의 물가가 낮을 때에는 100보다 낮아진답니당! 알라븅(/^o^)/♡

표보고 문제풀기(^0^)

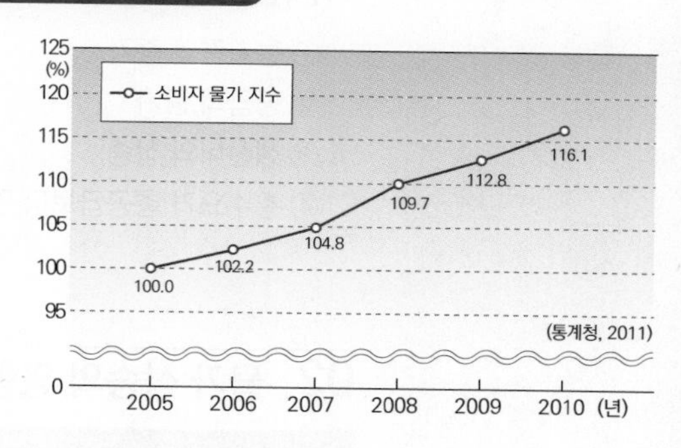

(1) 기준 년도는 언제지?

(2) 2008년의 물가 동향은 어떻니?

사회·역사 잘하는 꿀팁!!
사회·역사를 공부할 때 시간이 부족한 것을 많이 느꼈을거예요! 그런데 여기서 잠깐!! 정말로 시간이 부족했을까?? 그렇다기 보다는 사회·역사를 너무 시험 직전에 몰아서 공부하는 것은 아닐까요?? 그래서 너무 촉박하게 느껴지는 것은 아닐까?? 조금씩 미리 미리 공부해 놓으면 절대 어렵지 않을꺼야!! 진짜로 레알이야!! 알라븅 :)

·정답: 01.(1)가격,물가,물가 지수 (2)화폐,종합 (3)가격,물가,②/ 02.소비자물가지수, (1)2005년 (2)9.7% 물가가 상승하였습니다.

01. 인플레이션

키워드 덧셈

(1) 다음은 무엇에 대한 설명인가?

[물가가] + [지속적으로 오르는 현상]

= [   ]

↳ [파생 문제1] **인플레이션**일 때 **화폐 가치**는?

① 화폐 가치 상승 ↑ ② 화폐 가치 하락 ↓

둘중에 맞는 것을 골라봥٩(•◡•)

(2-1) **물가 상승의 원인**은 (통화량,공급량)의 **증가** 때문이다.

(2-2) **물가 상승의 원인**은 (소득,생산비)의 **상승** 때문이다.

(2-3) **물가 상승의 원인**은 (총수요>총공급,총수요<총공급)이다.

↳ [파생 문제2] **물가 상승**의 원인이 아닌 것은?

① 통화량의 증가
② 공급의 증가
③ 생산비의 상승
④ 총수요가 총공급보다 많을 때

우리 득근하자!

02. 물가 상승의 영향

둘중에 맞는 것을 골라봥٩(•◡•)

(1-1) **물가가 상승**하면 **화폐의 가치**는 (상승,하락)하게 되어 **상품 구매력**이 (상승,하락)하게 된다.

(1-2) **물가가 상승**하면 **실물 자산**을 소유한 사람들은 (유리,불리)하고 현금을 보유한 사람들은 (유리,불리)하다.

(1-3) **물가가 상승**하면 **가계의 저축**이 (증가,감소)하면서 **기업의 투자**가 (활발,위축)된다.

(1-4) **물가가 상승**하면 **수출**은 (증가,감소)하고 **수입**은 (증가,감소)한다.

밑줄 친 틀린 말을 고쳐보시오.

(2-1) **물가가 상승**하면 **화폐의 가치**는 하락하게 되어 **상품 구매력**이 **상승**하게 된다.

(2-2) **물가가 상승**하면 **실물 자산**을 소유한 사람들은 **불리**하고 **현금을 보유한 사람들**은 불리하다.

(2-3) **물가가 상승**하면 **가계의 저축**이 감소하면서 **기업의 투자**가 **활발하게** 된다.

(2-4) **물가가 상승**하면 **수출**은 **증가**하고 **수입**은 증가한다.

↳ [파생 문제3] **물가 상승의 영향**이 **아닌 것은**?

① 화폐 가치의 하락
② 실물 자산 보유자 유리
③ 기업의 투자 위축
④ 수출 증가

"모든 일에는 배울 것이 있다."
-헬렌켈러-

정답: 01.(1)인플레이션,② (2)통화량,생산비,총수요>총공급,②
02.(1) 하락,하락/유리,불리/감소,위축/감소,증가 (2)감소,유리,위축되게,감소,④

매일!! 쉬는시간 7분!! 공부근육 빵빠라빵빵

차근차근헬스장

운동 3일차

[인플레이션2] 워킹 런지

01. 물가 상승시 유리,불리한 사람

회색글씨를 덧대어 쓰며 외우기

① 물가 상승시 유리한 사람
· 실물 자산 소유자 · 돈을 빌린 사람(채무자) · 수입업자
② 물가 상승시 불리한 사람
· 봉급,연금 생활자 · 은행에 돈을 예금한 사람 · 돈을 빌려준 사람 · 수출업자

둘중에 맞는 것을 골라빵٩(•ᴗ•)

(1-1) 물가 상승시 유리한 사람은 (실물 자산 소유자,봉급 생활자)이다.

(1-2) 물가 상승시 불리한 사람은 (돈을 빌린 사람,돈을 빌려준 사람)이다.

(1-3) 물가 상승시 유리한 사람은 (수입업자,수출업자)이다.

02. 물가 안정을 위한 노력

회색글씨를 덧대어 쓰며 외우기

· **물가**는 시중에 통화량이 많아서 발생하므로 정부는 시중에 돈이 풀리지 않도록 재정 지출을 축소해야 하고, 시중의 돈을 빨아들이기 위해 조세를 인상해야해요 ⌒(º ▿ º)⌒
또한 중앙은행은 통화량을 감축하고, 시중 은행의 이자율을 인상하여 가계의 **저축을 유도**해야합니당(~.^)

둘중에 맞는 것을 골라빵٩(•ᴗ•)

(1-1) **정부**는 **물가 안정**을 위해 **재정 지출**을 (확대,축소)한다.

(1-2) **정부**는 **물가 안정**을 위해 **조세**를 (인상,하락)한다.

(1-3) **중앙은행**은 **물가 안정**을 위해 **통화량**을 (확대,감축)한다.

(1-4) **중앙은행**은 **물가 안정**을 위해 **시중 은행의 이자율**을 (인상,인하)한다.

우리형 말고!! 서술형!!s(￣▽￣)v

(2) 인플레이션을 해결하기 위한 **정부**와 **중앙 은행**의 **대책**을 각각 서술해빵!

[정부는 ( )을 줄이고, 조세를 ( )한다.
중앙 은행은 ( )을 감축하고, 시중 은행의 이자율을 ( )시킨다.]

국어 공부 학습팁!!
만약 내신 국어 점수가 잘 안나온다면 반드시 자습서를 구매하시오!!
국어는 국어 자습서만 꼼꼼히 암기하고 문제 풀면 그래도 점수가 잘 나올 수 있어!!
여기서 중요한 것은 그야말로 꼼꼼히 자습서를 잘 살펴 봐야 한다는 거야!!

·정답: 01.(1)실물 자산 소유자,돈을 빌려준 사람,수입업자 02.(1)축소,인상,감축,인상 (2)재정 지출,인상,통화량,인상

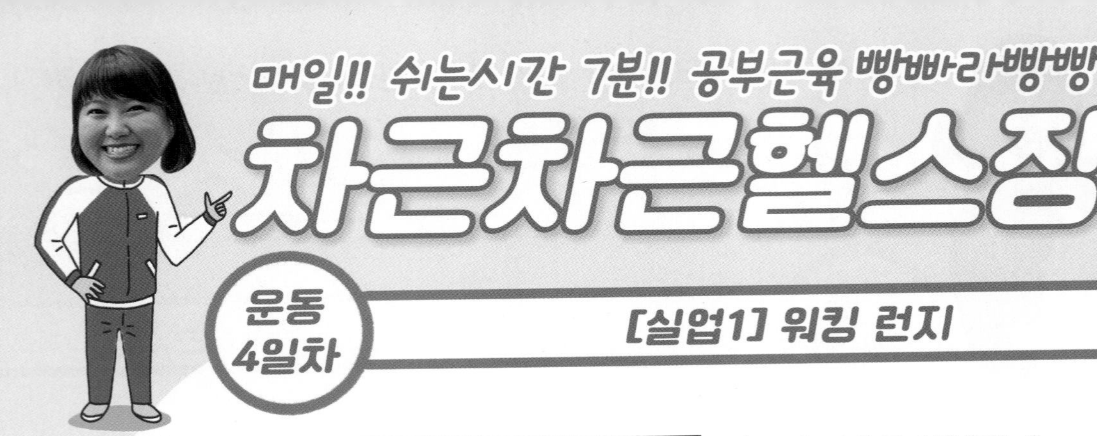

운동 4일차

[실업1] 워킹 런지

01. 취업 인구표

회색글씨를 덧대어 쓰며 외우기

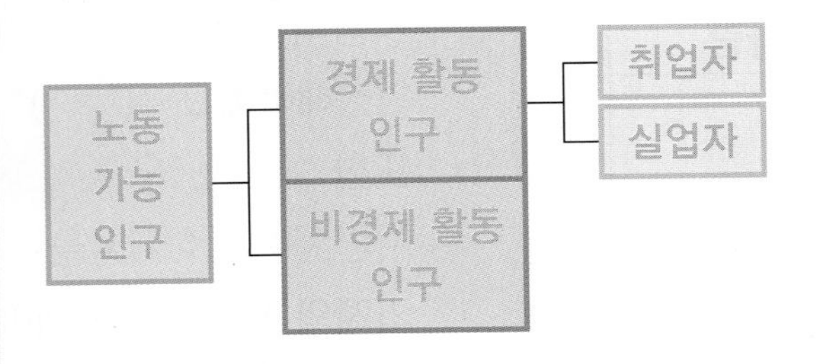

이번엔 암기해서 한번 써봐(o^^)o

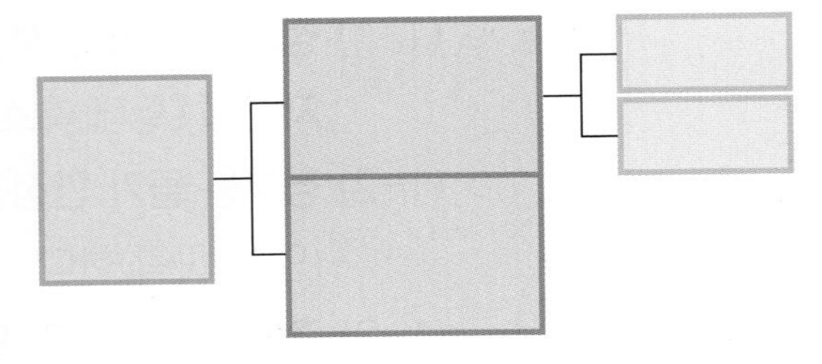

우리 득근하자!

다음중 알맞은 말을 골라볼까?^◡^

(1-1) 다음중 **노동 가능 인구**는?
① 생산 활동이 가능한 15세 이상의 사람
② 생산 활동이 불가능한 15세 이하의 외계인

(1-2) 다음중 **경제 활동 인구**는?
① 일할 의사와 능력이 없는 사람
② 일할 의사와 능력이 있는 사람

(1-3) 다음중 **비경제 활동 인구**는?
① 노동 가능 인구 중에서 경제 활동 인구가 아닌 사람
② 노동 가능 인구 중에서 경제 활동 인구와 찌찌뽕인 사람

(1-4) 다음중 **실업자**는?
① 경제 활동 인구 중 일자리가 없는 사람
② 경제 활동 인구 중 일자리가 있는 사람

회색글씨를 덧대어 쓰며 외우기

비경제 활동 인구에는 노약자, 학생, 전업주부, 구직 단념자 등이 포함된다.

응용-시장에 가면♬

(2) '**시장에 가면**' 놀이를 이용하여 '**비경제 활동 인구에는**' 놀이를 해보자!!얼쑤~ど(^0^)つ
다음중 **비경제 활동 인구**가 아닌 것에 동그라미를 치시오.

아~비!아~비!
비경제 활동 인구에는!!♬
노약자도 있고, **학생**도 있고,
취업 박람회에 간 삼촌도 있고
해외 여행간 이모도 있당^◡^

회색글씨를 덧대어 쓰며 외우기

· 실업률 = $\frac{\text{실업자 수}}{\text{경제 활동 인구}}$ X100

국어 공부 학습팁!!
국어를 잘하려면 정답을 아는 것도 중요하지만 왜 내가 오답을 찍었는지 분석하는 것도 중요해! 예를들어 ③번이 답인데, 나는 ④번을 찍었다면!! 정답인 ③번이 왜 답인지를 분석하는 것도 중요하지만, 나는 왜 오답인 ④를 찍었는지 분석하는 것도 정말 정말 중요해!! 왜냐하면 국어에서 정말 중요한 것은 나의 생각이 아닌 글쓴이의 생각이 무엇인지 아는 것이 중요하거든!!^^

·정답: 01.(1)①②①① (2)취업박람회에 간 삼촌

매일!! 쉬는시간 7분!! 공부근육 빵빠라빵빵

차근차근헬스장

운동 5일차

[실업2] 워킹 런지

01. 실업의 유형

키워드 덧셈

(1) 다음 보기중 알맞은 말을 **골라쓰시오**.

• 경기적 실업	• 구조적 실업
• 계절적 실업	• 마찰적 실업

- [경기가 침체되어] + [기업이 고용을] + [줄이면서 발생하는 실업] = [ ]
- [산업 구조의 변화나] + [새로운 기술 도입으로] + [관련 부분의 일자리가 줄어들면서 발생하는 실업] = [ ]
- [계절의 영향으로] + [발생하는 실업] = [ ]
- [더 나은 조건의 일자리를 구하기 위해] + [기존에 다니전 직장을 그만두면서 발생하는 실업] + [자발적 실업] = [ ]

둘중에 맞는 것을 골라봥٩(•‿•)

(2-1) **경기적 실업**은 경기가 (침체,상승) 되어 발생하는 **실업**이다.

(2-2) **구조적 실업**은 산업 (구조,체형)의 변화나 **새로운 기술 도입**으로 발생하는 **실업**이다.

(2-3) **계절적 실업**은 (경기,계절)의 영향을 많이 받는 직종에서 발생한다.

(2-4) **마찰적 실업**은 **더 나은 조건**의 (일자리,잠자리)를 구하기 위해 기존에 다니는 직장을 그만두면서 발생한다.

밑줄 친 틀린 말을 고쳐보시오.

(3-1) **경기적 실업**은 경기가 **상승** 되어 발생하는 **실업**이다.

(3-2) **구조적 실업**은 **정치 구조**의 변화나 **새로운 기술 도입**으로 발생하는 **실업**이다.

(3-3) **계절적 실업**은 **연예인**의 영향을 많이 받는 직종에서 발생한다.

(3-4) **마찰적 실업**은 **더 나은 조건**의 **신랑감**을(를) 구하기 위해 기존에 다니는 직장을 그만두면서 발생한다.

다음중 알맞은 말을 골라볼까?^‿^

(4-1) 다음중 **경기적 실업**의 예는?

① 경기 침체로 기업에서 해고당한 유리

② 여름이 되어 직장을 잃은 스키강사 준희

(4-2) 다음중 **구조적 실업**의 예는?

① 업무가 로봇으로 대체된 미연

② 더 좋은 직장을 찾아 떠난 주진

국어 공부 학습팁!!

국어에는 말하는 이가 있어! 우리는 그것을 '화자'라고 말해! 국어에서는 이 '화자'의 생각이 정말 중요해! 우리는 국어를 풀 때 내 생각을 바탕으로 내가 답이라고 생각하는 것을 찍기가 쉬워!! 근데 정말로 정답을 맞추기 위해서는 글쓴이의 생각을 잘 분석하는 것이 중요해!! 그렇기 때문에 문제만 다량으로 풀기 보다는 글쓴이가 어떤 생각으로 이 글을 썼을까를 잘 생각해보며 문제를 풀어야 국어는 좋은 성적을 거둘 수 있단다!! :)

·정답: 01.(1)경기적 실업,구조적 실업,계절적 실업,마찰적 실업/ (2)침체,구조,계절,일자리/ (3)침체,산업구조,계절,일자리/ (4)①,①

헬스장의 귀염둥이, 애완호랑이랑 놀자!

초롱이네 놀이방

요즘 물가가 많이 올라서 다들 살기 어렵다고 하더군,
그치만 헬스는 맨손운동! 돈이 들지 않지. 그저 열심히 근육을 조지면 돼!
그러니까 배달음식 줄이고 오직 단련에 집중하도록. 알겠나 인간?

1. 명탐정 초롱이 – 편의점 강도를 잡아라!

어느 날 새벽, 한 편의점에 강도가 들었다. 범인은 알바생을 기절시키고 금고를 털어갔다. 경보 시스템을 듣고 '이람보' 순경이 편의점에 도착했을 땐 이미 범인이 떠난 뒤였고, 기절한 아르바이트생은 계속 깨어나지 못했다. 범인의 지문을 비롯한 기본적인 단서는 당연히 없었다. CCTV마저 고장! 그러나 현장을 수색하던 이 순경의 눈에 계산기 하나가 들어왔다.

71057735345

**이 숫자를 본 이람보 순경은 단서를 보고 범인이 일하는 곳을 알아냈다.
그 곳은 과연 어디였을까?**

주유소 / 금은방 / 필라테스장 / 세탁소 / 모텔

2. 알쏭달쏭 OX퀴즈 챌린지

(1) 독사가 자기 혀를 깨물면 죽는다 O / X

(2) '카레'는 인도어로 '맵다' 라는 뜻이다 O / X

(3) 오징어의 피는 푸른 색이다 O / X

(4) 닭에게도 오른발잡이, 왼발잡이가 있다 O / X

(5) 택시라는 말은 라틴어 '돈을 내다' 에서 유래되었다 O / X

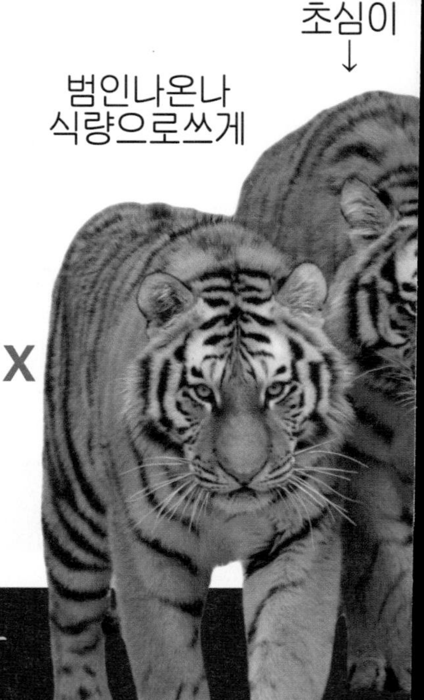

1. 계산기의 숫자를 뒤집어서 잘 살펴보면 영어로 she sells oil 이라고 나온다. 즉 정답은 주유소!
2. (1) O - 혈관을 타고 가면 자기도 독에 감염됨 (2) X - 향신료의 한 종류임 (3) O (4) O (5) O

ShESELLSOIL

물가의 의미와 물가 상승의 원인

유형 1 물가 지수

1. 다음 물가와 관련된 설명으로 바르지 못한 것은?

① 물가란 여러 상품의 가격을 합하여 평균한 것을 말한다.
② 물가를 기준이 되는 연도(시점)와 비교한 수치를 물가지수라고 한다.
③ 경제 전체의 총 공급이 총 수요보다 많으면 물가가 상승한다.
④ 경제 전반에 생산비의 상승이 있을 때 물가가 상승한다.
⑤ 어떤 연도(시점)의 물가 지수가 100보다 크면 물가가 상승한 것이고 100보다 작으면 물가가 하락한 것이다.

유형 2 물가 상승의 원인

2. 물가 상승의 요인으로 알맞지 않은 것은?

① 시중에 공급되는 통화량이 많아지는 경우
② 임금, 임대료가 하락하여 생산비가 내려가는 경우
③ 경제 전체의 수요가 경제 전체의 공급보다 많은 경우
④ 국내외 원자재 가격이 상승하여 생산 원가가 높아지는 경우
⑤ 가계의 소비나 기업의 투자 또는 정부의 재정 지출이 증가하는 경우

물가 상승의 영향과 대책

유형 1 인플레이션의 역사적 사례

***다음을 읽고, 물음에 답하시오.**

> 1866년(고종 3년) 흥선 대원군은 경복궁 재건 비용을 마련하기 위해 당백전을 대규모로 찍어 내어 시중에 유통시켰다. 당백전은 당시에 통용되던 상평통보의 5~6배에 지나지 않으면서도, 명목상의 가치는 실질가치의 약 20배에 달하였다. 이로 인해 7~8냥에 지나지 않던 미곡(쌀) 1섬의 가격은 1~2년 사이에 6배로 폭등하였다.

3. 위 글에서 나타나고 있는 경제 문제는?

① 실업 문제　② 외환 위기　③ 인플레이션
④ 물가의 하락　⑤ 화폐 불법 위조

4. 위와 같은 문제가 발생하게 된 경제적 원인으로 가장 적절한 것은?

① 초과 공급　② 초과 수요
③ 통화량 증가　④ 화폐 가치 상승
⑤ 정부 지출 축소

유형 2 물가 상승의 영향

5. 물가 상승에 대한 설명으로 옳은 것은?

① 물가가 지속적으로 상승하는 현상을 디플레이션이라고 한다.
② 국민 경제 전체적으로는 수입이 줄고 수출이 늘어나게 한다.
③ 화폐의 가치가 하락하여 소득이 같아도 전보다 구매력이 떨어진다.
④ 물가가 상승하면 주어진 소득으로 구매할 수 있는 재화의 양이 늘어난다.
⑤ 가계, 기업, 정부의 지출이 증가하여 상품의 총공급은 증가하는 데 총수요가 이에 미치지 못해 물가가 상승한다.

유형 3 물가 상승시 유리한 사람 vs 불리한 사람

6. 자료에서 나타난 경제적 현상이 발생할 경우 불리해지는 사람을 〈보기〉에서 고른 것은?

보 기

ㄱ. 부동산을 보유한 사람
ㄴ. 다른 사람에게 돈을 빌린 사람
ㄷ. 일정한 월급으로 생활하는 사람
ㄹ. 다른 사람에게 돈을 빌려준 사람

① ㄱ, ㄴ　② ㄱ, ㄹ　③ ㄴ, ㄷ
④ ㄴ, ㄹ　⑤ ㄷ, ㄹ

*다음 글을 읽고 물음에 답하시오.

물가상승률이 정말 극단적으로 높은 악성 인플레이션이 있는데 이를 초인플레이션(hyper-inflation)이라고 부른다. 연간 물가상승률이 대체로 200%를 넘으면 초인플레이션이라고 판단한다.
역사상 가장 심각한 초인플레이션은 1920년대 초 독일에서 발생하였다. 1921년 6월부터 1924년 1월 사이에 독일은 급격한 물가상승을 겪었다. 이 초인플레이션의 마지막 1년 동안은 연간이 아닌 월간 물가상승률이 300%를 웃돌았다. 2년 남짓한 기간 동안 독일의 물가는 무려 10억 배 가량 상승하였다. 1923년 11월 1일 빵 1파운드의 가격은 30억 마르크였으며, 소고기 1파운드의 가격은 360억 마르크였다. 빠른 물가상승률 때문에 상점의 물건 가격표는 시간 단위로 변경되었다. 엄청나게 높은 가격을 지불하기 위해 역사상 최고액권이 발행되었는데,무려 1조 마르크짜리 지폐가 발행되기도 하였다.

〈1920년 대 독일의 초인플레이션〉

서술형

7. 윗글과 같은 현상이 발생했을 때, 경제적으로 '유리해지는 사람'과 '불리해지는 사람'을 각각 2가지씩 서술하시오.

유형 4 물가 안정을 위한 노력

8. 지나친 물가 상승이 우려될 때, 물가 안정을 위한 경제 주체들의 노력으로 옳은 것을 모두 고른 것은?

보 기

ㄱ. 정부는 지출을 줄이고 세금을 늘린다.
ㄴ. 중앙은행은 통화량을 늘리고 이자율을 낮춘다.
ㄷ. 기업은 생산성을 향상시켜 생산 비용을 절감한다.
ㄹ. 소비자는 물가가 더 상승하기 전에 더 많이 소비한다.
ㅁ. 근로자는 물가 상승보다 더 많은 임금 인상을 요구한다.

① ㄱ, ㄷ ② ㄴ, ㄷ ③ ㄱ, ㄴ, ㄷ
④ ㄴ, ㄹ, ㅁ ⑤ ㄴ, ㄷ, ㅁ

*다음 글을 읽고 물음에 답하시오.

물가상승률이 정말 극단적으로 높은 악성 인플레이션이 있는데 이를 초인플레이션(hyper-inflation)이라고 부른다. 연간 물가상승률이 대체로 200%를 넘으면 초인플레이션이라고 판단한다.
역사상 가장 심각한 초인플레이션은 1920년대 초 독일에서 발생하였다. 1921년 6월부터 1924년 1월 사이에 독일은 급격한 물가상승을 겪었다. 이 초인플레이션의 마지막 1년 동안은 연간이 아닌 월간 물가상승률이 300%를 웃돌았다. 2년 남짓한 기간 동안 독일의 물가는 무려 10억 배 가량 상승하였다. 1923년 11월 1일 빵 1파운드의 가격은 30억 마르크였으며, 소고기 1파운드의 가격은 360억 마르크였다. 빠른 물가상승률 때문에 상점의 물건 가격표는 시간 단위로 변경되었다. 엄청나게 높은 가격을 지불하기 위해 역사상 최고액권이 발행되었는데,무려 1조 마르크짜리 지폐가 발행되기도 하였다.

서술형

9. 윗글과 같은 현상을 해결하기 위한 정부의 대책을 〈보기〉에 제시된 단어를 모두 사용하여 2가지 서술하시오.

보 기

정부 지출 중앙 은행

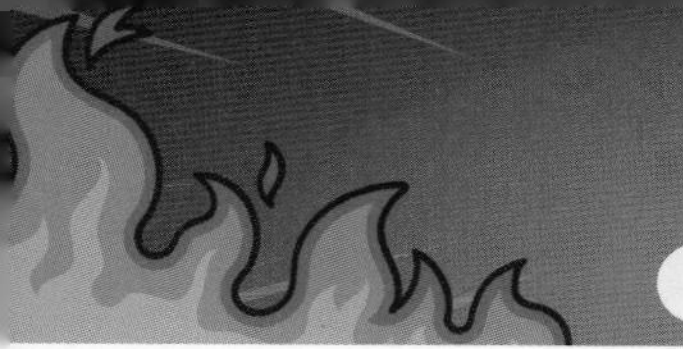

실업의 의미와 유형

유형 1 인구 분류도

※ 다음 표를 보고 물음에 답하시오.

15세 이상 인구		
경제 활동 인구		(㉠)인구
취업자	(㉡)	

0. ㉠, ㉡에 들어갈 용어로 적절한 것은?

	㉠	㉡
)	노동가능	근로자
)	노동가능	실업자
)	비경제활동	근로자
)	비경제활동	실업자
)	비경제활동	고용인

1. ㉠에 해당하는 사람을 〈보기〉에서 있는 대로 고른 것은?

보 기

ㄱ. 은퇴 후 봉사활동 하는 노인 김모씨
ㄴ. 가사노동에 전념중인 전업 주부 박모씨
ㄷ. 구직을 단념하고 대학원에 진학한 최모씨
ㄹ. 휴가를 이용해 연봉이 높은 다른 회사의 면접에 다녀온 이모씨

) ㄱ　　② ㄴ, ㄷ
) ㄷ, ㄹ　　④ ㄱ, ㄴ, ㄷ
) ㄱ, ㄴ, ㄷ, ㄹ

서술형

12. 〈보기〉의 (가)에 들어갈 용어를 쓰고 의미를 서술하시오.

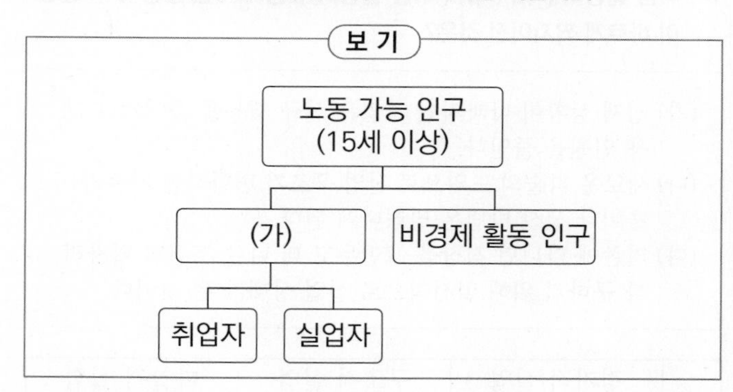

1) (가)에 들어갈 용어 :

2) 용어의 의미 :

유형 2 실업 유형1 줄글

13. 실업의 사례로 옳지 않은 것은?

① 경기 침체로 기업이 고용을 줄여 해고당했다.
② 업무가 로봇에 의해 대체되어 일자리가 사라졌다.
③ 계절의 변화에 따라 고용기회가 줄어들었다.
④ 더 나은 직장을 얻기 위해 자발적으로 현재의 직장을 그만두었다.
⑤ 취업하려고 했으나 뜻대로 되지 않아 일자리 구하기를 포기하고 대학원에 진학하였다.

유형 3 실업의 유형2 도표나 그림

14. 다음 설명의 (가), (나), (다)는 실업의 유형에 대한 설명이다. 설명이 바르게 짝지어진 것은?

> (가) 경제 상황이 나빠지면 기업은 신규 채용을 줄이거나 고용 인원을 줄인다.
> (나) 새로운 기술의 도입으로 산업 구조가 변화하면 기존의 기술이나 생산 방법은 밀려나게 된다.
> (다) 기존에 다니던 직장을 그만두고 더 나은 조건의 일자리를 구하기 위해 일시적으로 실업 상태가 된 것이다.

	경기적 실업	구조적 실업	마찰적 실업
㉠	(가)	(나)	(다)
㉡	(가)	(다)	(나)
㉢	(나)	(가)	(다)
㉣	(나)	(다)	(가)
㉤	(다)	(나)	(가)

① ㉠ ② ㉡ ③ ㉢
④ ㉣ ⑤ ㉤

유형 4 실업률 계산

15. 다음 표는 2021년 A국의 경제 활동 인구를 나타낸 표이다. 2021년 A국의 실업률은?

15세 이상 인구 4,000만명		
경제 활동 인구 2,500만명		비경제 활동 인구 1,500만명
취업자 2,400만명	실업자 100만명	

① 2.5% ② 3.5% ③ 4%
④ 5% ⑤7%

실업의 영향과 대책

유형 1 실업 대책

16. 다음 실업의 종류와 고용 안정 방안에 대한 설명으로 옳은 것만을 〈보기〉에서 고른 것은?

> 지은 : 공장이 자동화되어 다니던 일자리를 잃게 되었어요.
> 재현 : 적성에 맞는 일자리를 찾기 위해 기존 회사를 그만 두었어요.

보 기

ㄱ. 지은의 실업 유형은 경기적 실업이다.
ㄴ. 재현은 비자발적 실업 상태에 있다.
ㄷ. 재현의 실업 유형은 마찰적 실업이다.
ㄹ. 지은과 같은 실업 상태를 해결하기 위해 정부는 직업 교육을 실시한다.

① ㄱ, ㄴ ② ㄱ, ㄷ
③ ㄴ, ㄷ ④ ㄴ, ㄹ
⑤ ㄷ, ㄹ

유형 2 실업의 영향

※그림을 보고 물음에 답하시오.

노동 가능 인구
경제 활동 인구 (가)
취업자 (나)

17. 빈 칸 (나)와 관련 있는 현상이 가져오는 개인적 영향을 〈보기〉에서 모두 고른 것은?

보 기

ㄱ. 인적자원의 낭비
ㄴ. 정부의 재정부담 증가
ㄷ. 자아실현의 기회 상실
ㄹ. 소득의 상실로 생계유지 곤란

① ㄱ, ㄴ ② ㄱ, ㄷ ③ ㄴ, ㄷ
④ ㄴ, ㄹ ⑤ ㄷ, ㄹ

매일!! 쉬는시간 7분!! 공부근육 빵빠라빵빵

차근차근헬스장

운동 1일차 [국제 거래의 의미와 필요성] 스텝퍼.1일차

01. 국제 거래의 의미와 특징

회색 글씨 따라쓰며 암기하기

(1) 국제 거래는 국가 간에 상품이나 생산 요소가 국경을 넘어 거래되는 것이다.

보기를 보고 빈칸을 채워라!!

• 외화 • 관세 • 통관 • 환율

(2-1) **국제 거래**는 **수출과 수입하는 과정**에서 [　　]라는 세금을 부과한다.

(2-2) **국제 거래는 나라마다 사용하는 화폐가 달라** [　　]을 적용하며, 우리 돈 원화가 아닌 [　　]를 사용한다.

(2-3) **국제 거래**는 [　　] 절차를 거쳐야 하고 **운송비가 많이 든다**.

↳ [파생 문제1] 다음 중 그림과 **가장 관련있는 국제 거래 특징**은?

① 관세 ② 환율 ③ 통관 절차

밑줄친 단어 바르게 고치기

(3-1) 국제 거래는 국내 거래에 비해 상품의 이동이 **자유롭다**.

(3-2) 국제 거래에는 **원화**를 사용한다.

02. 국제 거래의 필요성과 이익

회색 글씨 따라쓰며 암기하기

(1) 국가 간 생산조건 차이로 인해 생산비 차이가 발생되고, 이는 곧 국제 거래가 발생하게 되는 원인이 된다.

적절한 키워드 고르기

(2-1) 한 국가가 상대적으로 더 **(적은/많은)** 생산비용으로 상품을 생산할 수 있을 때 **비교우위가 있다**고 말한다.

(2-2) 각국이 **비교우위가 있는 상품**을 **특화**하여 **(수입/수출)**하고, 그렇지 않은 품목을 **(수입/수출)** 하면 **서로 이익**이 된다.

(2-3) **나라마다 부족한 자원 및 상품** 등을 **국제 거래**를 통해 충족 **(가능/불가능)**하다.

(2-4) **선진국의 생산기술을 도입**하여 **생산비**를 **(절감/증가)**할 수 있다.

"세상은 고통으로 가득하지만, 그것을 극복하는 사람들로도 가득하다"
-헬렌켈러-

·정답: 01.(2) 관세/환율/외화/통관/(파생문제1)-① (3) 자유롭지 못하다./외화
02.(2) 적은/수출/수입/가능/절감

매일!! 쉬는시간 7분!! 공부근육 빵빠라빵빵

차근차근헬스장

운동 2일차

[국제 거래의 양상] 스텝퍼.2일차

01. 국제 거래의 양상

회색 글씨 따라쓰며 암기하기

(1) 국제 거래는 세계화와 개방화로 인해 재화뿐만 아니라 서비스, 생산 요소의 국가 간 이동이 활발해졌다.

보기를 보고 빈칸을 채워라!!

- 자유 무역 협정(FTA)
- 지역 경제 협력체 / • 국제 거래
- 세계무역기구(WTO)

(2-1) **1995년,** 출범한 국제 기구인 [　　　] **는 국가 간 자유로운 무역과 세계 교역**을 증진하는 목적으로 설립되었다.

(2-2) [　　　] **는 지리적으로 가깝고 경제적 이해관계를 같이** 하는 나라들이 결성한 협력체이다.

(2-3) [　　　] **은** 개별 국가 간 또는 국가와 지역 경제 협력체 간에 **관세 및 비관세 장벽**을 **없애거나 완화**하기 위해 설립되었다.

(2-4) 교통과 통신의 발달은 [　　　] 를 더욱 활발하게 하는 계기가 되었다.

↳ [파생 문제1] **지역 경제 협력체**에 속하지 않는 것은?
① 유럽 연합 ② 동남아시아 국가 연합 ③ 메이플 연합

우리 득근하자!

십자말 풀이

				❶			
		❷					
❸							

세로 ❶	• **이 협력체**는 개별 국가 간 또는 개별 국가와 지역 경제 협력체 간에 **관세 및 비관세 장벽을 없애거나 완화함**으로서 경제 협력을 강화하는데 목적이 있다.
가로 ❷	• **1995년**에 출범한 **국제기구.** • **국가 간 자유로운 무역**과 **세계 교역 증진**을 목적으로 설립. • 불공정 행위 규제, 국가 간 무역 마찰 조정.
가로 ❸	• **지리적으로 가깝고** 경제적으로 상호의존도가 높은 나라들로 구성 • 회원국간 자유 무역을 촉진하지만 비회원국에 대해서는 무역 **장벽을 쌓는 등의 차별로 무역 갈등 발생**

쌤이 오랜만에 쌤의 가장 힘든 시절에 썼던 일기장을 보니 쌤이 이런 글을 써놓았더라!
"세상적으로 유명한 사람이 되기보다는 다른 사람들에게 유익이 되고 덕이 되는 사람이 되자!"
우리 함께 이런 사람이 되기 위해 공부하자!

·정답: 01. (2) 세계무역기구(WTO)/지역 경제 협력체/자유 무역 협정(FTA)/국제 거래/(파생문제1)-③
02. ① 자유 무역 협정(FTA)/② 세계 무역 기구(WTO)/③ 지역 경제 협력체

매일!! 쉬는시간 7분!! 공부근육 빵빠라빵빵

차근차근헬스장

운동 3일차

[환율의 결정과 변동] 스텝퍼.3일차

01. 환율과 환율의 결정

회색 글씨 따라쓰며 암기하기

(1-1) 환율이란 자국 화폐와 외국 화폐의 교환 비율을 의미한다.

(1-2) 환율의 결정은 외환 시장에서 외화에 의한 수요와 공급에 의해 결정된다.

적절한 키워드 고르기

(2-1) 외화의 **(수요/공급)**은/는 외화가 해외로 나가는 것을 의미한다.

(2-2) 외화의 **(수요/공급)**은/는 외화가 국내로 들어오는 것을 의미한다.

중요 내용 찝고 가기

(3-1) 다음 중 **외화의 수요 발생원인**을 **모두 O표시** 해보자. (๑•̀ω•́)۶

① 외국 상품의 수입
② 우리나라 상품의 수출
③ 외채 상환 / ④ 차관 도입화

(3-2) 다음 중 **외화의 공급 발생원인**을 **모두 O표시** 해보자. (๑•̀ω•́)۶

① 외채 상환
② 외국인 관광객 유치
③ 자국민의 해외 투자
④ 우리나라 상품의 수출

02. 환율의 변동

적절한 키워드 고르기

(1-1) 환율**(상승/하락)**이란, **외화의 수요가 증가**하거나 **외화의 공급이 감소**한 경우를 의미한다.

↳ [파생 문제1] 맞는 말에 **O표시**를 해보자!
: **환율이 상승**하면, **원화 가치**는 **(상승/하락)**한다.

(1-2) 환율**(상승/하락)**이란, **외화의 공급이 증가**하거나 **외화의 수요가 감소**한 경우를 의미한다.

↳ [파생 문제2] 맞는 말에 **O표시**를 해보자!
: **환율이 하락**하면, **원화 가치**는 **(상승/하락)**한다.

짝 맞추기

환율 상승 ⇧ • •

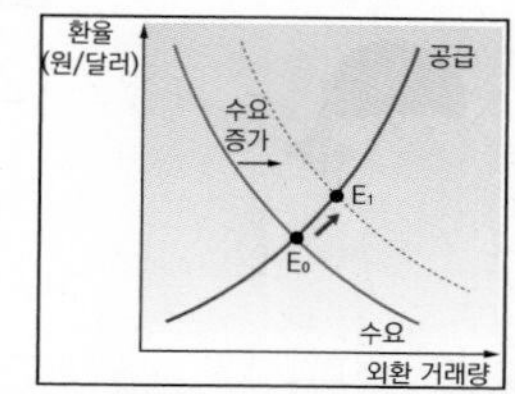

환율 하락 • •

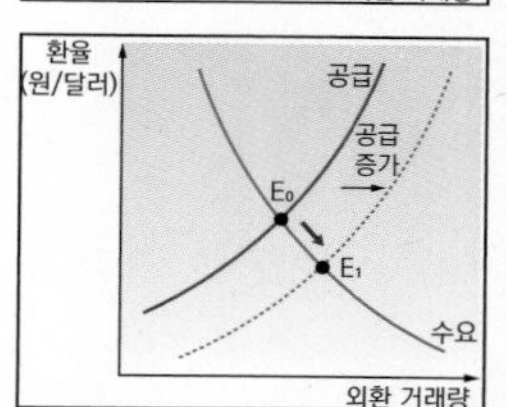

깜짝 심리테스트

Q: 당신은 오래된 것처럼 보이는 항아리를 발견했습니다. 그 속에는 무엇이 들어있었을까요?

① 꿀 ② 족보 ③ 금화 ④ 정원의 흙

나를 위한 이기적인 공부가 아닌 배워서 남주자!!

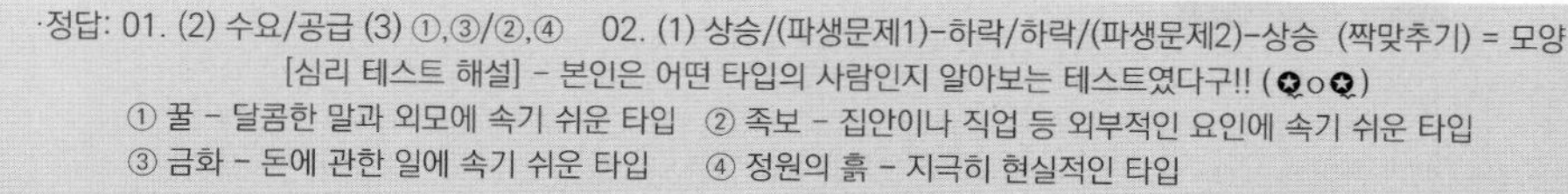
·정답: 01. (2) 수요/공급 (3) ①,③/②,④ 02. (1) 상승/(파생문제1)-하락/하락/(파생문제2)-상승 (짝맞추기) = 모양
[심리 테스트 해설] - 본인은 어떤 타입의 사람인지 알아보는 테스트였다구!! (ʘoʘ)
① 꿀 - 달콤한 말과 외모에 속기 쉬운 타입 ② 족보 - 집안이나 직업 등 외부적인 요인에 속기 쉬운 타입
③ 금화 - 돈에 관한 일에 속기 쉬운 타입 ④ 정원의 흙 - 지극히 현실적인 타입

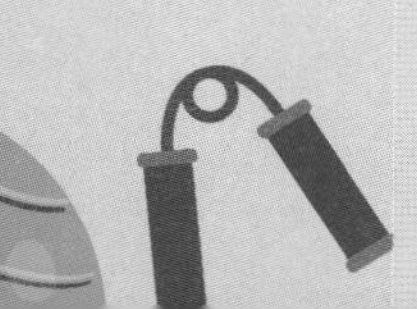

01. 환율의 변동의 영향

회색 글씨 따라쓰며 암기하기

(1-1) 환율 상승의 영향은
첫째, 수출 증가
둘째, 수입 감소
셋째, 국내 물가 상승
넷째, 외채 상환 부담 증가이다.

(1-2) 환율 하락의 영향은
첫째, 수출 감소
둘째, 수입 증가
셋째, 국내 물가 안정
넷째, 외채 상환 부담 감소이다.

우리 득근하자!

객관식 정복하기 뿌셔뿌셔!! <(•̀ㅅ•́)>

(2-1) **환율이 상승**했을 때 우리 생활에 미치는 영향으로 옳은 것은?

① 
해외 여행이 증가한다.

② 

국내 물가가 상승한다.

(2-2) **환율이 하락**했을 때 우리 생활에 미치는 영향으로 옳은 것은?

① 

수입이 증가한다.

② 
람보쌤의 몸무게가 감소한다.

람보식당 먹고 싶은 거 맘껏 골라 ╰(°▽°)╯

(3) **환율이 하락**했을 때의 영향을 메뉴판에서 골라보자!

람보식당 메뉴판

1. 수출 증가 ---- 천만원
2. 수입 증가 ---- 삼천만원
3. 국내 물가 상승 - 칠천만원
4. 외채 상환 부담 감소 - 일억

*방문 포장 시 천만원 할인

*리뷰이벤트 참여 시 음료 서비스!

"하늘은 한쪽 문을 닫으시면 다른 한쪽문을 열어놓으신다!!"
-헬렌켈러-

·정답: 01. (2) ②/① (3) ②,④

헬스장의 귀염둥이, 애완호랑이랑 놀자!

초롱이네 놀이방

나도 국제시대에 발맞춰서 해외에 진출해보면 어떨까 싶어.
그럼 영어이름이 필요한 데 뭐가 좋을까? 아이디어 한 번 내봐봐.
음, 한국 호랑이니까 K로 시작해서...Konan 어때? 코난?
표정이 이상하다? 그럼 니가 지어봐! 별로면 각오해 ㅎㅎㅎㅎㅎㅎㅎ

1.머리를 쪼끔만 굴리면 되는 두뇌퀴즈

Q1.

+ + = 30

+ + = 18

- = 2

+ + = ??

Q2. 이것은 무엇일까요?

4 =

4 ≠

Q1 정답 : (숫자) ____________________

Q2 정답 : (문장) ____________________

2. 쉬운거 하나 어려운 거 하나 미로찾기

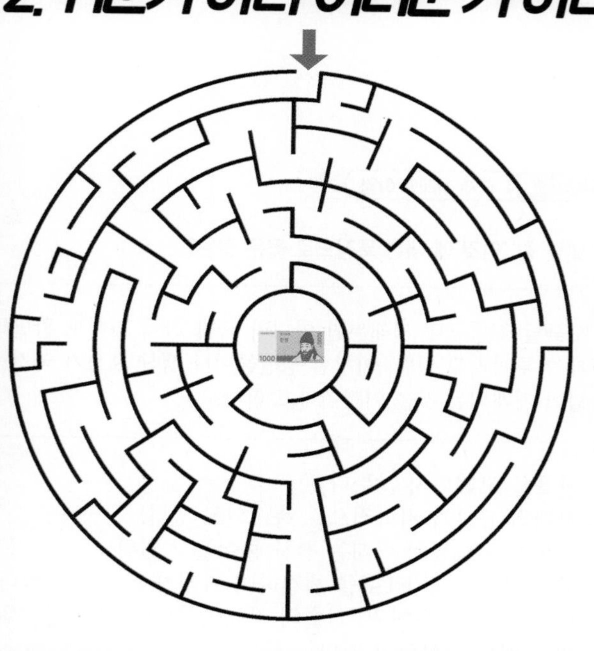

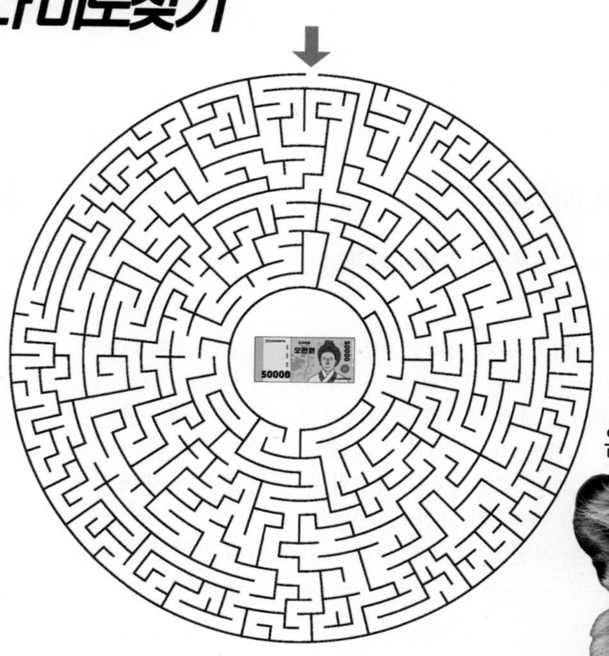

난이도
온도차 쩌네;

1.사과는 10, 바나나 한 송이는 4, 코코넛은 2입니다. 그런데 마지막을 보면 코코넛이 반 개니까 1 + 사과10 + 바나나는 3개달렸으니 3이므로 = 14

국제 거래의 의미와 필요성

유형 1 국제 거래의 특징

1. 국제 거래의 특징으로 옳지 않은 것은?

① 거래하는 두 나라의 화폐가 서로 다르다.
② 물품이 통관 절차를 거치며 관세를 내야 한다.
③ 미국 화폐인 달러를 사용하여 거래하는 경우가 많다.
④ 오늘날 세계화의 영향으로 지속적으로 확대되고 있다.
⑤ 나라마다 법과 제도는 다르지만 상품 이동은 국내 보다 자유롭다.

2. 국제 거래에 대한 설명으로 옳지 않은 것은?

① 국제 거래는 국내 거래보다 자유롭지 못하다.
② 종교나 문화의 차이로 국제 거래가 제한될 수 있다.
③ 국제 거래를 할 때 화폐 간의 교환 비율을 고려해야 한다.
④ 각국이 비교 우위가 있는 제품을 생산하여 교환하면 무역 이익이 발생한다.
⑤ 오늘날에는 과거보다 자본과 노동 등의 거래가 줄어드는 추세이다.

유형 2 국제 거래의 필요성

3. 괄호 안에 들어갈 공통적인 경제적 용어는?

> 오늘날 많은 나라가 국제 거래를 하는 이유는 거래를 통해 더 많은 이익을 얻을 수 있기 때문이다. 따라서 각 나라는 생산에 유리한 조건을 갖춘 품목을 특화하여 수출하고 생산에 불리한 품목은 수입함으로써 경제적 이익을 추구한다. 이때 각국이 상대적으로 더 효율적으로 생산할 수 있는 품목에 대해 ( )가/이 있다고 한다. 한 나라의 ( )은/는 그 나라의 경제적 요건, 기술수준, 자연 환경 등 다양한 요인에 의해 결정된다.

① 교환 ② 분업 ③ 기회비용
④ 비교 우위 ⑤ 절대 우위

4. 국제 거래에 대한 설명으로 옳고 그름을 바르게 표현한 것은?

> (가) 관세 부과를 통한 가격 변동이 진입 장벽으로 작용하기도 한다. …… ( )
> (나) 특화란 한 국가 안에서 필요한 재화와 서비스를 모두 생산하는 것이다. …… ( )
> (다) 국제 거래가 필요한 이유는 국가마다 부존자원과 생산 기술이 다르기 때문이다. …… ( )
> (라) 자유 무역 협정은 무역 장벽을 강화하여 자국 내 산업을 보호하기 위한 국가 간 협정이다.…… ( )

	(가)	(나)	(다)	(라)
①	O	O	X	X
②	O	X	O	X
③	X	O	O	X
④	X	O	X	O
⑤	X	X	O	O

유형 3 국제 거래의 원인

5. 국제 거래가 이루어지는 이유로 옳지 않은 것은?

① 국가마다 부존 자원이 다르기 때문이다.
② 기후, 지형 등의 자연 환경이 다르기 때문이다.
③ 국가마다 지식 수준과 기술력에 차이가 있기 때문이다.
④ 같은 상품을 생산하는데 드는 비용이 나라마다 다르기 때문이다.
⑤ 모든 나라가 거래를 통해 동일한 이익을 얻을 수 있기 때문이다.

유형 4 국제 거래의 이익

6. 밑줄 친 '이것'에 대한 특징으로 옳은 것은?

> 오늘날에는 국내 거래뿐만 아니라 국가 간에 거래도 활발하게 이루어지고 있다. 이처럼 생산물이나 생산 요소가 국경을 넘어 거래되는 것을 이것이라고 한다.

① 환율을 고려하지 않는다.
② 거래의 규모가 지속적으로 축소되고 있다.
③ 자본이나 노동의 거래는 점차 줄어들고 있다.
④ 자유 무역 협정(FTA)을 체결하여 거래가 확대되고 있다.
⑤ 문화 창작물, 특허권, 기술의 거래에서 자원이나 상품위주의 거래로 변화하고 있다.

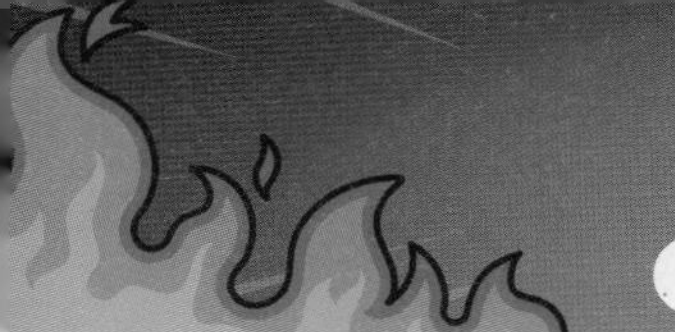

국제 거래의 양상

유형 1 WTO

. 다음에서 설명하는 국제기구의 명칭은?

> 국가 간 자유로운 무역과 세계 교역 증진을 목적으로 1995년에 설립된 국제기구로, 국가 간 거래를 할 때 준수해야 할 규칙을 정하고 있다.

) EU ② APEC
) NAFTA ④ BTS
) WTO

유형 2 FTA

. 다음 내용과 관련된 협력체는?

> 이 협력체는 개별 국가 간 또는 개별 국가와 지역 경제 협력체 간에 관세 및 비관세 장벽을 없애거나 완화함으로서 경제 협력을 강화하는 데 목적이 있다.

) 유럽 연합(EU)
) 자유 무역 협정(FTA)
) 세계 무역 기구(WTO)
) 북미 자유 무역 협정(NAFTA)
) 동남아시아 국가 연합(ASEAN)

유형 3 지역 경제 협력체

9. 교사의 밑줄 친 질문에 대한 적절한 발표만을 〈보기〉에서 있는 대로 고른 것은?

<u>다음 칠판의 내용과 관련 있는 구체적 사례들을 발표해주세요.</u>

지역 경제 협력체
-지리적으로 가깝고 경제적으로 상호의존도가 높은 나라들로 구성
-회원국 간 자유 무역을 촉진하지만, 비회원국에 대해서는 무역장벽을 쌓는 등의 차별로 무역 갈등 발생.

〈보 기〉

갑 : 유럽연합(EU)
을 : 국제무역기구(WTO)
병 : 동남아시아 국가 연합(ASEAN)
정 : 아시아·태평양 경제협력체(APEC)

① 갑 ② 병
③ 갑, 정 ④ 을, 병
⑤ 갑, 병, 정

환율의 의미와 변동

유형 1 외화 그래프-외화의 공급

※그래프를 보고 물음에 답하시오.

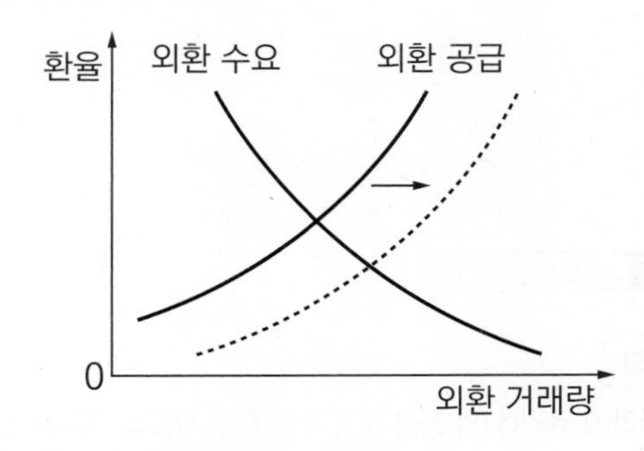

10. 그래프에 대한 설명으로 옳은 것은?

① 외환 공급이 감소하였다.
② 외환 수요가 증가하였다.
③ 환율은 이전보다 하락하였다.
④ 외환 거래량은 이전보다 감소하였다.
⑤ 원화의 가치는 이전보다 하락하였다.

유형 2 외화 그래프-외화의 수요

11. 우리나라의 외환 시장에 그래프와 같은 상황이 발생하는 경우로 가장 적절한 것은?

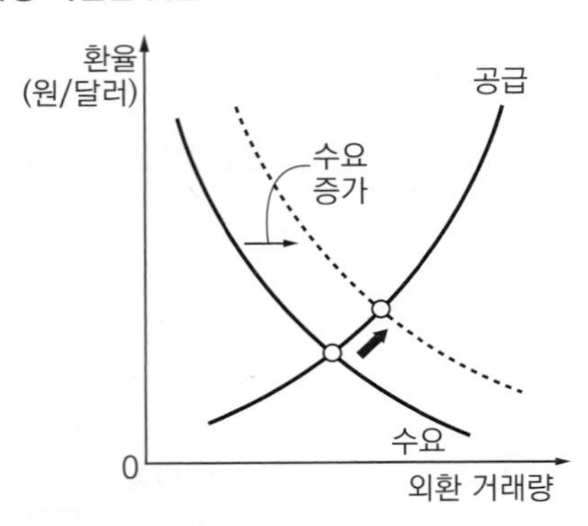

① 우리나라가 외채를 빌려올 때
② 외국인이 우리나라에 투자를 늘릴 때
③ 우리나라에 외국인 관광객이 늘어날 때
④ 우리나라 사람들의 해외여행이 늘어날 때
⑤ 우리나라가 외국으로 재화나 서비스를 수출할 때

유형 3 외화의 수요

12. 〈보기〉에서 외화의 수요가 증가하는 요인만을 모두 고른 것은?

보 기

ㄱ. 외채 상환
ㄴ. 자국민의 해외여행 증가
ㄷ. 외국인의 국내 투자 증가
ㄹ. 외국에서 수입하는 재화 감소
ㅁ. 외국으로 수출하는 재화 증가

① ㄱ, ㄴ ② ㄴ, ㅁ ③ ㄷ, ㄹ
④ ㄱ, ㄴ, ㄹ ⑤ ㄷ, ㄹ, ㅁ

유형 4 외화의 공급

서술형

13. 우리나라에 달러($)의 공급이 증가할 경우 자료의 단어를 선택 사용하여 완성된 문장으로 서술하시오.

원화, 달러, 상승, 하락

환율은________하고,________가치는 상승하며, ________가치는 하락한다.

유형 5 외화의 수요와 공급

14. 밑줄 친 (가), (나)를 결정하는 요인을 〈보기〉에서 골라 옳게 연결한 것은?

외화의 가격인 환율은 외환 시장에서 (가)와 (나)에 따라 결정된다. (가)는 외화가 유출 되는 것을 의미하며, 대표적인 요인으로는 상품의 수입을 들 수 있다. 반면 (나)는 외화가 유입 되는 것을 의미하며, 대표적인 요인으로는 상품의 수출을 들 수 있다.

보 기

ㄱ. 해외 차관 상환
ㄴ. 해외 차관 도입
ㄷ. 자국민의 외국 유학
ㄹ. 외국인의 국내 투자

	(가)	(나)		(가)	(나)
①	ㄱ, ㄴ	ㄷ, ㄹ	②	ㄱ, ㄷ	ㄴ, ㄹ
③	ㄱ, ㄹ	ㄴ, ㄷ	④	ㄴ, ㄷ	ㄱ, ㄹ
⑤	ㄴ, ㄹ	ㄱ, ㄷ			

유형 6 환율의 변동 원인

15. 우리나라에서 그래프와 같은 변동이 나타날 수 있는 상황으로 옳은 것은?

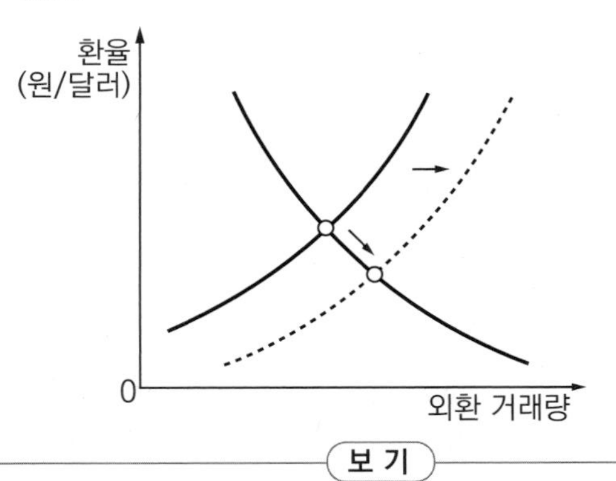

보 기

ㄱ. 외채를 갚을 때
ㄴ. 외국인 관광객이 늘어날 때
ㄷ. 외국인이 우리나라에 투자를 할 때
ㄹ. 외국으로부터 재화나 서비스를 수입할 때

① ㄱ, ㄴ ② ㄱ, ㄹ ③ ㄴ, ㄷ
④ ㄴ, ㄹ ⑤ ㄷ, ㄹ

환율 변동이 국내 경제에 미치는 영향

유형 1 환율 상승의 영향

16. 환율 상승이 예상될 때의 합리적 행동만을 〈보기〉에서 고른 것은?

보 기

ㄱ. 수출이 늘어날 것을 대비해서 제품 생산을 서두르고 있다.
ㄴ. 사고 싶은 외국 상품이 있는데 언제 사는 것이 좋을지 고민하다가 지금 샀다.
ㄷ. 한 달간 해외여행을 할 예정으로, 현금은 필요할 때마다 인출해서 쓰려고 한다.
ㄹ. 목재를 수입하기로 계약했는데, 대금은 즉시 내지 않고 두 달 뒤에 지급하기로 했다.

① ㄱ, ㄴ ② ㄱ, ㄷ ③ ㄴ, ㄷ
④ ㄴ, ㄹ ⑤ ㄷ, ㄹ

유형 2 환율 상승시 유리해지는 사람

17. 환율이 상승할 때 유리한 사람을 〈보기〉에서 고른 것은?

보 기

ㄱ. 외국인 관광객
ㄴ. 해외 유학생을 둔 부모
ㄷ. 수출 기업이나 수출업자
ㄹ. 외국 상품을 사는 소비자
ㅁ. 해외 여행을 하려는 사람
ㅂ. 외국에서 달러로 돈을 버는 사람

① ㄱ, ㄴ, ㅁ ② ㄱ, ㄷ, ㅂ
③ ㄱ, ㄹ, ㅁ ④ ㄴ, ㄷ, ㅂ
⑤ ㄴ, ㄹ, ㅁ

유형 3 환율 하락의 영향

18. 지속적으로 환율이 하락할 경우 우리나라에 미치는 영향으로 가장 적절한 것은?

① 외국 상품의 수입이 증가한다.
② 우리나라 상품의 수출이 증가한다.
③ 우리나라에 외국인 관광객이 증가한다.
④ 우리나라가 외채를 갚는 것이 어려워진다.
⑤ 수입 원자재 가격 상승으로 국내 물가가 상승한다.

유형 4 환율 하락시 유리해지는 사람

※다음 그래프는 우리나라의 외환 시장을 나타낸 것이다. 물음에 답하시오.

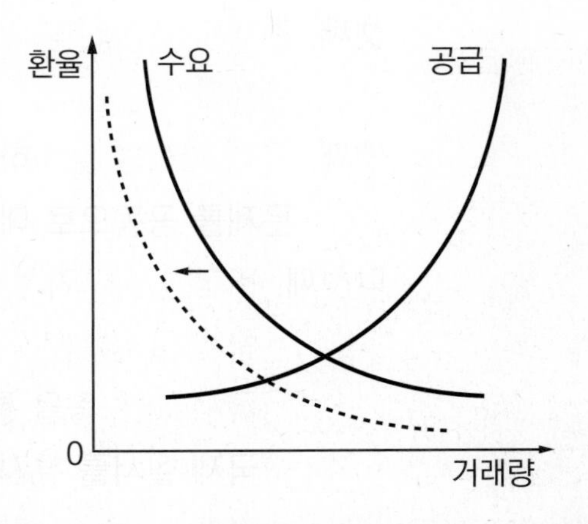

19. 위 그래프와 같은 외환 시장의 변화가 나타날 경우 불리해지는 사람은?

① 해외 여행을 계획하고 있는 대학생
② 해외 유학생 자녀를 둔 기러기 엄마
③ 미국에서 청소기를 직구하려는 이모
④ 컴퓨터 부품을 미국에 수출하는 삼촌
⑤ 미국으로부터 빌린 채무를 갚아야 하는 기업

매일!! 쉬는시간 7분!! 공부근육 빵빠라빵빵

차근차근헬스장

운동 1일차

[국제 사회의 의미와 특성] 하이플랭크

01. 국제 사회의 의미와 특성

회색 글씨 따라쓰며 암기하기

(1) 국제사회란 세계 여러 나라가 서로 교류하면서 공존하는 사회이며, 주권을 지닌 국가들을 기본 단위로 한다.

(2) 주권이란 국가의 의사를 최종적으로 결정할 수 있는 최고의 권력이다.

02. 국제 사회의 특성

회색 글씨 따라쓰며 암기하기

(1) 국제 사회의 특성은

첫째, 자국의 이익을 최우선으로 추구한다.

둘째, 힘의 논리가 작용하여 강대국이 많은 영향력을 행사한다.

셋째, 강제력을 가진 중앙정부가 존재하지 않는다.

넷째, 국제 협력을 강화하여 국제 문제를 공동으로 대처한다.

다섯째, 일정한 질서가 존재하며 국제법, 국제기구, 국제 여론 등을 통해 국제 질서를 유지한다.

밑줄친 단어 바르게 고치기

(2-1) 국제 사회는 국가 간 갈등을 조정해 줄 중앙 정부가 **존재한다.**

(2-2) **강제성을 가진** 국제법을 통해 분쟁을 해결한다.

객관식 정복하기 파이팅!! (ง •̀_•́)ง

(3-1) 다음 내용은 **국제 사회의 특성** 중 **어느 것에 해당**하는지 고르시오.

> 몇몇 선진국은 **산업 보호와 경제발전이 중요하다는 이유**로 온실가스를 의무적으로 줄이는 것에 합의하지 않았다.

① 국제 협력 강화
② 자국의 이익 추구
③ 중앙 정부의 부재

(3-2) 다음 내용은 **국제 사회의 특성** 중 **어느 것에 해당**하는지 고르시오.

> 국제 연합의 안전 보장 이사회에서 중요한 안건을 결정할 때, **상임 이사국인 미국, 영국, 프랑스, 중국, 러시아 중 한 국가라도 반대하면 안건이 통과되지 않는다.**

① 중앙 정부의 부재
② 일정한 질서 존재
③ 힘의 논리 작용

Q. 람보쌤 시험 기간에 감기에 걸려 별로 공부를 못했어요. 너무 속상해요. 어떡하죠?
A. 일단은 토닥토닥! 얼마나 힘들었니?? 근데 조금 위안을 얻을 것은!!
시험 기간에 감기에 걸리는 학생이 많을까? 아니면 적을까?
정답은 생각보다 많아! 아무래도 면역력이 떨어지는 시기이다 보니 감기에 걸리거나 힘든 친구들이 많단다. → 다음장에서 이어서 이야기해줄께!!

·정답: 02. (2) 존재하지 않는다./강제성을 가지지 않은 (3) ②/③

01. 국제 사회의 행위 주체

회색 글씨 따라쓰며 암기하기

(1-1) 국가란, 영토+국민+주권을 가진 행위 주체로서, 국제 사회에서 가장기본이 되는 행위 주체이다.

(1-2) 정부 간 국제 기구란, 각국 정부를 회원으로 하는 국제 기구이다.

(1-3) 국제 비정부 기구란, 개인이나 민간 단체가 중심이 되어 만들어진 국제 기구이다.

(1-4) 다국적 기업이란, 한 나라에 본사를 두고 여러 나라에 자회사와 공장을 설립하여 국제적 규모로 상품을 생산하고 판매하는 기업이다.

우리 득근하자!

선을 따라 그어보자! I♥U ٩(๑`o´๑)۶

(3) 흰색 글씨를 **따라쓰고**, 선을 **이어봅시다**!

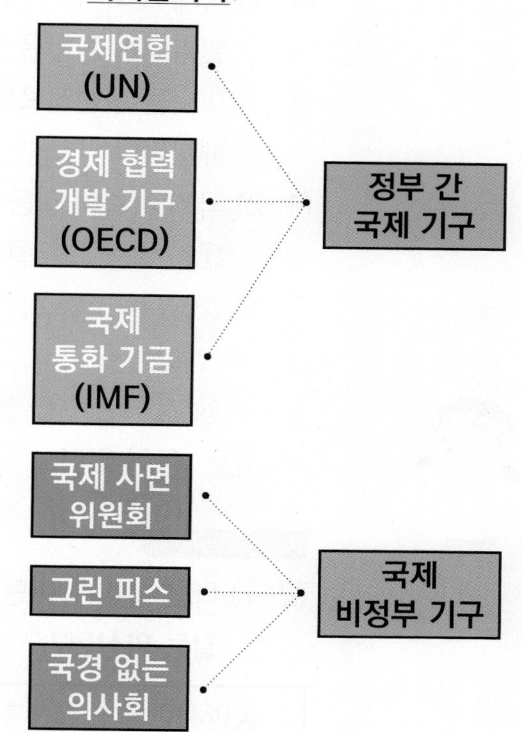

O/X 퀴즈 넌 정말 최고야 (✪o✪)

(2-1) **국제 기구의 회원**은 **정부만** 가능하다. ---------- (O/X)

(2-2) **다국적 기업**의 수와 규모는 점차 **축소**되고 있다. - (O/X)

(2-3) **다국적 기업**은 국제 경제뿐만 아니라 **국제 정치에도 영향**을 미치고 있다. -------- (O/X)

객관식 정복하기 잘하고 있어! ᕙ(`▿´)ᕗ

(4) 다음은 **무엇에 대한 설명**인지 고르시오.

> **제2차 세계 대전 후**에 **국제 평화**와 **안전 보장**을 위하여 설립된 **정부간 국제기구**

① 그린피스 ② 국제 연합(UN)

또 이런부분도 생각해봐! 우리가 1년에 4번씩 치는 중고등 시험 기간!!
중,고등 총 6년동안 24번의 시험을 치는데 그 시험 기간 중 한 두번쯤은 감기에 걸리는 것이 너무 당연하지 않을까? 지금 당장은 감기에 걸려 속상하지만, 이런 이치로 생각해보면 지금 감기에 걸린 것은 너무나 당연한 현상인거지!^^ 그러므로 재수 나쁘게 감기에 걸려 공부를 못했네가 아니라 이때쯤 감기에 걸리는 것은 당연하구나!! 라는 마음으로 조금 마음을 가볍게 해보도록 하렴!!
→ 계속 다음장에 이어서 이야기해줄께!!^^

·정답: 01. (2) X/X/O (4) ②

매일!! 쉬는시간 7분!! 공부근육 빵빠라빵빵

차근차근헬스장

운동 3일차 [국제 사회의 경쟁과 갈등·협력] 하이플랭크

01. 국제 사회의 경쟁과 갈등

회색 글씨 따라쓰며 암기하기

(1-1) 국제 사회의 경쟁과 갈등이 일어나는 원인은 각국이 자국의 이익을 우선적으로 추구하기 때문이다.

(1-2) 국제 사회의 갈등 양상은
① 한정된 자원을 둘러싼 갈등
② 종교·민족 차이에서 발생한 갈등
③ 환경 문제를 둘러싼 갈등
등이 있다.

객관식 정복하기

(2-1) 다음 설명은 어떤 **국제 사회의 갈등 양상**인가?

동아시아의 중요한 해상로이자 **석유, 천연가스** 등의 자원이 풍부한 남중국해를 둘러싼 분쟁

① 한정된 자원을 둘러싼 갈등
② 종교·민족 차이에서 발생한 갈등
③ 환경 문제를 둘러싼 갈등

↳ **[파생 문제1]** 일제강점기 강제징용 피해자에 대한 보상 문제로 **한국에서 일본 불매운동**이 일어난 것은 **국제 사회의 협력** 모습이다. ---- **(O/X)**

02. 국제 사회의 협력

회색 글씨 따라쓰며 암기하기

(1) 오늘날 국제 문제는 국경을 초월하여 발생하며, 전 세계에 영향을 미친다. 따라서, 국제적인 협력이 필요하다.

객관식 정복하기

(2-1) 다음 문제의 **해결 방안**은?

〈국제 빈곤〉 〈핵 확산〉

① 자국의 이익을 우선시 한다.
② 전 세계가 협력해야 한다.

(2-2) 국제 사회에서 **공존**을 위해 **협력하는 모습**을 고르면?

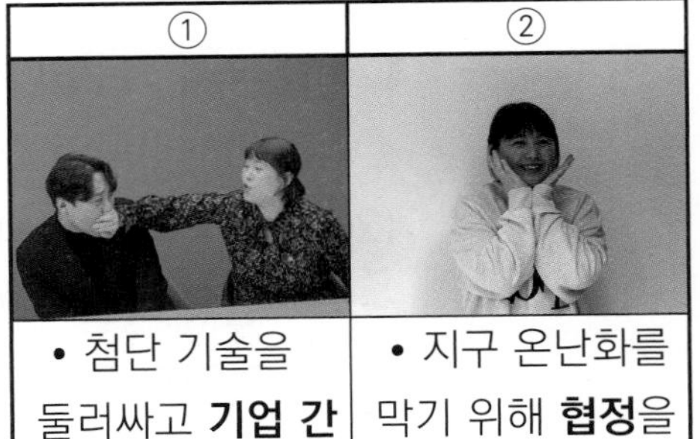
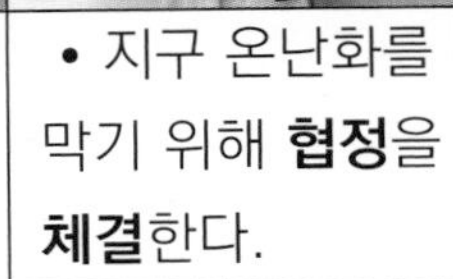

①	②
• 첨단 기술을 둘러싸고 **기업 간 소송**을 벌인다.	• 지구 온난화를 막기 위해 **협정**을 **체결**한다.

생각보다 시험 기간에 감기에 걸리는 친구들이 많아!
쌤이 실시간 방송을 시험 기간에 켜면 많은 아이들이 감기로 고생한단다.
그러니깐 너무 두려워말고 컨디션 관리하면서 꾸준히 공부한다면 반드시 좋은 결과가 있을꺼야!!
알겠지??^^ 알라뷰:)

·정답: 01. (2) ① / (파생문제1) X
02. (2) ②/②

01. 공존을 위한 국제 사회의 노력

회색 글씨 따라쓰며 암기하기

(1-1) 공존을 위한 국제 사회의 노력으로는
첫째, 국제법을 준수한다.
둘째, 국제 기구가 분쟁에 적극적으로 개입한다.
셋째, 민간 단체를 통해 다양한 활동을 전개한다.

(1-2) 세계 시민 의식이란 공동체 의식을 바탕으로 국제 문제에 관심을 두고 이를 해결하기 위해 적극적으로 행동하는 참여 의식과 책임 의식을 의미한다.

우리 득근하자!

객관식 정복하기 비타민 꼭 챙겨 먹자♡

(2) 다음 그림의 **나머지 조각**이 무엇인지 맞춰보자!

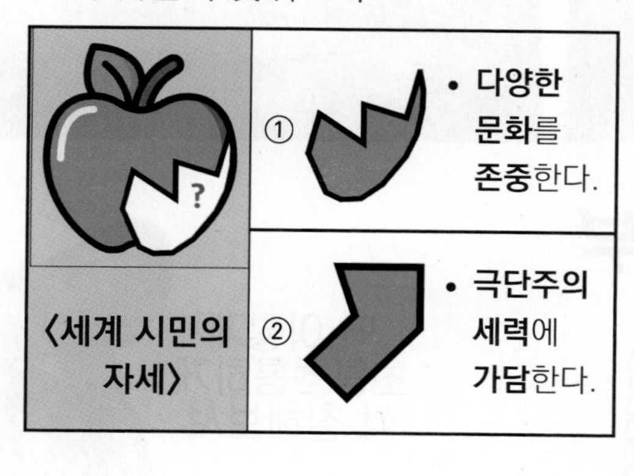

02. 공존을 위한 외교

회색 글씨 따라쓰며 암기하고 빈칸도 채워보자!

• 외교 • 오늘날의 외교 • 전통적인 외교

(1-1) ______**란**, 한 국가가 국제 사회에서 자국의 이익을 평화적으로 달성하려는 활동이다.

(1-2) ______**는**, 정부 간 활동을 중심으로 이루어지는 것을 의미하며 국가 안보를 위한 정치와 군사 분야를 중심으로 이루어진다.

(1-3) ______**는**, 정부 간 활동을 포함하여 민간 외교가 활발하게 전개되고 있다.

선을 그어보자! 누워서 떡 먹기! ┌(^^)┘

(2) **빈칸**에 들어갈 말에 선을 그어보자.

과거에는 **국가 안보**를 위해 정치적 목적으로 외교가 이루어졌다면 **오늘날**은 (?)

경제, 문화, 환경, 자원 등 외교 **활동의 영역**이 **확대**되고 있다.	**군사 분야**를 **중심**으로 한 활동이 이어지고 있다.

헬렌켈러는 눈과 귀가 멀고 말하지 못하는 장애를 가지고 있었어.
이런 악조건에도 불구하고 헬렌켈러가 위대한 위인이 될 수 있었던 것은 헬렌켈러는 신을 문제만 주시는 분이 아니라 문제와 해법을 동시에 주시는 분으로 이해했다고 해!!
얘들아 지금 상황이 많이 힘든거 같아도 해법도 동시에 주어지고 있다는 것을 꼭 기억해!!
알라븅^^*

·정답: 01. (2) ①

헬스장의 귀염둥이, 애완호랑이랑 놀자!

초롱이네 놀이방

요즘 에X랜드에서 키우는 아기 팬더가 인기가 많은 모양이야.
국제적으로 여러 귀여운 동물들이 우리나라에도 많지.
뭐 난 귀여움으로 승부할 생각은 없어. 다만 싸움으론 나 못이긴다.
나 이기고 싶어? 그럼 가서 운동해!

1. 조각조각 물건퀴즈 - 이것은 무엇일까요?

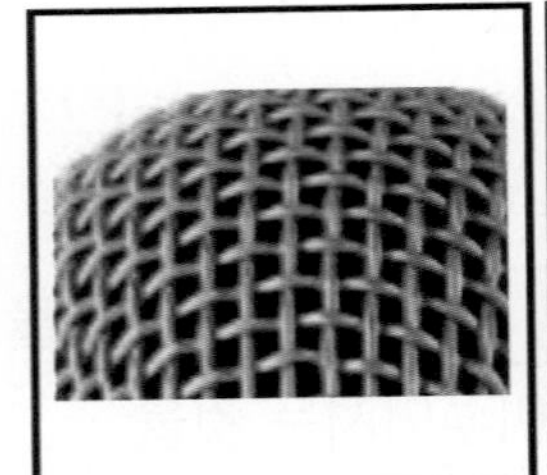
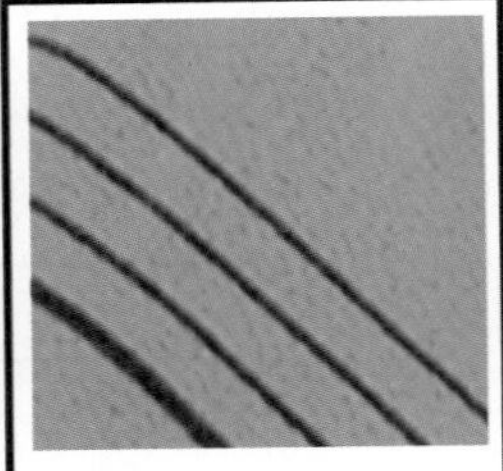

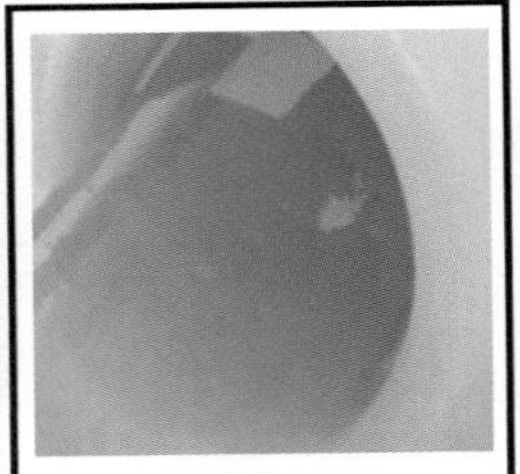
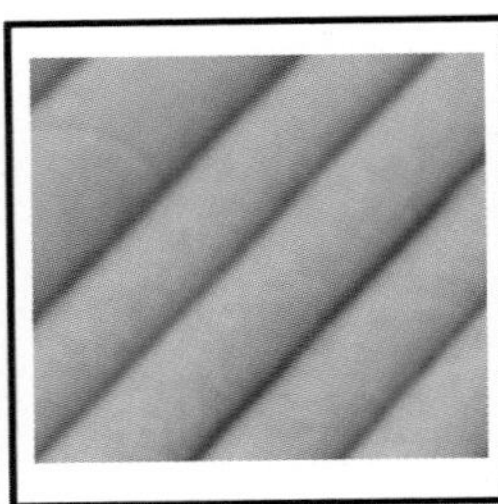

A:

B:

C:

D:

E:

2. 눈 쏠리는 틀린그림찾기

3. 심심하니까 호랑이 색칠공부

딱 이렇게
초롱초롱하게
싹 칠해보서

1. A 마이크 B. 때수건 C. 키오스크 D. 치약 E. 종이빨대

국제 사회의 의미와 특성

유형 1 국제 사회의 의미

. 다음에서 설명하는 정치적 개념으로 가장 적절한 것은?

> 주권을 가진 국가를 기본적인 구성 요소로 하여 여러 나라가 서로 교류하고 의존하면서 영향을 주고받는 사회

① 공동 사회 ② 국제 사회 ③ 민주 사회
④ 이익 사회 ⑤ 정보 사회

유형 2 국제 사회의 특성

. 국제 사회의 특성으로 옳지 않은 것은?

① 각국은 자국의 이익을 추구한다.
② 기본적으로 약육강식과 같은 힘의 논리가 작용하기 쉽다.
③ 대립과 갈등을 조정하고 해결할 수 있는 강력한 중앙 정부가 없다.
④ 교통·통신의 발달로 국가 및 민간 부문의 교류와 상호 의존성이 증가하고 있다.
⑤ 어떤 국가가 국제법을 어겼을 때 개별국가를 강력하게 제재하여 분쟁을 해결할 수 있다.

유형 3 사례를 통한 국제 사회의 특징

. 다음 사례에서 공통적으로 드러난 국제 사회의 특성으로 가장 적절한 것은?

> · 미국과 쿠바는 적대적이었던 관계를 청산하고 50여 년 만에 국교를 정상화하여 경제적으로 협력하기로 하였다.
> · 영국은 유럽 연합의 규제와 분담금이 과도하여 자국 국제에 악영향을 미친다며 유럽 연합에서 탈퇴하였다.

① 강제성을 지닌 중앙 정부가 국제 사회의 갈등을 해결한다.
② 국제 사회에서 강대국은 약소국에 자국의 이익을 양보한다.
③ 국가는 국제 관계에서 자국의 이익을 최우선으로 추구한다.
④ 세계화가 진행되면서 국제 사회의 영향력이 확대되고 있다.
⑤ 국가 간 교류가 활발해지면서 국제 사회에서 갈등이 증가하고 있다.

4. 다음의 사례를 통해 알 수 있는 국제 사회의 특징으로 가장 적절한 것은?

> 유엔 안전 보장 이사회의 중요한 결의안은 상임 이사국이 모두 찬성해야 의결된다. 상임 이사국 중 한 나라라도 거부권을 행사하면 무산된다. 2014년 민간인을 공격한 시리아에 대한 제재는 중국과 러시아의 반대로 무산되었다.

① 국가 간 협력이 잘 이루어지고 있다.
② 국가 간 힘의 논리가 작용하고 있다.
③ 국가 간 종교 갈등의 문제가 가장 심각하다.
④ 각국의 주권이 평등하다는 원칙이 잘 지켜진다.
⑤ 국제 사회에는 민간인 공격도 막을 만한 어떤 강제력도 없다.

국제 사회의 행위 주체

유형 1 행위 주체의 특징

5. 국제 사회의 행위 주체에 대한 설명으로 옳지 않은 것은?

① 국제 사회에서 가장 대표적인 행위 주체는 국가이다.
② 정부 간 국제기구는 각국 정부를 회원으로 하여 활동하는 국제기구이다.
③ 국제 비정부 기구는 국경을 넘어 활동하는 개인이나 민간단체들이 모여 조직한 기구이다.
④ 다국적 기업은 국제적인 규모로 상품을 생산하고 판매하며 국가 간 상호 의존성을 낮춘다.
⑤ 국제 연합(UN)은 제2차 세계 대전 후에 설립된 정부 간 국제기구로서 국제 평화와 안전 보장을 위하여 노력한다.

유형 2 국제 비정부 기구

6. 다음 사례들이 공통적으로 해당되는 국제 사회 행위 주체에 대한 설명으로 옳은 것은?

> • 그린피스
> • 국경 없는 의사회
> • 국제 사면 위원회

① 정부를 중심으로 구성된다.
② 개인과 민간단체를 회원으로 하고 있다.
③ 국제 사회에서 독립적인 주권을 가지고 있다.
④ 다양한 국제기구에 회원국으로 가입하여 활동하고 있다.
⑤ 세계 여러 나라에 자회사와 공장을 설립하여 상품을 생산하고 판매한다.

유형 3 국제 기구, 비정부 기구의 종류

7. (가), (나)의 기준에 따라 국제 사회의 행위 주체를 바르게 짝지은 것은?

> (가) 각국 정부를 회원으로 하여 조약에 의해 구성되어 활동한다.
> (나) 국경을 넘어 활동하는 개인이나 민간단체가 모여 조직한 기구이다.

	(가)	(나)
①	국제 연합	유명 기업인
②	유럽 연합	그린피스
③	국제 사면 위원회	국제 연합
④	국경 없는 의사회	국제 사면 위원회
⑤	국제 연합 사무총장	국경 없는 의사회

유형 4 다국적 기업

8. 〈보기〉와 같은 특징을 가지는 기업으로 옳은 것은?

보 기

> 국경을 넘나드는 경영 활동을 하는 과정에서 국가 간 교류가 늘어나고 상호 의존성도 높아지고 있다.
> 또한, 세계화로 인해 규모는 점점 커지고 있으며, 일부 기업은 개별국가의 경제력을 넘어서기도 한다.

① 지리적 기업 ② 협력적 기업
③ 자국적 기업 ④ 연합적 기업
⑤ 다국적 기업

국제 사회의 경쟁과 갈등, 협력

유형 1 국제 사회 협력의 필요성

9. 다음과 같은 국제 사회의 문제에 대한 설명으로 옳은 것은?

> 태아의 선천성 뇌 기형(소두증)을 유발하는 것으로 의심되는 지카 바이러스가 여러 나라에 무서운 속도로 확산되고 있다.

① 국가 간 이익을 둘러싼 갈등이 원인이다.
② 국가 간 경쟁 체계를 더욱 강화해야 한다.
③ 특정 국가의 국민들에게만 영향을 미친다.
④ 다국적 기업의 활동 범위를 더 넓혀야 한다.
⑤ 문제 해결 과정에서 국가 간 협력 체계가 필요하다.

유형 2 국제 협력 모습의 사례

10. 국제 사회에서 공존을 위해 협력하는 모습을 〈보기〉에서 고른 것은?

보 기

> ㄱ. 다양한 국제기구에 참여함으로써 국제 협력을 증진하기 위해 노력하였다.
> ㄴ. 인권, 환경, 보건 등의 영역에서 민간 단체를 통한 국제 협력은 축소되고 있다.
> ㄷ. 상호 합의를 통해 만든 국제법이 국내법보다 강한 강제성을 가지고 국가 관계를 규율하고 있다.
> ㄹ. 2차 세계대전을 겪은 이후 국제 사회는 갈등과 대립을 평화적으로 해결하기 위해 노력해 왔다.

① ㄱ, ㄴ ② ㄱ, ㄹ ③ ㄴ, ㄷ
④ ㄴ, ㄹ ⑤ ㄷ, ㄹ

유형 3 국제 사회 사례1-쿠바

11. ㉠에 들어갈 내용으로 적절하지 않은 것은?

> 2015년 미국과 쿠바는 양국에 대사관을 다시 열고 오바마 대통령이 미국 대통령으로서는 88년 만에 쿠바를 방문하면서 1961년 국교 단절 후 이어져 온 적대적 관계를 우호 관계로 바꾸었다. 미국과 쿠바는 냉전이 심화하였던 1962년 '쿠바 미사일 위기'로 전 세계를 전쟁의 공포로 이끌었던 국가이다.
> 미국은 그동안 쿠바를 봉쇄하는 조치를 단행하여 고립시키려 했지만 성공을 거두었다고 보기 어려웠다. 게다가 라틴 아메리카 지역에서 중국의 세력 확장을 견제해야 하는 미국은 쿠바와의 국교 정상화가 미국이 선택할 수 있는 가장 현명하고 저렴한 대(對)라틴아메리카 관계 개선의 방법이었던 것이다.
> 미국과 쿠바의 사례를 통해 국제 사회는 (㉠)을/를 확인할 수 있다.

① 영원한 적도, 영원한 친구도 없음
② 다양한 모습의 상호 관계가 존재함
③ 고정적인 관계가 아닌 변화하는 관계임
④ 자국의 이익 추구를 위해 변할 수 있음
⑤ 시간이 지나면 갈등이 자연스럽게 사라짐

유형 4 국제 사회 사례2-남중국해

2. (가)에 해당하는 분쟁 지역은?

· 내용 : 동아시아의 중요한 해상로이자 석유, 천연가스등의 자원이 풍부한 (가)을/를 둘러싼 분쟁
· 분쟁 당사국 : 중국, 베트남, 필리핀 등

① 남중국해 ② 카슈미르
③ 쿠릴열도 ④ 나일강 유역
⑤ 팔레스타인

국제 사회의 공존을 위한 노력

유형 1 외교란

3. 외교에 대해 옳게 말한 학생을 고른 것은?

갑 : 자국의 이익을 위해 무력을 동원하는 활동을 말해.
을 : 최근에는 아이돌 그룹 등을 통한 차원의 외교활동도 활발해.
병 : 대사의 교환이나 정상 회담 등 정부 간 활동만을 외교라 할 수 있어.
정 : 국가 안전 보장, 평화 통일, 경제 발전 등을 목적으로 외교 활동을 하고 있어.

① 갑, 을 ② 갑, 병 ③ 을, 병
④ 을, 정 ⑤ 병, 정

유형 2 오늘날의 외교

4. 빈 칸 (ㄱ), (ㄴ)에 들어갈 단어의 연결로 옳은 것은?

(ㄱ) 은/는 한 국가가 국제무대에서 자국의 이익을 평화적으로 달성하기 위한 행위이다. 오늘날 세계 각국은 국제 사회의 공존을 위해 다양한 (ㄱ) 정책을 펴고 있다. 최근에는 시민들이 국제 비정부 기구에 참여하여 활동하거나 자원봉사를 통해 국제 문제 해결에 기여하는 등 (ㄴ) 으/로서 역할을 하기도 한다.

	(ㄱ)	(ㄴ)
①	외교	외교관
②	무역	민간 외교 주체
③	외교	민간 외교 주체
④	무역	외교관
⑤	외교	국가 원수

유형 3 국제 사회 공존을 위한 노력

15. 국제 사회 공존에 관한 설명으로 옳은 것은?

① 과거보다 오늘날은 국제 협력의 필요성이 줄고 있다.
② 외교는 자국의 이익과 국제 평화 사이의 양자택일 문제이다.
③ 오늘날 외교관뿐만 아니라 일반 시민도 참여할 수 있는 민간 외교가 활성화되고 있다.
④ 국가는 국내 문제 해결에 집중해야 하기에 국제 문제 해결은 국제기구가 담당해야 한다.
⑤ 과거에는 경제를 중심으로 외교가 이루어졌다면 오늘날은 안보를 중심으로 외교가 이루어진다.

유형 4 세계 시민 의식

16. (가)의 함양요건으로 적절하지 않은 것은?

(가)은/는 공동체 의식을 바탕으로 국제 사회의 문제를 해결하기 위해 적극적으로 행동하는 세계 시민으로서 지녀야 할 참여 의식과 책임 의식을 말한다.

① 국제 사회 문제를 균형 잡힌 관점에서 바라보아야 한다.
② 열린 마음으로 세계의 다양한 문화를 편견을 가지고 존중해야 한다.
③ 국제 사회 문제의 해결책을 찾기 위해 책임감을 가지고 적극적으로 행동해야 한다.
④ 고통받는 사람들의 아픔을 이해하고 사회 정의와 같은 보편적 가치를 존중해야 한다.
⑤ 국제 사회의 공존을 위해 폭력을 방지하고 극단주의 세력에 가담하지 않도록 주의해야 한다.

매일!! 쉬는시간 7분!! 공부근육 빵빠라빵빵

차근차근헬스장

운동 1일차 [우리나라가 직면한 국가 간 갈등] 짐볼운동

01. 우리 나라와 일본과의 갈등

회색 글씨 따라쓰며 암기하기

(1-1) 독도는 역사적·지리적·국제법적으로 우리의 영토이다.

중요 내용 찝고 가기 Fighting♥

(2-1) 다음은 **'일본이 주장한 독도 영유권'**의 내용이다. (가)~(나)에 들어갈 단어를 **〈보기〉에서 찾아 쓰시오.**

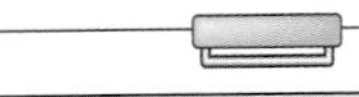

일본의 독도 영유권 주장 보고서

*빡공중 3학년 △반 도라에몽

역사 : 1905년, 일본은 독도를 자국 영토로 강제 편입함. (시마네현 고시 제 40호)

이유 : 독도의 풍부한 **[(가)]**을 선점하고, 군사적 거점을 확보하기 위해서이다.

경과 : [(나)]에 제소함.

〈보기〉

• 국제 사법 재판소	• 해양 자원

(가) :

(나) :

O/X 퀴즈 넌 정말 최고야 (✪o✪)

(3-1) **일본**은 **역사 교과서**를 **왜곡**하여 표시하고 있다. ----- (O/X)

(3-2) **일본**은 일본군 **'위안부'**에 대한 **반성**과 **사죄**가 **충분하다**. ------------------ (O/X)

(3-3) **일본**은 **단독적**으로 **'동해'**로 표기를 주장하고 있다. ------------------ (O/X)

선을 그어보자! 누워서 떡 먹기! ┌(^^)┘

(4) 우리나라와 **어느 국가 간 갈등**인지 선으로 그어보자.

독도 영유권 문제	동북 공정	직지심체요절 반환 문제
•	•	•
•	•	•
중국	일본	프랑스

〈독도는 우리땅♫〉

작사.박인호

지증왕 13년 섬나라 우산국♪
세종실록지리지 50쪽에 셋째줄♬
하와이는 미국땅 대마도는 일본땅 ♭
독도는 **우리땅**(우리땅)♯

노래로 독도가 왜 우리 땅인지 기억하자!

선생님은 개척 독서실을 매주 토요일마다 선생님 사무실이 있는 안양에서 아침 10시~밤 9시까지 운영해! 이 독서실을 만들게 된 이유는 시험 기간에 혼자 공부해보려고 하지만, 스스로 공부 할 수 없는 학생들을 바라보며 '어쩌면 함께 달려주면 아이들이 공부하지 않을까?' 하는 마음으로 만들었단다!! 너희들도 혼자 공부하기 힘들다면 끙끙대지 말고 개척독서실의 문을 두드려!! 이곳에는 사랑과 실력이 가득하단다!! 알라뷰^^

·정답: 01. (2) (가) 해양 자원 (나) 국제 사법 재판소 (3) O/X/X (4) XI 표시

01. 우리 나라와 중국과의 갈등

회색 글씨 따라쓰며 암기하기

(1-1) 동북공정이란, 고조선, 고구려, 발해를 중국 고대의 지방 정권으로 왜곡하는 것을 의미한다.

(1-2) 동북공정을 하는 이유는, 한반도 통일 이후에 발생할 수 있는 영토 분쟁 가능성을 대비하고, 중국 내 소수 민족 이탈을 방지하기 위함이다.

O/X 퀴즈 넌 정말 최고야 (✪o✪)

(2-1) 중국은 **동북공정**을 통해 **중국 내 소수 민족을 통제**하려고 한다.
------------------- (O/X)

(2-2) **동북공정**이란, 중국의 **동북 3성** 지역의 역사 연구이다.
------------------- (O/X)

객관식 정복하기 너무~ 잘하고 있어♡

(3) 다음 중 **(가)**에 들어갈 **국가**로 **옳지 않은** 것은?

동북공정은 **[(가)]**를 중국 고대의 지방 정권으로 왜곡하는 것을 의미한다.

① 고조선 ② 고구려 ③ 신라

서술형 정복하기 좋은 결과가 있을거야!

(4) **중국**이 **동북공정**을 실시하는 **목적**을 **2가지 서술**하시오.

☞ 중국이 동북공정을 실시하는 목적은
〈**첫째,** 〉
〈**둘째,** 〉
때문이다.

02. 우리 나라가 직면한 국가 간 갈등의 해결 노력

중요 내용 짚고 가기 Fighting♥

(1) **〈보기〉**에서 **(가)~(나)**에 **알맞은 단어**를 골라 적으시오.

우리나라가 직면한 국가 간 갈등의 해결하기 위한 **시민 사회의 노력**으로는 첫째, **[(가)]를 강화**하여 개인과 시민단체들이 우리 역사에 관심을 가지도록 한다. 둘째, **[(나)]를 실시**하여 한·중·일이 함께쓰는 역사책을 편찬한다.

〈보기〉

• 무력 사용	• 민간 외교
• 공동 연구	• 동북공정

(가) :

(나) :

우리 득근하자!

만약 어떤 누군가가 '운동장을 100바퀴 도시오'!! 라고 이야기 한다면 돌 수 있을까?
어휴 생각만해도 겁나 빡시다!! 그건 정말 힘들지!! 하지만 누군가 와서 '내가 함께 뛰어줄테니 100바퀴 달려봅시다!!'라고 얘기한다면 어떨까? 힘들긴 하겠지만 그래도 뛰어볼 수 있겠지!!^^
바로 그거야!그런 마음으로 개척 독서실은 시작되었어!! 어쩌면 시험 기간 운동장 100바퀴를 뛰어야 하는 아이들과 함께 뛰어주자!! 그러면 아이들이 어느순간 완주 할 수 있을꺼야!!
사랑하는 얘들아! 우리 함께 뛰자!! 목표를 향해!!뛰어!!!!

·정답: 01. (2) (가) O/O (3) ③ (4) 실시하는 목적은 ①한반도 통일 이후 발생 할 수 있는 영토 분쟁의 가능성을 방지하고, ②중국 내 소수 민족의 독립을 막기 위해서이다.
02. (1) (가) 민간 외교 / (나) 공동 연구

서로 갈등이 있을 때 가장 좋은 방법은, 하나씩 양보해 가는 것.
자기 이익만 챙기려고 한다면 망할 수밖에 없느니라.
나도 두 마리 토끼를 쫓다가 둘 다 놓친 경험이 있어서 잘 알지.
그래서 요즘엔 더 통통한 토끼만 노리…ㄴ… 여기까지만 할게.

1. 하트로 알아보는 연애성향 테스트

Q. 잠깐 다른 빈종이를 펴서 하트를 그려보세요! 어떻게 그렸나요?

① 양쪽 위에서 아래로 ② 아래에서 한 방향으로 ③ 위에서 한 바퀴 ④ 그리고 대충 칠하기

2. 글씨의 비밀을 풀어라! 암호 퀴즈

Q1. 다음 알파벳 문자에는 공통점이 있다. 빠진 알파벳 하나는 무엇일까?

BCDEIKOX

Q2. 다음 초성을 잘 보고 ★ 안에 들어갈 한글 자음을 맞춰 보세요.

ㅇ ㅇ ㅅ ㅅ ㅇ
ㅇ ★ ★ ★ ㅅ
ㅅ ㅇ ㅅ ㅇ
ㅅ ㅅ ㅅ ㅅ

1. ① 상대방의 자유를 존중하는 쿨한 스타일로, 연애할 때에도 본인의 생활패턴을 그대로 유지하며 연애를 즐기는 편입니다.
② 무조건 사랑을 퍼붓는 일편단심 스타일로, 사랑을 위해 참고 인내하는 편입니다.
③ 순수하고 풋풋한 사랑을 하는 스타일, 그래서 상처받을 때도 많습니다. / ④ 육체적 즐거움, 스킨십을 좋아하는 스타일(...)

2. Q1. [illegible]

시험에는 반복되는 유형이 있다! 반복유형문제 2차

우리나라가 직면한 국가 간 갈등

유형 1 일본과의 문제 종합

1. 우리나라와 일본이 겪고 있는 갈등을 〈보기〉에서 모두 고른 것은?

보 기

ㄱ. 독도 영유권 주장
ㄴ. 한류 저작권 침해
ㄷ. 야스쿠니 신사 참배
ㄹ. 해양 자원을 둘러싼 갈등

① ㄱ, ㄴ ② ㄱ, ㄷ ③ ㄴ, ㄷ
④ ㄴ, ㄹ ⑤ ㄷ, ㄹ

유형 2 일본 - 독도

2. 독도 문제에 관한 우리나라의 입장을 〈보기〉에서 모두 고른 것은?

보 기

ㄱ. 1905년 독도를 우리나라 영토로 편입시켰다.
ㄴ. 역사적, 지리적, 국제법적으로 우리의 영토이다.
ㄷ. 국제 사법 재판소를 통해 분쟁을 해결해야 한다.
ㄹ. 우리나라가 실효적 지배 상태로 주권을 행사 중이다.

① ㄱ, ㄴ ② ㄱ, ㄷ ③ ㄴ, ㄷ
④ ㄴ, ㄹ ⑤ ㄷ, ㄹ

유형 3 중국 - 동북 공정 간단

3. 기사와 관련 있는 주변국과의 갈등은?

> 세계 유명 세계사 교과서에 중국 만리장성이 북한 일대까지 뻗어있는 지도가 실린 것으로 확인됐다. 중국의 영향으로 세계사 교과서에서 왜곡된 역사가 반영되고 있고, 지금 막지 못한다면 고구려 역사가 중국 역사로 둔갑할 것이라는 게 반크의 설명이다. 중국 사회과학원은 2000년대 중반 만리장성 길이를 6000km로 발표했지만, 2009년 8851km, 2012년에는 고구려와 발해가 쌓은 성까지 포함해 2만 1196.18km로 늘리는 억지를 부렸다.

① 동북공정 ② 독도 영유권 주장
③ 위안부 문제 ④ 신사 참배 문제
⑤ 한류 저작권 침해

유형 4 중국 - 동북 공정 심화

4. 동북 공정에 대한 설명으로 적절하지 않은 것은?

① 우리나라와 중국 간의 갈등이다.
② 우리는 고대사 연구를 통한 대응 논리를 마련해야 한다.
③ 역사적 사실과 다르므로 침묵과 무관심의 자세가 필요하다.
④ 우리나라 역사를 중국사 속에 포함하는 역사 왜곡 시도이다.
⑤ 중국은 고조선, 고구려, 발해 등을 중국의 지방 정부로 인식한다.

유형 5 종합

5. (가), (나)의 국가 간 갈등 문제에 대한 설명으로 옳은 것은?

> (가) 1982년 일본의 역사 교과서 왜곡을 계기로 일본 역사 교과서가 동아시아의 역사 문제로 대두하였다. 일본은 교과서에서 한국 침략을 '진출'로, 출병을 '파견'으로 미화하는 등 식민지 지배와 침략 전쟁을 정당화하고 역사를 왜곡하였다.
> (나) 중국은 동북 공정을 통해 우리나라의 역사에 해당하는 고조선, 부여, 고구려, 발해의 역사가 중국의 지방사라고 주장하면서 역사를 왜곡하고 있다.

① (가)는 일본의 모든 시민들로부터 적극적인 지지를 받고 있다.
② (나)는 중국이 우리나라를 도와 고조선, 고구려 등 역사 연구에 적극적이라는 것을 보여준다.
③ (나)는 중국이 각 소수 민족의 고유한 언어와 역사 문화를 최대한 보장하려는 정책이다.
④ (가), (나)는 우리나라가 일본, 중국과 겪고 있는 대표적인 갈등 문제이다.
⑤ (가), (나)는 중국과 일본 둘 사이에 이어져온 가장 오래된 국가 갈등 문제이다.

6. 우리나라가 직면하고 있는 국가 간 갈등 사례와 가장 거리가 먼 것은?

① 남중국해 영유권 문제
② 중국의 동북 공정 문제
③ 한반도 핵 확산 위기 문제
④ 일본의 독도의 영유권 주장 문제
⑤ 일본의 일본군 '위안부'에 관한 문제

서술형

7. 우리나라가 직면한 국가 간 갈등에서 다음 (가)~(다)에 해당하는 국가를 쓰시오.

> (가) 명백한 우리 영토인 독도에 대해 영유권을 주장하고 있다.
> (나) 동북공정을 통해 우리나라의 역사를 자신들의 역사로 통합하려는 역사 왜곡을 하였다.
> (다) 고려 시대에 만든 우리의 문화재인 직지심체요절의 반환을 거부하고 있다.

우리나라가 직면한 국가 간 갈등의 해결 노력

유형 1 복합형

8. 우리나라가 직면한 국가 간 갈등에 대처하는 자세로 적절하지 않은 것은?

① 관련 국가의 주장을 면밀히 검토한다.
② 확실한 근거를 토대로 우리의 입장을 세계 각국에 알린다.
③ 지속적인 외교 활동을 통해 국제 사회의 공감대를 이끌어 낸다.
④ 우리나라에 적대적인 입장을 가진 국가에 대해서도 적절한 외교적 대응을 한다.
⑤ 시민 단체 활동을 제한하고 정부의 공식 외교를 중심으로 우리 주장의 정당성을 알린다.

(!)경고(!)

절대 찍어보지 마세요!

말 듣는게 좋을걸?

닭대가리를 금대가리로!

금대가리 해설지

중학교 사회 ②-1

⚠ 경 고

이 해설지는 과외선생님의 설명을 능가하는
완~전 자세한 해설지임.

Ⅰ 인권과 헌법

1. 인권 보장과 기본권

반복유형1차 정답

015쪽 ~ 018쪽

01.③

02.(1) 인권은 인간이 인간답게 살기 위해 마땅히 누려야 할 권리이다.
(2) 천부 인권, 인권은 인간이 태어나면서부터 가지는 하늘이 준 권리이다. 보편적인 권리, 피부색, 성별, 나이 장애의 유무 등에 상관없이 누구나 가지는 기본적인 권리이다. 자연권, 국가의 법으로 정하기 이전에 자연적으로 주어진 권리이다.

03.②,④	04.④	05.①	06.①	07.⑤	08.④
09.②	10.④	11.④	12.⑤	13.②	14.②
15.②	16.②	17.⑤	18.②	19.④	20.①

21.③ 22.㉠국가 안전 보장, 질서유지, 공공복리 ㉡법률

23.(1) (가)는 자유권이고, (나)는 평등권이다.
(2)기본권 제한이 정당한 것 : (가), 이유 : 국가 안전 보장을 위해 기본권을 제한하는 것은 헌법에 명시된 기본권 제한 사유에 해당하기 때문이다.

24.②

01. 정답은 ③ 이야♡

이런 문제 스타일은 정말 자주 출제되는 스타일이니 꼭 알아두자!! 하나씩 보기를 살펴보면 A.보편적이라는 것은 피부색, 성별, 나이, 사회적 신분하고는 상관없이 모든 사람이 동등하게 누릴 수 있는 것을 말한단다!! 그래서 보편적인 권리와 모든 사람이라는 문장이 같이 자주 출제되고 있어. C. 민주주의 국가에서는 헌법에 인권을 보장해야 할 의무를 규정하고 있으므로 정답! D.다른 사람에게 소중하게 대우받지 못하면 인간은 행복하게 살 수 없어! 이건 정말 당연한 문장이지!! 그래서 옳은 문장을 찾으면 A, C, D이므로 정답은 ③번이야!! 알라븅^^

★오답설명

B. B와 같은 문장이 시험에 훼이크로 자주 출제되는 문장이므로 반드시 알아두자! 인권은 법이나 제도와 관련 없이 그 이전에도 자연적으로 주어졌던 권리야! 절대 헷갈리지 말자!!^^
E. 헌법에 명시되어 있거나 명시되지 않았거나 상관없이 인권은 보장되는 권리야!!^^

02. 해답참고

03. 정답은 ②, ④ 이야♡

인권은 ①인간답게 살 수 있는 권리로 인간이면 누구나 가지는 권리를 말한단다! 그래서 ③인간이 태어나면서부터 당연히 가지는 권리이기 때문에 천부인권이라고도 했어! ⑤국가에서 법이나 제도로 보장하지 않아도 이전부터 자연적으로 주어지는 권리가 인권이었단다! 알라븅~^^

★오답설명

② 인권은 피부색, 성별, 나이에 상관없이 주어지는 권리야!^^
④ 인권은 태어나면서부터 당연히 가지는 권리로서 나이와 상관없이 동등하게 누릴 수 있는 권리야!^^

04. 정답은 ④ 이야♡

세계 인권 선언은 시험 문제1타야! 그러니 반드시 알아두자!!
자료를 보면 태어날때부터라는 것을 통해 인간이 태어나면서부터 당연히 가지는 권리인 ㉠천부인권임을 알 수 있고 제2조의 모든 사람이라는 것을 통해 피부색, 나이, 사회적 신분 등에 상관없이 모든 사람이 동등하게 누릴 수 있는 ㉡보편적 권리임을 알 수 있단다! 그래서 정답은 ④!! 알라븅~^^

★부연설명

세계 인권 선언에는 제1조 형제애의 정신, 제2조 인종이라는 단어가 있으므로 다른 인권선언하고 헷갈리지 않고 쉽게 찾을 수 있단다.

05. 정답은 ① 이야♡

③제2차 세계대전 이후 심각한 인권 침해에 대한 참회와 반성으로 등장한 세계 인권선언은 ④1948년 12월에 유엔 총회에서 만장일치로 채택되었단다! ⑤국제기구에 의하여 주창된 최초의 포괄적인 인권 문서인 세계 인권 선언은 국제 인권법의 토대로서 수많은 국제 조약과 국제 선언의 본보기가 되고 있을 뿐만 아니라 그 이념과 내용이 ②오늘날 세계 여러 나라의 헌법과 법률에 반영되어 있단다! 알라븅~^^

★오답설명

① 세계 인권 선언 당시 세계는 인종에 따른 차별 문제가 심각했기 때문에 인종과 연관지어서 문제가 자주 출제된단다! 인종 차별을 막기 위해서 세계 인권 선언을 발표했으니 당연히 인종에 따른 차별을 인정하지 않아!^^

★부연설명

세계 인권 선언의 1조와 2조에는 자유와 평등 중심의 인권 사상이 반영되어 있단다.

06. 정답은 ① 이야♡

자료의 1조에 형제애의 정신을 통해서 우리는 쉽게 이 자료가 세계 인권 선언임을 알 수 있단다! 제2차 세계 대전 이후 심각한 인권 침해에 대한 반성으로 등장한 세계 인권 선언은 ㄱ.1948년 제3차 국제 연합 총회에서 채택되었으며 제1조의 모든 인간은 태어날때부터라는 것을 통해서 ㄴ.인권의 특성인 천부인권의 내용이 담겨져 있음을 알 수 있단다! 알라븅~^^

★오답설명

ㄷ. 소수의 특정한 사람이 아니라 모든 사람이 누려야 할 권리로 규정하였어!^^
ㄹ. 모든 인간이 인종이나 피부색에 따라 차별 받지 않을 수 있는 보편적 권리야!^^

07. 정답은 ⑤ 이야♡

인권이 보장되기 시작한 것은 오래되지 않았단다! a.고대의 노예나 중세의 농노들은 인간 대접을 받지 못했어! 하지만 b.근대 이후에는 계몽사상의 영향을 받은 사람들이 c.절대 군주의 억압에 맞서 싸우면서 인권을 보장받기 위해 노력하였고 d.시민 혁명의 결과 시민의 자유와 평등을 제도적으로 보장하기 시작하였단다! 알라븅~^^

★오답설명

e. 국제 연합에서 채택된 것은 미국 독립 선언이 아니라 세계 인권 선언이야!^^

08. 정답은 ④ 이야♡

빈 칸에 들어갈 것은 기본권이야! 현재 대부분의 민주주의 국가에서는 인권을 실질적으로 보장하기 위해 헌법에 국민의 기본적인 인권을 보장하고 있는데 이렇게 헌법에 보장된 기본적 인권을 기본권이라고 한단다!
헌법에 기본권을 보장해 놓은 것은 국가의 부당한 간섭이나 침해로부터 국민의 자유와 권리를 지키고 ㄱ.국가가 국민의 기본권을 보장할 의무가 있음을 밝히기 위해서야! 또 기본권을 침해하는 행위를 규제하고, 인권이 침해되었을 때 이를 구제할 수 있는 수단을 제시함으로써 ㄷ.국가는 개인이 가지는 불가침의 기본적 인권을 보장할 의무가 있음을 명시하고 있단다! 알라븅^^

★오답설명

ㄴ. 헌법에 열거된 권리만 국가가 보장하는 것이 아니라 헌법에 열거되지 않아도 국가가 보장해!^^
ㄹ. 국가가 있기 전부터 인간이 가진 자연적 권리는 인권이야!^^

09. 정답은 ② 이야♡

인간이 인간답게 살아가기 위해 마땅히 누려야 기본적인 권리는 인권, ㄱ.헌법에 보장된 기본적인 인권을 기본권이라고 하며 ㄷ.인권은 자연적 권리, 기본권은 시민의 권리란다! 알라븅^^

★오답설명

ㄴ. 모든 인권을 헌법으로 보장하고 있는 것은 아니야!^^
ㄹ. 특정한 조건을 갖추지 않아도 인권과 기본권을 보장받을 수 있어!^^

10. 정답은 ④ 이야♡

헌법이 추구하는 최고의 가치이면서 다른 기본권들의 궁극적인 이념이면서 다른 기본권의 토대가 되는 것은 ㄷ.인간의 존엄과 가치 및 ㄱ.행복 추구권이란다! 그래서 정답은 ㄱ과 ㄷ이므로 ④번이야!
알라븅~^^

★오답설명

ㄴ.국가 배상 청구권은 청구권이야!^^
ㄹ. 인간다운 생활을 할 권리는 사회권이야!^^

11. 정답은 ④ 이야♡

이 문제는 자유권의 침해 사례로 자주 출제되는 문제이기 때문에 반드시 알아두자! 그럼 이 문제가 왜 자유권을 침해한 것인지 보면 개인의 신체를 강제로 체포한 이후 불리한 진술은 거부할 수 있다는 것도, 변호인의 도움을 받을 수 있다는 것도 알려주지 않아서 개인의 신체의 자유를 침해당하였기 때문이란다! 그래서 정답은 ④번이야!
알라븅~^^

12. 정답은 ⑤ 이야♡

①원하는 직업을 선택할 수 있는 권리는 자유권, ②불법한 체포나 구속을 당하지 않을 권리는 자유권, ③거주나 이주의 결정을 임의로 할 수 있는 권리는 자유권, ④언론과 출판을 국가로부터 제한받지 않을 권리는 자유권, ⑤국가 기관의 구성원이 되어 공무를 담당할 수 있는 권리는 참정권이란다! 그래서 정답은 ⑤!! 알라븅~^^

★부연설명

참정권의 종류
- 선거권: 대표를 뽑을 수 있는 권리
- 공무 담임권: 국가 기관의 구성원이 되어 공무를 담당할 수 있는 권리 (공무는 국가나 공공 단체의 일)
- 국민투표권: 국가의 중요 정책을 직접 결정할 수 있는 권리

13. 정답은 ② 이야♡

여성 노동자에게 생리휴가를 보장하고 시각 장애를 가진 수험생에게 시험 시간 확대를 부여하여 ㄴ.평등한 것은 평등하게 본질적으로 불평등한 것은 불평등하게 하여 평등이 ㄷ.실질적으로 이루어질 수 있도록 하고자 하는 평등을 의미한단다! 그래서 정답은②!! 알라븅~^^

★부연설명

- 비례적 평등: 평등을 이루기 위해 각 사람이 필요한 만큼 비례적으로 사회적 자원을 정의롭게 분배
- 절대적 평등: 어떠한 이유에서든지 절대적으로 차별을 해서는 안된다는 평등
- 상대적 평등: 평등한 것은 평등하게, 본질적으로 불평등한 것에는 불평등하게 대우한다는 것으로 합리적 차별을 인정
- 형식적 평등: 동일한 개인에게 동일한 기회를 부여해야 하고 여기에 차별을 두어서는 안된다는 평등
- 실질적 평등: 개인의 차이와 능력의 차이에 따른 사회적 격차를 인정하고 실질적으로 이루어질수 있도록 하는 평등

14. 정답은 ② 이야♡

자료에 침해된 기본권은 평등권이야! 평등권은 생활의 모든 영역에서 성별, 종교, 사회적 신분, 인종, 장애 등에 의해 부당하게 차별받지 않고 동등하게 대우받을 권리야! 하지만 자료를 보면 35세까지 나이 제한, 지역 출신자들에게 혜택, 외모 평가와 지방 대학 출신자를 무시하는 것 등을 통해서 평등권을 침해당했다는 것을 알 수 있단다!
알라븅~^^

15. 정답은 ② 이야♡

이 문제는 핵심 단어 등을 통해서 쉽게 기본권을 찾을 수 있어! 대표자를 선출, 참여라는 단어 등을 통해서 이 기본권은 쉽게 참정권이라는 것을 알 수 있단다! 참정권은 국가 기관의 형성과 국가의 정치적 의사 형성과정에 참여할 수 있는 권리이므로 정답은 ②번!!
알라븅~^^

★오답설명

① 국가 권력의 간섭을 받지 않고 자유롭게 생활할 수 있는 권리는 자유권이야!^^
③ 국가에 대하여 인간다운 생활의 보장을 요구할 수 있는 권리는 사회권이야!^^
④ 성별, 종교, 사회적 신분 등에 의해 부당한 차별을 받지 않을 권리는 평등권이야!^^
⑤ 기본권이 침해되거나 침해될 우려가 있을 때 국가에 대하여 일정한 행위를 요구할 수 있는 권리는 청구권이야!^^

16. 정답은 ② 이야♡

자료의 기본권은 사회권이야! 사회권은 시험 문제 1타니까 반드시 알아두자! ㄱ. 인간다운 생활을 유지하기 위하여 국가의 적극적인 행위를 요구할 수 있는 기본권인 사회권은 ㄷ. 교육을 받을 권리, 근로의 권리, 인간다운 생활을 할 권리, 쾌적한 환경에서 살 권리, 사회 보장을 받을 권리 등이 해당한단다! 알라븅~^^

★오답설명

ㄴ. 부당하게 국가의 침해를 받지 않고 삶을 영위할 수 있는 기본권은 자유권이야!^^
ㄹ. 신체의 자유, 종교의 자유는 자유권이야!^^

17. 정답은 ⑤ 이야♡

그림은 의료서비스를 받고 있는 것으로 보아 사회보험, 의료보험 등의 혜택을 통해 인간이 인간다운 생활을 보장받을 수 있도록 요구할 수 있는 적극적인 권리인 사회권임을 알 수 있단다! 그래서 정답은 ⑤번!!
알라븅~^^

★오답설명

① 성별, 종교 또는 사회적 신분에 의하여 불합리한 차별을 받지 않고 동등하게 대우받을 권리는 평등권이야!^^
② 개인의 자유로운 생활에 대해 국가의 간섭을 받지 않을 권리는 자유권이야!^^
③ 국민의 국가 기관의 형성과 국가 정치적 의사 형성 과정에 참여할 수 있는 권리는 참정권이야!^^
④ 국가에 대해 일정한 행위를 요구할 수 있는 권리로, 다른 기본권 보장을 위한 수단이 되는 권리는 청구권이야!^^

18. 정답은 ② 이야♡

법률에 의한 재판을 받을 권리인 재판 청구권, 국가기관에 바람이나 어려움을 해결해 달라는 문서로 신청할 권리인 청원권, 공무원의 불법 행위로 인한 피해의 배상을 청구할 권리인 국가배상청구권은 모두 청구권이란다! 알라븅~^^

19. 정답은 ④ 이야♡
기본권에 대한 복합적인 문제는 정말 잘 출제되는 문제란다! 인간다운 생활의 보장을 국가에 요구할 수 있는 권리인 A는 사회권, 불합리한 차별을 받지 않고 동등하게 대우받을 권리인 B는 평등권이야! A사회권에는 교육을 받을 권리와 쾌적한 환경에서 생활할 권리가 포함되며 B인 평등권에 의해 성별, 종교, 사회적 신분에 의해 차별받지 않는단다!
알라븅~^^

★오답설명
ㄱ. 다른 기본권을 보장하기 위한 수단적 성격을 가지는 것은 청구권이야!^^
ㄷ. 우리나라는 상대적 평등, 실질적 평등을 추구해!^^

20. 정답은 ① 이야♡
(가)는 직업 선택의 자유이므로 자유권, (나)는 제도의 혜택을 받아 방문 간호를 받으므로 사회권이야!, 그래서 정답은 ①!! 알라븅~^^

21. 정답은 ③ 이야♡
기본권을 나열하고 그 종류를 찾는 21번의 문제 유형은 정말 자주 출제되는 문제의 유형이므로 집중해서 풀어보자!! 문제에서 요구하는 것처럼 바르게 연결된 것을 찾아보면 정답은 ③번이야! (다)의 제24조 모든 국민은 법률이 정하는 바에 따라 대표를 뽑을 수 있는 권리인 선거권을 가지는 것은 참정권이야! 참정권에는 이외에도 국가 기관의 구성원이 되어 공무를 담당할 수 있는 공무 담임권과 국가의 중요 정책을 직접 결정할 수 있는 권리인 국민투표권이 해당한단다! 알라븅~^^

★오답설명
① 모든 국민이 법 앞에 평등한 것은 평등권이야!^^
② 모든 국민이 언론.출판의 자유와 집회.결사의 자유를 가지는 것은 자유권이야!^^
④ 모든 국민이 법률이 정하는 바에 의하여 국가 기관에 문서로 청원할 권리를 가지는 것은 청구권이야!^^
⑤ 모든 국민이 인간다운 생활을 할 권리는 사회권이야!^^

22. 해답참고

23. 해답참고

24. 정답은 ② 이야♡
국가는 ①국가 안전 보장, 질서 유지, 공공 복리를 위해 필요한 경우에 한하여 기본권을 제한할 수 있으며 ③국회에서 만든 법률로써만 제한할 수 있단다! 하지만 ④기본권을 제한하는 경우에도 자유와 권리의 본질적인 내용은 절대 침해해서는 안돼! 이러한 기본권 제한의 한계를 둔 것은 ⑤국가 권력의 남용을 방지하여 국민의 자유와 권리를 최대한 보장하기 위해서란다! 알라븅~^^

★오답설명
② 국가의 통제권을 강화하기 위한 것이 아니라 국가 안전 보장, 질서 유지, 공공 복리를 위해 제한하는거야!^^

★부연설명
기본권 제한은 반드시 국회에서 만든 법률로써만 제한할 수 있단다! 헌법, 조례, 규칙 등으로 제한할 수 있다고 훼이크 문장을 만들어 자주 출제되므로 헷갈리지 말고 정확히 알아두자!

반복유형2차 정답

007쪽 ~ 010쪽

01.①	02.①	03.②	04.⑤	05.①	06.④	07.①
08.①	09.①	10.②	11.④	12.②,⑤	13.②	14.③
15.①	16.①	17.①	18.②	19.④		

01. 정답은 ① 이야♡
(가)는 인권이야. 그래서 인권에 대해서 옳은 설명을 하고 있는 것을 고르면 돼. 맞게 설명하고 있는 것은 ①번으로 정답은 ①번이야!!
알라븅~^^

★오답설명
② 인권은 태어나면서부터 가지는 것이야.
③ 고대사회는 인권보장이 완벽하지 않았어.
④ 인권은 태어나면서부터 가지는 것이야.
⑤ 인권은 법이나 제도로 보장하기 이전부터 주어진 것이야.

02. 정답은 ① 이야♡
인권은 인간이 태어나면서부터 가지는 것으로 성인이 되야 갖게되는 기본권이 아니야. 그래서 정답은 ①이야. 알라븅~^^

03. 정답은 ② 이야♡
인권은 인간의 존엄성을 실현하기 위해 필요한 가장 기본적인 권리로 ㄴ은 맞는 내용이고 타인에게 양도할 수 없고 어떤 이유에서라도 침해할 수 없는 권리이기 때문에 ㄹ은 맞는 내용이야. 그래서 정답은 ㄴ,ㄹ의 ②번이야. 알라븅~^^

★오답설명
ㄱ. 인권은 법이나 제도로 보장하기 이전에 자연적으로 주어진 것이야.
ㄷ. 인권은 인종, 성별, 연령 등을 초월하여 모든 사람이 동등하게 누리는 것이야.

04. 정답은 ⑤ 이야♡
A는 인권이야. 인권은 인간이 태어나면서부터 당연히 가지는 것으로 개인의 능력이나 노력으로 얻어지는 것이 아니야. 그래서 ⑤의 내용은 틀린 것으로 정답은 ⑤이야. 알라븅~^^

05. 정답은 ① 이야♡
(가) 국가에서 법으로 보장하기 이전부터 주어진 권리는 자연권이야.
(나) 인종, 성별, 지위 등을 초월하여 모든 사람이 동등하게 누리는 권리는 보편적 권리야. 그래서 정답은 ①이야. 알라븅~^^

06. 정답은 ④ 이야♡
인권은 천부적 권리, 보편적 권리, 국가에서 법이나 제도로 보장하기 전부터 부여된 권리로 ㄱ, ㄴ, ㄹ은 맞는 내용이야. 그래서 정답은 ④이야. 알라븅~^^

07. 정답은 ① 이야♡
신체의 자유에 대한 내용으로 함부로 체포하거나 구속하면 신체의 자유를 침해한 것이야. 그래서 정답은 ①이야. 알라븅~^^

08. 정답은 ① 이야♡
제시된 내용은 평등권에 대한 것으로 모든 국민은 법 앞에 평등하여, 성별이나 나이에 따라 차별받지 않아. 그래서 정답은 ①이야.
알라븅~^^

★오답설명
② 적극적인 권리로 국가로부터 요구하는 기본권은 사회권이야.
③ 기회의 동등만이 아니라 실질적 평등, 상대적 평등이 이루어질 수 있어야 해.
④ 이건 평등권 침해가 아니라 청소년들을 보호하기 위함이야.
⑤ 남자만 군대에 가는 것은 불평등의 행위가 아니라 생물학적인 이유 때문이야.

09. 정답은 ① 이야♡
참정권은 국가의 의사 결정에 참여할 수 있는 권리야.
그래서 정답은 ①이야. 알라븅~^^
★오답설명
② 모든 국민이 차별받지 않고 동등하게 대우받을 권리는 평등권이야.
③ 국민이 국가에 인간다운 생활을 요구할 수 있는 권리는 사회권이야.
④ 국가 권력의 간섭을 받지 않고 자유롭게 생활할 수 있는 권리는 자유권이야.
⑤ 다른 기본권이 침해되었을 때 이의 구제를 요구할 수 있는 권리는 청구권이야.

10. 정답은 ② 이야♡
(가)는 선거에 후보로 나가는 피선거권에 대한 것이고 (나)는 공무담임권에 대한 것으로 모두 참정권에 대한 내용이야. 그래서 정답은 ②이야. 알라븅~^^

11. 정답은 ④ 이야♡
사회권은 인간다운 생활의 보장을 요구할 수 있는 권리야. 그래서 옳은 설명은 ④이야. 알라븅~^^
★오답설명
① 현대 사회에서 중요성이 더 커지고 있어.
② 국가 기관 형성에 참여하는 권리는 참정권이야.
③ 근로의 권리는 사회권이 맞지만 공무 담임권은 참정권이야.
⑤ 자유롭게 생활할 수 있는 권리는 자유권으로 재산권은 사회권이 아니야.

12. 정답은 ②, ⑤ 이야♡
2모둠의 병은 지방자치단체의 장을 뽑는 지방 선거에 참여하였다는 참정권에 대한 내용으로 청구권 실현 사례가 아니야.
5모둠의 무는 우리나라의 정치 상황을 분석한 책을 출간하였다는 참정권에 대한 내용으로 청구권 실현 사례가 아니야. 과제를 잘못 수행한 것은 2모둠, 5모둠이야. 그래서 정답은 ②,⑤이야. 알라븅~^^

13. 정답은 ② 이야♡
청구권에 속하는 청원권에 관한 내용으로 기본권이 침해 되었을 때 다른 기본권을 보장하기 위한 수단이야. 그래서 정답은 ②이야.
알라븅~^^
★오답설명
① 국가 의사 결정에 참여할 수 있는 권리는 참정권이야.
③ 불합리한 차별을 받지 않고 동등하게 대우받을 권리는 평등권이야.
④ 국가에 인간다운 생활 보장을 요구할 수 있는 권리는 사회권이야.
⑤ 국가의 간섭을 받지 않고 자유롭게 생활할 수 있는 권리는 자유권이야.

14. 정답은 ③ 이야♡
자유권, 참정권, 청구권 중의 하나인데 B는 참정권, C는 청구권이고 A는 자유권에 해당해. 국가의 정치적 의사 형성 과정에 참여할 수 있는 권리는 참정권이야. 그래서 정답은 ③이야. 알라븅~^^
★오답설명
① 부당한 차별을 받지 않고 동등하게 대우받을 권리는 평등권이야.
② 다른 기본권 보장을 위한 수단적 기본권에 해당하는 것은 청구권이야.
④ 국가에 대하여 인간다운 생활의 보장을 요구할 수 있는 권리는 사회권이야.
⑤ 국가 권력의 간섭을 받지 않고 자유롭게 생활할 수 있는 권리는 자유권이야.

15. 정답은 ① 이야♡
(가)의 '실업 급여 제도의 혜택 및 생활비 지원' 같이 사회복지의 내용과 관련된 부분은 사회권에 속해.
(나)의 '교통약자들을 위해 저상 마을 버스를 대폭 확충' 하는 부분은 평등권에 해당하는 내용이야. 그래서 정답은①이야. 알라븅~^^

16. 정답은 ① 이야♡
A는 국가 권력에 간섭받지 않는 자유권이 침해당했고,
B는 쾌적한 환경에서 살 권리인 사회권이 침해당했고,
C는 선거에 참여할 수 있는 참정권이 침해당했어.
그래서 정답은 자유권, 사회권, 참정권의 ①이야. 알라븅~^^

17. 정답은 ① 이야♡
기본권은 법률로써 제한할 수 있어서 맞는 내용은 ①으로 정답은 ①이야.
알라븅~^^
★오답설명
② 기본권은 국가 안전 보장, 질서 유지, 공공복리에 필요한 경우 제한할 수 있어.
③ 기본권 제한은 법률로써 하는 것으로 헌법에 위배 되지 않아.
④ 우리나라는 헌법에서 경제 활동의 자유를 보장하고 있어.
⑤ 자유와 권리의 본질적인 내용은 침해할 수 없어.

18. 정답은 ② 이야♡
기본권은 국회에서 만든 법률로써 제한 할 수 있어서 ㄱ은 맞는 내용이고, 국가 안전 보장, 질서 유지, 공공복리를 위해 필요한 경우 제한할 수 있어서 ㄹ은 맞는 내용으로 정답은 ②이야. 알라븅~^^
★오답설명
ㄴ. 헌법에 기본권 제한 요건과 한계가 제시되어 있어.
ㄷ. 자유와 권리의 본질적인 내용은 침해할 수 없어.

19. 정답은 ④ 이야♡
기본권 제한에 대한 내용으로 기본권 제한은 법률로써만 가능하기 때문에 ㄴ에 들어갈 내용은 헌법이 아니고 법률이야. 그래서 정답은 ④이야. 알라븅~^^

I 인권과 헌법

2. 인권의 침해 및 구제

반복유형1차 정답

025쪽 ~ 027쪽

01.④	02.⑤	03.④	04.①	05.①	06.①	07.①
08.②	09.②	10.⑤	11.③	12.①	13.④	14.④
15.②	16.⑤					

01. 정답은 ④ 이야♡
국가 기관 또는 다른 시민에 의해 인권의 내용이 훼손되는 것을 인권 침해라고 하는데 이러한 인권 침해는 ㄴ.사람들의 고정 관념과 편견, ㄷ.사회의 잘못된 관습이나 관행, ㄹ.국가의 불합리한 법과 제도 등에 영향을 받아서 발생하게 되는거야!!그래서 정답은 ㄴ,ㄷ,ㄹ이므로 ④번이야!! 인권 침해가 발생하는 원인은 자주 출제되는 부분이니까 꼭 알아두자! 알라븅~^^

02. 정답은 ⑤ 이야♡
인권 침해가 발생하는 원인은 사회 구성원의 고정관념과 편견, 사회의 잘못된 관습이나 관행, 국가의 잘못된 법률이나 제도로 인해서 발생하게 되는데 자료를 보면 국가에서 만든 인터넷 실명제라는 제도로 인해 현주가 자유롭게 의사표현을 할 수 없게 되면서 표현의 자유가 침해 당하게 된 것이므로 국가의 잘못된 법률이나 제도로 인해서 인권을 침해당하게 된 것이란다! 그래서 정답은 ⑤번이야!! 알라뷰~^^

03. 정답은 ④ 이야♡
인권 침해는 ①사회의 잘못된 관습이나 관행, ②국가의 잘못된 법률이나 제도, ③사회 구성원의 고정관념과 편견 등이 원인이 되어 발생한단다! 그렇기 때문에 ⑤인권이 보장되는 사회를 만들기 위해서는 일상에서도 인권 감수성을 키워야 한단다! ④ 인권이 침해당했을 때에 민감하게 반응하는 것을 인권 감수성이라고 하는데 인권이 침해당했을 때에는 구제 방법과 절차를 알고, 구제 받기 위해 국가 기관에 구제 요청 등 적극적으로 노력해야 해!^^ 알라뷰~^^

★부연설명
- 인권 감수성은 인권과 관련된 일에 개인이 어떻게 민감하게 받아들이는지를 말하는 것으로 인권 감수성이 낮으면 인권과 관련된 문제의식이 부족한 것이고, 인권 감수성이 높으면 인권 문제에 민감한 것이란다.

04. 정답은 ① 이야♡
인권 침해는 다른 사람이나 단체 또는 국가 기관에 의하여 개인이 가지는 인권이 존중 받지 못하고 침해되어 ④기본적 권리를 보장받지 못하는 것을 의미하는 것으로 ⑤사회 구성원의 고정 관념과 편견, 사회의 잘못된 관습이나 관행, ②법률이나 제도 등 ③국가 기관에 의해서 인권 침해가 발생하기도 한단다! 알라뷰~^^

★부연설명
① 인권 침해는 사회적 약자 뿐만 아니라 모든 사람에게 나타날 수 있어!^^

05. 정답은 ① 이야♡
인권 침해 사례를 보면 ②임신 소식을 알리자 직장에서 해고 통보를 한 것은 임산부에 대한 인권 침해로 볼 수 있고, ③수사 과정에서 심한 고문을 하여 자백을 받은 것은 개인의 신체에 대한 인권 침해로 볼 수 있어! 또, ④학교 게시판에 모든 학생의 성적과 석차를 게시하는 것은 원치 않아도 강제로 공개되면서 인권 침해를 받은 것이고, ⑤버스 손잡이가 모두 같은 높이로 설치되어 있어서 키 작은 사람과 큰 사람의 차이에 대한 배려가 없으므로 인권 침해로 볼 수 있단다! 알라뷰~^^

★부연설명
① 사회적 약자인 장애인에게 화장실 전용칸을 마련하는 것은 인권을 보호하는거야!^^

06. 정답은 ① 이야♡
②허락도 없이 이름과 전화번호를 주민 게시판에 공개하는 것은 개인의 인권을 침해한 것으로 볼 수 있어! 또 ③청각 장애가 있다는 이유로 건물주가 전세를 임대하지 않은 것은 장애인에 대한 인권 침해이고, ④간호학과를 나와 병원에서 일하려고 하는데 남자 간호사를 뽑지 않은 것은 성별에 대한 인권 침해란다! ⑤사람들의 신체적 차이를 고려하지 않고 같은 높이로 손잡이를 설치한 것 또한 인권 침해 사례로 볼 수 있어! 이렇게 인권 침해를 당한 사례를 묻는 문제가 자주 출제되니 꼭 보기의 내용들을 잘 기억해두자! 알라뷰~^^

★부연설명
① 놀이 기구를 탈 때 키가 130cm이상으로 제한하는 것은 안전을 위한 것으로 인권 침해 사례로 볼 수 없어!^^

07. 정답은 ① 이야♡
인권 침해의 구제 방법에 관련된 문제는 정말 헷갈리기 쉽고 어렵게 느껴질 수 있어! 하지만 하나씩 문제를 풀어보면서 정리하면 쉽게 해결할 수 있단다! 먼저 제시된 글은 '갑'이 여성이라는 이유로 보상금에 대한 권리를 인정받지 못한 것이므로 평등권이 침해당했어! 이렇게 발생한 인권 침해는 국가에 대한 인권 침해가 아니라 개인에 대한 인권 침해로 볼 수 있어! 개인에 대한 인권 침해를 구제 받기 위해서는 법원에 소송을 통해 인권 침해를 구제 받을 수 있단다! 그래서 정답은 ①번이야! 알라뷰~^^

08. 정답은 ② 이야♡
자료의 주민등록법 규정과 같은 '법률'은 공권력과 관련되어 있어! 이렇게 공권력이 기본권을 침해한다고 보고 헌법소원심판을 청구하는 경우에는 헌법재판소에서 권리를 구제 받을 수 있단다! 그래서 정답은 ②번이야! 알라뷰~^^

★부연설명
- 공권력: 국가 또는 공공 단체가 국민을 대상으로 행사하는 강제적인 권력이나 명령
- 헌법소원심판: 공권력에 의해 기본권이 침해된 국민이 헌법재판소에 권리 구제를 요청하는 것

09. 정답은 ② 이야♡
A씨가 의료법 제56조가 헌법에 보장된 기본권을 침해하였다고 주장한 이 기본권은 표현의 자유인 자유권이야! 자유권을 침해한다며 국가 기관에 헌법소원을 청구하였는데, 헌법 소원 청구를 할 수 있는 기관은 헌법재판소란다! 알라뷰~^^

10. 정답은 ⑤ 이야♡
자료의 A씨는 임신을 하여 휴학을 신청하였지만 대학원에 별도의 제도가 없어서 출산 후 육아 때문에 결국 학업을 포기해야 했단다! 이렇게 임신, 출산, 육아를 이유로 성별에 따른 차별을 받았으므로 여기에서 침해된 인권은 평등권이야! 국가 인권 위원회에서는 국가 기관에 의해 인권을 침해당하거나 회사 또는 단체 등에 의해 차별을 당한 사람이 진정을 내면 이를 조사해서 권리를 구제받을 수 있단다! 그래서 정답은 평등권과 진정 제기이므로 ⑤번이야! 알라뷰~^^

11. 정답은 ③ 이야♡
어떤 국가 기관에도 소속되지 않은 독립된 기구로 인권을 침해할 우려가 있는 법이나 제도의 문제점을 찾아서 개선을 권고하고 인권 침해나 차별행위를 조사하여 구제하는 역할을 하는 기관은 국가 인권 위원회란다! 알라뷰~^^

★인권 구제 기관
- 국민 권익 위원회: 국민의 권리 보호와 구제, 부패 방지 등을 목적으로 설립된 국가기관
- 언론 중재 위원회: 잘못된 언론 보도로 피해를 입은 경우
- 한국 소비자원: 소비자의 권리가 침해된 경우
- 법원: 타인이나 국가 기관에 의해 권리를 침해당한 사람이 소를 제기하면 재판을 통해 인권 구제

12. 정답은 ① 이야♡
국가 기관의 잘못된 법 집행 등으로 피해를 입은 경우 국민 권익 위원회에 ㄴ.고충 민원이나 ㄱ.행정 심판을 제기하여 구제 받을 수 있단다! 알라뷰~^^

★오답설명
ㄷ. 헌법소원은 헌법재판소에서 할 수 있어!^^
ㄹ. 진정은 국가 인권 위원회에서 할 수 있어!^^

★부연설명
- 행정 심판: 잘못된 행정으로 이익을 침해받은 국민이 행정 기관에 제기하는 권리 구제 절차
- 고충 민원: 행정 기관 등의 위법.부당하거나 소극적인 처분 및 불합리한 행정제도로 인하여 국민의 권리를 침해하거나 국민에게 불편 또는 부담을 주는 사항에 관한 민원

13. 정답은 ④ 이야♡
자료는 행정 기관의 잘못된 처분으로 권리를 침해당한 국민이 행정심판을 제기하고 이것을 조사하여 잘못된 행정 처분을 취소하여 침해당한 인권을 구제받을 수 있으므로 정답은 ④번 국민권익위원회야! 행정기관의 잘못된 처분!! 하면 바로 국민 권익 위원회를 떠올려보자!!

알라븅~^^

14. 정답은 ④ 이야♡
자료는 잘못된 언론 보도로 인해서 피해를 입은 경우에 해당이 되므로 언론 중재 위원회에 도움을 요청할 수 있단다! 알라븅~^^

15. 정답은 ② 이야♡
이런 문제 유형은 정말 자주 출제되는 유형 중에 하나란다! 그래서 반드시 풀어보고 꼭 알아둬야 해!! 국가 기관 또는 개인이나 단체에 의해 권리를 침해 당한 경우 소송을 제기하는 곳은 ㉠법원, 행정 기관의 잘못된 처분으로 권리를 침해 당한 경우 국민이 행정 심판을 제기하는 곳은 ㉡국민권익 위원회, 공권력에 의해 기본권을 침해 당한 사람이 헌법 소원을 청구하는 곳은 ㉢헌법재판소란다! 그래서 순서대로 ㉠법원, ㉡국민권익위원회, ㉢헌법재판소이므로 정답은 ②번이야!! 알라븅~^^

16. 정답은 ⑤ 이야♡
ㄷ.소비자의 권리가 침해당했을 때에는 한국소비자원의 도움을 통해서 인권을 구제 받을 수 있고, ㄹ.행정 기관의 잘못된 법 집행으로 피해를 입은 경우에는 국민 권익 위원회에서 구제 받을 수 있단다! 알라븅~^^

★오답설명
ㄱ. 다른 사람의 범죄 행위로 기본권이 침해 당했을 때에는 형사 재판을 통해 구제받을 수 있어!^^
ㄴ. 공권력의 행사를 통해서 기본권이 침해당했을때에는 헌법소원심판을 청구하여 구제 받을 수 있어!^^

반복유형2차 정답

014쪽 ~ 015쪽

01.① 02.④ 03.③ 04.④ 05.④ 06.⑤ 07.④
08.③ 09.③

01. 정답은 ① 이야♡
제시된 내용은 여성에게는 집안의 전통에 따라 보상금을 주지 않는다는 집안의 잘못된 관습에 의해 평등권이 침해당한 것으로 인권 침해가 발생한 직접적인 원인은 관습이야. 그래서 정답은 ①번이야.
알라븅~^^

02. 정답은 ④ 이야♡
인권에 민감하게 반응하는 사람은 인권 감수성이 높은 거야. 그래서 정답은 ④번이야. 알라븅~^^

03. 정답은 ③ 이야♡
코로나 19에 감염된 아버지를 병원에 강제로 격리하는 것은 전염병 확산의 방지 등을 위한 공공복리를 위한 부분으로 인권 침해에 해당하지 않아. 그래서 정답은 ③번이야. 알라븅~^^

04. 정답은 ④ 이야♡
주민등록번호 변경은 공권력에 의해 기본권이 침해된 것으로 헌법소원심판 청구를 통해 구제를 요청할 수 있어. 그래서 정답은 ④번이야.
알라븅~^^

05. 정답은 ④ 이야♡
A는 인권이고 (가)는 국가인권위원회야. 인권 침해를 당한 사람이 진정을 제출하면 조사하여 권고하고 침해된 인권을 구제하는 곳이 국가인권위원회야. 그래서 정답은 ④번이야. 알라븅~^^

06. 정답은 ⑤ 이야♡
차별 행위에 대해서 진정을 제출할 수 있는 기관은 국가 인권 위원회야. 그래서 정답은 ⑤번이야. 알라븅~^^

07. 정답은 ④ 이야♡
행정 기관의 잘못된 법 집행 등으로 피해가 발생했을 때 이를 조사하여 침해된 권리를 구제하는 기관은 국민 권익 위원회야. 그래서 정답은 ④번이야. 알라븅~^^

08. 정답은 ③ 이야♡
다른 개인이 인권을 침해한 경우는 민사재판을 통해서 구제를 요청할 수 있어. 행정 소송은 국가 기관에 의한 침해에 해당해. 정답은 ③번이야. 알라븅~^^

09. 정답은 ③ 이야♡
국가 인권 위원회에는 진정을 신청할 수 있어서 윤혁이 옳은 내용으로 정답은 ③번이야. 알라븅~^^

★오답설명
① 헌법소원은 헌법재판소에 제기할 수 있어.
② 헌법재판소는 민원은 제기할 수 없고 민원은 국민권익위원회에 제기할 수 있어.
④ 법제사법위원회는 국회 상임위원회로 소송을 담당하지 않아.
⑤ 국민 권익 위원회는 행정심판을 하는 곳이야!

Ⅰ 인권과 헌법

3. 근로자의 권리와 노동권 침해 및 구제

반복유형1차 정답

037쪽 ~ 039쪽

01.⑤ 02.⑤ 03.④ 04.⑤ 05.⑤ 06.⑤
07.단결권, 단체 교섭권
08.단체 행동권, 노동조합을 통한 근로 조건 협상이 원만하게 이루어지지 않은 경우 파업 등의 쟁의 행위를 할 수 있는 권리이다.
09.④ 10.② 11.④ 12.②
13.(가) 단결권 (나) 노동 위원회에 구제를 신청하거나 법원에 소송을 제기할 수 있다.
14.① 15.① 16.⑤

01. 정답은 ⑤ 이야♡
근로자의 범위는 시험에 정말 잘 나오니까 꼭 알아두자! 근로자는 임금을 받기 위해 사용자에게 노동을 제공하는 사람을 근로자라고 하는데 ㄷ.드라마 출연 아르바이트를 통해서 노동력을 제공하고 임금을 받으므로 근로자이고, ㄹ.국가로부터 월급을 받는 공립 학교 교사 정 역시 급여를 받고 노동력을 제공하므로 근로자가 된단다! 그래서 정답은

ㄷ과 ㄹ이므로 ⑤번이야! 알라븅~^^

★오답설명

ㄱ. 주유소를 운영하는 갑은 자영업자야!^^
ㄴ. 집안일을 하며 생활비를 받는 것은 용돈을 받는 것이므로 근로자가 아니야!^^

02. 정답은 ⑤ 이야♡

근로자의 범위는 노동력을 제공하고 임금을 받는 사람이 근로자란다! 그러므로 ㄷ.편의점에서 아르바이트를 하는 친구와 ㄹ.공립 학교에 교사로 근무중인 언니는 노동력을 제공하고 임금을 받으므로 근로자로 볼 수 있어! 그래서 정답은 ⑤번이야! 알라븅~^^

★오답설명

ㄱ. 가정주부는 근로자로 볼 수 없어!^^
ㄴ. 세탁소를 운영하므로 자영업자야!^^

03. 정답은 ④ 이야♡

②임금, 근로시간, 휴가 등 ①근로자가 노동력을 제공하는 조건을 근로 조건이라고 하는데 ③근로 조건은 법률이 정한 기준보다 낮아서는 안 되며, ⑤근로자와 사용자는 근로 조건에 관해 계약서를 작성해야 한단다! 알라븅~^^

★보기설명

④ 헌법이 보장하는 것은 근로자의 권리이고, 근로 조건은 법률에서 보장하고 명시하고 있어!^^

04. 정답은 ⑤ 이야♡

법률로 정해진 근로 조건의 기준은 근로시간과 휴식시간, 그리고 임금을 기준으로 정리하고 있는데 ①근로 시간은 원칙적으로 1일 8시간, 1주일에 40시간을 초과할 수 없으며, 원칙적으로 근로 시간이 4시간이면 30분이상, ②8시간이면 1시간 이상의 휴식 시간을 주어야 해! 그리고 ③원칙적으로 매달 1회 이상 정해진 날짜에 지급해야 하고 ④근로자 본인에게 직접 통화(당시 사용되는 화폐)로 전액을 지급해야 한단다! 알라븅~^^

★보기설명

⑤ 반드시 최저 임금 이상으로 주어야 해!^^

★부연설명

- 청소년은 원칙적으로 1일 7시간 이상 일할 수 없어

05. 정답은 ⑤ 이야♡

근로자의 권리 중 ㄴ.단결권은 근로자가 근로 조건의 유지 및 개선을 위해 단결할 수 있는 권리 즉, 노동 조합을 결성할 수 있는 권리를 말하며, ㄷ.단체 교섭권은 근로자 단체(노동조합)가 사용자와 근로 조건의 유지 및 개선에 관해 교섭할 수 있는 권리를 말한단다! 또, 단체 행동권은 단체 교섭이 원만하게 해결되지 않아 노동쟁의가 발생한 경우 쟁의 행위 등을 할 수 있는 권리로서 옳은 것을 고르면 ㄴ,ㄷ,ㄹ이므로 정답은 ⑤번이야! 알라븅~^^

★오답설명

ㄱ. 근로 기준은 맞지만 최고 임금이 아니라 최저 임금을 보장하는 규정이 있어!^^

★부연설명

- 우리 헌법은 경제적 약자의 위치에 있는 근로자가 사용자와 대등한 위치에서 근로 조건을 협의하고 결정할 수 있도록 노동삼권을 보장하고 있단다

06. 정답은 ⑤ 이야♡

근로자의 권리는 정말 중요한 문제니까 반드시 알아두자! ①우리 헌법은 헌법 제32조를 통해서 모든 국민이 근로의 권리를 가지고 있고 국가는 이를 보장할 책임이 있음을 명시하고 있단다! ②원칙적으로 사용자가 근로자를 해고하려면 적어도 30일 전에 알려주어야 하며 ③우리 헌법은 근로 조건의 수준을 법률로 규정하고 있단다! 또, ④ 원칙적으로 근로 시간이 4시간이면 30이상의 휴식 시간을 일하는 도중에 주도록 하고 있단다! 알라븅~^^

★보기설명

⑤우리 헌법은 약자인 근로자만을 보호하기 위해 근로의 권리를 보장하고 있어!^^

07. 해답참고

08. 해답참고

09. 정답은 ④ 이야♡

노동삼권은 시험 문제 1타야! 반드시 알아두자!!(가)자료를 보면 노동조합과 함께 협의회를 열어서 의견을 절충하였으므로 단체교섭권에 해당이 되고, (나)는 일정한 절차를 거쳐 쟁의 행위를 할 수 있는 권리가 있다고 주장하였으므로 단체 행동권에 해당이 된단다! 그래서 (가)는 단체교섭권, (나)는 단체 행동권이므로 정답은 ④번이야!
알라븅~^^

★부연설명

- 쟁의 행위는 단체 교섭이 잘 이루어지지 않을 때 사용자에 대항해 파업과 같은 행위를 하는 것을 말한단다.

10. 정답은 ② 이야♡

청소년의 아르바이트 10계명을 보면 ①근로가 가능한 청소년 나이는 원칙적으로 만 15세이며, ③청소년은 원칙적으로 하루 7시간, 성인은 하루 8시간 근로가 가능하도록 되어 있어! 또, ④정규직과 비정규직 상관 없이 1주일에 15시간 이상 근무하거나 1주일 개근한 경우에는 1일의 유급 휴일을 받을 수 있으며, ⑤일을 시작할 때에는 반드시 본인이 직접 근로계약서를 작성해야 한단다! 알라븅~^^

★보기설명

② 청소년은 성인과 동일한 최저 임금을 적용받도록 되어 있어!^^

11. 정답은 ④ 이야♡

노동권 침해 사례는 부당 해고와 부당 노동 행위를 구분하여 문제를 풀 수 있어야 해! 정당한 이유 없이 해고하는 것은 부당 해고이고 자료와 같이 근로자가 노동조합에 가입했다는 이유로 불이익을 주거나 노동조합과의 단체 교섭을 거부하는 등 정당한 노동조합 활동을 방해하는 것은 부당 노동 행위에 해당하는 거야! 그래서 정답은 ④번이야!
알라븅~^^

12. 정답은 ② 이야♡

①보기에 근로계약서를 작성하지 않았으므로 이것은 노동권 침해사례, ③월급은 전액을 모두 주어야 하는데 절반만 주었으므로 노동권 침해 사례, ④노동조합을 결성할 수 있는 단결권을 방해하고 있으므로 부당 노동행위에 해당이 되어 노동권 침해 사례, ⑤결혼을 이유로 해고하는 것은 정당한 사유 없이 해고하는 것이므로 노동권 침해 사례에 해당이 된단다! 그래서 ①③④⑤번은 모두 노동권 침해 사례에 해당이 돼!
알라븅~^^

★보기설명

② 오전 9시부터 오후 6시까지는 9시간에서 1시간을 쉬도록 하였으므로 노동권 침해 사례로 볼 수 없어!^^

13. 해답참고

14. 정답은 ① 이야♡

㉠의 피해당사자는 노동 삼권을 침해당한 근로자, 노동조합 등이 해당이 되므로 ①번은 옳은 것이란다! 알라븅~^^

★오답설명

② 지방노동위원회에 3개월 이내 구제 신청을 해야 해!^^
③ 결정에 불복시 10일이내 재심을 신청할 수 있어!^^
④ 중앙 노동위원회야!^^
⑤ 불복시 15일 이내 행정법원에 행정소송을 제기할 수 있어!^^

15 정답은 ① 이야♡

노동조합에 가입하였다는 이유로 상여금을 받지 못한 것은 ㄱ.부당 노동 행위에 해당이 되는 것으로 ㄴ.갑은 노동 위원회에 구제를 요청할 수 있단다! 그래서 정답은 ㄱ과 ㄴ이므로 정답은 ①번이야! 알라븅~^^

★오답설명

ㄷ. 갑은 노동 위원회에 권리 구제를 요청할 수 있어!^^
ㄹ. 해고 무효 확인의 소는 법원에 제기하는 것이고, 임금 체불 등이 있을 경우 지방 고용 노동 관서에 해고 무효 확인의 소가 아니라 진정을 제기할 수 있어!^^

★부연설명

• 지방 고용 노동 관서는 고용 노동부 각 지방 노동청 및 고용 센터를 의미한단다.

16. 정답은 ⑤ 이야♡

사용자가 임금의 일부만 지급하는 경우 고용 노동부에 진정을 제기하거나 법원에 민사 소송을 제기하여 구제 받을 수 있단다!
그래서 정답은 ⑤번이야! 알라븅~^^

★오답설명

①매일 하루 8시간 일하고, 휴식 시간 1시간을 보장 받아야 노동권 침해가 아니야!^^
②근로자가 노동조합을 만드는 것을 사용자가 방해하는 것은 부당 노동 행위에 해당 돼!^^
③부당 해고의 경우 노동 위원회에 구제 신청을 할 수 있고 그 결정에 불복할 수 있어!^^
④사용자가 결혼을 이유로 근로자에게 퇴직을 강요하는 것은 부당해고에 해당 돼!^^

반복유형2차 정답

021쪽 ~ 022쪽

01.②	02.③	03.①,⑤	04.④	05.①	06.③
07.③	08.⑤	09.①	10.⑤	11.③	

01. 정답은 ② 이야♡

근로자는 임금을 받기 위해 사용자에게 노동을 제공하는 사람으로 치킨집을 운영하는 자영업자는 근로자가 아니야. 그래서 정답은 ②번이야. 알라븅~^^

02. 정답은 ③ 이야♡

근로 조건은 근로자가 노동력을 제공하는 조건을 의미하고 임금, 휴가, 근로 시간 등이 이에 해당해. 그리고 최소한의 생활을 할 수 있는 근로 조건 보장이 필요해. 그래서 ㄱ,ㄴ,ㄹ의 내용은 옳은 것으로 정답은 ③번이야. 알라븅~^^

★오답설명

ㄷ. 근로 조건은 법률이 정한 기준보다 낮은 것은 맞지 않아.

03. 정답은 ①, ⑤ 이야♡

㉠을 보면 휴게시간이 30분만 주어지고 있어! 근로 시간이 8시간이면 1시간 이상의 휴식시간을 일하는 도중에 주어야 하니까 이건 틀린것이고, ㉤임금은 반드시 통화로 전액을 지급해야 해. 그래서 정답은 ①,⑤ 번이야! 알라븅~^^

04. 정답은 ④ 이야♡

근로 시간은 법률로 정해진 조건을 기준으로 하는 것으로 제한 없이 근무하는 것은 아니야. 그래서 옳지 않은 내용은 ④번이야. 알라븅~^^

05. 정답은 ① 이야♡

가는 단결권, 나는 단체 교섭권, 다는 단체 행동권으로 정답은 ①번이야. 알라븅~^^

06. 정답은 ③ 이야♡

노동 3권은 단결권, 단체 교섭권, 단체 행동권으로 단체 교섭이 원만하게 이루어지지 않을 때 파업, 태업 등의 쟁의 활동을 할 수 있어. 그래서 옳지 않은 내용은 ③번이야. 알라븅~^^

07. 정답은 ③ 이야♡

청소년이 아르바이트를 해도 ㄴ.성인과 동일한 최저임금을 적용받고, ㄷ.근로자가 협의하면 1주 최대 40시간 일할 수 있어! 그래서 정답은 ③번! 알라븅~^^

★오답설명

ㄱ.15세 이상부터 근로가 가능해!
ㄹ.근로계약서는 반드시 작성해야 해!

08. 정답은 ⑤ 이야♡

청소년도 성인과 같은 최저 임금을 적용받아야 해. 그래서 정답은 ⑤번이야. 알라븅~^^

09. 정답은 ① 이야♡

(가)는 부당 해고에 해당하고 (나)는 임금체불에 해당해서 정답은 ①번이야. 알라븅~^^

10. 정답은 ⑤ 이야♡

근로자가 노동조합에 가입하거나 파업하는 것은 노동 3권에 해당하는 것으로 노동 3권을 침해하는 행위는 부당노동행위야. 그래서 정답은 ⑤번이야. 알라븅~^^

11. 정답은 ③ 이야♡

해고 사유 등을 구두로 말하는 것은 불법이야. 그래서 옳지 않은 것은 ③번이야. 알라븅~^^

Ⅱ 헌법과 국가 기관

1.국회

반복유형1차 정답 052쪽 ~ 055쪽

01.③ 02.⑤ 03.⑤ 04.⑤ 05.⑤ 06.③ 07.④
08.④
09.(1) 지역구, 각 지역구에서 가장 많은 득표를 한 후보자가 선출된다.
(2) 비례 대표, 정당별 득표율에 비례하여 선출된다.
10.① 11.④ 12.② 13.⑤ 14.② 15.④ 16.④
17.대법원장 임명 동의권은 국회의 일반 국정에 관한 권한이며, 예산안 확정은 국회의 재정에 관한 권한이다.
18.③ 19.④ 20.③ 21.③
22.재적의원 과반수의 출석과 출석의원 과반수의 찬성으로 의결된다.

01. 정답은 ③ 이야♡
국회는 국민이 선출한 대표로 구성되고, 국민의 의사를 반영하여 법률을 제정하는 입법기관이 맞지! 다른 국가 기관을 견제하고 감시하여 국민의 자유와 권리를 보장해. 그래서 맞는 내용은 ㄱ, ㄴ, ㄹ이고 정답은 3번이야! 알라뷰~^^

★오답설명
ㄷ. 법률안 거부권을 통해 다른 국가 기관을 견제할 수 있는 것은 대통령이야!

02. 정답은 ⑤ 이야♡
국회는 다른 국가 기관을 견제하고 감시하는 국정 감시 기관으로서의 권한을 가지고 있어. 그래서 정답은 5번이야! 알라뷰~^^

★오답설명
① 국민의 대표 기관이 맞지만 법률의 집행은 행정부가 해!
② 본회의에서 국회의 최종적인 의사 결정을 해.
③ 국민이 정치과정에 참여하는 '간접' 민주제를 실현하기 위한 기관이야.
④ 효율적인 의사 진행을 위해 '상임 위원회'에서 법률안을 미리 조사하고 심의한단다!

03. 정답은 ⑤ 이야♡
★부연설명
본회의에서는 국회의원들이 모두 모여 국가의 중요한 문제를 논의해. 그래서 정답은 5번이야. 알라뷰~^^

04. 정답은 ⑤ 이야♡
★부연설명
일반적인 의사 결정은 재적 의원 과반수의 출석과 출석의원 과반수 이상의 찬성으로 이루어져. 그래서 정답은 5번이야. 알라뷰~^^

05. 정답은 ⑤ 이야♡
★부연설명
위원회는 안건이나 법률안을 심사하기 위해 항상 활동하는 상임 위원회와 특별 위원회가 같이 존재해. 교섭 단체는 20인 이상의 국회의원으로 구성되며, 의사를 사전에 통합하고 조정해. 그래서 정답은 5번이야. 알라뷰~^^

06. 정답은 ③ 이야♡
(가)는 교섭단체 (나)는 위원회에 대한 내용이야. 쉽지?ㅎㅎ
알라뷰~^^

07. 정답은 ④ 이야♡
국회는 국가의 조직과 통치의 기초가 되는 법률을 만들거나 고치는 입법기관이 맞아. 우리나라에서는 일반적으로 4년에 한 번씩 선거를 통해 선출된 국회의원들로 구성되고 있어. 각 지역구에서 최고 득표자로 선출된 지역구 국회의원과 각 정당의 득표율에 비례하여 선출된 비례대표 국회의원으로 구성되고 있는 게 맞아. 그래서 맞는 내용은 ㄱ, ㄴ, ㄷ으로 정답은 4번이야. 알라뷰~^^

★오답설명
ㄹ. 상임 위원회는 외교, 통일, 국방, 보건 등 전문 분야로 조직되며, 본회의에 앞서서 해당 분야에 속하는 법률안, 예산안, 청원 등을 사전 심사하는 국회 조직이야.

08. 정답은 ④ 이야♡
(나)에서 얻은 정당별 득표율에 따라 국회의원이 선출되는게 맞아. 그래서 정답은 4번이야. 알라뷰~^^

★오답설명
① (가) 투표용지에는 1명의 후보자에게 투표할 수 있어.
② 비례대표 국회위원을 선출하기 위한 투표용지는 (나)야!
③ 선거구별 후보자에게 투표하는 투표용지는 (가)야!
⑤ 유권자는 투표소에서 (가)와 (나) 둘다 투표해.

09. 해답 참고

10. 정답은 ① 이야♡
일반 국정에 관한 기능은 헌법 재판소장 임명 동의안 표결, 국정 감사가 해당해. 그래서 맞는 것은 ㄱ, ㄴ으로 정답은 1번이야.
알라뷰~^^

★오답설명
ⓒ법률안에 관한 설명과 토론 후 표결하는 것은 입법에 관한 권한이야.
ⓓ예산안을 오늘 본회의에서 확정하는 것은 재정에 관한 권한이야.

11. 정답은 ④ 이야♡
국회가 하는 일반 국정에 관한 일은 대통령의 파면을 요구하는 탄핵 소추권과 국정 감사를 통한 행정부의 정책 결정 감시가 있어. 그래서 맞는 내용은 다, 라로 정답은 4번이야. 알라뷰~^^

★오답설명
가. 헌법 개정의 제안 및 의결 권한은 입법에 관한 권한이야.
나. 예산안을 심의하여 확정하는 권한은 재정에 관한 권한이야.

12. 정답은 ② 이야♡
설명하고 있는 것은 입법에 관한 권한으로 정부가 체결한 조약에 대한 동의권을 행사하는 것은 입법에 관한 권한이 맞아. 그래서 정답은 2번이야. 알라뷰~^^

★오답설명
① 행정부가 편성한 예산안을 심의, 확정은 재정에 관한 권한이야.
③ 행정부가 예산을 제대로 집행하였는지 결산 심사를 하는 것은 재정에 관한 권한이야.
④ 대통령이 국무총리, 대법원장, 헌법재판소장 등을 임명할 때 동의권을 행사하는 것은 일반 국정에 관한 권한이야.
⑤ 국정 감사나 국정 조사를 통해 국정의 잘못된 부분을 찾아내어 바로잡도록 하는 것은 일반 국정에 관한 권한이야.

3. 정답은 ⑤ 이야♡
설명하고 있는 것은 입법에 관한 권한으로 조약 체결에 대한 동의권과 헌법 개정안 제안 및 의결은 입법에 관한 권한이 맞아. 그래서 정답은 5번이야. 알라븅~^^

★오답설명
ㄱ. 결산 심사권은 재정에 관한 권한이야.
ㄴ. 탄핵 소추 의결은 일반 국정에 관한 권한이야.
ㄷ. 예산안 심의 및 확정은 재정에 관한 권한이야.

4. 정답은 ② 이야♡
국회의 권한 중 재정에 관한 부분은 결산 심사권, 예산안 심의·확정권이야. 그래서 정답은 2번이야. 알라븅~^^

★오답설명
ㄴ. 법률 제정 및 개정권은 입법에 관한 권한이야.
ㄹ. 주요 공무원에 대한 탄핵 소추권은 일반 국정에 관한 권한이야.

5. 정답은 ④ 이야♡

★오답설명
국회는 국가의 수입·지출에 대한 예산안을 작성하는 게 아니라 심의해. 그래서 정답은 4번이야. 알라븅~^^

6. 정답은 ④ 이야♡
(가)는 재정에 관한 권한, (나)는 일반 국정에 관한 권한이야. 그래서 정답은 4번이야. 알라븅~^^

7. 해답 참고

8. 정답은 ③ 이야♡

★오답설명
본회의 의결은 재적 의원 과반수의 참석과 출석의원 과반수의 찬성으로 이루어져. 그래서 정답은 3번이야. 알라븅~^^

9. 정답은 ④ 이야♡
ⓒ은 본회의이고, 재적 의원의 과반수 출석과 출석의원의 과반수 찬성으로 의결하는게 맞아. ⓔ은 거부권이고, 행정부의 입법부 견제 수단이 맞아. 그래서 맞는 내용은 병, 정으로 정답은 4번이야.
알라븅~^^

★오답설명
갑 : ㉠은 10인이고, 국회의원의 법안 발의에 필요한 인원수야.
을 : ㉡은 국회의장이고, 법안을 직접 상정할 수 있는 권한이 있어.
무 : ⓜ은 20일이고, 이 기간이 지난 후 통과된 법안을 어기면 처벌받을 수 있어.

10. 정답은 ③ 이야♡
법률 제정 순서는 법률안 제출, 법률안 심의, 본회의 심의·의결, 법률안 공포로 진행해. 그래서 순서는 ㄴ-ㄷ-ㄹ-ㄱ으로 정답은 3번이야.
알라븅~^^

11. 정답은 ③ 이야♡
법률안 제정 절차 순서는 (나) - (라) - (다) - (가)로 진행해서 정답은 3번이야. 알라븅~^^

12. 해답 참고

반복유형2차 정답

028쪽 ~ 030쪽

01.⑤ 02.① 03.⑤ 04.② 05.③ 06.②

07.(1) 국회의 최종적인 의사 결정이 이루어진다.
(2) 국회 재적 의원 과반수의 출석과 출석 의원 과반수의 찬성으로 통과된다.

08.② 09.④ 10.② 11.④ 12.⑤

13.예산안 심의 확정은 국회의 재정에 관한 권한이다.

14.③ 15.③ 16.③

01. 정답은 ⑤ 이야♡

★오답설명
① 국민들이 직접 국민의 대표들을 임명하는 것이 아니라 선거를 통해 간접적으로 임명하는거야. 우리나라는 간접 민주정치란다:)
② 국회는 4년마다 재구성해요!:)
③ 국회는 입법부야!!:)
④ 사법부는 독립되어 있기 때문에 함부로 국회가 사법부에 개입할 수 없단다.^^ 알라븅~^^

02. 정답은 ① 이야♡

★오답설명
② 행정부에 대한 설명이야:)
③ 국회 회의는 공개가 원칙이란다.
④ 비례 대표 국회의원에 대한 설명이란다:)
⑤ 국회의 본회의가 상임위원회에서 심의한 법률안,예산안 등을 최종적으로 결정한단다!! :) 알라븅~^^

03. 정답은 ⑤ 이야♡

★오답설명
① 국회 회의는 공개를 원칙으로 한단다^^
② 국회 의장은 1명, 부의장은 2명이란다:)
③ 지역구 국회의원의 수가 비례 대표 국회의원의 수보다 절대적으로 많아^^
④ 국회에서 법률안을 최종적으로 의결하는 곳은 본회의란다!!
알라븅~^^

04. 정답은 ② 이야♡

★오답설명
ㄴ. 지역구 의원에 대한 설명이란다^^
ㄹ. 상임위원회에서 심사한 법률안,예산안,청원 등은 본회의에서 최종적으로 결정하는것이란다^^ 알라븅~^^

05. 정답은 ③ 이야♡

★오답설명
① 정기회는 매년 1회야!! :)
② 국회 회의는 공개가 원칙이란다!!:)
④ 국회 의장은 1명, 부의장은 2명이야!! :)
⑤ 임시회는 국회 재적 의원 4분의 1이상의 요구로 열릴 수 있어!! :)
알라븅~^^

06. 정답은 ② 이야♡
지역구 국회 의원을 뽑는 투표용지란다:) 알라븅~^^

★부연설명
② 이것은 비례 대표 국회 의원에 대한 설명이야:)

07. **해답 참고**

08. **정답은 ② 이야♡**
국정 조사는 국회의 권한 중 일반 국정에 대한 권한이란다!! ② 행정부의 활동을 감시하고 비판하는 것은 일반 국정에 대한 권한이야!!
알라븅~^^

09. **정답은 ④ 이야♡**
국회에서 대법원장 임명에 대한 동의권을 행사하는 것은 일반 국정에 대한 권한이란다. 이러한 일반 국정에 대한 권한에는 탄핵 소추권과 국정 감사 및 국정 조사를 할 수 있는 권한이 있어!! 알라븅~^^

10. **정답은 ② 이야♡**
★오답설명
ㄱ,ㅁ.: 일반 국정에 관한 권한
ㄹ. : 재정에 관한 권한
알라븅~^^

11. **정답은 ④ 이야♡**
예산안에 대한 심의 확정은 국회의 재정에 관한 권한이란다!!
알라븅~^^

12. **정답은 ⑤ 이야♡**
• 입법에 관한 권한: 다, 라
• 재정에 관한 권한: 마
• 일반 국정에 관한 권한: 가, 나
알라븅~^^

13. **해답 참고**

14. **정답은 ③ 이야♡**
★오답설명
ㄱ. 일반적으로 법률이 공포 된 후 법적 효력은 20일 이후에 발생한단다:)
ㄹ. 재적의원이 아니라 출석의원이란다. 출석의원 과반수의 찬성으로 의결되는 거야!! :) 알라븅~^^

15. **정답은 ③ 이야♡**

16. **정답은 ③ 이야♡**

Ⅱ 헌법과 국가 기관

2. 행정부와 대통령

반복유형1차 정답 061쪽 ~ 064쪽

01.④ 02.① 03.② 04.③ 05.④ 06.④ 07.⑤
08.⑤ 09.① 10.④ 11.① 12.⑤
13.(가)는 국가 원수로서의 지위 (나)는 행정부 수반으로서의 지위에 해당한다.
14.③ 15.④ 16.② 17.③ 18.①

01. **정답은 ④ 이야♡**
행정부는 공익을 실현하기 위해 정책을 만들고 집행하는게 맞아. 그래서 정답은 4번이야. 알라븅~^^
★오답설명
① 법을 해석하고 구체적 사건에 적용하는 건 사법부야.
② 국민의 의사를 반영하여 법률을 제정하는 건 입법부야.
③ 재판을 통해 분쟁을 해결하는 역할 하는 건 사법부야.
⑤ 현대 국가에서는 행정부의 역할이 강화되고 있어.

02. **정답은 ① 이야♡**
설명하고 있는 내용은 정부의 영향력이 커지는 것으로 복지 정책에 대한 요구 증대 부분과 관련이 있어. 그래서 정답은 1번이야.
알라븅~^^

03. **정답은 ② 이야♡**
(가)는 국무 회의 (나)는 감사원 (다)는 국무총리에 관한 내용이야. 그래서 정답은 2번이야. 알라븅~^^

04. **정답은 ③ 이야♡**
행정 각부는 구체적인 행정 사무를 처리하며, 행정 각부의 장은 자신이 맡은 부서의 업무를 지휘하는게 맞아. 그래서 정답은 3번이야.
알라븅~^^
★오답설명
① 대통령은 행정부의 최고 책임자로, 행정부의 일부 일은 국회의 동의를 얻어 최종적으로 결정해.
② 국무총리는 대통령을 도와주는 역할을 하며, 행정 각 부를 관리하고 감독할 책임이 있어.
④ 국무 회의는 행정부의 최고 심의 기관으로 정부의 권한에 속하는 중요한 정책을 최종적으로 심의해.
⑤ 감사원은 행정부의 최고 감사 기관이지만 업무와 관련해서 대통령의 통제를 받지는 않아.

05. **정답은 ④ 이야♡**
(다) 감사원은 세금이 제대로 쓰이는지 조사하고, 행정 기관 및 공무원의 직무를 감찰하는게 맞아.(라) 행정 각부는 구체적인 행정 사무를 처리하는게 맞아. 그래서 ㄹ, ㅁ이 맞는 내용으로 정답은 4번이야.
알라븅~^^
★오답설명

ㄱ. (가)대통령의 임기는 5년이며 중임할 수 없어.
ㄴ. (나)국무총리는 행정부 최고 책임자인 (가)대통령을 보좌해.
ㄷ. (다)감사원은 대통령 직속의 독립기관이야.

6. 정답은 ④ 이야♡
설명하고 있는 조직은 행정 각부에 관한 내용이야. 그래서 정답은 4번이야. 알라븅~^^

7. 정답은 ⑤ 이야♡
그림에서 알 수 있는 사례는 국토교통부와 관련이 있어. 그래서 정답은 번이야. 알라븅~^^

8. 정답은 ⑤ 이야♡
가)는 보건복지부 (나)는 행정안전부 (다)는 여성가족부에 관한 내용이. 그래서 정답은 5번이야. 알라븅~^^

9. 정답은 ① 이야♡
국무 회의에 관한 내용으로 대통령이 의장직을 맡아. 그래서 정답은 1번이야. 알라븅~^^

★오답설명
) 행정부의 최고 심의 기관이야.
) 제시된 내용은 국무 회의에 대한 설명이야.
) 10명 이상 30명 미만의 위원으로 구성해.
) 행정 각부의 장관은 회의에 참석할 수 있어.

0. 정답은 ④ 이야♡
감사원은 정부의 예산 사용을 감시해. 공무원의 업무 처리를 감찰하는 것이 맞아. 그래서 맞는 내용은 ㄴ, ㄹ로 정답은 4번이야.
알라븅~^^

★오답설명
. 대통령 직속 기관이야.
. 국가의 중요한 정책을 심의는 국무 회의에서 해.

1. 정답은 ① 이야♡
가)는 국무총리로 국무 회의 부의장으로서 국무 회의에 참여해. 그래 맞는 것은 ㄱ으로 정답은 1번이야. 알라븅~^^

★오답설명
. 조직상으로는 대통령에 소속되어 있지만, 업무상으로는 독립되어 있는 것은 감사원이야.
. 우리나라 국무총리로서 대통령을 도와 행정 각부를 관리하고 감독해.
. 행정부의 최고 책임자로 행정부의 일을 최종적으로 결정하는 역할은 대통령이야.

2. 정답은 ⑤ 이야♡
대통령은 국민이 직접 선거를 통해 선출하는게 맞아. 대통령의 임기를 제한하는 이유는 장기 집권에 따른 독재로 국민의 자유와 권리가 침해되는 것을 막기 위한 거야. 그래서 맞는 내용은 병, 정으로 정답은 5번이야. 알라븅~^^

★오답설명
: 대통령의 임기는 5년이야.
: 대통령은 임기와 관련하여 중임은 불가능해.

3. 해답 참고

4. 정답은 ③ 이야♡
행정부 수반으로서의 업무는 강원도 지역의 군부대를 방문하여 격려하는 것, 코로나19 대응을 위한 '유아교육법' 시행령을 공포하는 것이 해당해서 ㄴ, ㄷ이고, 국가 원수로서의 업무는 한국·이스라엘 FTA를 체결하는 것, 새로 선출된 대법원장, 헌법재판소장에게 임명장을 수여하는 것이 해당해서 ㄱ, ㄹ이야. 그래서 정답은 3번이야. 알라븅~^^

15. 정답은 ④ 이야♡
국가 원수로서의 권한은 외교 사절 접견, 행정부의 수반으로서의 권한은 법률안 거부권이 맞아. 그래서 정답은 4번이야. 알라븅~^^

★오답설명
① 고위 공무원 임면권은 행정부 수반으로서의 권한, 외국과의 조약 체결권은 국가 원수로서의 권한이야.
② 국무회의의 의장은 행정부 수반으로서의 권한, 헌법 기관 구성권은 국가 원수로서의 권한이야.
③ 긴급 명령권은 국가 원수로서의 권한, 계엄 선포권 국가 원수로서의 권한이야.
⑤ 법률안 거부권은 행정부 수반으로서의 권한, 중요 정책 국민 투표 시행은 국가원수로서의 권한이야.

16. 정답은 ② 이야♡
국가 원수로서의 역할은 긴급 명령권, 헌법 기관 구성권으로 맞는 것은 ㄱ, ㄷ으로 정답은 2번이야. 알라븅~^^

★오답설명
ㄴ. 국무회의 의장은 행정부 수반으로서의 권한이야.
ㄹ. 고위 공무원 임면권은 행정부 수반으로서의 권한이야.
ㅁ. 행정부 지휘 감독권은 행정부 수반으로서의 권한이야.

17. 정답은 ③ 이야♡

★오답설명
외국과의 조약 체결은 국가 원수로서의 권한에 해당되는거야. 그래서 정답은 3번이야. 알라븅~^^

18. 정답은 ① 이야♡

★오답설명
국무 회의는 주요 정책을 논의하는 행정부의 최고 심의 기관이야. 그래서 정답은 1번이야. 알라븅~^^

반복유형2차 정답

036쪽 ~ 037쪽

01.③ 02.① 03.④ 04.③ 05.① 06.③
07.③ 08.④ 09.⑤ 10.④
11.대통령은 국가를 대표하는 국가 원수로서의 역할을 한다.

01. 정답은 ③ 이야♡

★오답설명
ㄱ. 재판은 법원에서 담당하는거지!! ㅎㅎ
ㄹ. 국정 감사는 누구? 국회에서 하는거잖아!! ㅎㅎㅎ 알긋지??
알라븅~^^

02. 정답은 ① 이야♡

03. 정답은 ④ 이야♡

★오답설명
① 국무 회의는 행정부 최고 심의 기관이야!!:)
② 감사원은 업무상 독립적 지위를 가지고 있기 때문에 대통령의 명령에 따라 업무를 하지 않아!!:)
③ 복지 국가 일수록 행정부의 역할이 크단다!! ㅎㅎ

⑤ 대통령은 행정부의 수장이야!!! :) 알라븅~^^

04. **정답은 ③ 이야♡**
㉠ '문화가 있는 날'실시 → 문화 체육 관광부
㉡ 코로나19로 인한 원격수업 실시 → 교육부
㉢ 저소득층 노인을 위한 건강검진 지원 → 보건복지부
㉣ 기후 변화 적응을 위한 환경 정책 마련 → 환경부
㉤ 위험 도로, 산사태 위험 지구 등 도로 정비 → 국토 교통부
알라븅~^^

05. **정답은 ① 이야♡**

06. **정답은 ③ 이야♡**
★오답설명
③ 국민의 직접 선거로 대통령을 선출한단다!!:) 알라븅~^^

07. **정답은 ③ 이야♡**

08. **정답은 ④ 이야♡**
★오답설명
ㄱ,ㄷ,ㅁ는 대통령의 국가 원수로서의 권한이야!!:) 알라븅~^^

09. **정답은 ⑤ 이야♡**
★오답설명
ㄱ,ㄴ 은 대통령의 행정부 수반으로서의 권한이야:) 알라븅~^^

10. **정답은 ④ 이야♡**
★오답설명
ㄷ. 법률을 만드는 것은 국회 고유의 권한이란다!! 행정부는 법률을 집행하는 기관이지, 법률을 제정하는 기관은 아니야!!
알라븅~^^

11. **해답 참고**

Ⅱ 헌법과 국가 기관

3.법원과 헌법재판소

반복유형1차 정답

072쪽 ~ 076쪽

01.② 02.② 03.⑤ 04.④

05.사법권의 독립, 공정한 재판을 통해 국민의 기본권을 보장하기 위해서이다.

06.⑤ 07.④ 08.④ 09.① 10.⑤ 11.① 12.③

13.⑤ 14.④ 15.④ 16.③ 17.① 18.② 19.②

20.③ 21.② 22.④

23.(가) 헌법 소원 심판

24.헌법 소원 심판은 기본권이 침해된 국민이 직접헌법 재판소에 요청하며, 위헌 법률 심판은 법원이 재판의 전제가 되는 법률의 위헌 여부를 심판해달라고 제청한다.

25.(가) 위헌 법률 심판 (나) 헌법 소원 심판
(다) 정당 해산 심판 (라) 권한 쟁의 심판

26.(1) 헌법 재판소 (2) 사례1: 위헌 법률 심판, 법원의 제청으로, 재판의 전제가 된 법률이 헌법에 위반되는지 여부를 판단하는 재판이다.
사례2: 헌법 소원 심판, 국가 권력에 의해 기본권을 침해당한 국민이 직접 요청하는 재판이다.
사례3: 권한 쟁의 심판, 국가 기관 사이에 권한에 관한 분쟁이 발생했을 때, 권한이 어디에 있는지 판단하는 재판이며, 해당 국가 기관이 청구한다.

01. **정답은 ② 이야♡**
법원은 법적인 분쟁을 해결하는게 맞아. 법률을 해석하여 적용해. 그래서 맞는 내용은 ㄱ, ㄴ으로 정답은 2번이야. 알라븅~^^
★오답설명
ㄷ. 국민의 다양한 의사를 대변하는 곳은 국회야.
ㄹ. 법률을 집행하고 정책을 수립, 실행하는 곳은 행정부야.

02. **정답은 ② 이야♡**
사법권의 독립을 보장하는 목적은 공정한 재판, 국민의 기본권 보장에 있어. 그래서 맞는 내용은 ㄱ, ㄹ로 정답은 2번이야. 알라븅~^^

03. **정답은 ⑤ 이야♡**
사법부의 독립을 보장하여 공정한 재판을 실현하기 위한 조항이야. 그래서 정답은 5번이야. 알라븅~^^

04. **정답은 ④ 이야♡**
★오답설명
제103조 2항 : 대법원장이 아닌 법관은 대법원장의 제청에 의하여 대통령이 임명하는 건 맞아. 하지만 이 부분은 행정부의 사법부 견제

분으로 사법부 독립과 관련된 내용은 아니야. 그래서 정답은 4번이야.
알라븅~^^

5. 해답 참고

6. 정답은 ⑤ 이야♡
대법원은 사법부의 최고 법원으로 하급 법원의 최종심을 담당하는게 맞아. 가정 법원은 주로 가정과 소년에 대한 사건을 재판하는 특수 법원이 맞아. 지방 법원은 1심 사건을 재판하거나 지방 법원 단독 판사의 판결에 대한 항소 사건을 재판해. 그래서 맞는 내용은 ㄴ, ㄷ, ㄹ로 정답은 5번이야. 알라븅~^^

★오답설명
ㄱ. 고등 법원은 주로 1심 법원의 판결에 대한 항소 사건을 재판해.

7. 정답은 ④ 이야♡
A는 대법원 B는 특허법원 C는 가정 법원이야.
C은/는 가정 법원으로 가사 사건과 소년 보호 사건을 재판하는게 맞아.
A은/는 대법원으로 고등 법원과 특허 법원의 판결에 불복하여 상고한 사건을 재판하는게 맞아. 그래서 맞는 내용은 ㄴ, ㄹ로 정답은 4번이야.
알라븅~^^

★오답설명
ㄱ. A에 들어갈 용어는 대법원이야.
ㄷ. 국가 기관의 잘못된 행정 작용에 대한 소송 사건을 재판하는 곳은 행정 법원이야.

8. 정답은 ④ 이야♡
(가)는 고등 법원으로 1심 법원의 판결에 대한 항소 사건을 재판 하는게 맞아. 그래서 정답은 4번이야. 알라븅~^^

★오답설명
① 특허 업무와 관련된 재판을 담당하는 곳은 특허법원이야.
② 하급 법원의 최종적인 재판을 담당하는 곳은 대법원이야.
③ 민사 또는 형사 사건의 1심 사건을 재판하는 곳은 지방 법원이야.
⑤ 행정부의 명령이나 규칙이 헌법이나 법률에 위배되는지 심사하는 곳은 대법원이야.

9. 정답은 ① 이야♡
(가)는 대법원으로 사법부의 최고 기관이야. 그래서 정답은 1번이야.
알라븅~^^

★오답설명
② 법률을 제정하는 권한을 갖는 곳은 국회야.
③ (가)대법원의 장은 대통령이 임명해.
④ 고위직 공무원의 탄핵 여부를 결정하는 곳은 헌법재판소야.
⑤ 민사 재판이나 형사 재판의 1심 판결을 맡는 곳은 지방 법원이야.

10. 정답은 ⑤ 이야♡
특허 법원에서 처리하는 일이니 무의 말이 맞아. 그래서 정답은 5번이야. 알라븅~^^

11. 정답은 ① 이야♡
설명하는 것은 지방 법원이야. 그래서 정답은 1번이야. 알라븅~^^

12. 정답은 ③ 이야♡
설명하고 있는 법원은 가정 법원이야. 그래서 정답은 3번이야.
알라븅~^^

13. 정답은 ⑤ 이야♡
㉠은 고등 법원 ㉡은 항소 ㉢은 대법원 ㉣은 상고가 해당해. 그래서 정답은 5번이야. 알라븅~^^

14. 정답은 ④ 이야♡
㉣에 맞는 곳은 대법원이야. 그래서 정답은 4번이야. 알라븅~^^

★오답설명
① ㉠은 행정 법원이야.
② ㉡은 고등 법원이야.
③ ㉢은 상고야.
⑤ ㉤은 고등 법원이야.

15. 정답은 ④ 이야♡
★오답설명
(나)는 사법부가 입법부를 견제할 수 있는 수단이야. 그래서 정답은 4번이야. 알라븅~^^

16. 정답은 ③ 이야♡
㉠입법부에서 행정부를 견제하는 것은 국정 감사권이고 ㉡ 행정부에서 입법부를 견제하는 것은 법률안 거부권이야. 그래서 정답은 3번이야.
알라븅~^^

★오답설명
① 사면권은 행정부의 권한, 명령, 규칙 심사권은 사법부가 행정부를 견제하는 거야.
② 탄핵 소추권은 입법부에서 행정부를 견제, 국정 조사권은 입법부가 행정부를 견제하는 거야.
④ 국정 조사권은 입법부가 행정부를 견제, 헌법 재판소장 임명권은 행정부가 사법부를 견제하는거야.
⑤ 대법원장 임명동의권은 입법부가 사법부를 견제, 위헌 법률 심판권은 사법부가 입법부를 견제하는 거야.

17. 정답은 ① 이야♡
위헌 법률 심판은 재판의 전제가 되는 법률의 위헌 여부 판단하는게 맞아. 그래서 정답은 1번이야. 알라븅~^^

★오답설명
㉡헌법 소원 심판은 국가 권력의 행사가 국민의 기본권을 침해하였는지를 심판이야.
㉢탄핵 심판은 고위 공직자가 위법한 행위를 한 경우 파면 여부 심판이야.
㉣정당 해산 심판은 민주적 기본 질서를 어긴 정당의 해산 여부 심판이야.
㉤권한 쟁의 심판은 국가 기관이나 지방 자치단체 간의 권한 분쟁 해결이야.

18. 정답은 ② 이야♡
(가)는 헌법 소원 심판, (나)는 탄핵 심판으로 정답은 2번이야.
알라븅~^^

19. 정답은 ② 이야♡
(가)는 법원, (나)는 국민, (다)는 권한쟁의가 맞는 내용으로 정답은 2번이야. 알라븅~^^

20. 정답은 ③ 이야♡
헌법재판소에서는 공권력에 의해 기본권을 침해당한 국민이 헌법 소원 심판을 청구하는게 맞아.국회가 행정부와의 사이에서 발생한 권한의 다툼에 대해 권한 쟁의 심판을 청구하는게 맞아. 그래서 맞는 내용은 ㄴ, ㄷ으로 정답은 3번이야. 알라븅~^^

★오답설명
ㄱ. 정부가 민주적 기본 질서를 어긴 정당의 해산 심판 청구해.
ㄹ. 국회가 대통령, 장관, 법관 등 법률이 정한 공무원의 탄핵을 의결하여 탄핵 심판을 청구해.

21. 정답은 ② 이야♡
헌법 재판소는 권한 쟁의 심판은 국가 기관 상호 간의 권한에 대한 다툼을 심판하는게 맞아. 그래서 정답은 2번이야. 알라븅~^^

★오답설명
① 법관의 자격을 가진 9명의 재판관으로 구성돼.
③ 정당 해산 심판은 정부의 제소에 따라 해당 정당의 해산 여부를

심판해.
④ 탄핵 심판은 국회에 의해 탄핵 소추된 주요 공무원의 파면 여부를 심판해.
⑤ 재판관 중 3인은 국회에서 선출, 3인은 대통령이 지명, 3인은 대법원장이 지명한 자로서 대통령이 임명해.

22. 정답은 ④ 이야♡
설명하고 있는 내용은 헌법 소원 심판에 관한 거야. 그래서 정답은 4번이야. 알라븅~^^

23. 해답 참고

24. 해답 참고

25. 해답 참고

26. 해답 참고

반복유형2차 정답

043쪽 ~ 046쪽

01.④ 02.② 03.⑤

04.공정한 재판을 통해 국민의 기본권을 보호할 수 있기 때문이다.

05.② 06.② 07.④ 08.③ 09.② 10.① 11.⑤

12.② 13.③ 14.① 15.④

16.헌법 재판소의 역할은 위헌 법률 심판, 헌법 소원 심판, 탄핵 심판, 권한 쟁의 심판, 정당 해산 심판이다.

17.(가) 탄핵 심판 : 국회, 국회가 법률을 위반한 공무원의 탄핵 소추를 의결하면, 헌법 재판소가 탄핵의 정당성을 심판한다. (나) 위헌 법률 심판 : 법원, 법원이 재판의 전제가 된 법률의 위헌 여부 심판을 제청하면, 헌법 재판소가 위헌 법률 심판을 한다.

01. 정답은 ④ 이야♡
★오답설명
①, ③ 입법부(국회) ②, ⑤ 행정부

02. 정답은 ② 이야♡
★오답설명
② (나) 대법원에 법관을 두지만, 법률에 따라 법관을 둘 수 있는 조항은 사법부의 필요에 따라 사법부를 조직하는 사법부 조직에 관한 법조항이기 때문에 사법권의 독립과는 관련이 없엉! :) 알라븅~^^

03. 정답은 ⑤ 이야♡

04. 해답 참고

05. 정답은 ② 이야♡
(가) 대법원, (나) 고등 법원 (다) 특허 법원
★오답설명
① 주로 3심 재판을 담당해!:)
③ 이것은 대법원에 대한 설명이야:)
④ 우리나라는 최대 3심제로 3번까지만 재판을 받을 수 있어!! ㅎㅎ
⑤ 특허 법원은 특허 관련 재판만 한단다!! 알긋지?^^
알라븅~^^

06. 정답은 ② 이야♡
★오답설명
② 정당 해산 심판은 정부만 할 수 있는거야!! 알겠지?^^
알라븅~^^

07. 정답은 ④ 이야♡
(가)는 고등 법원
★오답설명
①, ⑤ 대법원에 대한 설명이야.
② 가정 법원에 대한 설명이야.
③ 헌법 재판소에 대한 설명이야:) 알라븅~^^

08. 정답은 ③ 이야♡

09. 정답은 ② 이야♡

10. 정답은 ① 이야♡

11. 정답은 ⑤ 이야♡

12. 정답은 ② 이야♡

13. 정답은 ③ 이야♡
★오답설명
ㄱ. 민주적 기본 질서를 어긴 정당의 해산 여부를 심판하는 것은 정당 해산 심판에 대한 설명이란다.:)
ㄴ. 국가 기관 간의 권한 분쟁을 해결하는 심판은 권한 쟁의 심판에 대한 설명이야.:)
ㄹ. 국가 권력의 행사가 국민의 기본권을 침해했는지 여부를 심판 하는 것은 헌법 소원 심판이란다:)
ㅁ. 고위 공직자가 위법한 행위를 한 경우 파면 여부를 심판하는 것은 탄핵 심판에 대한 설명이야:) 알라븅~^^

14. 정답은 ① 이야♡
★오답설명
ㄷ. 정당 해산 심판의 청구자는 정부가 맞지만, 헌법 소원 심판의 청구자는 국민이야.
ㄹ. 명령이나 규칙이 헌법에 위반 되는지 여부를 심판하는 것은 대법원이야:) 알라븅~^^

15. 정답은 ④ 이야♡

16. 해답 참고

17. 해답 참고

Ⅲ 경제 생활과 선택

1. 경제 생활과 경제 문제

반복유형1차 정답

088쪽 ~ 091쪽

01.⑤ 02.② 03.① 04.① 05.④ 06.⑤ 07.⑤
08.⑤ 09.② 10.① 11.③ 12.③ 13.⑤ 14.②
15.④ 16.⑤ 17.②

18.우리나라는 시장 경제 체제를 중심으로 계획 경제 체제 요소를 일부 도입한, 혼합 경제 체제를 운영하고 있다.

19.⑤ 20.④ 21.①

22.(1)(가) 시장 경제 체제 (나) 계획 경제 체제
(2)(가) 시장 가격을 통해 해결한다. (나) 정부의 계획과 명령을 통해 해결한다.

01. 정답은 ⑤ 이야♡
소비는 생활에 필요한 상품을 구입하여 사용하는 활동을 말해!! 하지만 학교 규칙을 의논하는 것은 상품을 구매하는 것이 아니라 새로운 것을 생산하는 것이므로 소비라고 볼 수 없어! 그래서 정답은 ⑤번이란다!! 알라븅~^^

02. 정답은 ② 이야♡
재화나 서비스를 만들거나 가치를 증대시키는 활동을 생산이라고 해. 서진이 삼촌이 학원에서 강의를 하는 건 서비스를 만들어내는 것이므로 생산 활동에 해당하는 거란다. 알라븅~^^

★오답설명
①, ④ 책을 구입하는 것과 시장에서 생선을 구매하는 것은 재화를 구입하여 사용하는 것이므로 소비로 볼 수 있단다.
③ 운동장에서 줄넘기 운동을 하는 것은 생활에 필요한 재화와 서비스를 생산하는 것도 아니고 그 가치를 증대시키는 활동도 아니므로 생산 활동으로 볼 수 없어.
⑤ 회사에서 월급을 받는 것은 생산과정에 참여한 대가를 나누어 가지는 것으로 분배란다.

03. 정답은 ① 이야♡
경제 활동에는 필요한 재화와 서비스를 만들거나 재화의 가치를 증가시키는 ㉠생산, 생산에 참여한 사람들이 대가를 나누어 가지는 ㉡분배, 생활에 필요한 재화와 서비스를 구입하고 사용하는 ㉢소비가 있단다! 이것을 순서대로 나열해보면 ㉠생산, ㉡분배, ㉢소비가 되므로 정답은 ①번이야! 알라븅~^^

04. 정답은 ① 이야♡
경제재와 자유재를 구분하는 가장 중요한 특징은 대가를 지불하는 것과 지불하지 않는 것의 차이란다! 경제재는 희소성이 있어서 대가를 지불 해야 하지만, 자유재는 원하는 만큼 얼마든지 공급되는 것이어서 대가를 지불하지 않아도 얻을 수 있어! 그래서 생수는 돈을 주고 구매하므로 경제재, 공기는 대가를 지불하지 않아도 되는 자유재이므로 정답은 ①이야! 알라븅~^^

05. 정답은 ④ 이야♡
A는 가계, B는 기업, C는 정부야! C의 정부는 세금을 바탕으로 공공재 등을 생산하여 공급하는 경제 주체로서 경제 전체를 관리하는 주체란다! 그래서 정답은 ④번이야! 이런 경제 주체 도표는 시험에 정말 자주 출제되는 문제이므로 반드시 알아두자!! 특히 화살표 잘 보고 문제를 푸는 것 잊으면 안돼!!ㅎㅎ 알라븅~^^

★오답설명
①,② 재화와 서비스를 생산하는 주체이며 적은 비용으로 상품을 생산하여 최대 이윤을 얻기 위해 노력하는 것은 기업이란다.
③ 재화와 서비스를 소비하는 주체는 가계란다.
⑤ 가계, 기업, 정부는 경제 활동 주체이고 노동, 자본, 토지가 생산요소란다.

06. 정답은 ⑤ 이야♡
⑤ (다)의 정부가 공공재를 공급하는 것은 맞지만 이윤의 극대화를 추구하지는 않아! 공공재는 정부가 세금을 바탕으로 생산하여 공급하는 것이기 때문에 이윤의 극대화를 추구하면 안되겠지? 적은 비용으로 상품을 생산해서 최대의 이윤을 얻기 위해 노력하는 것은 기업이란다! 알라븅~^^

07. 정답은 ⑤ 이야♡
⑤ ㉠가계, ㉡임금, ㉢공공재, ㉣정부, ㉤기업으로 가계에 생산요소를 제공하는 것이 아니라 가계가 기업에게 토지, 노동, 자본 등의 생산 요소를 제공한단다! 알라븅~^^

08. 정답은 ⑤ 이야♡
인간의 욕구는 무한한데 비해 이를 충족해 줄 자원이 상대적으로 부족한 현상을 희소성이라고 해! 희소성은 시간과 장소에 따라 달라지며 경제적 선택의 문제가 발생하는 근본 원인이 된단다! 그래서 정답은 ⑤이야! 알라븅~^^

09. 정답은 ② 이야♡
★오답설명
ㄴ. 절대적인 양에 따라 결정되는 것이 아니라 인간의 필요와 욕구에 의해 결정되는거란다. ㄷ. 기존 상품의 가치를 증대시키는 활동은 희소성이 아니라 경제 활동 중에서 생산이란다. 알라븅~^^

10. 정답은 ① 이야♡
★오답설명
ㄷ. 희소성은 절대적인 양에 따라 결정되는 것이 아니라 인간의 욕구 정도에 따라 달라진단다. ㄹ. 극지방보다 열대 지방에서의 에어컨이 더 희소한 자원이란다. 알라븅~^^

11. 정답은 ③ 이야♡
선택의 문제는 인간의 욕구는 무한한데 자원은 한정되어 있기 때문에 생기는거야. 알라븅~^^
★오답설명
①인간의 욕구는 무한해.
②사람마다 편익과 비용은 같지 않아.
④재화나 서비스를 얻으려면 내야 하는 대가를 내야 하는 것은 옳지만 선택의 문제와 상관은 없어.
⑤공동체에서 생활하려면 경제 활동을 반드시 해야한다는 건 전혀 상관없는 내용이야.

12. 정답은 ③ 이야♡
공부를 선택하면서 포기하게 된 가장 큰 가치를 기회비용이라고 해. 공부하면서 포기한 것은 아르바이트와 어머니의 집안일을 도와드리는 것 2가지야. 우선 2시간 동안 아르바이트를 한다면 2시간*시급 7,500원=15,000원을 벌었겠지. 어머니의 집안일을 도와드리면 용돈 10,000원을 벌겠지. 집안일에는 시간당이라는 표현이 없으니 그냥 10,000으로 계산해. 그럼 포기하는 것 중 가치가 가장 큰 것은 아르바이트야. 그래서 기회비용은 아르바이트 15,000원이 되는 거야. 한 번에 한 가지 일만을 할 수 있다는 것을 기억하고 포기한 것 중에서 가장 큰 것 하나만 찾아야 해. 둘을 더하면 큰일나는거야. 알라븅~^^

13. 정답은 ⑤ 이야♡
각각의 기회비용을 보면 자장면은 90, 우동은 100, 만두는 100이야. 이것을 가지고 생각해보면 ㄷ.자장면을 선택하는 것이 가장 합리적이고 ㄹ.우동을 선택하면 기회비용이 100이고 자장면을 선택하면 기회비용이 90으로 우동 선택 시 기회비용이 커. 그래서 ㄷ, ㄹ이 맞는 내용이야. 알라븅~^^

★오답설명
ㄱ. 기회비용은 선택하면서 포기하는 것 중 가치가 가장 큰 것이니까, 자장면 선택의 경우는 포기한 우동 90이고, 우동 선택의 경우는 포기한 자장면 100, 만두 선택의 경우는 포기한 자장면 100이 바로 기회비용이란다. 그럼 기회비용이 가장 작은 것은 바로 자장면이지.
ㄴ. 자장면을 선택할 때 기회비용이 가장 작아.

14. 정답은 ② 이야♡
무엇을 얼마나, 무엇을 어떻게, 누구를 위하여 이런 내용은 선택의 문제야. 선택의 문제는 자원의 희소성 때문에 생기는 것이란다. 알라븅~^^

15. 정답은 ④ 이야♡
이 그림은 시험에 자주 나오는 거니 잘 기억해두면 좋아. 임금에 대한 부분은 분배에 대한 문제야. 알라븅~^^

16. 정답은 ⑤ 이야♡
회사원과 농부는 자유롭게 스스로 결정하고 있어. 자유롭게 스스로인 것을 보니 자유 경제 체제에 관한 내용이야.
시장 경제에서 가장 중요한 개념은 자유야. 국가가 경제 활동에 대한 계획을 세우고 개인과 기업에 명령해서 경제 문제를 해결하는 것은 계획 경제 체제에 관한 내용이란다. 알라븅~^^

17. 정답은 ② 이야♡
내용은 효율성이 떨어지는 계획 경제의 모습을 보여주고 있어. '보이지 않는 손'에 의해 시장이 효율적으로 작동하는 것은 시장 경제에 대한 부분이란다. 알라븅~^^

18. 우리나라는 시장 경제 체제를 중심으로 계획 경제 체제 요소를 일부 도입한, 혼합 경제 체제를 운영하고 있다.
이렇게 쓰면 되는데 우리나라는 시장 경제 체제를 중심으로 하면서 계획 경제를 일부 도입했다는 내용을 꼭 기억해줘. 시험에 자주 나오니 꼭 암기!! 알라븅~^^

19. 정답은 ⑤ 이야♡
1의 내용을 보면 기본적으로 시장 경제 체제라는 부분을 알 수 있고 2의 내용에서 계획 경제 체제를 일부 도입한 혼합 경제 체제라는 것을 알 수 있어. 알라븅~^^

★오답설명
① 계획 경제 체제는 일부만 도입한거야.
② '보이지 않는 손'이 모든 경제 문제를 해결하고 있지 않아.
③ 시장 경제 체제에서 계획 경제 체제로 변한게 아니고 일부를 섞은 거야.
④ 계획 경제 체제가 아닌 시장 경제 체제를 바탕으로 하고 있단다.

20. 정답은 ④ 이야♡
이런 표는 시험문제 1타야. 잘 이해해 두는 것이 좋아.
시장 경제 체제의 장점은 효율성이 높고 계획 경제 체제의 장점은 형평성이 높은 거란다. 그래서 옳지 않은 내용이야. 알라븅~^^

21. 정답은 ① 이야♡
이런 문제는 잘 나오고 중요한 문제야. 잘 이해하고 기억하면 좋아.
(가)는 계획 경제 체제 (나)는 혼합 경제 체제 (다)는 시장 경제 체제이란다. 바르게 연결된 것은 ㄱ이란다. 알라븅~^^

22. 시장에 맡긴다는 부분에서 (가)는 시장 경제 체제이고, 정부의 가구당 배추 배급량을 중요하게 여기고 있어서 정부의 역할이 크다는 것을 보고 (나)가 계획 경제 체제라는 걸 알 수 있단다. 알라븅~^^

반복유형2차 정답

052쪽 ~ 055쪽

01.① 02.④ 03.① 04.① 05.② 06.⑤
07.희소성
08.(1) 석유, 산업의 발달로 석유에 대한 수요가 급증하면서 희소성이 커지고 가격이 급등하였다.
(2) 깨끗한 물, 기후 변화와 환경오염 등으로 인해 식수로 이용할 수 있는 깨끗한 물의 희소성이 커져 경제재로 변화하게 되었으며 가격이 상승하고 있다.
09.⑤ 10.⑤ 11.② 12.④ 13.③ 14.④
15.② 16.⑤ 17.④

01. 정답은 ① 이야♡
이런 문제들은 읽어보면 바로 정답을 고를 수 있을 정도로 가장 기본적인 문제야! 생산을 위한 인간의 육체와 정신적인 활동을 모두 노동이라고 한단다! 육체적인 활동만 노동이라고 생각하면 안돼!! ㅎㅎ
알라븅~^^

02. 정답은 ④ 이야♡
인간이 살아가는데 필요한 재화나 서비스를 생산, 분배, 소비하는 모든 활동을 경제 활동이라고 하는데 자료와 같이 생산 과정에 참여한 대가를 나누어 갖는 행위는 분배라고 해! 문장에서 가장 중요한 힌트인 '대가를 나누어'라는 단어를 통해서 바로 분배라는 것을 알 수 있어! 보기 중에서 은행에 예금을 하고 자본을 제공한 대가로 이자를 받는 것이 대가를 나누는 것이 된단다! 그래서 정답은 ④번이야!
알라븅~^^

★오답설명
①②③은 생산, ⑤는 소비야!^^

03. 정답은 ① 이야♡
생활에 필요한 재화와 서비스를 만들어 내거나 그 가치를 증대하는 활동을 생산이라고 해! 중요한 단어는 만든다는 것!! 선생님이 학교에서 수업을 하는 것은 수업을 만드는 것이지! 그러므로 이것은 생산이라고 볼 수 있어! 알라븅~^^

★오답설명
②⑤분배, ③소비, ④생산이야!^^

04. 정답은 ① 이야♡
이렇게 문제와 같이 사례를 연결하는 문제는 자주 출제되니까 꼭 풀어보고 넘어가야 해! 재화와 서비스를 구분하는 가장 중요한 것은 재화는 형태가 있고, 서비스는 형태가 없다는 거야! 하지만 서비스는 형태는 없어도 그 행위가 경제적으로 가치가 있는 것을 말한단다! 그래서 휴대전화는 형태가 있으므로 재화, 교사의 수업은 형태가 없고 가치있는 행위이므로 서비스로 볼 수 있으니 정답은①번이야! 알라븅~^^

05. 정답은 ② 이야♡
가는 정부, 나는 가계, 다는 기업이야! 이런 도표는 정말 정말 자주 출제되는 문제이니까 절대 까먹지 말자!! 정부는 경제 전체를 관리하는 주체로 세금을 바탕으로 모든 사람들이 공동으로 사용하는 재화와 서비스 등의 공공재를 생산하여 공급한단다! 공공재의 대표적인 예로 도로,

ᅣ만, 다리, 공원 등을 들 수 있어! 알라븅~^^

l6. 정답은 ⑤ 이야♡

ᅡ시 한번 도표로 경제활동을 정리해보자! 이런 문제는 정말 정말 중요ᅡ 문제란다! 가는 가계, 나는 정부, 다는 기업이야! (나)의 정부는 세금ᆯ 바탕으로 모든 사람들이 공동으로 사용하는 도로, 교육, 국방 등의ᅣ공재를 생산하여 공급하는 경제 주체이므로 정답은 ⑤번이야! 알라븅~^^

l7. 해답참고

l8. 해답참고

l9. 정답은 ⑤ 이야♡

★오답설명

ㄱ. 희소성은 시대와 장소에 따라서 변해!^^

ㄴ. 희소성은 자원의 절대적인 양에 의해서만 결정되는 것이 아니라 인간의 욕구 정도에 따라 달라져!^^

0. 정답은 ⑤ 이야♡

ᅡ례는 석유의 희소성에 대한 것으로 인간에게 필요한 석유를 처음에는 풍부하게 공급함으로써 가격이 낮았어! 하지만 석유 파동을 계기로ᅥ유의 공급을 줄이면서 석유의 희소성이 커졌고 그 결과 석유의 가격ᅵ 상승하였단다! 그래서 정답은 ⑤번이야! 알라븅~^^

1. 정답은 ② 이야♡

★오답설명

ᅵ회비용은 어떤 것을 선택함으로써 포기하는 것 중에 가장 가치가 큰ᅥ이 기회비용으로 기회비용은 작은 것, 편익은 기회비용보다 큰 것을ᅥ택해야 합리적 선택이란다! 알라븅~^^

2. 정답은 ④ 이야♡

ᆯ동이는 주말 오후에 시험 공부 대신 친구들의 축구 제안을 받아들여ᅮ구를 선택하였어! 이렇게 선택하여 얻게 되는 이익이나 만족감을 편ᅵ, 선택함으로써 들어가는 돈이나 노력, 시간 등의 대가를 비용이라고ᅡ단다! 길동이의 편익은 친구들과 축구를 하면서 얻는 만족감이므로ᅥ답은 ④번이야! 알라븅~^^

3. 정답은 ③ 이야♡

ᅥ수가 주말에 아르바이트를 하면 시간당 3,000원을 벌 수 있고, 카페ᅦ서 일을 하면 시간당 10,000원을 벌 수 있어! 철수가 영화를 선택했ᅡ면 시간당 10,000원을 벌 수 있는 카페 아르바이트를 포기한 것이 되ᅳ로 기회비용은 10,000원이란다! 알라븅~^^

4. 정답은 ④ 이야♡

ᅧ익을 먼저 보면 가방은 5, 신발은 7, 옷은 9이고 기회비용을 계산해ᅩ면 가방은 9, 신발은 9, 옷은 7이 된단다! 그래서 가방에 대한 기회비ᅭ은 9이고 옷에 대한 기회비용은 7이므로 가방에 대한 기회비용이 더ᅥ! 알라븅~^^

5. 정답은 ② 이야♡

ᅢ인이나 정부는 희소성 때문에 경제 문제를 겪게 된단다! 이 중에 무ᅥ을 얼마나 생산할 것인가는 생산물의 종류와 수량, 어떻게 생산할 것ᅵ가는 생산 방법, 누구를 위하여 생산할 것인가는 생산물의 분배와 관ᅧ된 경제문제야! 문제의 (가)는 수타식과 기계 중에 어떤 방법으로 만ᆯ 것인지에 관련된 문제이므로 생산 방법의 결정이고, 삼겹살과 오리ᅳ 무엇을 얼마나 생산할 것인가이므로 생산물의 종류에 대한 것이지! 그래서 정답은 ②번이야! 알라븅~^^

l6. 정답은 ⑤ 이야♡

ᅮ리나라는 기업의 경제상의 자유와 창의를 기본으로 하지만 필요한ᅧ우 정부가 시장에 개입하여 규제와 조정을 할 수 있단다! 위의 조항을 보면 시장 경제 체제의 특징과 계획 경제의 특징을 모두 가지고 있으므로 혼합 경제 체제임을 알 수 있어! 알라븅~^^

★오답설명

갑. 정부가 생산품목과 생산량을 결정해주는 경제 체제는 계획 경제 체제야!^^

을. 소득 불평등이 완화되어 나타나는 체제는 계획 경제 체제야!^^

17. 정답은 ④ 이야♡

★오답설명

계획 경제 체제에서는 국가가 경제 활동에 대한 계획을 세우고, 개인과 기업에 명령하여 경제 문제를 해결하고 있는 경제 체제이기 때문에 국민의 다양한 욕구를 파악하기 어려워서 국민에게 필요한 것을 적절하게 공급하기 어려워져! 그래서 효율성이 떨어진단다! 알라븅~^^

Ⅲ 경제 생활과 선택

2. 기업의 역할과 사회적 책임

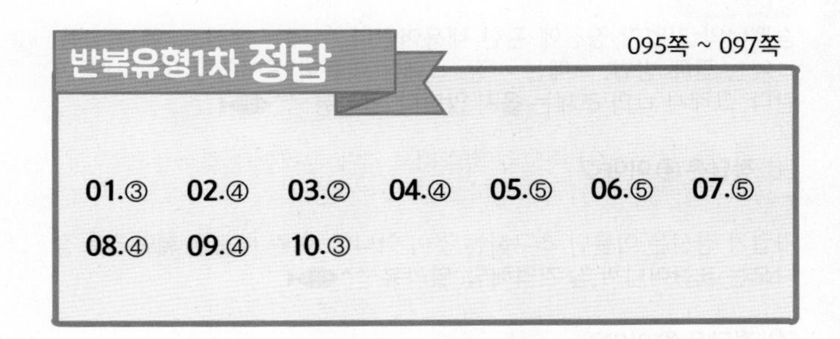
반복유형1차 정답 095쪽 ~ 097쪽

01.③ 02.④ 03.② 04.④ 05.⑤ 06.⑤ 07.⑤
08.④ 09.④ 10.③

01. 정답은 ③ 이야♡

기업의 역할은 이윤을 얻기 위해 소비자에게 필요한 상품을 생산하는 거니까 ㄴ은 맞는 내용이란다. 생산에 참여한 사람들에게 지대, 임금, 이자 등을 지급하여 가계의 소득을 창출하는 것도 기업의 역할이니까 ㄹ도 맞는 내용이란다. 알라븅~^^

★오답설명

ㄱ. 국민이 낸 세금으로 국방, 치안 등을 공급하는 것은 정부란다.

ㄷ. 노동, 토지, 자본은 생산요소라고 하는데 이것을 제공하는 것은 가계야.

02. 정답은 ④ 이야♡

★부연설명

다른 기업의 시장 진입을 막기 위해 기존 기업들끼리 가격을 미리 의논하는 것은 담합이라고 하는데 이것은 불공정거래로 범죄에 해당해. 기업의 역할과 사회적 책임에 해당하는 내용이 아니란다.
알라븅~^^

03. 정답은 ② 이야♡

★부연설명

기업은 생산자가 아닌 소비자를 위해서 상품을 만들어. 생산자라고 했으니 잘못된 내용이란다. 알라븅~^^

04. 정답은 ④ 이야♡

기업의 사회적 책임에는 소비자의 권익을 침해하지 않는 것이 포함되니 ㄱ은 맞는 내용이고, 노동자에게 정당한 임금과 안전한 작업 환경도 제공해야 하니까 ㄴ도 맞는 내용이란다. 거래 업체와 공정하게 거래하는 것도 기업의 사회적 책임이 맞아서 ㄷ도 맞는 내용이란다.
알라븅~^^

★오답설명
ㄹ. 재화와 서비스를 생산하는 것은 기업의 역할에 대한 것으로 사회적 책임에 관한 내용이 아니어서 답이 될 수 없단다.

05. 정답은 ⑤ 이야♡

★오답설명
ㄱ. 이윤을 추구하는 것은 기업의 활동에 관한 내용으로 사회적 책임에 관한 것은 아니란다.
ㄴ. 가계에 소득을 제공하는 것은 기업의 역할 부분이란다. 그래서 사회적 책임에 해당하는 활동은 아니란다. 알라븅~^^

06. 정답은 ⑤ 이야♡
기업에서 종이를 만드는 것 외에도 숲을 보존하고 나무를 가꾸는 역할을 통해 사회적 책임을 다하고 있어.

★부연설명
①, ②, ③, ④의 내용도 틀린 말은 아니야. 하지만 여기서 윤리적 부분과 연결된 가장 맞는 것이 ⑤이 되는거야. 알라븅~^^

07. 정답은 ⑤ 이야♡

★오답설명
슘페터의 기업가 정신에 관한 내용이란다. ㄱ에는 혁신, ㄴ에는 상품, ㄷ에는 판매 방법, ㄹ에는 시장, ㅁ에는 이윤이 들어가야 맞는 내용이란다. 그래서 ㅁ의 조세는 옳지 않단다. 알라븅~^^

08. 정답은 ④ 이야♡

★부연설명
기업가 정신은 이윤만 추구하는 것이 아니야. 이런 내용은 훼이크로 잘 나오는 표현이니까 잘 기억해둬. 알라븅~^^

09. 정답은 ④ 이야♡

★오답설명
D사가 현재 불티나게 팔리고 있는 제품의 생산량을 획기적으로 늘리는 것은 이윤을 추구하는 거야. 하지만 잘 팔리는 상품만 생산량을 늘리는 것은 혁신이라고 할 수 없단다. 알라븅~^^

10. 정답은 ③ 이야♡

★오답설명
기존에 만들던 제품의 판매량이 늘자 생산량을 늘리는 것은 혁신이라고 할 수 없단다. 안정성, 안주하는 것은 혁신에 들어가지 않으니 꼭 기억해줘. 알라븅~^^

반복유형2차 정답 059쪽 ~ 060쪽

01.① 02.⑤ 03.⑤ 04.② 05.기업가 정신 06.④

01. 정답은 ① 이야♡

★오답설명
ㄷ. 세금을 걷고 공공재를 생산하는 것은 정부의 역할이야!
ㄹ. 생산 요소를 제공하고 그로인해 분배된 소득을 얻는 것은 가계에 대한 설명이란다. 알라븅~^^

02. 정답은 ⑤ 이야♡

★부연설명
⑤ 일반적으로 기업이 사회적 책임을 다하면 환경 오염이나 노동문제가 줄어들거야 당연히 고렇지?ㅎㅎ 그랴 그랴~ 요건 상식!

03. 정답은 ⑤ 이야♡

★오답설명
ㄱ. 기업의 사회적 책임이란 기업의 경제적 효율성 뿐만 아니라 기업의 윤리적 책임도 중요시하는 것이기 때문에 경제적 효율성만을 기업의 목표로 한다는 것은 틀린 말이란다.
ㄴ. 기업의 사회적 책임이란 공익을 고려하는 것을 의미해. 기업의 이익만을 고려하는 것은 겁나 씹빠빠룰라지!--

04. 정답은 ② 이야♡
식품회사는 100% 국내산 원료만 사용한다고 광고했는데, 일부 제품에 중국산 원료가 섞여들어갔음이 밝혀지면서 식품회사는 모든 관련된 식품을 회수하고 환불해주었어. 이렇듯 기업은 소비자와의 약속을 지켜 소비자의 권익을 침해하지 않도록 해야한단다. 알라븅~^^

05. 정답은 '기업가 정신'이야.
미래의 불확실성에도 불구하고 장래를 예측하여 혁신하는 기업가의 주요 임무를 '기업가 정신'이라고해! 이때 기업가 정신은 곧 '혁신'을 의미한다는 것을 기억해! 알라븅~^^

06. 정답은 ④ 이야♡

★오답설명
④ 기업가 정신을 외친 슘페터는 기업가 정신이란 안정적으로 유지하기 보다는 혁신하는 것을 통해 새로운 것을 개척하고 개발하는 것을 의미한다고 주장했어! 그러므로 ④의 기존의 생산 방법을 안정적으로 유지하는 기업이 혁신적 기업이라는 말은 슘페터의 말이 아니라 겁나 쌩구라야!!

Ⅲ 경제 생활과 선택

3. 금융 생활의 중요성

반복유형1차 정답 102쪽 ~ 105쪽

01.④ 02.⑤ 03.② 04.⑤ 05.④ 06.④ 07.②
08.③ 09.① 10.② 11.① 12.④ 13.① 14.④
15.③ 16.② 17.① 18.① 19.⑤ 20.②

01. 정답은 ④ 이야♡
이런 스타일 시험문제 1타니까 잘 기억해줘!

★오답설명
장년기는 소득이 증가하고 소비도 많이 증가하는 시기야. 은퇴 이후를 준비하기 적절한 것은 맞아. 하지만 소비가 감소한다는 건 틀린거야.
알라븅~^^

2. 정답은 ⑤ 이야♡

★부연설명

년기는 고령화 시대에 접어들면서 중요성이 더 늘어나고 있는데, 어들고 있다고 한 부분이 잘못되었어. 알라븅~^^

3. 정답은 ② 이야♡

년기는 생산활동에 참여해서 소득을 형성하는 시기야. 이 부분을 잘 억해줘! 알라븅~^^

★오답설명

) 유소년기에는 소비활동을 더 많이 해.
) 바람직한 경제생활 태도의 형성은 유소년기에 이루어져야 해! 그래서 장년기는 틀린 거야.
) 장년기는 저축을 늘려야 해. 그래야 노후 대비가 가능하지.
) 노년기는 경제적으로 소득이 감소하는 시기야.

4. 정답은 ⑤ 이야♡

나) 시점에 누적 저축액이 최대가 되니까 ㄴ은 맞는 내용이야. 은퇴 이 후를 대비하기 위해서는 저축이 가능한 (가)~(나) 시기에 자산을 잘 관 리하는 것이 중요해서 ㄷ도 맞는 내용이네! 소득을 얻을 수 있는 기간 은 한정되어 있지만, 소비 생활은 평생 동안 지속되는게 맞으니까 ㄹ도 맞는 내용이야! 알라븅~^^

★오답설명

ㄱ. 소득이 소비보다 아래에 있어. 그래서 저축이 나타나는 것은 A가 아니라 B에 해당해!

5. 정답은 ④ 이야♡

가) 시기는 유소년기 (나) 시기는 청년기 (다) 시기는 중장년기 (라) 시 기는 노년기이고, (ㄱ)소득 곡선, (ㄴ)소비 곡선이야. 이것을 기억하고 문제를 풀면 되겠지? 알라븅~^^

★오답설명

① (ㄱ)은 소득 곡선, (ㄴ)은 소비 곡선이야.
② (가) 시기는 유소년기가 맞아. 하지만 소비 생활이 많이 이루어져!
③ (나) 청년 시기는 경제활동을 시작하는 시기가 맞지만 아직 까지는 소비가 많은 시기야.
⑤ 노후 준비는 (다) 시기인 중장년기에 하는 거야!

6. 정답은 ④ 이야♡

금융자산은 예금, 채권, 펀드, 파생상품 같은 걸 말해! 알라븅~^^

★오답설명

아파트는 실물자산으로 금융자산이 아니야.^^

7. 정답은 ② 이야♡

자산을 관리할 때는 수익성, 안전성, 유동성을 꼭 기억해줘야해. (가) 안 전성에 대한 부분이고 (나) 쉽게 바꿀 수 있으니 유동성이야. (다) 수익 성에 대한 거야! 그래서 바르게 연결된 것이 ②이야. 알라븅~^^

8. 정답은 ③ 이야♡

가) 손해 본다는 부분에서 위험성에 대한 것임을 알 수 있어. (나) 손쉽 게 현금화하는 것은 유동성이야. (다) 수익이 발생하는 정도니까 수익 성이야. 그래서 바르게 연결된 것이 ③이야. 알라븅~^^

9. 정답은 ① 이야♡

부동산의 특징에 대한 설명이야. 부동산은 현금으로 바꾸는 것이 쉽지 않아서 유동성이 낮다는 것을 꼭 기억해야해. 알라븅~^^

10. 정답은 ② 이야♡

이런 유형이 시험문제 1타니까! 반드시 알아두자!!
자본금을 마련하기 위해서 발행하고 수익성이 높고 안전성이 낮은 조 건이 모두 충족되면 이건 주식에 대한 내용이야. 알라븅~^^

11. 정답은 ① 이야♡

정부나 기업이 돈을 빌려다 쓰면서 발행한 것이라고 하는데 기업만이 아니고 정부가 함께 있으니 이건 채권이야. 알라븅~^^

12. 정답은 ④ 이야♡

(가)는 예금 (나)는 정부나 회사가 함께 나오니까 이건 채권이야. (다)는 기업만 나오고 있으니 주식이고 (라) 위험해 대비하는 것이라면 보험이 야. 알라븅~^^

★부연설명

(라) 보험은 수익성이 높지 않아. 수익성이 아닌 미래에 대한 위험을 대 비하기 위한 것이 보험이야!^^

13. 정답은 ① 이야♡

요구불 예금은 입금과 출금이 자유로운 형태, 정기 예금은 목돈을 일정 한 기간 은행에 저축하는 형태, 적금은 매달 일정 금액을 정해진 기간 저축하는 거야. 적금은 이자가 요구불 예금보다는 좀 더 많은 거야. 이 런 부분을 구분해서 기억하면 좋아!
갑의 요구불 예금은 유동성이 높고, 을의 주식은 수익성이 높아. 그래 서 갑이 젤 중요시한 원칙은 유동성인 것을 알 수 있어. 알라븅~^^

★오답설명

② 을은 수익성을 중시해서 안전성 중시는 아니야.
③ 요구불 예금보다는 채권이 수익성이 높아.
④ 정기 예금이 안전성이 더 높아.
⑤ 수익성은 주식이 가장 높아.

14. 정답은 ④ 이야♡

(가) 은행에 일정한 기간 동안 돈을 맡기고 이자를 받는 것은 예금이고 (나) 기업이 사업 자금을 마련하기 위해 회사 소유권의 일부를 투자자 에게 주는 증서는 주식이야. 이런 유형은 시험에 잘 나오니까 꼭 기억 해두자! 알라븅~^^

15. 정답은 ③ 이야♡

(가) 수익이 낮고 안전성이 높으면 적금, (나)는 회사가 발생한 것이고 원금 손실 우려가 있으니 주식이네! (다)는 정부나 공공 기관이 발행했 으니 채권이야. 알라븅~^^

16. 정답은 ② 이야♡

이런 그래프는 시험에 자주 나오니까 그래프 내용을 잘 알아두면 좋아. A는 낮은 위험-낮은 수익률이니까 예금이고, B는 수익이 높고 위험도 높으니 여기에는 주식이나 펀드가 들어갈 수 있어.
알라븅~^^

★오답설명

① 주식이나 펀드는 B에 들어갈 수 있어.
③ B에 속하는 것은 주식이나 펀드야.
④ A는 투자한 원금이 손실될 가능성이 작아.
⑤ 노년기에는 안전성 있는 투자를 해야 하기 때문에 A를 택해야 해.

17. 정답은 ① 이야♡

A는 수익성, 위험성이 모두 낮으니까 예금이고, B는 수익성, 위험성이 모두 높으니까 주식일 수 있어. 예금은 금융 기관에 돈을 맡기고 이자 를 받는 것이 맞아. 그래서 ㄱ은 맞는 내용이야. 주식은 배당금을 받을 수 있으니까 ㄴ도 맞는 내용이지! 알라븅~^^

★오답설명

ㄷ. 예기치 못한 사고에 대비하기 위한 상품은 보험이야.
ㄹ. 정부나 기업이 돈을 빌리며 발행한 차용 증서는 채권이야.

18. 정답은 ① 이야♡

신용에 대한 문제로 이런 유형이 아주 잘 나오니까 잘 봐줘. 지불 능력, 그리고 지불 능력에 대한 사회적 평가를 신용이라고해.
알라븅~^^

19. 정답은 ⑤ 이야♡

★부연설명

신용이 높으면 금융 기관에서 돈을 빌릴 때 신용이 낮은 사람에 비해서

낮은 이자를 부담해! 헷갈리지 말자! 알라븅~^^

20. 정답은 ② 이야♡
자신의 신용을 잘 관리해야 하는데 그렇지 못해서 벌어진 일이야. 그래서 가장 적당한 주제는 신용 관리의 중요성! 알라븅~^^

반복유형2차 정답

065쪽 ~ 066쪽

01.② 02.① 03.② 04.① 05.① 06.② 07.③
08.① 09.①

01. 정답은 ② 이야♡
★오답설명
ㄴ. 생산 활동을 통해 소득을 얻기 시작하는 때는 청년기에 대한 설명 이야^^
ㄹ. 자녀 교육,주택 마련 등을 위해 소비가 늘어나는 시기는 중장년기에 대한 설명이란다.

02. 정답은 ① 이야♡
★오답설명
① A는 소득 곡선, B가 소비 곡선으로 서로 반대로 말해서 ①이 틀렸어. 이런식으로 서로 곡선을 바꿔서 시험 문제에 잘 내니깐 꼭 기억해!^^

03. 정답은 ② 이야♡
A는 안전성, B는 수익성, C는 유동성
★오답설명
① 주식은 안전성이 가장 낮은 자산이야. 그러니깐 틀렸어! ㅠㅠ
③ 그거 알지? 부동산이 유동성이 가장 낮다는거..반대로 요구불 예금은 고객이 요구할때마다 언제나 현금화 할 수 있는 유동성이 매우 좋은 자산이야.
④ ㅎㅎㅎ 이거 왠 개짖는 소리!!ㅎㅎ안전성과 수익성은 서로 반비례한단다. 안전하면 수익은 잘 벌리지 않는 경우가 대다수야! 흠..쩝..--
⑤ 이것 또한 ④번과 같은 개짖는 소리로구나!ㅎㅎ 높은 수익을 추구할수록 B가 높은 금융 상품을 선호할 것이란다. 알라븅~^^

04. 정답은 ① 이야♡
주식이 이렇다는구나! 야들아~ㅎㅎ 주식이 참 수익은 좋은데 만약에 잘못되면 패가망신하고 똥망하는 지름길이지!! 집대신에 지하철 가서 이불 대신에 신문지 덮고 자야된단다. 알라븅~^^

05. 정답은 ① 이야♡
A는 적금, B는 주식
★오답설명
② 주식은 가장 수익성이 높은 자산으로 적금 보다 수익성이 높아^^
③ 적금과 주식 모두 수익이 고정되진 않아. 적금은 작지만 이자가 붙고 주식은 올라갔다 내려갔다하지! 둘다 고정되진 않았어:)
④ 둘다 사고팔아 현금화 하는 것은 꽤 쉬운 편이야. 그래서 유동성이 낮다는 말은 완전 쌩구라야!--
⑤ 적금은 안전성이 높은 자산이야. 그런데 적금을 깨서 주식을 산다면 안전성이 아니라 수익성을 중시하는 것이란다. 알라븅~^^

06. 정답은 ② 이야♡
★오답설명
ㄴ. 부동산은 필요할 때 현금으로 바꾸기가 겁나X10000000000000000 어려워!! ㅠㅠ 그래서 유동성이 너무 낮단다.
ㄷ. 정부와 기업이 돈을 빌리면 람보쌤이 뭐라고 했지?^^ 그건 바로 채권!! 이것은 채권에 대한 설명이란다. 알라븅~^^

07. 정답은 ③ 이야♡
★오답설명
•영희의 진술: '주식은 수익성보다 안전성이 높다' 이건 틀린 말이지. 주식은 안전성이 낮고 수익성이 높아.
'유소년기는 소비보다 소득이 많다.' 이것도 틀린 말이지 유소년기는 버는것보다 지르는 것이 더 많아.
즉, 소비가 더 많아! 그래서 영희는 이제 '사탕'을 먹게 될꺼야! ㅎㅎ 냠냠
•철수의 진술: '부동산은 예금보다 유동성이 높다'이 말은 틀려.
부동산은 유동성이 가장 낮은 자산이야. '소비활동은 평생 지속된다.' 이제야 철수가 바른말을 하는구나!
그랴 그랴~ 소비 활동은 평생 지속된단다.
그래서 철수는 과자를 먹게 될 거야! 냠냠^^

08. 정답은 ① 이야♡
★오답설명
ㄷ. 신용카드의 사용, 할부 등은 당장 현금을 지불하는 것이 아니라 미래의 지불 능력으로 빌려 쓴것이므로 '신용'과 관련있어!! :)
ㄹ. 신용 거래는 자신의 소득과 경제적 능력안에서 이뤄져야해. 만약 그렇지 않으면 신용 거래가 아닌 신욕거래가 되는거야. 겁나 헬게이트 열림!!

09. 정답은 ① 이야♡
★오답설명
ㄷ. 일단 빚 갚자! ㅎㅎㅎ 우리들도 미우새 이상민 오빠처럼 빚부터 갚자. 나 필요한 것은 돈 더 벌면 사고 일단 빚부터 갚기!! 알긋지?^^
ㄹ. 자신의 신용 정보를 확인해서 나의 신용이 어느 정도인지 알고 돈을 쓰는 합리적 소비를 합시다! 알라븅~^^

Ⅳ 시장 경제와 가격

1. 시장의 의미와 종류~2. 시장 가격의 결정

반복유형1차 정답

114쪽 ~ 118쪽

01.③ 02.② 03.③ 04.② 05.④ 06.② 07.⑤

08.보이는 시장 : ㈎, 보이지 않는 시장 : ㈏, ㈐,
생산물 시장 : ㈎, ㈐, 생산 요소 시장 : ㈏

09.① 10.⑤ 11.② 12.⑤ 13.③ 14.① 15.②

16.③ 17.①, ③

18.가격이 상승하면 수요량이 감소하고, 가격이 하락하면 수요량이 증가하는 것이 수요 법칙이며, 가격이 상승하면 공급량이 증가하고, 가격이 하락하면 공급량이 감소하는 것이 공급 법칙이다.

19.② 20.② 21.③ 22.④

23.(1) 수요량이 공급량보다 160개가 많은 초과 수요가 발생하며, 수요자 간의 경쟁으로 가격이 상승한다.
(2) 공급량이 수요량보다 50개 많은 초과 공급이 발생하며, 공급자 간의 경쟁으로 가격이 하락한다.
(3) 1) 균형 가격: 1,500원, 2) 균형 거래량: 100개,
3) 수요량과 공급량이 일치하는 균형 상태에서 균형 가격이 결정된다.

01. 정답은 ③ 이야♡
시장의 발달과정에 대한 문제야! 사람들은 처음에는 (나) 필요한 물건을 스스로 만드는 자급자족을 했어. 다음에 (가) 농업이 발달해 그로 인해 잉여생산물이 발생하게 되었고, (라) 물건을 집중적으로 생산하여 다른 물건과 교환하는 분업이 이루어지게 돼. 이것을 가지고 (다) 효율적인 교환을 하기 위해서 일정한 장소와 날짜를 정해 모이기 시작해. 그래서 순서가 (나)-(가)-(라)-(다)가 되는거야! 알라븅~^^

02. 정답은 ② 이야♡
효율적인 교환을 위해 일정한 시간과 장소를 정해 모이는 것! 이게 바로 시장이야! 생산성 증대, 상품에 관한 정보제공은 시장과 관련되어 있으니 ㄱ,ㄹ이 맞는거야! 알라븅~^^

★오답설명
ㄴ. 물품화폐는 물건과 물건을 가지고 교환하는 것으로 물건이 아닌 동전이나 화폐를 더 많이 사용해.
ㄷ. 자급자족은 시장이 발달하기 이전의 방식이야. 자급자족은 시장과 관련이 없으니 틀리지 않게 주의해줘!

03. 정답은 ③ 이야♡
시험에 잘 나오는 내용이니 기억해줘! 분업을 촉진해서 생산성을 증대시킨다는 ㄴ의 내용은 맞아. 거래에 필요한 시간과 비용을 줄일 수 있으니 ㄷ도 맞네. 그래서 맞는 내용은 ㄴ,ㄷ이야. 알라븅~^^

★오답설명
ㄱ. 자급자족은 훼이크야! 시장과는 관련이 없으니 주의해!
ㄹ. 많은 상품과 사람이 모이는 건 맞아. 하지만 상품을 비싸게 팔 수 있는 것은 아니라오~

04. 정답은 ② 이야♡
사고파는 모습이 보이지 않더라도 사려는 사람과 팔려는 사람 간의 거래가 이루어지는 것은 눈에 보이지 않는 시장에 대한 내용이야!
ㄱ. 취업박람회는 대표적인 노동시장으로 능력을 사는 것으로 눈에 보이지 않는 시장이야. ㄷ. 주식시장, 외환시장은 눈에 보이지 않는 시장이야. 그래서 맞는 내용은 ㄱ,ㄷ이야! 알라븅~^^

★오답설명
ㄴ, ㄹ. 백화점, 빵가게는 모두 눈에 보이는 시장이야!

05. 정답은 ④ 이야♡
(가)는 눈에 보이는 시장이면서 생산물 시장이고, (나)의 쇼핑몰은 눈에 보이지 않는 시장으로 생산물 시장이야. 알라븅~^^

★부연설명
(가)는 상품을 생산하는데 필요한 생산 요소가 거래되는 생산요소 시장이 아니고 우리가 필요로 하는 물품을 하는 생산물 시장이야!

06. 정답은 ② 이야♡
(가) 우리에게 필요한 생산물이 거래되는 생산물시장이야. (나) 생산요소가 거래되는 생산요소 시장이야. 알라븅~^^

★오답설명
① (가)는 생산물 시장, (나)는 생산요소 시장이야.
③ 노동 시장은 생산요소 시장이야. 노동, 토지, 자본은 생산요소란다!
④ 농산물 시장은 생산물 시장이야.
⑤ 직접 거래는 눈에 보이는 시장, 간접 거래는 눈에 보이지 않는 시장에 대한 부분이야~

07. 정답은 ⑤ 이야♡
㉠은 생산물 시장 ㉡은 생산요소 시장에 대한 부분이야! 그래서 생산물 시장은 대형마트, 생산요소 시장은 외환시장이 바르게 연결된 거야.
알라븅~^^

★오답설명
은행, 취업박람회는 생산요소 시장, 인터넷 쇼핑몰, 백화점은 생산물 시장, 인력시장은 생산요소시장, 홈쇼핑은 생산물 시장, 편의점과 재래시장은 생산물 시장이야!

08. 이런 문제는 난이도가 좀 있지만 잘 풀수 있어!^^
보이는 시장 : (가), 보이지 않는 시장 : (나), (다)
생산물 시장 : (가), (다), 생산 요소 시장 : (나)
이렇게 연결할 수 있어. 알라븅~^^

09. 정답은 ① 이야♡
시장에 대한 부분을 잘 생각하면서 풀어보자!^^

★오답설명
보이는 시장, 보이지 않는 시장 모두 시장이야. 알라븅~^^

10. 정답은 ⑤ 이야♡
여러 시장의 특성을 생각하면서 풀어보면 되는 문제야~
(가)는 생산물 시장이고 (나)는 생산요소 시장으로 ㄷ은 맞아. (가)와 (나)는 수요자와 공급자가 만나 거래가 이루어지는 시장이 맞아서 ㄹ도 맞는 내용이야! 알라븅~^^

★오답설명
ㄱ. (가)는 보이지 않는 시장이야!
ㄴ. (나)는 노동이 거래되는 시장이야!

11. 정답은 ② 이야♡
경제 용어에 대한 문제야!
(가)의 전문화하는 것을 '특화' 라고해. (나) 여러 단계로 나누어서 분담하는 것을 '분업'이라고 해. 알라븅~^^

12. 정답은 ⑤ 이야♡
시험에 아주 잘 나오는 유형이야! 가격에 반비례하는 그래프니까 수요 법칙에 관한 내용인 걸 알 수 있어. 가격이 오르면 수요량이 줄어드는 것을 나타낸 그래프가 맞아. 알라븅~^^

★오답설명
① 공급이 아닌 수요 법칙에 대한 것이야.
② 수요자가 사고자 하는 상품의 양을 나타낸 거야.
③ 수요 곡선이므로 가격이 오르면 사지 않으려고 하는 걸 보여주지~
④ 수요 법칙에서는 가격이 내리면 더 사려고 하게 돼!

13. 정답은 ③ 이야♡
판매하고자 하는 욕구는 (가) 공급이라고 해. 판매하고자 하는 수량은 (나) 공급량이라고 해. 가격이 증가하면 공급은 (다) 증가하고 가격이 하락하면 공급은 (라) 감소하게 되는 거야. 가격과 공급 사이에 (마) 비례 관계가 나타나는 것을 공급 법칙이라고 해. 그래서 정답은 ③이야. 알라븅~^^

14. 정답은 ① 이야♡
가격과 공급량이 같은 방향으로 움직이는 것은 공급 법칙이 맞아! 알라븅~^^

★오답설명
② 가격이 변하면 공급량은 변해.
③ 가격이 비싸지면 공급량은 증가하지~
④ 상품 가격이 내려가면 공급자는 이윤이 적어져서 생산을 줄이게 돼!
⑤ 공급 곡선은 우상향하는 모습이야.

15. 정답은 ② 이야♡
시험에 매우 잘 나오는 유형이니까. 잘 정리해보고 가자!
수요자는 상품을 구매하고자 하는 사람이 맞으니까 ㄱ은 맞는 내용이고, 수요 법칙은 가격이 상승하면 수요량은 감소하고 가격이 하락하면 수요량은 증가하니까 ㄹ은 맞는 내용이야. 그래서 정답은 ㄱ,ㄹ이야. 알라븅~^^

★오답설명
ㄴ. 상품의 수량은 수요량으로 수요에 대한 것이 아니야.
ㄷ. 수요 곡선은 우하향하는 곡선이야.

16. 정답은 ③ 이야♡
수요와 공급의 관계를 잘 생각하면서 풀어보자!

★오답설명
수요 곡선은 우하향하는 곡선이야. 우상향은 공급 곡선이니 이 부분을 꼭 기억해둬. 알라븅~^^

17. 정답은 ①, ③ 이야♡

★오답설명
① 가격이 낮아진 커피를 더 많이 팔면 손해를 보니까 잘못되었어.
③ 과자의 가격이 높아지면 더 많이 팔아서 이익을 얻어야 해. 공급 법칙에 어긋나서 잘못이야. 알라븅~^^

18. 수요 법칙과 공급 법칙에 관해 서술하는 문제가 잘 나오니까 이 부분을 잘 기억하자! 가격이 상승하면 수요량이 감소하고, 가격이 하락하면 수요량이 증가하는 것이 수요 법칙이며, 가격이 상승하면 공급량이 증가하고, 가격이 하락하면 공급량이 감소하는 것이 공급 법칙이다! 기억하자!!

19. 정답은 ② 이야♡
이런 그래프는 균형 가격, 균형 거래량을 먼저 구하고 풀면 좋아!
균형 가격은 2,000원이고 균형 거래량은 15만 개야.
가격이 1,000원이면 균형 가격보다 가격이 싼 상태야. 이때는 수요가 증가해. 여기서는 초과수요가 20만 개가 나타나. 알라븅~^^

★오답설명
① 수요량과 공급량이 일치할 때는 2,000원 일때야.

20. 정답은 ② 이야♡
균형 가격은 2,000원이고 균형 거래량은 80개야.
㉠ 수요 곡선, ㉡ 공급 곡선이야. 알라븅~^^

★오답설명
① ㉡은 공급 곡선이야.
③ 가격이 1,500원에서는 초과수요는 80개야.
④ 균형 가격과 균형 거래량은 변할 수 있어!
⑤ 가격 2,500원에서는 공급자들끼리 경쟁하다가 가격은 하락하게 돼~

21. 정답은 ③ 이야♡
균형 가격은 3,000원 균형 거래량은 30개야. 알라븅~^^

22. 정답은 ④ 이야♡
가격이 4,000원일 때 20개의 초과 공급이 발생하는게 맞아.
알라븅~^^

★오답설명
① 가격이 1,000원일 때 초과수요가 나타나.
② 가격이 2,000원일 때 20개의 초과수요가 나타나.
③ 가격이 3,000원일 때는 균형 가격으로 경쟁이 일어나지 않아.
⑤ 가격이 5,000원일 때 초과 공급이 나타나서 가격은 더 내려가게 돼.

23. 균형 가격은 1,500원이고 균형 공급량은 100개야. 이걸 기억하고 풀어주자. 서술형에서는 제시된 내용을 정확하게 써줘야 맞는 내용이 되니까. 꼭 기억해서 써줘. 알라븅~^^

★오답설명
(1) 수요량이 공급량보다 160개가 많은 초과수요가 발생하며, 수요자 간의 경쟁으로 가격이 상승한다.
(2) 공급량이 수요량보다 50개 많은 초과 공급이 발생하며, 공급자 간의 경쟁으로 가격이 하락한다.
(3) 1) 균형 가격: 1,500원, 2) 균형 거래량: 100개,
3) 수요량과 공급량이 일치하는 균형 상태에서 균형 가격이 결정된다.

반복유형2차 정답

072쪽 ~ 074쪽

01.③ 02.③ 03.③ 04.③ 05.③ 06.⑤ 07.③
08.③ 09.② 10.⑤
11.(1) 균형가격: 2,000원, 균형거래량 5개 (2) 8개

01. 정답은 ③ 이야♡
㉠은 시장에 대한 설명이야.

★오답설명
ㄱ. 주식 거래도 눈에 보이지는 않지만 주식을 원하는 수요자와 주식을 파는 공급자가 서로 거래하므로 시장에 들어가^^
ㄹ. 일정한 지역 공간에 있지 않은 눈에 보이지 않는 시장도 시장이란다:) 알라븅~^^

02. 정답은 ③ 이야♡

★오답설명
①②④⑤는 모두 눈에 보이는 시장이야. 그러나 ③의 인터넷 쇼핑몰은 눈에 보이지 않는 시장이란다:) 알라븅~^^

03. 정답은 ③ 이야♡
(가)는 생산물 시장, (나) 생산 요소 시장이야.

• 생산물 시장: 영화관, 의류 시장, 문구 시장, 교복 시장, 의료 시장, 청과물 시장,가구 시장
• 생산 요소 시장: 노동 시장

04. 정답은 ③ 이야♡

★오답설명
① (가)는 생산물 시장이야:)
② (가)는 눈에 겁나 잘보여!! ㅎㅎ
④ 부동산 시장은 (나)와 같이 생산 요소 시장에 속해!!^^
⑤ 이것은 (가)에 대한 설명이야. 알라븅~^^

05. 정답은 ③ 이야♡

★오답설명
③이미 4,000원일 때 수요량이 10개야! 즉, 4,000원 이상일 때 수요량이 0인지 아닌지는 알 수 없어!!ㅎㅎ 알라븅~^^

06. 정답은 ⑤ 이야♡

★오답설명
① 가격이 오르면 공급자 입장에서는 개이득이기 때문에 물건을 많이 팔려고 하지! 그래서 공급량은 증가해!
② 가격이 하락할 때 물건을 팔면 공급자 입장에서는 손해기 때문에 공급량은 감소해 :)
③ 가격과 공급량의 관계를 공급 곡선이라고 한단다.
④ 가격 변화에 수요는 반비례해서 변화하고, 공급은 비례해서 변화해! 즉, 수요와 공급은 가격에 서로 다르게 변화한단다. 알라븅~^^

07. 정답은 ③ 이야♡
(가), (라)는 맞는 설명이야.

★오답설명
(나) 수요자는 상품을 사고자 하는 사람이야.
(다) 공급 곡선은 가격에 우상향 하는 곡선이란다. 알라븅~^^

08. 정답은 ③ 이야♡

★부연설명
③ 수요량은 일정한 가격에 어떤 상품을 구매 하고자 하는 욕구라고 말했는데, 물건을 사고자 하는 욕구는 수요야!!
수요량은 그때의 수량이란다! 헷갈리지 않도록해. 알라븅~^^

09. 정답은 ② 이야♡
이런 문제가 나오면 무조건 균형 가격과 균형 거래량을 먼저 찾아야해! 균형 가격은 8,000원이고, 그때의 거래량은 16만마리이지?^^
(가)10,000은 균형 가격보다 가격이 비싸므로 공급자들은 물건을 더욱 팔고 싶을꺼야! 그래서 맞는 이야기야.
(다) 10,000은 균형 가격보다 높으므로 사려는 사람은 줄거지만 팔려고 하는 공급은 늘거야!! 그렇기 때문에 공급량이 수요량보다 많은 초과 공급이 발생할 것이란다. 알라븅~^^

★오답설명
(나) 균형 가격과 균형 거래량은 8,000원에서 형성이 된단다.
(라)10,000원일 때 수요자들은 가격이 균형 가격보다 비싸서 사고 싶은 마음이 사라져!! 그러니깐 돈을 더 주고서라도 상품을 사겠다는 마음이 완전히 없어지지!! ㅎㅎㅎ

10. 정답은 ⑤ 이야♡
이런 문제를 풀때는 먼저 무조건 균형 가격과 균형 거래량을 찾고 풀어야지?^^ 균형 가격은 50원이고, 그때의 거래량은 100개야!! 이때 ㉠의 상태는 균형 가격보다 가격이 낮은 상태기 때문에 초과 수요가 나타나지!!
ㄴ. 초과 수요 상태기 때문에 수요자들끼리 경쟁이 일어나서 상품의 가격은 올라가 :)
ㄷ. 초과 수요는 수요량이 공급량보다 더 많은 상태를 의미해!! 그래서 이건 맞는 설명이야.
ㄹ. 초과 수요 결과 수요량이 공급량보다 많아지면서 결국 가격은 높아지게 될것이고 그런 결과 다시 수요량이 줄고 공급량은 늘어나게 될 것이란다.

★오답설명
ㄱ. 초과 수요는 서로 물건을 사려고 경쟁하기 때문에 시장에 물건이 부족한 현상이 생길 것이란다 :) 알라븅~^^

11. 해답참고

Ⅳ 시장 경제와 가격

3. 시장 가격의 변동

반복유형1차 정답 125쪽 ~ 129쪽

01.④ 02.⑤ 03.④ 04.③
05.대체재의 가격 상승은 다른 재화의 수요를 증가시킨다. 대체재의 사례로는 콜라와 사이다, 돼지고기와 쇠고기, 커피와 홍차, 연필과 샤프펜슬 등이 있다.
06.② 07.① 08.①
09.선호도의 증가, 인구의 증가로 수요 곡선이 오른쪽으로 이동한다.
10.③ 11.② 12.③ 13.② 14.⑤ 15.① 16.④
17.① 18.해설참고 19.⑤ 20.③ 21.④

01. 정답은 ④ 이야♡
제시된 그래프에서 수요량은 가격 때문에 변하는 거야. 가격은 곡선에서 점으로 이동한다는 것을 기억하면 좋아! 가격 이외의 조건은 곡선 자체가 움직이는 거 알쥐?^^ 그 부분을 생각하고 보기를 보면 답을 찾을 수 있어. ㉠지점에서 ㉡지점으로 수요량의 변화는 A재화의 가격 하락이 원인으로 ④이 정답이야. 알라븅~^^

★오답설명
① A재화의 대체재 가격 하락과는 관련이 없어.
② A재화의 보완재 가격 상승과 관련이 없어.
③ A재화의 원료 가격 상승과 관련이 없어.
⑤ A재화의 가격은 하락이야.

02. 정답은 ⑤ 이야♡
자동차의 수요 증가, 국내 여행 수요도 증가하고 있어.둘 다 수요가 증가하는거지! 휘발유와 자동차는 보완 관계가 맞으니까 ㄷ의 내용은 맞고, 도로를 이용한 국내 여행이 증가 할테니 ㄹ도 맞는 내용이야. 알라븅~^^

★오답설명
ㄱ. 자동차 수요는 증가할 거야.
ㄴ. 여행 상품 공급은 증가할 거야.

03. 정답은 ④ 이야♡
대체재와 보완재에 대한 문제는 시험문제 1타야!!^^ Ⓐ에 들어갈 내용은 '관련 상품의 가격 변화가 수요 변화에 미치는 영향'이 적절해서 ㄴ은 맞는 내용이야. 특정 상품의 가격이 상승할 경우, 대체재 관계의 재화는 수요가 증가하고, 보완재 관계 재화는 수요가 감소하니까 ㄹ도 맞는 내용이야. 알라븅~^^

★오답설명
ㄱ. Ⓑ에 들어갈 용어는 '대체재'야.
ㄷ. 밑줄 친 ©에서 상추와 돼지고기는 서로 보완해주는 관계로 보완재야.

04. 정답은 ③ 이야♡
관련 상품의 가격 변화는 대체재 보완재에 관한 내용이야. (가)는 대체재, (나)는 보완재에 대한 설명이야. 대체재의 사례로는 돼지고기와 닭고기가 맞아. 알라븅~^^

★오답설명
① (가)는 대체재야.
② 커피와 녹차는 대체재 관계지!^^
④ 함께 소비할 때 만족도가 커지는 관계는 보완재야.
⑤ 서로 용도가 비슷하여 대신해서 사용할 수 있는 관계는 대체재야.

05. ㉠은 대체재에 해당해. 이 부분을 생각하면서 (가)를 완성하면 되는 거야! 알라븅~^^
대체재의 가격 상승은 다른 재화의 수요를 증가시킨다. 대체재의 사례로는 콜라와 사이다, 돼지고기와 쇠고기, 커피와 홍차, 연필과 샤프펜슬 등이 있다.

06. 정답은 ② 이야♡
공급 곡선이 이동하게 된 원인을 찾아보는 문제야.
공급 곡선의 우측 이동은 공급 증가를 나타내는 거야. 생산 요소 가격이 하락하면 공급량은 증가해서 ㄱ은 맞는 거야. 미래 가격 하락 예상이 되면 지금 빨리 팔기 위해서 공급은 증가하니까 ㄷ도 맞는 내용이지! 알라븅~^^

★오답설명
ㄴ. 생산 요소 가격 상승하면 생산이 어려워서 공급량은 줄어들어.
ㄹ. 미래 가격의 상승이 예상되면 생산량을 줄이게 되니까 공급은 줄어들지!

07. 정답은 ① 이야♡
수요 곡선1이 수요 곡선2로 이동하는 것은 수요가 증가하는 것을 나타내는 거야.
콜라의 수요가 증가하는 것은 대체 관계의 사이다 가격이 오른 것과 관련되니까 ㄱ은 맞는 말!!^^ 보완 관계에 있는 치킨 가격이 내리면 콜라도 수요가 증가할 수 있어서 ㄴ도 맞는 내용이야. 알라븅~^^

★오답설명
ㄷ. 오랜 경기 침체로 가계 소득이 감소하면 수요는 감소해.
ㄹ. 콜라 생산에 들어가는 설탕 가격 하락은 원자재와 관련된 것으로 수요가 아닌 공급과 관련이 있단다!^^

08. 정답은 ① 이야♡
발효식품이 면역력 강화에 도움을 주니까 꾸준히 먹는다고 하니 수요가 증가할 것을 알 수 있어. 수요 곡선이 증가한 그래프를 찾으면 ①이야. 알라븅~^^

09. 수요 곡선이 수요가 증가하는 방향으로 변하고 있는 것을 알 수 있어. 이 부분을 생각하면서 답을 적으면 좋아. 알라븅~^^
정답 예)선호도의 증가, 인구의 증가로 수요 곡선이 오른쪽으로 이동한다.

10. 정답은 ③ 이야♡
쇠고기 수요량이 늘면서 돼지고기 수요량이 줄고 있는 것을 보아 둘은 대체재 관계로구나!^^
시장에서 돼지고기의 균형 거래량은 감소하는게 맞아. 알라븅~^^

★오답설명
① 시장에서 쇠고기는 돼지고기의 대체재야.
② 시장에서 돼지고기의 균형 가격은 하락해.
④ 시장에서 돼지고기의 균형 가격은 하락해.
⑤ 쇠고기는 돼지고기의 대체재야.

11. 정답은 ② 이야♡
공급 곡선 그래프로 공급량이 감소하고 있는 거야. 공급이 줄어드는 요인에는 생산 비용의 증가가 있어. 알라븅~^^

★오답설명
① 공급자 수가 증가하면 공급량은 증가해.
③ 생산 기술이 발전하면 공급량은 증가해.
④ 대체재는 수요와 관련되어 있어.
⑤ 보완재 가격의 상승은 수요와 관련이 있어.

12. 정답은 ③ 이야♡

★오답설명
ㄱ. 소득의 증가는 수요와 관련된 거야.
ㄷ. 생산 요소의 가격이 하락하면 더 많이 만드니까 공급은 증가해.
알라븅~^^

13. 정답은 ② 이야♡
수요와 공급 그래프를 간단히 그리고 문제를 풀면 더욱 좋아.
공급이 증가하면 균형 거래량이 증가하는게 맞아. 알라븅~^^

★오답설명
① 공급이 감소하면 균형 가격은 상승해.
③ 상품의 가격이 상승하면 공급량은 증가해.
④ 공급이 증가하면 공급 곡선이 오른쪽으로 이동해.
⑤ 공급의 감소는 모든 가격 수준에서 이전보다 공급량이 감소하는 거야.

14. 정답은 ⑤ 이야♡
오렌지 시장의 수요 공급 곡선에 관한 내용이야.
오렌지 농사에 필요한 비료 가격이 상승하면 그래프는 D방향으로 이동해. 알라븅~^^

★오답설명
① 대체재인 감귤의 가격이 하락하면 그래프는 C방향으로 이동해.
② 소비자가 오렌지 가격이 상승할 것으로 예상하면 그래프는 A방향으로 이동해.
③ 기상 이변으로 오렌지 농장 수가 감소하면 그래프는 D방향으로 이동해.
④ 가계의 평균 소득이 증가하면 그래프는 A방향으로 이동해.

15. 정답은 ① 이야♡
(가)는 김 가격이 하락하면 김을 원자재로 하는 상품 공급은 증가할 수 있으니 공급의 증가, (나)는 선호도가 늘어나는 것이니까 수요의 증가를 나타내서 정답은 ①이야. 알라븅~^^

16. 정답은 ④ 이야♡
녹차 시장에 관한 내용을 살펴보면 수요가 줄었을 때 나타나는 것은 균형 가격 하락, 균형 거래량 감소야! 균형가격, 균형 거래량 모두 하락이라는 것을 꼭 기억하기!^^ 알라븅~^^

17. 정답은 ① 이야♡
닭고기 시장은 공급이 줄어든 상황이니, 균형 가격은 상승하고 균형 거래량은 감소가 맞아! 알라븅~^^

18. 그래프를 그리고 균형 가격과 균형 거래량의 변화 부분을 서술하면 되는 문제야. 차분히 풀어보면 할 수 있어. 알라븅~^^

1) (가) :

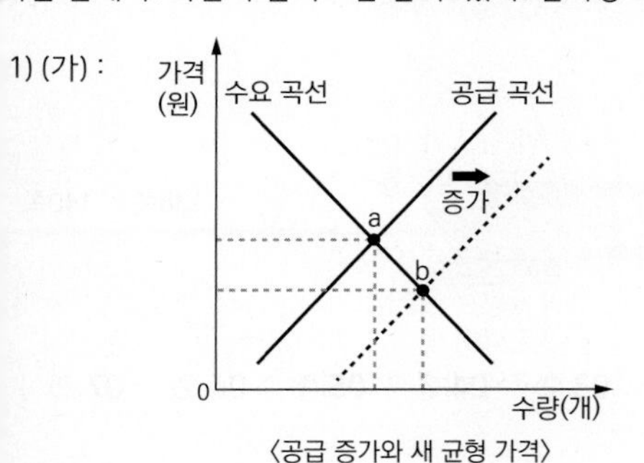

〈공급 증가와 새 균형 가격〉

가) 균형 가격이 하락하고 균형 거래량이 증가한다.

2) (나) :

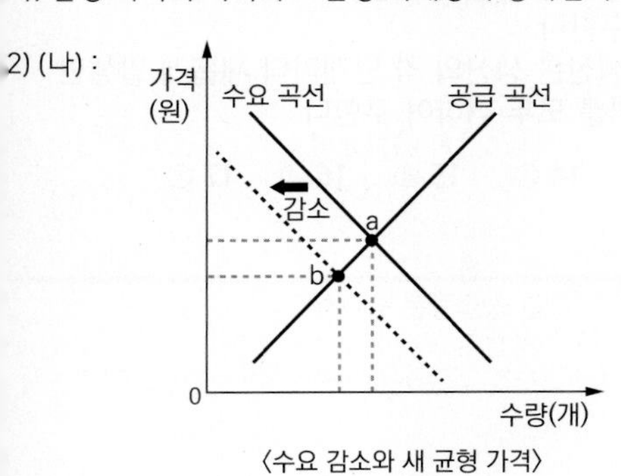

〈수요 감소와 새 균형 가격〉

나)균형 가격이 하락하고 균형 거래량이 감소한다.

19. **정답은 ⑤ 이야♡**
가격의 기능은 자원의 효율적 배분, 자원의 신호등 역할이 있어. 한정된 객석을 배분하는 부분에서 공연에 가치를 두는 사람에게 좌석을 주려고 하는 거야. 여기서 나타난 내용은 자원의 효율적 배분에 관한 거야. 알라븅~^^

20. **정답은 ③ 이야♡**
생산된 상품이 꼭 필요한 사람에게 돌아가게 하는 것이니까 자원의 효율적 배분에 관한 내용이야. 알라븅~^^

21. **정답은 ④ 이야♡**
시장 가격의 신호등과 같은 역할을 하는 것으로 상품 가격이 오르면 소비자는 소비를 줄이고, 생산자는 생산을 늘리게 되는 거야. 그래서 정답은 ④이야. 알라븅~^^

반복유형2차 정답

079쪽 ~ 081쪽

01.③ 02.② 03.① 04.② 05.② 06.② 07.②
08.④ 09.③ 10.① 11.해설참고 12.②

01. **정답은 ③ 이야♡**
수요 곡선이 오른쪽으로 움직였어. 이것은 수요의 증가를 의미해. 수요가 증가하는 경우를 찾으면 돼^^

★오답설명
ㄱ. 소득이 감소하면 수요도 감소한단다!
ㄹ. 미래에 가격이 하락 할 것이라고 예상이 된다면 지금 말고 미래에 사면 되겠지?^^ 그러니깐 이건 수요가 감소돼. 알라븅~^^

02. **정답은 ② 이야♡**
바나나맛 초콜릿 과자는 초콜릿과 사탕을 대신할 수 있는 대체재야!! :)

★오답설명
① 위 재화는 서로 용도가 비슷하여 대신할 수 있는 대체재란다^^
③ 기존의 초콜릿 가격이 상승하면 대신할 수 있는 바나나 맛 초콜릿 과자의 수요가 증가하지~^^
④ 기존의 초콜릿 가격이 상승하면 대신할 수 있는 바나나 맛 초콜릿 과자의 수요가 증가해서 결국 바나나 맛 초콜릿 과자의 가격도 상승하게 될 거야 :)
⑤ 치킨과 콜라는 보완재란다. 알라븅~^^

03. **정답은 ① 이야♡**

★오답설명
②, ③, ④, ⑤는 모두 수요 변동에 영향을 주는 요소란다 :)
알라븅~^^

04. **정답은 ② 이야♡**
유기농 채소가 몸에 좋다는 연구 결과가 발표되었으므로 유기농 채소에 대한 수요는 증가하게 되고 결국 수요 곡선이 오른쪽으로 움직이게 되니 정답은 ②란다. 알라븅~^^

05. **정답은 ② 이야♡**
그래프는 수요 곡선이 오른쪽으로 이동하는 수요 증가 그래프야!! 수요가 증가하는 요인은 ㄱ,ㅁ,ㅂ란다. 알라븅~^^

★오답설명
ㄴ. 공급자의 수 증가는 수요가 아니라 공급의 증가를 가져온단다.
ㄷ. 생산 기술의 발전은 수요가 아니라 공급의 증가를 가져온단다.
ㄹ. 보완재의 가격 상승은 결국 다른 보완재의 수요의 감소를 가져오지 ㅠㅠ

06. **정답은 ② 이야♡**
• X재와 Y재의 관계 : 대체재
• X재와 Z재의 관계: 보완재
이때 X재의 가격이 상승한다면 대체재인 Y재의 수요는 증가할 것이고, 보완재인 Z의 수요는 감소할 것이다.그래서 정답은 ②이얌^^
알라븅~^^

★오답설명
① X재의 가격이 상승했으므로 X재의 수요량은 감소하게 돼:)
③ Y재의 수요가 증가하므로 균형 가격과 균형 거래량이 모두 증가하게 된다.
④ X재의 가격이 올라가 X재의 수요가 감소하였으므로 보완재의 관계인 Z재의 수요 또한 감소하게 된다.
⑤ Z재의 균형 거래량과 균형 가격은 모두 감소하게 된다:)

07. **정답은 ② 이야♡**
초콜릿의 원료가 되는 코코아 생산의 감소로 초콜릿의 공급이 감소되었다. 공급 그래프가 왼쪽으로 움직이는 ②번이 답이야:)
알라븅~^^

08. **정답은 ④ 이야♡**
과자 생산 기술이 발달하면 공급이 증가할거야. 그런데 게다가 미래에 과자 가격이 하락할거래~ 그러면 공급자 입장에서 지금 과자를 많이 생산해 판매하고 싶겠지? 그래서 과자 공급은 증가할꺼야!! 과자 공급 그래프가 오른쪽으로 움직이게 되니깐, 균형 가격은 하락하고, 균형 거래량은 증가하겠구나! 그래서 정답은 ④야 알라븅~^^

09. **정답은 ③ 이야♡**
그림은 공급 감소의 그래프야. 빵의 원료인 밀가루의 가격이 오르면 공급이 감소해 그래서 정답은 ③이야:)

★오답설명
① 소비자들의 소득이 감소하면 공급이 아니라 수요가 감소한단다.:)
② 이건 과일 공급의 증가를 의미해:)
④ 텔레비전 생산 기술의 발달은 텔레비전 공급의 증가를 가져오지 :)
⑤ 스마트폰의 구매를 줄이는 것은 공급의 감소가 아니라 수요의 감소를 의미한단다. 알라븅~^^

10. **정답은 ① 이야♡**
(가)평균 소득이 증가하면 수요의 증가를 가져오니깐 균형 가격은 상승하고, 균형 거래량은 증가하게 돼:)
(나) 기술 발전으로 자가용 승용차의 생산비가 감소하였으니 공급의 증가를 가져와서 균형 가격은 하락하고, 균형 거래량은 증가하게 돼:)
알라븅~^^

11.

(1)
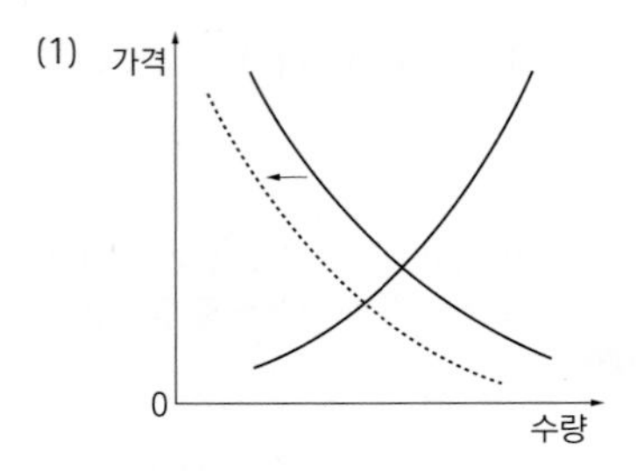

상추의 균형 가격은 하락하고 균형 거래량은 감소한다.

(2)
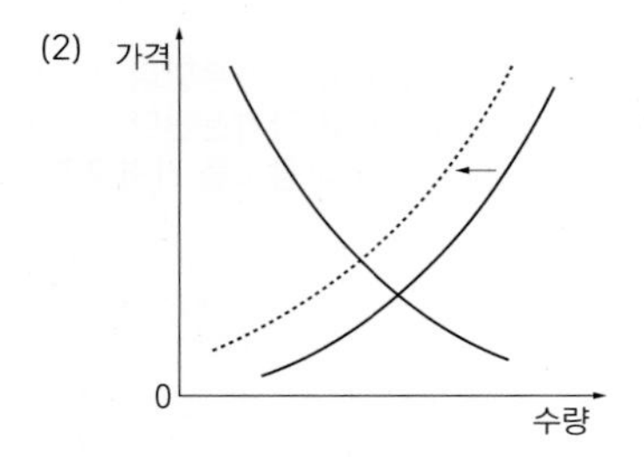

공기 청정기의 균형가격은 상승하고 균형 거래량은 감소한다.

12. **정답은 ② 이야♡**

★오답설명
② 생산자들은 가격을 보고 생산비를 최대한 줄여서 이윤이 높은 상품을 생산하려고 할 것이란다 알라븅~^^

V 국민 경제와 국제 거래

1. 국내 총생산과 경제 성장

반복유형1차 정답

138쪽 ~ 140쪽

01.① 02.④ 03.② 04.④ 05.③ 06.② 07.②
08.③ 09.③
10.(가) 20만원 (나) 10000명 (다) 인구
11.(1) 국내 총생산은 최종 생산물의 시장 가치를 모두 더하여 구한다.
(2) 국내 총생산은 생산의 각 단계마다 새롭게 발생한 부가가치를 모두 더하여 구한다.
12.② 13.⑤ 14.① 15.④ 16.④ 17.①

01. **정답은 ① 이야♡**
설명하고 있는 내용은 국내 총생산의 정의에 대한 문제니까 개념을 정확히 기억해두자! (가)에 들어갈 개념은 국내 총생산이지!ㅎㅎ
알라븅~^^

02. **정답은 ④ 이야♡**
국내 총생산의 개념을 잘 기억하고 있으면 완전 쉬운 문제지!
알라븅~^^

★오답설명
④ 중간 생산물의 가치는 국내 총생산 계산에 포함하지 않지롱~

03. **정답은 ② 이야♡**

★오답설명
② 중고차 거래는 국내 총생산에 포함되지 않아. 올해 생산된 것이 아니고 예전에 생산된 것이기 때문에 빼야 해! 알라븅~^^

04. **정답은 ④ 이야♡**
시장에서 거래되는 재화와 서비스의 가치만을 측정하는 것이 바로 국내 총생산이야. 알라븅~^^

★오답설명
① 국내 총생산으로는 빈부 격차의 정도는 알 수가 없어.
② 국민의 삶의 질 수준까지는 알기 어려워.
③ 재작년에 출시된 중고차는 GDP에 포함되지 않아.
⑤ 우리나라 근로자가 외국에서 일한 것은 GDP에 포함되지 않아.

05. **정답은 ③ 이야♡**
올해 국내 기업들이 새로운 스마트폰을 출시하여 국내에서 판매한 것은 국내 총생산에 포함되니까 ㄷ은 맞아. 올해 2학기 등록금으로 3백만 원을 내고 △△대학교에서 수업을 들은 것도 국내 총생산에 포함되니까 ㄹ도 맞아. 그래서 정답은 ㄷ,ㄹ이야. 알라븅~^^

★오답설명
ㄱ. 지은 지 20년도 넘은 성북동 주택이 10억 원에 팔린 것은 국내 총생산에 포함되지 않아.

ㄴ. 좋은 과자를 만들어 팔기 위해 슈퍼에서 구입한 밀가루는 중간재이니까 포함이 안된다는! ㅎㅎ

06. 정답은 ② 이야♡
노은동 영어학원에서 강의하는 미국인 강사의 강의료는 국내에서 발생한 거니까 국내 총생산에 포함되고, 우리나라에서 운영하는 외국 기업의 프랜차이즈 카페의 수입도 포함 되는게 맞아. 그래서 맞는 내용은 ㄹ,ㅁ이야. 알라븅~^^

★오답설명
ㄱ. 엄마가 직접 재배하신 상추의 가치는 국내 총생산에 들어가지 않아.
ㄴ. 제과점에서 과자 만드는데 사용한 밀가루는 중간재이기 때문에 포함되지 않지!
ㄷ. 손흥민이 프리미어리그 토트넘에서 받은 연봉은 국내에서 받은게 아니기 때문에 포함되지 않아.

07. 정답은 ② 이야♡
국내 총생산의 의의와 한계에 대해서 생각해보는 문제야.

★부연설명
② 국내 총생산을 통해 국민 개개인의 소득 수준과 생활 수준을 파악할 수 없어. 알라븅~^^

08. 정답은 ③ 이야♡
국내 총생산은 소득 분배 상태에 관한 정보를 제공하지 못하고, 삶의 질을 떨어뜨리는 행위가 오히려 국내 총생산을 증가시키기도 해! 그래서 정답은 ㄴ,ㄷ이야. 알라븅~^^

★오답설명
ㄱ. 국내 총생산에는 재화의 가치와 서비스의 가치가 포함된단다!
ㄹ. 국내 총생산에는 전업주부의 가사 노동과 봉사 활동을 포함하지 않아.ㅠㅠ

09. 정답은 ③ 이야♡
이런 문제는 아주 좋은 문제니까 잘 파악하면서 풀어보자.
세계 속 경제적 위상 높아졌으나, 삶의 질은? 이것이 적절한 내용이야! 알라븅~^^

10. 1인당 총생산은 국내 총생산을 나라의 인구수로 나눈다는 것을 기억하면서 문제를 풀어주면 되는거야. 알라븅~^^
가) 20만원
나) 10000명
다) 인구

11. 국내 총생산을 구하는 방법 2가지를 잘 기억하면서 답을 써보자! 알라븅~^^
1) 국내 총생산은 최종 생산물의 시장 가치를 모두 더하여 구한다.
2) 국내 총생산은 생산의 각 단계마다 새롭게 발생한 부가가치를 모두 더하여 구한다.

12. 정답은 ② 이야♡
표를 차근차근 잘 보면 쉽게 풀 수 있어!
2020년은 국내 총생산이 3250만원이고, 2021년의 국내 총생산은 4500만원이니까, 2021이 더 큰 것이 맞아. 알라븅~^^

★오답설명
① 2020년의 국내 총생산은 생산된 물건 전체를 더해서 구해보면 3250만원이야.
③ 2020년에 비해 2021년에 더 많은 상품이 생산된 것은 아니야.
④ 2020년에 비해 2021년에 컴퓨터는 가격이 그대로여서 모두 가격이 비싸진 것은 아니야.
⑤ 2020년과 2021년 모두 스마트폰이 더 많이 생산되었어.

13. 정답은 ⑤ 이야♡
1인당 GDP가 높은 국가들은 기대 수명이 높은 것으로 보아 건강한 삶을 산다고 볼 수 있어. 알라븅~^^

★오답설명
① 국내 총생산의 한해 내용만으로는 증가하고 있는지를 알 수 없어.
② 경제 성장이 언제나 삶의 질 향상으로 이어지는 것은 아니야.
③ 한국은 연간 노동시간이 높아서 삶의 질은 낮다고 볼 수 있어.
④ 경제 성장률은 비교할 수 있는 다른 연도가 없어서 알 수가 없어.

14. 정답은 ① 이야♡

★오답설명
경제 성장은 언제나 삶의 질 향상으로 이어진다고 할 수는 없어. 삶의 질이 향상될 수도 있지만 언제나 그렇진 않단다! 이 부분을 꼭 기억해줘. 알라븅~^^

15. 정답은 ④ 이야♡
ㄱ은 경제 성장에 대한 내용이야. 이 부분을 생각하며 문제를 풀면 좋아. 알라븅~^^

★부연설명
빈부 격차가 해소되지 않고 계층 간 갈등이 늘어날 수 있어.

16. 정답은 ④ 이야♡
경제 성장의 영향에 대한 문제야. 알라븅~^^

★부연설명
경제가 성장할수록 자원 고갈과 환경오염 문제가 더 늘어나.

17. 정답은 ① 이야♡
경제 성장이 미치는 영향을 생각해보는 문제야. 알라븅~^^

★부연설명
빈부 격차가 해소되지 않고 늘어날 수 있고 쾌적한 생활이 보장되지는 않아!

반복유형2차 정답

085쪽 ~ 086쪽

01.② 02.⑤ 03.① 04.③ 05.② 06.② 07.① 08.①

01. 정답은 ② 이야♡

★오답설명
ㄴ. 국내총생산은 국내!! 그러니깐 국내가 중요한거야!! 국적과는 상관이 없어. 국적이 외국인이어도 우리나라에서 일했다면 국내 총생산에 포함시킨단다!! 알라븅~^^

02. 정답은 ⑤ 이야♡

★오답설명
ㄱ. 국내총생산은 국내!! 그러니깐 국내가 중요한거야!! 국적과는 상관이 없어. 국적이 외국인이어도 우리나라에서 일했다면 국내 총생산에 포함시킨단다!! 알라븅~^^

03. 정답은 ① 이야♡

★오답설명
ㄷ. 아무리 대 BTS라고 할지라도!! 외국에 나가서 돈을 벌었다면 그 돈은 그나라 수입으로 잡혀! 우리나라의 국내 총생산과는 관련이 없단다:)
ㄹ. 마찬가지로 아무리 대 손흥민 선수라고 할지라도 영국에서 돈을 벌었다면 영국 국내 총생산으로 잡혀!! 우리나라와는 상관이 없단다!! ㅎㅎ 알라븅~^^

04. **정답은 ③ 이야♡**

★부연설명

③ 국내 총생산은 오로지 생산!! 즉 생산만 기록한거야.
그래서 생산 과정에서 발생하는 환경 오염 등은 반영되지 못한단다.
ㅠㅠ 알라븅~^^

05. **정답은 ② 이야♡**

② 지금 이 도표에서는 실업률은 나와있지 않아!!
만약 이 도표에서 실업률을 발견한 사람이 있다면 차라리 보물을 찾으러 떠나는게 어때?? ㅎㅎ
여하튼 이 도표만으로 실업률은 절대 알수가 없어!! 알라븅~^^

06. **정답은 ② 이야♡**

★오답설명

① 국내 총생산은 중간재는 빼고 최종재의 가격만 들어가.
그렇기 때문에 중간재인 나무나 목재는 못들어가고 의자만 들어가니깐
국내 총생산은 10,000원이야:)
③ 이런 계산은 개나 줘버려!! 이건 말도 안되는 방식의 계산 방식이므로 잘근 잘근 씹어주자!! 잇힝!!
④ 이것도 정말 너무 너무 아니야!! 왜 답이 아닌지는 위의 ①에 대한 설명을 참고하면 아하! 하며 뇌가 프레쉬해질꺼야!!ㅎㅎ
⑤ 국내 총생산은 최종재의 가치로 구하는 방법과 부가가치의 합으로 구하는 방법이 있어. 부가가치는 각 생산 단계에서 부가적으로 얻은 가치로 처음 나무 생산에서의 부가 가치는 2,000원, 목재 생산에서 부가 가치는 (목재3,000원-나무 원자재2,000원 = 1,000원),
의자의 부가 가치는 (의자 10,000원- 목재 원자재 3,000원) = 7,000원
그래서 정답은 2,000원+1,000원+7,000원 = 10,000원이 되는거얌!!
알라븅~^^

07. **정답은 ① 이야♡**

★오답설명

ㄷ. 경제가 성장 할수록 빈부격차가 커져서 계층간의 대립이 심해져!
그래서 모든 국민이 균등하게 소득을 나눠 가질 수 있다는 ㄷ은 완죤 틀렸어!! ㅎㅎ
ㄹ. 경제성장률은 물가의 변동을 제외한 실질국내총생산으로 구하는거야:) 알라븅~^^

08. **정답은 ① 이야♡**

★오답설명

① 경제가 성장하면 빈부격차가 심해지고 계층간의 갈등이 너무 많이 일어나 ㅠㅠ

V 국민 경제와 국제 거래

2. 물가와 실업

반복유형1차 정답

150쪽 ~ 155쪽

01.① 02.④ 03.④ 04.② 05.② 06.④ 07.①
08.① 09.③ 10.④ 11.③
12.(1) 철수, (2) 정화, 상기, 영희
13.③ 14.③
15.(1) 인플레이션, 정부는 재정 지출을 줄이고 세금을 늘려야 하며, 중앙은행은 통화량을 감축하고 이자율을 높여 저축을 유도한다.
16.① 17.④ 18.③ 19.② 20.③
21.(1) (가) 노동 가능 인구, (나) 경제 활동 인구, (다) 비경제 활동 인구
(2) 일할 능력과 일할 의사가 있지만, 일자리를 구하지 못한 사람이다.
(3) 갑국의 실업률 : 16%, (4) 을국의 실업률 : 12%
22.① 23.⑤ 24.② 25.① 26.③ 27.② 28.⑤
29.② 30.③

01. **정답은 ① 이야♡**

개념에 대한 문제로 이 부분을 정확히 알고 가자! ㄱ에는 가격 ㄴ에는 물가 ㄷ에는 인플레이션이 들어갈 수가 있어. 정답은 ①번!
알라븅~^^

02. **정답은 ④ 이야♡**

소비자 물가 지수에 대한 문제야. 소비자 물가 지수의 기본 연도는 100으로 표시되는 것을 보고 문제를 풀면 돼. 100보다 높아지면 물가가 오르는 것이고 낮아지면 내려가는 것을 꼭 기억하기!^^ 알라븅~^^

★부연설명

물가 지수 상승은 시중에 통화량이 증가하는 경우에 주로 발생하는거야.

03. **정답은 ④ 이야♡**

물가 지수에 대해서 적절한 것을 찾으면 되는 거야.
기준 연도의 물가를 100으로 하여 비교 연도의 물가 수준을 나타낸 값을 물가 지수라고 하는 게 맞아. 알라븅~^^

★오답설명

① 개별 상품의 가치를 화폐 단위로 나타낸 것은 가격이야.
② 물가 지수는 소비자가 필수품으로 여길만한 물품을 대상으로 조사하는 거야. 꼭 구입한 물품이 대상은 아니야.
③ 시장에서 거래되지 않는 상품의 가격은 필요하지 않아.
⑤ 2020년의 물가 지수가 100, 2021년의 물가 지수가 110 이라면 2020년에 비해 2021년의 물가가 10% 증가한거야.

4. 정답은 ② 이야♡

가)는 물가 상승과 관련된 내용이야. 생산비가 상승하거나, 경제 전체 총수요가 총공급을 초과하면 물가가 상승하니까 ㄱ, ㄹ이 들어갈 수 있어. 알라븅~^^

★오답설명

ㄴ. 수입 원자재의 가격이 상승해야 맞아.
ㄷ. 시장에 유통되는 화폐량이 증가했을 때가 맞아.

5. 정답은 ② 이야♡

★부연설명

비나 투자가 활발해지면 상승하게 되는 거 완전 맞음!
알라븅~^^

6. 정답은 ④ 이야♡

분별한 화폐 발행은 급격한 물가 상승을 초래해! 흥선대원군 왜그 ㅠㅠ 알라븅~^^

★오답설명

) 화폐는 정부가 독점적으로 발행해야 하는 건 내용과 관련이 없어.
) 화폐를 많이 발행할수록 경제 성장에 도움이 되는 거는 아니야. 적당히가 중요해.
) 통화량과 인플레이션 사이 가장 중요한 관계야.
) 실업 문제의 해결과 정부의 통화 정책실시는 관련된 부분이 아니야.

7. 정답은 ① 이야♡

시된 내용은 화폐가 많아져 생기는 문제로 통화량 급증에 해당한단 . 알라븅~^^

8. 정답은 ① 이야♡

험에 잘 나오는 스타일이니 잘 기억해두고 가면 좋아! 내용과 연결해 상황을 잘 정리하면 ㉠, 증가 ㉡, 많은 ㉢, 증가 ㉣, 하락이지!
알라븅~^^

9. 정답은 ③ 이야♡

플레이션이 일어나면! 수출은 줄고 수입이 늘어나게 되고, 부동산 투 현상이 일어날 가능성이 높아. 알라븅~^^

★오답설명

. 은행 예금자는 불리해.
. 돈을 빌린 사람은 유리하고, 돈을 빌려준 사람은 불리해.

0. 정답은 ④ 이야♡

격한 물가 상승이 일어나면 부동산 투기와 같은 부작용이 발생하여 회갈등이 생기기도 해. 알라븅~^^

★오답설명

) 경제 전체적으로 수출은 줄고 수입은 늘어나.
) 화폐 보유자가 실물자산 보유자보다 불리해져.
) 부자들이 서민들보다 경제적으로 더 큰 어려움을 겪지는 않아.
) 주어진 소득으로 구매할 수 있는 재화나 서비스의 절대적 양이 줄어 들어.

1. 정답은 ③ 이야♡

험문제에 잘 나오는 거니 잘 기억해두면 좋아!
플레이션 상황에 유리해지는 사람을 고르는 문제야.
무자(돈을 빌린 사람), 기업가(실물자산+기계 등), 수입업자는 유리해 . 불리해지는 사람은 채권자, 근로자, 수출업자야. 이렇게 잘 구분해 고를 수 있으면 완벽해! 알라븅~^^

2. 물가 상승 시 유리해지는 사람, 불리해지는 사람을 잘 구분해주면 는 문제야. 알라븅~^^
)철수
)정화, 상기, 영희

13. 정답은 ③ 이야♡

★오답설명

물가 안정을 위해서는 정부는 재정 지출은 축소하고 공공요금을 인하해야 맞지! 알라븅~^^

14. 정답은 ③ 이야♡

★부연설명

물가 안정을 위해서는 중앙은행은 이자율을 높이고 민간의 소비를 줄이게 해야 해. 알라븅~^^

15. 물가 안정을 위한 방안을 정부와 중앙은행의 입장에 맞게 서술할 수 있으면 되는 문제야. 이런 스타일 잘 나오니까 기억해줘!
알라븅~^^
(1) 인플레이션, 정부는 재정 지출을 줄이고 세금을 늘려야 하며, 중앙은행은 통화량을 감축하고 이자율을 높여 저축을 유도한다.

16. 정답은 ① 이야♡

지속적인 경제 성장은 가장 좋은 실업 대책이 맞아. 알라븅~^^

★오답설명

② 일할 의사가 없어 쉬고 있는 사람은 실업자가 아니죠! 실업자는 일할 의사가 있는데 쉬고 있는 사람이야~
③ 일반적으로 경제 성장과 실업자 수는 반비례하는 방향으로 움직여.
④ 더 나은 직장을 위해 현재 직장을 그만둔 사람도 실업 상태가 맞아. 이런 상태를 마찰적 실업이라고 해.
⑤ 사양 산업에 종사하던 근로자가 새로운 기술을 익히지 못해 일하지 못하는 것도 실업이야.

17. 정답은 ④ 이야♡

이런 스타일의 인구분류는 시험에 잘 나오니까 기억해줘.
㉣ 취업자와 ㉤실업자는 모두 일할 능력과 의사가 있는 사람이야.
알라븅~^^

★오답설명

① ㉠ 노동 가능 인구는 생산 활동이 가능한 15세 이상의 사람이야!
② ㉡ 경제활동인구는 일할 능력도 있고 의사도 있는 사람이야.
③ ㉢비경제 활동 인구의 사례에 취업준비생은 포함되지 않아.
⑤ ㉣취업자와 ㉤실업자는 자발적으로 일자리를 구하고자 하는 사람이야.

18. 정답은 ③ 이야♡

조금 어려운 문제 스타일이니까. 천천히 파악하면서 하면 좋아.
(가) 실업자
(나) 경제활동 인구
(다) 비경제활동 인구
(라) 15세 미만 노동 불가능인구
이렇게 정리할 수 있어서 맞는 내용은 ③이야. 알라븅~^^

19. 정답은 ② 이야♡

★오답설명

(라)는 15세 미만 노동을 할수 없는 인구이기 때문에 65세 이상의 노령인구도 포함되지 않아. 알라븅~^^

20. 정답은 ③ 이야♡

(다)에 해당하는 비경제 활동 인구를 골라보면 17살의 고등학생, 경기침체로 구직을 포기한 성인, 집안에서 가사를 돌보는 전업주부가 해당돼. 그래서 ㄱ, ㄴ, ㄷ이 맞는거야. 알라븅~^^

★오답설명

ㄹ. 건물 관리인으로 활동하는 65세의 연로자는 경제활동인구에 해당해.

21. 이런 문제는 잘 나오는 스타일이니 잘 구분해서 쓸 수 있으면 좋아!
알라븅~^^

(1) (가) 노동 가능 인구, (나) 경제 활동 인구, (다) 비경제 활동 인구
(2) 일할 능력과 일할 의사가 있지만, 일자리를 구하지 못한 사람이다.
(3) 갑국의 실업률 : 16%, (4) 을국의 실업률 : 12%

22. 정답은 ① 이야♡
실업자에 해당하는 사람은 스키장에서 일하다가 그만두고 구직 중인 유신이! 계절적 실업에 해당해ㅠㅠ 알라븅~^^

★오답설명
② 대학교 다니다가 휴학 후 군대에 입대한 영수는 실업이 아니라 입대야.
③ 건강이 좋지 않아 요양병원에 입원하신 할아버지는 비경제 활동 인구야.
④ 결혼 후 직장을 그만두고 집안일에 전념하는 미라는 비경제 활동 인구야.
⑤ 구직 활동을 그만두고 해외여행을 다니고 있는 동진은 비경제 활동 인구야.

23. 정답은 ⑤ 이야♡
★부연설명
취업하려고 했으나 뜻대로 되지 않아 일자리 구하기를 포기하고 대학원에 진학한 것은 실업이 아니라 비경제 활동 인구가 되는거야.
알라븅~^^

24. 정답은 ② 이야♡
A 구조적 실업 B 경기적 실업 C 마찰적 실업이 되는 거야. 그래서 정답은 ②이야. 알라븅~^^

25. 정답은 ① 이야♡
(가) 마찰적 실업, (나) 구조적 실업, (다) 경기적 실업으로 정답은 ①이야. 알라븅~^^

26. 정답은 ③ 이야♡
실업률 계산에 대한 문제야. 실업률 = 실업자수/경제활동인구 X 100이라는 것을 기억하고 문제를 풀어주면 되는 거야. 경제활동인구는 1000만이고 실업자는 100만이니까. 실업률은 10%가 되는 거야.
알라븅~^^

27. 정답은 ② 이야♡
★오답설명
㉡ 총수요를 축소하는 정책은 경기적 실업 시기에 해당해. 기업이 생산과 고용을 줄이는 것은 맞지 않는 내용이야. 알라븅~^^

28. 정답은 ⑤ 이야♡
제시된 내용은 경기적 실업에 관한 내용이야. 경기적 실업에 적합한 것은 총수요를 확대하는 정책으로 기업이 고용을 늘리는거야.
알라븅~^^

★오답설명
① 구인과 구직에 대한 정보시스템을 마련하는 것은 마찰적, 계절적 실업에 적당해.
② 취업 박람회 등을 개최하는 방법은 마찰적, 계절적 실업에 해당해.
③ 사양 산업이 다시 성장할 수 있도록 지원책을 마련하는 것은 구조적 실업과 관련있어.
④ 인력 개발 프로그램을 통해 새 일자리를 찾는 것은 구조적 실업에 해당하는 거야.

29. 정답은 ② 이야♡
실업과 실업자 개인이 사회에 미치는 부정적 요인을 찾으면 되는 내용이야. 알라븅~^^

★부연설명
정부의 재정 부담은 증가해.

30. 정답은 ③ 이야♡
실업의 영향으로는 실업자는 소득의 상실로 인해 경제적, 심리적 고통을 겪게 되는 게 맞아. 경제 전체적으로 보면 인적 자원이 활용되지 않고 낭비되지ㅠㅠ 그래서 ㄴ,ㄷ이 맞는 내용이야. 알라븅~^^

★오답설명
ㄱ. 소득이 재분배되지 않고 빈부격차는 커지는 거야.
ㄹ. 재정 지출이 증가해서 정부의 재정 부담은 늘어나게 되는 거야.

반복유형2차 정답

093쪽 ~ 096쪽

01.③ 02.② 03.③ 04.③ 05.③ 06.⑤
07. 채무자와 부동산 소유자는 유리해지지만 채권자와 현금보유자는 불리해진다.
08.①
09. 정부는 지출을 줄이고 세율을 높인다.
중앙은행은 이자율을 높인다.
10.④ 11.④
12. (1) 경제 활동 인구, (2) 노동 가능 인구 중 일할 능력과 일할 의사가 있는 사람이다.
13.⑤ 14.① 15.③ 16.⑤ 17.⑤

01. 정답은 ③ 이야♡
★부연설명
③ 경제 전체의 총수요가 총공급보다 많을 때 물가가 상승하는 거란
알라븅~^^

02. 정답은 ② 이야♡
★부연설명
② 임금과 임대료를 우리는 생산비라고 하지^^ 생산비가 절감되면 당연히 물가는 내려가지!! 즉, 생산비 하락은 물가 상승의 요인이 될 수 없어! 오히려 그 반대라는 사실!! 알라븅~^^

03. 정답은 ③ 이야♡
흥선대원군 때 당백전이라는 화폐를 무분별하게 찍어내게 되면서 시중에 풀린 너무 많은 화폐들로 인해 화폐 가치는 떨어지고 대신 물가가 상승하는 '인플레이션'이 일어났지! 그래서 답은 ③이얌!!
알라븅~^^

04. 정답은 ③ 이야♡
★부연설명
③ 흥선대원군때 어떻게 이렇게까지 극심한 인플레이션이 왔을까? 그것은 바로!! 화폐!!! 너무 많은 화폐를 찍어 냈기 때문이야!! 즉, 통화량의 증가 때문이지!! 그래서 답은 ③이얌!! 알라븅~^^

05. 정답은 ③ 이야♡
★오답설명
① 물가가 지속적으로 오르는 현상을 인플레이션이라고 한단다!! :)
② 물가가 오르면 우리나라 물건이 비싸지기 때문에 수출이 잘 안돼! 반대로 외국의 물건이 상대적으로 싸지니깐 수입을 많이 하게 되지
→ 즉, 수출은 줄고 수입은 늘어!!:)

④ 물가가 오르면 화폐 가치는 똥이 되기 때문에 이 똥으로 살 수 있는 것은 적어지지.. ㅠㅠ 물가가 오르면 소비자들의 상품 구매력은 낮아진단다.. ㅠㅠ
⑤ 가계,정부,기업의 지출이 증가하면 총수요가 증가하게 되는거야! 그런데 이것에 비해 총공급이 따라가지 못해 물가 상승이 일어나는 것이란다. 알라븅~^^

6. **정답은 ⑤ 이야♡**
물가 상승시 유리해지는 사람과 불리해지는 사람은 시험 문제 닥치고 타니깐!! 반드시 꼭 기억하길 바라!!
강~암기해버령!!! 세븐틴 오빠들 이름 암기하듯
ct오빠들 이름 암기하듯!! 그렇게 강~암기해버려!!
유리한 사람: 실물 자산 보유자,채무자,수입업자
불리한 사람: 현금 보유자, 은행에 예금을 한 사람,봉급·연금 생활자, 채권자,수출업자
그래서 정답은 ⑤얌! 알라븅~^^

7. **해답 참고**

8. **정답은 ① 이야♡**
★오답설명
ㄴ.물가가 상승하면 통화량을 줄여야하기 때문에 중앙 은행은 통화량을 줄이고 시중 은행의 이자율을 높여 가계의 저축을 유도해야 한단다:)
ㄹ.물가 상승은 수요가 증가하면서 발생한 것이니 가계는 소비를 줄이고 저축을 하는 방향으로 전환하여 수요를 줄여야만해!!:)
ㅁ.근로자의 인건비는 결국 생산비로 들어가니, 무분별한 인건비 상승은 생산비 증가로 이어져 결국 물가 상승을 가져오니깐 물가 상승 보다 더 많은 임금 인상 요구는 매우 부적절하지. ㅠㅠ

9. 정부는 재정 지출을 줄이고 조세를 높인다. 중앙은행은 시중 은행의 이자율을 높이고 통화량을 감축한다. 알라븅~^^

0. **정답은 ④ 이야♡**
알라븅~^^

1. **정답은 ④ 이야♡**
ㄱ은 비경제 활동 인구에 대한 설명이야!!
비경제 활동 인구에 들어가지 않는 것은 ㄹ이란다. 더 나은 회사를 들어가려고 하는 것은 비경제 활동 인구가 아니라 경제 활동 인구에 속해!! 알라븅~^^

2. **해답 참고**

3. **정답은 ⑤ 이야♡**
★오답설명
⑤는 구직을 단념한 구직 단념자야!! 이러한 구직 단념자는 실업자가 아니라 비경제 활동 인구에 들어간단다. 알라븅~^^

4. **정답은 ① 이야♡**
★오답설명
가)경기가 침체되어 고용 인원이 줄었으므로 경기적 실업
나)새로운 기술 도입, 산업 구조의 변화로 실업이 되었으므로 구조적 실업
다)더 나은 근무 환경을 위해 실업을 했으므로 마찰적 실업이란다!! 알라븅~^^

15. **정답은 ③ 이야♡**
실업률은 어떻게 구하지?^^

$$\bullet\ \text{실업률} = \frac{\text{실업자 수}}{\text{경제 활동 인구}} \times 100$$

자 그럼 구해보자:)
경제 활동 인구 2,500만명
실업자 100만명
(100만÷2,500만) X100 = 4%
정답은 ③이얌!! 알라븅~^^

16. **정답은 ⑤ 이야♡**
★오답설명
ㄱ. 공장이 자동화 되었다는 것은 새로운 기술이 도입되어 산업의 구조 자체가 변한 것이므로 구조적 실업이다.
ㄴ. 적성에 맞지 않아 더 나은 근무 환경으로 가기 위한 실업인 마찰적 실업은 자발적 실업이다:)

17. **정답은 ⑤ 이야♡**
★오답설명
ㄱ,ㄴ은 모두 사회적 영향이란다:) 알라븅~^^

Ⅴ 국민 경제와 국제 거래

3. 국제 거래와 환율

반복유형1차 정답 163쪽 ~ 167쪽

01.⑤	02.③	03.②	04.①	05.①	06.④	07.⑤
08.②	09.③	10.①	11.③	12.⑤	13.③	14.①
15.④	16.①	17.⑤	18.③	19.②	20.⑤	21.⑤
22.③	23.②					

24.외화의 공급이 증가하여 환율이 하락하게 되며, 수출이 감소하고 수입이 증가한다.

01. **정답은 ⑤ 이야♡**
국제 거래의 특징에 대한 문제는 시험 1타니까 반드시 기억해!
각 나라에서 적용되는 법이 달라서 분쟁이 발생했을 때 해결이 쉽지 않단다! 알라븅~^^

02. **정답은 ③ 이야♡**
국제 거래는 전 세계를 대상으로 해서 시장의 규모가 매우 크~단다! 알라븅~^^
★오답설명
① 무역 마찰이 있어도 국제 거래는 지속적으로 증가하고 있어.
② 다국적 기업의 출현으로 점점 더 증가하고 있어.
④ 재화와 서비스의 이동이 국내 거래에 비해 자유롭지는 않아.
⑤ 최근에는 서비스, 자본, 노동의 거래 비중이 증가하고 있는 상황이야.

03. 정답은 ② 이야♡
세계화와 지역주의는 함께 움직이고 있어서 사라지는게 아니란다! 알라븅~^^

04. 정답은 ① 이야♡
이런 문제 스타일 시험에 잘 나오는데 어렵지는 않으니 내용을 잘 기억해줘! ㉠비교우위 ㉡특화 ㉢환율이 맞는 내용이야. 그래서 정답이 ①이야. 알라븅~^^

05. 정답은 ① 이야♡
국제 거래는 전 세계를 대상으로 하므로 국내 거래에 비해 규모가 큰 게 맞아. 국가마다 다른 생산 여건에 따른 생산비의 차이로 발생하는 것도 맞아. 그래서 ㄱ,ㄴ이 정답이야! 알라븅~^^

★오답설명
ㄷ. 국내 거래에 비해 상품 및 생산 요소의 이동에 제약이 많아.
ㄹ. 각국은 주로 비교우위가 있는 품목을 수출해서 경제적 이익을 추구하는거야.

06. 정답은 ④ 이야♡
국제 거래가 발생하는 이유는 국가마다 처한 환경이 다르고, 국가마다 생산 비용의 차이도 있기 때문이야. 그래서 나라마다 상대적으로 생산 비용이 적게 드는 상품을 특화하는 것이 유리해. 그래서 정답은 ㄱ,ㄴ,ㄹ이야. 알라븅~^^

★오답설명
ㄷ. 교역을 통해 나라들은 서로 다른 이익을 낼 수 있어!

07. 정답은 ⑤ 이야♡
㉠에 알맞은 내용은 국제 거래야! 국제 거래에 대한 내용을 잘 생각하고 풀면 완전 쉽겠지? 알라븅~^^

★부연설명
⑤교통과 정보 통신 기술의 발달로 긴밀하게 연결되면서 국제 거래는 더 편리해지고 있어.

08. 정답은 ② 이야♡
인터넷과 같은 정보 통신의 발달로 인하여 국가 간의 시·공간 장벽이 약화 되고 없어지고 있어! 잘 가슈~ 알라븅~^^

09. 정답은 ③ 이야♡
WTO는 이런 식으로 문제가 잘 나오니까 잘 기억하자! 설명하고 있는 내용은 WTO에 관한 내용이니 답 금방 나오지? 알라븅~^^

10. 정답은 ① 이야♡
FTA는 나라와 나라 사이에 관세를 철폐하고 무역하는 걸 말해! 그래서 국제 경쟁력이 약한 국내 산업은 보호하기 어려워. 알라븅~^^

11. 정답은 ③ 이야♡
딱 봐도 지역 경제 협력체에 대한 지도닷!
그런데 각종 교역 불공정 행위를 규제하고 무역 마찰을 조정하는 것은 WTO의 역할이지! 알라븅~^^

12. 정답은 ⑤ 이야♡
세계화에 대한 문제로 세계화의 특징을 잘 기억하면서 풀어보자!
세계화로 인해 외국인 노동자의 유입은 활발해져! 알라븅~^^

13. 정답은 ③ 이야♡
환율에 대한 그래프는 잘 기억해두면 좋아. 외화의 공급 곡선을 잘보면 외화 공급이 증가한 상황이야. 상품 수출이 증가하면 외화의 공급이 증가해. 외국인의 국내 여행이 증가하면 역시 외화의 공급이 증가하는게 맞아. 그래서 ㄴ,ㄷ이 맞는 내용이야. 알라븅~^^

★오답설명
ㄱ. 외채 상환은 외화의 수요를 증가시켜!
ㄹ. 외국으로 어학연수를 떠나는 우리나라 학생의 수가 증가하면 외화의 수요가 증가해.

14. 정답은 ① 이야♡
외화의 수요 그래프가 움직이는 상황이고 수요가 증가하고 있는 걸 나타내고 있어. 우리나라 기업이 운동화를 대량으로 수입하면 수요가 증가해. 해외로 여행을 떠나는 우리나라 사람들이 늘어나면 외화 수요가 증가하는 상황이야. 그래서 ㄱ,ㄴ이 맞는 내용이야. 알라븅~^^

★오답설명
ㄷ. 우리나라로 유학을 오는 외국인 학생의 수가 줄어들면 공급이 줄어드는 상황으로 수요와는 관련이 없어.
ㄹ. 경제가 어려워지면서 정부가 다른 나라로부터 자금을 빌리는 건 공급에 관련된 거야.

15. 정답은 ④ 이야♡
외화의 수요가 증가하는 경우를 고르면 되는거야. 외국 상품의 수입이 증가하거나, 우리 국민의 해외여행이 증가하면 수요가 증가하는게 맞아. 그래서 ㄴ,ㄹ이 정답이야. 알라븅~^^

★오답설명
ㄱ. 국내 상품의 수출이 증가하면 외화의 공급이 증가해.
ㄷ. 외국인의 국내 여행이 증가하면 외화의 공급이 증가해.

16. 정답은 ① 이야♡
한류 열풍으로 외국인 관광객과 외국인 유학생이 급증하면 외화의 공급이 팍! 올라가겠지? 알라븅~^^

★오답설명
② 코로나19로 인한 경제 위기로 외국인의 국내 투자가 줄어들면 공급이 감소해.
③ 전염병으로 인해 해외여행을 떠나려는 우리나라 국민이 감소하면 수요가 감소해.
④ 경제 위기로 수입품의 소비가 줄어들어 외국 상품의 수입이 감소하면 수요가 감소해.
⑤ 중국 금융 시장의 투자 수익률이 높아져 우리나라의 중국 투자가 증가하면 수요가 증가해.

17. 정답은 ⑤ 이야♡
외화의 수요와 공급에 해당하는 부분을 고르면 되는 문제야. (가)는 수요에 (나)는 공급에 해당하는 것끼리 연결된 것을 고르면 되는데 자국민의 해외여행은 수요에! 외국인의 국내 투자는 공급에 해당하니까 둘이 맞게 연결된 것은 ⑤이야. 알라븅~^^

18. 정답은 ③ 이야♡
환율의 하락! 즉 원화의 가치가 높아지고 외국돈의 가치는 떨어지는 경우를 고르면 되는 거야. 외화 수요의 감소, 외화 공급이 증가하는 상황이 되면 환율은 하락하지?ㅎㅎ 그래서 정답은 ㄴ,ㄷ이야.
알라븅~^^

19. 정답은 ② 이야♡
환율 변동이 우리 생활에 영향을 미치는 것이 바른 것을 고르면 되는 거야. 알라븅~^^

★오답설명
ㄹ. 환율이 하락하면 수입이 증가하고 외국인의 국내 관광이 감소할 수 있어.
ㅁ. 환율이 하락하면 외국 상품보다 우리나라 재화의 서비스 가격이 상대적으로 높아져.

20. 정답은 ⑤ 이야♡
환율이 오른 상황에 해당하니까 환율이 올랐을 때의 상황을 고르면 되는 문제야! 환율이 오르면 수입 원자재 가격의 상승으로 국내 물가가 상승해. 알라븅~^^

★오답설명
① 해외여행은 감소해.

② 우리나라 제품의 수출은 증가해.
③ 우리나라로 오는 외국인 관광객은 증가해.
④ 사고 싶은 수입품을 구입하는 부담은 증가해.

21. 정답은 ⑤ 이야♡
외화의 수요가 증가하고 있는 그래프야. 이때는 환율이 상승하는데 이때 유리해지는 사람을 고르면 되는거야. 외국으로 수출하는 사람과 외국에서 돈을 벌어 보내는 사람도 유리하니까! (다), (라)가 정답이지! 알라븅~^^

★오답설명
(가), (나)는 불리해지는 상황이야.

22. 정답은 ③ 이야♡
환율이 하락했을 때 상황에 해당하는 내용을 고르면 되는 문제야. 외국에서 번 돈을 한국으로 보내는 것은 불리해지는게 맞지!
알라븅~^^

★오답설명
① 채은 : 우리 정부의 해외 달러 차관 상환 부담은 줄어드는 거야.
② 미소 : 우리나라를 여행하는 외국인(미국) 여행객들은 불리해져.
④ 아정 : 미국에서 유학하고 있는 자녀를 둔 부모님의 부담은 작아지게 돼.
⑤ 예원 : 달러화로 결제하는 수입 원자재 가격의 상승으로 국내 물가는 안정돼.

23. 정답은 ② 이야♡
환율이 하락할 때 좋은 사람은 바나나 수입업자, 경유를 사용하는 트럭 운전수로 B,D가 해당되고, 환율이 하락할 때 싫어하는 사람은 반도체 수출업자, 한국으로 유학 온 미국인, 한국 부모님께 생활비를 드리는 미국 소재 기업 회사원으로 A,C,E가 여기에 해당해서 정답은 ②이야.
알라븅~^^

24. 해답 참고
환율 변동에 관한 내용을 파악하고 조건에 맞게 써보면 되는거야.
알라븅~^^

반복유형2차 정답

102쪽 ~ 105쪽

01.⑤ 02.⑤ 03.④ 04.② 05.⑤ 06.④ 07.⑤
08.② 09.⑤ 10.③ 11.④ 12.①
13.환율은 하락하고, 원화의 가치는 상승하며, 달러화의 가치는 하락한다.
14.② 15.③ 16.① 17.② 18.① 19.④

01. 정답은 ⑤ 이야♡
★부연설명
⑤ 정말 중요한 지문이야!! 국제 거래는 국내 거래보다 나라마다 법과 제도나 문화가 달라 자유롭지 못하다고 여러번 강조했지?^^ 이런식으로 시험에 잘 나온단다!! 국제 거래는 국내 거래보다 자유롭지 못해용! 꼭 기억행!! 알라븅~^^

02. 정답은 ⑤ 이야♡
★부연설명
⑤ 오늘날에는 상품의 거래 뿐만 아니라 노동, 자본, 생산 요소와 같은 거래의 비중이 증가하고 있단다!! 알쥐? ㅎㅎ 알라븅~^^

03. 정답은 ④ 이야♡
국제 거래를 하는 이유는 바로 각 나라가 처해져 있는 환경이 달라 비교 우위가 발생하기 때문이야! 그래서 정답은 ④ 비교 우위란다!!
알라븅~^^

04. 정답은 ② 이야♡
★오답설명
(나) 특화는 비교 우위가 있는 품목만 특별히 생산하는 것을 의미해:)
(라) 자유 무역 협정은 이름 그대로 자유하게 체결국끼리 무역 장벽을 약화하여 무역하는 것을 의미한단다. 알라븅~^^

05. 정답은 ⑤ 이야♡
★부연설명
⑤ 이건 정말 훼이크로 잘 나오는 지문이야!! 우리가 국제 거래를 할 때 모든 나라가 동일한 이익을 얻지 않는단다. 이익을 더 많이 얻는 나라도 있고 그렇지 않은 나라도 있엉!! :) 알라븅~^^

06. 정답은 ④ 이야♡
보기는 국제 거래에 대한 설명이얌!:)
★오답설명
① 국제 거래는 환율을 겁나 고려해!
② 국제 거래는 세계화에 따라 그 거래량이 점점 늘어나고 있단다:)
③ 예전에는 상품 중심의 거래였지만 요즘은 자본이나 노동과 같은 생산 요소의 거래가 증가하고 있엉!:)
⑤ 과거에는 자원이나 상품 위주의 거래였지만 요즘에는 문화 창작물, 특허권,기술의 거래 등이 증가하고 있단다. 알라븅~^^

07. 정답은 ⑤ 이야♡
선생님이 글을 볼 때 1995년에 세워진 국제 기구라는 단어가 나오면 WTO를 꼭 기억하라고했지? ㅎㅎ 알라븅~^^

08. 정답은 ② 이야♡
관세 및 비관세 장벽을 철폐한다는 단어가 키워드로 들어가 있으면 딱 떠올린다 무엇? 바로!! FT아일랜드 말고!! FTA!! 그래서 정답은 ②얌!!
알라븅~^^

09. 정답은 ⑤ 이야♡
선생님이 지리적으로 가까운 나라들끼리 구성했다는 키워드가 나오면 무엇이라고 했지? 바로 지역 경제 협력체!! 지역 경제 협력체는 갑,병, 정이 말한 것이 맞단다.
★오답설명
WTO는 1995년에 세워진 세계 무역 기구란다!! 알라븅~^^

10. 정답은 ③ 이야♡
외화의 공급이 늘어나 환율이 하락한 그래프야!
★오답설명
① 외화의 공급은 늘어났어:)
② 수요 그래프는 가만히 있기 때문에 외화의 수요가 증가했는지는 그래프 상으로는 알 수 없어:)
④ 그래프를 보면 외환 거래량이 증가했음을 알 수 있어:)
⑤ 외화의 공급이 늘었기 때문에 외화의 가치가 떨어지고 상대적으로 원화의 가치는 증가했단다! 알라븅~^^

11. 정답은 ④ 이야♡
그래프는 외화의 수요가 증가한 그래프란다:)
외화의 수요는 외화가 필요한 상황이니깐 우리가 해외에서 돈을 써야 하는 상황이지? 그렇다면 정답은 ④얌! 우리나라 사람들이 해외 여행 하면서 돈을 쓰려면 외화가 필요해!! 알라븅~^^

12. **정답은 ① 이야♡**

★오답설명

ㄷ. 외국인이 국내 투자를 하면 우리 나라에 외화가 흘러 들어오기 때문에 이것은 외화의 공급이야:)
ㄹ. 외국에서 수입하는 재화가 감소하면 그만큼 외화의 수요가 감소하는 것이란다:)
ㅁ. 외국으로 수출하는 재화가 증가하면 외국돈이 우리 나라로 흘러들어오기 때문에 외화의 공급이 증가되는 것이지~ 알라븅~^^

13. **해답 참고**

14. **정답은 ② 이야♡**

(가) 외화의 수요, (나) 외화의 공급
ㄱ. 해외 차관 상환 : 다른 나라에서 빌린 돈을 갚으려면 외화가 필요하니깐 외화의 수요!!
ㄴ. 해외 차관 도입 : 다른 나라에서 돈을 빌리면 우리 나라로 외화가 흘러들어오니깐 외화의 공급!!
ㄷ. 자국민의 외국 유학 : 외국에서 유학하려면 외화가 필요하니깐 외화의 수요!!
ㄹ. 외국인의 국내 투자 : 외국인이 우리나라에 투자를 해주면 외화가 들어오니깐 외화의 공급!!

15. **정답은 ③ 이야♡**

그래프는 외화의 공급이 증가했을 때야!:)

★오답설명

ㄱ,ㄹ은 외화의 수요 증가 요인이란다. 알라븅~^^

16. **정답은 ① 이야♡**

★오답설명

ㄷ. 환율이 상승했을 때 해외 여행이라니... 그리고 현금이 아니라 이럴때는 먼저 쓰고 나중에 갚는 신용 카드를 쓰는 것이 좋지!! 여하튼 환율이 올랐을 때 해외 여행 잘못하면 국제 거지 되는거야!!
ㄹ. 앞으로 환율이 오를거니깐, 오르기 전에 지금 당장 목재에 대한 대금을 지불해야 돼! 당장! 롸잇 나우! 알라븅~^^

17. **정답은 ② 이야♡**

★오답설명

환율이 상승하면 외화 가치는 올라가고 원화 가치는 떨어지기 때문에 외국에서 거주하거나 외국에 돈을 보내거나 외국 상품을 사야하는 경우에는 불리해져!!
그래서 ㄴ,ㄹ,ㅁ와 같은 사람들은 매우 불리하단다! 알라븅~^^

18. **정답은 ① 이야♡**

환율이 하락하면 외화 가치는 떨어지고, 원화 가치는 올라가기 때문에 상대적으로 외국의 상품이 우리 나라 상품보다 싸서 수입이 증가해!! 알라븅~^^

19. **정답은 ④ 이야♡**

그래프는 외화의 수요가 감소하는 경우야. 사실 이런 문제는 잘 안 나오지만 원리를 알면 풀 수 있기 때문에 우리 친구들이 원리를 잘 알고 있는지 아닌지를 파악하기 위해 문제를 냈단다! 잘 풀었니? 어쩌면 조금 어려웠을거 같아. 차근 차근 해보자:)
외화의 수요가 감소하면 환율은 감소한단다. 환율이 감소하면 외화의 가치가 떨어지고, 원화의 가치가 올라가기 때문에 ④와 같이 외국 상품에 비해 상대적으로 가격이 비싸져 있는 우리 나라 상품을 외국에 수출하는 사람은 불리할 수 밖에 없어. ㅠㅠ 알라븅~^^

Ⅵ 국제 사회와 국제 정치

1. 국제 사회의 이해~2. 국제 사회의 모습과 공존 노력

반복유형1차 정답

178쪽 ~ 181쪽

01.④	02.②	03.④	04.③	05.④	06.②	07.③
08.⑤	09.⑤	10.③	11.④	12.②	13.⑤	14.③
15.②	16.⑤	17.①	18.④	19.⑤	20.③	21.③
22.③						

01. **정답은 ④ 이야♡**

설명하고 있는 내용은 국제 사회에 대한 것이야. 알라븅~^^

02. **정답은 ② 이야♡**

국제 사회의 특징을 고르면 각국은 자국의 이익을 추구해서 ㄱ은 맞는 내용이고, 약육강식과 같은 힘의 논리가 작용하기 쉬워서 ㄴ도 맞는 내용, 국가 간 상호 의존성 증가로 국가 간 협력이 필요해. 그래서 맞는 내용은 ㄱ,ㄴ,ㄹ이야. 알라븅~^^

★오답설명

ㄷ. 어떤 국가가 국제법을 어겼을 때 제재하기 어려워.
ㅁ. 대립과 갈등을 조정하고 해결할 수 있는 중앙 정부는 없어.

03. **정답은 ④ 이야♡**

국제 사회에 관한 내용을 고르는 문제야.

★부연설명

④ 국가 간 갈등을 조정해 줄 수 있는 거대한 중앙 정부는 존재하지 않아. 알라븅~^^

04. **정답은 ③ 이야♡**

내용에서 알 수 있는 국제 사회의 모습은 자국의 이익을 더 중요하게 생각하는 부분이야. 그래서 정답은 ③이야. 알라븅~^^

05. **정답은 ④ 이야♡**

상임 이사국은 영향력이 더 있는 나라들이야. 그래서 이 부분이 나오면 힘의 논리가 작용하여 강대국이 더 많은 영향력을 행사한다는 것을 떠올리면 된단다! 알라븅~^^

06. **정답은 ② 이야♡**

국가 이외 행위 주체에 대해서 이해하면 풀 수 있는 문제야.

★부연설명

② 국가 내 지방 정부나 소수 민족도 국제 사회에서 행위 주체가 될 수 있어. 알라븅~^^

07. **정답은 ③ 이야♡**

다국적 기업, 국제기구, 국가에 관한 내용이 바르게 설명된 것을 찾으면 돼. 알라븅~^^

★부연설명

③ '국경 없는 의사회'는 국제비정부기구야.

08. 정답은 ⑤ 이야♡
국제비정부기구에 대한 문제야. 시험에 잘 나오는 부분이니까 잘 봐두자! 국제비정부기구에 속하는 것은 국경 없는 의사회이지! 알라븅~^^

★오답설명
① 애플은 다국적 기업이야.
② 대한민국은 국가야.
③ 국제연합(UN)은 정부간 국제기구야.
④ 세계무역기구(WTO)는 정부간 국제기구야.

09. 정답은 ⑤ 이야♡
핵무기 반대와 환경 보호를 목표로 하는 국제적인 기구는 그린피스야. 시험에 잘 나오는 기구니까 잊지말자! 알라븅~^^

10. 정답은 ③ 이야♡
이런 유형의 문제는 시험에 완죤 잘 나와!
(가)는 정부간 국제기구에 관한 내용이고 (나)는 국제비정부기구에 관한 부분이야. 두 기구가 바르게 연결된 것은 국제 연합, 국제사면위원회로 정답은 ③이야. 알라븅~^^

11. 정답은 ④ 이야♡
다국적 기업에 관한 내용으로 국제 경제뿐만 아니라 국제 정치에도 영향을 미치고 있어. 알라븅~^^

★오답설명
① 정부간 국제기구가 아닌 다국적 기업이야.
② 국제 사회에서 가장 기본이 되는 행위 주체는 국가야.
③ 해당 기업들의 수와 규모는 점차 증가해.
⑤ 국경을 초월한 이동성도 강하고 본사도 이전은 할 수 있어.

12. 정답은 ② 이야♡
정부간 국제기구 중에서 국제 연합에 관한 내용이야. 알라븅~^^

13. 정답은 ⑤ 이야♡
국제 사회의 경쟁과 갈등이 나타난 지문을 골라보자! 한국이 미국의 미사일 방어 시스템을 도입함에 따라 중국에 경제 보복을 당하는 내용과 일제강점기 강제징용 피해자에 대한 보상 문제로 한국에서 일본 불매운동이 일어나는 것은 갈등 그 자체지! 그래서 ㄷ, ㄹ이 정답이야. 알라븅~^^

★오답설명
ㄱ. 국제 연합이 난민 위기에 대해 인도주의적 지원을 강화하기로 합의하는 것은 협력의 모습이지!
ㄴ. 7개 선진국이 모인 G7 회의에서 코로나19 극복을 위해 힘을 합치기로 결의하는 것은 협력이야! 으쌰으쌰~

14. 정답은 ③ 이야♡
국제 사회의 문제 해결을 위해 전 세계가 협력해야 가능한 일들이야. 알라븅~^^

15. 정답은 ② 이야♡
지구 온난화를 막기 위해 협정을 체결하는 것은 협력의 모습이 맞아. 평화를 유지하기 위해 국제 연합 등을 통해 노력하는 것도 협력이야. 그래서 정답은 ㄱ,ㄷ이야. 알라븅~^^

★오답설명
ㄴ. 첨단 기술을 둘러싸고 기업 간 소송을 벌이는 것은 경쟁과 갈등이야.
ㄹ. 석유와 천연가스가 풍부한 지역에 관해 서로 영유권을 주장하는 것은 경쟁과 갈등이야.

16. 정답은 ⑤ 이야♡
쿠바 사태에 관한 내용으로 단절된 국교가 회복되는 것을 보여주고 있어. 알라븅~^^

★부연설명
⑤ 국가 간 갈등이 심화하면 항상 테러나 전쟁으로 이어지는 것은 아니야.

17. 정답은 ① 이야♡
남중국해의 영토 분쟁 문제로 영토나 자원을 둘러싼 갈등이 발생하는 내용이야! 알라븅~^^

18. 정답은 ④ 이야♡
외교 활동에 관한 내용에 대한 문제야.

★부연설명
④ 외교는 자국의 이익을 평화적 방법을 쓰는 것으로 무력을 통해 달성하려는 것은 외교가 아니야. 알라븅~^^

19. 정답은 ⑤ 이야♡
제시된 내용은 외교에 관한 내용이야.

★부연설명
⑤ 과거에는 안보, 정치, 군사를 중심으로 이뤄졌으나 오늘날은 경제, 문화 등 다양한 부분에서 이루어지고 있어. 알라븅~^^

20. 정답은 ③ 이야♡
오늘날에는 경제, 문화, 환경, 자원 등 외교 활동의 영역이 확대되고 있어. 알라븅~^^

★오답설명
① 국제 협력의 필요성만 증대되는 건 아니야.
② 국제기구가 각국의 행위를 엄격하게 규제할 수는 없어.
④ 외교는 전쟁이나 무력을 수단으로 활용하지 않아.
⑤ 국가 간 경쟁이 더욱 심화되어 차별, 억압, 테러 등이 나타나고 있는 것이 맞지만 외교와 관련된 내용은 아니야.

21. 정답은 ③ 이야♡
국제 사회 공존을 위한 노력으로 외교 활동을 통해 정치적, 경제적 이익을 실현하고 자국의 위상을 높일 수 있고, 오늘날 대부분 국가는 무력이 아닌 외교적인 노력을 통해 국제 사회의 공존을 추구하고 있어. 우리나라는 국가 안전 보장, 평화 통일을 위한 국제적 여건 조성 등을 목적으로 활발한 외교 활동을 펼치고 있어. 그래서 맞는 내용은 ㄱ, ㄷ, ㄹ이야. 알라븅~^^

★오답설명
ㄴ. 전통적인 외교 활동은 대사관이나 정부를 통해서 하는 것이 많았고, 민간차원 외교는 오늘날의 내용이야.

22. 정답은 ③ 이야♡
세계 시민의 자세로 적절한 것을 고르면 되는 문제야.
세계 빈곤 아동을 돕기 위해 신생아 모자뜨기에 동참하고, 질병을 앓는 아프리카 어린이를 돕기 위해 후원금을 내는 것도 맞는 일이야. 그래서 맞는 내용은 ㄴ,ㄷ이야. 알라븅~^^

★오답설명
ㄱ. 자국에 직접적인 영향을 끼치지 않는 일은 크게 신경쓰지 않는 건 세계 시민의 자세가 아니야.
ㄹ. 극단주의 세력에 가담하는 것은 세계 시민의 자세가 아니야.

반복유형2차 정답

111쪽 ~ 113쪽

01.② 02.⑤ 03.③ 04.② 05.④ 06.② 07.②
08.⑤ 09.⑤ 10.② 11.⑤ 12.① 13.④ 14.③
15.③ 16.②

01. 정답은 ② 이야♡
여러나라가 서로 교류하고 의존하면서 영향을 주고 받는 사회를 국제 사회라고해!! 이런 국제 사회에 대한 정의는 시험에 잘 나오니깐 꼭 기억해!! 알라븅~^^

02. 정답은 ⑤ 이야♡
★부연설명
⑤ 국제법은 강제력이 없어!! 그러므로 개별 국가를 강력하게 제재하여 분쟁을 해결 할 수 없단다. ㅠㅠ

03. 정답은 ③ 이야♡
첫 번째 보기의 쿠바와 미국은 서로 적대 관계였다 갑자기 협력 관계가 되었지!! 어떻게 이게 가능할까? 그것은 적대보다는 협력이 자국에 이익이 되기 때문이야!! 마찬가지로 두 번째 보기의 영국이 유럽 연합에서 탈퇴한것도 자국의 이익을 위해 탈퇴한 것이란다!! 그런 의미로 답은 ③이얌!! 알라븅~^^

04. 정답은 ② 이야♡
유엔 안전 보장 이사회의 상임 이사국이 의미하는 것은??!! 그건 겁나 쎈나라들의 모임이라는 것이야!! 이 나라들 중 한 나라라도 거부하면 유엔 안전 보장 이사회의 중요한 결의안이 무산되게 되지!! 이것이 의미하는 것은 그만큼 국제 사회는 쎈나라들!! 즉, 힘의 논리에 의해 움직여진다는 뜻이란다!! 알라븅~^^

05. 정답은 ④ 이야♡
★부연설명
④ 다국적 기업은 국제적인 규모로 상품을 생산하고 판매하기 때문에 국가 간 상호 의존성을 높이는 역할을 하고 있단다!! 알라븅~^^

06. 정답은 ② 이야♡
보기는 국제 비정부 기구에 대한 설명이야 :)
★오답설명
① 국제 비정부 기구는 정부가 아닌 개인이나 민간단체를 중심으로 한단다.
③ 국제 사회에서 독립적인 주권을 가지고 있는 것은 '국가'에 대한 설명이야! :)
④ '국가'에 대한 설명이야 :)
⑤ '다국적 기업'에 대한 설명이야:)

07. 정답은 ② 이야♡
(가) 정부간 국제 기구: 국제 연합,유럽 연합
(나) 국제 비정부 기구: 그린피스,국제 사면 위원회,국경 없는 의사회
그 외 영향력 있는 개인: 유명 기업인, 국제 연합 사무총장

08. 정답은 ⑤ 이야♡
8번 지문은 시험에 잘 나오는 지문으로 국경을 넘어 경영 활동을 하는 것은 다국적 기업에 대한 설명이란다!! 알라븅~^^

09. 정답은 ⑤ 이야♡
보기의 지카 바이러스와 같이 국제 사회의 문제는 국경을 넘어 발생하기 때문에 혼자 해결 할 수 없고 협력하여 해결해야한단다!!
알라븅~^^

10. 정답은 ② 이야♡
★오답설명
ㄴ.국제 협력은 다양한 분야에서 과거 정부 중심에서 오늘날에는 민간 단체의 비중이 커지고 있어!!
ㄷ. 국제법은 강제성이 없기 때문에 국제 문제를 해결하는데는 한계를 가지고 있어!!

11. 정답은 ⑤ 이야♡
미국과 쿠바의 사례는 시험에 잘나와! :) 국제 관계는 서로 이익이 되면 친선 관계, 불이익이 되면 적대 관계가 돼!! 즉, 자신들의 이익에 의해 협력 관계가 될 수도 있고,때로는 갈등 관계가 될수도 있다는 거야!!이러한 국제 관계를 자신들의 이익에 따라 충분히 바뀔 수 있어!! 그러므로 ⑤는 틀린 설명이야!! 알라븅~^^

12. 정답은 ① 이야♡
동아시아의 중요한 해상로이자 석유,천연 가스 등의 풍부한 자원을 가지고 중국,베트남,필리핀 등이 함께 분쟁을 하고 있는 지역은 남중국해얌!! :) 알라븅~^^

13. 정답은 ④ 이야♡
★오답설명
갑: 외교는 평화적으로 하는거야!! 절대 '무력'을 사용해서는 안돼!! 이것이 시험에 겁나 잘나와!!
병: 대사의 교환이나 정상 회담 뿐만 아니라 요즘에는 민간 차원에서도 외교를 활발히 하고 있어!! 그래서 이것을 틀린 말이얌!! :)
알라븅~^^

14. 정답은 ③ 이야♡
ㄱ.한 국가가 국제 사회에서 자국의 이익을 평화적으로 달성하기 위해 하는 활동을 '외교'라고 해! :)
ㄴ. 비정부 기구 등에서 자원 봉사 등을 통해 국제 문제 해결을 돕는 주체들은 '민간 외교 주체'란다:) 알라븅~^^

15. 정답은 ③ 이야♡
★오답설명
① 과거보다 오늘날 국제 협력의 필요성이 증가하고 있어!! :)
② 외교는 양자 택일의 문제가 아니라 자국의 이익과 세계 평화를 위해 잘 절충하는 것이 중요해!! :)
④ 국제 문제 해결은 국제 기구 뿐만 아니라 민간 단체나 개인을 통해서도 해결이 가능하단다!! 알라븅 :)
⑤ 과거에 안보를 중심으로 외교가 이루어졌다면 오늘날에는 경제, 정치,문화 등 다양한 분야를 중심으로 외교가 이루어지고 있단다!! 알라븅~^^

16. 정답은 ② 이야♡
(가)는 세계 시민 의식입니다.
★오답설명
② 열린 마음으로 세계의 다양한 문화를 바라보는 것은 좋지만 편견을 가지는 것은 잘못된 시선이란다!! 알라븅~^^

Ⅵ 국제 사회와 국제 정치

3. 우리나라의 국가 간 갈등 문제

반복유형1차 정답

186쪽 ~ 188쪽

01.② 02.① 03.③ 04.① 05.④ 06.③ 07.①

08.⑤ 09.①

10.(1) 일본이 ㉠ 독도에 대한 영유권을 주장하는 것은, ㉡ 독도의 해양 자원과 독도 주변의 군사적 거점을 확보하기 위해서이다.
(2) 중국은 ㉢영토 분쟁의 가능성을 방지하고, 소수 민족의 독립을 막기 위해 ㉣ 동북공정을 펼치고 있다.

11.① 12.⑤ 13.① 14.③

01. 정답은 ② 이야♡
우리나라와 일본 사이의 국가 간 분쟁에 대한 내용으로 (A)는 독도 (B)는 야스쿠니 (C)는 동해가 들어갈 수 있어. 알라븅~^^

02. 정답은 ① 이야♡
독도는 현재 우리나라가 실효적 지배 중인게 맞아. 알라븅~^^

★오답설명
② 일본이 독도를 분쟁 지역으로 선포하고 싶어해. 이 짜식들이!
③ 일본이 국제 사법 재판소를 통해 분쟁을 해결하려 하고 있어.
④ 독도가 한국 영토라는 일본의 역사 자료가 존재해.
⑤ 일본은 독도를 분쟁 지역으로 만들고 싶어해.

03. 정답은 ③ 이야♡
일본은 독도 영유권 주장 문제를 국제 사법 재판소를 통해 해결하려고 하고 있어. 알라븅~^^

04. 정답은 ① 이야♡
제시된 내용은 중국이 벌이고 있는 동북공정 사업에 관한 내용이야. 알라븅~^^

05. 정답은 ④ 이야♡
동북 3성의 지방 정부에 의하여 구체화하고 있는게 맞아, 한반도 통일 후에 발생할 수 있는 영토 분쟁에 대비하는 것도 맞는 부분이야. 우리나라의 역사를 고대 중국의 지방 정권으로 편입하려고 엄청 난리치고 있어! 그래서 정답은 ㄱ, ㄴ, ㄷ이야. 알라븅~^^

★오답설명
ㄹ. 1905년 시마네현 고시 제40호는 독도 문제에 관한 내용이야.

06. 정답은 ③ 이야♡

★오답설명
우리나라의 고구려, 발해의 역사를 중국사 속에 포함하려는 것이야. 백제, 신라 부분은 노노! 아님!. 알라븅~^^

07. 정답은 ① 이야♡
일본은 경제적, 군사적 이유로 독도 영유권을 주장하고 있어! 중국은 한반도 통일 후 영토 분쟁 가능성을 막고자 고구려, 발해를 중국의 역사로 만들려고 시도하고 있는 것도 맞아. 그래서 정답은 ㄱ, ㄴ이야. 알라븅~^^

★오답설명
ㄷ. 동북 공정 사업은 중국이 일방적으로 추진하고 있는거야.
ㄹ. 독도를 실효적으로 지배하기 위해 독도를 분쟁지역으로 인정하고 국제사법 재판소를 통해 해결하려고 준비하고 있는 것은 일본이야!

08. 정답은 ⑤ 이야♡
우리나라의 국가 간 갈등과 당사국이 바르게 연결된 것은 「직지심체요절」 문화재 반환 문제- 프랑스로 정답은 5번이야. 알라븅~^^

★오답설명
ㄱ. 동북 공정 문제- 중국
ㄴ. 독도 영유권 문제- 일본
ㄷ. '동해' 표기를 둘러싼 갈등- 일본

09. 정답은 ① 이야♡

★오답설명
남중국해 영유권 분쟁 문제는 중국과 필리핀, 베트남이 겪고 있는 문제야.

10. 해답 참고
우리나라가 겪고 있는 국가 간 갈등에 대한 내용을 정리하는 문제로 서술형으로 잘 나오니까 잘 정리해두자! 알라븅~^^

11. 정답은 ① 이야♡
동북공정 문제를 중국과 무력을 통한 전쟁으로 해결하려다간 다 죽어! ㅠㅠ 무력을 통한 해결은 옳지 않아! 알라븅~^^

12. 정답은 ⑤ 이야♡
국제사법재판소에 제소하여 독도를 분쟁 지역으로 만들려는 노력은 일본에서 겁나 추진하고 있어! 알라븅~^^

13. 정답은 ① 이야♡

★부연설명
정부의 체계적인 역사 연구 지원을 더 확대해야지! 중지하면 안된다잉? 알라븅~^^

14. 정답은 ③ 이야♡

★부연설명
군사력으로 해결한다는 말은 겁나 틀려! 무력이나 군사력을 통한 해결이 아닌 평화로운 방법으로 해야해. 알라븅~^^

반복유형2차 정답

117쪽 ~ 118쪽

01.② 02.④ 03.① 04.③ 05.④ 06.①

07.(가) 일본 (나) 중국 (다) 프랑스

08.⑤

01. 정답은 ② 이야♡

★오답설명
ㄴ,ㄹ은 모두 중국과 관련된 갈등이란다. 알라븅~^^

02. 정답은 ④ 이야♡

★오답설명

ㄱ.1905년에 우리나라 영토로 독도를 편입한 것이 아니라 일본의 영토로 강제 편입된 것이란다:)

ㄷ. 독도는 엄연히 우리나라의 영토이기 때문에 국제 사법 재판소에서 분쟁을 해결하면 안된단다:) 알라븅~^^

03. 정답은 ① 이야♡

중국은 북한 지역까지 만리장성이 뻗어있었다는 거짓 지도를 만들어 동북 공정을 진행하고 있단다. 동북 공정이란 고구려,발해,고조선의 역사가 중국 내 지방 정권이라고 중국이 구라를 치는 것을 의미한단다! ㅠㅠ 알라븅~^^

04. 정답은 ③ 이야♡

★부연설명

③ 동북 공정과 같은 역사 왜곡에 우리가 대응하는 자세는 역사적 사실에 대한 관심을 가지고 계속해서 홍보하고 소리내야 한단다!! 알라븅~^^

05. 정답은 ④ 이야♡

(가) 일본의 역사 교과서 왜곡 문제

(나) 중국의 동북공정

★오답설명

① 일본의 모든 시민들로부터 지지를 받는 것은 아니야^^

② 중국이 우리 나라를 돕는다기 보다는 우리 나라의 역사를 빼앗기 위해 고구려,고조선 등의 역사를 연구하는 모습이란다.

③ 중국은 동북 공정을 통해 각 소수 민족의 언어와 역사를 짓밟으려 하고 있어 ㅠㅠ

⑤ (가)는 우리나라와 일본, (나)는 우리나라와 중국 사이에 이어져 온 국가 갈등 문제야.ㅠㅠ 알라븅~^^

06. 정답은 ① 이야♡

★부연설명

① 남중국해 영유권 문제는 중국,필리핀,베트남 등이 서로 분쟁하는 곳이란다. 그러므로 우리나라의 분쟁과는 관련이 없어. 알라븅~^^

07. 해답 참고

08. 정답은 ⑤ 이야♡

★부연설명

⑤ 국가 간 갈등을 잘 해결하기 위해서는 시민 단체 활동을 더 적극적으로 할 수 있도록 정부가 지원해야 한단다. 정부의 활동 뿐만 아니라 시민단체나 개인의 활동도 국가 간 갈등을 해결하기 위해 너무나 중요하거든! 알라븅~^^

중등사회2 실전고사

정답과 해설

빡공시대 편찬위원회

중등사회2 실전고사 정답과 해설

I 인권과 헌법

정답 042쪽 ~ 044쪽

01.② 02.① 03.③ 04.③ 05.④ 06.④ 07.①
08.② 09.④ 10.④ 11.① 12.③ 13.⑤ 14.⑤
15.④

01. 정답은 ② 이얌^^

인권은 인간이 인간답게 살아가기 위해 마땅히 누려야 할 기본적인 권리를 말해! 그래서 ①성별, 나이, 피부색, 장애 유무 등과 상관없이 모든 사람이 동등하게 누릴 수 있는 보편적인 권리이며 다른 사람이나 국가 기관이 함부로 침해할 수 없는 불가침의 권리란다! ③누구에게도 속박당하지 않는 자유는 인권의 핵심 내용 중에 하나이지만 ④전쟁은 가장 기본적인 인권인 생명을 앗아간다는 점에서 최대의 인권 침해 현장으로 볼 수 있어!
인권 사상은 근대 시민혁명을 통해 성장하였는데 시민혁명을 경험한 나라들은 문서로 인권을 당당히 선언하였고 이 중에서 ⑤프랑스 혁명 과정에서 선포된 '인간과 시민의 권리 선언'은 다른 나라 헌법이나 인권을 규정하는데 큰 영향을 주었단다! 알라븅~^^

[오답정리]

② 인권은 국가의 법으로 정하기 이전부터 자연적으로 주어진 권리야!^^

02. 정답은 ① 이얌^^

인간이 인간답게 살아가기 위해 마땅히 누려야 할 기본적인 권리인 인권은 (가)인종, 성별, 신분 등을 뛰어넘어 모든 사람이 동등하게 누릴 수 있는 보편적인 권리이면서 (나)국가에서 법이나 제도로 보장하기 전부터 인간에게 자연적으로 주어진 권리인 자연권의 특성을 가졌단다! 모든 사람이라는 단어를 통해서 보편적인 권리, 법이나 제도로 보장하기 전부터라는 것을 통해서 자연권을 쉽게 찾을 수 있어!
알라븅~^^

[부연설명]

이외의 인권의 특징
- 천부인권: 인간이 태어나면서 가지는 것으로 하늘이 준 권리 (다른 사람에게 양도하거나 포기할 수 없음)
- 불가침의 권리: 다른 사람이나 국가 기관이 함부로 침해할 수 없는 권리

03. 정답은 ③ 이얌^^

①부당하게 차별받지 않을 권리는 평등권, ②국가의 의사를 결정하는 최고의 원동력이 국민에게 있다는 국민주권주의를 실현하기 위한 권리는 참정권, ④국민이 국가에 대하여 인간다운 생활을 보장하도록 요구할 수 있는 권리는 사회권, ⑤국민이 국가에 대하여 일정한 행위를 요구하거나 다른 기본권이 침해되거나 침해될 우려가 있을 때 이에 대한 구제를 요구하여 다른 기본권 보장을 위한 수단적 권리의 성격을 가진 것은 청구권이야!^^ 알라븅~^^

[오답정리]

③ 국가의 적극적 역할이 강조되는 권리는 사회권이야!^^

04. 정답은 ③ 이얌^^

①국민이 국가 기관에 대해 자신의 의견이나 희망을 문서로 제출할 수 있는 권리인 청원권, 헌법과 법률이 정한 법관에 의해 법률에 따른 재판을 받을 권리인 재판 청구권은 청구권, ②법률에 의하지 않고는 체포, 압수 등의 구속이나 수색을 받지 않을 권리인 신체의 자유와 표현의 자유 등 자유와 관련된 것은 자유권, ④국민이 국가에 대하여 인간다운 생활의 보장을 요구할 수 있는 권리와 일을 할 수 있는 근로의 권리는 사회권, ⑤성별과 종교, 신분에 따라 차별받지 않을 권리는 평등권이란다! 알라븅~^^

[오답정리]

③ 국민이 국가나 지방 자치 단체에서 일을 할 수 있는 권리인 공무담임권은 참정권, 교육 받을 권리는 사회권이야!^^

05. 정답은 ④ 이얌^^

국민의 모든 자유와 권리는 국가 안전 보장, 질서유지 또는 ①사회 구성원 전체에 공통되는 이익이나 복지를 위한 공공복리를 위하여 필요한 경우에 법률로써 제한하도록 하지만 제한하는 경우에도 자유와 권리의 본질적인 내용을 침해할 수 없단다! 이렇게 ②기본권 제한의 한계를 분명히 함으로써 ③국민의 기본권을 최대한 보장하고 ⑤국가 권력이 함부로 권력을 남용하여 국민의 기본권을 침해하지 못하도록 하기 위해서 기본권의 제한을 규정하고 있단다!
알라븅~^^

[오답정리]

④ 기본권을 언제 어디서나 무제한 보장하지 않고 국가 안전 보장, 질서 유지, 공공 복리 증진을 위해 필요한 경우에 한하여 법률로써 제한하여 보장하고 있어!^^

06. 정답은 ④ 이얌^^

다른 사람이나 단체 또는 국가 기관에 의하여 개인이 가지는 인권이 존중 받지 못하고 침해 받는 것을 인권 침해라고 해! 인권 침해는 ㄴ.일상 생활 전반에 걸쳐 다양한 형태로 나타날 수 있으며 ㄹ.인권 보장을 위한 법과 제도가 마련된 사회에서도 발생할 수 있단다!
알라븅~^^

[오답정리]

ㄱ.가정이나 학교에서도 인권 침해가 나타나!^^
ㄷ. 사람들의 고정 관념이나 편견 뿐만 아니라 사회의 잘못된 관습이나 불합리한 법과 제도 등에 영향을 받아 발생할 수 있어!^^

07. 정답은 ① 이얌^^

대학 입시에서 성적에 따라 합격자를 선발하는 것은 공정한 기준으로 선발하는 것이므로 인권 침해 사례로 볼 수 없단다!
알라븅~^^

[오답정리]

② 임신한 여성의 고용 계약을 해지한 것은 성별에 따른 차별로 평등권이 침해된 것이니 인권 침해에 해당 돼!^^
③ 대학생 성적 우수 국가 장학금에 예체능계만 제외하는 것은 평등권이 침해된 것으로 인권 침해 사례에 해당 돼!^^
④ 자격 시험 결과를 발표할 때 수험 번호와 이름을 함께 공개함으로써 원하지 않는 개인의 정보가 공개되는 것은 인권 침해 사례로 볼 수 있어!^^
⑤ 집안일을 하는 사람은 여성과 남성 모두 표현할 수 있는데 대부분 여성으로 표현한 것은 인권 침해 사례야!^^

08. 정답은 ② 이얌^^

헌법 소원 심판은 국가의 공권력이 국민의 기본권을 침해하였는지를 심판하는 것으로 법률에 정해진 다른 구제 절차를 모두 거친 후에도 구제 받지 못했을 때에 사용하는 최후 수단이란다! 그래서 정답은 ② 번이야! 알라븅~^^

09. 정답은 ④ 이얌^^

대학원에 다니는 A씨는 임신하여 휴학을 하고 싶었지만 휴학이라는 제도가 없어 학업을 포기해야만 했어! 즉, 국가 기관에 의해 인권 침해를 당하거나 회사 또는 단체 등에 의해 차별 등 인권 침해를 당한 사례에 해당하므로 국가 인권 위원회에 진정을 내면 이를 조사해서 권리를 구제받을 수 있단다! 그래서 정답은 ④번이야!
알라븅~^^

10. 정답은 ④ 이얌^^

(가)는 국민 권익 위원회야! 음식점 주인 A씨는 위조된 주민등록증으로 인해 영업정지 처분을 받게 되었으므로 행정 기관의 잘못된 처분으로 권리를 침해당한 국민이 행정심판을 제기하여 이를 조사해서 잘못된 행정 처분을 취소하고자 하는 것이므로 국민 권익 위원회에서 구제 받을 수 있어! 행정 처분 하면 국민 권익 위원회를 바로 떠올릴 수 있어야 해! 알라븅~^^

[오답정리]

① 근로자와 사용자 사이에 발생하는 분쟁을 조정하고, 부당 노동 행위 및 부당 해고를 구제하는 행정기관이 노동위원회야!^^
② 소비자의 권리가 침해되었을 때에 피해를 구제 받을 수 있도록 도와주는 곳이 한국소비자원이야!^^
③ 국가 기관에 의해 인권을 침해당하거나 회사 또는 단체 등에 의해 차별 등의 인권 침해를 당한 사람이 진정을 내면 이를 조사해서 권리를 구제하는 곳이 국가 인권 위원회야!^^
⑤ 잘못된 언론 보도로 피해를 보았을 때 손해 배상 등을 통해 피해를 구제 받을 수 있도록 도와 주는 곳이 언론 중재 위원회야!^^

11. 정답은 ① 이얌^^

근로자가 노동 조합 등의 단체를 만들 수 있는 권리는 ㉠단결권, 근로조건을 협의할 수 있는 것은 ㉡단체 교섭권, 교섭이 원만하게 이루어지지 않을 경우 쟁의 행위를 할 수 있는데 이것을 ㉢단체 행동권이라고 한단다! 그래서 순서대로 나열하면 정답은 ①번이야!! 알라븅~^^

12. 정답은 ③ 이얌^^

근로자의 권리인 근로권과 근로계약에 관한 문제는 정말 자주 출제되는 문제야! 특히 청소년과 관련된 근로 문제는 거의 매번 출제되는 문제이므로 자세히 알아두자! 청소년은 근로 계약을 할 경우 반드시 본인이 근로 계약서를 작성해야 해! 그래서 옳은 것을 찾으면 ③번이야!
알라븅~^^

[오답정리]

① 하루에 7시간, 일주일에 40시간 이상 일할 수 없어!^^
② 노래방이나 주점 등의 유해 업종의 일과 위험한 일은 할 수 없어!^^
④ 근로 중에 다친 경우 산업 재해 보상 보험으로 치료와 보상을 받을 수 있어!^^
⑤ 청소년은 성인과 같은 최저 임금을 받아!^^

13. 정답은 ⑤ 이얌^^

노동권이 침해되었을 경우 피해 당사자는 지방 노동 위원회와 중앙 노동 위원회에 불복시 법원에 행정 소송을 제기할 수 있단다! 그래서 정답은 ⑤번이야! 알라븅~^^

[오답정리]

① ㉠에는 근로자 뿐만 아니라 노동조합도 포함이 돼!^^
② ㉡에 들어갈 용어는 노동 위원회야!^^
③ ㉢에 들어갈 용어는 법원이야!^^
④ 피해당사자는 지방 노동 위원회에 3개월 이내 구제 신청을 하면 돼!^^

14. 정답은 ⑤ 이얌^^

노동권의 침해 사례는 정당한 이유 없이 해고하는 '부당해고'와 근로자가 노동조합에 가입하였다는 이유로 불이익을 주거나 노동조합과의 단체 교섭을 거부하는 등 정당한 노동 조합 활동을 방해하는 '부당 노동 행위'로 구분할 수 있는데 파업에 참여하였다는 이유로 상여금을 받지 못한 것은 부당노동행위에 해당하므로 정답은 ⑤번이야!
알라븅~^^

15. 정답은 ④ 이얌^^

사용자가 아르바이트가 끝났는데 회사 사정이 좋지 않다고 급여를 주지 않은 것은 임금을 제때 받지 못한 경우에 해당하므로 이때에는 ①사업자에 청구하거나 ②고용노동부에 진정을 제기하는 방법이 있어! 또, ③사용자를 상대로 민사 소송과 ⑤형사 소송을 할 수 있지만 행정 소송을 할 수는 없단다! 알라븅~^^

[오답정리]

④ 행정 소송은 행정 기관의 위법 처분에 대하여 법원에 그 처분의 취소나 변경을 요구하는 소송이야!^^

Ⅱ 헌법과 국가 기관

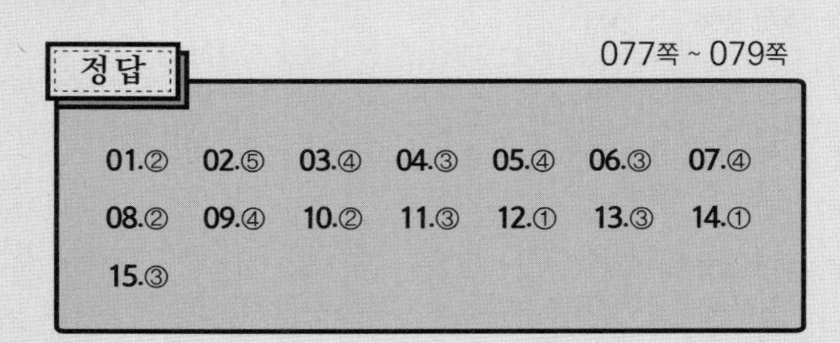

정답 077쪽 ~ 079쪽

01.②	02.⑤	03.④	04.③	05.④	06.③	07.④
08.②	09.④	10.②	11.③	12.①	13.③	14.①
15.③						

01. 정답은 ② 이얌^^

[오답정리]

② 법률안과 예산안 등을 최종적으로 결정하는 본회의는 정기회와 임시회로 구분할 수 있는데 이때 국회의 회의는 공개하는 것을 원칙으로 해!^^ 알라븅~^^

[부연설명]

- 정기회: 매년 1회 정기적으로 열리는 회의
- 임시회: 필요에 따라 수시로 열리는 회의로서 대통령이나 국회 재적 의원 1/4이상의 요구로 열림

02. 정답은 ⑤ 이얌^^

우리나라 국회의원은 각 지역구에서 최고 득표자로 선출된 국회의원인 지역구 국회의원과 ㉤각 정당의 득표율에 비례하여 국회의원 수가 배분되는 비례 대표의원으로 구성되어 있으며 ㉡국회의원의 임기는 4년으로, ㉣국회가 구성이 되면 의장 1명과 부의장 2명을 선출한단다! 알라븅~^^

[오답정리]

㉠ 우리나라는 상원과 하원으로 나눠있지 않은 단원제를 실시하고 있어!^^
㉢ 지역구 의원의 수가 비례 대표 의원의 수보다 많아!^^

03. 정답은 ④ 이얌^^

비례대표의원은 정당의 득표율에 비례하여 국회의원 수가 배분되기 때문에 소수 정당이 국회로 진출할 수 있는 기회가 되고 있어!
알라븅~^^

[오답정리]

① 정당별 득표율에 따라 선출되는 것은 A비례대표 국회의원이야!^^
② 지역구 의원의 수가 비례 대표 의원의 수보다 많으므로 B가 더 많아!^^
③ 유권자는 두 투표 용지에 모두 투표해!^^
⑤ 각 지역구에서 최고 득표자로 선출된 후보가 당선되는 것은 B야!^^

04. 정답은 ③ 이얌^^

국회의 입법에 관한 권한은 법률을 제정하고 개정하는 것과 ,㉤헌법 개정안 제안, 대통령이 체결한 조약에 대해 동의권을 행사하는 ㉣조약 체결 동의권 등이 해당된단다! 구체적인 사례를 주고 지문에 나타나는 국회의 권한에 대한 문제는 자주 출제되므로 국회의 권한을 정리하고 비교해서 알아두자! 꼭!! 알라븅~^^

05. 정답은 ④ 이얌^^

재정은 국가가 행정 활동을 하기 위해 필요한 재산을 조달하고 관리하고 사용하는 모든 경제 활동을 말하는 것으로 정부가 제출한 예산안을 심의하고 확정하는 예산안 심의.확정권과 정부가 예산을 제대로 집행하였는지 심사하는 결산심사권 등이 국회의 재정에 관한 권한이란다! 자료에 예산계획안과 예산안을 통해서 재정에 관한 권한임을 쉽게 찾을 수 있어! 알라븅~^^

06. 정답은 ③ 이얌^^

[오답정리]

대통령을 보좌하고, 대통령 부재 시 권한 대행을 맡으며 대통령의 명을 받아 행정 각부를 지휘하고 조정하는 것은 ㉠국무총리이고, 대통령 소속 기관이지만 독립적 지위를 갖고 모든 세입과 세출을 관리하며 행정기관과 공무원의 직무를 감찰하는 것은 ㉡감사원이란다! 알라븅~^^

07. 정답은 ④ 이얌^^

행정부의 ㉡국무총리는 대통령을 도와 행정 각부를 총괄하며, ㉣감사원은 정부의 예산 사용을 감독하고 행정부와 공무원의 업무 처리 등을 감찰한단다! 알라븅~^^

[오답정리]

㉠ 국무 회의는 정부의 권한에 속하는 주요 정책을 심의하는 곳이야!^^

㉢ 행정 각부의 장관은 국무위원 중에서 국무총리의 제청을 받아 대통령이 임명해!^^

[부연설명]

감찰은 공무원의 위법 행위를 조사해서 징계를 내리거나 수사 기관에 고발하는 것을 말해.

08. 정답은 ② 이얌^^

세금이 목적에 맞게 사용되고 있는지, 행정 기관과 공무원들이 직무를 바르게 수행하는지 감찰하는 곳은 감사원이야! 알라븅~^^

09. 정답은 ④ 이얌^^

[오답정리]

① 법률안을 제정 및 개정하는 곳은 국회야!^^
② 국가 예산안을 심의하고 확정하는 곳은 국회야!^^
③ 법을 해석하고 적용하여 옳고 그름을 밝히는 곳은 법원이야!^^
⑤ 국가 기관의 행위가 국민의 기본권을 침해하고 있는지 심판하는 곳은 헌법재판소야! 알라븅~^^

10. 정답은 ② 이얌^^

㉠ 국회에서 의결된 법률안에 대한 거부권 행사, ㉢ 국무 회의 의장으로서 청년 실업 문제 해결을 위한 대책을 논의하는 것은 행정부 수반으로서의 권한이고, ㉡비상 사태시 계엄령을 선포하거나 ㉣외교 관계 추진 등은 국가원수로서의 대통령의 권한이란다! 알라븅~^^

11. 정답은 ③ 이얌^^

㉮의 제도는 사법권의 독립이야! 사법권의 독립은 사법권의 독립을 통해서 공정한 재판을 실현하기 위해 재판이 외부의 간섭없이 독립적으로 이루어지는 제도란다! 알라븅~^^

12. 정답은 ① 이얌^^

특허법원은 특허 업무와 관련된 사건을 담당하는 법원으로 특허법원은 고등법원과 같은 동급이야! 그래서 1심에서 패소할 경우 다음은 대법원에 상고를 한단다! 알라븅~^^

13. 정답은 ③ 이얌^^

(가)는 대법원, (나)는 특허법원, (다)는 지방법원이야! 그래서 (나)의 특허법원은 특허권 침해 여부를 판단하는 역할을 한단다! 알라븅~^^

[오답정리]

① (가)는 대법원으로 형사재판과 민사재판을 가장 마지막에 맡는 곳이야!^^
② 국회에서 만든 법률이 헌법에 위배되는지 판단하는 역할을 하는 것은 헌법재판소야!^^
④ 사법권의 최고 기관은 대법원으로 (다)야!^^
⑤ 공공질서 유지를 위해 계엄을 선포할 수 있는 것은 대통령이야!^^

14. 정답은 ① 이얌^^

[오답정리]

① 법관은 대법관 회의의 동의를 얻어 대법원장이 임명하고, 임기를 10년으로 연임할 수 있어! 알라븅~^^

15. 정답은 ③ 이얌^^

ㄱ.(가)는 입법부, (나)는 행정부, (다)는 사법부로서 ㄹ.서로 권력을 나누어 맡아 서로 견제할 수 있는 권리를 부여하여 국가 권력의 남용을 막고 국민의 기본권을 보장할 수 있도록 하고 있단다! 알라븅~^^

[오답정리]

ㄴ. 법을 제정하는 것는 (가)의 입법부이고, 법을 적용하는 것은 (다)의 사법부야!
ㄷ. 법을 만드는 것은 (가)의 입법부이고 법을 집행하는 기관이 (나)의 행정부야!^^

Ⅲ 경제 생활과 선택

정답 106쪽 ~ 108쪽

01.① 02.② 03.② 04.④ 05.① 06.④ 07.②
08.⑤ 09.③ 10.① 11.② 12.①

01. 정답은 ① 이얌^^

(가)의 김○○씨는 지하철이라는 교통시설을 이용하여 출근하는 것을 통해 지하철을 사용하는 소비에 해당이 되고, (나)의 김○○씨는 직원들과 아이디어 회의라는 재화나 서비스를 만들고 있으므로 생산에 해당이 된단다! 그래서 (가)는 소비, (나)는 생산이므로 정답은 ①번이야! 알라븅~^^

02. 정답은 ② 이얌^^

(가)는 가계, (나)는 기업, (다)는 정부로서 정부는 국방, 치안, 도로, 교육 등을 생산하므로 정답은 ②번이야! 알라븅~^^

[오답정리]

① 생산요소를 제공하고 소득을 얻는 것은 (가)가계야!^^
③ 상품의 생산, 판매를 통해 이윤을 얻는 것은 (나)기업이야!^^

④ 소득으로 소비 활동을 하고 세금을 납부하는 것은 (가)가계야!^^
⑤ 생산의 주체로 생산을 통해 사회에 기여하는 것은 (나)기업이야!^^

03. 정답은 ② 이얌^^

자료는 선택의 문제에 대해서 설명하고 있어! 선택의 문제는 희소성 때문에 선택의 문제가 발생하는 것으로 희소성은 인간의 욕구에 비해 자원의 양이 부족할 경우 희소성이 발생한단다! 그래서 정답은 ②번이야! 알라븅~^^

04. 정답은 ④ 이얌^^

기회비용은 어떤 것을 선택함으로써 포기하는 것들 중에서 가장 가치가 큰 것을 기회비용이라고 해! 그래서 공부에 대한 기회비용은 25,000원, 운동에 대한 기회비용은 30,000원, 독서에 대한 기회비용은 30,000원이야! ㄴ.운동과 독서 선택을 할 경우 기회비용은 둘 다 30,000원이므로 같고, ㄹ. 운동 선택에 대한 기회비용이 30,000원, 공부에 대한 기회비용은 25,000원이므로 운동 선택에 따른 기회비용이 5,000원이 더 많으므로 옳은 것을 찾으면 ㄴ,ㄹ이야! 그래서 정답은 ④!! 알라븅~^^

[오답정리]

ㄱ.편익은 선택을 한 것으로 운동은 20,000원, 독서는 25,000원으로 둘의 편익은 달라!^^
ㄷ.공부 선택에 대한 편익은 30,000원, 독서 선택에 대한 편익은 25,000원이므로 5,000원이 더 커!^^

05. 정답은 ① 이얌^^

(가)는 시장 경제 체제, (나)는 계획 경제 체제로서 시장 경제 체제에서 자원이 더욱 효율적으로 배분되므로 정답은 ①번이야!
알라븅~^^

[오답정리]

② 사회 전체의 이익을 중시하는 것은 (나)야!^^
③ (나)의 계획 경제 체제에서는 개인이 노력한 만큼 소득을 얻지 못하기 때문에 효율성이 저하된다는 단점이 있어!^^
④ 오늘날 대부분의 국가는 혼합 경제 체제를 운영하고 있어!^^
⑤ 부와 소득의 불평등 완화를 목표로 하는 것은 (나)야!^^

06. 정답은 ④ 이얌^^

이것은 기업가 정신이야! 기업가 정신은 미래의 불확실성과 높은 위험속에서도 장래를 예측하여 혁신하는 기업가의 주요 임무를 기업가 정신이라고 해! 이때 기업가 정신은 곧 '혁신'을 의미한다는 것 잊지 않았지? 알라븅~^^

07. 정답은 ② 이얌^^

[오답정리]

불공정한 거래는 공정한 경쟁을 저해할 우려가 있는 겁나 씨빠빠룰라 같은 행위야! 정말 해서는 안되는 행위이기 때문에 불공정한 거래를 위해 노력할 것이 아니라 줄여야 해! 알라븅~^^

08. 정답은 ⑤ 이얌^^

(가)는 소득<소비의 시기이고, (나)는 소득>소비의 시기로 (나)는 미래의 소비를 위해서 저축이 가능한 영역이란다! 그래서 (나)의 시기에 노후 대비 등을 위해 소비를 줄이고 저축을 해야 해!
알라븅~^^

[오답정리]

① 유소년기에는 주로 부모의 소득에 의존하고 노년기에는 소득이 크게 줄거나 없어져 모아 둔 돈으로 여생을 보내야 해!
② 장년기의 수입이 노년기의 수입보다 많아!
③ (가)는 소득<소비의 시기야!
④ 실선은 소득 곡선, 점선은 소비 곡선이야!

09. 정답은 ③ 이얌^^

예금은 이자 수익은 낮지만 안전성이 높고 필요할 때 현금으로 쉽게 바꿀 수 있는 유동성이 크단다! 주식은 예금에 비해 수익이 높지만 투자한 원금을 잃을 위험성이 크지! 부동산은 다른 자산보다 거래하는데 시간이 많이 걸리기 때문에 유동성이 떨어진단다! 그래서 ㉠은 안전성, ㉡은 유동성, ㉢은 수익성, ㉣은 위험성이란다! 수익성은 투자한 원금으로부터 수익이 발생하는 정도를 말하는 것이므로 정답은 ③이야! 알라븅~^^

[오답정리]

① 안전성은 펀드보다 예금이 더욱 높아!
② 유동성은 보험보다 예금이 더욱 높아!
④ 자산을 쉽게 현금화할 수 있는 정도를 말하는 것은 유동성이야!
⑤ 합리적인 투자라면 위험성이 낮은 것에 투자하는 것이 좋아!

10. 정답은 ① 이얌^^

채권은 정부와 기업 등이 일정한 이자를 지급할 것을 약속하고 돈을 빌리면서 발행하는 증서로 채권도 가격이 계속 변화할 수 있단다! 예를 들어 10,000원에 산 채권이 시간이 지나 15,000원이 되면 5,000원의 시세 차익이 발생하므로 정답은 ①이야! 알라븅~^^

11. 정답은 ② 이얌^^

금융기관에 이자 등을 목적으로 맡겨 찾는 예금으로 안전성이 높은데 비해 수익성이 낮은 것은 적금이고, 주식회사가 자본금 마련을 위해 발행하고 있는 증서는 주식이란다! 그래서 정답은 ②번이야!
알라븅~^^

12. 정답은 ① 이얌^^

은행에서 대출을 받고 나중에 대가를 지불할 것을 약속하고 할부를 이용하여 물건을 구매하거나 휴대폰 등의 현재 상품을 이용하고 이후에 청구된 휴대 전화 요금을 내는 것은 신용이란다! 신용은 당장 현금이 없더라도 상품을 구매할 수 있어서 현재의 소득보다 많은 소비를 할 수 있지만 미래에 갚아야 할 빚이 늘어나거나 충동구매와 과소비의 우려가 있어! 상품 대금을 연체하여 신용을 잃으면 정상 경제 생활이 어려워지므로 연체하지 않도록 주의해야 하는 거 알지?
알라븅~^^

Ⅳ 시장 경제와 가격

정답 130쪽 ~ 132쪽

01.④ 02.④ 03.① 04.③ 05.③ 06.① 07.④
08.④ 09.①
10.시장 가격은 자원을 효율적으로 배분한다.

01. 정답은 ④ 이얌^^

[오답정리]

④ 시장을 통해 자원이 효율적으로 배분될 수는 있지만 빈부격차가 해결될 수는 없단다! 오히려 시장경제체제에서는 빈부격차가 커진다는 단점이 있어. 알라븅~^^

02. 정답은 ④ 이얌^^

눈에 보이지 않는 시장은 내가 직접 눈으로 보고 물건을 만져보고 살 수 없는 시장을 말해! ㄴ.주식시장과 ㄹ.전자 상거래 등은 직접 물건을 만져보고 거래하는 곳이 아니므로 눈에 보이지 않는 시장이란다! 이게 눈에 보이면~알쥐? 바로 안과가자!! 알라븅~^^

03. 정답은 ① 이얌^^

[오답정리]

ㄷ. 공급은 물건을 팔고자 하는 것이고 공급자가 물건을 판매하고자 하는 양이 공급량이야! 그럼 공급자는 물건을 비싸게 팔고 싶겠지? 그래야 이익이 많이 생기니까! 그래서 재화의 가격이 하락하면 공급량은 감소한단다!

ㄹ. 시장에 재화나 서비스를 제공하는 것은 공급이야! 수요는 일정한 가격에 어떤 상품을 구매하고자 하는 욕구란다! 알라븅~^^

04. 정답은 ③ 이얌^^

[오답정리]

ㄱ. 500원일 때 공급량은 3만개야!

ㄹ. 700원일 때 공급량은 9만개, 500원일 때 공급량은 3만개로 700원일 때 3배가 돼! 알라븅~^^

05. 정답은 ③ 이얌^^

가격이 1000원일 때, 수요는 40만개, 공급은 20만개가 되므로 수요량이 공급량보다 20만개 더 많아! 알라븅~^^

[오답정리]

① 가격이 1000원일 때 공급량은 20만개야!
② 수요와 공급이 일치하는 1500원에 균형가격이 결정돼!
④ 가격이 1500원 일 경우 공급량이 30만개이고 1000원 일 경우 공급량이 20만개로 공급량은 10만개가 감소해!
⑤ 가격이 1500원 일 경우 공급량이 30만개, 2000원일 경우 공급량이 40만개로 10만개 공급량이 증가해!

06. 정답은 ① 이얌^^

화살표의 방향이 오른쪽으로 이동하였으면 증가이고 반대로 왼쪽으로 이동하였으면 감소야! 자료의 수요 곡선이 오른쪽으로 이동하였으니 수요의 증가 원인을 찾으면 돼! 소득이 증가하면 물건을 많이 구매할 수 있는 능력이 높아지니 수요 곡선이 오른쪽으로 이동한단다! 알라븅~^^

[오답정리]

②, ③, ④는 공급 감소의 요인이야!
⑤는 공급 증가의 요인이야!

07. 정답은 ④ 이얌^^

①, ②는 공급 증가, ③은 미래 가격이 오르면 공급은 증가, 미래 가격이 내려간다고 예측이 되면 공급은 감소해! ⑤원자재의 가격이 오르면 공급은 감소하고 원자재의 가격이 내리면 공급은 증가한단다! 알라븅~^^

[오답정리]

④ 소비자의 취향과 선호도는 수요와 관련 있어!

08. 정답은 ④ 이얌^^

공급 곡선이 오른쪽으로 이동하였으므로 공급의 증가야! 공기 청정기를 생산하는 기업이 늘어나면 공급은 증가하고, 기술 향상으로 필터 가격이 인하되면 더욱 많이 생산될 수 있으므로 공급이 증가한단다! 알라븅~^^

[오답정리]

ㄱ은 수요의 증가, ㄷ은 수요의 감소 요인이야!^^

09. 정답은 ① 이얌^^

바나나 맛 초콜릿 과자의 선호도가 급증하여 ☆☆데이에도 바나나 맛 초콜릿 과자를 선물하려는 사람이 늘고 있다는 것은 바나나 맛 초콜릿 과자를 사려는 사람이 많아진다는 것이지! 그럼 바나나 맛 초콜릿 과자를 사려는 욕구가 늘어난 것이므로 수요의 증가 곡선을 찾아야 해! 그래서 정답은 ①!! 알라븅~^^

10. 해답 참고

V 국민 경제와 국제 거래

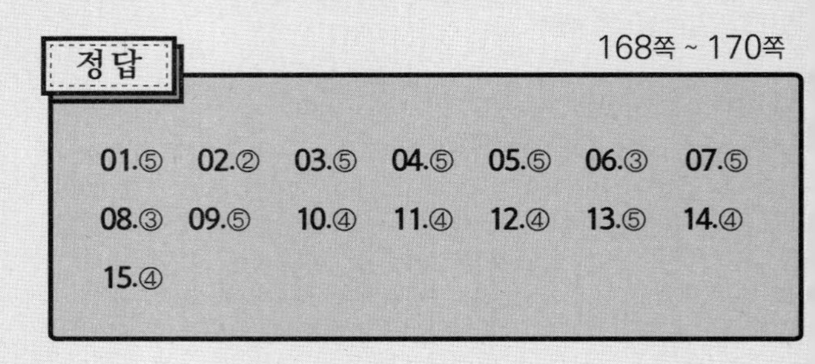

정답 168쪽 ~ 170쪽

01.⑤ 02.② 03.⑤ 04.⑤ 05.⑤ 06.③ 07.⑤
08.③ 09.⑤ 10.④ 11.④ 12.④ 13.⑤ 14.④
15.④

01. 정답은 ⑤ 이얌^^

국내 총생산은 일정 기간 동안 한 나라 안에서 새롭게 생산된 최종 생산물의 가치를 시장 가격으로 환산한 것을 말한단다! 그래서 정답은 ⑤!! 알라븅~^^

[오답정리]

① 생산과정에서 중간재는 제외하고 최종 생산물의 가치를 시장 가격으로 환산한 것이야!
②, ③ 소득 분배 수준이나 빈부 격차의 정도를 알기 어려워!
④ 생산자의 국적과 관계없이 그 나라 국경 안에서 생산된 것만 포함돼! 즉 외국에서 생산 활동을 하면 우리나라 국내 총생산에 포함되지 않아!

02. 정답은 ② 이얌^^

[오답정리]

㉡ 최종 생산물인 빵은 국내 총생산에 들어가지만 중간재인 밀가루는 포함되지 않아!!
㉢ 봉사활동 같이 시장에서 거래되지 않는 경제활동은 포함되지 않아!! 알라븅~^^

03. 정답은 ⑤ 이얌^^

[오답정리]

㉢ 가사 노동, 봉사 활동 등 시장에서 거래되지 않는 경제 활동은 포함되지 않아!!
㉣ 환경 오염 등으로 인한 피해를 반영하지 않아 국민의 삶의 질 수준을 파악하기 어려워!! 알라븅~^^

04. 정답은 ⑤ 이얌^^

[오답정리]

㉠ 경제 성장 과정에서 자원 고갈 및 환경 오염이 발생하기 때문에 이 문제를 해결하기는 어려워!
㉡ 경제 활동 시간이 늘어날수록 여가 시간이 줄어들지! 그래서 삶의 균형이 깨지게 돼! 알라븅~^^

05. 정답은 ⑤ 이얌^^

[오답정리]

㉠ 경제가 성장한다고 해서 반드시 삶의 질이 향상되는 것은 아니야! 경제 성장의 혜택이 일부 계층에 편중되면 오히려 빈부 격차가 심화되고 계층간의 갈등이 커질 수 있지!
㉡ 경제가 성장하면 일반적인 소득 수준은 높아질 수 있어! 이런 문제는 정말 읽어보면 쉽게 풀 수 있는 문제니까 절대 틀리지 말자!! 알라븅~^^

06. 정답은 ③ 이얌^^
시장에서 거래되는 여러 상품의 가격을 종합하여 평균한 (가)는 물가이고, 정부는 물가의 움직임을 한눈에 알아볼 수 있도록 (나)물가지수를 작성하고 있단다! 그래서 (가)는 물가, (나)는 물가지수이므로 정답은 ③이야! 알라븅~^^

07. 정답은 ⑤ 이얌^^
물가가 상승하게 되는 원인으로는 총수요>총공급, 생산비의 상승, 통화량의 증가 등이 원인이 된단다! 그래서 정답은 ⑤번이야! 물가가 상승하게 되는 원인은 문제가 자주 출제되므로 위의 3가지 경우를 꼭 기억해두자! 알라븅~^^

08. 정답은 ③ 이얌^^
㉠은 인플레이션이야! 인플레이션이 발생하면 외국 상품에 비해 자국 상품의 가격이 상대적으로 비싸지게 돼!
그러면 수출은 감소하고 수입은 증가하게 된단다! 또 화폐의 가치는 하락하는 반면에 상대적으로 실물자산의 가치가 상승하게 되면서 부동산 등에 투기할 가능성이 높아! 그래서 정답은 ㄴ과 ㄷ이므로 정답은 ③!! 알라븅~^^

[오답정리]
ㄱ.은행 예금자가 아니라 실물 자산을 보유한 사람이 유리해!^^
ㄹ.돈을 빌린 사람은 유리하고 돈을 빌려준 사람은 불리해!^^

09. 정답은 ⑤ 이얌^^
인플레이션이 발생하면 화폐 가치는 하락하는 반면에 실물 자산의 가치는 상승하게 되면서 ㄴ.돈을 빌린 채무자, ㄹ.외국 상품에 비해 우리나라의 상품이 상대적으로 비싸지기 때문에 수입업자, ㅂ.실물 자산을 소유한 사람들이 유리하단다! 알라븅~^^

10. 정답은 ④ 이얌^^
경제 상황이 나빠지면서 기업이 신규 채용을 줄이거나 고용 인원을 줄이면서 발생하는 실업은 ㉠경기적 실업, 더 나은 일자리를 구하기 위해 일시적으로 실업 상태가 되는 것을 ㉡마찰적 실업이라고 해!
알라븅~^^

11. 정답은 ④ 이얌^^
[오답정리]
나라마다 법과 제도가 달라서 수입이 금지되거나 제한되는 등 상품이나 생산 요소의 이동이 국내에 비해서 자유롭지는 못하지만 교통과 통신의 발달로 국제 거래의 규모가 증가하고 있으며 거래 대상도 재화 중심에서 서비스, 자본, 노동에 이르기까지 다양해지고 있단다!
알라븅~^^

12. 정답은 ④ 이얌^^
그래프를 보면 환율은 상승하였고 수요는 오른쪽으로 그래프가 움직였으므로 수요가 증가했다는 것을 알 수 있어! 그러므로 ㄴ.외국에서 빌려 온 빚을 갚거나 ㄹ.우리 나라 사람의 해외 여행이 늘어날 경우 수요가 늘면서 환율이 상승하게 되는 거란다!
알라븅~^^

[오답정리]
ㄱ.외국인이 국내 투자를 하거나 ㄷ.외국으로 재화나 서비스를 수출하는 것은 외화의 공급과 관련된거야!

13. 정답은 ⑤ 이얌^^
원/달러 환율이 1000원에서 1100원으로 상승하면 1달러를 살때에 100원을 더 지급해야 해! 이것은 그만큼 우리나라의 원화 가치가 하락했다는 것을 알 수 있지! 이럴 경우 해외 여행을 하면 더욱 많은 경비가 들기 때문에 우리나라 국민의 해외 여행이 줄어들게 된단다!
알라븅~^^

[오답정리]
①수입은 감소, ②환율은 상승, ③외채 상환 부담은 증가,
④외국인 관광객 수는 증가할 수 있어!

14. 정답은 ④ 이얌^^
그래프를 보면 환율이 오르고 있지? 환율이 오르면 ㄴ.우리나라를 여행하는 미국인 관광객과 ㄹ. 국산 자동차를 미국으로 수출하는 기업 사장은 기존보다 더 많은 금액을 벌게 되는 것이므로 유리하게 돼!
알라븅~^^

[오답정리]
ㄱ. 미국에서 유학을 하는 한국인 유학생과 ㄷ.미국산 고기를 요리해서 판매하는 식당 주인은 더욱 많은 비용이 들게 되므로 불리해져!

15. 정답은 ④ 이얌^^
환율이 하락하면 원화의 가치가 상승하므로 같은 금액으로 기존보다 더 많은 금액을 환전할 수 있게 돼! 그래서 ㄴ.한달간 해외 여행을 떠날 우리나라 학생과 ㄹ.외국으로 유학을 떠난 자녀에게 생활비를 보내주는 부모님들은 유리하게 된단다! 알라븅~^^

[오답정리]
ㄱ.외화로 표시되는 우리나라 상품의 가격이 상승하므로 외국으로 핸드폰을 수출하는 업체 사장은 불리해!
ㄷ.외국인 관광객을 안내하는 국내 관광 가이드는 환율이 하락하면 그만큼 원화의 가치 상승으로 오히려 경제적으로 불리해!

VI 국제 사회와 국제 정치

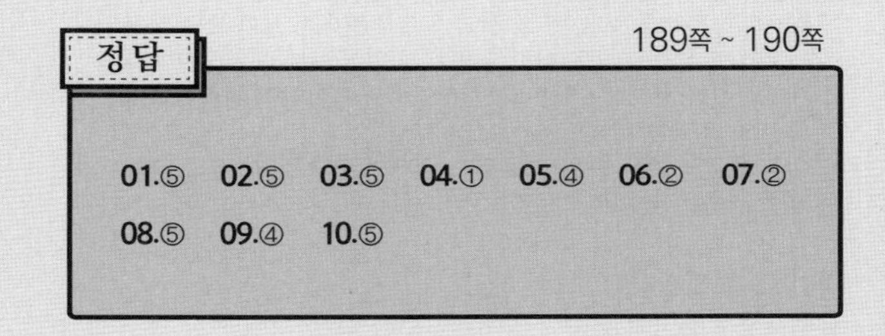
정답

189쪽 ~ 190쪽

01.⑤ 02.⑤ 03.⑤ 04.① 05.④ 06.② 07.②
08.⑤ 09.④ 10.⑤

01. 정답은 ⑤ 이얌^^
국가를 강제할 권위와 힘을 가진 중앙정부가 존재하지 않기 때문에 국가 간 분쟁이 일어날 경우 해결이 어렵단다! 그래서 국가 간 경쟁은 더욱 치열해지고 다양한 분야로 확대되고 있으므로 국제 협력을 통해 해결해야 해! 알라븅~^^

02. 정답은 ⑤ 이얌^^
그린피스는 개인이나 민간 단체를 회원으로 하는 국제 기구이므로 국제 비정부 기구에 속해! 그래서 정답은 ⑤!! 알라븅~^^

03. 정답은 ⑤ 이얌^^
국제 비정부 기구에는 그린피스, 국경 없는 의사회, 국제 사면 위원회 등이 있어! 알라븅~^^

[오답정리]
① 개인과 민간 단체를 회원으로 하는 것은 국제 비정부 기구야!^^
② 각국 정부를 회원으로 하는 국제 기구는 정부 간 국제 기구야!^^
③ 평화유지와 국제협력 증진을 위한 국제연합은 정부간 국제 기구야!^^
④ 국제연합아동기금과 국제연합난민기구는 국제적십자사에 속한 것이 아니라 국제연합에 속해있어!^^

04. 정답은 ① 이얌^^
[오답정리]

각국이 자국의 이익을 더 추구하고자 하는 것은 국제 사회의 특성이지 국제 사회 협력의 필요성이 아니야! 오늘날 국제 문제는 특정 국가의 노력만으로 국제 문제를 해결하기 어렵기 때문에 국제 협력을 통해서 해결해야 한단다! 알라븅~^^

05. 정답은 ④ 이얌^^

[오답정리]

오늘날의 국제 문제는 국경을 초월하여 발생하며 전 세계에 걸쳐 영향을 미치게 돼! 그래서 모든 분쟁을 해결하기는 어렵기 때문에 국제 협력을 통해 해결해야 하는거야!! 알라븅~^^

06. 정답은 ② 이얌^^

[오답정리]

② 어선 불법 조업 문제는 일본이 아니라 중국과의 갈등 사례야! 중국은 우리나라의 배타적 경제 수역을 침범하여 불법 조업을 하면서 해양 자원을 둘러싼 갈등을 일으키고 있단다! 알라븅~^^

07. 정답은 ② 이얌^^

일본은 1905년 시마네현 고시 제40호를 통해 독도를 불법 편입한 이후로 영유권을 주장하고 있단다! 알라븅~^^

[오답정리]

① 태정관 지령은 일본 메이지 정부의 최고 행정기관이었던 태정관에서 1877년 울릉도와 독도는 일본과 관계 없다는 것을 밝힌 지령이야!

③ 1693년 일본 어민의 울릉도 도해를 둘러싸고 조선과의 외교 분쟁이 발생하자 1695년 일본 에도 막부는 돗토리번에 울릉도가 돗토리번에 속하는지 문서를 보냈어! 그 결과 돗토리번에서 울릉도와 독도가 일본의 영토가 아님을 밝힌 답변서가 일본 돗토리번 답변서야!

④ 샌프란시스코 강화조약은 1951년 일본과 연합국이 체결한 조약으로 일본의 주권이 회복되었던 조약이야!

⑤ 일본의 영역에서 울릉도와 독도가 제외된다고 규정한 것이 연합군 최고사령관 각서야!

08. 정답은 ⑤ 이얌^^

동북공정은 중국의 동북 변경 지역의 역사와 현상에 관한 연구 과제라는 뜻으로 중국의 동북 3성 지역의 역사 연구를 의미해! 현재 중국의 영토안에 속하는 과거사는 모두 중국사라고 주장하는 얼토당토않는 소리를 하고 있지! 그래서 우리나라의 고조선, 고구려, 발해 역사를 중국의 역사로 포함하며 왜곡하고 있는데 이것은 중국 내 소수민족의 이탈을 방지하고 현재의 영토를 확고히 하기 위해서야! 그렇다고 남의 나라 역사를 자기 나라 역사로 만드는 짓을 하는 것은 안될 일이지!! 정말 씨빠빠룰라야! 알라븅~^^

09. 정답은 ④ 이얌^^

[부연설명]

④ 일본의 영역에서 울릉도와 독도가 제외된다고 규정한 것이 연합군 최고 사령관 각서란다! 알라븅~^^

10. 정답은 ⑤ 이얌^^

[부연설명]

⑤ 우리나라와 주변국과의 갈등을 해결하기 위해서 개인은 국가와 학계가 체계적으로 대응할 수 있도록 자발적이고 꾸준한 관심을 가지고 국가나 시민 사회의 노력에 적극적으로 참여해야 해!